Fü Lydia zum 18. Feb..
von Papa

rororo film
Herausgegeben von Ludwig Moos

Filme zu «sehen» ist leicht. Da sie Wirklichkeit nachahmen, findet jeder Zugang zu ihrer Oberfläche. Filme zu verstehen ist schwierig. Denn sie erzählen in ihrer eigenen Sprache, die zu entschlüsseln ein geschultes Auge verlangt. Je mehr einer über Filme weiß, desto mehr teilen sie ihm mit. Film ist Ware – Produkt einer Filmindustrie, die zur Bestätigung des Vorhandenen neigt. Film ist Kunst – geschaffen von Filmemachern, die die Wirklichkeit in Frage stellen und die Phantasie zu ihrer Veränderung freisetzen. Film ist Technik – ein kompliziertes Instrumentarium, dessen Handhabung die filmische Erzählweise bestimmt. Filmgeschichte vollzieht sich in der Dialektik von Gegensätzen – im Produktionsprozeß selbst wie in der Wechselwirkung von Filmästhetik und Gesellschaft.

Film verstehen schlüsselt alle Aspekte des Mediums und ihre Beziehung zueinander auf. Anschaulichkeit der Vermittlung, Sorgfalt der Bebilderung und Klarheit der Argumentation machen selbst schwierige Sachverhalte – wie Filmtechnik oder Semiotik des Films – ohne Vorkenntnisse zugänglich. Bereits die erste Ausgabe wurde von Filmkritikern gefeiert: «James Monacos neues Buch, dessen Untertitel nichts weniger verspricht als ‹Kunst, Technik, Sprache, Geschichte und Theorie des Films›, hat einen ziemlich atemberaubenden Anspruch. Aber es löst ihn ein... *Film verstehen* scheint mir das beste Einzelwerk seiner Art... das eine Buch zum Thema, das man als Anfang oder Kern einer Filmbibliothek kaufen sollte» (Richard Gilman in «American Film», September 1977). Mittlerweile ist *Film verstehen* international ein Klassiker. Die Neuausgabe wurde vollständig überarbeitet und bezieht die neuesten Entwicklungen in den elektronischen und interaktiven Medien mit ein.

James Monaco hat eine Reihe weiterer Bücher zum Film und den Medien geschrieben oder herausgegeben, darunter *The Connoisseur's Guide to the Movies* (Facts on File 1985), *American Film Now* (Oxford University Press 1984), *Who's Who in American Film Now* (New York Zoetrope 1987), *The Movie Guide* (Putnam, Virgin 1992) und *The Encyclopedia of Film* (Putnam, Virgin 1991). Mit Baseline, Leonard Maltin und anderen hat er die Texte für Microsofts epochemachende Film-CD-ROM *Cinemania* bereitgestellt. Monaco hat über viele Jahre Artikel, Kritiken und Erzählungen in «New York Times», «The Village Voice», «American Film» veröffentlicht und war Mitherausgeber von «More», «Cineaste» und «Take One». Er ist gegenwärtig Fakultätsmitglied der New School for Social Research, New York. Als Leiter von UNET ist er aktiv in allen Bereichen des elektronischen Publizierens. Auch von *Film verstehen* wird eine multimediale Version auf CD-ROM erscheinen.

James Monaco

Film verstehen

Kunst, Technik, Sprache, Geschichte und Theorie des Films und der Medien
Mit einer Einführung in Multimedia

Mit Grafiken von David Lindroth

Deutsche Fassung herausgegeben
von Hans-Michael Bock
Übersetzt von Brigitte Westermeier
und Robert Wohlleben

Rowohlt

Deutsche Erstausgabe
Die Originalausgabe erschien 1977, 1980 und 1995 unter dem Titel
«How to Read a Film» bei Oxford University Press, London/New York

Überarbeitete und erweiterte Neuausgabe (Juli 1995)
87.–91. Tausend November 1997

Veröffentlicht im Rowohlt Taschenbuch Verlag GmbH,
Reinbek bei Hamburg, November 1980

Umschlaggestaltung ŸpsArt
Layout Stefan Kopanski
Gesetzt aus der Minion und Franklin Gothic auf
Apple Macintosh, QuarkXPress 3.31
Lithos von Grafische Werkstatt Christian Kreher, Hoisdorf
Gesamtherstellung Clausen & Bosse, Leck
Printed in Germany
2990-ISBN 3 499 60576 7

Inhalt

Vorwort 8

1. Film als Kunst 15

Das Wesen der Kunst 16

Wie man Kunst betrachten kann 22

Das Spektrum der Abstraktion 22

Formen des Diskurses 25

Die Produktionsbeziehungen 26

Film, Aufzeichnung und die anderen Künste 37

Film, Fotografie und Malerei 37

Film und Roman 45

Film und Theater 49

Film und Musik 53

Film und die Umwelt-Künste 58

Die Struktur der Kunst 61

2. Filmtechnik: Bild und Ton 65

Kunst und Technik 66

Die Bildtechnik 67

Die Tontechnik 71

Das Objektiv 75

Die Kamera 86

Das Filmmaterial 99

Negative, Kopien und Generationen 100

Bildformat 103

Filmkorn, Filmformate, Filmempfindlichkeit 109

Farbe, Kontrast und Tonwert 113

Der Filmton 122

Post-Production 127

Filmschnitt 129
Tonmischung 131
Spezialeffekte und Trickaufnahmen 132
Optische Effekte und das Labor 140
Video und Film 143
Die Projektion 146

3. Filmsprache: Zeichen und Syntax 151
Zeichen 152
Die Physiologie der Wahrnehmung 156
Denotative und konnotative Bedeutung 162
Syntax 176
Codes 180
Mise en Scène 185
Der Ton 215
Die Montage 218

4. Filmgeschichte: Ein Überblick 229
Kino: Die Ökonomie 235
Film: Die Politik 259
Cinéma: Die Ästhetik 282
Das Entstehen einer Kunst: Lumière gegen Méliès 282
Der Stummfilm: Realismus gegen Expressionismus 290
Hollywood und Europa: Genre gegen Auteur 298
Neorealismus und die Folgen: Hollywood gegen die Welt 310
Die Nouvelle Vague und das neue Kino: Kommunikation vor Unterhaltung 328
Die Achtziger und danach: Demokratie und Technologie – das Ende des Films 376

5. Filmtheorie: Form und Funktion 399
Der Dichter und der Philosoph: Lindsay und Münsterberg 405
Expressionismus und Realismus: Arnheim und Kracauer 409
Montage: Pudovkin, Eisenstein, Balázs und der Formalismus 416
Mise en Scène: Neorealismus, Bazin und Godard 423
Der Film spricht und handelt: Metz und die zeitgenössische Theorie 433

6. Die Medien: Film im Kontext der Kommunikation 443
Printmedien und elektronische Medien 447
Die Technologie der mechanischen und elektronischen Medien 456

Radio und Schallplatten 475
Fernsehen und Video 479
TV: Kunst und Kommerz 481
TV: Die virtuelle Familie 486

7. Multimedia 495
Die digitale Revolution 498
Der Mythos Multimedia 512
Der Mythos der virtuellen Realität 522
Der Mythos des Cyberspace 529
Was tun? 534

Anhang I: Fachbegriffe 539

Anhang II: Lektüre zum Film 583

Anhang III: Register 637
Register der Filmtitel 638
Personenregister 651

Vorwort

Ist es wirklich notwendig zu lernen, wie man einen Film versteht? Offensichtlich kann jeder, der nur ein wenig intelligent und mehr als vier Jahre alt ist, den Inhalt von Filmen, Schallplatten, Rundfunk und Fernsehen – mehr oder weniger – ohne besondere Ausbildung in den Grundzügen verstehen. Doch gerade weil die Medien die Realität so genau nachbilden, nehmen wir sie eher auf, als daß wir sie verarbeiten. Film und elektronische Medien haben in den letzten achtzig Jahren die Art, wie wir die Welt – und uns selbst – sehen, drastisch verändert; dennoch akzeptieren wir die Unmengen an Information, mit denen sie uns überhäufen, ohne zu fragen, wie sie uns vermitteln, was sie uns vermitteln. *Film verstehen* ist ein Versuch, diesen höchst wichtigen Prozeß – auf mehreren Ebenen – verständlich zu machen.

Zunächst sind Film und Fernsehen ganz allgemein Kommunikationsmedien. Bestimmte interessante Grundregeln der Wahrnehmung liegen ihnen zugrunde; Teil 3 «Filmsprache: Zeichen und Syntax» untersucht eine Anzahl dieser Regeln. Auf einer höheren Ebene ist Film eindeutig eine vollentwickelte Kunst – wahrscheinlich die wichtigste Kunst des zwanzigsten Jahrhunderts – mit einer ziemlich komplexen Geschichte ihrer Theorie und Praxis. Teil 1 «Film als Kunst» versucht, den Film in das Spektrum der traditionellen Künste einzuordnen; Teil 4 «Filmgeschichte» stellt in knappster Form die Entwicklung der Filmindustrie und -kunst dar; Teil 5 «Filmtheorie: Form und Funktion» untersucht einige der wichtigsten Modelle der letzten 75 Jahre.

Film ist ein Medium und eine Kunst, doch zugleich auch eine einzigartige technische Unternehmung. Teil 2 «Filmtechnik: Bild und Ton» ist – so hoffe ich – eine verständliche Erläuterung der fesselnden Wissenschaft vom Film.

Wie aus diesem Abriß deutlich wird, ist die Struktur von *Film verstehen* eher global als linear. In jedem der fünf Teile soll ein wenig erklärt werden, wie Film auf uns psychologisch wirkt, wie er uns politisch beeinflußt. Doch diese beiden Zentralfragen können von sehr verschiedenen Standpunkten angegangen werden. Da für die meisten Film zunächst eine Kunst ist, beginne ich mit diesem Aspekt. Da es schwierig ist zu verstehen, wie die Kunst sich entwickelt hat, ohne einige Grundkenntnisse der Technik zu besitzen, schließt sich die Erläuterung der Filmtechnik direkt an. Haben wir die Technik verstanden, können wir entdecken, wie Film als Sprache funktioniert (Teil 3). Da die Praxis der Theorie vorausgeht (oder vorausgehen sollte), kommt die Geschichte der Filmindustrie und -kunst (Teil 4) vor ihrer Intellektualisierung (Teil 5). Teil 6 betrachtet den Film im weiteren Zusammenhang der modernen Medien.

Diese Anordnung scheint mir die logischste, doch der Leser kann ebensogut mit der Geschichte oder Theorie, mit der Sprache oder Technik beginnen; und das Buch ist tatsächlich so angelegt, daß die Teile unabhängig voneinander, in beliebiger Reihenfolge gelesen werden können. (Daraus folgt eine kleine Zahl von Wiederholungen, für die ich um Nachsicht bitte.) Ich bitte ebenfalls zu bedenken, daß in Büchern dieser Art die Tendenz besteht, komplexe Phänomene festzuschreiben anstatt sie zu beschreiben. Auf den folgenden Seiten werden Hunderte analytischer Ansätze diskutiert, und ich bitte den Leser, sie als eben dies – als Ansätze, analytische Mittel – zu verstehen und nicht als feststehende Regeln. Die Beschäftigung mit dem Film ist gerade deshalb so fesselnd, weil alles im Fluß ist. Ich hoffe, daß *Film verstehen* ein Buch ist, das man diskutieren, angreifen und *benutzen* kann. Bei jedem Versuch, etwas zu verstehen, sind die Fragen oft wichtiger als die Antworten.

Film verstehen ist das Ergebnis von zehn Jahren, in denen ich über Film und Medien nachgedacht, geschrieben und geredet habe. Nachdem ich versucht habe, ein paar Ideen über Film und Fernsehen niederzuschreiben, beeindruckt mich die Anzahl der Fragen, die noch zu beantworten bleiben. Der Anhang II macht den Umfang der Arbeit deutlich, die (vor allem in den letzten zehn Jahren) schon geleistet wurde; doch es bleibt noch viel zu tun. Hätte ich in *Film verstehen* all das Material verwandt, das ich ursprünglich ins Auge gefaßt hatte, so hätte das Buch enzyklopädische Ausmaße erreicht; in der jetzigen Form ist es eine zwar umfängliche, doch zugleich knappe Einführung. Meiner Meinung nach muß Film mehr und mehr im allgemeinen Kontext der Medien gesehen werden – ich würde sogar so weit gehen, vorzuschlagen, Film lediglich als eine Stufe der immer sich weiterentwickelnden Geschichte der Kommunikationsmittel aufzufassen.

Noch ein paar Anmerkungen: Bibliographische Informationen, soweit sie nicht in Fußnoten berücksichtigt sind, finden sich in den jeweiligen Abteilungen des Anhangs II. Die Filmtitel sind im Original angegeben, deutsche Verleihtitel sind durch das Register der Filmtitel zu erschließen. In den Fällen, wo die Fotos Standvergrößerungen aus der Filmkopie wiedergeben, ist dies in der Bildunterschrift angegeben; in den meisten anderen Fällen handelt es sich um Werbefotos, so daß man geringe Abweichungen vom eigentlichen Filmbild vermuten muß.

Ich bin vielen, die mir in verschiedener Hinsicht halfen, Dank schuldig. *Film verstehen* wäre nie geschrieben worden ohne die unschätzbaren Erfahrungen, die ich als Filmdozent an der New School for Social Research machen konnte. Ich danke Allen Austill für diese Möglichkeit, Reuben Abel für sein Vertrauen in einen jungen Lehrer im Jahre 1967 und Wallis Osterholz für ihre unermüdliche Ermunterung und so notwendige Unterstützung. Ich bin besonders meinen Studenten an der New School (und der City University of New York) dankbar, die mir, wenn sie es vielleicht auch nicht wissen, mindestens ebensoviel gaben, wie ich ihnen geben konnte.

Meine Zusammenarbeit mit der Oxford University Press war ein besonderer Glücksfall. John Wright hat zu dem möglichen Erfolg dieses Buches mit Intelligenz, Köpfchen und Humor Unermeßliches beigetragen. Ellen Royer half, aus einem vielleicht lebendigen, sicherlich jedoch auswuchernden und hilfsbedürftigen Manuskript ein Buch zu machen. Ellie Fuchs, Jean Shapiro und James Raimes sind mir bei Oxford eine dauernde verläßliche Quelle. Ihnen allen gebührt mein herzlicher Dank.

David Lindroth hat mehr als drei Dutzend Schaubilder gezeichnet, die, meiner Meinung nach, entscheidend zur besseren Verständlichkeit beitragen. Ich glaube, sie sind ähnlichen Illustrationen dieser Art eindeutig überlegen. David hat nicht nur meine Kritzeleien in sinnvolle Entwürfe umgesetzt, sondern er trug beträchtlich zur Entwicklung dieser Entwürfe bei. Sein Anteil war unschätzbar.

Dudley Andrew und David Bombyk lasen das Manuskript und gaben strenge und detaillierte Kommentare, die enorm hilfreich waren. Ich möchte ebenso Kent R. Brown, Paul C. Hillery, Timothy J. Lyons und Sreekumar Menon für ihre Lektüre und Kritik am Manuskript danken.

William K. Everson, Eileen M. Krest und mein Bruder Robert Monaco trugen wertvolle Informationen bei, die mir selbst entgangen wären, ebenso Jerome Agel, Stellar Bennett (NET), Ursula Deren (BBC), Kozu Hiramatsu (Sony), Cal Hotchkiss (Kodak), Terry Maguire (FCC), Joe Medjuck (Universität Toronto), Alan Schneider (Juilliard) und Sarah Warner (I.E.E.E.). Vielen Dank.

Jacques Charrière (*l'Avant-Scène*), Mary Corliss (Museum of Modern Art Film Stills Archive), Penelope Houston (*Sight and Sound*) und Marc Wanamaker (Bison Archive) waren bei der Bebilderung besonders behilflich. Shimon Ben Dor (Cameramart), Kent Carroll (Grove Press), Martha Coolidge, Helen Garfinkle (Darien House), Paul Hillery, Jane Iandola (Philadelphia Museum of Art), Jean-Marie Lavalou, Peter Lebensold (*Take One*), Pat Lyons (New American Library), Rita Myers (Museum of Modern Art), Joe Riccuiti (NBC), Lonnie Schlein (*New York Times*), Catherine Verret (French Film Office). Und Frederick Wiseman stellte freundlicherweise Fotos zur Verfügung, ebenso Allen Frumkin Gallery, Andy Warhol Enterprises, BBC, CBS, Farrar, Straus & Giroux, Films Inc., Granada Television, International Museum of Photography / George Eastman House, MGM, NET, New York Public Library, Paramount, Scientific American Inc., W. Steenbeck & Co., David

Susskind, Time-Life Picture Agency, United Artists, Universal Pictures und Warner Bros. Dank ihnen allen.

Marc Fürstenberg, Claudia Gorbman, Annette Insdorf, Bruce Kewin und Clay Steinman machten, neben anderen, wertvolle Vorschläge für die Revision dieses Buches.

Penelope Huston von *Sight and Sound* und Peter Lebensold von *Take One* erlaubten mir großzügig, Material zu verwenden, das ursprünglich in ihren Zeitschriften publiziert war. Virginia Barber, meine Agentin, ermöglichte es mir finanziell, dieses lang dauernde Projekt zu beenden.

Schließlich danke ich meiner Frau, Susan Schenker, die das Manuskript las und kritisierte, Schwierigkeiten mit mir diskutierte, mir beim Schreiben des Anhangs half, und für vieles andere mehr. (Danksagungen geben die wahren Gefühle nur ungenau wieder.)

New York City *J. M.*
Januar 1977
Juni 1980

Vorwort zur Neuausgabe

Aus diesen und jenen Gründen sind fünfzehn Jahre hingegangen, seit *Film verstehen* in zweiter amerikanischer und erster deutscher Ausgabe erschien. In dieser Zeit erschien zwar eine gehörige Zahl guter Filme (und einiges an kompetenter Literatur), aber es gab keine bedeutendere Entwicklung, die unsere Sicht des Mediums und seiner Geschichte entscheidend verändert hätte. Stellt man eine Liste der wichtigen Filmemacher zur Mitte der siebziger Jahre auf, kann sie – mit nur wenigen Zusätzen und Streichungen – sehr wohl auch als Liste der maßgebenden Künstler zur Mitte der neunziger Jahre dienen. Und so hat das Buch sich gut gehalten.

Aber in den letzten fünfzehn Jahren hat sich die ganze Welt verändert. Der technologische Wandel ist unübersehbar. Die Mikrocomputer-Revolution hat die Kultur- und Wirtschaftsgeschichte der achtziger und neunziger Jahre tiefgreifend geprägt. Die Art, wie wir heute Text, Bild und Ton verarbeiten, ist radikal anders als vor zwanzig Jahren. Die Art, in der wir Filme konsumieren, hat sich fast ebenso stark verändert. In den siebziger Jahren organisierten Cineasten ihr Leben um die Programmzeiten der Filmkunstkinos herum und fuhren ohne weiteres meilenweit, um die Vorführung eines seltenen Films nicht zu verpassen. Heute hat selbst in den abgelegensten Orten der Videoladen vier- oder fünftausend Titel auf Lager, und die TV-Sender überbieten sich mit ihrem Angebot an Spielfilmen.

Bei all diesem Wandel werden die Historiker der Zukunft es immer noch schwer haben, deutliche Veränderungen in der Filmkultur zwischen den siebziger und neunziger Jahren festzustellen. Wir konsumieren das Produkt vielleicht anders. Unsere kollektive Stimmung hat sich vielleicht beträchtlich verdüstert. Aber das läßt sich kaum erkennen, wenn man die Filme ansieht.

Diese Neuausgabe wurde nicht nur um einen Multimedia-Teil erweitert, sondern von vornherein als Multimedia-Produktion konzipiert. Irgendwann 1992 schlug William Becker beim Lunch eine CD-ROM-Version des Buches vor. Das war eine dieser äußerst naheliegenden Ideen, auf die ich nie gekommen war. Wie denn sonst könnte man ein Buch über Film und Medien gestalten? Kein Wunder, daß ich nie mit der dritten Ausgabe zu Rande gekommen war – sie wartete auf das neue Medium. Bill Becker hatte zusammen mit Saul Turell bis Ende der siebziger Jahre die Janus Films zu einem führenden Unternehmen in der Filmkultur ausgebaut. 1985 trennten sie sich von den meisten Sparten ihres Geschäfts und investierten sofort und mit großer Voraussicht einen Teil des Erlöses in ein Zukunftsmedium: Sie stiegen als Partner in die Voyager Company von Bob und Aleen Stein ein, damals führend im Videodisc-Geschäft – und bald darauf auch Pionier im Multimedia-Bereich.

Im Frühjahr 1993 begann ich schließlich mit der Arbeit an der Revision. Das Sechsmonatsprojekt zog sich zwei Jahre hin, als wir mehr und mehr Möglichkeiten für spannende Multimedia-Ausfächerungen des Basistextes entdeckten. Die Filme, Zusatztexte und gewaltig erweiterte Gelegenheit zu illustrierenden Standvergrößerungen lagen von Anfang an auf der Hand. Aber mit dem Fortschreiten des Projektes erkannten wir die Wichtigkeit praktischer Erprobung und verliebten uns in die Möglichkeiten, den Text mit Verfasseranmerkungen zu kommentieren. Als Autor, der immer viel zu gern Fußnoten und Parenthesen benutzt, wurde ich von dieser Möglichkeit unwiderstehlich in den Bann gezogen. Zu den Schwierigkeiten beim Schreiben über Film gehörte es immer, daß man nicht über dieselben Mittel verfügt wie die Leute, über die man schreibt. Multimedia stellt das Gleichgewicht her. Jetzt können wir ebensowohl vorführen wie erzählen.

Die erste amerikanische Ausgabe von *How to Read a Film* schrieb ich auf meiner 1962 gekauften elektrischen Smith-Corona-Schreibmaschine, auf der ich als freier Autor in den Siebzigern wohl anderthalb Millionen Wörter getippt hatte. Ich habe das Buch noch einmal auf einem Power Book 160 geschrieben, wobei ich von Dateien ausging, die beim Computersatz für die zweite Ausgabe entstanden waren. Das Erlebnis war faszinierend. Die Werkzeuge der Schriftsteller – wie diejenigen der Maler – können sich deutlich auf das Werk auswirken. Die Romane von Henry James verdoppelten und verdreifachten sich in der Länge, als er erst einmal genug verdiente, um von der Niederschrift per Hand auf das Diktieren umzusteigen. Ernest Hemingway schrieb mit dem Bleistift und im Stehen; man spürt es in seiner Prosa. Der Hauptvorteil der Textverarbeitungs-Software ist die Möglichkeit, mühelos zu ändern. Als ich mich durch die fünfzehn Jahre alten Sätze hindurcharbeitete, merkte ich sofort, wie sehr das Handwerk sich verändert hatte. In der alten Prosa erkannte ich immer mehr Leerlauf. Wendungen, Nebensätze, manchmal auch ganze Sätze waren nur da, um die Zeit zu füllen, den Rhythmus beizubehalten, während ich an der Formulierung dessen getüftelt hatte, was mir vorschwebte. Das ist eine Funktion des Maschineschreibens. Viele von diesen Füllseln habe ich beseitigt.

Es war auch lehrreich, die Absätze in Annäherung an die Schrift, in der sie im Buch erscheinen, auf dem Bildschirm sehen zu können. Man sieht Probleme, die im doppelzeiligen Typoskript nicht ins Auge fallen. Die bildliche Architektur des Geschriebenen wird wichtiger. Jetzt beginnen Autoren damit, dieselbe Kontrolle über das Endprodukt auszuüben, die den Malern seit je vergönnt war. Das Typoskript oder Manuskript steht zum fertig gedruckten Buch etwa im selben Verhältnis wie Bleistiftskizzen zum fertigen Gemälde.

Vielleicht noch wichtiger als die Freizügigkeit beim Ändern und die zunehmende Kontrolle über die Textarchitektur ist die vom elektronischen Publizieren eröffnete Möglichkeit, in Echtzeit zu schreiben. Sobald ein Buch einmal in Druck geht, ist es fertig. Die verlegerische Ökonomie steht häufigeren Ausgaben eines Werkes im Wege. Jetzt besitzen wir die Fähigkeit – und damit stellt sich auch eine Verantwortlichkeit ein – den Text stets frisch zu halten, also auf neuestem Stand. Eng verknüpft mit dieser neu erworbenen Möglichkeit ist die Interaktivität des elektronischen Textes.

Alle diese High-Tech-Vorteile sind höchst interessant, aber man sollte das klassische Medien-Handwerk nicht zu schnell ad acta legen. Auf einer Multimedia-Tagung im Februar 1995 in Los Angeles sah ich mir eine Vorführung von QuickTime-VR-Technologie an. Das vielköpfige Publikum reagierte mit spontanem Applaus auf die Demonstration. Der Sprecher beschrieb jedoch, wie das VR-Team bei Apple zunächst Videotape als Quellmaterial für QuickTime VR erprobt, es zugunsten einer teuren Panorama-Einzelbildkamera aufgegeben und schließlich die altmodische 35 mm-Einzelbild-Fotografie verwendet hatte. «Film!» rief er aus, «dieses Zeug hat eine unglaubliche Auflösung!» Die Hollywood-Profis im Publikum haben die Ironie verstanden.

Und genauso, wie das aus dem neunzehnten Jahrhundert stammende Film-Medium kaum so bald verschwinden dürfte, so schätze ich auch das Buch um so mehr als höchst geniales «Gerät», je mehr Zeit ich an Computern verbringe. Wie die schiefe Ebene oder das Rad ist auch das Buch eine schlichte Vorrichtung von unverwüstlicher Wandelbarkeit. Kein vernünftiger Mensch würde einen Computer-Bildschirm einer gut gedruckten Seite vorziehen, um Text zu lesen (oder Bilder anzusehen). Dieses Zeug hat eine unglaubliche Auflösung. Überdies ergibt sich durch das Verfahren, Seiten zusammenzuheften, ein ausgezeichneter Nachschlage-Mechanismus für zahlreiche Anwendungen.

Am Ende jedoch ist es nicht die technische Überlegenheit des Buchdrucks, in der sich der bleibende Wert des Buches erweist, sondern eher seine dingliche Realität. Es ist nur eine Frage der Zeit, bis die digitale Technologie mit der Auflösung und der Bildkraft des Buchdrucks aufwartet. Was sie aber niemals liefern kann, ist die Dinghaftigkeit eines Buches. In einer zunehmend virtuellen und abstrakten Welt werden diese dinglichen Objekte mit ihrem typischen Gewicht, typischen haptischen Reiz und typischen Geruch zunehmend geschätzt werden.

«No ideas but in things», hat Wallace Stevens uns gesagt.

Die Produktion der dritten amerikanischen Ausgabe von *How to Read a Film* war weitgehend eine Teamleistung. Ich bin allen Beteiligten sehr dankbar. Insbesondere möchte ich Stephen Plumlee, Kate Collins, Curtis Church und – bei Voyager – Beth Strauss für ihre gewissenhafte Akribie danken. James Pallot (CineBooks), Jerrold Spiegel (Frankfurt, Garbus, Klein und Selz), Joe Medjuck und Curtis Church begleiteten die fortschreitende Revision mit wertvoller Kritik. Richard Allen (New York University), Raymond Fielding (Florida State University), Annette Insdorf (Columbia), Richard Reisman und Dan Streible (University of Texas) stellten wertvolle Informationen zur Verfügung. Ich bin zahlreichen anderen Filmwissenschaftlern dankbar, von denen ich über die Jahre gewissenhafte Rückmeldung bekommen habe. Richard Lorber (Fox-Lorber) und Bruce Ricker (Rhapsody Films) steuerten sowohl Materialien als auch Ermutigung bei.

Ein Plus bei der Überarbeitung von *Film verstehen* war unter anderem auch die Chance, wieder mit David Lindroth und Hans-Michael Bock zusammenarbeiten zu können. Wie zuvor schon hat David Lindroth auch diesmal einfallsreiche und ansprechende Schaubilder beigetragen. Die gemeinsame Arbeit mit ihm war wieder ein Vergnügen. Hans-Michael hat der deutschen Version mit seinen Ergänzungen wieder einen spezifischen Geist eingehaucht, den eine simple Übersetzung nicht hätte vermitteln können. Ludwig Moos (Rowohlt Taschenbuch Verlag) half beim langwierigen Prozeß mit geduldiger Unterstützung; das taten auch Bill Becker und Bob Stein (Voyager). Ihnen allen mein herzlicher Dank.

Sag Harbor
März 1995 *J. M.*

EINS

FILM ALS KUNST

Das Wesen der Kunst

Wenn Poesie das ist, was sich nicht übersetzen läßt, wie der Dichter Robert Frost formulierte, dann ist «Kunst» das, was sich nicht definieren läßt. Dennoch macht der Versuch Spaß. Kunst umschließt ein derart weites Feld menschlichen Strebens, daß sie fast mehr als Haltung denn als Handeln zu gelten hat. Im Laufe der Jahre hat das Wort die Grenzen seiner Bedeutung ausgeweitet, allmählich nur, aber beharrlich. Der Kunsthistoriker Raymond Williams hat Kunst als eines der «Schlüsselwörter» bezeichnet – eines der Wörter also, die verstanden werden müssen, wenn man die Wechselbeziehungen zwischen Kultur und Gesellschaft begreifen will. Wie bei «Gemeinschaft», «Kritik» und «Wissenschaft» läßt sich der Geschichte des Wortes «Kunst» eine Fülle von Informationen über das Funktionieren unserer Zivilisation entnehmen. Ein Rückblick auf diese Geschichte wird uns zu verstehen helfen, wie die relativ junge Kunst des Films in die allgemeine Vorstellung von Kunst paßt.

Bei den Griechen und Römern galten sieben Tätigkeiten als Künste: Geschichtsschreibung, Dichtkunst, Komödie, Tragödie, Musik, Tanz und Astronomie. Jede dieser Künste wurde von ihrer eigenen Muse beherrscht und hatte ihre eigenen Regeln und Ziele, aber alle sieben waren durch eine gemeinsame Aufgabe verbunden: Sie waren Werkzeuge, das Universum und unseren Platz darin zu beschreiben. Sie waren Mittel, die Geheimnisse der Existenz besser zu verstehen, und als solche übernahmen sie die Aura jener Geheimnisse. Daher hatten alle diese Künste auch einen religiösen Aspekt: Die darstellenden Künste zelebrierten die Rituale, die Geschichtsschreibung zeichnete die Herkunft des Volkes auf, die Astronomie erforschte die Himmel. In jeder dieser sieben klassischen Künste können wir die Wurzeln zeitgenössischer kultureller und wissenschaftlicher Kategorien entdecken. Die Geschichtsschreibung führt zum Beispiel nicht nur zu den modernen Kulturwissenschaften, sondern auch zur Prosa (Roman, Kurzgeschichte und so weiter). Astronomie steht stellvertretend für die gesamte Skala der modernen Naturwissenschaften. Gleichzeitig deutet sie in ihren astrologischen Funktionen von Voraussage und Interpretation einen anderen Aspekt der Kulturwissenschaften an. Unter der Rubrik Dichtkunst ließen die Griechen und Römer drei Richtungen gelten: Lyrik, Dramatik und Epik. Allen drei Richtungen entspringt die moderne Wortkunst.

Im dreizehnten Jahrhundert bekam das Wort «Kunst» jedoch eine erheblich praktischere Bedeutung. Das Curriculum der freien Künste an den Universitäten des Mittelalters zählte immer noch sieben Kunstrichtungen, aber die Methode der Definition hatte sich verschoben. Die literarischen Künste der klassischen Zeit – Geschichtsschreibung, Dichtkunst, Komödie und Tragödie – waren zu einer vage definierten Literatur- und Philosophiemischung verschmolzen und dann nach analytischen Prinzipien wie Grammatik, Rhetorik und Logik (das Trivium) neu geordnet worden, also eher nach strukturellen Elementen der Künste als nach ihren spezifischen Eigenarten. Tanz wurde von der Liste gestrichen und durch Geometrie ersetzt, ein Zeichen für die zunehmende Bedeutung der Mathematik. Von den antiken Kategorien blieben nur Musik und Astronomie unverändert erhalten.

Außerhalb der Universitäten war die Wortbedeutung sogar noch vager. Wir sprechen noch von der Kriegs-«Kunst», den ärztlichen «Künsten», sogar von der «Kunst» des Angelns. Im sechzehnten Jahrhundert war Kunst eindeutig synonym mit Kunstfertigkeit, und ein Stellmacher zum Beispiel war genauso ein Künstler wie ein Musiker: Jeder übte eine besondere Fertigkeit aus.

Im späten siebzehnten Jahrhundert begann sich das Wortfeld «Kunst» wieder zu verengen. Es wurde in zunehmendem Maße auf Aktivitäten angewandt, die nie zuvor eingeschlossen waren – Malerei, Bildhauerei, Zeichnen, Architektur –, das, was wir die «schönen Künste» nennen. Als sich moderne Wissenschaft und Künste trennten und zum Gegensatz wurden, bedeutete dies, daß Astronomie und Geometrie nicht länger im gleichen Licht betrachtet wurden wie Dichtkunst oder Musik. Im späten achtzehnten Jahrhundert stellte die romantische Vision vom Künstler als einem besonders Begnadeten wieder etwas von der religiösen Aura her, mit der das Wort in klassischen Zeiten umgeben war. Es wurde nun zwischen «Künstler» und «Handwerker» unterschieden. Der erste war «schöpferisch» und «phantasievoll», der letztere nur ein geschulter Handarbeiter.

Als sich im neunzehnten Jahrhundert der Begriff der Wissenschaft entwickelte, engte sich der Begriff «Kunst» weiter ein, als Reaktion auf die strenger logische Aktivität der Wissenschaft. Was einst «Naturphilosophie» gewesen war, wurde nun «Naturwissenschaft» genannt; die Kunst der Alchimie wurde zur Wissenschaft der Chemie. Die neuen Wissenschaften waren genau definierte intellektuelle Tätigkeiten, die auf strengen Vorgehensweisen beruhten. Die Künste (die immer mehr als das angesehen wurden, was die Wissenschaft nicht war) wurden in der Folge ebenfalls klarer definiert.

Mit der Mitte des neunzehnten Jahrhunderts hatte das Wort «Kunst» mehr oder weniger die Konnotationen, die wir heute kennen. Es bezog sich zunächst auf die visuellen oder «schönen» Künste, dann allgemeiner auf Literatur und Musik. Es konnte bei Gelegenheit ausgedehnt werden auf die darstellenden Künste, und obwohl es im weitesten Sinn immer noch die mittelalterliche Bedeutung von Fertigkeit mit einschloß, wurde es meistens, streng eingeschränkt, in bezug auf anspruchsvollere Bestrebungen benutzt. Die romantische Bedeutung vom Künstler als einem Auserwählten blieb erhalten: «Künstler» wurden nicht nur von «Handwerkern», sondern auch von «Artisten» unterschieden, den darstellenden Künstlern von niedrigerem sozialem und intellektuellem Rang.

Als sich im neunzehnten Jahrhundert der Begriff der «Kulturwissenschaften» bildete, war das Spektrum moderner intellektueller Aktivität vollständig, und der Bereich der Kunst hatte sich bis auf seine heutige Domäne eingeengt. Die Phänomene, die offen waren für eine Untersuchung durch wissenschaftliche Methoden, wurden unter der Rubrik «Wissenschaft» eingeordnet und genau definiert. Andere Phänomene, die Labortechniken und Experimenten weniger zugänglich waren, jedoch danach verlangten, mit einer gewissen Logik und Klarheit geordnet zu werden, wurden in der Grauzone der Kulturwissenschaften angesiedelt (Ökonomie, Soziologie, Politologie und manchmal sogar Philosophie). Die Bereiche intellektueller Bestrebungen, die weder in die Naturwissenschaften noch in die Kulturwissenschaften eingeordnet werden konnten, wurden der Domäne der Kunst überlassen.

Da die Entwicklung der Kulturwissenschaften die ganz praktische Bedeutung der Künste notwendigerweise begrenzte, entstanden, wahrscheinlich als Reaktion darauf, Ästhetiktheorien. Begründet in der romantischen Theorie vom Künstler als Propheten und Priester, feierte die spätviktorianische «L'art-pour-l'art»-Bewegung die Form vor dem Inhalt und veränderte abermals die zentrale Bedeutung des Wortes. Die Künste waren nicht mehr bloße Annäherungen an ein Verstehen der Welt; sie waren nun Ziel in sich selbst. Walter Pater erklärte, daß «alle Kunst den Charakter der Musik anstrebe». Abstraktion – reine Form – wurde das wesentliche Kriterium zur Beurteilung von Kunstwerken im zwanzigsten Jahrhundert.*

Der Drang zur Abstraktion nahm in den ersten zwei Dritteln unseres Jahrhunderts schnell zu. Im neunzehnten Jahrhundert hatte die Avantgarde-Bewegung das Konzept des Fortschritts von der sich entwickelnden Technik übernommen und entschieden, daß gewisse Künste zwangsläufig «fortschrittlicher» sein müßten als andere. Die Theorie der Avantgarde, die von der Romantik bis in neueste Zeit eine dominierende Vorstellung in der historischen Entwicklung der Künste war, drückte sich selbst am besten in der Abstraktion aus. In dieser Hinsicht imitierten die Künste tatsächlich die Wissenschaften und die Technologie. Sie suchten die Basisele-

* Ich stütze mich hierbei auf Raymond Williams' Essay in *Keywords: A Vocabulary of Culture and Society*, S. 32, 34.

mente ihrer «Sprachen» – die «Quanten» der Malerei, der Dichtkunst oder des Dramas.

Der Dadaismus der zwanziger Jahre parodierte diese Entwicklung. Das Ergebnis war die minimalistische Kunst in der Mitte dieses Jahrhunderts, die den Endpunkt im Kampf der Avantgarde um Abstraktion markierte: Samuel Becketts Zweiundvierzig-Sekunden-Drama (oder seine Zehn-Seiten-Romane), Joseph Albers' Farbübungen, John Cages tonlose Musikwerke. Nachdem die Kunst so auf ihre grundlegendsten Quanten zurückgeführt worden war, hatten die Künstler nur noch die Möglichkeit (außer dem Aufhören), die Strukturen der Künste wieder neu aufzubauen. Diese neue Synthese begann entschieden in den sechziger Jahren (obwohl die Avantgarde der Abstrakten noch einen letzten Trumpf ausspielen konnte: die sogenannte Konzeptkunst der Siebziger, die das Kunstwerk ganz und gar abschaffte und es allein bei der zugrundeliegenden Idee beließ).

Die Avantgarde hörte auf, von der Abstraktion fasziniert zu sein, und zwar zur selben Zeit, als parallel dazu die politische und ökonomische Kultur die Illusion des Fortschritts aufdeckte und an seiner Stelle eine Theorie der «Stabilität» entwickelte. Aus der überlegenen Sicht der neunziger Jahre könnten wir vielleicht sagen, daß die Kunst mehr als Politik und Ökonomie dazu beigetragen hat, den Wandel zu beschleunigen und zu erleichtern.

Das Zunehmen der Abstraktion, wenn auch sicherlich der Hauptfaktor in der historischen Entwicklung der Künste im zwanzigsten Jahrhundert, ist dennoch nicht der einzige Faktor. Die Kraft, die diesem Ästhetizismus entgegenwirkt, ist unser anhaltendes Verständnis für die politische Dimension der Künste: das heißt sowohl für ihre Wurzeln in der Gemeinschaft als auch für ihre Fähigkeit, uns die Gesellschaftsstruktur zu erklären.

In der westlichen Kultur war die Tragweite dieser Relevanz (die einst die Antike dazu brachte, Geschichtsschreibung und Musik auf eine Stufe zu stellen) sicherlich nicht so groß. Sie hat dennoch eine lange und rühmliche Geschichte, und zwar, wenn auch untergeordnet, parallel zum ästhetischen Impuls in Richtung Abstraktion. In den siebziger Jahren schien die Annahme noch sicher, daß nach dem allmählichen Verschwinden von Abstraktion und Reduktionismus die politische Dimension der Kunst – ihr sozialer Aspekt – an Bedeutsamkeit zunehmen würde. Aus der Perspektive der Neunziger zeigt sich, daß das nicht geschehen ist, zumindest nicht in dem Maß, wie wir es erwartet hatten. Statt dessen steuerten die meisten Künste, der Film voran, in eine wirtschaftliche Ruheperiode. In den meisten Bereichen der Gegenwartskunst ist die Zunahme des politischen und sozialen Moments offensichtlich: Ablesen kann man das an der zunehmenden Verbreitung von Dokumentarspielen und realitätsorientierten Sendungen im Fernsehen, am breiten Einfluß der Rap-Musik und an einem wieder erwachten Elan in der unabhängigen

Filmproduktion. Aber die Politik, die darin widergespiegelt wird, ist nicht besonders weit über den 1970 erreichten Stand hinaus fortgeschritten: Heute wie damals haben wir es mehr oder weniger mit denselben Problemlagen zu tun. «Laßt den Boten am Leben» (und macht nicht den Künstler verantwortlich). Und während die Künstler das Verschwinden der Avantgarde begriffen und akzeptiert haben, haben die Politiker sich noch nicht aus ihrer Abhängigkeit von der – heute ebenfalls obsoleten – Links-rechts-Dialektik befreit, von der auch die künstlerische Bewegung abhing.

Es gibt also mehr Politik in der Kunst – nur ist es Politik von schlechter Qualität. Darüber hinaus hat die Explosion in der Technologie der Künste seit Mitte der siebziger Jahre – darauf kommen wir in Teil 6 und 7 näher zu sprechen – die von uns erwartete neu erwachsende Relevanz überschattet und oftmals verdrängt. Diese Technologie ist der dritte grundlegende Faktor, der im Verlauf der letzten hundert Jahre die Geschichte der Künste bestimmt hat.

Ursprünglich konnte man Kunst nur in «Echtzeit» produzieren: Der Sänger sang das Lied, der Geschichtenerzähler erzählte die Geschichte, die Schauspieler spielten das Drama. Die Entwicklung des Zeichnens und (durch Bildsymbole) des Schreibens in der Frühgeschichte stellte einen Quantensprung in den Kommunikationssystemen dar. Bilder konnten gespeichert, Geschichten aufbewahrt werden, um später genau wiederholt zu werden. Durch siebentausend Jahre hindurch war die Geschichte der Künste hauptsächlich die Geschichte dieser beiden «Symbolmedien»: dem bildlichen und dem sprachlichen.

Die Entwicklung reproduzierender Medien, die sowohl grundsätzlich als auch von ihrem Entwicklungsstand her verschieden sind von «Symbolmedien», war geschichtlich genauso bedeutsam wie die Erfindung der Schrift siebentausend Jahre früher. Fotografie, Film und Tonaufzeichnung haben, alle zusammengenommen, unsere geschichtliche Perspektive dramatisch verändert.

Die symbolischen Künste machten die «Wieder-Holung» von Phänomenen möglich, aber sie erforderten die komplizierte Anwendung von Codes und Sprachkonventionen. Darüber hinaus wurden diese Sprachen von Individuen verwandt, und daher war und ist das Element der Auswahl höchst bedeutsam in den symbolischen Künsten. Dieses Element bildet die Grundlage der meisten ästhetischen Theorien der visuellen und literarischen Künste. Ästhetiker interessiert nicht, was gesagt wird, sondern wie es gesagt wird.

In krassem Gegensatz dazu stellen die reproduzierenden Künste einen viel direkteren Kommunikationskanal zwischen Gegenstand und Betrachter her. Sie haben aber zugegebenermaßen ihre eigenen Codes und Konventionen: Ein Film und eine Tonaufzeichnung sind schließlich nicht Realität. Aber im Vergleich zur geschriebenen wie zur bildlichen Sprache ist die Sprache der reproduzierenden

Medien zugleich bedeutend einfacher und weniger zweideutig. Zudem ist die Geschichte der reproduzierenden Künste – bis in jüngste Zeit – ein direktes Fortschreiten zu größerer Wahrheitstreue hin. Ein Farbfilm gibt mehr Realität wieder als ein Schwarzweißfilm, ein Tonfilm ist näher am wirklichen Erleben als ein Stummfilm, und so weiter.

Dieser qualitative Unterschied zwischen «Symbolmedien» und reproduzierenden Medien ist sehr klar für die, die letztere für wissenschaftliche Zwecke nutzen. Anthropologen sind sich zum Beispiel sehr genau der Vorteile des Films vor dem geschriebenen Wort bewußt. Der Film schließt die Intervention einer dritten Partei zwischen dem Gegenstand und dem Betrachter nicht völlig aus, aber er reduziert die Verzerrung erheblich, die durch die Gegenwart eines Künstlers unweigerlich entsteht.

Das Resultat ist ein Spektrum der Künste, das wie folgt aussieht:

- die *darstellenden Künste*, die in Echtzeit stattfinden;
- die *symbolischen Künste*, die auf festgelegten Codes und Sprachkonventionen beruhen (bildlicher wie auch sprachlicher Art), um Informationen über den Gegenstand zum Betrachter weiterzugeben;
- die *reproduzierenden Künste*, die einen direkteren Weg zwischen Gegenstand und Betrachter herstellen; Medien, die zwar ihre eigenen Codes haben, die aber qualitativ direkter sind als die Medien der symbolischen Künste.

Das heißt: bis jetzt. Die Anwendung digitaler Technologie in Film und Tonmedien, die in den späten achtziger Jahren in Schwung kam, weist auf eine neue Ebene der Auseinandersetzung voraus, die bereits dabei ist, unsere Haltung den reproduzierenden Künsten gegenüber zu revolutionieren. Schlicht gesagt, zerstören digitale Techniken wie «Morphing» oder «Sampling» unser Vertrauen in die Wahrheit der Bilder und Töne, die wir sehen und hören. Der Anschein von Wahrhaftigkeit ist noch da – aber wir können unseren Augen und Ohren nicht mehr trauen. (Teil 7 «Multimedia» befaßt sich im einzelnen mit diesen bedeutsamen Entwicklungen.)

Wie man Kunst betrachten kann

Um zu verstehen, wie die reproduzierenden Künste ihren Platz im Spektrum der Kunst begründeten, ist es zunächst notwendig, einige der Grundbegriffe dieses Spektrums zu definieren. Jede der klassischen und modernen Künste erhält den ihr eigenen Charakter durch eine Anzahl von sehr unterschiedlichen Faktoren, die sich aufeinander beziehen. Daraus ergeben sich einige komplizierte ästhetische Gleichungen. Es bieten sich sofort zwei Ordnungssysteme an, von denen eines seinem Ursprung nach hauptsächlich aus dem neunzehnten Jahrhundert, das andere eher zeitgenössisch ist.

Das Spektrum der Abstraktion

Das ältere dieser beiden Klassifizierungssysteme benützt zur Definition den Abstraktionsgrad einer bestimmten Kunst. Dies ist eine der ältesten Kunsttheorien, die zurückgeht auf Aristoteles' Poetik (viertes Jahrhundert v. Chr.). Dem griechischen Philosophen zufolge war Kunst am besten als eine Art Mimesis zu verstehen, als eine Nachahmung der Wirklichkeit, die von einem Medium abhing (durch welches sie sich ausdrückte) und von einer Vorgehensweise (die Art und Weise, in der man das Medium verwendete). Je mehr eine Kunst nachahmt, desto weniger abstrakt ist sie. In keinem Fall ist eine Kunst jedoch fähig, die Wirklichkeit vollständig zu reproduzieren.

Ein Spektrum der Künste, bezogen auf ihren Abstraktionsgrad, würde ungefähr so wie das nebenstehende Diagramm aussehen.

Die Design-Künste (Kleidung, Möbel, Eßgeschirr usw.), die oft nicht einmal für würdig befunden werden, im Spektrum der Künste zu erscheinen, würden sich am linken Ende dieser Skala befinden: in höchstem Maße mimetisch (eine Gabel kommt der genauen Reproduktion der Vorstellung von einer Gabel sehr nahe) und am wenigsten abstrakt. Wenn wir uns in der Skala von links nach rechts bewegen, finden wir als nächstes Architektur, die oft einen sehr niedrigen ästhetischen Stel-

PRAKTISCH	UMWELTBEZOGEN	VISUELL	DRAMA-TISCH	NARRATIV	MUSIKA-LISCH
Design					
Architektur					
	Bildhauerei				
		Malerei Zeichnung Graphik			
		—	Bühnen- Drama	—	
				Roman Erzählung Sach- literatur	
					Lyrik Tanz
					Musik

Diagramm A

lenwert hat; dann käme Bildhauerei, die sowohl umweltbezogen als auch visuell ist; danach im Zentrum des visuellen Teils Malerei, Zeichnen und die anderen grafischen Künste.

Die dramatischen Künste verbinden in unterschiedlichem Maße visuelle und narrative Elemente. Roman, Kurzgeschichte und oft auch Sachliteratur befinden sich eindeutig im narrativen Bereich. Dann kommt die Poesie; ihrer Natur nach grundsätzlich narrativ, neigt sie sich schon dem musikalischen Ende des Spektrums zu (doch manchmal auch, in der entgegengesetzten Richtung, dem visuellen); Tanz verbindet narrative Elemente mit Musik; und schließlich, ganz rechts im Spektrum, die Musik – die abstrakteste und «ästhetischste» der Künste. Walter Pater: «Alle Kunst strebt den Charakter der Musik an.»

Wo können Fotografie und Film eingeordnet werden? Da sie reproduzierende Künste sind, umfassen sie die Gesamtheit dieses klassischen Spektrums. Fotografie, die eine besondere Art von Film ist – Standbild statt bewegtes Bild –, befindet sich natürlicherweise im visuellen Teil des Spektrums, aber sie kann Funktionen übernehmen, die links davon in den praktischen und umweltbezogenen Bereichen liegen.

Film erstreckt sich in bedeutender Breite vom praktischen Bereich (als technische Erfindung ist der Film ein wichtiges wissenschaftliches Hilfsmittel) über den umweltbezogenen Bereich und die visuellen, dramatischen und narrativen Bereiche bis hin zur Musik. Obwohl wir Film am besten als eine der dramatischen Künste kennen, ist er in hohem Maße visuell. Deshalb sind mehr Filmsammlungen in Kunstmuseen zu finden als in Bibliotheken. Das narrative Element ist im Film auch

Edward Dayes Gemälde *Queen Square, London*, 1786, hat verblüffende Ähnlichkeit mit...

sehr viel stärker als in irgendeiner anderen dramatischen Kunst, was von Filmemachern seit D. W. Griffith gesehen wurde, der Charles Dickens als einen seiner Vorläufer angab. Und auf Grund seiner klaren, geordneten Rhythmen sowie seines Soundtracks hat der Film enge Verbindungen mit der Musik. Schließlich ist der Film in seinen abstrakteren Ausprägungen ebenfalls in starkem Maße umweltbezogen: Mit der Vervollkommnung der Wiedergabetechnik integrieren Architekten zunehmend gefilmte Hintergründe in ihre sonst eher handgreiflichen Konstruktionen.

Dieses Abstraktionsspektrum ist nur eine der Möglichkeiten, die künstlerische Erfahrung zu ordnen; es ist in keinerlei Hinsicht ein Gesetz. Der dramatische Bereich des Spektrums könnte leicht im visuellen und narrativen Teil untergebracht werden, und die praktischen Künste können mit den Umweltkünsten verbunden werden. Es handelt sich hier lediglich darum, den Grad der Abstraktion deutlich zu machen, von den mimetischsten Künsten bis zu den am wenigsten mimetischen.

(Wir erinnern uns, daß wir hier mehr Kunst als Wissenschaft betreiben: Die abstrakten Diagramme und Unterscheidungen an dieser Stelle – und das ganze Buch hindurch – sollten nicht dahin mißverstanden werden, daß sie mit dem Gewicht von Gesetzlichkeit daherkommen; sie sind schlicht Weisen des Hinsehens, Anläufe zum Verstehen. Wer an diesen Abstraktionen Gefallen findet, erprobe bitte ein paar eigene; wer sie nicht mag, blättere weiter zum Teil 2.)

...dieser Szene aus Stanley Kubricks *Barry Lyndon* (1975), der im achtzehnten Jahrhundert spielt. Der Film bedient sich der historischen Traditionen der älteren Künste.

Formen des Diskurses

Das zweite, modernere System, die verschiedenen Künste zu klassifizieren, beruht auf der Beziehung zwischen dem Werk, dem Künstler und dem Betrachter. Dieses dreiseitige Modell für die künstlerische Erfahrung lenkt unsere Aufmerksamkeit vom Werk selbst weg und hin zum Kommunikationsmedium. Der Abstraktionsgrad kommt auch hier ins Spiel, aber nur insoweit, als er die Beziehung zwischen dem Künstler und dem Betrachter betrifft. Wir sind nun nicht mehr an der Qualität des Werkes selbst interessiert, sondern an der Art der Vermittlung.

Wenn man das System der künstlerischen Kommunikation auf diese Art organisiert, würde es in etwa wie Diagramm B aussehen. Die vertikale Achse stellt die direkte Erfahrung einer Kunst dar, die horizontale ihre Vermittlung. Kunsterzeugnisse, bildliche Darstellungen und bildliche Reproduktionen (der Bereich über der horizontalen Achse) brauchen mehr Raum als Zeit. Aufführungen, Literatur und Filmreproduktionen hängen mehr von der Zeit als vom Raum ab. (In Diagramm A nehmen die Raum-Künste die linke Seite des Spektrums und die Zeit-Künste die rechte Seite ein.)

Jede einzelne Kunst in Diagramm B erstreckt sich aber eher über einen ganzen Bereich und ist nicht nur auf einen Punkt beschränkt. Ein Gemälde ist zum Beispiel sowohl ein Kunsterzeugnis als auch eine symbolische Darstellung. Ein Gebäude ist nicht nur ein Kunsterzeugnis, sondern auch zu einem Teil eine symbolische Dar-

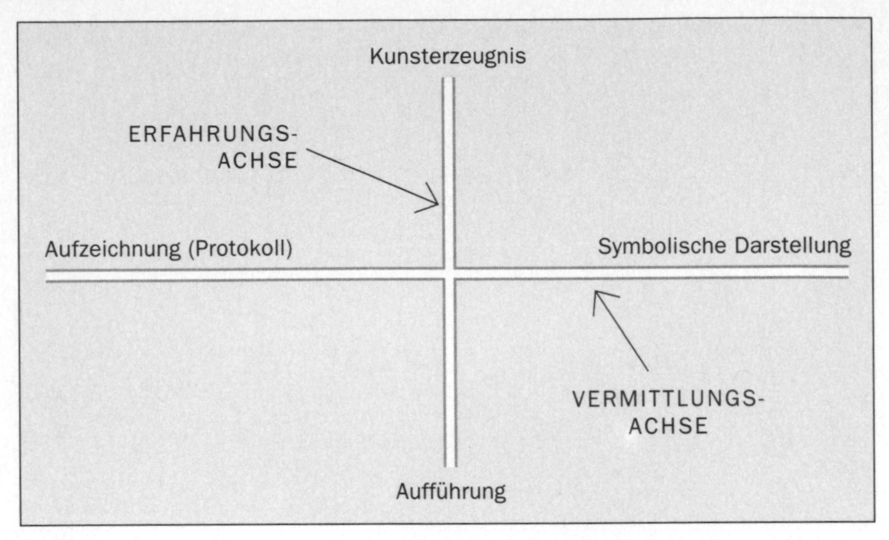

Diagramm B

stellung und manchmal eine Art von Aufführung. (Architekturkritiker benutzen häufig die Sprache des Dramas, um die Erfahrung eines Gebäudes zu vermitteln; während wir hindurchgehen, findet unsere Erfahrung in der Zeit statt.) Die reproduzierenden Künste benutzen darüber hinaus häufig Elemente aus der Aufführung und der symbolischen Darstellung.

Das Spektrum in Diagramm A bietet uns einen Index für den Abstraktionsgrad an, den eine Kunst besitzt; in anderen Worten, es beschreibt die tatsächliche Beziehung zwischen einer Kunst und ihrem Gegenstand. Diagramm B bietet uns ein vereinfachtes Bild der verschiedenen Sprachformen, die dem Künstler zur Verfügung stehen.

Die Produktionsbeziehungen

Es sollte noch ein letzter Aspekt der künstlerischen Erfahrung untersucht werden: das, was die Franzosen die «rapports de production» (die Produktionsbeziehungen) nennen. Wie und warum wird Kunst produziert? Wie und warum wird sie konsumiert? Das «Dreieck» der künstlerischen Erfahrung:

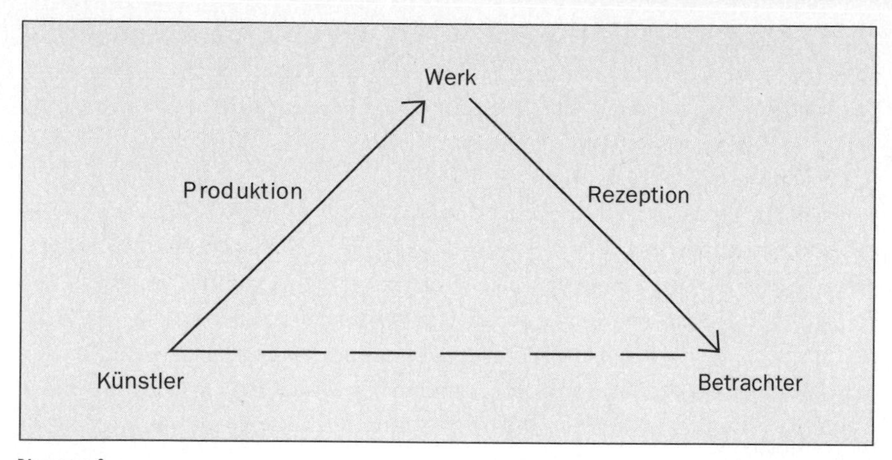

Diagramm C

Die Untersuchung der Beziehung zwischen Künstler und Werk liefert Produktionstheorien, während die Analyse der Beziehung von Werk und Betrachter Rezeptionstheorien ergibt. (Die dritte Seite des Dreiecks, Künstler-Betrachter, war bisher eher Möglichkeit als tatsächlich relevant, obwohl das gesteigerte Interesse an interaktiven Mitteln der Kommunikation, das aus den frühen achtziger Jahren mit dem Aufkommen der «online services» herrührt, dieser Beziehung einige interessante neue Möglichkeiten zu eröffnen scheint. Zum ersten Mal sind Künstler und Betrachter technologisch in den Stand gesetzt zusammenzuarbeiten.)

Ob wir uns nun der künstlerischen Erfahrung von der Produktionsseite oder der Rezeptionsseite her nähern, wir treffen auf eine Reihe von Determinanten, die dieser Erfahrung eine besondere Form verleihen. Jede Determinante hat eine gewisse Funktion, und jede Funktion liefert ihr eigenes, allgemeines Kritiksystem. Das Folgende ist ein Schema der Determinanten, ihrer Funktionen und der auf ihnen beruhenden Kritiksysteme:

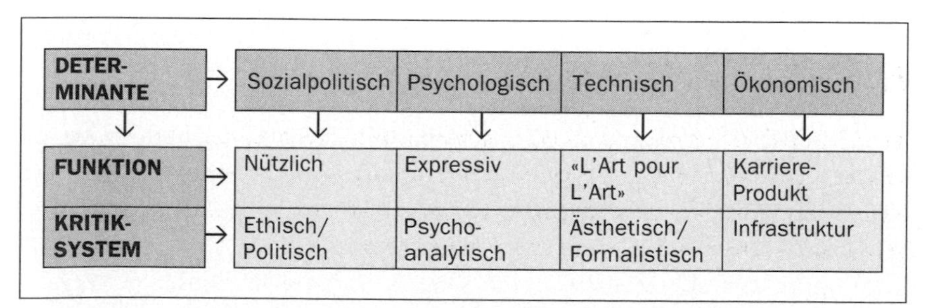

Diagramm D

Diese Determinanten der Rapports de production gelten für die meisten menschlichen Aktivitäten, aber ihre Wirkung ist in den Künsten besonders augenscheinlich, da die ökonomischen und politischen Faktoren, die meistens die anderen Aktivitäten beherrschen, im Kunstbereich mehr im Gleichgewicht sind mit den psychologischen und technischen Faktoren.

Historisch gesehen ist die politische Determinante vorrangig: Sie ist der Faktor, der darüber entscheidet, wie eine Kunst – oder ein Kunstwerk – gesellschaftlich verwendet wird. Konsumtion ist hier wichtiger als Produktion. Die griechisch-römischen Theorien von Kunst als einer Erkenntnislehre passen in diese Kategorie, besonders da, wo die Suche nach Wissen als quasireligiös angesehen wird. Der Ritualaspekt der Künste als Feiern der Gemeinde ist die zentrale Vorstellung dieser Sichtweise. Die politische Determinante bestimmt das Verhältnis von Kunstwerk und Gesellschaft, die es hervorbringt.

Die psychologische Determinante ist ihrerseits introspektiv und richtet unsere Aufmerksamkeit nicht auf die Beziehung zwischen Werk und Welt, sondern auf die Verbindungen von Werk und Künstler und von Werk und Betrachter. Der tiefe psychologische Effekt eines Kunstwerks ist seit Aristoteles' Theorie von der Katharsis bekannt. Im frühen zwanzigsten Jahrhundert, zur großen Zeit der Psychoanalyse, konzentrierten sich die meisten psychologischen Analysen auf die Verbindung von Künstler und Werk. Das Werk wurde als Index für den psychischen Zustand seines Schöpfers genommen – eine Art von tiefreichendem und präzisem Rorschach-Test. In letzter Zeit hat sich das psychologische Interesse allerdings dem Werk und seinem Rezipienten, dem Betrachter, zugewandt.

Die technische Determinante beherrscht die Sprache der Kunst. Setzt man die Grundstrukturen der Kunst voraus – die besonderen Qualitäten von Ölfarbe zum Beispiel im Vergleich mit Tempera oder Acryl –, wo sind die Grenzen des Möglichen? Wie beeinflußt die Übertragung einer Idee durch die Sprache der Kunst diese Idee? Welches sind die Denkformen jeder speziellen künstlerischen Sprache? Wie haben diese Denkformen die Materialien beeinflußt, die der Künstler benutzt? Diese Fragen gehören in den Zuständigkeitsbereich der technischen Determinante. Die reproduzierenden Künste sind dieser Art von Analyse besonders zugänglich, da sie, mehr als die anderen Künste, auf einer sehr komplexen Technologie basieren. Teil 2 wird diese Faktoren genauer erörtern. Aber selbst die Künste, die scheinbar nicht technisch sind, wie der Roman, werden stark beeinflußt von der technischen Determinante. Den Roman, zum Beispiel, gäbe es in der heute bekannten Form nicht ohne die Erfindung der Druckerpresse.

Schließlich und endlich sind alle Künste ihrer Natur nach ökonomische Produkte und müssen als solche in ökonomischen Begriffen erfaßt werden. Wiederum sind der Film und die anderen reproduzierenden Künste die wichtigsten Beispiele

Es gibt zwei Arten, beim Filmemachen enorme Summen auszugeben. Für *Apocalypse Now* (oben) rekonstruierte Francis Ford Coppola den Vietnam-Krieg mit den sprichwörtlichen Tausenden von Mitwirkenden. Der Film kostete Mitte der siebziger Jahre mehr als 30 Millionen Dollar.

James Cameron verwandte sein 90-Millionen-Dollar-Budget für *Terminator 2* (1991) überwiegend für Special Effects, deren Kosten sogar Arnold Schwarzeneggers Star-Gage bescheiden aussehen ließen. *T2* war die erste Großproduktion, die sich ausgiebig digitaler Special Effects bediente. Innerhalb weniger Jahre sind die Kosten dieser Effekte dramatisch gesunken.

für dieses Phänomen. So wie die Architektur sind sie außerordentlich kapital- und arbeitsintensiv; das heißt, sie sind sehr kostenaufwendig und erfordern häufig eine große Anzahl von Arbeitskräften.

Diese vier Determinanten zeigen sich auf jeder Stufe des künstlerischen Prozesses in neuen Beziehungen. Die technischen und ökonomischen Determinanten bilden die Basis jeder Kunst. Die Sprache der Kunst und ihre Techniken existieren, bevor der Künstler sich entschließt, sie zu benutzen. Darüber hinaus wird jede Kunst durch gewisse ökonomische Realitäten eingeschränkt. Der Film als sehr kostenaufwendige Kunst ist in besonderem Maße Verzerrungen durch ökonomische Erwägungen ausgesetzt. Die hochentwickelte ökonomische Infrastruktur des Films – die komplizierten Regeln von Produktion, Distribution und Konsumtion, die ihm zugrunde liegen – bringt für die Filmemacher strenge Begrenzungen hervor, eine Tatsache, die von Kritikern oft nicht gesehen wird. Diese ökonomischen Faktoren stehen nun wiederum in Beziehung zu politischen und psychologischen Verwendungszwecken, für die eine Kunst eingesetzt werden kann. Als ökonomische Ware kann der Film zum Beispiel oft am besten begriffen werden, wenn er als Dienstleistung gesehen wird, die ihrer Natur nach psychologisch ist: Wir gehen meistens ins Kino, um emotional bewegt zu werden.

Mit diesen verschiedenen Determinanten konfrontiert, wählen Künstler innerhalb der bestehenden Möglichkeiten aus, wobei sie manchmal Neuland erobern, aber meistens die bestehenden Faktoren neu organisieren und neu kombinieren.

Wenn wir uns die andere Seite des künstlerischen Dreiecks hinunterbewegen, zeigen sich die Determinanten in neuen Beziehungen. Sobald ein Kunstwerk fertiggestellt ist, besitzt es, in gewissem Sinne, ein eigenständiges Leben. Es ist vor allem ein ökonomisches Produkt, das ausgewertet werden soll. Diese Auswertung zieht gewisse psychologische Effekte nach sich. Das Endprodukt ist, mit zunehmendem Einfluß des Films, politischer Natur. Ganz gleich wie apolitisch das Kunstwerk erscheinen mag, jedes Werk hat politische Relevanz, ob man das nun schätzt oder nicht.

Historisch gesehen wurden die politischen und psychologischen Determinanten seit der Klassik als wichtige Faktoren anerkannt. In der *Ars Poetica* erklärte Horaz zum Beispiel zu Kriterien für ein Werk, ob es utile et dulce, also «nützlich» und «süß» oder «erfreulich» sei. Der praktische Wert des Werkes wird bestimmt von der politischen Determinante, die Freude, die es bereitet, von der psychologischen.

Die technischen und ökonomischen Determinanten eines Kunstwerks wurden jedoch erst in jüngster Zeit beachtet. Die Semiotik untersucht die Künste und Medien als Sprachen oder sprachliche Systeme, technische Strukturen mit den ihnen innewohnenden Gesetzmäßigkeiten, die nicht nur bestimmen, was «gesagt» wird, sondern auch, wie es «gesagt» wird. Semiotik versucht, die Codes und Struktursysteme zu beschreiben, die im kulturellen Phänomen wirksam sind. Sie tut dies, indem sie ein linguistisches Modell benutzt; das heißt, die Semiotik des Films beschreibt Film als «Sprache».

Dialektische Kritik untersucht ihrerseits die Künste in ihrem ökonomischen Kontext. Pioniere auf diesem Gebiet waren, in den dreißiger und vierziger Jahren, die Philosophen der Frankfurter Schule – besonders Walter Benjamin, Theodor W. Adorno und Max Horkheimer. Dialektische Kritik analysiert die direkte Verbindung von Werk, Künstler und Betrachter, so wie sie in politökonomischen Begriffen ausgedrückt werden. Das Hinzukommen dieser beiden modernen Versuche, die Künste zu verstehen – Semiotik und Dialektik –, läßt uns die Komplexität der künstlerischen Erfahrung genauer und tiefer verstehen.

Es erlaubt uns auch mehr Freiheit beim Definieren ihrer Grenzen. Solange das Bild vom Künstler als Priester oder Prophet vorherrschte, gab es keine Möglichkeit, die Erfahrung des Werkes von seiner Schöpfung zu trennen. Kunst hing vom Künstler ab. Aber wenn wir die technischen und linguistischen Wurzeln der Ästhetik erkennen, sind wir eher geneigt, die künstlerische Erfahrung vom Blickwinkel des Rezipienten anzugehen. In anderen Worten, wir können uns vom Priester-Künstler befreien und eine «protestantische» Kunsttheorie entwickeln. Wir haben den praktischen Design-Künsten bereits den Eintritt ins Pantheon gestattet. Wir können darüber hinausgehen.

Einer der offensichtlichsten Kandidaten für das Spektrum der Künste ist der Sport. Die meisten Sportarten richten sich nach der grundlegenden dramatischen Struktur von Protagonist / Antagonist und können deshalb in Begriffen des Dramas gesehen werden. Daß die Handlung nicht vorgeschrieben ist, vergrößert nur ihre Möglichkeiten und das Spannungselement. Daß das «Grundthema» sich jedesmal wiederholt, wenn ein Spiel gespielt wird, verstärkt nur die rituellen Aspekte des Dramas. Die meisten Sportarten besitzen auch viele tänzerische Qualitäten. Die Medien haben es nicht nur ermöglicht, sportliche Ereignisse für zukünftige Studien und Unterhaltung aufzuzeichnen, sondern außerdem den Abstand zwischen den Sportlern und den Zuschauern erheblich verringert und so unser Gefühl für den choreographischen Aspekt der meisten Sportarten verstärkt.

Man stelle sich einen Fremden vor, dem sowohl Tanz als auch Sport völlig unbekannt sind und dem ein Beispiel aus jedem Bereich vorgeführt wird. Es gibt in beiden menschlichen Tätigkeiten kein Element, das uns zu einer Unterscheidung zwischen ihnen zwänge: Michael Jordan kommt Baryschnikov zumindest gleich. Der Unterschied zwischen den Leistungen dieser beiden Meister liegt auf einer Ebene mit dem Unterschied zwischen Jazz und klassischer Musik. Schon allein die Tatsache, daß Sport keine «Intention» hat (das heißt, daß er nicht stattfindet, um etwas zu vermitteln), erhöht die Vielfalt unserer Erfahrungsmöglichkeiten.

Auch andere Bereiche menschlichen Tuns bekommen, wie der Sport, eine neue Bedeutung, wenn wir uns ihnen mehr vom Standpunkt des Rezipienten und nicht dem des Produzenten zuwenden – Genußmittel zum Beispiel. Wir erfahren Essen und Trinken (und Parfum und andere die Sinne ansprechende Produkte) in ähnlicher Weise, wie wir die ästhetischste aller Künste, die Musik, erfahren. Eine Metapher, die wir für die Musik seit Shakespeare verwandt haben («Wenn die Musik der Liebe Nahrung ist...» in *Was ihr wollt*), bietet diesen engen Vergleich an.

Natürlich ist der Denkaufwand beim Essen außerordentlich gering; es ist schwer, eine «Aussage» in der Sprache grünen Gemüses zu machen. Aber das bedeutet nur, daß unsere Geschmacks-, Geruchs- und Tastsinne von anderer Art sind als unser Sehsinn und unser Gehör. Das Element der handwerklichen Fertigkeit bei der Bereitung von Essen und Trinken ist im Idealfall nicht geringer als in der Musik und der Malerei. Und Leute, die über Weine und Küche schreiben, benutzen oft Metaphern, die wir ebensogut auf Literatur oder Malerei anwenden könnten.

Wir wollen das umkehren: Wenigstens in mancher Hinsicht konsumieren wir Künste wie Musik, Film oder Literatur in derselben Weise, wie wir Speisen konsumieren. Wie die Musik kommt die Kunst des Essens und Trinkens nahe an eine rein synästhetische Erfahrung heran. Ein Zeichen dafür ist, daß unsere normale Erfahrung in diesen beiden Bereichen sich qualitativ von der in den narrativen Künsten unterscheidet. Wir konsumieren Musik, so wie Essen, regelmäßig und wiederholt. Wenn wir Mozarts Klavierkonzert Nr. 23 einmal gehört haben oder wenn wir eine einzige Flasche Chassagne-Montrachet getrunken haben, glauben wir nicht, daß wir ihre Möglichkeiten erschöpft haben. Wir denken auch nicht daran, das Konzert oder den Wein zu kritisieren, weil wir keinen «Sinn» darin entdecken können. Wenn die reine Ästhetik ein gültiges Kriterium für Kunst ist, dann sollten kulinarische Genüsse zum Spektrum zugelassen werden.

Was diese Theorie über die Kunst des Essens klarstellen sollte, ist selbstverständlich nicht mehr, als daß die Funktion des Betrachters oder Rezipienten im künstlerischen Prozeß genauso wichtig ist wie die des Künstlers/Produzenten. Wenn wir Wein oder Fußball nicht in das Spektrum der anerkannten Künste aufnehmen, so ist dies nicht der Fehler der Produzenten dieser Werke, sondern eher eine kollektive Entscheidung auf seiten des Rezipienten – eine Entscheidung, die aufgehoben werden kann.

Es gibt eine zweite Folgeerscheinung: Wenn die Summe der künstlerischen Erfahrung den Rezipienten genauso einschließt wie den Produzenten und wenn wir sie als ein Ergebnis ansehen aus

Produktion × Rezeption

dann ergibt sich eine neue Möglichkeit, die Summe zu vergrößern. Bisher haben wir uns bei der Bewertung eines Kunstwerks auf den Produktionsfaktor gestützt. Wir haben nur den Beitrag des Künstlers beurteilt, den wir meistens an einem künstlerischen Ideal gemessen haben:

$$\frac{\textbf{Ausführung}}{\textbf{Forderung}}$$

ein Quotient also, der bei der Beurteilung anderer ökonomischer Aktivitäten von mehr praktischer Natur (zum Beispiel bei der Produktion von Bohnerwachs oder Schraubenziehern) durchaus sinnvoll sein mag. Als System für künstlerische Bewertung ist er aber trügerisch, da seine Gültigkeit auf dem Nenner beruht, einer willkürlichen «Forderung». Aber wir können die künstlerische Erfahrung genauso leicht vergrößern, indem wir den Rezeptionsfaktor vergrößern, sowohl qualitativ als auch quantitativ.

Quantitativ gesehen hat das Kunstwerk um so mehr potentiellen Effekt, je mehr Menschen es betrachten. Qualitativ gesehen steht es in der Macht des Betrachters/Rezipienten, den Gesamtwert des Werkes zu vergrößern, indem er ein anspruchsvoller, kreativer oder sensibler Teilnehmer am Prozeß wird. In der Praxis ist dies keine neue Idee, auch wenn das in der Theorie so sein mag. Gerade der Film selbst ist besonders reich an dieser Art von Aktivität. Filmfans haben sich schließlich darin geübt, die thematischen, ästhetischen, ja sogar politischen Werte selbst in den Filmen von unbedeutenderen Regisseuren wie Jacques Tourneur oder Archie Mayo zu entdecken. Bestenfalls kann sich das durchschnittliche am Thema interessierte Publikum in seiner Kritik an solchen Fans orientieren; schlimmstenfalls haben diese eine Möglichkeit gefunden, größeren Gewinn aus schlechtem künstlerischem Material zu ziehen als wir anderen. Das ist die neue Ökologie der Kunst.

Die Künstler selber sind sich des Potentials dieser neuen empfänglichen und einfühlenden Beziehung sehr wohl bewußt. Zufallskunst («found art»), Zufallspoesie («found poetry»), aleatorisches Theater und musique concrète, sie alle gründen auf einem Verständnis der potentiellen Macht des Betrachters, die Werte künstlerischer Erfahrung zu vervielfachen. In all diesen Fällen nimmt der Künstler die Rolle eines Vor-Beobachters ein, eines Herausgebers, der nicht schöpferisch, sondern auswählend tätig ist. Die Dichterin Denise Levertov hat den Grund für dieses Unterfangen treffend ausgedrückt:

> Ich möchte dir etwas geben
> das ich gemacht habe
>
> einige Worte auf einer Seite – als ob
> ich sagte «Hier sind ein paar blaue Perlen»

Found art. Andy Warhols Acht-Stunden-Film *Empire* (1964) besteht aus einem Bild: dem Blick auf das Empire State Building im Smog Manhattans. Das Bürogebäude als Kunstobjekt. (*Standvergrößerung. Warhol Enterprises*)

> oder «Hier ist ein leuchtendrotes Blatt, das ich auf der Straße
> gefunden habe» (denn
>
> Finden ist Auswählen, und die Wahl
> wird getroffen)...*

In acht Zeilen beschreibt sie nicht nur den tiefsten künstlerischen Antrieb, sondern sie rechtfertigt auch, warum man sich der Kunst vom Standpunkt des Rezipienten und nicht dem des Produzenten nähern kann: «Denn Finden ist Auswählen, und die Wahl wird getroffen.»

Das bedeutet nicht nur, daß die Betrachter ihre Wahrnehmungsfähigkeit fertigen Kunstwerken gegenüber steigern können, sondern ebenfalls, daß sie selbst als Künstler handeln können: Sie treffen die Wahl zwischen dramatischem, visuellem, narrativem, musikalischem Material und dem Material aus ihrer Umwelt, das sich ihnen Tag für Tag anbietet ... «die Wahl wird getroffen». Darüber hinaus hat diese künstlerische Gleichung einen moralischen Aspekt, denn sie impliziert in hohem Maße, daß der Betrachter dem Künstler gleichwertig ist. Das Wort «Rezipient» ist demzufolge mißverständlich, denn die Betrachter sind nicht mehr passiv, sondern aktiv. Sie nehmen einen vollwertigen Platz im künstlerischen Prozeß ein.

Die Bedeutung dieser neuen Bewertung der Rolle von Künstler und Betrachter kann gar nicht hoch genug eingeschätzt werden. Die größte Herausforderung, mit der die Künste in ihrer siebentausendjährigen Geschichte kämpfen mußten, kam durch die Techniken der Massenproduktion auf sie zu, die im Zuge der industriel-

* Aus Denise Levertov: *Here and Now.* Copyright 1957 Denise Levertov (City Lights Books).

len Revolution entstanden. Während es der Vorteil der Massenproduktion ist, Kunst nicht länger einer Elite vorzubehalten, bedeutet dies andererseits, daß die Künstler seit der industriellen Revolution ständig dafür kämpfen müssen, ihre Arbeit nicht zu einer Ware werden zu lassen. Nur die aktive Teilnahme des Betrachters am anderen Ende des Prozesses ist dagegen eine Garantie.

Wo das Kunstwerk einst nur nach willkürlichen Idealen und künstlichen Forderungen bewertet wurde, kann es heute als «halbfertiges» Material angesehen werden, das vom Betrachter nicht einfach konsumiert, sondern *genutzt* werden soll, um den künstlerischen Prozeß zu vervollständigen. Heute ist die Frage nicht: «Entspricht dieses Kunstwerk den Anforderungen?», sondern eher: «Wie können wir dieses Kunstwerk am besten verwenden?» Natürlich sprechen wir hier von einem Ideal. In Wirklichkeit konsumieren die meisten Betrachter Kunst – sei sie elitär oder populär – immer noch passiv. Aber die Tendenz zur teilhabenden künstlerischen Demokratie wächst.

Die neue Technologie verstärkt diese neue Gleichheit von Künstler und Betrachter. Jetzt ist der Betrachter technologisch imstande, das Werk des Künstlers in vielfältiger Weise umzuformen. Da wäre es dumm vom Künstler, die neugewonnene Freiheit des Betrachters nicht in Betracht zu ziehen. Jeder gewitzte Teenager mit einem Computer kann heute seine Lieblings-CD genauso leicht «sampeln» wie der Künstler, der die Aufnahme produziert hat. Und die meisten Kids, die mehr als eine Stunde täglich MTV einschalten, bekommen mit, daß es für die meisten Hits verschiedene Fassungen oder «Mixe» gibt, wie sie auch wissen, daß Filme in mehreren Versionen herausgebracht werden. Das Kunstwerk ist nicht mehr heilig. Statt ein abgeschlossenes Werk zu schaffen, produziert der Künstler heute – ob er es mag oder nicht – Rohmaterial, das wir Konsumenten beliebig verändern können: «... die Wahl wird getroffen».

Das Abstraktionsspektrum, die Sprachformen, die Determinanten, die Gleichung von Produzent und Rezipient (und ihre Folgeerscheinung, die Demokratisierung des Prozesses) – all diese verschiedenen Versuche, die Künste zu verstehen, sind – wie schon angesprochen – keine wissenschaftlichen Gesetze, sondern Hilfen zu einem Verständnis der künstlerischen Erfahrung. Als begriffliche Strukturen sind sie nützlich, aber sie sollten nicht zu ernst genommen werden. Auf solchen Wegen bewegt sich halt das Denken. Die Strukturierungen werden nicht durch Induktion gewonnen. Sie sind eher aus der künstlerischen Erfahrung selbst abgeleitet, und sie sollen diese Erfahrungen in den für sie passenden Kontext stellen: als ein Phänomen, das sowohl vergleichbar ist als auch einzigartig erscheint. Die Erfahrung der Kunst kommt an erster Stelle; abstrakte Kritik dieser Art ist sekundär – oder sollte es sein.

Darüber hinaus existiert keine dieser begrifflichen Strukturen isoliert. Alle Elemente sind in ständiger Bewegung, und ihre Beziehungen sind dialektischer Natur.

Es ist nicht wichtig, ob zum Beispiel Architektur eine Umweltkunst oder eine visuelle Kunst ist, aber es ist wichtig, daß diese Elemente innerhalb der Kunst in einer dialektischen Beziehung stehen. Das ist die zentrale Auseinandersetzung, die sie lebendig macht. Genausowenig ist es wichtig, ob wir den Film in die Reproduktions- oder die Symbolsparte einreihen (er zeigt Elemente der symbolischen Darstellung – und Elemente der Aufführung sowie des Kunsterzeugnisses). Das Entscheidende ist, daß die Kontraste zwischen und unter diesen verschiedenen Formen der Kraftquell der Filmkunst sind.

Ganz allgemein gesehen beschreibt das Abstraktionsspektrum die Beziehungen der Künste zu ihrem realen Rohmaterial; das System der Sprachformen erklärt die Methoden, mit denen die Künste vom Künstler zum Betrachter übermittelt werden; die Struktur der Determinanten beschreibt die Hauptfaktoren, die die Form der Künste definieren; die Künstler-Betrachter-Gleichung bietet neue Blickwinkel einer kritischen Annäherung an das Phänomen der Künste.

Film, Aufzeichnung und die anderen Künste

Die «aufzeichnenden» oder Protokollkünste bilden eine völlig neue Form des Diskurses, die parallel zu den bereits bestehenden existiert. Alles, was im Leben geschieht, zu sehen oder zu hören ist, kann auf Band oder Disk (CD, Bildplatte, Diskette) aufgezeichnet werden. Anstatt sich also irgendwo bequem im bestehenden Spektrum einzuordnen, umfaßt die «Filmkunst» eher alle alten Künste. Von Anfang an waren Film und Fotografie neutral: Die Medien existierten vor den Künsten. «Der Film ist eine Erfindung ohne Zukunft», soll Louis Lumière gesagt haben. Und zu seiner Zeit mag es wirklich so ausgesehen haben. Aber als diese revolutionäre Diskursform der Reihe nach auf jede der alten Künste angewandt wurde, entwickelte sie ein Eigenleben. Die ersten Filmexperimente «machten» Malerei im Film, «machten» den Roman, «machten» das Drama und so weiter, und allmählich zeigte sich, welche Elemente dieser Künste in Filmsituationen anwendbar waren und welche nicht.

Kurz, die Filmkunst entwickelte sich in einem Nachbildungsprozeß. Die neutrale Schablone des Films wurde über die komplexen Systeme von Roman, Malerei, Drama und Musik gelegt und enthüllte so neue Wahrheiten über gewisse Elemente dieser Künste. Wenn wir für einen Moment die Grobheit der ersten Aufzeichnungsprozesse außer acht lassen, funktionierte die große Mehrheit der Elemente aus diesen Künsten sehr gut im Film. In der Tat ist die Geschichte der Künste in den letzten hundert Jahren eng verknüpft mit der Herausforderung durch den Film. Während sich die Protokollkünste ohne Einschränkung bei ihren Vorläufern bedienten, mußten die Malerei, die Musik, der Roman, das Bühnendrama – sogar die Architektur – sich in Begriffen der neuen künstlerischen Sprache des Films neu definieren.

Film, Fotografie und Malerei

«Laufende Bilder» sind auf den ersten Blick den visuellen Künsten am meisten verwandt. Noch vor kurzer Zeit konnte der Film nur in sehr begrenztem Maße mit der Malerei konkurrieren: Erst in den späten sechziger Jahren waren die Filmfarben so

Daguerreotypie von William Shew, circa 1845–50. Wenn auch inzwischen in schlechtem Zustand, zeigt dieses Porträt immer noch, welch großartiger Einzelheiten und welch beeindruckender Tonabstufungen die Daguerreotypie fähig war. (*Originalgröße: 7,9 cm x 6,7 cm. The Museum of Modern Art, New York*)

ausgereift, daß man ihnen eine größere Bedeutung als nur die eines nützlichen, nicht sehr wesentlichen Hilfsmittels beimessen konnte. Trotz dieser klaren Begrenztheit wurden die großen Möglichkeiten von Fotografie und Film sofort erfaßt. Die technischen Medien übertrafen Malerei und Zeichnen ganz eindeutig in einem Aspekt, der zugegebenermaßen beschränkt, aber dennoch wesentlich war: Sie konnten Bilder von der Welt direkt aufzeichnen. Natürlich haben die visuellen Künste neben der genauen Nachahmung andere Funktionen, aber seit der frühen Renaissance war die Mimesis ein entscheidender Wert in der visuellen Ästhetik. Menschen, für die Reisen schwierig und risikoreich war, fanden die Reproduktion von Landschaftsszenen faszinierend, und das Porträt war eine fast mystische Erfahrung. Von Myriaden von Schnappschüssen, Paßfotos, Zeitungsbildern und Ansichtskarten überschwemmt, vergessen wir heute leicht diese Funktion der visuellen Künste.

Am 7. Januar 1839 verkündete François Arago der Welt in einer Vorlesung an der französischen Akademie der Wissenschaften, daß eine gebrauchsfähige Methode zur Aufzeichnung von fotografischen Bildern gefunden worden sei, und kurze Zeit später war das Porträt bereits ihr wichtigstes Arbeitsfeld. Die Daguerreotypie erlaubte Tausenden von Durchschnittsbürgern die Art von Unsterblichkeit, die bislang einer Elite vorbehalten war. Die Demokratisierung des Bildes hatte begonnen. Im Laufe weniger Jahre entstanden Tausende von Porträtgalerien.

Aber Daguerres Erfindung war unvollkommen; sie produzierte ein Bild, aber konnte sich selbst nicht reproduzieren. Nur einen Monat nach Daguerres einzigartigem System beschrieb William Henry Fox Talbot, wie ein Bild reproduziert werden konnte, indem er in der Kamera ein negatives fotografisches Abbild festhielt und davon mehrere Positive gewann. Dies war das zweite wichtige Element der Fotografie. Als Frederick Scott Archers Kollodium-Verfahren Talbots rauhe Papier-Negative durch den Film ersetzte, war das System der Fotografie, das sowohl Bilder festhalten als sie auch unbegrenzt und präzise reproduzieren kann, vollständig.

Natürlich wurde die neue Erfindung der Fotografie gleich auf dem Gebiet angewandt, wo sie am nützlichsten war: dem Porträt. Die Malerei ging auf diese Herausforderung ein. Die Entwicklungs- und Reifejahre der Fotografie, ungefähr von 1840 bis 1870, sind genau die Jahre, in denen sich die Theorie der Malerei schnell von der Nachahmung fortentwickelte und eine anspruchsvollere Ausdrucksform suchte. Durch die Erfindung der Fotografie von der Pflicht befreit, die Realität nachzuahmen, konnten die Maler die Struktur ihrer Kunst umfassender erforschen. Dennoch existiert ganz sicher nicht eine einfache Ursache-Wirkung-Beziehung zwischen der Erfindung der Fotografie und dieser Entwicklung in der Geschichte der Malerei. Joseph Turner schuf zum Beispiel «antifotografische» Landschaftsbilder dreißig Jahre bevor Daguerre seine Erfindung vervollkommnete. Aber ihre Verbindung ist nicht nur rein zufällig.

Auf das Denken von Malern wie den Impressionisten (besonders Monet und Auguste Renoir) scheinen gerade die Eigenschaften des fotografischen Bildes einen direkten Effekt gehabt zu haben. Sie bemühten sich, die dem Augenblick entsprungene und anscheinend zufällige Qualität des mechanisch erhaltenen Bildes zu erfassen. Indem sie sich von der Idee der Malerei als Idealisierung hinweg- und auf wissenschaftlichen Augenblicksrealismus zubewegten, produzierten die Impressionisten Bilder, die als logisch verknüpft mit der Fotografie verstanden werden müssen. Da die Kamera nun existierte, reizte es die Maler, die Unmittelbarkeit des Augenblicks und die besondere Qualität des Lichts neu zu entdecken, zwei Faktoren, die von größter Bedeutung für die Ästhetik der Fotografie sind. Als Monet eine Reihe dieser Augenblicke nebeneinanderstellte, wie zum Beispiel in seinen Serien über Kathedralen und Heuschober, zu verschiedenen Tageszeiten gemalt, machte er den nächsten logischen Schritt: Seine gemalten Serienbilder (Bilderfolgen, die an das sogenannte Daumenkino erinnern) sind interessante Vorläufer des Films.

Die Fotografen selber scheinen sich in der Mitte des neunzehnten Jahrhunderts gelegentlich auf Bewegung hin orientiert zu haben – dem Zeit-Element – als Ver-

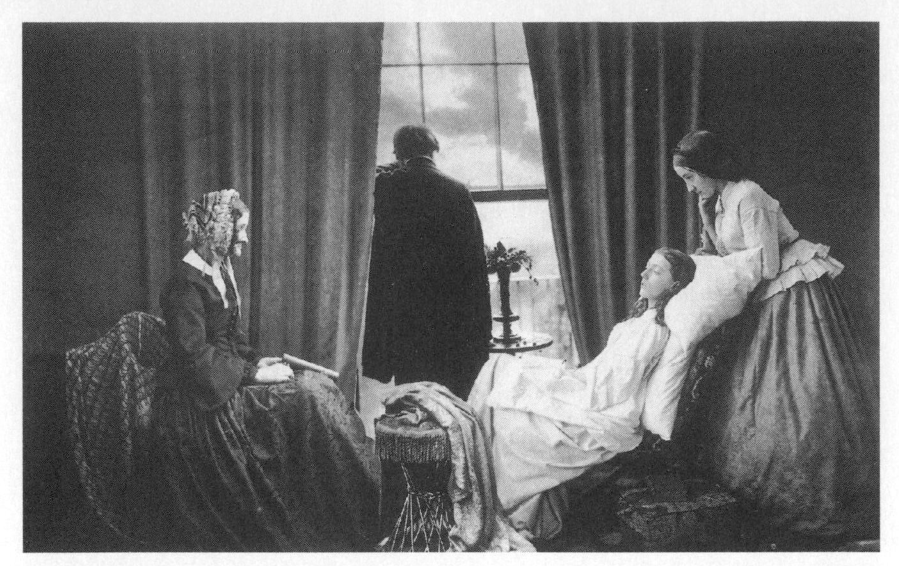

Die Kompositionsfotos von Fotokünstlern wie Rejlander und Robinson waren zum Teil eine Antwort auf die relative Unbeweglichkeit des Mediums im neunzehnten Jahrhundert. Diese spezielle Komposition, Henry Peach Robinsons *Fading Away* (1850), ist eine Collage aus fünf Negativen. Das System ermöglichte es dem Künstler, Details im Vordergrund genauso festzuhalten wie das Hintergrundlicht durchs Fenster. Die Kompositionstechnik ist ein direkter Vorläufer moderner Masken-Verfahren beim Film (siehe Seite 136–139). (*International Museum of Photography, George Eastman House*)

vollkommnung ihrer Kunst. Kurz nachdem das Porträt und die Landschaftsfotografie den dokumentarischen Wert von Fotos bewiesen hatten, verschmolzen Experimentatoren, wie Oscar G. Rejlander und Henry Peach Robinson in England, die beiden Formen, indem sie kunstvolle «tableaux» inszenierten, die denen in den Volkstheatern der Zeit nicht unähnlich waren. Sie nahmen hierfür Schauspieler und erzielten ihre Wirkung oft dadurch, daß sie Negativ-Collagen aufs minuziöseste zusammensetzten. Sicher sind diese fotografischen Dramen zunächst eine Antwort auf die Ideen der Maler (sie erinnern stark an die Präraffaeliten), aber wir können heute in Rejlanders und Robinsons kunstvollen Bildern bereits die Wurzeln des dramatischen Elements erkennen, das später, sobald die Bilder angefangen hatten zu laufen, ausschlaggebend werden würde. Wenn Rejlander und Robinson sentimentale Präraffaeliten waren, dann war es D. W. Griffith ebenfalls.

Im frühen neunzehnten Jahrhundert gibt es viele Beispiele für die subtilen Wechselbeziehungen zwischen der sich entwickelnden Technik der Fotografie und den anerkannten Künsten von Malerei und Zeichnen, und die nächste größere Entwicklung in der Ästhetik der Malerei im frühen zwanzigsten Jahrhundert fiel mit dem Aufkommen des Films zusammen. Wiederum kann man keine genaue Korrelation feststellen. Bestimmt war es nicht so, daß Marcel Duchamp sich eine Aufführung von *The Great Train Robbery* ansah, «Aha» rief und sich am nächsten Tag niedersetzte, um *Nu descendant un escalier* zu malen. Doch auch hier sind die Übereinstimmungen offensichtlich.

Von einer bestimmten Perspektive aus gesehen, können die Bewegungen des Kubismus und des Futurismus als direkte Reaktion auf die wachsende Vorrangstellung des fotografischen Bildes gesehen werden. Es ist so, als ob die Künstler gesagt hätten: Da die Fotografie diese Dinge so gut macht, werden wir unsere Aufmerksamkeit anderen Dingen zuwenden. Der Kubismus vermied Licht und Atmosphäre ganz bewußt (die Gebiete, auf denen die Impressionisten direkt – und erfolgreich – mit der aufkommenden Fotografie konkurriert hatten), um radikal und unwiderruflich mit der Tradition der Mimesis in der westlichen Malerei zu brechen. Der Kubismus stellt eine entscheidende Wendemarke in der Geschichte aller Künste dar; der Künstler befreite sich vom existierenden Muster der realen Welt und konnte zum ersten Mal seine Aufmerksamkeit dem Konzept eines Kunstwerkes zuwenden, das von seinem Motiv gelöst war.

Aus einer anderen Perspektive gesehen, entwickelte sich der Kubismus parallel zum Film. Bei dem Versuch, mehrere Perspektiveebenen auf der Leinwand festzuhalten, reagierten Picasso, Braque und andere direkt auf die Herausforderung des Films, der als ein sich bewegendes Bild komplexe, ständig wechselnde Perspektiven erlaubte, ja diese sogar förderte. In diesem Sinne ist *Nu descendant un escalier* ein Versuch, die vielfältigen Perspektiven des Films auf die Leinwand bannen. Die traditionelle Kunstgeschichte behauptet, daß die afrikanische Skulptur den Kubismus am entscheidendsten beeinflußte, und das stimmt zweifellos, da die Kubisten mit diesen Skulpturen wahrscheinlich viel vertrauter waren als mit den Filmen von Edwin S. Porter oder Georges Méliès. Aber die strukturelle Verwandtschaft zu untersuchen ist sicherlich reizvoll. Eines der wesentlichen Elemente des Kubismus war zum Beispiel der Versuch, auf der Leinwand eine Vorstellung von den Wechselbeziehungen zwischen verschiedenen Perspektiven zu erreichen. Das entstammt nicht der afrikanischen Bildhauerei, sondern es erinnert stark an die Dialektik der Montage im Film. Sowohl der Kubismus als auch die Montage vermeiden einen einzigen Blickwinkel und erforschen die Möglichkeiten von mehreren Perspektiven.

Die theoretische Beziehung zwischen Malerei und Film hält bis heute an. Die italienischen Futuristen produzierten augenscheinliche Parodien auf den Film; zeitgenössischer fotografischer Hyperrealismus führt die Kritik an der Kamera-Ästhetik fort. Doch die Verbindung der beiden Künste war nie wieder so eindeutig und klar wie zur Zeit des Kubismus. Die wichtigste Antwort der Malerei auf die Herausforderung durch den Film ist die Vorstellung, die der Kubismus als erster ermöglichte und die nun alle Künste gemein haben. Die Aufgabe der Nachahmung ist zum

Marcel Duchamps *Nu descendant un escalier*, no. 2 (*1912. Öl auf Leinwand. Philadelphia Museum of Art/ Louise and Walter Arenberg Collection*)

größten Teil den reproduzierenden Künsten überlassen worden. Die Künste der symbolischen Darstellung und des Kunsterzeugnisses haben sich auf eine neue, abstraktere Sphäre zubewegt. Die große Herausforderung, die der Film für die visuellen Künste darstellte, war sicherlich eine Funktion seiner mimetischen Fähigkeiten, aber sie hing auch mit dem einen Faktor zusammen, der den Film so radikal von der Malerei unterschied: Der Film bewegte sich.

1819 hatte John Keats die mystische Fähigkeit der visuellen Künste, die Zeit auf einen Augenblick einzufrieren, in seiner «Ode auf eine griechische Vase» gefeiert.

Die visuellen Konventionen des Kubismus wurden von einer Reihe avantgardistischer Filmkünstler benutzt. Die Theorie des Kubismus war sogar noch einflußreicher. Ingmar Bergmans Film *Persona* (1966) war ein sprechendes Beispiel für die kubistische Perspektive. Die Blickwinkel der Schauspielerin Elisabeth Vogler (Liv Ullmann, links) und ihrer Pflegerin (Bibi Andersson, rechts) sind so extrem ausbalanciert, daß ihre Gesichter auf dem Höhepunkt des Films (in einer anderen Aufnahme) im Bild miteinander verschmelzen. (*Standvergrößerung*)

Du noch unberührte Braut der Stille, Pflegekind
des Schweigens und langsamer Zeit...
Gehörte Melodien sind süß, doch die ungehörten
sind süßer...

O glückliches, glückliches Gezweig, das sein
Laub nicht abwerfen noch je vom Frühling Abschied nehmen kann!
Und du glücklicher, unermüdlicher Flötist,
der ewig-neue Lieder ewig spielt!

Noch seligere Liebe! Noch selig seligere Liebe!
Auf ewig glühend und stets vor dem Genuß!
So ewig lechzend und auf ewig jung...

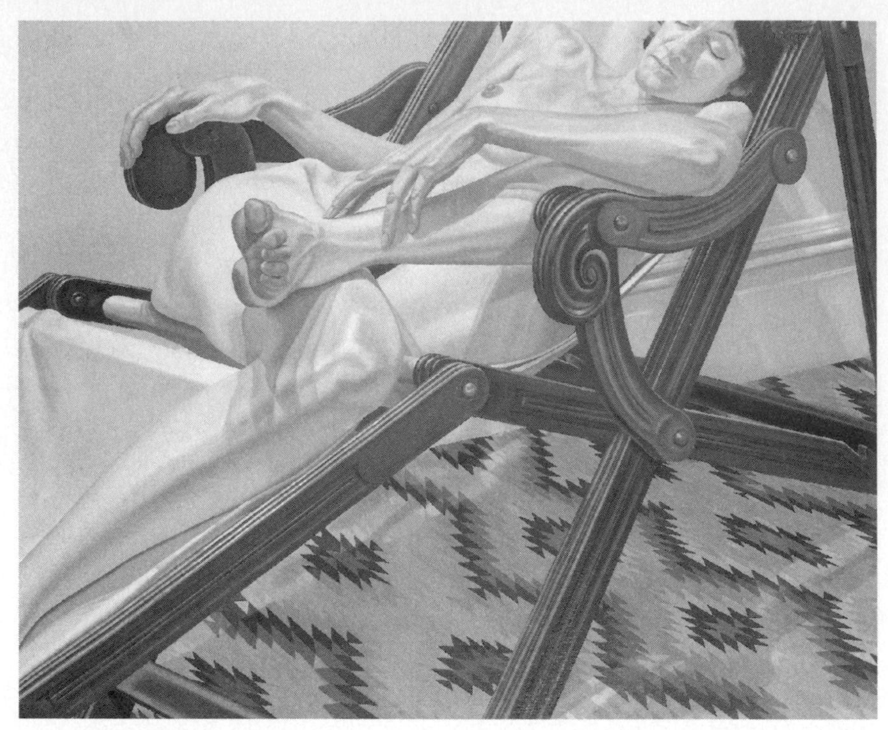

Während der sechziger und siebziger Jahre gab es so etwas wie eine Rückkehr zum Realismus unter den älteren Nicht-Protokollkünsten. Der französische «nouveau roman» war eng mit dem Film verbunden, ebenso wie sich der amerikanische «Hyperrealismus» oder «Fotorealismus» auf die Fotografie als ästhetische Grundlage bezog. Philip Pearlsteins *Female Model on Deck Chair (1978. Öl auf Leinwand. Frumkin/Adams Gallery, New York)*

Der erstarrte Moment eines Stillebens, welches das Leben mitten in der Bewegung festhält, hat etwas Magisches und Berauschendes an sich. Aber Keats' Gedicht trägt eine lehrreiche Ironie in sich, denn es ist fast sicher, daß die Art von Vase, die er besang, Illustrationen wie auf einem Fries hatte, und Friese zählen zu den wichtigsten Versuchen der tonlosen visuellen Künste, eine Geschichte zu erzählen, von Ereignissen zu berichten – mit Existenz, kurz gesagt, ebenso in der Zeit wie im Raum.

In diesem Sinne vollendet der Film nur das Schicksal der Malerei. Richard Lester machte dies auf eine amüsante Art in den Nachspann-Titeln zu *A Funny Thing Happened on the Way to the Forum* (1966) deutlich. Der Film, der auf einem Musical basiert, das wiederum von einem Stück von Plautus (die klassische Verbindung) stammt, endet mit einer Aufnahme von Buster Keaton als Erronius, der ein weiteres Mal voller Zuversicht um Roms sieben Hügel läuft. Der Film geht an dieser Stelle langsam über in einen Animationsfilm im Stil eines Frieses, über den die Schlußtitel ablaufen. Keats' glückliches Gezweig, sein glücklicher Flötist und seine selig seligen Liebenden würden sich in ihrer ursprünglichen Inkarnation auf der Vase ebenfalls bewegen, wenn sie könnten.

Film und Roman

Das narrative Potential des Films ist so ausgeprägt, daß er seine engste Verbindung nicht mit der Malerei und nicht einmal mit dem Drama, sondern mit dem Roman geknüpft hat. Film und Roman erzählen beide lange Geschichten mit einer Fülle von Details, und sie tun dies aus der Perspektive des Erzählers, der oft eine gewisse Ironie zwischen Geschichte und Betrachter schiebt. Was immer gedruckt im Roman erzählt werden kann, kann im Film annähernd verbildlicht oder erzählt werden (obwohl die wildesten Phantasien eines Jorge Luis Borges oder eines Lewis Carroll eine Menge Spezialeffekte erfordern mögen). Die Unterschiede zwischen den beiden Künsten, von dem offensichtlichen und großen Unterschied zwischen visueller und sprachlicher Erzählweise abgesehen, sind leicht zu entdecken.

Zunächst einmal ist der Film begrenzter, da er in Echtzeit stattfindet. Erfolgreiche Romane sind in den letzten Jahren ein riesiges Reservoir an Material für kommerzielle Filme gewesen. Tatsächlich ist es inzwischen für die Verlage ein wesentlicher ökonomischer Faktor, das Material eines erfolgreichen Romans auch als Film zu verwerten. Manchmal scheint es fast so, als existiere der populäre Roman (im Gegensatz zur elitären Prosakunst) nur als erster Entwurf für den Film.

Aber der kommerzielle Film kann die zeitliche Spanne eines Romans nicht reproduzieren. Ein Drehbuch hat durchschnittlich 125–150 Typoskript-Seiten, ein landläufiger Roman das Vierfache. Handlungsdetails gehen fast regelmäßig bei der Übertragung vom Buch in den Film verloren. Nur die Fernsehserie kann diesen Mangel ausgleichen. Sie vermittelt noch ein wenig die gleiche Vorstellung von Dauer, die zum großen Roman gehört. Unter allen Verfilmungen von *Krieg und Frieden* zum Beispiel scheint mir die zwanzigteilige Serie der BBC in den frühen sechziger Jahren die erfolgreichste gewesen zu sein; nicht unbedingt, weil die schauspielerischen Leistungen oder die Regie besser waren als in den zwei- oder sechsstündigen Filmversionen (obwohl man darüber streiten könnte), sondern nur deshalb, weil die länger laufende TV-Serie die wesentliche Eigenschaft der Saga reproduzieren konnte – die Dauer.

Muß der Film sich auf der einen Seite auf eine kürzere Erzählung beschränken, hat er andererseits visuelle Möglichkeiten, die der Roman nicht hat. Was durch Beschreibung nicht vermittelt werden kann, läßt sich ins Bild übertragen. Und hier stoßen wir auf den grundlegendsten Unterschied zwischen beiden Erzählformen.

Audrey Totter und Robert Montgomery in *Lady in the Lake*. Ich-Erzählung im Film muß, wenn sie strikt durchgehalten wird, eine Menge Einfallsreichtum beim Einsatz von Spiegeln aufbringen, wenn der Erzähler / Held gesehen werden soll. (*Museum of Modern Art / Film Stills Archive*)

Romane werden vom Autor erzählt. Wir sehen und hören nur, was er uns sehen und hören lassen möchte. Filme werden auch von ihren Autoren erzählt, aber wir sehen und hören sehr viel mehr als das, was ein Regisseur notwendigerweise möchte. Es wäre eine absurde Aufgabe für einen Schriftsteller zu versuchen, eine Szene genauso detailliert zu beschreiben, wie sie im Kino vermittelt wird. (Der Romancier Alain Robbe-Grillet hat in Romanen wie *La Jalousie* und *Dans le Labyrinthe* genau auf diese Art experimentiert.) Wichtiger noch: Was auch immer der Romancier beschreibt, es wird durch seine Sprache, seine Vorurteile und seinen Blickwinkel gefiltert. Beim Film haben wir ein gewisses Maß an Freiheit auszuwählen, unsere Aufmerksamkeit eher auf dieses Detail und nicht auf ein anderes zu lenken.

Die treibende Kraft im Roman ist die Beziehung zwischen den Materialien der Geschichte (Handlung, Personen, Milieu, Thema und so weiter) und deren Umsetzung in Sprache; in anderen Worten: die Beziehung zwischen der Geschichte und dem Erzähler. Der Film dagegen gewinnt seine treibende Kraft aus den Materialien der Geschichte und der objektiven Natur des Bildes. Es ist, als sei der Autor / Regisseur in ständigem Konflikt mit der Szene, die er gerade filmt. Der Zufall spielt eine weitaus größere Rolle, und das Endresultat ist, daß der Betrachter sehr viel mehr Möglichkeiten hat, aktiv an der Erfahrung teilzunehmen. Die Worte auf der Buchseite sind immer dieselben, aber das Bild auf der Leinwand ändert sich ständig, je nachdem, wohin wir unsere Aufmerksamkeit lenken. Der Film ist, so gesehen, eine sehr viel reichere Erfahrung.

Aber er ist gleichzeitig ärmer, da die Person des Erzählers so viel schwächer ist. Es hat zum Beispiel nur einen wichtigen Film gegeben, der versucht hat, die für den Roman so nützliche Ich-Erzählung nachzuahmen, Robert Montgomerys *Lady in the Lake* (1946). Das Ergebnis war eine verkrampfte, klaustrophobische Erfahrung: Wir sahen nur, was der Held sah. Um uns den Helden zu zeigen, mußte Montgomery auf eine Reihe von Spiegeltricks zurückgreifen. Der Film kann sich den Ironien, die der Roman in seiner Erzählform entwickelt, annähern, aber er kann sie niemals nachahmen.

Verständlicherweise begegnete der Roman der Herausforderung des Films dadurch, daß er sich verstärkt gerade diesem Gebiet zugewandt hat: den subtilen, komplexen Ironien der Sprache. Wie die Malerei hat sich die Prosa im zwanzigsten Jahrhundert von der Nachahmung abgewandt und der Selbsterforschung zugewandt. Auf dem Weg dorthin hat sie sich geteilt. Das, was im neunzehnten Jahrhundert eine gemeinsame Erfahrung war, die Hauptform des sozialen und kulturellen Ausdrucks und die beliebteste Kunstform des neuen Lesepublikums aus dem Mittelstand, hat sich im zwanzigsten Jahrhundert in zwei Formen gespalten: den Unterhaltungsroman, der inzwischen so eng mit dem Film verknüpft ist, daß er manchmal sogar zuerst als Drehbuch entsteht; und den «elitären» Roman, das Arbeitsfeld der «künstlerischen» Avantgarde.

Dieser künstlerische Roman hat sich seit James Joyce ähnlich wie die Malerei entwickelt. Wie die Maler lernten auch die Romanciers durch die Erfahrung des Films, ihre Kunst zu analysieren und zu begreifen. Vladimir Nabokov, Jorge Luis Borges, Alain Robbe-Grillet, Donald Barthelme und viele andere schrieben Romane über das Romanschreiben (wie auch über andere Dinge), genauso wie viele Maler des zwanzigsten Jahrhunderts Bilder über das Malen von Bildern gemalt haben. Die Abstraktion beschränkt sich nicht mehr allein auf die menschliche Erfahrung, sondern hat sich längst den Ideen über diese Erfahrung zugewendet, wird letztlich zu einem Interesse an der Ästhetik des Gedankens. Jean Genet, Dramatiker und Romancier, hat gesagt: «Ideen interessieren mich nicht so sehr wie die Form der Ideen.»

In welcher Hinsicht ist der Roman noch durch den Film verändert worden? Seit den Tagen Defoes war es eine der wichtigsten Funktionen des Romans, wie der Malerei, eine Vorstellung von anderen Orten und Menschen zu vermitteln. Im frühen neunzehnten Jahrhundert, der Zeit Sir Walter Scotts, hatte diese Reiseberichterstattung ihren Höhepunkt erreicht. Danach, als zunächst die Fotografie, dann der Film

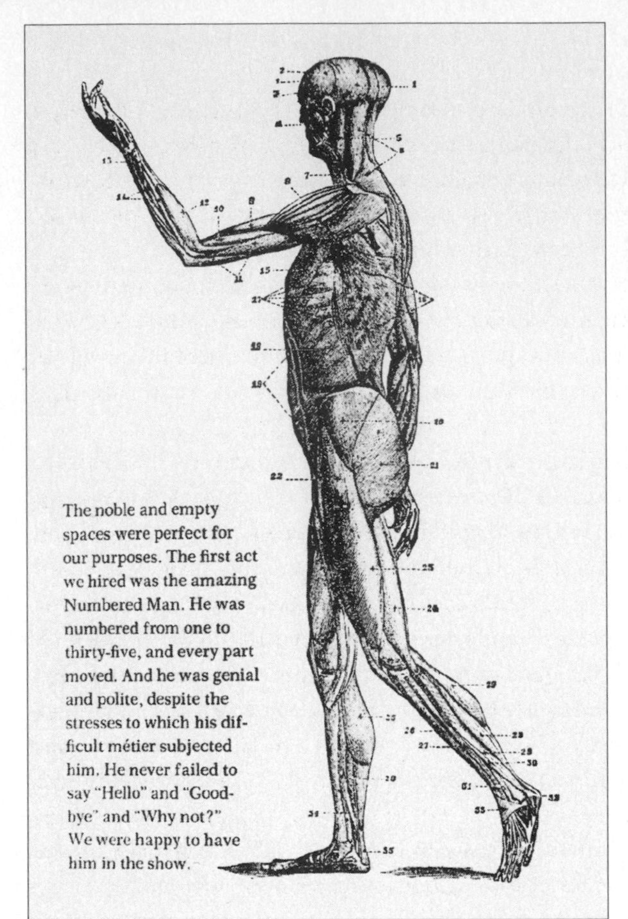

Donald Barthelmes «fictions» sind keine richtigen Romane und auch keine richtigen Gedichte. Er experimentierte oft damit, alte Lithographien und zeichnerische Zutaten in seine Texte mit einzubeziehen. Hier ist eine Seite aus seiner Erzählung «Flight of Pigeons From the Palace» (*Sadness*. Farrar, Straus & Giroux, 1972). Trotz ihrer Abstraktion eignen sich Barthelmes Erzählungen gut zur Dramatisierung, da sie sowohl eine sichtbare wie erzählerische Wirklichkeit besitzen.

diese Funktion zu übernehmen begann, schwächte sich der szenische und beschreibende Charakter des Romans ab. Darüber hinaus haben Romanschriftsteller es gelernt, ihre Geschichten in den kleinen Einheiten zu erzählen, die typisch für den Film sind. Wie zeitgenössische Stückeschreiber denken sie nun mehr in kurzen Szenen als in langen Akten.

Die Fähigkeit, mit Wörtern zu spielen, ist einer der größten Trümpfe des Romans. Filme haben natürlich auch Worte, aber im allgemeinen nicht in solcher Fülle und niemals mit der konkreten Beharrlichkeit des gedruckten Textes. Wenn die Malerei unter dem Einfluß des Films zum Design tendierte, dann nähert sich der Roman der Poesie, indem er seine Aufmerksamkeit verstärkt auf sich selbst richtet und sein eigenes Material zelebriert: die Sprache.

Film und Theater

Oberflächlich betrachtet, scheinen Theaterfilme noch am ehesten dem Bühnendrama vergleichbar zu sein. Sicherlich liegen dort die Wurzeln des kommerziellen Films zu Beginn dieses Jahrhunderts. Aber der Film unterscheidet sich in mehrfacher Hinsicht deutlich vom Bühnendrama: Er hat das lebendige, präzise, bildhafte Potential der visuellen Künste, und er hat größere erzählerische Möglichkeiten.

Der auffallendste Unterschied zwischen Bühnendrama und gefilmtem Drama ist, ebenso wie zwischen einer Prosaerzählung und einer Filmerzählung, der Blickwinkel. Wir sehen ein Bühnenstück so, wie wir wollen; wir sehen einen Film nur so, wie der Filmemacher will, daß wir ihn sehen. Und im Film können wir außerdem noch eine Menge mehr sehen. Es ist eine Binsenwahrheit, daß der Bühnenschauspieler mit seiner Stimme arbeitet, während der Filmschauspieler sein Gesicht einsetzt. Selbst unter den günstigsten Umständen hat das Publikum eines Bühnenstückes Schwierigkeiten, mehr zu verstehen als nur die eindeutigsten Gesten. (Im Englischen ist das Wort «audience» für das Theaterpublikum ein deutlicher Hinweis: Zuhörer – nicht Zuschauer.) Inzwischen braucht der Filmschauspieler dank der Synchronisation nicht einmal mehr die eigene Stimme; der Dialog kann später hinzugefügt werden. Aber das Gesicht muß außerordentlich ausdrucksstark sein, besonders wenn es in Großaufnahme bis zu tausendmal vergrößert wird. Für einen Filmschauspieler ist ein Drehtag befriedigend verlaufen, wenn ihm ein guter «Augenblick» gelungen ist. Wenn wir zusätzlich in Betracht ziehen, daß Filme mit «Rohmaterial» gemacht werden können – mit Amateurschauspielern, ja sogar Leuten, die nicht merken, daß sie gefilmt werden – erscheinen die Unterschiede zwischen Bühnenschauspielerei und Filmschauspielerei noch erheblicher.

Genauso wichtig wie der Unterschied zwischen den verschiedenen Arten zu spielen ist der Gegensatz von dramatischer Erzählweise im Film und auf der Bühne. Zur Zeit Shakespeares war die Szene die Grundeinheit für die Bühnenarbeit und nicht der Akt. Ein Stück bestand aus zwanzig oder dreißig Szenen und nicht aus drei bis fünf viel längeren Akten. Im neunzehnten Jahrhundert war dies bereits anders. Als sich das Theater von der Shakespeare-Bühne hin zur Guckkasten-Bühne entwickelte und als der Realismus endlich Bedeutung gewann, gab man der längeren, realistischeren Einheit des Aktes den Vorzug. Während eines dreißigminütigen Aktes konnte das Publikum seine Zweifel vergessen und in das Leben der Charaktere eintreten; die kürzere Einheit der Szene erschwerte dies.

Der Film entwickelte sich genau zu der Zeit, als diese Art von Bühnenrealismus ihren Höhepunkt hatte. Und genauso wie die Malerei und der Roman die Funktion der Nachahmung dem Film überlassen hatten, so tat es auch das Theater. Die Szene wurde wieder die Basis-Einheit. Strindberg und andere entwickelten einen expres-

Der «Augenblick». John Wayne als J. B. Books in Don Siegels Western *The Shootist* (1976). Selbst auf diesem Standfoto spricht das Gesicht Bände.

sionistischen (manchmal fast kubistischen) Gebrauch des Bühnenraumes. Pirandello analysierte die Struktur der Bühnenkunst im Detail und abstrahierte so die Erfahrung der Bühne für eine Generation zukünftiger Dramatiker.

In den späten zwanziger Jahren konnte das Avantgarde-Theater den Emporkömmling Film ernsthaft herausfordern. Es war sinnlos, realistische Bühnenbilder zu schaffen, wenn der Film wirkliche Schauplätze zeigen konnte; besonders subtile Gesten waren sinnlos, wenn sie nur in der ersten Reihe gesehen werden konnten. Das Publikum konnte um die Ecke ins Kino gehen und schweigende Schauspielerinnen wie die Garbo und die Gish sehen, die unglaubliche und wunderbare Dinge mit ihren Gesichtern machten, scheinbar ohne einen Muskel zu verziehen. Als der Ton und der Dialog auf der Leinwand dazukamen, ließ sich der Film mit dem Bühnendrama noch leichter vergleichen.

Aber das Theater hat dem Film gegenüber einen sehr großen Vorteil: Das Theater ist «live». Wenn es stimmt, daß der Film viele dem Theater unbekannte Effekte erzielen kann, nur weil er zu verschiedenen Zeiten gedreht wird, stimmt es aber auch, daß die Leute, die im Film auftreten, mit ihrem Publikum ganz offensichtlich nicht in Kontakt sind.

Zwei sehr unterschiedliche Theatertheoretiker zogen, jeder auf seine Weise, Nutzen aus dieser unbestreitbaren Tatsache. In den späten zwanziger und in den dreißiger Jahren entwickelten Bertolt Brecht und Antonin Artaud (immer noch die einflußreichsten Dramentheoretiker der Moderne) Theaterkonzepte, die auf der ständigen Interaktion zwischen Publikum und Ensemble beruhten. Artauds sogenanntes Theater der Grausamkeit erforderte eine anspruchsvollere und intimere Beziehung zwischen Darsteller und Zuschauer, als je zuvor im Theater existiert hat. Artauds Ziel war es, die Zuschauer ganz direkt und eng mit einzubeziehen, so wie es im Kino nie möglich wäre.

In seinem Manifest *Das Theater und sein Double* schrieb Artaud:« Wir schaffen Bühne wie Zuschauerraum ab. Sie werden ersetzt durch eine Art von einzigem Ort ohne Abzäunung oder Barriere irgendwelcher Art, und dieser wird zum Theater der Aktion schlechthin. Zwischen Zuschauer und Schauspiel... wird wieder eine direkte Verbindung geschaffen.» (S. 102/103)

Artaud stellte sich eine Art Frontalangriff auf den Zuschauer vor, «totales» Theater, in dem alle nur möglichen Ausdrucksformen angewandt würden. Er definierte die Sprache des Theaters neu als bestehend «in alldem, was die Bühne beschäftigt, in alldem, was auf einer Bühne in stofflicher Hinsicht sich manifestiert und ausdrückt und was sich zunächst einmal an die Sinne richtet statt gleich an den Geist wie die Sprache des Wortes... wie Musik, Tanz, Plastik, Pantomime, Gebärdenspiel, Intonationen, Architektur, Beleuchtung und Ausstattung.» (S. 40/41)

Wir können hieran sehen, daß die neue Bühnensprache, wie sie von Artaud verstanden wird, von der Filmsprache beeinflußt ist, selbst da, wo sie sich der zunehmenden Beherrschung durch die neue Kunst entgegenstellt. Da der Film keine festen Regeln, Traditionen und Schulen kannte, hatte er logischerweise den Wert jeder der von Artaud angeführten Komponenten schnell entdeckt: Plastik, Musik, Tanz, Pantomime etc. So sieht sich eine weitere der älteren Künste in eine Liebe-Haß-Beziehung mit der neuen Technologie gestellt. Aber Artaud hat nie den einen entscheidenden Vorteil des Theaters aus den Augen verloren: «daß das *Theater* der einzige Ort auf der Welt ist, wo eine Gebärde *unwiederholbar* ist». (S. 80)

Brecht schlug den entgegengesetzten Kurs ein. Seine Theorie des Epischen Theaters ist komplexer – man könnte sagen anspruchsvoller – als die von Artauds Theater der Grausamkeit. Er sah die grundsätzliche Bedeutung des Theaters ebenso wie Artaud in der Unmittelbarkeit und Intimität der Theateraufführung, aber Brecht wollte die Beziehung zwischen Schauspieler und Publikum als eine dialektische neu schaffen. Das Publikum sollte nicht länger seinen Unglauben freiwillig verdrängen. Dies ist im Kino um vieles leichter.

Die «epische Form des Theaters», schrieb Brecht, «macht ihn (den Zuschauer) zum Betrachter, aber weckt seine Aktivität, erzwingt von ihm Entscheidungen...

Die dramatische Form des Theaters verwickelt den Zuschauer in eine Aktion, vermittelt ihm Erlebnisse, der Mensch wird als bekannt vorausgesetzt, (ist) der unveränderliche Mensch, während er in der neuen epischen Form des Theaters ihr (der Handlung) gegenübergesetzt (wird), der Mensch Gegenstand der Untersuchung (ist), der veränderliche und verändernde Mensch...» (*Schriften zum Theater,* S. 1009/10)

All dies wird durch etwas erreicht, das Brecht den Verfremdungseffekt nannte, dessen Ziel es war, «den allen Vorgängen unterliegenden gesellschaftlichen Gestus zu verfremden. Mit sozialem Gestus ist der mimische und gestische Ausdruck der gesellschaftlichen Beziehungen gemeint, in denen die Menschen einer bestimmten Epoche zueinander stehen.» (S. 346) Dies ist sicher mehr als nur eine Theorie des Dramas. Brechts Episches Theater und sein Verfremdungseffekt können auf eine große Anzahl von Künsten bezogen werden, auch auf den Film. Und Brechts Ideen haben in der Tat einen herausragenden Platz in der Entwicklung der Filmtheorie.

Was Brecht für das Theater erreichte, war, die Teilnahme des Zuschauers zu intensivieren, allerdings auf eine intellektuelle Art, während Artaud gerade die intellektuelle Annäherung abgelehnt hatte, zugunsten eines Theaters, das den Zuschauer in Trance versetzen sollte. Beide Theorien waren jedoch eindeutig gegen ein Theater der Nachahmung gerichtet.

Auf Grund ihrer strukturellen Verwandtschaft beeinflussen sich Theater und Film gegenseitig mehr als andere Künste. Wenn es auch in Frankreich so ist, daß viele der wichtigsten Romanschriftsteller des zwanzigsten Jahrhunderts gleichzeitig Filmemacher waren (Alain Robbe-Grillet, Marguerite Duras), so scheinen in England, Italien, Deutschland und in den USA (hier weniger) die Leute, die beim Film arbeiten, ihre Karriere eher zwischen Leinwand und Bühne aufzuteilen. Die Verbindung war fruchtbar. Während Brechts und Artauds Theorien in den letzten vierzig Jahren herangereift sind, hat sich das Theater in den Bahnen weiterentwickelt, die sie vorhergesagt haben; sie sind von keiner radikal neuen Theatertheorie verdrängt worden. Auf Artaud stützt sich das zeitgenössische Theater bei seinem erneuerten Interesse am rituellen Aspekt der dramatischen Erfahrung und seinem Sinn für die gemeinschaftliche Feier, die dem Theater immer zugrunde gelegen hat.

Ein Großteil davon wird erreicht, indem das moderne dramatische Theater der Mise en Scène im Gegensatz zum Text die zentrale Stelle einräumt. Andererseits richtet sich das zeitgenössische Theater auch nach dem gesprochenen Wort als Energiequelle aus. Besonders die englischen Stückeschreiber haben das Konzept vom Theater als Gespräch entwickelt, das seine Wurzeln bei Brecht hat. Harold Pinter, John Osborne, Edward Bond und Tom Stoppard haben neben anderen in den letzten vierzig Jahren ein Theater der verbalen Darstellung geschaffen, das in kleinen Theatern eine Wirkung hatte, die im Film nie hätte erzielt werden können.

Die große Ähnlichkeit zwischen den verschiedenen Theaterformen und dem Spielfilm hätte für die alte Kunst sehr wohl eine Katastrophe bedeuten können. Es sind bereits früher Künste «gestorben»: Im siebzehnten Jahrhundert wurde zum Beispiel das narrative oder epische Gedicht durch die Erfindung des Romans verdrängt. Aber das Theater hat die Herausforderung durch den Film mit erneuerter Vitalität beantwortet, und die Wechselbeziehung zwischen den beiden Kunstformen hat sich als eine Hauptquelle kreativer Energie in der Mitte des zwanzigsten Jahrhunderts erwiesen.

Film und Musik

Die Beziehung des Films zur Musik ist unvergleichlich viel komplexer. Bis zur Entwicklung der reproduzierenden Künste hatte die Musik eine einzigartige Position in der Gesamtheit der Künste. Sie war die einzige Kunst, in der die Zeit eine zentrale Rolle spielte. Auch Roman und Theater existierten in der Zeit, aber der Betrachter kontrolliert die «Zeit» eines Romans, und wenn auch Rhythmen in den darstellenden Künsten bedeutsam sind, so werden sie dennoch nicht streng kontrolliert. Ein Stückeschreiber oder Regisseur kann Pausen angeben, aber das sind nur die gröbsten der Zeit-Signaturen. Musik, die abstrakteste der Künste, verlangt eine präzise Kontrolle der Zeit und hängt davon ab.

Wenn die Melodie die narrative Facette der Musik ist und der Rhythmus das einmalige Zeit-Element, dann könnte die Harmonie in gewissem Sinne die Synthese der beiden sein. Die Bezeichnungen, die wir in der Musik benützen, zeigen diese Verbindung an. Drei Noten, von links nach rechts gelesen, bilden eine Melodie. Wenn sie in den Kontext einer Zeit-Signatur gestellt werden, werden Rhythmen über die Melodie gelegt. Wenn wir sie jedoch vertikal neu arrangieren, ist Harmonie das Ergebnis.

Die Malerei kann Harmonien und Kontrapunkte innerhalb eines Bildes und zwischen mehreren Bildern schaffen, aber es gibt kein Zeit-Element. Das Drama experimentiert gelegentlich mit dem Kontrapunkt – Eugène Ionescos doppelte Dialoge sind ein gutes Beispiel –, aber die so erzielten Effekte sind unerheblich. Die Musik hängt jedoch ab von der Beziehung zwischen «horizontalen» Melodie-Linien, die in Rhythmen gesetzt werden, und «vertikalen» Harmonien.

(Nein, ich bin nicht sicher, wie ich Rap oder Hip-Hop in dieses Gleichungssystem einpassen kann. Rap wurzelt in einer jahrhundertealten und fruchtbaren Tradition rhythmischer Sprachkunst und ist wahrscheinlich die innovativste Kunstform der neunziger Jahre. Weil Rap auf CDs vertrieben und auf MTV gesendet wird, legt das nahe, daß er nur als «Musik» behandelt wird – obwohl er auf Melodie und

Harmonien verzichtet. Rap betont, daß der Rhythmus das einzig wesentliche Element der Musik ist. Wir sollten vielleicht, zumindest in einer Hinsicht, den Rap als letztes Röcheln der Abstraktion ansehen – ironischerweise der einzige wirklich populäre Ausdruck von Tendenzen des anvantgardistischen Abstraktionismus. Möglicherweise reicht es auch aus, Rap als Musikalisierung von Dichtung zu verstehen: «Alle Kunst strebt den Charakter der Musik an» – und auf deren Markt.)

Abstrakt gesehen bietet der Film hinsichtlich Rhythmus, Melodie und Harmonie die gleichen Möglichkeiten wie die Musik. Die mechanische Natur des Mediums Film erlaubt eine strenge Kontrolle der Zeit: Narrative «Melodien» können nun genau kontrolliert werden. Begebenheiten und Bilder können auf der Leinwand wie Kontrapunkte arrangiert werden. Die Filmemacher begannen sehr früh mit dem musikalischen Potential der neuen Kunst zu experimentieren. Seit René Clairs *Entr'acte* (1924) und Fernand Légers *Ballet mécanique* (1924/25) hat der abstrakte oder «Avantgarde»-Film seine Wirkung zu einem großen Teil der Musiktheorie zu verdanken. Sogar vor dem Tonfilm hatten die Filmemacher angefangen, eng mit Musikern zusammenzuarbeiten. Hans Richters *Vormittagsspuk* (1928) hatte eine Partitur von Hindemith, «live» gespielt. Zu Walter Ruttmanns *Berlin – Die Sinfonie der Großstadt* (1927) existierte ebenfalls eine eigens komponierte Partitur.

Musik fand schnell Eingang in die Filmerfahrung; Stummfilme wurden normalerweise mit Live-Musik aufgeführt. Darüber hinaus entdeckten die innovativen Filmemacher der Stummfilmzeit bereits das musikalische Potential des Bildes selbst. In den späten dreißiger Jahren schuf Sergej Eisenstein für seinen Film *Aleksandr Nevskij* bereits ein ausgefeiltes Schema, um die Kamera-Bilder mit der Partitur des Komponisten Sergej Prokofjew in Einklang zu bringen. In diesem Film sowie in vielen anderen, wie zum Beispiel Stanley Kubricks *2001: A Space Odyssey* (1968), ist die Musik oft primär und bestimmt die Bilder.

Da ein Film normalerweise mit einer Geschwindigkeit von 24 Bildern pro Sekunde projiziert wird, hat der Filmemacher sogar eine genauere Kontrolle über den Rhythmus als der Musiker. Die kürzeste Vierundsechzigstelnote, die im westlichen Notationssystem geschrieben werden könnte, würde $^{1}/_{32}$ Sekunde betragen, aber es wäre unmöglich, Noten mit dieser Geschwindigkeit tatsächlich auf einem Instrument zu spielen. Die $^{1}/_{24}$-Sekunden-Einheit, die die kleinste Einheit beim Film ist, übertrifft eindeutig die schnellsten Rhythmen in der westlichen Instrumentalmusik. Die am höchsten entwickelten Rhythmen in der Musik, die indischen Talas, nähern sich der Basis-Einheit des Filmrhythmus als einer oberen Grenze.

Wir lassen hierbei natürlich die Musik außer acht, die mechanisch oder elektronisch erzeugt wird. Schon bevor das System der Tonaufnahme herangereift war, bot das elektrische Klavier Musikern eine Gelegenheit, mit rhythmischen Systemen zu experimentieren, die für Menschen nicht mehr spielbar waren. Conlon Nancar-

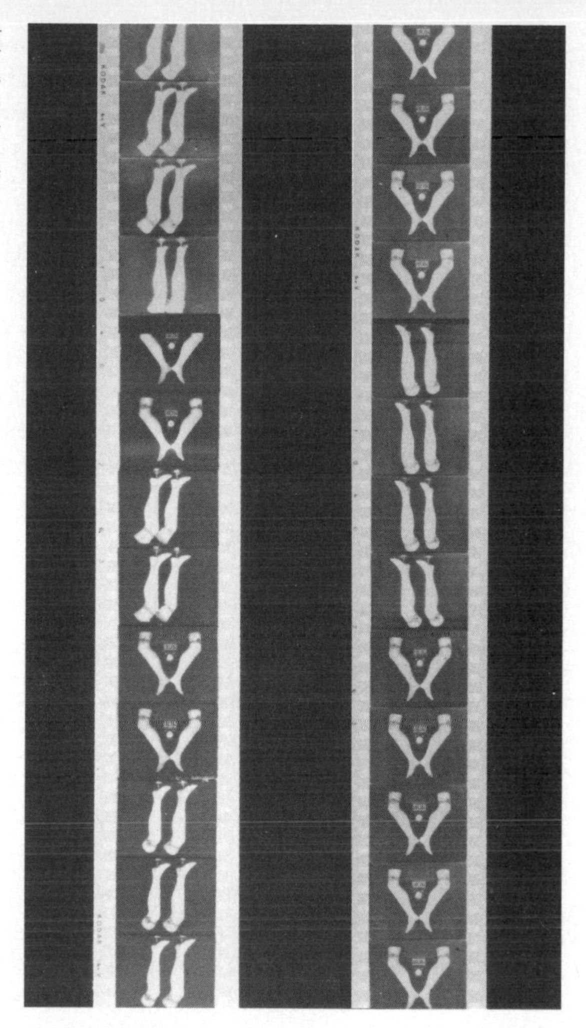

Filmstreifen aus Légers *Ballet mécanique* (1924/25). Jeweils vier Bilder dauerten normalerweise 1/6 Sekunde auf der Leinwand. Das würde den Effekt einer rhythmischen Doppelbelichtung ergeben. (*Museum of Modern Art/Film Stills Archive*)

rows «Studies for Player Piano» (die ersten dieser Studien für mechanisches Klavier entstanden 1948) waren interessante Erkundungen dieser Möglichkeiten.

Der Film benutzt ebenfalls ein System musikalischer Konzepte, die in visuelle Begriffe umgesetzt werden: Melodie, Harmonie und Rhythmus sind seit langem Wertvorstellungen in der Filmkunst. Obwohl der Film per se der Musik starke ökonomische Anstöße gegeben hat, indem er Musikern einen bedeutenden Markt eröffnete, hatte er keine besonders starke ästhetische Wirkung auf die Musik. Die Techniken der Tonaufzeichnung haben jedoch die ältere Kunst revolutioniert. Der Einfluß der neuen Technologie machte sich in zwei Wellen bemerkbar.

Die Erfindung des Phonographen im Jahre 1877 veränderte die Verbreitung der Musik auf radikale Weise. Es war nicht mehr notwendig, eine Vorführung zu besuchen, ein Privileg, das über Jahrhunderte einer kleinen Elite vorbehalten gewesen war. Bachs Goldberg-Variationen, die als Nachtmusik für einen einzelnen begüterten Menschen geschrieben worden waren, den Grafen Kaiserling, den ehemaligen russischen Gesandten am Hof des Kurfürsten von Sachsen, und von seinem persönlichen Cembalospieler, Johann Gottlieb Goldberg, gespielt wurden, waren nun für Millionen Menschen erreichbar, die sich keinen Musiker vierundzwanzig Stunden zu ihrer privaten Verfügung halten konnten.

Tonaufzeichnungen und später Radiosendungen wurden bald kraftvoll sich durchsetzende Medien zur Verbreitung von Musik. Neben ihnen gab es noch Musikaufführungen, aber sie wurden von der Tonaufzeichnung verdrängt. Das hatte auf die Natur dieser Kunst eine ebenso tiefgreifende Wirkung wie die Erfindung der Druckpresse und des Buchdrucks mit beweglichen Lettern auf die Literatur. Die Technologie bestimmte sehr bald die Kunst.

So wie die Erfindung der beweglichen Druckletter die Literatur für die Massen zugänglich gemacht hatte, so demokratisierten die Tonaufzeichnungen die Musik. Die historische Bedeutung dessen kann nicht hoch genug eingeschätzt werden. Es gab aber auch einen negativen Aspekt bei der mechanischen Reproduktion von Musik. So ging die Volksmusik stark zurück, jene Kunst, die die Menschen in Ermangelung professioneller Musiker für sich selbst schufen. Im Endeffekt war das ein niedriger Preis für das Netz neuer Kanäle der Musikverbreitung, und tatsächlich hat die neue musikalische Bildung, an der die Tonaufzeichnung den entscheidenden Anteil hatte, sich später zugunsten der populären Künste ausgewirkt, die im zwanzigsten Jahrhundert wie nie zuvor im Mittelpunkt der Musikwelt stehen.

Obwohl die Erfindung des Phonographen eine tiefreichende gesellschaftliche Wirkung auf die Musik hatte, war ihre technische Bedeutung zunächst nur sehr geringfügig. Dies hängt mit der Begrenztheit des Edisonschen Systems zusammen. Erst in den späten vierziger und den frühen fünfziger Jahren wurde die Musik-Technik von den reproduzierenden Künsten beeinflußt – als das Magnet-Tonband den Phonographen als wichtigstes Aufnahmegerät zu ersetzen begann und die elektrische Transkription den elektronischen Methoden wich.

Die Wirkung war wiederum revolutionär. Musiker hatten mit elektronischen Instrumenten bereits jahrelang vor der Entwicklung des Magnet-Tonbandes experimentiert, aber sie waren durch die Begrenzungen der Vorführung immer noch eingeengt. Das Tonband befreite sie davon und erlaubte es, Musik zu «schneiden». Die Filmtonspur, die optisch und nicht magnetisch war, existierte bereits zwanzig Jahre vor dem Tonband, aber im Kontext des Films hatte man ihr immer eine dienende Rolle zugewiesen: Sie war niemals ein selbständiges Medium.

So wie das Tonband Einzug hielt in die Aufnahme-Studios, war die Tonaufzeichnung nicht mehr allein ein Mittel, Musikaufführungen aufzuzeichnen und zu verbreiten: Sie wurde nun ein zentrales Medium der Kreativität. Tonaufzeichnung ist inzwischen so sehr zu einem integralen Teil der Musikschöpfung geworden, daß sogar populäre Musik (nicht zu reden von Avantgarde- und Elite-Musik) seit den frühen fünfziger Jahren eher eine Schöpfung der Aufnahme-Studios ist als eine Musikaufführung. *Sergeant Pepper's Lonely Hearts Club Band* (1967) der Beatles, ein Meilenstein in der Entwicklung der praktischen Protokollkünste, konnte auf der Bühne nicht reproduziert werden. Es hat viele frühere Beispiele für diese Verlagerung gegeben, mindestens seit den beliebten Platten von Les Paul und Mary Ford in den frühen fünfziger Jahren. Aber die Platte der Beatles steht im allgemeinen für das Mündigwerden der Studio-Aufzeichnung als eine der wichtigsten kreativen musikalischen Kräfte.

Das Gleichgewicht hat sich heute so radikal verändert, daß «Aufführungen» populärer Musik (von Avantgarde-Aufführungen ganz zu schweigen) heute oft Tonaufzeichnungen integrieren, und manches läßt sich einfach überhaupt nicht live aufführen. Wenn die Techniken der visuellen Aufzeichnung eine ebenso große Wirkung auf das Theater gehabt hätten, dann bestünde heute eine durchschnittliche Theateraufführung zu einem großen Teil und das Avantgarde-Theater fast ausschließlich aus Film.

Die Beziehung von Tonaufzeichnung und den Musik-Künsten ist ganz offensichtlich sehr komplex. Wir haben hier nur die Grundzüge der neuen Dialektik beschrieben. Es kann als höchst bedeutungsvoll angesehen werden, daß, anders als die Technik der Bildaufzeichnung, die Technik der Tonaufzeichnung schnell in die Kunst der Musik integriert wurde. Film wurde von Anfang an als eine vom Theater, der Malerei und dem Roman unterschiedene Kunst angesehen, aber Tonaufzeichnungen werden noch heute in die Kategorie Musik mit eingeschlossen.

Dies ist zu einem Teil Ergebnis der bis in die sechziger Jahre praktisch einzigen Aufzeichnungsart – Schallplatten. Anders als der Film konnten Platten ihr Material nur einfach aufnehmen und es reproduzieren, aber sie konnten es nicht neu gestalten. Die Entwicklung von Tonband und elektronischer Technologie fügte jedoch der Tonaufzeichnung ein kreatives Element hinzu. Heute ist die Tonaufzeichnung eher flexibler und weiter entwickelt als die Bildaufzeichnung. Es mag nur eine Frage der Zeit sein, bis auch die Tonaufzeichnung als gesonderte Kunstform angesehen wird. Wenn das Radio die Erfindung des Fernsehens besser überstanden hätte, wäre dies eher geschehen, so aber wurde die Rundfunk-Kunst zu genau dem Zeitpunkt vom Fernsehen verdrängt, als die Tonaufzeichnung um 1950 herum als eigene Kunst zu entstehen begann. Das Radio beginnt erst jetzt seine Flexibilität wiederzugewinnen.

Bezeichnenderweise war die Tonaufzeichnung als eine integrierte Komponente des Films in diesen Jahren auch auf einem Tief, und sie ist erst in letzter Zeit wieder in Erscheinung getreten. Im Idealfall sollten in der Film-Gleichung Ton und Bild gleichrangig sein und nicht der Ton dem Bild untergeordnet, wie er es heute ist. Kurz gesagt, der Film hat gerade erst angefangen, auf den Einfluß der Musik zu reagieren.

Film und die Umwelt-Künste

Wenn es eine Kunst gibt, die dem Einfluß des Films und der Protokollkünste gegenüber relativ immun geblieben ist, so ist dies die Architektur. Anders als Roman, Malerei und Musik haben die Umwelt-Künste nicht direkt auf die neue Form künstlerischer Sprache reagiert. Wir können viel eher eine fruchtbare Verbindung zwischen Drama und Architektur erkennen als zwischen Film und Architektur. Die Funktion des Theaters als Gebäude hat nicht nur eine direkte Wirkung auf die in ihm produzierte Kunst gehabt, sondern architektonische Konstruktionen selber sind ein Teil der Aufführung geworden. Dieses Phänomen läßt sich in jedem Fall bis auf die «Masks» (höfische Maskenspiele in England) des frühen siebzehnten Jahrhunderts zurückverfolgen, deren kunstvolle, merkwürdige Ausstattungsentwürfe – besonders die des Architekten Inigo Jones – Ehrenplätze innehatten. Die neuere Tendenz zum umweltbezogenen, interaktiven Theater mit seiner dazugehörigen Theorie, nach der das Publikum physisch in den Ort einer Produktion ebenso einbezogen sein soll wie in ihre Erzählung, hat zu einer noch engeren Verbindung von Drama und Theater-Architektur geführt.

Aber so wie Brecht und Artaud es sahen, liegt die Achillesferse des Films genau hier: Wir können physisch nicht in die Welt des Bildes eindringen. Filmbilder können uns umgeben, uns psychologisch überwältigen, aber wir sind, strukturell gesehen, immer noch von ihnen getrennt. Selbst die Medien der sogenannten virtuellen Realität lassen etwas Entscheidendes vermissen: Man kann die von ihnen geschaffene Welt nicht anrühren oder ertasten. Wir können beim Film nicht selbst eingreifen. Die Architektur besteht hingegen auf Interaktion und erfordert diese sogar. Ihre Funktion ist praktischer Natur und ihre Form dementsprechend.

Immer noch bleibt die Beziehung zwischen Film und Umweltkünsten eher metaphorisch als direkt. Der Film kann die Architektur aufzeichnen (so wie er es mit jeder anderen Kunst auch kann), aber dies schafft kaum eine dialektische Beziehung. Die Theorie der Filmmontage mag einen leichten Einfluß auf die Architekturtheorie gehabt haben, aber er war mit Sicherheit minimal, wenn es ihn überhaupt gegeben hat. Obwohl wir uns Film oft als ein «konstruiertes» Werk vorstellen, ist es auch hier eher die Metapher der Konstruktion als die wirkliche Kunst des Bau-Entwurfs, die den Film beherrscht.

Wenn all dies auch in der Vergangenheit zutreffend war, so kann doch die Zukunft einige Überraschungen bringen. «Pop»-Architektur – die Las-Vegas-Ästhetik – läßt sich eher mit der Struktur des Films vergleichen als die Art von Elite-Architektur mit formalen künstlerischen Intentionen, die bis vor kurzem allein die Aufmerksamkeit der Architektur-Kritiker und -Historiker auf sich zog. Als gesellschaftlicher und politischer Ausdruck der Kultur kann die Architektur engere Parallelen zum Film haben, als es auf den ersten Blick erscheint. In den späten sechziger Jahren (besonders in *Deux ou trois choses que je sais d'elle,* 1966) erforschte Jean-Luc Godard diese zugegebenermaßen dürftigen Verbindungen. In den siebziger und achtziger Jahren haben sich die Architekten / Kritiker Robert Venturi, Denise Scott Brown und Stephen Izenour der Film-Architektur-Verbindung vom entgegengesetzten Standpunkt her genähert. In einer von ihnen entworfenen Ausstellung mit dem Titel «Signs of Life: Symbols in the American City» (Renwick Gallery, Washington, D. C., 1976) benutzten die Venturis ein System elektronisch gesteuerter Malerei, das von der 3M Company entwickelt worden war, um lebensgroße, sehr realistische Szenen aus dem Stadtbild zu produzieren, die dann in wirkliche Konstruktionen integriert wurden.

Die Ausweitung dieser Technik könnte bedeutend sein. Insofern, als Architektur eher eine Umweltkunst ist als nur ein Konstruktionssystem, könnte die objektive visuelle Komponente sich gut für eine fotografische – und möglicherweise kinematografische – Produktion eignen. Thomas Wilfreds markante «Lumia»-Lichtskulpturen sowie die «Light Shows», die in den späten sechziger Jahren häufig Rockkonzerte begleiteten, machen ebenfalls auf interessante Anwendungsmöglichkeiten der Filmtechniken auf die Umwelt aufmerksam.

In den frühen neunziger Jahren hat sich Bill Gates, der superreiche Gründer der Softwarefirma Microsoft, ein weitläufiges Wohnhaus in der Nähe der Hauptverwaltung seiner Firma in Redmond, Washington, gebaut. Diese durchgestylte Villa wurde mit zahlreichen großflächigen Wand-Bildschirmen zur – elektronischen – Anzeige großer Kunstwerke ausgestattet, für die Gates in anderem Zusammenhang die Rechte zur elektronischen Verbreitung erworben hatte. Das Resultat? Eine Art virtuelles Xanadu – die Antwort des Software-Zaren auf das Anwesen des Presse-Zaren Hurst an der Pazifikküste.

Während es kaum vorstellbar ist, daß die Integration von Fotografie und Architektur zu mehr führen könnte als Trompe-l'œil-Effekten, hat sich das wachsende Interesse an der Künstlichkeit der visuellen Umgebung schon durch zeitgenössische Entwicklungen angedeutet, die wir «Geräusch-Architektur» nennen könnten. Haben sich Architekten bisher immer mit der physischen Umgebung beschäftigt, die wir im allgemeinen so wahrnehmen, wie sie uns visuell übermittelt wird, so wenden sie ihre Aufmerksamkeit nun den Geräuschen unserer Umgebung zu.

Die «Muzak» in Aufzügen, Einkaufszentren und Bürogebäuden der sechziger und siebziger Jahre war das erste Beispiel für eine Geräusch-Welt. Die «Environment»-Serien, elektronisch erzeugte oder veränderte Aufnahmen, die von Syntonic Research Inc. produziert wurden, boten in den frühen Siebzigern weitaus raffiniertere Beispiele. Vom Computer erstellte Rekonstruktionen natürlicher Geräusche wie Ozeanwellen, Regen und Vogelgezwitscher lieferten die ersten psychologisch wirksamen Geräuschkulissen. Gesellschaftlich gesehen, hat die Allgegenwart von Radio und Fernsehen eine ähnliche Funktion: Sie dienen als Hör- und Sehkulisse, vor denen wir unseren Alltag leben.

Die Öffentlichkeits-Erfahrung «Muzak» ist durch die achtziger und neunziger Jahre hindurch im Rückgang begriffen. An ihre Stelle ist die Privat-Erfahrung des nahezu allgegenwärtigen Walkmans getreten. Wir erschaffen jetzt unsere eigenen individuellen Hör-Umgebungen, die wir mit uns führen können, wohin auch immer wir uns begeben. Wenn der Walkman der erste Schritt zu einer privaten virtuellen Realität war, dann war das Mobiltelefon der zweite. In den USA sind inzwischen genug von diesen für den Privatgebrauch konzipierten Geräten abgesetzt worden, so daß man sich leicht eine nicht allzu ferne Zukunft vorstellen kann, in der absolut niemand mehr der wirklichen Welt zuhört.* Diese Möglichkeit gibt der Scherzfrage neue Bedeutung, ob denn ein Geräusch entstehe, wenn ein Baum im Wald umfällt, ohne daß jemand da ist, der es hören könnte, und führt zu einigen ernsthaften Fragestellungen über die elektronische Gesellschaft. Darüber mehr in Teil 7 «Multimedia».

Gegenwärtig befindet sich die Kunst solcher kulturellen Elemente noch auf einem sehr niedrigen Niveau: Hör-Umgebungen sind mehr ein Problem denn ein charakteristischer Zug des gegenwärtigen Lebens. Aber über kurz oder lang wird dies Problem angegangen, und die Architekten, die mit der Verantwortung für das Erscheinungsbild unserer künstlichen Welt betraut sind, werden sich intensiv mit der Hör- wie der Seh-Umgebung befassen müssen, und beiderlei Aufzeichnungen werden als Selbstverständlichkeit in die dingliche, konkrete Ausgestaltung unserer Umwelt integriert.

* Vielleicht mit gutem Grund: Zugleich mit der Zunahme von privaten Audiogeräten ereignete sich die kakophonische Explosion von automatischem, unbeeinflußbarem öffentlichem Lärm – nerviges, beharrliches Hupen, aggressive 175-Watt-Anlagen in Autos, aufdringliche Alarmsirenen, sinnlose Signale von Digital-Armbanduhren und das Piepsen von Computerspielen. Akustische Umweltverschmutzung ist im elektronischen Zeitalter dermaßen angewachsen, daß die Walkman-Kopfhörer die einzig angemessene Antwort darauf sein mögen. 1993 haben einige Gehörlosen-Organisationen Protest gegen neue chirurgische Techniken erhoben, die Gehörlosen zu einer gewissen Hörfähigkeit verhelfen: Sie beklagten den Verlust des «Geschenks der Stille».

Die Struktur der Kunst

Film, Tonaufzeichnung und Video haben also eine tiefgreifende Wirkung auf die Natur und die Entwicklung fast aller anderen, traditionellen Künste gehabt und sind ihrerseits in nicht unbedeutendem Ausmaß von ihnen geformt worden. Aber wenn das Spektrum der Künste umfassend ist, so ist es die Domäne des Films und der Protokollkünste um so mehr. Film, Disks und Bänder sind Medien, das heißt Agenturen oder Kanäle der Kommunikation. Wenn auch die Kunst ihr Hauptanwendungsgebiet ist, so ist sie zweifellos nicht ihr einziges. Der Film ist überdies ein wichtiges wissenschaftliches Hilfsmittel, das neue Wissensgebiete erschlossen hat. Er stellt auch das erste wichtige allgemeine Kommunikationsmittel seit der Erfindung der Schrift dar.

Als Medium ist der Film ein der Sprache sehr ähnliches Phänomen. Er hat keine kodifizierte Grammatik, kein aufgelistetes Vokabular, er hat nicht einmal besondere Gebrauchsregeln; insofern ist er also kein Sprach*system* wie geschriebenes oder gesprochenes Deutsch. Er übt aber dennoch viele der Kommunikations-Funktionen der Sprache aus. Es wäre also sehr nützlich, wenn wir die Funktionsweise des Films mit einem gewissen Maß von logischer Präzision beschreiben könnten. In Teil 5 werden wir darauf eingehen, wie der Wunsch, eine rationale – sogar wissenschaftliche – Struktur für den Film zu beschreiben, länger als ein halbes Jahrhundert eines der wesentlichsten Motive von Filmtheoretikern war.

Seit den sechziger Jahren hat die Semiotik eine interessante Annäherung an die logische Beschreibung des sprachähnlichen Phänomens Film und der anderen Protokollkünste geliefert. Der Linguist Ferdinand de Saussure legte in den frühen Jahren dieses Jahrhunderts den Grundstock für die Semiotik. Saussures einfache, doch elegante Idee war es, Sprache nur als eines von vielen Systemen von Verständigungs-Codes anzusehen. Die Linguistik wird also schlicht zu einem Gebiet allgemeiner Erforschung von Zeichensystemen – «Semiotik» (oder «Semiologie»).

Der Film hat vielleicht keine Grammatik, aber er hat Systeme von «Codes». Er hat, strenggenommen, kein Vokabular, aber er hat ein Zeichensystem. Er benutzt auch die Zeichensysteme und Codes einer Anzahl anderer Kommunikationssysteme. Jeder musikalische Code kann zum Beispiel in der Filmmusik benutzt werden. Die meisten narrativen wie auch bildlichen Codes können ebenfalls im Film angewandt werden. Vieles aus der vorhergehenden Diskussion über die Beziehung zwischen Film und den anderen Künsten könnte quantitativ bestimmt werden, indem die Codes dieser Künste, die sich in den Film übertragen lassen, im Gegensatz zu denen beschrieben werden, die sich nicht übertragen lassen. Erinnern wir uns an Robert Frost: «Poesie ist das, was sich nicht übersetzen läßt.» So können gerade die Codes die besondere Stärke einer Kunst ausmachen, die sich in anderen Künsten nicht gut anwenden lassen.

Obwohl das Code-System der Semiotik einen großen Schritt dahingehend bedeutet, daß es möglicherweise präziser beschreibt, wie der Film das erreicht, was er erreicht, ist es aber insofern beschränkt, als es mehr oder weniger darauf besteht, den Film wie die Sprache auf grundlegende, getrennte, quantifizierbare Einheiten zurückzuführen. Wie die Linguistik eignet sich die Semiotik nicht besonders gut dafür, den vollständigen metaphysischen Sinn ihres Gegenstandes zu beschreiben. Sie beschreibt die Sprache oder das Kommunikationssystem des Films sehr gut. Aber sie kann nur schwer die künstlerische Wirkung des Films beschreiben. Ein der Literaturkritik entliehener Begriff mag in diesem Zusammenhang nützlich sein: die «Trope».

Im allgemeinen bedeutet der Begriff «Trope» in literarischer Kritik «bildlicher Ausdruck», das heißt eine «Wendung», in der die Sprache so verändert wird, daß sie mehr ausdrückt als die wortwörtliche Bedeutung. Das Konzept von Code und Zeichen beschreibt die Elemente der «Sprache» einer Kunst; der Begriff Trope ist notwendig, um die oft sehr ungewöhnliche und unlogische Art zu beschreiben, in der solche Codes und Zeichen benützt werden, um neue, unerwartete Bedeutungen zu schaffen. Wir beschäftigen uns nun mit dem aktiven Aspekt der Kunst. «Trope» aus dem griechischen «Tropos» bedeutete ursprünglich «Wendung», «Weg» oder «Art und Weise»; so weist das Wort sogar etymologisch eher auf eine Aktivität hin als auf eine statische Definition.

Rhythmus, Melodie und Harmonie sind zum Beispiel wichtige musikalische Codes. Innerhalb jedes dieser Codes gibt es Systeme von Subcodes. Ein synkopierter Schlag, so wie er für den Jazz ganz wesentlich ist, kann als Subcode angesehen werden. Aber die merkwürdigen, erregenden, eigentümlichen Synkopen von Thelonius Monks Musik sind Tropen. Es gibt keine Möglichkeit, sie wissenschaftlich quantitativ zu bestimmen, und genau das macht Thelonius Monks musikalisches Genie aus.

Ebenso werden Form, Farbe und Linienführung in der Malerei als Basiscodes angesehen. Die Arten der Konturierung – «hard edge» und «soft edge» – sind Subcodes. Aber die präzisen, außergewöhnlichen Linien eines Bildes von Ingres oder die feinen, sanften Striche einer Skizze von Auguste Renoir sind ganz eigentümliche Tropen.

Beim Bühnendrama hat die Geste eine zentrale Stellung in der Kunst und ist einer ihrer grundlegenden Codes. Das Ausstrecken einer beringten Hand zum Treue-Kuß ist ein spezifischer Subcode. Aber die Art, wie Laurence Olivier diese Geste in *Richard III.* ausführt, ist auf eine besondere Art ihm eigentümlich: eine Trope.

Das System einer Kunst kann allgemein in semiotischen Begriffen als eine Ansammlung von Codes beschrieben werden. Die einzigartige Aktivität einer Kunst liegt jedoch in ihren Tropen. Der Film kann benutzt werden, um die meisten anderen Künste wiederzugeben. Er kann ebenfalls fast alle Codes übersetzen, die den narrativen, visuellen, musikalischen und dramatischen Künsten gemein sind. Schließlich hat er ein System von Codes und Tropen, das ganz auf ihn bezogen und spezifisch für die reproduzierenden Künste ist.

Seine eigenen Codes und Tropen rühren von seiner komplexen Technologie her – einem völlig neuen Phänomen in der Welt der Kunst und der Medien. Um zu verstehen, wie der Film allen anderen Künsten *un*ähnlich ist – die zweite Phase unserer Untersuchung –, ist es notwendig, sich diese Technologie genau anzusehen.

Poesie ist das, was sich nicht übersetzen läßt. Kunst ist das, was sich nicht definieren läßt. Film ist das, was sich nicht erklären läßt. Wir wollen es dennoch versuchen.

ZWEI

FILMTECHNIK: BILD UND TON

Kunst und Technik

Jede Kunst wird nicht nur durch die Politik, die Philosophie und die Ökonomie einer Gesellschaft bestimmt, sondern auch durch ihre Technik. Dies Verhältnis ist nicht immer eindeutig: Manchmal führen technische Entwicklungen zu einer Veränderung des ästhetischen Systems einer Kunst; manchmal verlangen ästhetische Notwendigkeiten nach einer neuen Technik; oft entspringt die technische Entwicklung einer Kombination ideologischer und ökonomischer Faktoren. Doch solange nicht künstlerische Impulse durch diese oder jene Technik verwirklicht werden können, entsteht kein Kunstwerk.

Oft sind die Zusammenhänge sehr weitgreifend: Der Roman hätte ohne die Druckerpresse nie entstehen können, doch die rasante Weiterentwicklung der Drucktechnik in den letzten Jahren (kurz im Teil 6 angesprochen) hatte keinen erkennbaren Einfluß auf die ästhetische Entwicklung des Romans. Die ästhetischen Veränderungen, die der Roman in den dreihundert Jahren seiner Entwicklung erfuhr, hatten ihre Wurzel in anderen historischen Faktoren, vor allem im sozialen Umgang mit Kunst.

Das Schauspiel wurde radikal verändert, als neue Beleuchtungstechniken die Verlagerung nach innen und hinter eine schützende Rampe erlaubten, doch die im zwanzigsten Jahrhundert zu beobachtende Rückwendung zur offenen Spielfläche beruhte weniger auf technischen Neuerungen als vielmehr ideologischen Faktoren. Bach, auf dem Cembalo seiner Zeit gespielt, klingt ganz anders als auf einem modernen «wohltemperierten Klavier», doch Bach bleibt Bach. Die Erfindung der Ölfarbe eröffnete den Malern ein vielseitiges Medium, doch wäre die Ölfarbe nie erfunden worden, so hätten die Maler auf andere Weise gemalt.

Kurzum: Obwohl es Wechselwirkungen zwischen Kunst und Technik gab – nicht nur beschränkt auf ein Genie wie Leonardo da Vinci, der in beiden Bereichen Herausragendes leistete –, Wechselwirkungen, die die moderne Konzeption vom Antagonismus der beiden Gebiete Lügen strafen, so kann man doch die Geschichte der Malerei studieren, ohne je den Unterschied von Öl- und Acrylfarben erfahren zu haben. Ebenso kann man einen Überblick über die Literaturgeschichte gewinnen, ohne das Funktionieren der Linotype oder der Offset-Presse zu verstehen.

Doch beim Film ist das anders. Der große künstlerische Beitrag des Industriezeitalters, die Protokollkünste – Film, Tonaufzeichnung und Fotografie –, beruhen wesentlich auf einer komplexen, kunstvollen und sich immer weiter entwickelnden Technik. Niemand kann hoffen, jemals voll zu erfassen, wie diese Künste zu ihren Ergebnissen kommen, ohne ein Grundverständnis sowohl der zur Realisierung nötigen Technik als auch der ihr zugrundeliegenden Wissenschaft.

Die Bildtechnik

Die Erfindung der Fotografie im frühen neunzehnten Jahrhundert markiert einen bedeutenden Trennungsstrich zwischen dem vortechnischen Zeitalter und der Gegenwart. Die künstlerischen Impulse, die Natur nachzuahmen, waren vorher und nachher im wesentlichen die gleichen, doch die verbesserte technische Fähigkeit des zwanzigsten Jahrhunderts, Bilder und Töne festzuhalten und wiederzugeben, eröffnet erregende neue Möglichkeiten.

Vorher waren wir auf unsere beschränkten physischen Fertigkeiten angewiesen: Der Musikant erzeugte Töne durch Blasen, Zupfen oder Singen; der Maler realistischer Bilder mußte sich ganz auf sein Auge verlassen; der Schriftsteller – wenn auch nicht direkt den gegenständlichen Künsten zuzuordnen – war dennoch bei der Beschreibung von Vorgängen oder Personen auf seine eigene Beobachtungsgabe angewiesen. Die Aufnahmetechnik erlaubt es uns jetzt, Bilder, Töne und Ereignisse per

Diese Version der Camera obscura reflektiert das einfallende Licht auf einen Bildschirm an der Oberseite des Kastens, so daß ein Künstler das Bild nachzeichnen konnte. Ist das Loch klein genug, so erscheint eine Projektion des Bildes. Das optische Gesetz ist in Abbildung Seite 76 beschrieben. (*International Museum of Photography, George Eastman House*)

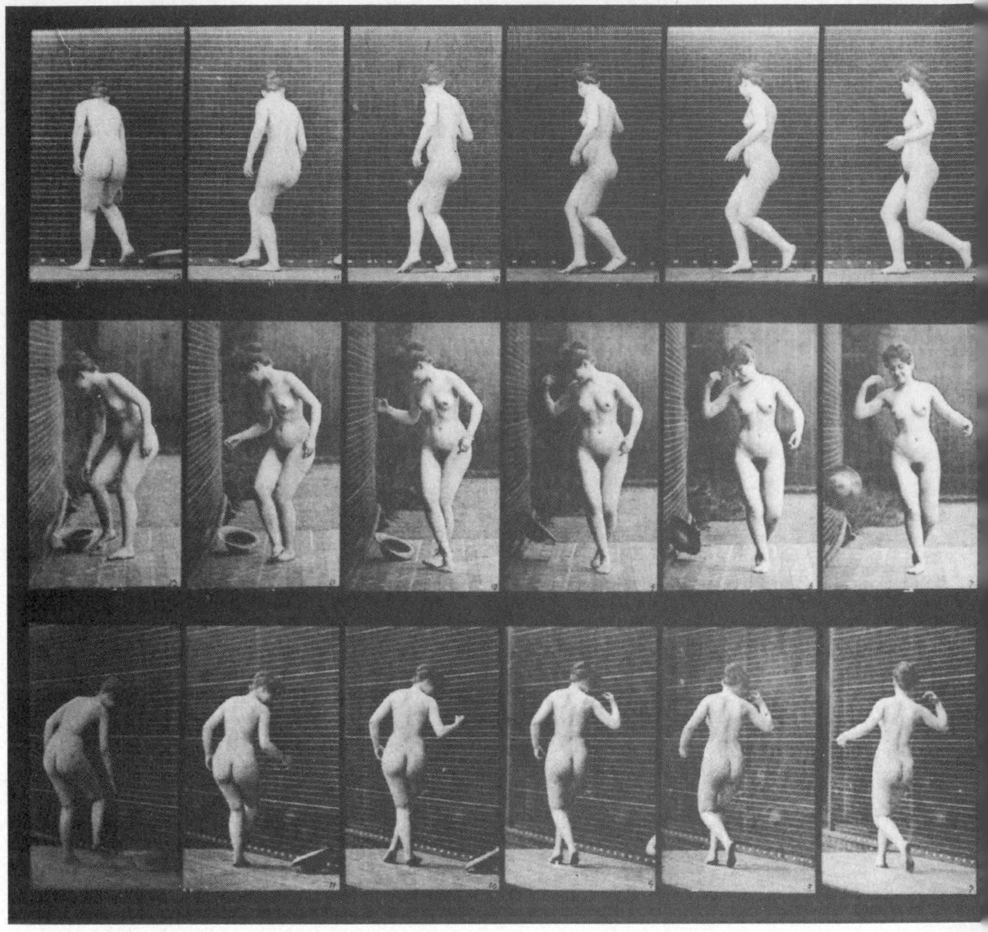

Zwischen 1870 und 1890 bereiteten die Experimente von Étienne Jules Marey in Frankreich und Eadweard Muybridge in Amerika den Weg vor für die Entwicklung der Filmkamera. Muybridge interessierte sich insbesondere für die Bewegungen von Menschen und Tieren. Diese Platte, *Woman Kicking*, wurde

Aufzeichnung festzuhalten und sie direkt einem Zuschauer zu vermitteln, ohne daß sich die Persönlichkeit und das Talent des Künstlers dazwischenschieben müssen. Ein neuer Kommunikationskanal ist entstanden, in seiner Bedeutung der geschriebenen Sprache ebenbürtig.

Auch wenn die Kamera erst gegen Anfang des neunzehnten Jahrhunderts in Gebrauch kam, so sind die Versuche, ein solches magisches Werkzeug zur direkten Aufzeichnung der Realität zu entwickeln, sehr viel älter. Die Camera obscura, die Großmutter der Foto-Kamera, entstand in der Renaissance. Da Vinci hatte das Prin-

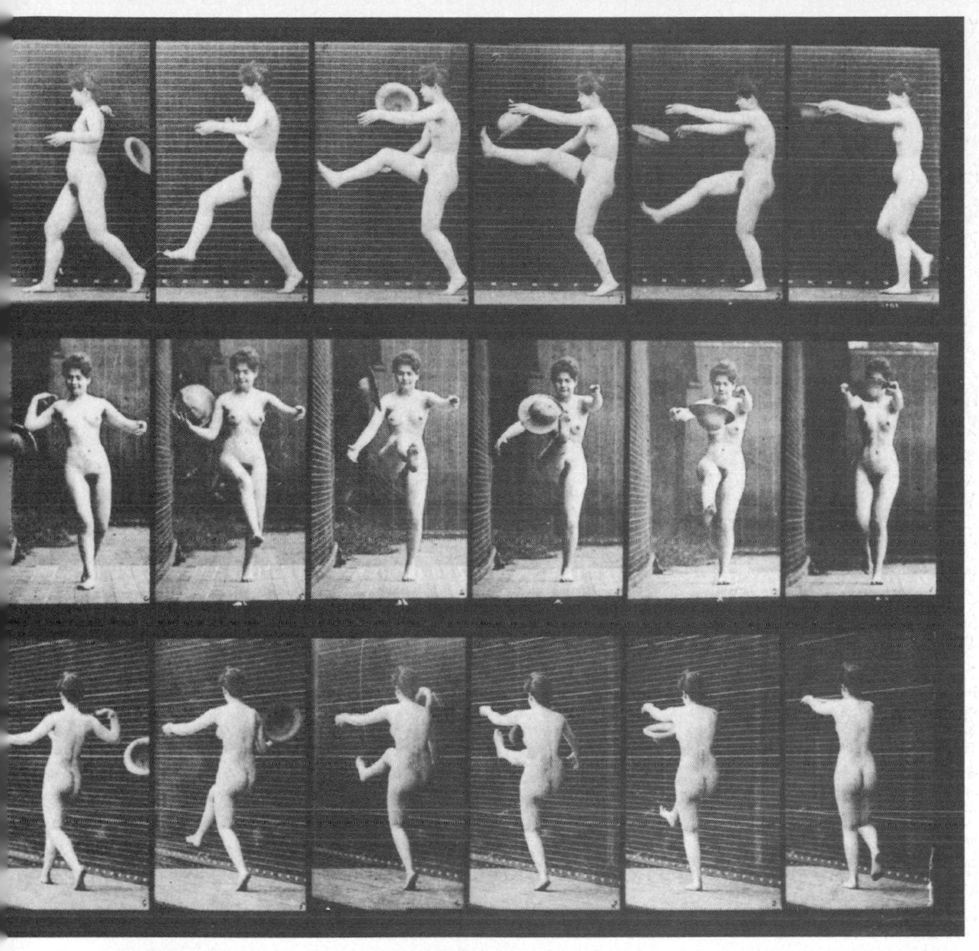

mit drei Kameras aufgenommen, die je zwölf Objektive hatten und mit einem elektrischen Zeitauslöser verbunden waren. Die drei Streifen zeigen die gleiche Handlung von der Seite, von vorn und von hinten. (*Platte 367, aus* Animal Locomotion. *1887. Collotypie. Museum of Modern Art, New York*)

zip beschrieben, und im Jahre 1558 erschien der erste gedruckte Bericht über die Nützlichkeit der Erfindung, Giovanni Battista della Portas Buch *Magia naturalis.* Einige Hinweise führen zurück bis zu Alhazen, einem arabischen Astronomen des zehnten Jahrhunderts. Die Camera obscura (wörtlich «dunkler Raum») basiert auf einem einfachen optischen Prinzip, doch sie enthält schon alle Grundelemente der heutigen Foto-Kamera bis auf eines: den Film, das Medium, auf dem das projizierte Bild festgehalten wird.

Gewöhnlich wird die erste praktische Entwicklung eines solchen Mittels Louis

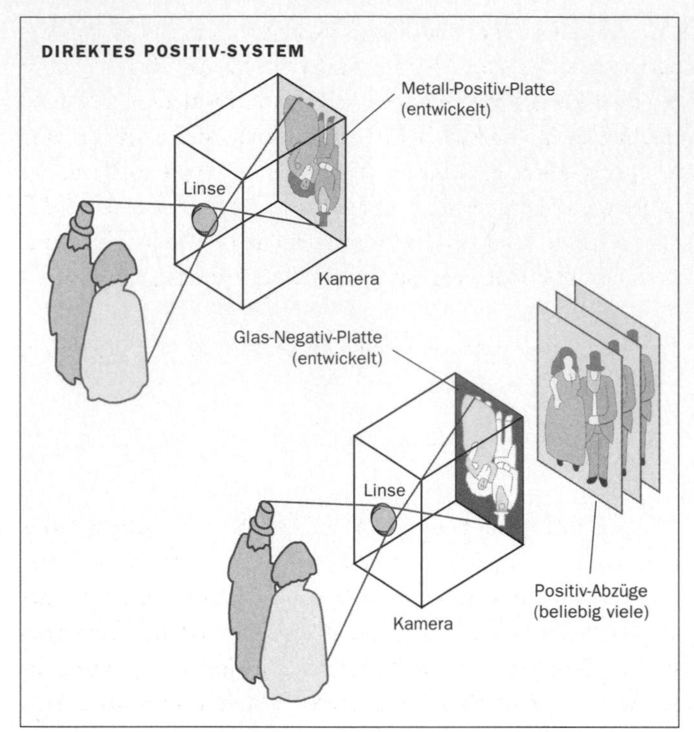

Fotografische Systeme. Das Negativ-Positiv-System (rechts) der Talbottypie, Collotypie und der modernen Fotografie erlaubt unendlich viele Reproduktionen des Bildes. Das direkte Positiv-System der frühen Daguerreotypien (links) ergibt ein einzelnes, einmaliges Bild. Moderne «Sofortfoto»-Systeme wie Polaroid-Land liefern ebenfalls direkte Positive und sind daher mit der Daguerreotypie zu vergleichen.

Daguerre 1839 zugeschrieben. Doch dessen Kollege Joseph Nièpce, der 1833 starb, hatte wertvolle Vorarbeit geleistet: Ihm glückte 1827 das erste «gelungene Experiment, ein Bild der Natur festzuhalten» (Beaumont Newhall). Gleichzeitig arbeitete William Henry Fox Talbot in ähnlicher Richtung: Die moderne Fotografie beruht auf seinem System der Negativ-Aufzeichnung und Positiv-Wiedergabe. Daguerre, dessen fotografische Platte ein Positiv war und deshalb nicht reproduzierbar (außer durch eine neue Fotografie), war in eine Sackgasse geraten: die Daguerreotypie markiert das Ende einer technischen Entwicklungslinie, nicht den Beginn. Dagegen erlaubten Fox Talbots Negative unbegrenzte Reproduktionen. Das Papier-Negativ wurde bald durch das flexible Kollodiumfilm-Negativ ersetzt, was nicht nur die Bildqualität entscheidend verbesserte, sondern auch eine Entwicklungslinie zur Aufzeichnung bewegter Bilder andeutete.

Wie die Foto-Kamera besaß auch die Film-Kamera ihre Vorläufer. Die Laterna magica, die Bilder auf eine Leinwand werfen konnte, stammt aus dem siebzehnten Jahrhundert und wurde schon 1850 für die Verwendung von Fotografien eingerichtet. Die Herstellung einer Illusion von Bewegung gelang in den dreißiger Jahren des letzten Jahrhunderts durch die sogenannten Wunderscheiben und das 1834 durch William Horner patentierte Zoetrop, dessen Vorläufer bis in das Altertum zurückreichen. In den siebziger Jahren begannen Eadweard Muybridge in Kalifornien und Étienne Jules Marey in Frankreich, mit der fotografischen Aufzeichnung von Bewegungen zu experimentieren. Emile Reynauds Praxinoskop (1877) war der erste funktionstüchtige Apparat zur Projektion laufender Bilder auf einem Bildschirm. 1889 beantragte George Eastman ein Patent für seinen flexiblen fotografischen Film, den er für die Rollfilm-Kamera entwickelt hatte, und das letzte Grundelement der Kinematografie war da.

Bis 1895 wurden alle diese Elemente zusammengeführt: Der Film war geboren.

Die Tontechnik

Die Technik der Tonaufzeichnung entwickelte sich sehr viel schneller. Edisons Phonograph, der für Geräusche die gleiche Bedeutung besitzt wie das Kamera-Projektor-System für das Bild, datiert vom Jahre 1877. In jeder Hinsicht ist er eine erstaunlichere Erfindung als die Kinematografie, denn er hat praktisch keine nennenswerten Vorläufer. Das Streben, statische Bilder aufzuzeichnen und wiederzugeben, ging der Entwicklung der laufenden Bilder um viele Jahre voraus, doch da es so etwas wie den «statischen» Ton nicht gibt, fand die Entwicklung der Tonaufzeichnung notwendigerweise auf einmal statt.

Ebenso wichtig wie der Phonograph, wenn auch in den meisten Geschichten der reproduzierenden Künste nicht erwähnt, ist Bells Telefon (1876). Es weist auf die gleichmäßige Übertragung von Tönen und Bildern voraus, deren Technik wir Radio und Fernsehen verdanken. Bells Erfindung zeigt auch, wie elektrische Signale in den Dienst der Tonaufzeichnung gestellt werden können.

Edisons Phonograph war eine rein mechanische Erfindung, was ihr den Vorzug der Einfachheit verlieh, gleichzeitig jedoch den technischen Fortschritt auf diesem Gebiet stark verzögerte. In gewisser Weise war der rein mechanische Phonograph, wie Daguerres Positiv-Foto, technisch eine Sackgasse. Erst Mitte der zwanziger Jahre dieses Jahrhunderts verband man Bells Theorien der elektrischen Tonübermittlung mit der Technik des mechanischen Phonographen. Zu etwa derselben Zeit verband man auch die Tonaufzeichnung mit der Bildaufzeichnung und erreichte so den Film, wie man ihn heute kennt.

Es ist ein interessantes Gedankenspiel, ob es jemals eine Periode des stummen Films gegeben hätte, wenn Edison nicht den mechanischen Phonographen erfunden hätte: Wahrscheinlich hätte sich andernfalls Edison (oder ein anderer Erfinder) Bells Telefon als Modell für den Phonographen genommen, und so wäre das System

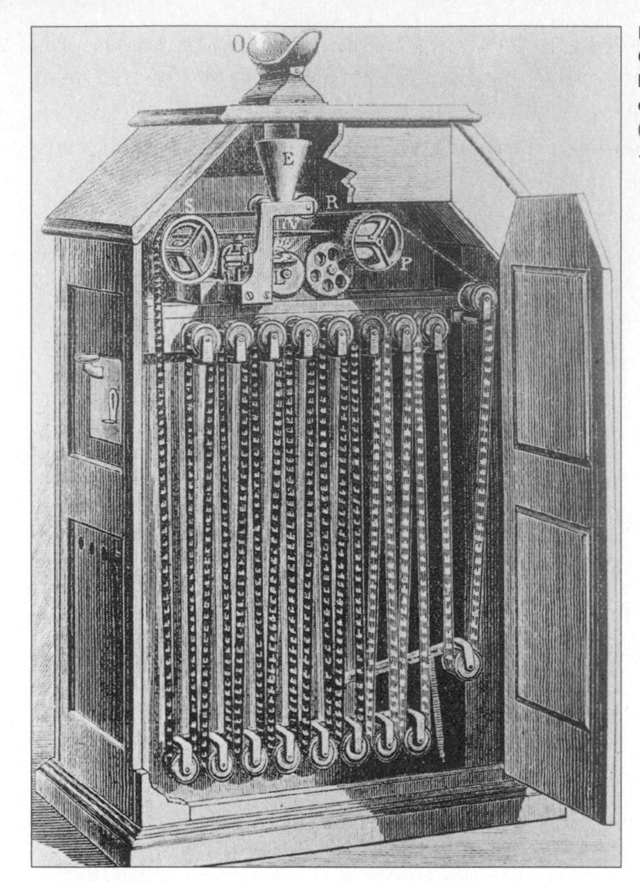

Edisons Kinetoskop war eine Guckkasten-Maschine für eine Person. Der Film bestand aus einer endlosen Schleife. (*Museum of Modern Art/Film Stills Archive*)

der elektrischen Tonaufzeichnung viel früher entwickelt worden, sehr wahrscheinlich rechtzeitig für die ersten Filmemacher.

Interessanterweise konzipierte Thomas Edison seinen Kinetographen als Zusatz zum Phonographen. So schrieb er 1894: «Im Jahre 1887 kam mir die Idee, es sei möglich, ein Gerät zu entwickeln, das für das Auge das tun sollte, was der Phonograph für das Ohr tut, und daß durch eine Verbindung der beiden alle Bewegungen und Töne gleichzeitig aufgezeichnet und reproduziert werden könnten.» *

William Kennedy Laurie Dickson, ein Engländer, der als Edisons Assistent einen großen Teil der Entwicklungsarbeiten durchführte, beschreibt Edisons erste Kon-

* Zitiert bei W. K. L. Dickson: «A Brief History of the Kinetograph, the Kinetoscope, and the Kineto-Phonograph», in: Raymond Fielding: *A Technological History of Motion Pictures and Television*, S. 9.

zepte des Kinetographen als paralleles Gegenstück zu seinem erfolgreichen Phonographen: «Edisons Idee… war es, den Phonograph-Zylinder mit einer ähnlichen oder größeren Trommel auf derselben Achse zu verbinden. Diese Trommel sollte mit stecknadelkopfgroßen Fotografien bedeckt sein, die natürlich zur Phonograph-Aufnahme synchronisiert werden mußten.»

Diese Konstruktion war natürlich nicht erfolgreich, doch die Idee der Verbindung von Ton und Bild war begründet. Selbst nachdem sich Dickson dem neuen perforierten, «endlosen» Eastman-Rollfilm zugewandt hatte, dachte er weiterhin an die notwendige Verbindung von laufenden Bildern und Tonaufnahme; die erste Demonstration seines Erfolgs für Edison am 6. Oktober 1889 war ein «talkie», ein Tonfilm. Dickson nannte das Gerät «Kinetophon». Edison war gerade von einer Auslandsreise zurückgekehrt. Dickson führte ihn in den Vorführungsraum und startete die Maschine. Er erschien auf der kleinen Projektionswand, trat näher, lüftete den Hut, lächelte und sprach sein Publikum direkt an:

«Guten Morgen, Mr. Edison, ich freue mich, daß Sie zurück sind. Hoffentlich gefällt Ihnen das Kinetophon. Um die Synchronisierung zu beweisen, werde ich meine Hand heben und bis zehn zählen.»

Diese weniger bekannten Worte sollten auf einer Stufe stehen mit Bells telefonischer Mitteilung «Mr. Watson, kommen Sie her, ich möchte Sie sehen» und Morses telegrafiertem Satz «Was hat Gott vollbracht?».

Wegen der technischen Probleme, die sich Edisons mechanischem Aufzeichnungssystem entgegenstellten – vor allem die Synchronisation –, kam es erst dreißig Jahre später zur erfolgreichen Verbindung von Ton und Bild. Doch die Sehnsucht, Ton und Bild zugleich zu reproduzieren, existierte schon in den ersten Tagen der Filmgeschichte.

Um 1900 waren alle grundlegenden Instrumente der neuen technischen Künste erfunden: Der Maler besaß die Alternative der Foto-Kamera; der Musiker die des Phonographen; und die Erzähler und Theaterleute befaßten sich mit den erregenden Möglichkeiten der bewegten Bilder. Jede dieser Aufzeichnungen konnte in großen Mengen reproduziert werden und so eine große Anzahl Menschen erreichen. Wenn die Rundfunktechnik auch noch in der Zukunft lag, so hatten doch Telefon und Telegraf funktionstüchtige Methoden der gleichzeitigen Kommunikation aufgezeigt; tatsächlich wird heute durch die Entwicklung der Kabeltechnik deutlich, daß die Kabelübertragung gegenüber dem Funk eine ganze Reihe von Vorteilen bietet, darunter insbesondere die direkte Ansprache. Obwohl die Frequenzen weitgehend besetzt sind, ist der Funk weiterhin lebenskräftig, wie sich in der Entwicklung der Mobiltelefonnetze in den achtziger Jahren gezeigt hat. Von jetzt an jedoch müssen Funk und Kabelübertragung als Zweige ein und derselben Industrie angesehen werden. Beim Übergang ins einundzwanzigste Jahrhundert wird der Konkurrenzkampf zwischen beiden Technologien noch für manche Turbulenz in dieser Branche sorgen.

Folgendes Diagramm zeigt die verschiedenen Stufen des Film-Prozesses:

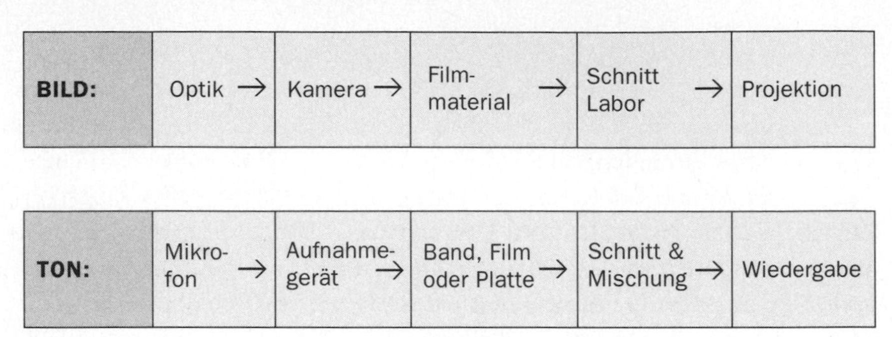

Diagramm E

Auf jeder dieser Stufen können Variablen eingeführt werden, die einem Künstler ein größeres Einwirken auf den Prozeß ermöglichen. Auf jeder Ebene gibt es eine große Anzahl Faktoren, die jeweils einen deutlichen Einfluß auf das Endprodukt besitzen; diese Faktoren beeinflussen einander – auch zwischen den Ebenen – und bilden so eine faszinierend komplexe Technik. In der Tat entspringt ein Großteil der Wertschätzung für die Filmherstellung und den Film selbst der Fähigkeit, die technischen Schwierigkeiten zu erkennen, die ein Filmemacher zu überwinden hat.

Das Objektiv

Die allererste Kamera, die Camera obscura, bestand aus einem lichtdichten Kasten mit einem kleinen Loch in der einen Wand. Moderne Kameras – für Foto wie Film – arbeiten nach demselben Prinzip, nur: Der Kasten ist präziser hergestellt; lichtempfindlicher, flexibler Film hat das Zeichenpapier als «Bildschirm» ersetzt; doch die größten Veränderungen betreffen das kleine Loch. Aus dem groben optischen Mittel ist ein kompliziertes, technisch hochentwickeltes System geworden. Es hängt so viel vom Glasauge der Linse ab, durch die wir schließlich alle das Foto oder den Film betrachten, daß man sie wirklich als Herz der fotografischen Kunst ansehen muß.

Der Grundgedanke der optischen Technik: Da das Licht in verschiedenen Medien verschiedene Ausbreitungsgeschwindigkeiten besitzt, werden die Lichtstrahlen gebrochen, wenn sie von einem Medium ins andere übertreten. Linsen aus Glas oder anderen durchsichtigen Materialien können dadurch die Strahlen in einem Brennpunkt zusammenfassen, fokussieren. Die Linse des menschlichen Auges ist kontinuierlich veränderbar und ändert unwillkürlich ihre Form, sobald wir von einem Gegenstand zum anderen blicken; dagegen können fotografische Linsen nur die Aufgabe vollbringen, für die sie speziell konstruiert sind.

Den Fotografen und Kameramännern stehen drei Grundtypen von Objektiven zur Verfügung. Diese drei Hauptkategorien werden gewöhnlich nach ihrer Brennweite eingeteilt: dem Abstand zwischen der Filmebene und dem Mittelpunkt der Linse. Während man ein Objektiv normalerweise nach dem aufzunehmenden Motiv auswählt, so besitzen die verschiedenen Optiken daneben weitere Eigenschaften, die wertvolle Hilfsmittel zur Erlangung künstlerischer Effekte darstellen. Für Kameras, die mit 35 mm-Film arbeiten, hat das «Normal»-Objektiv eine Brennweite von etwa 35 bis 50 mm. Diese Objektive werden meist gewählt, weil sie am wenigsten verzerren und deshalb der Sehweise des menschlichen Auges am nächsten kommen.

Das Weitwinkel-Objektiv nimmt, wie sein Name sagt, einen weiten Blickwinkel auf. Ein Kameramann in einer beengten Situation wird natürlich dieses Objektiv

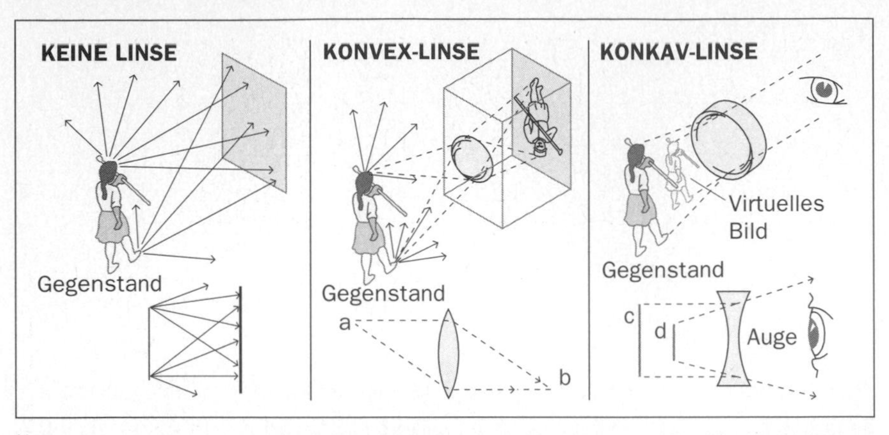

Linsen. Faßt keine Linse die Lichtstrahlen, die der Gegenstand aussendet, in einem Brennpunkt zusammen, so entsteht kein Bild (links): Alle Strahlen von allen Punkten treffen alle Teile der lichtempfindlichen Platte oder des Films. Die konvexe Linse (Mitte) bricht die Strahlen so, daß sie auf einer «Brennpunkt-(Fokus-)Ebene» in einem bestimmten Abstand hinter ihr zusammenfallen. Das so entstehende Bild ist seitenverkehrt und steht auf dem Kopf. (Ein durchsichtiges Negativ kann sodann gewendet werden, um die richtige Links-rechts-Orientierung wiederherzustellen.) Ein genügend kleines Loch hat die gleiche Wirkung wie eine Konvex-Linse und liefert einen ungefähren Brennpunkt. Dieses Grundprinzip führte zur Erfindung der Camera obscura (siehe Abbildung Seite 67). Die konkave Linse (rechts) lenkt die Strahlen so ab, daß der Betrachter ein verkleinertes «virtuelles Bild» des Gegenstands wahrnimmt. Die Diagramme unter den Zeichnungen zeigen schematisch den jeweiligen optischen Effekt.

wählen, um soviel wie möglich vom Gegenstand aufzunehmen. Die Weitwinkel-Optik hat jedoch den zusätzlichen Effekt, die Tiefen-Wahrnehmung zu betonen und oftmals auch die lineare Wahrnehmung zu verzerren. Das «Fischauge», ein extremes Weitwinkel-Objektiv, nimmt einen Blickwinkel von fast 180 ° auf, mit der entsprechenden Verzerrung der linearen und Tiefen-Wahrnehmung. Allgemein zählt man bei der 35 mm-Fotografie alle Optiken mit weniger als 35 mm zu den Weitwinkel-Objektiven.

Das Tele-Objektiv wirkt wie ein Teleskop und vergrößert entfernt liegende Gegenstände. Es verzerrt nicht die lineare Wahrnehmung, besitzt jedoch den manchmal nützlichen Effekt, die Tiefen-Wahrnehmung zu unterdrücken. Es hat einen relativ geringen Blickwinkel. Normalerweise gilt jede Optik mit mehr als 60 mm Brennweite als Tele-Objektiv, die wirkungsvolle Obergrenze liegt bei 1200 mm. Wenn eine stärkere Vergrößerung gewünscht wird, so verbindet man die Kamera einfach mit einem normalen Teleskop beziehungsweise Mikroskop.

Man muß darauf hinweisen, daß diese Objektive nicht wie im achtzehnten Jahrhundert einfach geschliffene Glasstücke sind, sondern mathematisch ausgetüftelte Kombinationen von Elementen, die so konstruiert sind, daß sie möglichst viel Licht in die Kamera lassen und dabei möglichst wenig verzerren.

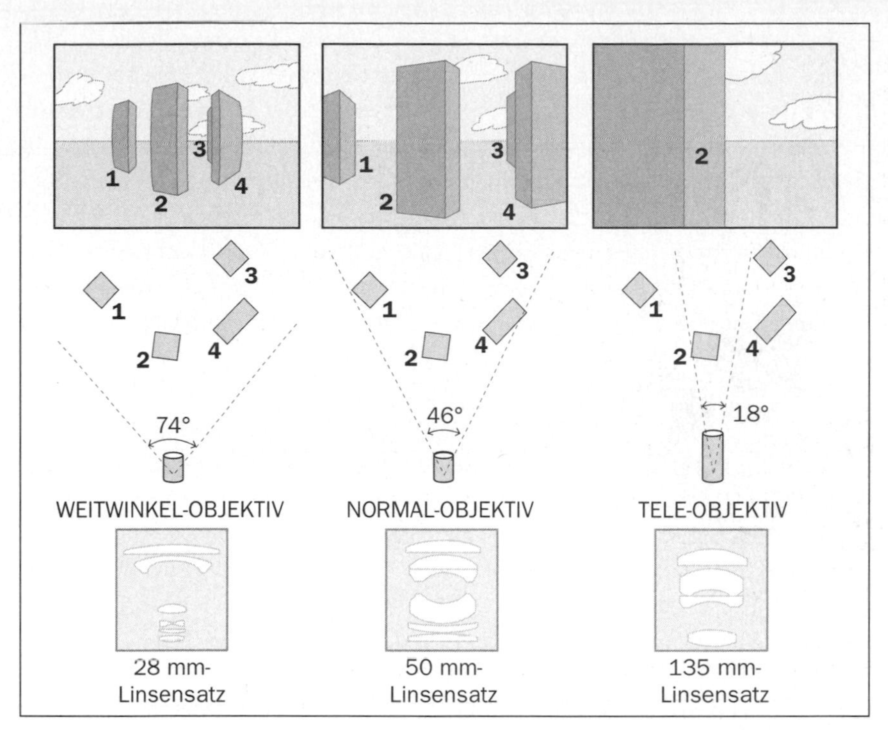

Weitwinkel-, Normal- und Tele-Objektive. Fast alle modernen Objektive sind komplizierter als die einfachen Linsen in der Abbildung auf Seite 76. Die meisten bestehen aus mehreren Linsensätzen, wie es die Schemazeichnungen unten zeigen. Jede der drei Linsen nimmt das gleiche Arrangement von vier Säulen aus derselben Entfernung und Perspektive auf. Die Bilder oben zeigen genau, was die jeweiligen Objektive von der Ansicht wiedergeben. Das Bild der Weitwinkel-Optik scheint aus größerer Entfernung aufgenommen; das Tele-Bild ist stark vergrößert. Zu beachten sind die leichten linearen Verzerrungen im Weitwinkel-Bild und die fehlende Tiefe im Tele-Bild. In der 35 mm-Fotografie gilt das 50 mm-Objektiv als «normal», da es am ehesten das Bild hervorbringt, das das menschliche Auge sieht (vergleiche Abbildung Seite 207).

In den sechziger Jahren sind Zoom-Objektive, in denen Elemente oder Element-Gruppen justierbar sind, allgemein in Gebrauch gekommen. Sie haben seither stark an Popularität gewonnen. Das Zoom-Objektiv (auch «Transfokator» oder «Gummilinse» genannt) besitzt eine veränderbare Brennweite, vom Weitwinkel bis zum Tele, und erlaubt so dem Kameramann, die Brennweite zwischen den Aufnahmen schnell zu wechseln oder – was beim Filmen wichtiger ist – die Brennweite während der Aufnahme zu ändern. Diese Optik hat die Filmsprache in bezug auf die Einstellung um eine ganze Reihe neuer Effekte erweitert. Normale Zoom-Objektive, deren Brennweite von 10 bis 100 mm reichen kann, haben natürlich einen Einfluß auf die Größe des Bild-Ausschnitts, wenn die Brennweite verändert wird (da längere Objektive einen kleineren Blickwinkel haben als kurze), und das macht die Zoom-Aufnahme zu einer Alternative zur Fahr-Aufnahme (siehe Abbildung Seite 207).

Dank computerunterstützter Grafik (CAD) sowie der Herstellungstechniken und der Fortschritte in der Fotochemie ist das fotografische Objektiv heute ein ziemlich flexibles Handwerkzeug; wir haben einen Punkt erreicht, an dem es möglich ist, die meisten der ursprünglich voneinander abhängigen Effekte des Objektivs einzeln zu kontrollieren. So entwickelten zum Beispiel 1975 die Canon-Werke das «Macro-Zoom»-Objektiv, das Elemente des Macro-Objektivs (das extreme Großaufnahmen erlaubt) mit einer Transfokator-Konstruktion verbindet und so Zooms im Schärfebereich von 1 mm bis unendlich ermöglicht.

Lediglich ein größeres Problem der Objektiv-Technik bleibt zu lösen. Weitwinkel- und Tele-Optiken unterscheiden sich nicht nur im Blickwinkel (und damit in der Vergrößerung), sondern auch in ihrem Einfluß auf die Tiefen-Wahrnehmung. Es ist noch niemandem gelungen, ein Objektiv zu konstruieren, bei dem diese beiden Variablen unabhängig voneinander kontrollierbar wären.

Alfred Hitchcock verbrachte Jahre mit der Lösung dieses Problems, ehe er es in der berühmten Turm-Aufnahme in *Vertigo* (1958) durch eine sorgfältig ausgetüftelte Kombination von Zoom, Fahrt und Modell löste. Hitchcock legte das Modell des Treppenhauses waagerecht auf die Erde. Die Kamera mit Zoom-Objektiv war auf Kamerawagen und Schienen montiert und blickte das Treppenhaus «hinunter». Die Aufnahme begann mit der Kamera am äußersten Ende der Schienen und mit einer mittleren Tele-Einstellung des Zooms. Während die Kamera auf die Treppe zufuhr, wurde langsam rückwärts gezoomt bis hin zu einer Weitwinkel-Einstellung. Die Fahrt und der Zoom waren sorgfältig aufeinander abgestimmt, so daß sich die Größe des Bildausschnitts nicht zu verändern schien. (Während die Fahrt sich dem Bildmittelpunkt näherte, fuhr der Zoom zurück, um den sich verengenden Bildausschnitt auszugleichen.) Auf der Leinwand hatte diese Aufnahme den Effekt, daß sie mit normaler Tiefen-Wahrnehmung begann, die sich dann rasch verstärkte, was den Eindruck des Schwindelgefühls (englisch: «vertigo») nachahmte. Hitchcocks Aufnahme kostete 19000 Dollar für ein paar Sekunden Film-Zeit.

Steven Spielberg wandte in *Jaws* (1975) eine ähnliche Kombination von Fahrt und Zoom an, um die Wahrnehmung zu verstärken. Die interessanteste Anwendung dieser ungewöhnlichen Technik ist wohl die Restaurant-Szene in *Good Fellas* (1990). Der Regisseur Martin Scorsese nutzte sie für die Auseinandersetzung zwischen Robert De Niro und Ray Liotta, um dem Publikum die Bedrohlichkeit schärfer zu vermitteln.

Zusammengefaßt: Je kürzer das Objektiv – desto weiter der Blickwinkel (und größer das Gesichtsfeld), desto stärker die Tiefen-Wahrnehmung, desto größer die lineare Verzerrung; je länger das Objektiv – desto enger der Blickwinkel und flacher die Tiefen-Wahrnehmung.

Standard-Objektive sind in zweierlei Hinsicht zu verändern: durch Regulierung der Brennweite (indem das Verhältnis der Elemente untereinander verschoben wird) und durch Kontrolle des einfallenden Lichts.

Die Lichtmenge, die in die Kammer eindringt und den Film trifft, läßt sich auf drei Arten steuern: durch Zwischenschalten von lichtabsorbierendem Material (das tun Filter, die normalerweise vor dem Objektiv befestigt werden), durch Veränderung der Belichtungszeit (das kontrolliert der Verschluß) oder durch Veränderung der Größe der Öffnung, durch die das Licht eindringt (dies steuert die Blende). Filter werden hauptsächlich zur Beeinflussung der Licht-Qualität, nicht der Quantität benutzt, spielen also hier eine geringere Rolle. Blende und Belichtungszeit sind die Hauptfaktoren, die auch miteinander und mit der Brennweite eng zusammenhängen.

Die Apertur- (oder Iris-)Blende arbeitet genauso wie die Iris im menschlichen Auge. Da aber Film stärker noch als die Retina eine beschränkte Lichtempfindlichkeit besitzt, ist die Kontrolle der auftreffenden Lichtmenge entscheidend. Das Maß dieser Menge ist die «relative Lichtstärke» (oder «relative Öffnung»), ein Quotient (f/D) aus der Brennweite (f) und dem wirksamen Durchmesser der Blende (D); vereinfacht ausgedrückt: das Verhältnis der Länge des Objektivs zu seinem Öffnungsdurchmesser. Das Ergebnis dieser mechanischen Formel ist eine Serie von Standard-Nummern («Blendenzahl» oder «f-stop» genannt), deren Verhältnis zunächst willkürlich erscheint (Diagramm F1).

Diese Zahlen wurden gewählt, weil jede Stufe in dieser Reihe jeweils halb soviel Licht durchläßt wie ihr Vorgänger; das heißt: Eine Blende f1 ist doppelt so «groß» wie eine Blende f1.4, und eine Blende f2.8 läßt viermal soviel Licht durch wie Blende f5.6. Die Zahlen sind auf eine Dezimalstelle abgerundet; der Multiplikator ist etwa 1.4, die Quadratwurzel von 2.

Die Lichtempfindlichkeit eines Objektivs wird nach seiner größtmöglichen relativen Lichtstärke angegeben. Ein 50 mm langes Objektiv mit einer Blendenöffnung von ebenfalls 50 mm würde als f1-Objektiv bezeichnet werden; es wäre demnach ein hochempfindliches Objektiv, das bei größter Blendenöffnung doppelt soviel Licht wie ein f1.4-Objektiv und viermal soviel wie ein f2-Objektiv durchläßt. Als Stanley

f1	f1.4	f2	f2.8	f4	f5.6	f8	f11	f16	f22

Diagramm F1

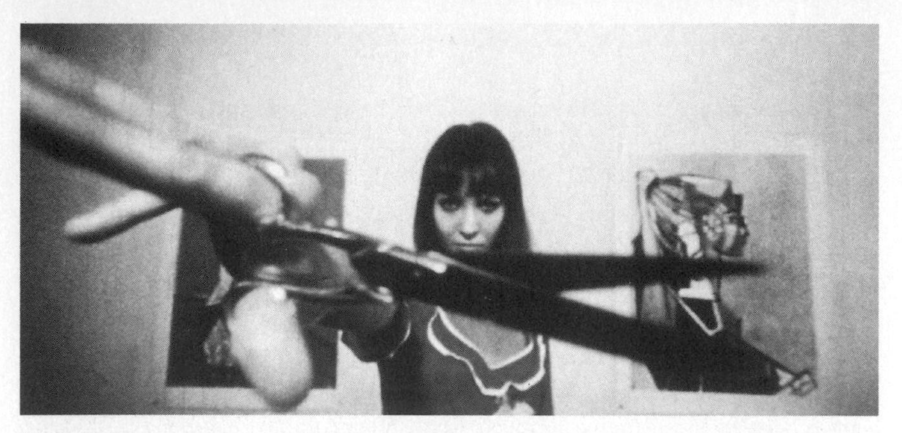

Weitwinkel-Verzerrung. Anna Karina in Jean-Luc Godards *Pierrot le fou* (1965). (*L'Avant-Scène. Standvergrößerung*)

Kubrick sich entschloß, einen Teil von *Barry Lyndon* (1975) mit dem Licht nur weniger Kerzen zu drehen, war es notwendig, ein Spezial-Objektiv, das die Zeiss-Werke für Weltraum-Fotos der NASA entwickelt hatten, für den Filmgebrauch umzurüsten. Das Objektiv war ein f0.9, während die empfindlichsten der bis dahin üblichen Film-Objektive bei f1.2 lagen. Der numerisch kleine Unterschied von 0.3 ist irreführend, denn tatsächlich ließ Kubricks NASA-Objektiv fast doppelt soviel Licht durch wie das übliche f1.2-Objektiv.

Seit der Entwicklung dieser ultraempfindlichen Objektive haben Filmemacher leistungsfähige neue Werkzeuge zur Verfügung, wobei allerdings wohl nur aufmerksame Kinogänger die nunmehr möglichen neuen Effekte bemerken. Empfindliche Objektive sind auch in ökonomischer Hinsicht wichtig, da die Ausleuchtung zu den zeitraubendsten und mithin teuersten Bereichen des Filmemachens gehört. Der moderne Filmamateur erwartet von seinem Camcorder, daß er brauchbare Bilder aufnimmt, ganz gleich, wie das Licht ist, und die meisten Geräte leisten das auch; nur dem Profi ist bewußt, wie bemerkenswert diese technische Errungenschaft ist. Ein heutiger CCD(charge-coupled device)-Camcorder kann das vom Objektiv übertragene Licht derartig wirksam verstärken, daß er als Nachtsichtgerät dienen kann – empfindlicher als das menschliche Auge.

Das Konzept der Blendenzahlen ist irreführend, nicht nur, weil die Zahlenreihe die Unterschiede zwischen den einzelnen Blendenöffnungen nicht deutlich macht, sondern auch, weil die Blendenzahl sich aus dem Verhältnis physikalischer Größen ergibt und damit die tatsächlich in die Kamera eindringende Lichtmenge nicht unbedingt exakt wiedergibt. Die Oberflächen der Objektiv-Elemente reflektieren klei-

Teleoptik-Verzerrung. Eine Aufnahme aus Robert Altmans *Buffalo Bill and the Indians* (1976). Die Reitergruppe ist mindestens 800 Meter von der Kamera entfernt.

Zoom. Diese Standvergrößerung aus Godards «Caméra-œil»-Episode in *Loin de Vietnam* (1967) zeigt deutlich den Effekt eines schnellen Zooms. Die verwischten Linien zielen auf die Bildmitte. Die meisten Zooms sind nicht schnell genug, um ein einzelnes Bild wie dieses zu verwischen. (*L'Avant-Scène*)

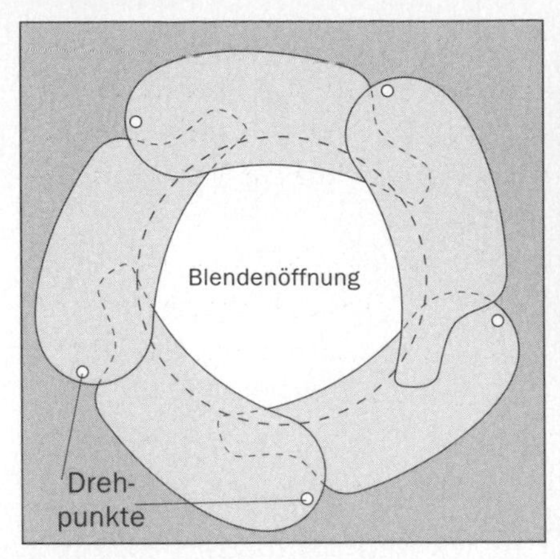

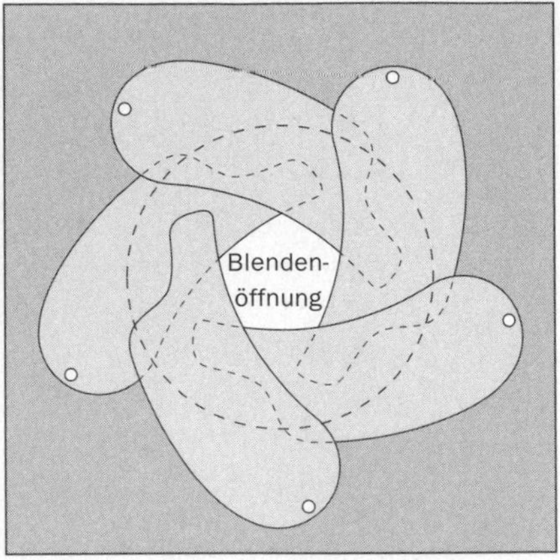

Die Iris-Blende. Eines der einfachsten Elemente des fotografischen Systems, zugleich eines der wichtigsten, ist die Blende. Sie besteht aus hauchdünnen, durch Federn gespannten Metallblättchen – normalerweise fünf oder sechs –, die sich gegenseitig überlappen, so daß die Größe der Öffnung leicht zu verstellen ist.

Zehn Kerzen beleuchten diese Szene aus Kubricks *Barry Lyndon* (1975) mit Murray Melvin und Marisa Berenson. (*Standvergrößerung*)

ne Lichtmengen, die Elemente selbst absorbieren kleine Mengen; in komplizierten, vielteiligen Optiken (besonders Zoom-Objektiven) können sich diese Unterschiede zu einer ziemlich hohen Gesamtmenge addieren. Um dies auszugleichen, wurde die «T-stop»-Nummer eingeführt, das präzise elektronische Maß der Lichtmenge, die den Film tatsächlich trifft.

Die Veränderung der Blendenöffnung («abblenden») beeinflußt, da sich der wirksame Durchmesser des Objektivs verringert, auch den Schärfenbereich: Je kleiner der Durchmesser der Öffnung, desto größer die Schärfe. Im Ergebnis ist dann der Schärfenbereich um so größer, je mehr Licht vorhanden ist. Der Ausdruck «Schärfenbereich» bezeichnet die Entfernungsspanne vor dem Objektiv, die im Bild genügend scharf erscheint. Wenn wir den Schärfenbereich mit wissenschaftlicher Genauigkeit festlegen wollten, so wäre nur eine einzige Ebene vor der Kamera wirklich scharf, die «Schärfenebene». Doch dem Kameramann ist nicht an wissenschaftlicher Realität gelegen, sondern an psychologischer, und da besteht immer ein Bereich vor und hinter der Schärfenebene, der noch scharf erscheint.

Anzumerken wäre auch, daß die verschiedenen Objektiv-Typen unterschiedliche Schärfenbereiche besitzen: Eine Weitwinkel-Optik hat einen sehr tiefen Schärfenbereich, ein Tele-Objektiv hingegen nur einen sehr flachen. Außerdem wächst der effektive Schärfenbereich, wenn ein Objektiv abgeblendet, die Blende verkleinert wird.

Die Optiken bieten Fotografen und Kameraleuten also ein weites Spektrum von Auswahlmöglichkeiten. Der fotografische Stil, der einen großen Bereich der Handlung scharf abbildet, wird «deep focus», «Schärfentiefe» (auch Tiefenschärfe) genannt. Abgesehen von einigen Ausnahmen, verbindet man normalerweise die Schärfentiefe mit den filmischen Realismus-Theorien. Dagegen wird «shallow focus» (etwa: flache Schärfe), bei dem ein enger Schärfenbereich als künstlerisches Mittel eingesetzt wird, eher von expressionistischen Filmemachern benutzt, denn sie ermöglicht eine weitere Technik, die Aufmerksamkeit des Zuschauers zu steuern. Ein Regisseur kann während einer Aufnahme die Schärfe verändern, entweder um einen Gegenstand, der sich auf die Kamera zu oder von ihr weg bewegt, scharf zu behalten («Schärfenmitführung») oder um die Aufmerksamkeit des Zuschauers von einem Gegenstand auf einen anderen zu lenken («Schärfenverlagerung»).

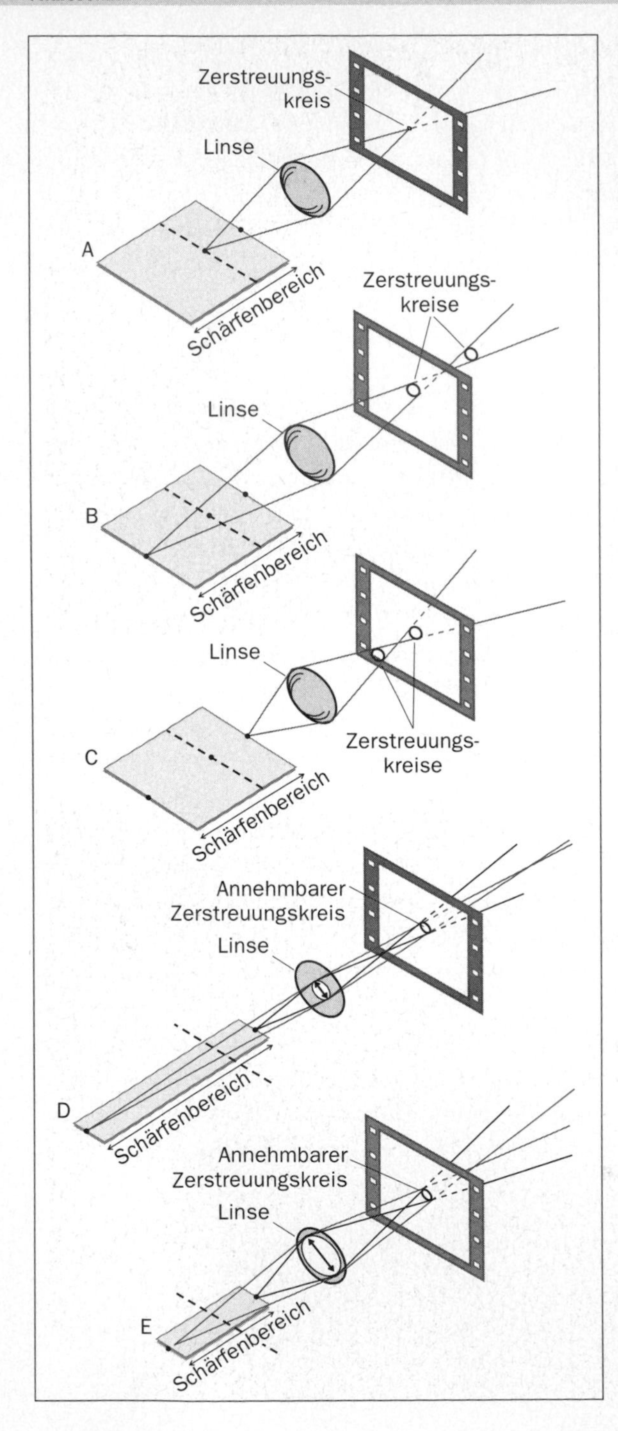

Schärfe und Schärfenbereich. Linsen brechen das Licht so, daß nur eine Fbene vor der Linse wirklich genau scharf ist. Die gestrichelte Linie in diesen fünf Schaubildern steht für die wahre Schärfenebene. Doch psychologisch erscheinen gewisse Bereiche vor und hinter der Schärfenebene immer noch genügend scharf. Dieser «Schärfenbereich» ist hier durch die grauen Felder bezeichnet. In A ergibt ein Objektpunkt genau auf der Schärfenebene den geringsten «Zerstreuungskreis» auf der Filmebene hinter der Linse. In B ergibt ein Objektpunkt am entfernten Ende des Schärfenbereichs den größten annehmbaren Zerstreuungskreis. Bei Objekten jenseits dieses Punktes registrieren Auge und Gehirn das Bild als «unscharf». In C ergibt ein Objektpunkt an der nahen Grenze des Schärfenbereichs einen ähnlich annehmbaren Zerstreuungskreis. Objekte, die sich näher zur Linse befinden, produzieren unscharfe Zerstreuungskreise.

D und E erläutern den Effekt der Blendenöffnung auf den Schärfenbereich. Die engere Blendenöffnung in D ergibt einen größeren Schärfenbereich, während die größere Blendenöffnung in E den Schärfenbereich verkürzt. In beiden Schaubildern ergeben Punkte an den beiden Enden des Schärfenbereichs gleichermaßen annehmbare Zerstreuungskreise.

In allen fünf Schaubildern ist der Schärfenbereich aus grafischen Gründen reduziert. Das Errechnen des Schärfenbereichs einer bestimmten Linse und Blendenöffnung ist einfach eine Sache der Geometrie. Im allgemeinen strebt der Schärfenbereich gegen unendlich. Er ist sehr viel kritischer im Nahbereich als in der Entfernung.

Flache Schärfe. Die Personen sind ganz scharf, während der Hintergrund verwischt ist. Eine Aufnahme aus Kubricks *Paths of Glory* (1957). (*Museum of Modern Art / Film Stills Archive*)

Schärfentiefe. Eine der erstaunlichsten Aufnahmen mit Schärfentiefe aus Orson Welles' *Citizen Kane* (1941). Kamera: Gregg Toland. Die Schärfe reicht von den Eisskulpturen ganz vorn bis zu den aufgestapelten Möbeln am hinteren Tischende. (*Museum of Modern Art / Film Stills Archive*)

Die Kamera

Die Kamera bildet die mechanische Umkleidung für die Optik, die das Licht einläßt und kontrolliert, und den Filmstreifen, der das Licht aufzeichnet. Das Herzstück dieses mechanischen Apparates ist der Verschluß, der für den Fotografen das zweite Mittel zur Bestimmung der Lichtmenge darstellt, die auf den Film trifft. Hier stoßen wir zum erstenmal auf einen wichtigen Unterschied zwischen Fotografieren und Filmen. Für den Fotografen besteht eine enge, unveränderbare Verbindung zwischen Belichtungszeit und Blendengröße. Wenn er eine schnelle Bewegung aufnehmen will, so wird sich der Fotograf wahrscheinlich zunächst für eine kurze Belichtungszeit entscheiden, um die Bewegung «einzufrieren», und die kurze Zeit durch eine Vergrößerung der Blende auf einen niedrigeren F-Stop-Wert ausgleichen (was zugleich eine Verringerung des Schärfenbereichs bedeutet). Wenn er allerdings Schärfentiefe wünscht, so wird der Fotograf die Blende verkleinern («abblenden»), was dann eine relativ lange Belichtungszeit erforderlich macht (das wiederum hat zur Folge, daß schnelle Bewegungen im Bild verwischt erscheinen können). Belichtungszeiten werden in Sekunden-Bruchteilen angegeben und sind in der Fotografie eng mit entsprechenden Blendenzahlen verbunden. Zum Beispiel lassen folgende Paarungen von Belichtungszeit und Blendenzahl jeweils die gleiche Menge Licht in die Kamera:

F-Stop:	*f*1	*f*1.4	*f*2	*f*2.8	*f*4	*f*5.6	*f*8	*f*11	*f*16
Belichtungs-zeit:	$\frac{1}{1000}$	$\frac{1}{500}$	$\frac{1}{250}$	$\frac{1}{125}$	$\frac{1}{60}$	$\frac{1}{30}$	$\frac{1}{15}$	$\frac{1}{8}$	$\frac{1}{4}$

Diagramm F2

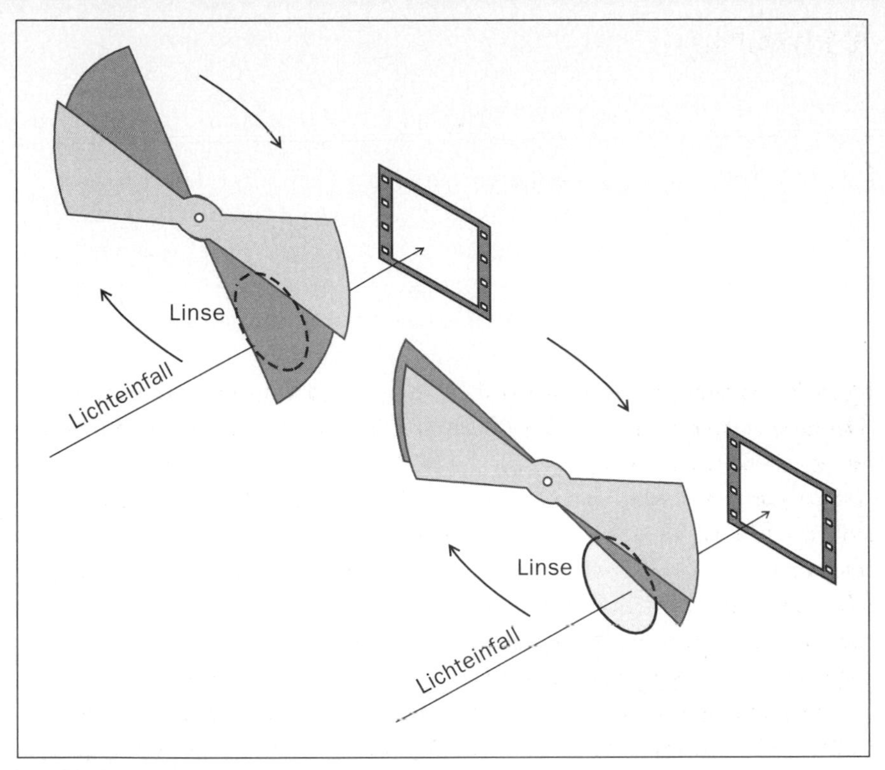

Umlaufblende. In der Fotografie besteht der Blendenverschluß einfach aus Plättchen aus Metall oder anderem Material, die unter Federspannung stehen. Bei der Filmaufnahme ist die Belichtungszeit jedoch durch die Standardgeschwindigkeit von 24 Bildern pro Sekunde begrenzt. Durch eine verstellbare Sektorenblende erhält man etwas Spielraum bei der Belichtungszeit. Sie rotiert zwar ständig mit 24 Umdrehungen pro Sekunde, die Größe des «Lochs» und damit die Belichtungszeit kann aber durch Verstellen der einander überlappenden Sektoren reguliert werden.

Beim Film ist dagegen die Belichtungszeit durch die standardisierten 24 Bilder pro Sekunde beschränkt, die zur Wiedergabe einer normalen Bewegung notwendig sind. Der Kameramann kann bei so eng begrenzter Belichtungszeit die Belichtung durch eine variable Umlaufblende, bei der nicht die Geschwindigkeit, sondern die Öffnungsgröße veränderbar ist, in engen Grenzen beeinflussen. Die effektiv oberste Belichtungszeit beim Film ist eindeutig $^1/_{24}$ Sekunde. Da der Film mit dieser Geschwindigkeit den Projektor durchlaufen muß, gibt es bei der normalen Filmarbeit keine Möglichkeit, die Belichtungszeit über dieses Limit auszudehnen. Das bedeutet, daß dem Kameramann eins der wichtigsten Mittel der Fotografie genommen ist: Beim normalen Film gibt es keine «Zeitaufnahme».

Brennweite, lineare Verzerrung, Verzerrung der Tiefenwahrnehmung, Blickwinkel, Schärfe, Blende, Schärfenbereich und Belichtungszeit sind die Grundfaktoren sowohl bei der Fotografie wie beim Film.

Viele der Variablen hängen voneinander ab, und jede hat mehr als eine Auswirkung. Das kann zum Beispiel bedeuten: Ein Fotograf verkleinert, um Schärfentiefe zu erreichen, die Blendenöffnung; das heißt, daß weniger Licht in die Kamera eindringt; zum Ausgleich muß er durch künstliche Beleuchtung den Gegenstand stärker ausleuchten, doch das kann unerwünschte Nebeneffekte auslösen; also wird er statt dessen die Belichtungszeit erhöhen, was wiederum erschwert, ein klares, scharfes Bild zu erhalten, wenn sich Kamera oder Gegenstand bewegt; deshalb nimmt er vielleicht ein Objektiv mit weiterem Winkel, um so das Blickfeld zu vergrößern; doch das kann die ursprüngliche Bildkomposition zerstören. Bei der Aufnahme müssen viele Entscheidungen bewußt getroffen werden, die im menschlichen Auge und Gehirn augenblicklich und unbewußt ablaufen.

Beim Film unterliegt die Kamera zwei Variablen, die bei der Fotografie nicht existieren: Sie bewegt den Filmstreifen, und sie bewegt sich selbst. Der Filmtransport scheint eine simple Sache zu sein, doch war er das letzte der zahlreichen Probleme, die zur Verwirklichung des Films gelöst werden mußten. Das Teil, das den Filmstreifen korrekt durch die Kamera bewegt, heißt «Greifer-Mechanismus» oder «Mechanismus zum schrittweisen Filmtransport». Das Problem besteht darin, daß der Filmstreifen im Gegensatz zum Ton- und zum Videoband nicht kontinuierlich durch die Kamera laufen kann. Film ist eine Serie von 24 Einzelbildern pro Sekunde – und der schrittweise Transport muß den Film zur Belichtung eines Bildes in die richtige Position bringen, ihn dort für etwa $^1/_{24}$ Sekunde unbewegt festhalten und dann das nächste Bild in die richtige Position bringen. Er muß dies 24mal pro Sekunde exakt synchron zur rotierenden Flügelblende tun, die den Film dann belichtet.

In den USA wird die Erfindung des ersten funktionstüchtigen Transportmechanismus Thomas Armat im Jahre 1895 zugeschrieben. In Europa entwickelten andere Erfinder – vor allem die Gebrüder Lumière und der Berliner Oskar Messter – ähnliche Systeme. Der Transportmechanismus ist gewissermaßen das Herz des Kinos, denn er pumpt den Film durch die Kamera oder den Projektor. Das Erfolgsgeheimnis für dieses System der Aufzeichnung und Wiedergabe einer Serie von Einzelbildern, durch das der Eindruck einer kontinuierlichen Bewegung erreicht wird, liegt in dem, was Ingmar Bergman einen gewissen «Defekt» des menschlichen Auges nennt: die «Nachbildwirkung». Das Gehirn speichert ein Bild etwas länger, als es sichtbar ist; so ist es möglich, eine Maschine zu konstruieren, die eine Reihe von Einzelbildern schnell genug projiziert, um sie im Gehirn verschmelzen zu lassen und die Illusion von Bewegung zu erzeugen. Alhazen untersuchte dieses Phänomen in

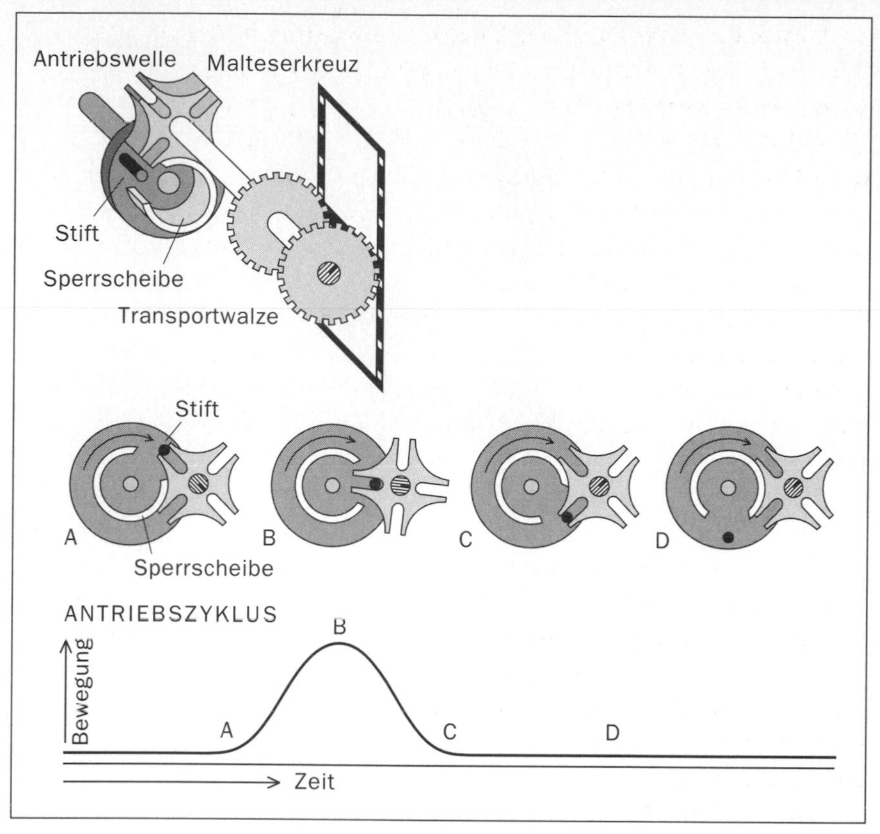

Der Malteserkreuz-Mechanismus. Die Antriebswelle rotiert mit gleichmäßiger Geschwindigkeit. Zu Beginn einer Umdrehung (A) greift der Stift in den Schlitz des Malteserkreuzes, das durch eine Achse mit der Transportwalze verbunden ist. Solange der Stift mit dem Malteserkreuz verbunden ist (A, B, C), bewegt sich der Film. Während des größten Teils der Umdrehung wirkt der Stift nicht auf das Malteserkreuz, und die Sperrscheibe hält das Kreuz (und den Film) fest. Die Kurve beschreibt die Bewegung von Kreuz und Film während einer vollen Umdrehung.

seinem Buch *Kitáb al-Manazir* schon im zehnten Jahrhundert. Gelehrte des neunzehnten Jahrhunderts wie Peter Mark Roget und Michael Faraday entwickelten um 1820 die Theorie weiter. Anfang unseres Jahrhunderts verfeinerten Gestalt-Psychologen das Konzept und nannten es «Phi-Phänomen».

Es ergab sich, daß eine Frequenz von mindestens 12 oder 15 Bildern pro Sekunde notwendig, von etwa 40 Bildern jedoch sehr viel wirkungsvoller ist.* Frühe Pio-

* Apples und Microsofts erste Versionen von Computer-Software zur Filmwiedergabe waren auf fünfzehn Bilder pro Sekunde beschränkt. «QuickTime» wie «Video for Windows» waren folglich nur notdürftig in der Lage, Filmbilder wiederzugeben. Teil 7 kommt darauf zurück.

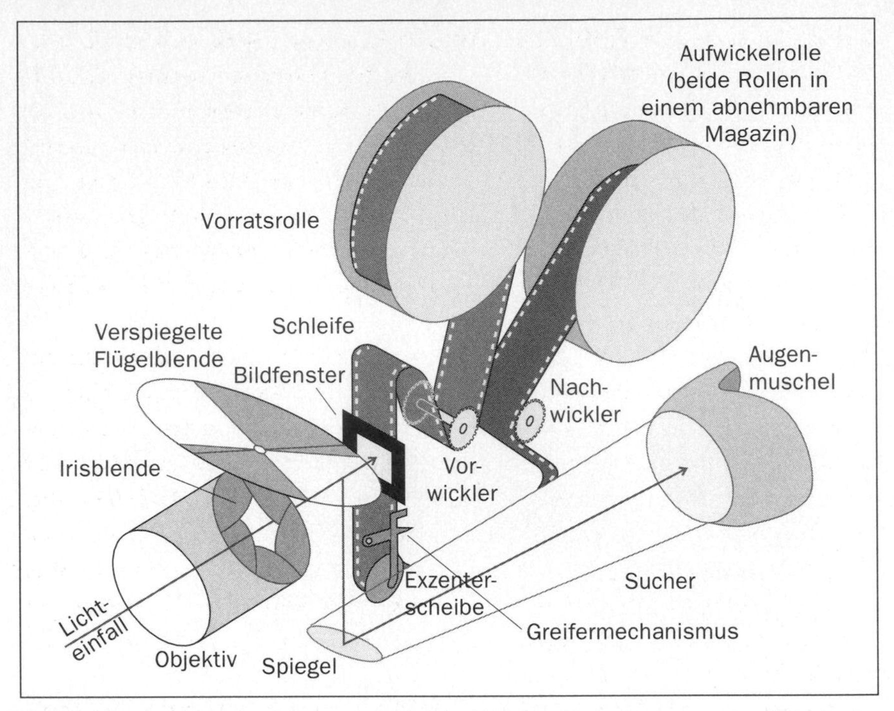

Die Reflex-Kamera. Die Vorrats- und die Aufwickelrolle befinden sich in einem separaten Magazin, das schnell und einfach gewechselt werden kann. Vorwickler und Nachwickler drehen sich kontinuierlich. Die schrittweise Bewegung wird in diesem Gerät durch einen Greifermechanismus mit Exzenterantrieb erreicht und nicht durch das in Abbildung Seite 89 gezeigte, kompliziertere Malteserkreuz-System. Das Herz einer Reflex-Kamera ist die verspiegelte Flügelblende. Sie steht in einem Winkel von 45° zum Lichtgang; dadurch kann der Kameramann genau das Bild im Sucher sehen, das der Filmstreifen «sieht». Wenn die Blende offen ist, fällt alles Licht auf den Film. Ist die Blende geschlossen, wird alles Licht in den Sucher umgelenkt. Die Reflex-Kamera hat fast vollständig frühere Systeme mit separatem Bildsucher ersetzt, sowohl in der Fotografie wie auch beim Film.

niere wie W. K. L. Dickson drehten mit Geschwindigkeiten von bis zu 48 Bildern pro Sekunde, um den bei geringerem Tempo auftretenden Flimmer-Effekt auszuschalten. Doch bald stellte sich heraus, daß das Flimmern durch die Verwendung einer Flügelblende bei der Projektion vermieden werden konnte; und so ist es seit den frühen Tagen der Kinematografie bis heute geblieben. Der Effekt ist, daß zwar 24 Bilder pro Sekunde gedreht werden, jedes Bild bei der Projektion jedoch einmal unterbrochen wird und so eine Frequenz von 48 Bildern entsteht, wodurch das Flimmern vermieden wird. Jedes Bild wird sozusagen zweimal projiziert. In der Stummfilmzeit – besonders in den frühen Jahren, als Kameras und Projektoren mit einer Handkurbel betrieben wurden – waren unterschiedliche Geschwindigkeiten üblich: Kameramann und Vorführer hatten so ein gewisses Maß an Kontrolle über die Geschwindigkeit der Aktion. Das Durchschnittstempo beim Stummfilm lag zwischen 16 und 18 Bildern pro Sekunde und steigerte sich im Laufe der Jahre auf 20 bis 22 Bilder. 24 Bilder wurden erst 1927 zum allgemein anerkannten Standard. (Selbst heute gibt es Abweichungen: Europäische Fernsehfilme werden mit 25 Bildern gedreht, da die elektronische Sendenorm 50 Halbbilder pro Sekunde beträgt.) Wenn Stummfilme mit Tonfilm-Geschwindigkeit projiziert werden, was heute oft geschieht, so entsteht durch die schnellere «Zappel»-Bewegung ein komischer Effekt, der ursprünglich nicht beabsichtigt war.

Der Effekt der Bildfrequenz ist nicht zu unterschätzen. Wir wachsen auf mit Filmen und Fernsehsendungen, die 24 bis 30 Bilder (oder 48 bis 60 Halbbilder) pro Sekunde zeigen, und lernen deshalb, dies als Standard zu akzeptieren, während es doch nur annähernd angemessen ist. Eine der wirksamsten Methoden, die Qualität der Filmwiedergabe zu steigern, ist die Erhöhung der Bildfrequenz. Das läßt sich bei jeder Showscan- oder Imax-Anlage in Museums- oder Ausstellungs-Schauen überprüfen. Beide Patente arbeiten mit höherer Bildfrequenz. (Die Imax-Technik benutzt überdies extrabreites Filmmaterial, siehe Seite 109) In der 1993 erlassenen US-Norm für HDTV (high-definition television) ist erhöhte Bildfrequenz ein wichtiger Punkt.

Das Geniale am Malteserkreuz-System ist, daß der Mechanismus den Film in einem optimalen Zeitverhältnis abwechselnd bewegt und festhält. Die Zeit, in der sich der Film bewegt, ist natürlich für die fotografische Aufnahme verloren. Wenn man die geringe Größe des Bildes, die Empfindlichkeit des Filmmaterials und die gewaltigen Kräfte in Betracht zieht, die an den winzigen Perforationslöchern ziehen, so sind Filmkamera und Projektor wahrhaft kunstvolle Mechanismen. Das Malteserkreuz ist schlechthin ein beredtes Symbol der mechanischen Technik des neunzehnten Jahrhunderts.

Die Geschwindigkeit der Kamera bietet dem Filmemacher weitere nützliche Variablen, die vor allem für die Anwendung des Films auf wissenschaftlichem Gebiet wichtig sind. Durch Veränderung der Filmgeschwindigkeit beim Drehen (und bei konstanter Projektionsgeschwindigkeit) ergibt sich die wertvolle Technik von Zeitlupe («slow motion») und Zeitraffer («fast motion»).

Film kann so auf die Zeit ebenso angewandt werden wie Teleskop und Mikroskop auf den Raum; Naturphänomene werden so erkennbar gemacht, die mit menschlichem Auge unsichtbar sind. Durch Zeitlupe und Zeitraffer lassen sich Ereignisse beobachten, die für unser Auge zu schnell oder zu langsam ablaufen, so wie Mikroskop und Teleskop Phänomene sichtbar machen, die sonst zu klein oder zu weit entfernt wären. Für die Wissenschaft besitzt die Kinematografie nicht nur deshalb große Bedeutung, weil sie hilft, eine ganze Anzahl von Zeit-Phänomenen zu

Zeitlupe ist bisweilen auch in Spielfilmen nützlich. Diese Standvergrößerung aus der extremen Zeitlupen-Sequenz, die den Höhepunkt von Michelangelo Antonionis *Zabriskie Point* (1969) bildet, gibt etwas von der ironischen und lyrischen Freiheit der Explosionsphantasie wieder. (*Standvergrößerung, Sight and Sound*)

analysieren, sondern auch als Mittel zur objektiven Aufzeichnung von Realität. Wissenschaften wie Anthropologie, Ethnografie, Psychologie, Soziologie, Physik, Zoologie – selbst Botanik – wurden durch die Erfindung der Kinematografie revolutioniert. Außerdem läßt sich Filmmaterial herstellen, das über den beschränkten Bereich der dem menschlichen Auge sichtbaren Frequenzen – «Farben» genannt – hinausgeht. Infrarot- und ähnliche Aufnahmetechniken zeichnen «optische» Daten auf, die zuvor unerreichbar waren.

Die Begriffe «Zeitlupe» und «Zeitraffer» sind ziemlich eindeutig, dennoch ist es wohl sinnvoll zu erklären, was genau in der Kamera vorgeht. Wenn man den Transportmechanismus so regulieren kann, daß er zum Beispiel 240 statt der üblichen 24 Bilder pro Sekunde aufnimmt, dann dehnt sich jede Sekunde aufgenommener Zeit zu zehn Sekunden projizierter Zeit aus und enthüllt so Bewegungsdetails, die in realer Zeit nicht erkennbar wären. Umgekehrt, wenn die Kamera etwa drei Bilder pro Sekunde aufnimmt, so «dauert» die projizierte Zeit nur ein Achtel der realen Zeit. Bei extremen Fällen des Zeitraffers («time lapse photography») kann die Kamera sogar periodisch statt kontinuierlich aufnehmen, beispielsweise ein Bild pro Minute. Zeitraffer-Fotografie ist besonders in der Naturwissenschaft von Nutzen, denn sie macht Einzelheiten von Phänomenen wie zum Beispiel Fototropismus sichtbar, wie es keine andere Labortechnik könnte.

Man muß nicht viele wissenschaftliche Zeitlupen- und Zeitrafferfilme sehen, um zu erkennen, daß die Veränderung der Kamerageschwindigkeit ebenso poetische Wahrheiten enthüllt wie wissenschaftliche. So ist die Liebesszene in Zeitlupe zu einem der abgedroschensten Klischees des zeitgenössischen Kinos geworden, der komische Effekt der «zappelnden» frühen Filme ein Gemeinplatz. Ebenso werden Explosionen in extremer Zeitlupe (zum Beispiel die Schlußsequenz von Antonionis *Zabriskie Point*, 1969) zu sinfonischen Feiern der materiellen Welt; und Zeitrafferaufnahmen von Blumen, in denen ein Tag auf dreißig Sekunden zusammengezogen wird, enthüllen eine berückende Choreographie der Natur, wenn die Blume sich den lebenspendenden Sonnenstrahlen entgegenstreckt.

Die Kamera selbst bewegt sich ebenfalls. Und gerade auf diesem Gebiet hat der Film einige ihm ganz eigene Wahrheiten entdeckt, denn die Kontrolle über die Perspektive des Zuschauers durch den Filmemacher ist einer der Hauptunterschiede zwischen Film und Bühne.

Es gibt zwei grundlegende Arten von Kamerabewegungen: Die Kamera kann sich entweder um eine ihrer drei – imaginären – Schwenkachsen drehen, oder sie bewegt sich von einem Ort zum andern. Bei diesen beiden Bewegungsarten liegt jeweils ein grundsätzlich anderes Verhältnis zwischen Kamera und Gegenstand vor.

Beim Schwenken («pan») oder Neigen («tilt») verfolgt die Kamera den sich bewegenden (oder ändernden) Gegenstand; beim Rollen («roll») ändert sich nicht der Gegenstand, sondern nur seine Lage innerhalb des Bildes. Dagegen bewegt sich die Kamera bei Fahrten («track» oder «dolly») und Kranaufnahmen in der horizontalen oder vertikalen Ebene, dabei ist der Gegenstand statisch oder beweglich. Diese verschiedenen Bewegungsarten und ihre diversen Kombinationen haben einen starken Einfluß auf das Verhältnis zwischen Gegenstand und Kamera (und damit auf den Zuschauer); dadurch kommt den Kamerabewegungen eine große Bedeutung als Determinante für den Inhalt des Films zu.

Die mechanischen Mittel, die die Bewegungen der Kamera ermöglichen, sind ziemlich einfach: Der Stativ-Schwenkkopf ist eine präzise feinmechanische Konstruktion aus Platten und Kugellagern; Fahraufnahmen macht man entweder auf verlegten Schienen, wodurch die Bewegung des Kamerawagens festgelegt ist, oder auf einem gummibereiften Dolly(-Wagen), der etwas mehr Bewegungsfreiheit bietet; der Kamerakran, der die sanfte Aufundabbewegung ermöglicht, ist eine Art Wippe, bei der die Kamera (und die Bedienungsmannschaft) durch Gegengewichte ausbalanciert werden (siehe Abbildung Seite 206).

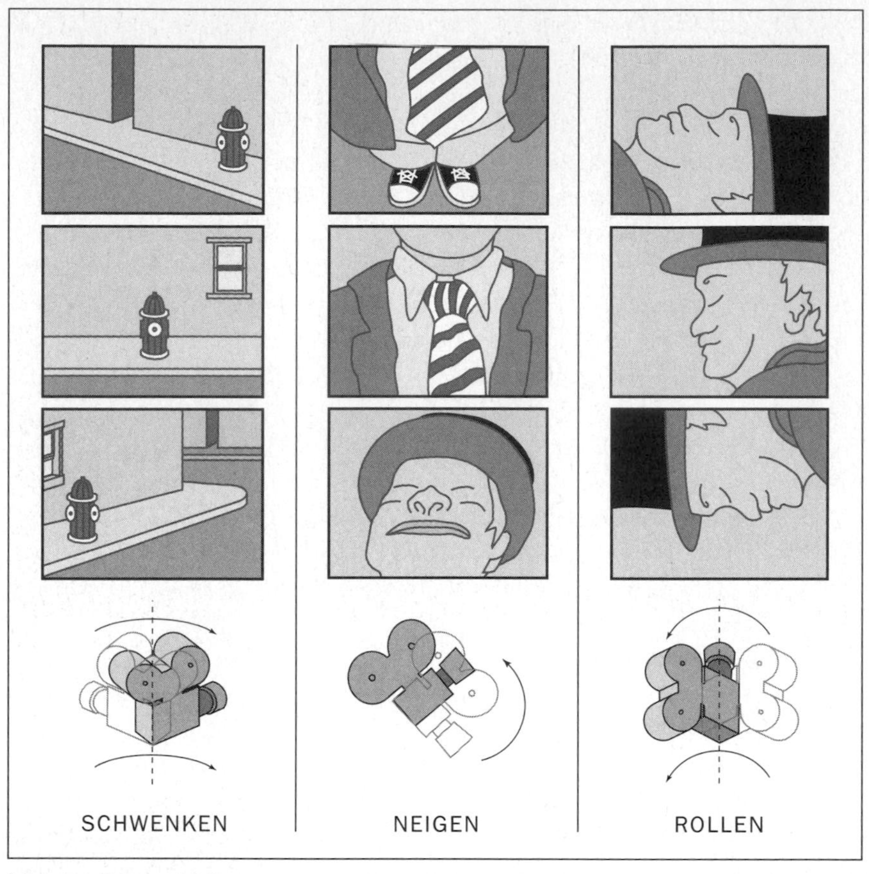

Schwenken, Neigen und Rollen. Der Schwenk ist die üblichste dieser drei Grundbewegungen. Das Rollen kommt am seltensten vor, da es eher verwirrt als neue Informationen vermittelt.

So gab es auf diesem Gebiet bis vor relativ kurzer Zeit kaum technische Weiterentwicklungen. Mit drei Ausnahmen: Zunächst konstruierten Ende der fünfziger Jahre Arnold & Richter eine 35 mm-Arriflex-Kamera, die bedeutend leichter und kleiner als die üblichen Mitchell-Kolosse war, die bis dahin von Hollywood-Kameramännern bevorzugt wurden. Die Arriflex konnte in der Hand gehalten werden, und das erlaubte neue Freiheiten und flüssige Kamerabewegungen. Die Kamera war jetzt von mechanischen Trägern befreit und folglich ein persönlicheres Instrument. Die französische «nouvelle vague» in den frühen Sechzigern ist bekannt für die Entwicklung eines neuen Vokabulars von Bewegungen der Handkamera; außerdem ermöglichte die leichte Handkamera den Stil des «cinéma vérité» im Dokumentar-

Ingmar Berman mit einer klobigen Mitchell-Kamera bei Dreharbeiten zu *Vargtimmen* (1966), links Liv Ullmann.

Stanley Kubrick mit einer kleinen Arriflex-Handkamera: die Vergewaltigungsszene aus *Clockwork Orange* (1971); mit der Nase: Malcolm McDowell.

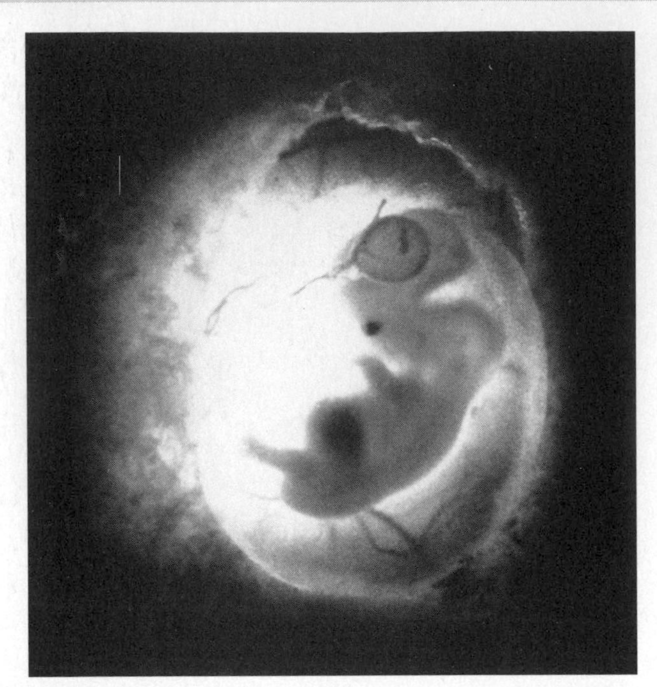

Ein frühes Beispiel für Filmaufnahmen vermittels optischer Fasern: ein menschlicher Fötus in der Fruchtblase. Aus *The Incredible Machine* (*PBS, 1975*).

film, wie er in den Sechzigern erfunden wurde und bis heute vorherrscht. Tatsächlich ist ja die nervös geschnittene, verwackelte, aus der Hand geschossene Übersteigerung, wie sie in so manchen Fernseh-Werbespots genutzt wird, eins der besonders typischen filmischen Klischees der neunziger Jahre. Nun, je mehr sich ändert, desto mehr bleibt sich gleich.

Fünfzehn Jahre lang waren Aufnahmen mit der Handkamera zugleich billig und populär – aber auch leicht zu erkennen. Die wacklige Kamera wurde zum Klischee der sechziger Jahre. Dann, Anfang der siebziger Jahre, entwickelte der Kameramann Garrett Brown zusammen mit Ingenieuren von Cinema Products Inc. ein System namens «Steadicam». Seither hat diese Art des Filmens viele Anhänger gewonnen und den Prozeß des Filmemachens entscheidend verschlankt. Hinsichtlich des ökonomischen Werts liegt sie gleichauf mit der ultraempfindlichen Optik, denn nach der Beleuchtung gehört die Schienenverlegung für Kamerafahrten zu den besonders zeitaufwendigen Tätigkeiten bei den Dreharbeiten (durch Steadicam erübrigt sie sich).

Durch eine Art Weste wird beim Steadicam-System das Gewicht der Kamera auf die Hüfte des Kameramanns verlagert; ein abgefederter Stativ-Arm dämpft die Bewegungen der Kamera, wodurch eine Ruhe des Bildes erreicht wird, die den viel

Das Steadicam-System. Federn dämpfen die Bewegung der Kamera, das Gewicht verteilt sich durch den Tragegurt.

komplizierteren (und teureren) Schienen- und Dolly-Aufnahmen vergleichbar ist. Außerdem macht ein Video-Monitor den Kameramann vom Bildsucher unabhängig und verbessert so die Kontrolle bei der Geh-Aufnahme mit der Handkamera. Die Steadicam-Kameraleute gehören zu den unbesungenen künstlerischen Helden des Filmschaffens. Die meisten sind durchtrainierte Sportler; ihre Arbeit ist eine staunenswerte Kombination von Gewichtheben und Ballett. Ironischerweise bemerkt man um so weniger davon, je besser sie ihre Arbeit beherrschen.

Selbst eine leichte Kamera ist sehr unhandlich, wenn man sie auf einen Standardkran montiert. Mitte der siebziger Jahre bauten die französischen Filmemacher Jean-Marie Lavalon und Alain Masseron eine Konstruktion, die sie «Louma» nannten; im Grunde ist es ein leichter Kran, etwa wie ein Mikrofon-Galgen, durch den die Vorteile einer leichten Kamera voll ausgenutzt werden können. Der Louma, präzise durch Servomotoren gesteuert, ermöglicht Kamerabewegungen in Positionen, die bisher unzugänglich waren; und er macht die Anwesenheit des Kameramannes unnötig, indem ein Video-Bild der Szene vom Bildsucher zum Kameramann übertragen wird, der sich entweder außerhalb eines engen Raumes oder sogar kilometerweit entfernt aufhalten kann.

Hilfsmittel wie der «Kenworthy-Schnorchel» erlauben sogar noch präzisere

Kontrolle der Kamera. So wie der Louma die Kamera vom Gewicht des Kameramannes befreit, so befreit der Schnorchel die Optik vom Gewicht der Kamera. Heute gibt es eine Reihe von Weiterentwicklungen der Louma- und Kenworthy-Prinzipien – und eins davon repräsentiert einen Quantensprung für die Freiheit der Kameraführung. Nicht damit zufrieden, die Kamera von Schienen und Kamerawagen befreit zu haben, entwickelte Garrett Brown Mitte der achtziger Jahre sein «Skycam»-System.

Genau besehen, ist Skycam ein Abkömmling von Steadicam und Louma. Bei diesem System ist eine Leichtkamera mit über Rollen geführten Drähten an vier Masten aufgehängt, die an vier Ecken des Drehortes aufgestellt sind. Der Kameramann sitzt außerhalb, er sieht das Geschehen auf einem Monitor und kontrolliert die Bewegung der Kamera mit Steuerelementen, die über entsprechende Computer-Programme mit dem Kabelsystem der Kameraaufhängung verkoppelt sind. Wie zuvor bereits Steadicam leistet auch Skycam dann am meisten, wenn es am wenigsten ins Auge fällt. Peter Pan hatte es nie so einfach.

Mit Einführung dieser mechanischen Mittel sind die meisten Einschränkungen, denen die Kinematografie durch die Größe der Geräte unterlag, aufgehoben, und die Kamera nähert sich der Idealvorstellung eines frei beweglichen, vollkommen kontrollierbaren künstlichen Auges. Die Perfektion der optischen Glasfiber-Technik hat diese Freiheit selbst auf mikroskopisch kleine Gebiete erweitert; Reisen durch die verschiedenen Kanäle des menschlichen Körpers, die Science-fiction waren, als sie 1967 durch Spezialeffekte für den Film *Fantastic Voyage* geschaffen wurden, konnten Mitte der siebziger Jahre für den Dokumentarfilm *Incredible Machine* «vor Ort» gedreht werden.

Das Filmmaterial

Das Grundprinzip, auf dem die chemische Fotografie beruht, liegt darin, daß einige Substanzen (vor allem Silbersalze) lichtempfindlich sind: das heißt, sie ändern bei Einwirkung von Licht ihre chemischen Eigenschaften. Ist diese chemische Veränderung sichtbar und fixierbar, so kann ein optischer Eindruck festgehalten und reproduziert werden.*

Daguerreotypien wurden auf Metallplatten gemacht und mußten minutenlang belichtet werden, damit man ein Bild erhielt. Zwei Neuentwicklungen in der fotografischen Technik waren nötig, ehe der Film technisch möglich wurde: ein flexibles Trägermaterial für die fotografische Emulsion und eine Emulsion, die empfindlich genug war, daß sie auf eine Belichtungszeit von etwa $^1/_{20}$ Sekunde reagierte. Die Empfindlichkeit der üblichen Standard-Emulsionen liegt heute unter normalen Verhältnissen bei etwa $^1/_{1000}$ Sekunde.

Doch nicht alle Methoden, Bilder festzuhalten, beruhen auf der fotografischen Chemie. Fernsehbilder werden elektronisch produziert (auch wenn lichtempfindliche und phosphoreszente Chemikalien eine gewisse Rolle spielen), und auch die Fotokopiersysteme unterscheiden sich stark von der traditionellen chemischen Silbersalz-Fotografie. Der Silber-Boom Anfang 1980, als sich der Preis des Metalls für kurze Zeit verfünffachte, lenkte die Aufmerksamkeit erneut auf silberfreie Techniken der Fotografie.

1989 brachte Sony die erste rein elektronische Schnappschuß-Kamera heraus, die Mavica. Das Unternehmen war damit dem Markt ein paar Jahre voraus, und das Gerät wurde kein Erfolg. Die Firma Kodak (die am meisten zu verlieren hat, wenn die Fotografie von der Chemie auf die Elektronik umsteigt) fand 1992 die richtige Formel: einen Kompromiß namens Photo-CD. Dabei wird nach wie vor der bestens eingeführte und leicht zu handhabende Film auf Chemiebasis benutzt, um das Bild

* Die folgende Erörterung fotochemischen Filmmaterials läßt sich mit entsprechenden Abänderungen auch auf die rein elektronische Fotografie anwenden, die im einzelnen in Teil 6 betrachtet wird.

aufzunehmen. Im Entwicklungslabor wird dann das fotografische Bild digitalisiert und als Datei auf eine spezielle CD-ROM übertragen, die der Kunde ebenso rasch erhält wie früher seine Papierabzüge. Der Kunde braucht ein dem Format der Photo-CD angepaßtes CD-ROM-Laufwerk, um seine Schnappschüsse auf dem Computer-Monitor oder dem Fernseh-Bildschirm anzusehen.

Mit dem Farb-Laserdrucker, der immer preiswerter wird und in die Privathaushalte einzieht, wird der Fotobegeisterte in die Lage versetzt, seine Papierabzüge selbst herzustellen. Die heimische Dunkelkammer wird durch Computer-Software ersetzt. Schon jetzt bietet professionelle Software wie Adobe Photoshop mehr Flexibilität als die fortgeschrittensten Fotolabors, und das zu niedrigsten Preisen. Wahrscheinlich wird die Kamera selbst erst als letztes Glied in der Kette auf Digitalisierung umgestellt, aber der Fortschritt geht unerbittlich weiter. Die Fotochemie ist an dem Punkt, ersetzt zu werden. Immerhin erfreut sie sich als Gebrauchstechnik schon einer Rekordfrist von über hundert Jahren, worin sie vielleicht dereinst nur von den digitalen Computern überholt werden wird. Die mechanische Wachs- oder Schellack- beziehungsweise Vinyl-Schallplatte, an zweiter Stelle in der Rekordliste der Gebrauchstechniken, hat fast ebenso lange überdauert, bis sie in den ausgehenden achtziger Jahren von der CD ersetzt wurde.

Negative, Kopien und Generationen

Da die Salze, auf denen die chemische Fotografie beruht, unter Lichteinwirkung dunkel werden, kommt ein merkwürdiger und nützlicher Schlenker in das System. Jene Bereiche des Fotos, auf die das meiste Licht fällt, erscheinen am dunkelsten, wenn es entwickelt und in chemischen Bädern fixiert wird. Das Ergebnis ist ein Negativ-Bild, bei dem die Helligkeitswerte vertauscht sind: Helles ist dunkel, Dunkles hell. Eine Positiv-Kopie dieses Negativ-Bildes läßt sich einfach durch eine Kontaktkopie oder durch die Projektion auf ähnliches Filmmaterial oder Fotopapier herstellen. So läßt sich das Bild reproduzieren. Außerdem kann man bei der Projektion des Negativs das Bild vergrößern, verkleinern oder sonstwie verändern – ein zusätzlicher Gewinn. Umkehr-Material erlaubt das direkte Entwickeln eines vorführbaren Positiv-Bildes auf dem «Kamera-Original» – dem Filmmaterial, mit dem in der Kamera gedreht wurde. Negativ-Duplikate (oder Umkehr-Positive) können ebenfalls direkt von einer Umkehr-Kopie hergestellt werden.

Das Kamera-Original gilt als die «erste Generation»; ein Duplikat davon als zweite; ein Negativ oder eine Umkehr-Kopie davon wiederum ist die dritte Generation. Jede zusätzliche Stufe bedeutet einen Qualitätsverlust. Normalerweise ist das Original-Negativ zu wertvoll, um davon die bis zu zweitausend Kopien zu ziehen, die für den Kinostart eines Spielfilms benötigt werden, und so ist die Kopie, die wir im Kino zu sehen bekommen, oft mehrere Generationen vom Original entfernt:

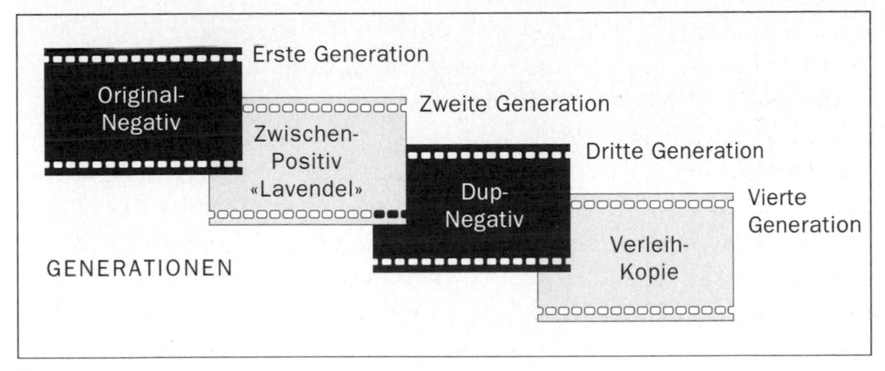

Diagramm G

Sind komplizierte Tricklabor-Arbeiten notwendig, so können noch eine Reihe Generationen mehr hinzukommen. «CRI»-Material (color reversal intermediate, Farb-Umkehr-Dup), das speziell zur Überbrückung der Positiv-Duplikat-Stufe entwickelt wurde, hat die Zahl der Generationen in der Praxis reduziert. Waren eine größere Anzahl Kopien oder Labor-Bearbeitungen nicht notwendig, so bot Umkehr-Material eine sehr praktische Alternative. In den siebziger Jahren, als der Film noch das bevorzugte Medium für Fernseh-Nachrichten war und bevor das rein elektronische Nachrichtenstudio selbstverständlich wurde, konnte das Umkehr-Material, das ein Fernseh-Kameramann beispielsweise um 16 Uhr belichtete, um 17 Uhr entwickelt sein, noch naß geschnitten und um 18 Uhr gesendet werden. Amateurfilmer benutzen fast ausschließlich Umkehr-Film wie Kodachrome oder Ektachrome.

Dies ist nur eine grobe Übersicht über die Grundsorten von Filmmaterial, die dem Filmemacher zur Verfügung stehen. In der Praxis ist die Auswahl sehr viel größer. Die Firma Eastman Kodak besitzt in den USA auf dem Markt für professionell genutztes Filmmaterial nahezu eine Monopolstellung (auch wenn sie auf dem Amateur- und Foto-Markt einige kleinere Konkurrenten besitzt); im Ausland dominiert sie ebenfalls. Kodak besitzt dies Monopol zum Teil auf Grund der zahlreichen nützlichen Produkte, die sie herstellt. Und während der professionelle Filmemacher beim Rohfilm praktisch auf Eastman-Kodak-Material angewiesen ist, gibt es eine größere Auswahl bei den Entwicklungstechniken (vergleiche das Kapitel über Farbe). Doch alle diese Techniken gehen auf gewisse Grundregeln zurück, da sie ja alle auf die speziellen chemischen Eigenschaften des von Kodak gelieferten Materials abgestimmt sein müssen.

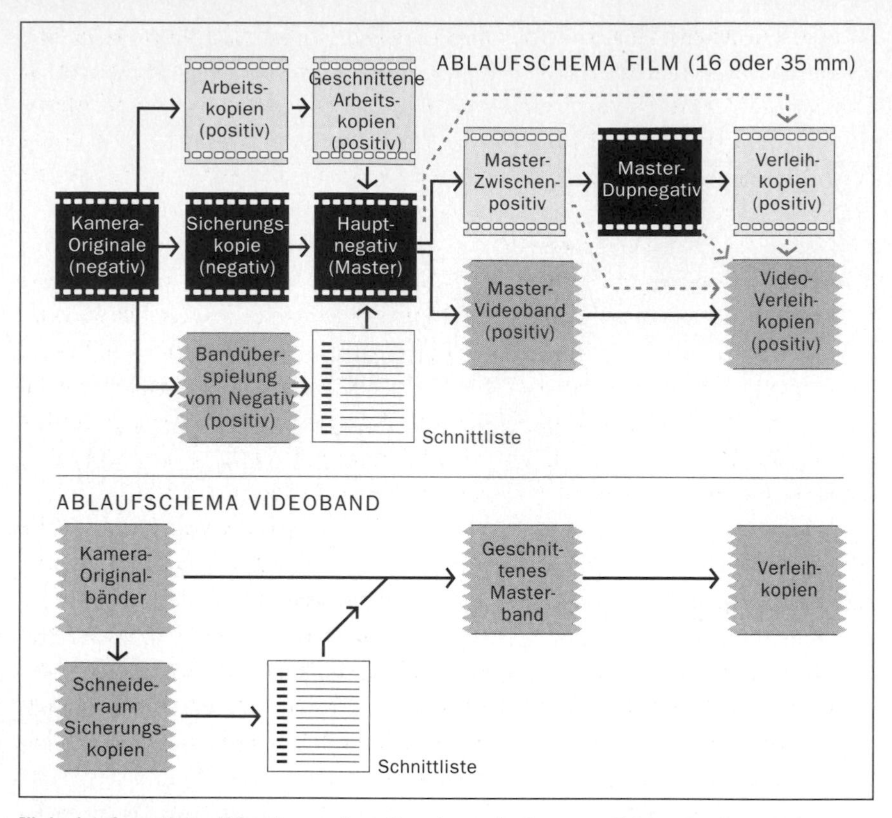

Filmkopien, Generationen, Video. Da von einem Negativ nur eine begrenzte Zahl qualitativ guter Kinokopien gezogen werden kann, ist es nötig, zwischen die wertvollen Kamera-Originale als Ausgangsmaterial, dem daraus beim Schnitt entstandenen Hauptnegativ und dem massenhaften Herstellen von Verleihkopien noch die Generation des Master-Dupnegativs zu schalten, was die Qualität der Kinokopien nicht unbedingt erhöht. Bei deutschen Produktionen erübrigt sich das Herstellen von Zwischennegativen zumeist, da nur eine relativ geringe Anzahl von Verleihkopien gezogen wird. Die Verwendung des elektronischen Schnitts – vermittels Video und zunehmend auch durch digitale Speicherung – ermöglicht das Erproben verschiedenster Montagemöglichkeiten, ohne daß das Filmmaterial (Arbeitskopie) durch Schneiden / Kleben angetastet werden muß. Der Schnitt des Master-Negativs erfolgt dann anhand der vom Computer erstellten Schnittlisten unter Verwendung des Timecode statt wie bisher anhand von einkopierten Randzahlen. Die in den achtziger Jahren noch verbreitete 16 mm-Technik mit Umkehrmaterial, vor allem in der aktuellen Berichterstattung des Fernsehens, ist mittlerweile fast vollständig durch die Verwendung der Videotechnik verdrängt worden.

Ein Hauptgrund für die starke Position dieser Firma in der Filmindustrie liegt in dieser engen Verbindung von Rohfilm und Entwicklungsprozeß. Ein privates Labor muß Hunderttausende Dollar in die Bearbeitungsmaschinen für ein spezielles Material investieren. Natürlich erfordern so hohe Investitionen ein gewisses Maß an

Vorausschau seitens des Labors, besonders, da sich die Technik schnell weiterentwickelt und die Ausrüstung nach sechs oder acht Jahren schon veraltet sein kann. Eastmans 5254-Material zum Beispiel war bei seiner Einführung 1968 dem bisherigen Filmmaterial weit überlegen, doch dauerte es nur sechs Jahre, bis es 1974 durch das 5247 mit ganz und gar anderer Chemie ersetzt wurde. 5247 wurde sodann durch die EXR-Materialien (5296, 5293, 5248, 5245) ersetzt.

Dieser und andere Umstände führten dazu, daß Kodak immer noch eine ähnliche Monopolstellung einnimmt wie IBM auf dem Computer-Markt vor der Mikrocomputer-Revolution der frühen achtziger Jahre. George Eastman entwickelte 1889 das erste flexible, durchsichtige Rollfilm-Material. Wie IBM in der Blütezeit, hat Eastmans Firma weitgehend die Methoden und Systeme definiert, auf die die große Mehrzahl ihrer Kunden angewiesen ist. Film ist eine Kunst, aber auch eine Industrie. Kodaks jährliche Einkünfte durch Filmmaterial betragen nahezu das Anderthalbfache der Kasseneinnahmen der amerikanischen Filmindustrie.

Aber das Unternehmen Kodak könnte in die Gefahr geraten, von der Bildfläche zu verschwinden, wenn es den Übergang von der chemischen Technik des neunzehnten zur digitalen des einundzwanzigsten Jahrhunderts nicht schafft. Photo-CD bedeutet einen guten Start, aber sie leistet nicht mehr, als nur die Lebensdauer der Kodakschen Pfründe in der Fotochemie zu verlängern. Über kurz oder lang wird die Fotografie ausschließlich digital sein, und dann hat Kodak weit mehr Konkurrenten in den Bereichen Disk und Band, denn dort sind die Unterschiede zwischen den Markenprodukten viel geringer als beim fotochemischen Film.

Während Fragen der Wirtschaftlichkeit und Logistik immer noch eine große Rolle bei der Entscheidung über Filmmaterial und Entwicklungslabor spielen, so haben doch auch andere, mehr ästhetische, Faktoren dabei Einfluß. Die ästhetischen Variablen des Filmmaterials betreffen: Format, Körnung, Kontrast, Tonwert und Farbe. Eng verbunden, besonders mit den ersten beiden Variablen – wenn auch nicht direkt eine Funktion des benutzten Filmmaterials –, ist das Bildformat, das heißt die Größe des projizierten Bildes.

Bildformat

Das Verhältnis zwischen Höhe und Breite des projizierten Bildes – das Bildformat – hängt ab von Größe und Form der Öffnung in der Kamera (und im Projektor) und vom Typ der benutzten Optik. Doch ist es nicht nur eine Funktion der Blendenöffnung. Schon früh in der Filmgeschichte bürgerte sich ein Bildformat von vier zu drei (Breite zu Höhe) ein und wurde von der Academy of Motion Picture Arts and Sciences zum Standard erklärt (und heißt deshalb «Academy ratio» beziehungsweise

«Normalformat»). Dies Format, oft nur 1 : 1.33 oder einfach 1.33-Format genannt, war zweifellos das weitestverbreitete, niemals jedoch das einzig benutzte.*

Filmemacher – D. W. Griffith und der frühe Ernst Lubitsch sind besonders bekannt dafür – deckten oft einen Teil des Bildfeldes durch Masken ab, um so zeitweise die Form des Bildes zu verändern. Als der Tonfilm eingeführt wurde und man dafür am Bildrand Platz brauchte, war eine Zeitlang ein nahezu quadratisches Format üblich. Ein paar Jahre später verkleinerte die Academy das innerhalb des potentiellen Feldes tatsächlich benutzte Bildfeld, um so wieder zum 1.33-Format zu kommen. Das Normalformat entwickelte mittlerweile eine eigene Mystik, obwohl es letztlich das Ergebnis einer zufälligen Entscheidung war.

Selbst heute noch führen die meisten Film-Lehrbücher das 1.33-Format auf den Goldenen Schnitt der klassischen Kunst und Architektur zurück, eine wahrlich mystische Zahl, die sich in der Natur oft in den seltsamsten Dingen wiederfindet (zum Beispiel in der Anordnung der Kerne einer Sonnenblume oder im Aufbau eines Schneckenhauses). Dem Goldenen Schnitt liegt die Formel $a/b = b/(a+b)$ zugrunde, wobei a der kürzeren Seite eines Rechtecks entspricht, b der längeren. Der Goldene Schnitt, eine an sich irrationale Zahl, entspricht einem Höhen-Breiten-Verhältnis von etwa 1 : 1.618. Das kommt dem heute meistbenutzten europäischen Breitwand-Format sehr nahe, ist aber weit entfernt vom 1.33-Normalformat. Die

* Konkret, nach den technischen Normen, beträgt das Format 1 : 1.37, was sich aus einem bei der Aufnahme benutzten Bildfeld von 22 × 16 mm ergibt.

Zwei Dreifach-Projektionen aus einer restaurierten Fassung von *Napoléon* (Abel Gance, 1927). Das Mehrfachbild ist in der Lage, einen einheitlichen psychologischen Eindruck zu erzeugen. (*Museum of Modern Art / Film Stills Archive*)

Academy Ratio, so zufällig sie auch ist,* dominierte tatsächlich nur etwa zwanzig Jahre lang (bis 1953), doch während dieser Zeit wurde nach ihrem Vorbild das Fernsehbild standardisiert; und das wiederum beeinflußt weiterhin die Filmkomposition. Das seit 1991 in Japan kommerziell genutzte HDTV-System jedoch verwendet ein Bildformat mit dem Höhen-Breiten-Verhältnis 9 : 16 (oder 1 : 1.777), weit näher am Goldenen Schnitt.

* Zyniker werden anmerken, die Academy Ratio entspräche dem Satz des Pythagoras; doch das ist ein abstraktes Ideal, während der Goldene Schnitt natürlich und organisch ist!

Seit den fünfziger Jahren haben Filmemacher die Auswahl zwischen einer ziemlichen Anzahl Bildformate. Zwei unterschiedliche Methoden sind in Gebrauch, um die heute üblichen Breitwand-Formate zu erhalten. Die einfachste Methode besteht darin, den obersten und untersten Teil des Bildes abzukaschen; so erhält man die beiden verbreitetsten einfachen Breitwand-Formate: 1.66 (in Europa) und 1.85 (in den USA). Das Abkaschen bedeutet jedoch, daß nur ein viel kleinerer Teil des zur Verfügung stehenden Bildfeldes ausgenutzt wird, was wiederum eine Qualitätsminderung des projizierten Bildes nach sich zieht. Beim 1.85-Format werden 36 Prozent des Gesamtbildfeldes verschenkt.

Die zweite Breitwand-Methode, der anamorphotische Prozeß, wurde Mitte der fünfziger Jahre als «CinemaScope» bekannt. Der erste anamorphotische Prozeß war Henri Crétiens «Hypergonar»-System, das Claude Autant-Lara 1927 für seinen Film *Construire un feu* benutzte. Im selben Jahr entwickelte Abel Gance in Zusammenarbeit mit André Debrie eine dem Cinerama ähnliche Mehrfach-Projektion für das Finale seines Filmepos *Napoléon.* Er nannte sein Drei-Projektor-System «Polyvision». Im Jahr zuvor hatten Merian C. Cooper und Ernest B. Schoedsack bei ihrem Film *Chang* mit «Magnascope» experimentiert, das einfach das Gesamtbild wie mit einer Lupe vergrößerte.

Eine anamorphotische Optik komprimiert ein breites Bild in das Normalformat des Films und entzerrt es wieder bei der Projektion, um ein normal proportioniertes Bild zu erhalten. Der Standardfaktor der Komprimierung bei den verbreitetsten anamorphotischen Systemen (zuerst CinemaScope, jetzt Panavision) beträgt 1:2; das heißt, im komprimierten Bild erscheint ein Gegenstand halb so breit wie in Wirklichkeit. Die Höhe des Gegenstandes bleibt unverändert. Durch Ausnutzung fast des ganzen Bildes erreichte das frühe anamorphotische System bei der Projektion ein Bildformat von 2.55; es wurde später auf das heute übliche 2.35 reduziert, um Platz für eine optische Tonspur zu schaffen.

Das anamorphotische System ist zwar effizienter als das Abkaschen, da es das ganze Filmbild ausnutzt, doch sind die anamorphotischen Optiken höchst komplizierte optische Geräte, vor allem sehr viel teurer und in der Auswahl begrenzter als die sphärischen (nichtanamorphotischen) Optiken. Das legt dem Kameramann beim Drehen mit Anamorphoten gewisse praktische Grenzen auf. Zudem enthält ein anamorphotisches Negativ zwar scheinbar doppelt soviel horizontale Informationseinheiten wie ein normales Negativ, doch vergrößert der Entzerrungsprozeß sowohl das Korn wie auch Bildfehler. Der Anamorphot dehnt also nur die normale Informationsmenge auf die doppelte Projektionsbreite.

Die Ära der Breitwand begann im September 1952 mit der Premiere von *This Is Cinerama*, einem erfolgreichen Spektakel, dessen Thema das System war, mit dem es gedreht wurde. Verbunden mit Stereo-Ton, verwandte Cinerama, eine Erfindung

This Is Cinerama (1952). So sieht ein Künstler, wie sich die gewaltige Leinwand für die Zuschauer ausnimmt. Das Bild gibt das Erlebnis recht gut wieder. Man beachte die zurückgelegten Köpfe.

Fred Wallers, drei Kameras und drei Projektoren sowie eine riesige gebogene Leinwand. Wie viele Breitwand-Systeme geht es auf eine Weltausstellungsattraktion zurück, Wallers «Vitarama», das 1939 in New York präsentiert wurde und aus dem man im Zweiten Weltkrieg ein Trainingssystem für Artilleristen entwickelte.

1953 kam der erste CinemaScope-Film heraus: *The Robe*, produziert von Twentieth Century Fox. CinemaScope ist kein Schaustück mit Vielfachprojektionen, sondern ein anamorphotisches System, und wurde aus diesem Grund das populärste Breitwand-Verfahren der fünfziger Jahre. Techniscope, von Technicolor entwickelt, verwandte eine interessante Variante des anamorphotischen Prozesses: Das Techniscope-Negativ wurde mit einer sphärischen Optik gedreht, wobei man das Breitformat durch Masken erreichte. Die Kamera arbeitete mit einem Zwei-Loch-Transport (statt der üblichen vier Löcher), was den Materialverbrauch halbierte. Das Negativ wurde dann durch einen Anamorphoten kopiert, und so entstand eine normale anamorphotische Kinokopie mit Vier-Loch-Kadern.

Die Filmemacher hatten schon jahrelang mit Breitwand-Systemen experimentiert, doch erst die ökonomische Bedrohung durch das Fernsehen setzte schließlich das Breitwand-Format durch. Nachdem die Fernsehindustrie das 1.33-Format übernommen hatte, entdeckten die Film-Studios recht bald, daß die schärfste Waffe gegen die neue Kunst in der Bildgröße läge. Wegen seiner Unhandlichkeit wurde Cinerama schnell wieder aufgegeben. Einzelkamera-Systeme wie CinemaScope und

The Robe (1953). Victor Mature und seine Gesellen im Angesicht einer großartigen Landschaft und einer noch großartigeren Handlung. (*Museum of Modern Art / Film Stills Archive*)

später Panavision beherrschten das Feld. Cinerama brachte auch die kurzlebige Mode des «3-D»- oder stereoskopischen Films hervor. Auch hier war das System zuwenig flexibel, um sich durchzusetzen, und kam so nie über den Status einer Kuriosität hinaus, wenn es auch in den achtziger Jahren ein sehr kurzes Comeback erlebte. Der wahrscheinlich beste im Zwei-Kamera-Verfahren gedrehte 3-D-Film, Hitchcocks *Dial M For Murder* (1954), kam in 3 D erst 1980 in den Verleih.

3 D versuchte ein Feld der Film-Ästhetik auszubeuten, das durch den «flachen», zweidimensionalen Film recht gut beherrscht wurde. Unsere Wahrnehmung von Räumlichkeit einer Szene beruht psychologisch weniger auf dem stereoskopischen Sehen – Chiaroscuro, Bewegung, Schärfe sind hier wichtige psychische Faktoren (vergleiche Teil 3). Zudem erzeugte die dreidimensionale Technik aus sich heraus eine Verzerrung, die die Aufmerksamkeit vom Filmgegenstand ablenkte. Diese beiden Probleme muß die Holografie, ein stark weiterentwickeltes System der stereoskopischen Fotografie, erst überwinden, ehe sie zu einer ernstzunehmenden Alternative zum flachen Film wird.

Die Entwicklung der verschiedenen Trick-Lösungen in den fünfziger Jahren hatte jedoch einige nützliche Auswirkungen. Eines der Konkurrenz-Systeme zu CinemaScope war Paramounts Antwort auf das Verfahren der Fox. Bei VistaVision legte man die Kamera auf die Seite, um durch einen waagerechten Acht-Loch-Transport ein breites Bild zu erlangen. Das Bild war doppelt so groß wie ein normales 35 mm-

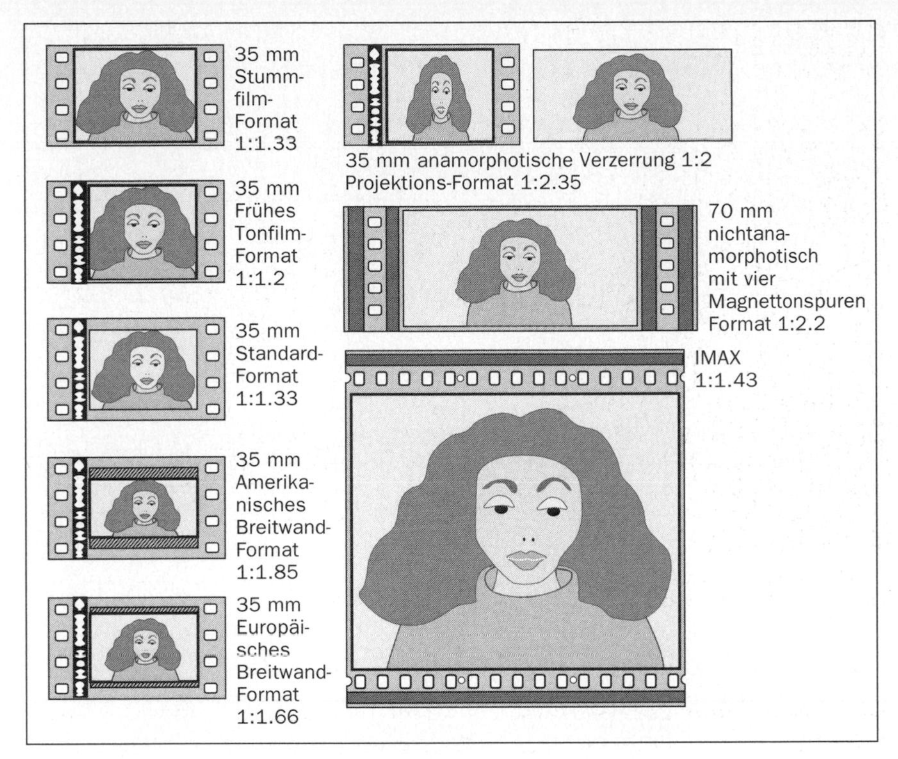

Bildformate. Standard- und Breitwand-Systeme.

Bild und nutzte das gesamte Feld ohne die Verzerrung durch Anamorphoten. Die Kino-Kopien wurden dann im normalen 35 mm-System hergestellt. (Technirama, eine spätere Entwicklung, kombinierte diese Technik zusätzlich mit einer anamorphotischen Aufnahme-Optik im Verzerrungsverhältnis 1 : 1.5.)

Heute haben Filmemacher das komplexe Spektrum möglicher Bildformate – einige für die Aufnahme, einige für die Projektion, einige für beides – zur Verfügung, das in unserem Schaubild dargestellt ist.

Filmkorn, Filmformate, Filmempfindlichkeit

Die Entwicklung hochempfindlichen Filmmaterials (und empfindlicherer Optiken) eröffnete den Filmemachern die willkommene Freiheit, Szenen bei vorhandenem Licht, bei Nacht oder innen zu drehen. Während früher riesige, teure Scheinwerfer in der Industrie üblich waren und den Prozeß des Filmemachens stark

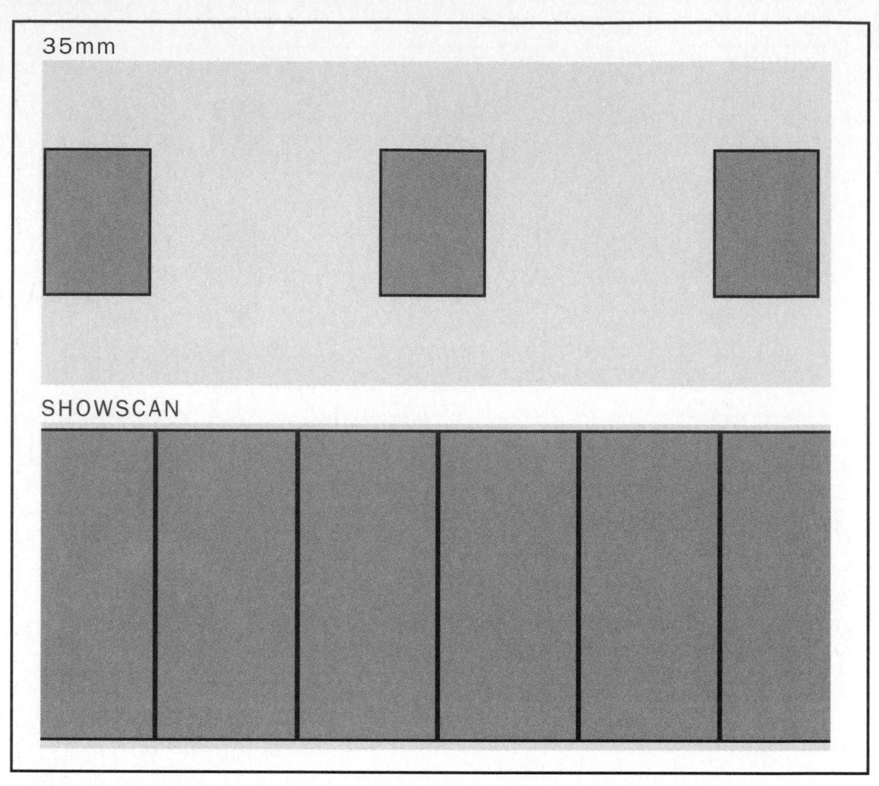

Visuelle Dichte: Showscan. Diese sprechende Illustration aus einem Showscan-Werbeheft illustriert anschaulich die überlegene Genauigkeit des Verfahrens, das ungefähr zehnmal soviel visuelle Information liefert wie ein normaler 35 mm-Film. Die beiden Streifen entsprechen weniger als $^1/_6$ Vorführsekunde. Der mit 60 Bildern pro Sekunde aufgenommene 70 mm-Showscan-Film wird mit $^1/_{125}$ Sekunde pro Bild belichtet; der mit 24 Bildern pro Sekunde aufgenommene normale 35 mm-Film mit $^1/_{50}$ Sekunde, so daß das Showscan-Bild auch schärfer ist. Anders betrachtet, zeigt diese Illustration, wie herzlich wenig Information das normale Filmmedium vermittelt. (*Quelle: Showscan*)

einschränkten, besitzt heute hochempfindliches Farb- und Schwarzweiß-Material fast den gleichen Belichtungsumfang wie unsere Augen. Die Empfindlichkeit eines Filmmaterials ist eng mit Auflösungsvermögen und Körnigkeit verbunden, und zwar umgekehrt proportional: Jeder Gewinn an Empfindlichkeit geht zu Lasten der Auflösung. Empfindlichere Filme sind körniger; weniger empfindliche geben schärfere, feinkörnige Bilder.

Die Körnigkeit ist ebenfalls abhängig vom Filmformat, das heißt von der Breite des Filmstreifens. Das Standardbild eines 35 mm-Films ist etwa 350 mm^2 groß. Wenn man es auf eine zwölf Meter breite Leinwand projiziert, so muß es eine Fläche

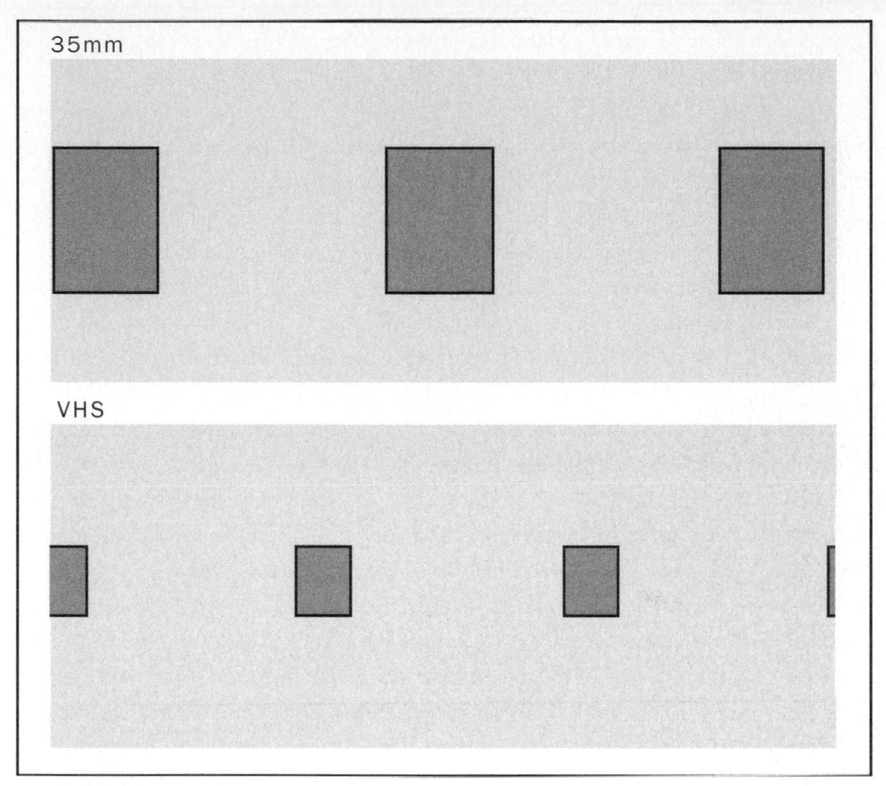

Visuelle Dichte: Video im Vergleich mit Film. Die Showscan-Illustration (Seite 110) wurde umgerechnet, um den Unterschied zwischen einem mit 24 Bildern pro Sekunde projizierten 35 mm-Film einerseits sowie einem amerikanisch-japanischen 525-Zeilen-Video (30 Bilder pro Sekunde) und einem europäischen 625-Zeilen-Video (25 Bilder pro Sekunde) andererseits deutlich zu machen. Die Größe der Videobilder soll die geringere Auflösung des normalen Videos verdeutlichen.

füllen, die 350 000mal größer als es selbst ist – eine gewaltige Aufgabe; ein 16 mm-Filmbild (da der Streifen etwa halb so breit ist wie beim 35 mm-Film, ist seine Fläche nur ein Viertel so groß) müßte demnach auf das 1 400 000fache vergrößert werden, um die gleiche Projektionsfläche zu füllen. Die Körnigkeit des Filmmaterials, die bei einer Vergrößerung auf 18 × 24 cm, ein Standard für Fotos, kaum erkennbar ist, wird bei der vieltausendfachen Vergrößerung auf der Leinwand deutlich sichtbar.

Hier spielt dann auch die Entfernung des Betrachters zum Bild als weiterer Faktor eine Rolle. Aus der hintersten Reihe eines großen Kinos mit kleiner Leinwand kann das Bild eines 35 mm-Films in einer ähnlichen Perspektive erscheinen wie eine

18 × 24-Vergrößerung in der Hand. In beiden Fällen dürfte das Korn etwa gleich groß aussehen.

Die Standardbreite für den Kinofilm beträgt 35 mm. Das 16 mm-Material, vor vielen Jahren ursprünglich nur für den Filmamateur eingeführt, hat sich in den sechziger Jahren zu einer brauchbaren Alternative entwickelt, da sowohl das Material wie auch die Kopiertechnik sehr verbessert wurden. Es wurde, besonders in Europa, für das Fernsehen verwendet und ist immer noch für die Spielfilm-Herstellung brauchbar. Das «Super-16»-Format, Anfang der siebziger Jahre entwickelt, hat die Bildgröße und damit die Auflösung deutlich gesteigert. Sowohl Normal- als auch Super-16-Film ist in der Szene der unabhängigen Filmproduktion noch weit verbreitet. Sogar der 8 mm-Film, der bis zu den siebziger Jahren ausschließlich auf den Amateurbereich beschränkt war, fand eine Zeitlang gewisse Anwendungsfelder bei der professionellen Filmherstellung, besonders bei Fernsehnachrichten und im Industriefilm. Alle Probleme der Auflösung und Schärfe, die beim 35 mm-Film existieren, vervierfachen sich beim 16 mm-Film und sind 16mal so groß beim 8 mm-Film, da es hierbei um Flächen und nicht um lineare Dimensionen geht.

Dieselbe Arithmetik zugrunde gelegt, verringern sich diese Probleme bei größeren Filmformaten. Daher ist der 70 mm-Film besonders wertvoll für Produktionen, bei denen es um ein Gefühl für detailreiche Panoramen und die überwältigende Kraft des riesigen Bildes geht. Doch obwohl die Vorteile des breiten Materials reizvoll sind, hatte die deutliche Verbesserung der 16 mm- und 8 mm-Formate eine größere Auswirkung auf die Filmproduktion der siebziger und achtziger Jahre, weil sie so kostengünstig waren: 16 mm-Film ist ein Viertel bis halb so teuer wie 35 mm-Film; damit wurde die Möglichkeit der Filmherstellung vielen Filminteressenten eröffnet. Es konnten sich so nicht nur mehr Leute leisten, Filme zu machen, sondern man konnte auch mehr Filme zum gleichen Preis herstellen, so daß für professionelle Filmemacher die Abhängigkeit von den Unberechenbarkeiten des Kapitalmarktes verringert wurde.

Natürlich bietet Videoband noch größere Einsparungsmöglichkeiten, aber die meisten professionellen Filmemacher schwören nach wie vor auf die Chemie, die auch weiterhin ihre mystische ästhetische Attraktivität bewahrt. Videoband ist seit den frühen siebziger Jahren eine brauchbare Alternative, und seit der Video-Revolution der frühen Achtziger ist Video das Medium, vermittels dessen die meisten Zuschauer «Filme» erleben. Dennoch ziehen die Kreativen der Filmindustrie immer noch die Materialität und die spezifische Erscheinungsweise des altmodischen Films vor.

Wenn auch VistaVision sich nicht durchsetzen konnte, wies diese Technik doch bereits in den fünfziger Jahren auf zwei erfolgversprechende Entwicklungslinien voraus: So wurde erstens klar, daß bereits eine Verbreiterung des Filmmaterials

Breitwand-Aufnahmen ohne Einbußen an Bildqualität erlauben würde. Dies führte zur Entwicklung von 65 mm- und 70 mm-Material.* (Versuche mit breiten Formaten gehen bis 1900 zurück.) Zweitens wurde demonstriert, daß das für die Aufnahmen verwendete System nicht dasselbe sein mußte wie das für Verleih und Projektion benutzte. Seit den Sechzigern ist es Praxis, auf 35 mm-Film aufzunehmen und Lichtspielhäusern mit entsprechenden Vorführeinrichtungen 70 mm-Kopien zur Verfügung zu stellen. Dabei ergab sich eine leichte Verbesserung der Bildqualität, allerdings bei weitem nicht so groß, als wenn der Film von vornherein auf breitem Material aufgenommen worden wäre. Der Hauptvorteil dieser 70 mm-Kopien war der komplexere stereophone Ton, der bei diesem Material möglich ist. In den Achtzigern waren 70 mm-Aufnahmen selten, was an den deutlich höheren Kosten liegt (und zugleich an der verbesserten Qualität des 35 mm-Materials). Zwar kamen in den Achtzigern einige Filme auf 70 mm heraus, aber nach *Tron* (1982) wurde in den USA erst wieder *Far and Away* (1992) auf 70 mm aufgenommen.

Farbe, Kontrast und Tonwert

Noch bis vor recht kurzer Zeit hielt sich die Theorie, der Schwarzweiß-Film sei irgendwie ehrlicher und ästhetisch befriedigender als Farbfilm. Wie die Thesen, Stummfilm sei reiner als Tonfilm oder das 1.33-Format sei irgendwie die natürliche Proportion des Filmbildes, scheint die Theorie von der Überlegenheit des Schwarzweiß eine Rechtfertigung im nachhinein zu sein, eher eine Entschuldigung als eine Voraussetzung. Damit soll nicht gesagt werden, daß Schwarzweiß nicht lange Zeit ein großartiges Medium für Filmkünstler gewesen wäre: Das war es nämlich unzweifelhaft, und nach wie vor findet es die Aufmerksamkeit einiger ambitionierter Filmemacher wie insbesondere Martin Scorsese (*Raging Bull*, 1980), Woody Allen (*Manhattan*, 1979; *Zelig*, 1983) und Steven Spielberg (*Schindler's List*, 1993). Schwarzweiß vermittelt deutlich weniger visuelle Information als der Farbfilm, und diese Einschränkung kann so wirken, daß wir tiefer in die Story, den Dialog und die Psychologie des Filmerlebnisses hineingezogen werden, statt an der Bildoberfläche zu bleiben. Den Künstler fordern die Beschränkungen des Schwarzweiß-Films heraus, mehr durch die Komposition, den Ton und die Inszenierung zu vermitteln.

Schon in den frühesten Tagen der Kinematografie experimentierten dennoch Filmemacher mit Farbe ebenso wie mit Ton; nur die Kompliziertheit der Farbfilm-

* Die Filme werden auf Negativmaterial von nur 65 mm Breite aufgenommen. Die Vorführkopien sind 70 mm breit. Der zusätzliche Bereich von 5 mm wird für den stereophonischen Ton genutzt.

Technik bremste sie. Zwischen 1900 und 1935 wurden Dutzende Farbsysteme vorgestellt, einige ernteten sogar gewissen Erfolg. Viele der «Schwarzweiß»-Filme der Zwanziger benutzten viragiertes Filmmaterial als zusätzliche Farbdimension. Eastmans Katalog der Sonochrome-Farben führte gegen Ende der zwanziger Jahre so elegante Farbtöne wie: Pfirsich-Rosa, Inferno, Rose Doree, Kerzenlicht, Sonnenschein, Purple Haze, Feuerbrand, Fleur de Lis, Azur, Nocturne, Verdante, Aquamarin, Silberglanz und Caprice!

Doch erst 1935 machte das Drei-Streifen-Verfahren von Technicolor den Farbfilm für die Mehrzahl der Filmemacher zugänglich.* Dieses System benutzte drei einzelne Filmstreifen, die jeweils die purpurnen (magenta), blaugrünen (cyan) und gelben Lichtanteile aufzeichneten. Bei der Entwicklung entstanden aus diesen Negativen reliefartige Matrizenfilme, von denen dann die Farben, ähnlich einem Druckvorgang, auf die Kino-Kopie übertragen wurden. Das Drei-Streifen-Verfahren wurde bald durch das «Tripack»-System abgelöst, bei dem alle drei Negative in Schichten auf einem Trägerstreifen vereinigt waren.

1952 brachte Eastman Kodak ein Farb-Negativ-Material heraus, das nach dem Maskenfilm-Verfahren arbeitete und so die Farbwiedergabe der Kopie verbesserte; die Technicolor-Negative wurden bald überflüssig. Der Technicolor-Kopierprozeß durch Farbdruck blieb jedoch in Gebrauch, da viele Kameraleute feststellten, daß die Farbübertragung eine bessere und genauere Farbwiedergabe ermöglichte als Eastmans chemischer Prozeß. Den Unterschied zwischen einer chemischen Eastman-Kopie und einer Technicolor-Farbdruck-Kopie können Fachleute selbst heute noch erkennen. Die Farben einer Technicolor-Kopie sind kühler, weicher und zarter als die einer Eastman-Kopie. Außerdem bleiben die Farbwerte der Farbdruck-Kopie länger stabil.

Technicolor schloß sein letztes Farbdruck-Labor in den USA Ende der siebziger Jahre. Der einzige Ort, an dem das System heute noch regelmäßig angewandt wird, liegt in China, wo Technicolor kurz nach der Anerkennung Chinas durch die USA ein Werk errichtete. Fast gleichzeitig mit dem Verschwinden des Farbdruck-Verfahrens im Westen begannen Filmarchivare und Techniker die bedeutenden Probleme des Eastmancolor-Prozesses zu erkennen. Die Farben bleichen schnell aus und nie im gleichen Verhältnis zueinander. Wenn keine Technicolor-Farbdruck-Kopien oder kostspielige dreistreifige Schwarzweiß-Negative der einzelnen Farbschichten erhalten sind, werden die meisten Farbfilme der Fünfziger, Sechziger, Siebziger und Achtziger bald schon rettungslos verloren sein – wenn sie es nicht schon sind.

Wir stellen uns Film gern als ein dauerhaftes Medium vor, aber das stimmt mehr

* Der erste Technicolor-Drei-Streifen-Film war *La Cucaracha* (1935); der erste Technicolor-Spielfilm *Becky Sharp* im selben Jahr.

in der Theorie als in der Praxis. Man kann heute durchaus eine Kopie von beispielsweise Michelangelo Antonionis *Il Deserto rosso* (1964) leihen, aber es ist höchst unwahrscheinlich, daß man denselben Film sieht, der uns mit seinem visuellen Wagemut seinerzeit so beeindruckte. Man wundert sich wahrscheinlich, was die Leute damals daran so toll gefunden haben. (Man muß mir schon vertrauen: *Il Deserto rosso* war eine atemberaubende Studie zur Farbenpsychologie.) Es wäre sicherlich auch möglich, irgendwo eine Vorführung von Terence Malicks *Days of Heaven* (1978) mitzubekommen, aber die ist dann wohl kaum auf 70 mm, die brillanten Farben sind verblichen, und man kommt wahrscheinlich gähnend aus dem Kino. (Wieder ist mir zu glauben: *Days of Heaven* war ein hinreißendes Porträt des Mittleren Westens der USA, besonders dicht durch die anschauliche Bildlichkeit.)

Die Probleme der Erhaltung beschränken sich nicht auf Farbe und Format: Wenn man noch nie eine Silbernitrat-Kopie (oder wenigstens eine frisch vom Nitrat-Negativ gezogene 35 mm-Kopie) solcher Klassiker wie *Citizen Kane* oder *The Big Sleep* gesehen hat, wird man unweigerlich die Kraft ihrer Bildlichkeit unterschätzen. Leider ist der größte Teil des heute verfügbaren Kopiematerials für Filme aus den zwanziger, dreißiger und vierziger Jahren in derart schlechtem Zustand, daß ganze Generationen von Filmstudenten dazu verurteilt sind, die Filmgeschichte durch ein trübes, verdunkeltes Glas anzusehen. Dies stimmt, wie gesagt, nicht für Technicolor-Klassiker aus den späten dreißiger und den vierziger Jahren. Neue Kopien dieser Filme kommen den Originalen nahe genug, um den Bildeindruck und die Stimmung von damals zu reproduzieren.

Seitdem Mitte der achtziger Jahre die «colorization» aufgekommen ist, haben wir mit einem zusätzlichen Problem zu tun: Jedesmal, wenn man einen alten Film im Fernsehen einschaltet, muß man filmgeschichtliche Bücher zu Rate ziehen, um zu wissen, ob es das Original ist, was man da sieht. Neu kolorierte Schwarzweiß-Filme sehen nicht viel schlechter aus als stark verblichene Original-Farbfilme (oder schlecht erhaltene Schwarzweiß-Fernsehkopien), aber darum geht es nicht. Martin Scorsese und andere haben sich zusammengetan, um gegen die Praxis der Kolorierung zu protestieren. Mir scheint, sie gehen noch nicht weit genug: Genauso nötig ist es, die großartigen Schwarzweiß-Nitratfilme der Dreißiger und Vierziger sowie die verblichenen Eastmancolor-Filme der Fünfziger, Sechziger und Siebziger zu restaurieren.

Der Film ist diesen Alterungsproblemen unterworfen, weil eine chemische Technologie zugrunde liegt. Wenn nun die Elektronik die Chemie ersetzt, wird es viel weniger problematisch sein, die ursprüngliche Absicht des Künstlers zu konservieren. Schon haben sich Laserdiscs als Segen für Filmliebhaber erwiesen. Wenn Film einmal gänzlich digitalisiert sein wird, lassen sich Farbe, Tonwert und Kontrast – im Prinzip – für die Ewigkeit konservieren. Ob es uns gelingt, aus der verblichenen Hinterlassenschaft der Vergangenheit die Original-Filmwerke zu restaurieren, bleibt abzuwarten. «Re-Kolorierung» ist ein höchst interessantes Konzept, aber Farbe ist ganz entschieden ein psychologisches Phänomen: Des einen Mannes Blau ist das Grün der anderen Frau (und wer schwul ist, darf Türkis sehen), und Erinnerungen verblassen noch rascher als Eastman-Material.

Vor 1952 war Schwarzweiß der Standard, Farbe wurde nur für besondere Projekte benutzt. Zwischen 1955 und 1968 hielten sich die beiden Systeme in etwa die Waage. Seit 1968 sehr viel empfindlicheres, farbgenaueres Material auf den Markt kam, wurde Farbfilm zur Norm; nur noch selten wird in Amerika ein Film in Schwarzweiß gedreht. Das hat ebenso ökonomische wie ästhetische Gründe. Die Popularität des Farbfernsehens hat das Risiko der Produzenten, auf Schwarzweiß zu drehen, erhöht, da davon der Weiterverkaufswert an das Fernsehen betroffen war.

Beschränken wir im Augenblick unsere Betrachtungen auf die Schwarzweiß-Aufnahme, so können wir zwei weitere wichtige Dimensionen des Filmmaterials deutlicher herausheben: Kontrast und Tonwert. Wenn wir von «Schwarzweiß» sprechen, so geht es tatsächlich nicht um ein Zwei-Farben-System, sondern eher um ein Bild, dem sämtliche Farbwerte entzogen sind. Was beim sogenannten «Schwarzweiß»-Bild übrigbleibt, sind die voneinander abhängigen Variablen Kontrast und Ton: die relative Dunkelheit und Helligkeit der verschiedenen Bildteile und das Verhältnis von dunkel und hell.

Die Retina des menschlichen Auges ist im Gegensatz zum Film fähig, sich sowohl einem großen Spektrum von Helligkeiten anzupassen, wie auch zwei oder mehr nahe beieinanderliegende Helligkeitswerte differenzieren zu können. In beider Hinsicht ist Film ein beschränktes Medium. Das Helligkeitsspektrum, vom reinen Weiß zum reinen Schwarz, das ein Filmmaterial festhalten kann, wird als Belichtungsspielraum («latitude»), die Fähigkeit, zwischen nahen Gradationen (Graustufen) zu unterscheiden, als Gamma-Wert bezeichnet. Je weniger Schattierungen das Material differenzieren kann, desto härter wird die Aufnahme. Im Extremfall ist nur noch Schwarz und Weiß zu sehen, alle Abschattungen sind dem einen oder anderen zugeschlagen. Je stärker der Film differenzieren kann, desto feiner wird der Tonwert der Aufnahme. Unser Diagramm zum Gamma-Wert zeigt das schematisch: Bei einem Bild mit niedrigem Kontrast ist die Skala der Tonwerte sehr niedrig. Ton und Kontrast hängen eng mit der Körnigkeit zusammen, d. h., die besten Tonwerte besitzen Filme mit der feinsten Körnigkeit und damit dem größten Auflösungsvermögen.

Fortschritte der Labortechnik haben den Belichtungsspielraum von Standardmaterial stark erweitert. Obwohl ein bestimmtes Material seine höchste Bildqualität bei bestimmten festgelegten chemischen Parametern – wie Entwicklungszeit – erreichen soll, ist es seit Ende der sechziger Jahre weitverbreitete Praxis, den Film beim Entwickeln zu «forcieren», wenn eine größere Lichtempfindlichkeit gebraucht

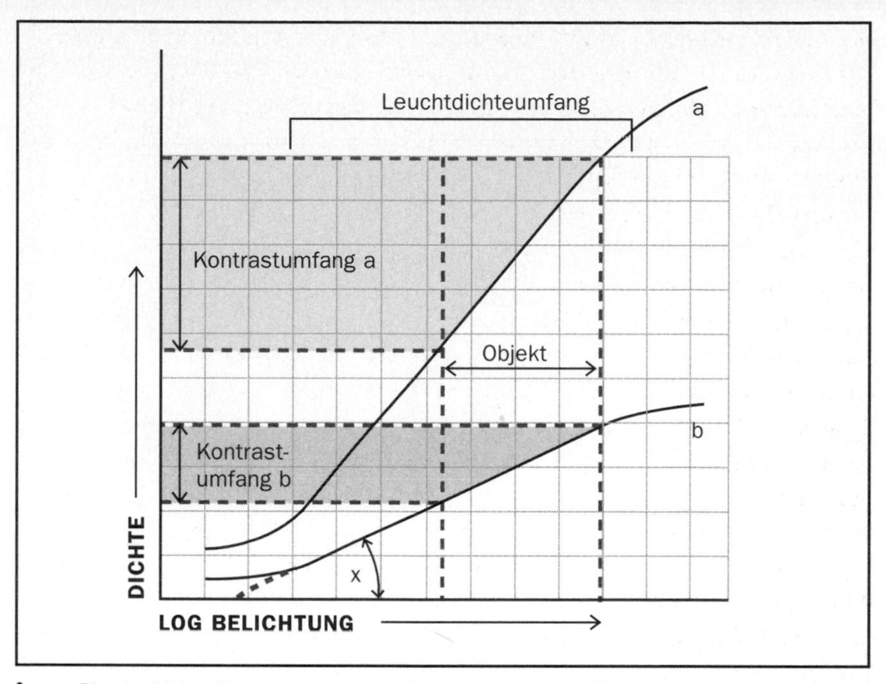

Gamma. Die abgebildete Kurve nennt man die «Charakteristik» einer Filmemulsion. Eine perfekte Emulsion hätte eine Charakteristik in Form einer geraden Linie. Das hieße, jeder Belichtungszunahme entspräche eine gleiche Zunahme an Dichte des Negativs. Keine Emulsion erreicht jedoch diese Ideal-Kurve, und die meisten heute gebräuchlichen Emulsionen weisen eine ähnlich geschwungene Linie auf. Der Bereich, in dem die Kurve relativ flach verläuft, ist der nutzbare Kontrastumfang einer Emulsion. Wichtiger jedoch ist der Anstieg der Kurve, die die «Kontrastfreundlichkeit» – das Kontrastpotential – angibt. Die Emulsion der Kurve a besitzt zum Beispiel ein größeres Kontrastpotential als die von Kurve b. In anderen Worten: Emulsion a kann besser zwischen zwei ähnlichen Helligkeitswerten differenzieren. Der Gamma-Wert einer Emulsion entspricht tan x (dem Tangens des Anstiegswinkels der Kurve).

wird. Durch Überschreiten der Standardzeit bei der Entwicklung kann ein Labor den Belichtungsspielraum ausdehnen, bis zum Zwei- oder Dreifachen der angegebenen Belichtungswerte. Dabei verstärkt sich die Körnigkeit, und bei Farbmaterial können Probleme mit der Farbwiedergabe entstehen; doch zum Beispiel besitzt Eastman-Farb-Negativfilm so viel Spielraum, daß er eine Forcierung um 1 Stop (doppelte Empfindlichkeit) oder sogar 2 Stop ohne großen Verlust in der Bildqualität zuläßt. Der größte Empfindlichkeitsverlust findet sich in der Kontrastskala erwartungsgemäß dort, wo am wenigsten Licht vorhanden ist – zum Beispiel in den Schattenpassagen einer Szene.

Ein Fortschritt in der Behandlung dieses Problems ist die Technik des «flashing». Als erster wandte es der Kameramann Freddie Young 1967 in Sidney Lumets

Harter Kontrast. Schwarz und Weiß sind Extremwerte; es gibt kaum Grau-Abstufungen. Ingrid Thulin, Gunnel Lindblom und Jörgen Lindström in Ingmar Bergmans *Tystnaden* (1963).

Film *A Deadly Affair* an. Flashing bedeutet, daß das Filmmaterial vor oder nach dem Drehen einer Szene durch ein graues Licht einer bestimmten Helligkeit belichtet wird. So werden selbst die dunkelsten Teile eines Bildes in den Bereich der Gamma-Skala gedrückt, wo eine ausreichende Gradation möglich ist. Der Belichtungsspielraum jeden Filmmaterials wird so durch das Flashing erweitert; zudem eröffnet es die Möglichkeit, Farbwerte zu dämpfen, und gibt dem Filmemacher eine Kontrolle über die Farbsättigung des Bildes. 1975 stellten die TVC-Laboratorien einen chemischen Prozeß vor, «Chemtone» (von Dan Sandberg, Bernie Newson und John Concilla entwickelt), der eine Weiterentwicklung des Flashing bedeutete. Chemtone wurde zuerst in Filmen wie *Harry and Tonto* (1974), *Nashville* (1975) und *Taxi Driver* (1976) verwendet.*

Kontrast, Tonwert und Belichtungsspielraum sind wichtige Faktoren in bezug auf die Beleuchtung beim Filmen. Mit der Einführung von hochempfindlichem

* Die dem «flashing» zugrundeliegende Theorie ähnelt stark derjenigen, auf der das Dolby-System zur Rauschunterdrückung beruht.

Weicher Kontrast. Kein reines Schwarz oder Weiß; Grautöne dominieren. Romy Schneider in Luchino Viscontis *Il Lavoro* (*Boccaccio '70*, 1961).

Farbmaterial und den Techniken von Forcieren, Flashing und Chemtone erreichte die kinematografische Technik nach mehr als einem Dreivierteljahrhundert einen Punkt, an dem die Empfindlichkeit des Films in etwa der des menschlichen Auges entsprechen könnte. Heutzutage können Filmemacher in nahezu jeder Situation drehen, in der sie selbst sehen können. Doch das war in den ersten fünfundsiebzig Jahren der Filmgeschichte kaum der Fall.

Die frühesten Schwarzweiß-Emulsionen waren «monochromatisch» – empfindlich nur für blaues, violettes und ultraviolettes Licht. Bis 1873 hatte man dieses Spektrum um Grün erweitern können. Das war der sogenannte «orthochromatische» Film. «Panchromatischer» Film, der auf alle Farben des sichtbaren Spektrums gleichermaßen reagiert, wurde 1903 entwickelt, doch erst mehr als zwanzig Jahre später zum Standard-Material der Filmindustrie. Zu den ersten Filmen, die panchromatisches Material verwandten, gehörten Robert Flahertys *Moana* (1925) und *Chang* (1926) von Cooper und Schoedsack. Ohne panchromatischen Film kamen warme Farbtöne, zum Beispiel Gesichtsfarben, nur sehr schlecht, so daß Kameraleute eine Lichtquelle im blauweißen Bereich verwenden mußten. Außer der Sonne

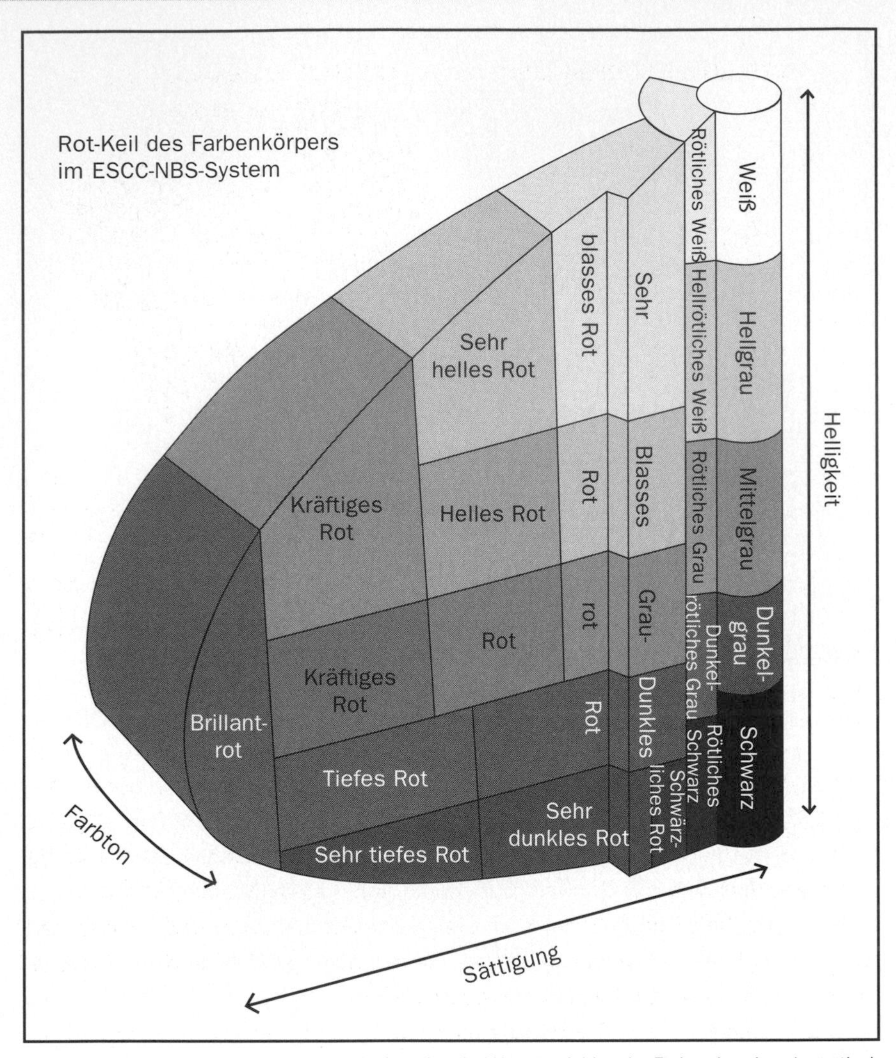

Der «Farb-Keil» stellt die Beziehungen zwischen den drei Hauptvariablen der Farbentheorie schematisch dar. Dies ist ein Ausschnitt aus dem gesamten Farbenkomplex, der sich über das ganze Spektrum erstreckt.

war die einzige Lichtquelle dieser Art die riesige, teure Lichtbogenlampe. Als das Schwarzweiß-Material empfindlicher und panchromatische Emulsionen eingeführt wurden, kamen billigere und beweglichere Glühlampen in Gebrauch; doch als man begann, in Farbe zu arbeiten, mußte man zur Bogenlampe zurückkehren, da das Farbmaterial viel weniger empfindlich war und zudem die «Farbtemperatur» der Lichtquellen genau kontrollierbar sein mußte.

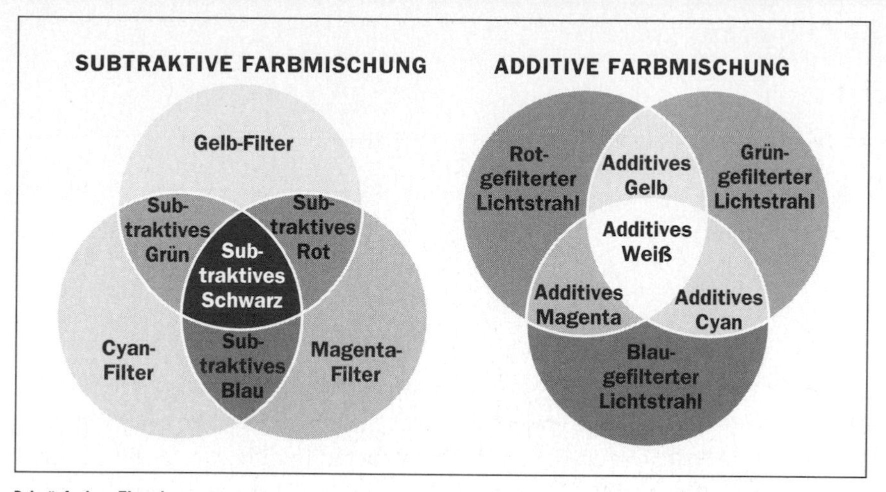

Primärfarben-Theorie. Auf Grund psychologischer Gegebenheiten können alle Farben des sichtbaren Spektrums durch die Kombination dreier sogenannter «Primär»-Farben reproduziert werden. Die «additiven» Primärfarben sind Rot, Blau und Grün. Die «subtraktiven» Primärfarben sind Magenta (Purpur), Cyan (Blaugrün) und Gelb. Alle Farben des Spektrums zusammen ergeben weißes Licht, umgekehrt ergibt die völlige Abwesenheit von Farben Schwarz. Wenn Magenta und Gelb von einem weißen Lichtstrahl «subtrahiert» (ausgefiltert) werden, ist das Ergebnis rotes Licht. Wenn rote und grüne Lichtstrahlen «addiert» (gemischt) werden, ist das Ergebnis Gelb, und so fort.

Farbtemperatur ist nur eine der Variablen, die man beim Farbfilm neben Helligkeit, Tonwert und Kontrast berücksichtigen muß. Die anderen sind Sättigung und Intensität. Das Spektrum der sichtbaren Farbtemperaturen reicht von Purpur (der wärmsten) über Orange, Gelb, Grün, Blau und Indigo bis zu Violett (der kältesten). Farbsättigung bezeichnet die Menge – der gleiche Farbton kann schwach oder satt sein; Intensität oder Helligkeit ist das Maß des ausgesandten Lichts (dieses Element findet sich bei Farbe ebenso wie bei Schwarzweiß).

Wie bei Kontrast und Belichtungsspielraum in der Schwarzweiß-Fotografie ist der Filmemacher bei Farbe auf bestimmte Parameter eingeschränkt. Bis vor kurzem mußte die Lichtquelle, die einen Gegenstand ausleuchtete, genauestens kontrolliert werden. Unsere Augen stellen sich unbewußt auf die Farbtemperatur einer Lichtquelle ein, doch der Filmemacher muß auf diese Varianten direkt eingehen. Ein für 6000 °Kelvin (etwa die Farbtemperatur eines bedeckten Himmels) eingerichtetes Filmmaterial ergäbe ein häßlich orangestichiges Bild, wenn man es bei normalem Kunstlicht mit einer Farbtemperatur von 3200 °K belichten würde. Entsprechend ergibt sich ein starker Blaustich bei Verwendung von Kunstlicht-Material (3200 °K) draußen im Tageslicht, unter freiem Himmel (5000 °K–6000 °K). Wie Amateurfotografen wissen, läßt sich diese Verzerrung mit Filtern ausgleichen.

Der Filmton

Bevor wir uns der «Post-Production»-Phase der Filmherstellung zuwenden – Schnitt, Mischung, Tricklabor und Projektion –, sollten wir die Herstellung des Tons untersuchen. Im Idealfall ist der Ton eines Films ebenso wichtig wie das Bild. Leider hinkt jedoch die Tontechnik beim Film nicht nur hinter der Entwicklung der Kinematografie her, sondern ebenso hinter jener der Ton-Aufnahmetechnik, die sich unabhängig vom Film weiterentwickelt hat.

Die Aufnahme von Ton entspricht in etwa der des Bildes: Das Mikrofon ist wie eine Linse, durch die der Ton gefiltert wird; das Tonbandgerät ist mit der Kamera zu vergleichen; sowohl Ton wie Bild werden linear aufgezeichnet und können später geschnitten werden. Doch es gibt einen bedeutsamen Unterschied: Wegen der verschiedenen Art, wie wir sie rezipieren, müssen der Ton kontinuierlich, die Bilder jedoch einzeln aufgezeichnet werden. Zur Nachbildwirkung gibt es beim Ton keine Entsprechung, deshalb existiert auch nicht so etwas wie «Stand-Ton», der den Standbildern entspräche. Der Ton braucht die Dimension der Zeit.

Eine Folge hiervon ist, daß man den Ton nicht den gleichen Veränderungen unterwerfen kann wie die visuelle Information. Mit Film kann man Zeit ausdehnen oder komprimieren, was wissenschaftlich von Vorteil ist, doch der Ton kann nur in seiner «Real»-Zeit existieren, nicht gedehnt oder komprimiert. Computer-Techniken, die in den frühen siebziger Jahren entwickelt wurden und zwanzig Jahre später durch den Macintosh von Apple Verbreitung fanden, erlauben die Digitalisierung eines Geräusches, so daß es dann schneller oder langsamer wiedergegeben werden kann, doch grundsätzlich zieht eine Tempoveränderung die Änderung der Eigenschaften des Tons nach sich.

Die Verbindung von Bild und Ton, der ursprüngliche Traum der Erfinder der Kinematografie, verzögerte sich aus technischen und ökonomischen Gründen bis in die späten zwanziger Jahre. Solange das Bild linear und diskontinuierlich aufgezeichnet wurde und der Ton zirkulär und kontinuierlich, war das Problem der Synchronisation von beidem unlösbar. Lee Le Forests 1906 erfundene Audion-Röhre ermöglichte zum erstenmal die Übersetzung von akustischen in elektrische

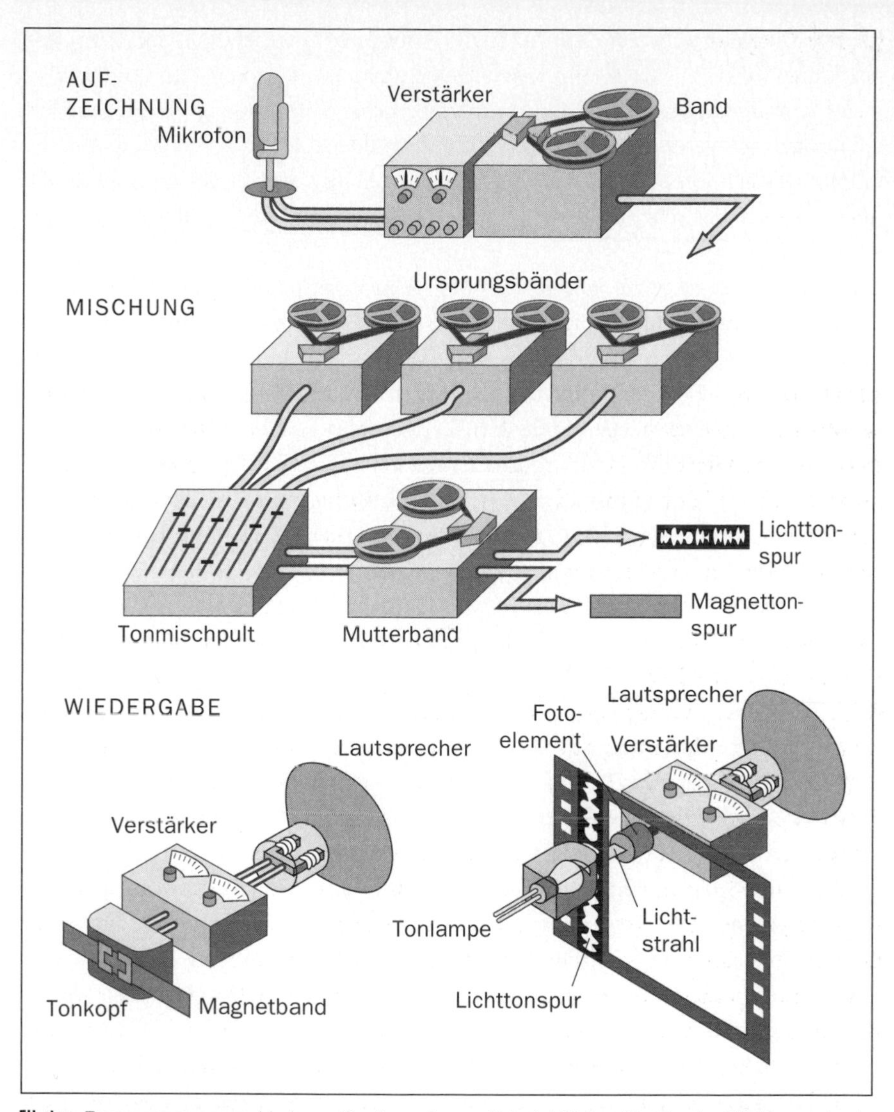

Filmton. Tonspuren aus verschiedenen Quellen, wie zum Beispiel Dialog, Musik oder Effekte, werden in der Mischung zu einem Mutterband vereinigt, von dem dann die eigentliche Tonspur produziert wird, die meistens eine Lichtton-, manchmal eine Magnettonspur ist. Die Magnettonspur wird durch einen kleinen elektromagnetischen «Kopf» abgetastet, der die Variationen des magnetischen Signals liest. Die Lichttonspur wird durch eine fotoelektrische Zelle gelesen, die die Unterschiede in der Lichtmenge registriert, die von der Lichttonspur durchgelassen wird. Lichtquelle hierbei ist eine Tonlampe.

Signale. Die elektrischen konnten dann in Lichtsignale umgesetzt und mit Film aufgezeichnet werden. Darauf konnten die beiden parallelen Kopien – Ton und Bild – leicht verbunden werden, so daß sie immerzu synchron blieben, auch wenn der Film riß und geklebt werden mußte. Das war die Grundidee des deutschen Triergon-Verfahrens, das sich Joseph Engl, Joseph Masolle und Hans Vogt schon 1919 patentieren ließen. Dieses optische Tonsystem existiert mehr oder weniger unverändert bis heute.

In den ersten zwanzig Jahren nach der Geburt des Tonfilms 1926 wurden die Filmemacher durch das klobige und geräuschvolle elektromechanische Gerät behindert, das zur Tonaufzeichnung notwendig war. Obwohl bald tragbare optische Aufzeichner (Ton-Kameras) existierten, verzichtete man lieber auf das Drehen an Originalschauplätzen. Gegen Ende der vierziger Jahre machte die Filmtechnik jedoch durch die Einführung der magnetischen Tonaufzeichnung einen qualitativen Sprung. Das Tonband ist einfacher in der Handhabung, und dank der Transistoren sind die Bandgeräte heute klein und leicht. Das magnetische Tonband ergibt allgemein eine sehr viel bessere Tonqualität als der Lichtton. Heute hat beim Drehen die magnetische Aufnahme die optische vollkommen ersetzt, obwohl im Kino der Lichtton noch überwiegt. Es gibt dafür einen guten Grund: Der Lichtton kann einfach zusammen mit dem Bild kopiert werden, während die Magnetspur einzeln bespielt werden müßte. Entwicklungen in der Lichtton-Technik deuten an, daß einige der Vorteile des Magnettons eingeholt werden können: Lichttonspuren mit verschiedener Dichte und Einfärbung könnten die Einwirkung grober Behandlung ausgleichen, verbessern die Tonqualität und könnten auch für stereofonische und multifonische Systeme genutzt werden. Wegen der Vorteile bei Handhabung, Schnitt und Mischung behauptet sich das Magnetband jedoch beim Drehen und in der Bearbeitung.

Das Mikrofon, die Linse des Tonsystems, dient als erste Pforte, durch die das Signal gehen muß. Im Gegensatz zur optischen Linse übersetzt es jedoch das Signal in elektrische Energie, die dann magnetisch auf Band festgehalten werden kann. (Das Wiedergabesystem arbeitet genau rückwärts: Gespeicherte magnetische Energie wird in elektrische Energie umgewandelt, die dann im Lautsprecher mechanisch den Ton erzeugt.) Da der Ton auf dem Band unabhängig vom Filmband aufgezeichnet wird, muß es eine Methode zur Synchronisierung der beiden geben. Das wird entweder durch eine mechanische Verbindung erreicht, durch eine elektrische Kabelverbindung, die Zeitimpulse (Pilotton) überträgt, oder durch eine Quarz-Steuerung, bei der schwingende Quarzkristalle präzise Zeitimpulse senden. Diese Impulse steuern die beiden Motoren (von Kamera und Bandgerät) und halten sie präzise synchron. Die Tonaufnahme wird dann auf magnetisch beschichteten Film («Cord-Band») überspielt, der durch die Perforation die präzise Zeitkontrolle wäh-

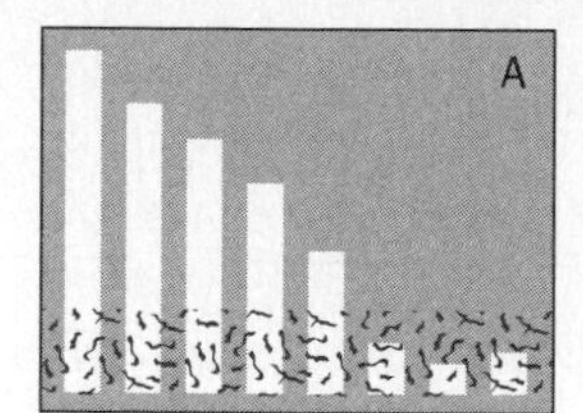

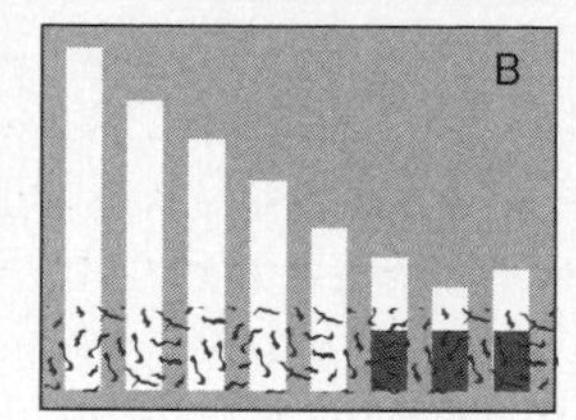

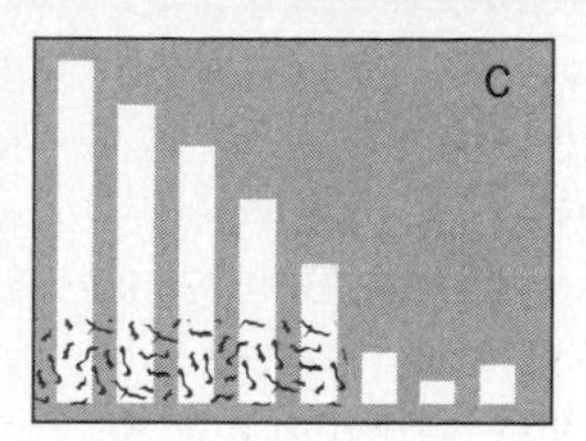

Der Dolby-Effekt. Ein gewisses Grundrauschen ist bei jedem Aufnahme-System vorhanden (A). Es stört nicht, wenn das aufgenommene Signal stark genug ist, verschluckt jedoch schwächere Partien des Signals. Das Dolby-System verstärkt die schwächeren Signale bei der Aufnahme (B) und reduziert sie bei der Wiedergabe auf die Normalstärke; gleichzeitig damit reduziert es auch das Grundrauschen (C).

rend des Schnitts erlaubt. Und schließlich liefert die Projektionskopie die Signale, normalerweise als Lichtton, manchmal aber auch als Magnetton. Fast alle stereofonischen und «quintafonischen» Tonsysteme des 70 mm-Films benutzen Magnetton.

Die Variablen, die die klare und genaue Tonwiedergabe beeinflussen, sind in etwa denen des Rohfilms zu vergleichen. Der Faktor der Amplitude entspricht dem Belichtungsspielraum des Films: Die Amplitude ist das Maß der Signalstärke. Band, Gerät und Mikrofon sollten gemeinsam fähig sein, einen weiten Bereich von Amplituden zu reproduzieren, von sehr leise bis ganz laut.

Nächst wichtig ist der Frequenzbereich, direkt vergleichbar mit dem Spektrum der Farbtemperaturen beim Farbfilm. Das Ohr reagiert auf einen normalen Frequenzbereich von 20 bis 20 000 Hertz (Schwingungen pro Sekunde). Eine gute Hi-Fi-Ausrüstung kann diesen Bereich angemessen reproduzieren, doch Lichtton-Systeme haben einen viel geringeren Frequenz-Wiedergabebereich (zumeist zwischen 100 und 10 000 Hertz).

Das Aufnahmesystem und die Ausrüstung sollten fähig sein, einen weiten Bereich von Harmonien wiederzugeben, jene Obertöne, die der Musik und den Stimmen Charakter und Leben geben. Die Tonharmonien lassen sich mit der Tonigkeit des Bildes vergleichen. Das Signal sollte frei von Jaulen, Flattern und anderen mechanischen Verzerrungen sein, und das Gerät sollte eine ausreichende Meßzeit besitzen, das heißt die Fähigkeit, kurze Töne ohne Knistern zu reproduzieren. Das ist die «Schärfe» des Tonsignals.

Während stereoskopische Bilder speziellen psychologischen und physikalischen Problemen unterliegen, die ihren Wert beträchtlich mindern, gibt es beim Stereo-Ton keine solchen Probleme, so daß er höchst anstrebenswert ist. Wir sind es gewohnt, Töne von allen Seiten zu hören. Obwohl wir unsere Aufmerksamkeit auf Töne lenken, können wir akustisch nicht ebenso fokussieren wie beim Bild. Der

Filmton sollte die Fähigkeit besitzen, das totale akustische Umfeld zu reproduzieren. Anfang der sechziger Jahre wechselte die Schallplattenindustrie vollkommen von monofon auf stereofon, doch der Filmton ist gelegentlich immer noch monofon, obwohl die Einführung von stereofonen Techniken beim Film viel einfacher wäre als bei Tonaufzeichnungsgeräten. Quadrofonische Wiedergabe, ein Problem, das Toningenieure und Audiophile Mitte der siebziger Jahre beschäftigte, wäre beim Film relativ einfach und billig anzuwenden.

Die Mehrspur-Aufnahmetechnik, die von der Musikindustrie entwickelt wurde, hat in den siebziger Jahren neue Horizonte für die Kunst des Filmtons aufgetan – zum Beispiel so ausgetüftelte Soundtracks wie bei Coppolas *The Conversation* (1974) und Altmans *Nashville* (1975), die mit Achtspurmaschinen produziert wurden. Die Einführung des Dolby-Systems zur Rauschunterdrückung und Signalverstärkung Mitte der Siebziger hat ebenfalls die Möglichkeit des qualitativ genauen Filmtons erweitert. In etwa dem Flashing von Filmmaterial zu vergleichen, reduziert der Dolby-Schaltkreis das Grundrauschen, das selbst beim besten Tonbandmaterial auftritt, und verbessert so den Tonbereich beträchtlich. Das geschieht, indem bei der Aufnahme jener Teil des Tonspektrums, in dem die Nebengeräusche auftreten, verstärkt wird. Wenn das Signal bei der Wiedergabe auf die Normalstufe reduziert wird, wird das Geräusch zusammen mit dem Tonsignal heruntergezogen.

Post-Production

In der Filmindustrie teilt man den Arbeitsprozeß in drei Phasen: Pre-Production, Dreharbeiten, Post-Production. Die erste Phase umfaßt die Vorbereitungen – das Buch wird geschrieben, Schauspieler und Techniker engagiert, Drehpläne und Budgets aufgestellt. In einer anderen Kunst wäre diese Vorbereitungsstufe relativ unkreativ. Doch Alfred Hitchcock, um einen zu nennen, hielt diese Periode der Filmherstellung für die entscheidende: Er meinte, sobald er den Film entworfen habe, sei die Ausführung dann vergleichsweise langweilig. Zudem kann in dieser teuersten aller Künste die genaue und intelligente Planung den Unterschied zwischen Erfolg und Reinfall ausmachen. Inzwischen müßte klar sein, daß es ein kompliziertes Geschäft ist, Filme herzustellen – so kompliziert, daß moderne System-Planung einen meßbar positiven Effekt auf den Gesamtablauf hat. Die eingehenden, sorgfältig organisierten Pläne, die Stanley Kubrick für seine Projekte aufstellt, sind zum Beispiel einer der faszinierendsten Aspekte seiner Arbeit.

In diesem Kapitel über Filmtechnik ging es bisher fast ausschließlich um die zweite Phase der Filmproduktion: die Dreharbeiten. Doch in gewisser Weise kann man selbst diese Phase als eine Art Vorbereitung auffassen. Die Dreharbeiten produzieren das Rohmaterial, aus dem erst in der dritten Phase des Prozesses das Endprodukt wird. Der Schnitt oder die Montage werden oft als der Angelpunkt der Filmkunst angesehen, da sich hierin der Film von den anderen Künsten am deutlichsten absetzt. Die Theorie des Filmschnitts wird in den Teilen 3 und 5 behandelt; an dieser Stelle geht es um eine Erläuterung der Praxis und eine Beschreibung des verwendeten Geräts.

Während der Post-Production laufen normalerweise drei Arbeitsgänge mehr oder weniger gleichzeitig ab: Schnitt, sodann Tonmischung, Verbesserung der Tonqualität und Nachsynchronisation (oder ADR, additional dialogue recording) sowie auch Laborarbeiten, optische Tricks und Spezialeffekte. Theoretisch könnte ein Film innerhalb weniger Stunden geschnitten, gemischt und kopiert werden; angenommen, Ton- und Bildmaterial sind im Rohzustand zufriedenstellend, so bestünde der Schnitt nur aus dem Aneinanderkleben einiger Einzelaufnahmen («takes»).

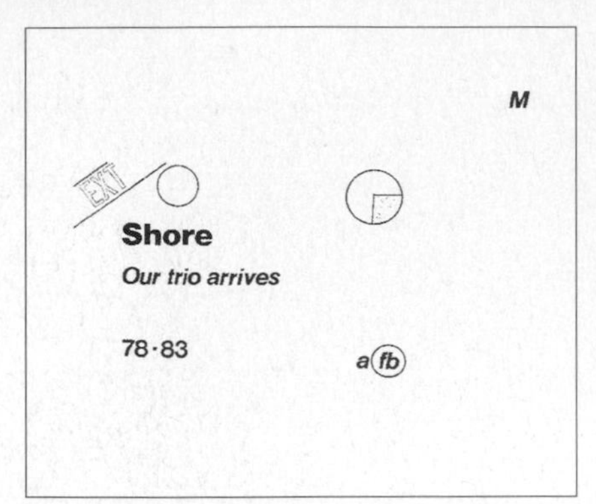

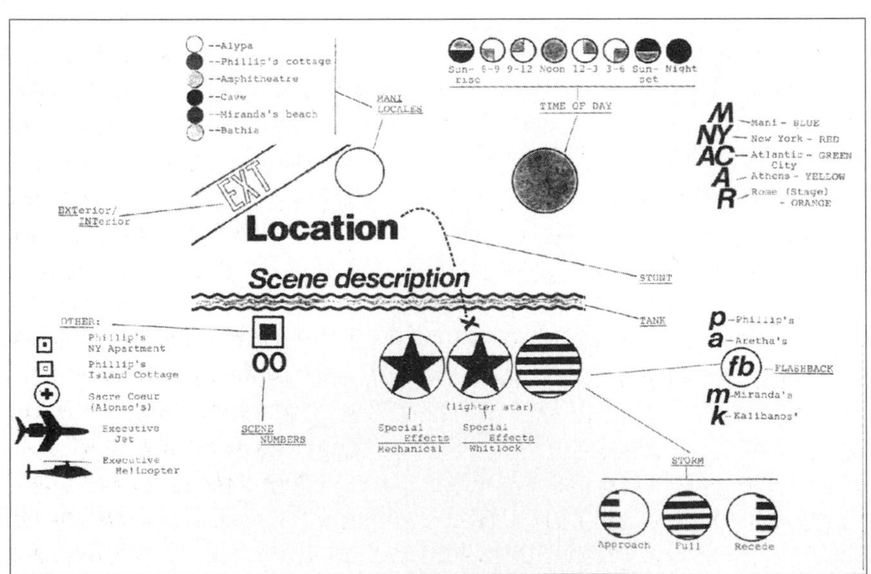

Leon Capetanos Storyboard-Skizzen für Paul Mazurskys *Tempest* (1982) verdeutlichen die Struktur der Sequenz. (*Mit freundlicher Genehmigung von Paul Mazursky.*)

Doch sehr wenige Filme sind so einfach, und oft dauern die Post-Production-Arbeiten länger als die Dreharbeiten selbst. Was Post-Production genannt wird, beginnt indes oft schon während der Dreharbeiten und läuft parallel dazu.

Filmschnitt

Die Einstellung («shot») ist die Grundeinheit der Filmmontage; sie ist physikalisch als einzelnes Stück Film ohne Unterbrechung der Kontinuität definiert. Sie kann bis zu zehn Minuten dauern (denn die meisten Kameras fassen nur Filmmaterial für zehn Minuten); oder auch nur 1/24 Sekunde (ein Einzelbild). Hitchcocks *Rope* (1948) war so gedreht, daß der ganze Film wie eine einzige Einstellung wirken sollte, die meisten von Miklós Jancsós Filmen sind aus zehn oder zwölf Einstellungen zu je einer ganzen Filmrolle komponiert, doch ein normaler Spielfilm setzt sich aus fünfhundert bis tausend verschiedenen Einstellungen zusammen. Jede einzelne Einstellung muß mechanisch mit Klebstoff oder Klebeband mit den benachbarten Einstellungen verbunden werden. Das Handwerk des Schneidens besteht darin, aus zwei oder mehr Aufnahmen derselben Einstellung zu wählen, die Länge jeder Einstellung festzulegen und ihren Rhythmus sowie den Ton sorgfältig an die geschnittenen Bilder anzupassen (oder umgekehrt, wenn der Ton zuerst geschnitten wurde).

In Amerika wurde bis Mitte der sechziger Jahre diese Arbeit an aufrechten Schneidemaschinen verrichtet, die zumeist unter dem verbreitetsten Markennamen «Moviola» bekannt sind. Eine andere, praktischere Anordnung, der horizontale Schneidetisch, wurde in den zwanziger Jahren durch die Berliner UFA-Studios eingeführt und war schon vor dem Zweiten Weltkrieg überall in Europa verbreitet. Da der Film beim Tisch waagerecht auf Tellern gefahren wird und nicht senkrecht auf Spulen, ist er viel leichter zu handhaben. Die Einführung des sich drehenden Polygons an Stelle des schrittweisen Malteserkreuz-Mechanismus nach dem Krieg erweiterte die Möglichkeiten des Schneidetischs, indem nun Geschwindigkeiten bis zum Fünffachen der normalen 24 Bilder möglich waren.

In den Sechzigern, zum Teil beeinflußt von den Dokumentarfilmern, die die großen Vorteile mit als erste entdeckten, revolutionierte der Schneidetisch (Steenbeck und Kem sind zwei wichtige Hersteller) den Prozeß der Montage. Moderne Schneidetische erlauben gleichzeitig die Betrachtung und das Abhören von bis zu sechs verschiedenen Bild- und Tonstreifen, wodurch die für die Bildauswahl notwendige Zeit stark reduziert wird. Dokumentaristen, die oft riesige Mengen Material beim Schnitt zu bewältigen haben, erkannten die Vorteile sofort. Die Cutter des Films *Woodstock* (1970), zum Beispiel, sahen sich mehreren hundert Stunden Material über das epochale Konzert gegenüber. Trotz der Benutzung von Splitscreen-

Flache Schneidetische, wie der abgebildete Steenbeck, erlauben den Vergleich von bis zu drei oder vier Bild- und Tonspuren. Der abgebildete Tisch ist für eine Bild- und zwei Tonspuren eingerichtet. (*W. Steenbeck & Co.*)

Computergestützter Filmschnitt mit dem Avid-System. Das Ausgangsmaterial wird digitalisiert, auf der Festplatte gespeichert und von dort weiterverarbeitet. (*NDR / Mundry*)

Techniken mußten sie das Material auf vier Stunden zusammenschneiden, eine Aufgabe, die ohne die Geschwindigkeit und die vielfältigen Fähigkeiten des Schneidetischs kaum zu lösen gewesen wäre. Ein normaler Spielfilm wird etwa im Verhältnis zehn zu eins (oder mehr) gedreht, das heißt zehn Meter belichtetes Material für jeden schließlich verwendeten Meter.

Die Technik des Filmschnitts vereinfacht sich in starkem Maße, wenn die Aufnahmen digitalisiert vorliegen. CBS hat Mitte der siebziger Jahre das erste computerisierte Schneidesystem eingeführt. Die Anschaffung kostete eine Million Dollar. In den späten achtziger Jahren wurde die Kunst des Filmschnitts durch Schneidesysteme auf Mikrocomputer-Basis (zum Beispiel «Avid») abermals revolutioniert. Zunehmend stützen sich Cutter bei ihrer ermüdenden und zeitaufwendigen Arbeit auf Computer-Programme. Nach Abschluß des elektronischen Schnitts kann das eigentliche Negativ entsprechend geschnitten und geklebt werden.

Tonmischung

Der Schnitt eines Filmtons («soundtrack») unterscheidet sich etwas von dem der Bilder. Zunächst kann der zusammen mit den Bildern während des Drehens aufgezeichnete Ton nicht brauchbar sein. Während eine vom Bild her verunglückte Aufnahme vollkommen unbrauchbar ist und neu gedreht werden muß, kann eine verunglückte Tonaufnahme viel leichter korrigiert oder ersetzt werden. Im Prozeß des Nachsynchronisierens (auch «looping» genannt) werden ein paar Sekunden Film zu einer Schleife («loop») zusammengeklebt, in ein Tonstudio projiziert und so oft wiederholt, bis die Schauspieler den Rhythmus der Szene nachvollziehen und den Dialog zum Bild synchron sprechen können. Das wird dann aufgenommen und in den Original-Soundtrack eingefügt. In den achtziger Jahren erwarb sich dieses Verfahren unter der Abkürzung ADR einen wachsenden Ruf, aber die Methode war im Grunde noch dieselbe wie in den Anfängen des Tonfilms.

Dieses Verfahren war früher viel verbreiteter als heute, wo die Tonaufnahme-Technik durch die Einführung des Magnetbandes stark vereinfacht wurde. Originalton ist heute eher die Regel als die Ausnahme. In Italien ist das Nachsynchronisieren eines ganzen Films immer noch üblich. Federico Fellini war zum Beispiel dafür bekannt, den Dialog für eine Szene manchmal erst nach dem Drehen zu schreiben und die Schauspieler zu bitten, Zahlen zu rezitieren (aber mit Gefühl!).

Nachsynchronisation hat sich als brauchbare Methode erwiesen, Filme in andere Sprachen zu übersetzen. Normalerweise ist ein so produzierter Ton steril und tot, doch die Italiener – wie durch ihre Erfahrung beim Nachsynchronisieren zu erwarten ist – haben einige recht passable Synchronisationen fremdsprachiger Filme («dubbing») zustande gebracht.

Ist der ermüdende Vorgang des Nachsynchronisierens beendet, kann der Soundtrack gemischt werden. Für diesen Prozeß gibt es beim Bild keine wirkliche Entsprechung; Splitscreen-Techniken oder Mehrfachbelichtungen können uns zwar mehrere Bilder gleichzeitig präsentieren, doch sind diese selten kombiniert. Maskentricks und Rückprojektion (siehe unten) sind direktere Entsprechungen zur Tonmischung, doch werden sie relativ selten angewandt. Dies kann sich ändern, da Computer für Cutter ebenso unabdingbar werden, wie sie es für Autoren sind. Sobald die Bearbeitung digitaler Bilder ebenso leicht fällt wie heute bereits die Bearbeitung digitaler Tonaufnahmen, könnte der Cutter zugleich auch zum «Bildmischer» werden und im Filmbild genauso mühelos verschiedene Bildelemente kombinieren, wie er oder sie jetzt Filmstreifen verbindet.

Etwa 1932 war die Tontechnik so weit, daß Überspielungen möglich waren und man bis zu vier Lichtton-Aufnahmen mischen konnte. Viele Jahre lang bestand das Mischen lediglich aus dem Zusammenfahren von aufgenommener Musik, Toneffekten (ein schwacher Ausdruck für eine kunstvolle Fertigkeit) und Dialogen. Die magnetischen Mehrspur-Aufnahmegeräte haben die Möglichkeiten der Tonmischung stark erweitert. Ein einzelnes Wort oder ein Toneffekt können leicht eingefügt werden (was beim Lichtton sehr schwer war), die Tonqualität kann elektronisch verändert oder verstärkt und Dutzende verschiedener Tonspuren können kombiniert werden, wobei der Tonmischer alle ästhetischen Variablen jeder einzelnen Spur vollkommen unter Kontrolle hat. Auch hier wird Digitalisierung zu einer Beschleunigung des Bearbeitungsverfahrens verhelfen.

Spezialeffekte und Trickaufnahmen

«Spezialeffekt» oder Filmtrick ist der etwas dröge Name für ein weites Feld von Tätigkeiten, die alle einen starken kreativen Einfluß auf den Film besitzen. Die Kunst der Spezialeffekte beruht auf drei Prämissen: 1. Film muß nicht kontinuierlich gedreht werden, jedes Bild kann einzeln fotografiert werden; 2. Zeichnungen, Malereien und Modelle können so aufgenommen werden, daß man sie für Realität hält; 3. Bilder können kombiniert werden.

Die erste Prämisse ermöglicht die Kunst des Animationsfilms. Die Vorläufer der Animation waren das Zoetrop und das uralte «Daumenkino», bei dem eine Serie von Zeichnungen zusammengebunden ist, so daß die Bilder sich beim schnellen Durchblättern zu bewegen scheinen. Doch die Animation ist nicht auf Zeichnungen beschränkt, auch wenn die meisten Trickfilme Cartoons sind. Modelle und selbst Lebewesen können durch Einzelbildaufnahmen animiert werden, wobei zwischen den einzelnen Aufnahmen die Position des Gegenstands verändert wird. Die-

Cel-Animation. Der klassische Animationsfilm nutzt die Folientechnik wegen ihrer Wirksamkeit und Genauigkeit. Das Bild setzt sich aus Schichten mit verschiedenen Bewegungen zusammen, und jede dieser Schichten wird auf einer besonderen Transparentfolie gezeichnet, die «Cel» genannt wird (abgekürzt aus Celluloid). Auf diese Weise braucht der unbewegte Hintergrund einer Szene nur einmal gezeichnet zu werden, einfache Bewegungen lassen sich rasch bewerkstelligen, und das besondere Augenmerk kann auf isolierte komplexe Bewegungen gerichtet werden. In dieser Szene aus R.O. Blechmans *The Life and Time of Nicholas Nickleby* (1982) überlagern vier Cels den Hintergrund. Die Elemente sind entsprechend der Handlung in Gruppen zusammengefaßt. (*Gezeichnet von Seymour Chwast/Push Pin Studios. Mit freundlicher Genehmigung von Ink Tank*)

se Animationstechnik heißt «Pixillation». Was den Zeichentrickfilm betrifft, so ist die Folientechnik, bei der verschiedene Teile der Zeichnung auf einzelne durchsichtige Folien gezeichnet werden, viel flexibler, als man zunächst annimmt. Etwa 14 400 einzelne Zeichnungen müssen für einen zehnminütigen Animationsfilm hergestellt werden; doch wenn zum Beispiel der Hintergrund konstant bleibt, so kann er auf

Frühe Computer-Animation. Da Animation den Umgang mit bedeutenden Datenmengen einschließt, haben sich Computer als wertvoll erwiesen. Die unterschiedlich hochentwickelten Programme können die für die Animation nötigen Veränderungsschritte an Cels vornehmen, wie in dieser kurzgefaßten Geschichte der Evolution aus Carl Sagans *Cosmos* (1980). Die Zeichnung geht kontinuierlich und weich von einem Zustand in den anderen über. (*James Blinn, Pat Cole, Charles Kohlhase, Jet Propulsion Laboratories Computer Graphics Lab.*)

eine separate Folie gezeichnet werden, und der Künstler braucht nur die Gegenstände zu zeichnen, die sich bewegen sollen.

Seit den sechziger Jahren hat die Computer-Videotechnik die Animation noch flexibler gemacht, da man einen Computer darauf programmieren kann, lauter Serien von Umrißzeichnungen zu produzieren, die ihre Form korrekt in den richtigen Zeitphasen verändern. Bis in die späten achtziger Jahre war Computer-Animation ein Arbeitsfeld für Fachleute. Aber wie es auch mit vielen anderen spezifischen Techniken der Filmindustrie ging, ist Animation inzwischen für zigtausend Bürokräfte zum vertrauten Werkzeug geworden, mit dem sie routinemäßig bewegte Bilder in ihre «Desktop-Präsentationen» einbauen.

Aus der zweiten Prämisse ergeben sich eine Reihe Spezialeffekte, die als Modell- oder Miniatur-Aufnahmen und als Glas-Aufnahmen bekannt sind. Der Erfolg der Miniatur-Aufnahmen beruht auf der Fähigkeit, die Kamera schneller als normal («überdrehen» genannt) laufen zu lassen. Eine fünf Zentimeter hohe Welle, viermal so schnell gefilmt, erscheint bei der Projektion in der Normalgeschwindigkeit (und damit viermal verlangsamt) etwa viermal so groß. Bei der Miniatur-Aufnahme gilt

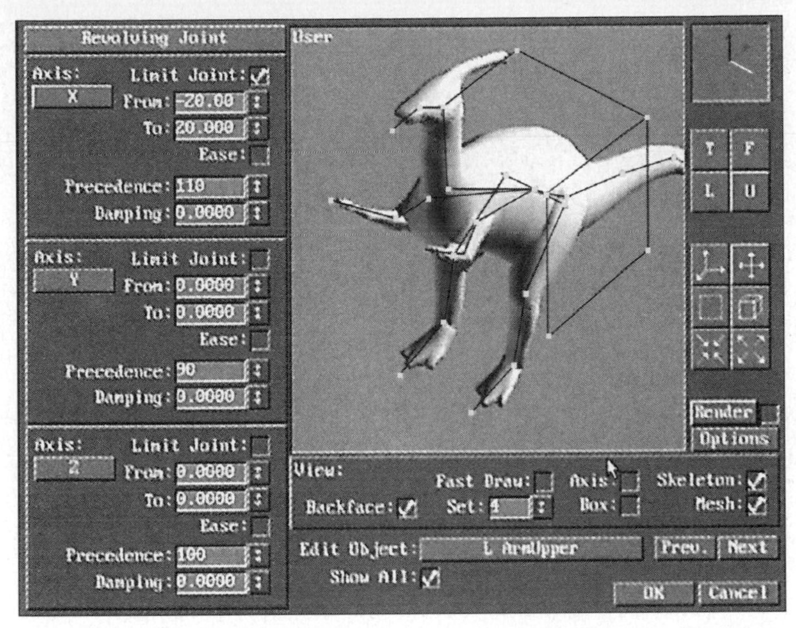

Computeranimation in den Neunzigern. Moderne Programme wie 3D Studio von Autodesk erleichtern mit der Technik der «inversiven Kinematik» die Animation: Zur Simulation eines Schrittes muß nur noch der Fuß bewegt werden, jedes andere Element reagiert entsprechend darauf.

als Daumenregel, daß die Kamerageschwindigkeit die Quadratwurzel des Maßstabs sei; das heißt, ein Modell im Maßstab 1 : 4 muß mit doppelter Geschwindigkeit gefilmt werden. In der Praxis ist der kleinste brauchbare Maßstab 1 : 16, doch selbst $^1/_2$-Modelle wirken oft unnatürlich.

Glas-Aufnahmen sind wahrscheinlich die einfachsten Spezialeffekte. Bei dieser Technik wird vor der Kamera eine Glasscheibe aufgestellt und Teile des Bildes übermalt. Der Effekt beruht natürlich auf dem Talent des Malers, doch es existieren erstaunlich realistische Beispiele dieser einfachen Technik.

Die dritte Prämisse ist wahrscheinlich für heutige Filmemacher die fruchtbarste. Die einfachste Anwendung dieser Idee ist es, ein anderes Bild – den Hintergrund – auf eine Leinwand hinter den Schauspielern und dem Vordergrund zu projizieren. Tausende Taxifahrten wurden in Hollywood so seit 1932 mit Rückprojektion gedreht. Die Einführung der Farbe ließ die Rückprojektion jedoch außer Gebrauch kommen. Der Farbfilm brauchte eine stärkere Ausleuchtung der Personen, wodurch das Bild der Rückprojektion verblaßte. Wichtiger noch, das Farbbild vermittelt viel mehr optische Informationen, so daß eine genaue Abstimmung von Vorder- und

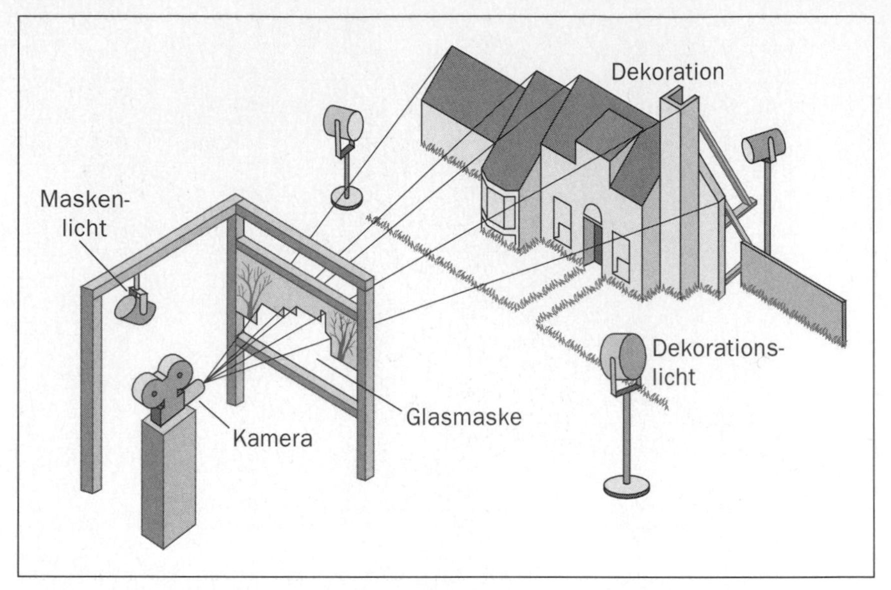

Glasaufnahmen. Der untere Teil der Glasscheibe ist durchsichtig, der obere Teil ist bemalt worden. Die Glasscheibe steht so weit vor der Kamera, daß sie und die Dekoration im Schärfenbereich liegen. Die Beleuchtung von Dekoration und Glaskasch(-Maske) ist aufeinander abgestimmt. Die Kamera steht auf einer festen Grundlage, um Vibrationen zu verhindern.

Hintergrund viel schwieriger wird. Zwei Techniken wurden entwickelt, um die Rückprojektion zu ersetzen.

Aufprojektion benutzt eine gerichtete Kristallwand mit einer Oberfläche aus Millionen kleiner Glaskugeln, die wie Linsen wirken und 95 Prozent des einfallenden Lichts zur Quelle zurückwerfen. Wie unser Schaubild Seite 138 zeigt, setzt dies voraus, daß die Quelle mit der Kameraoptik auf einer Achse liegt, eine Position, die auch die Schatten auf der Bildwand verschwinden läßt. Diese Position erreicht man durch einen halbdurchsichtigen Spiegel im Winkel von 45° zur Achse. Die Aufprojektion wurde für Stanley Kubricks Film *2001: A Space Odyssey* (1968) perfektioniert. (Dieser Film bleibt eine Art Katalog moderner Spezialeffekte.)

Glas-Aufnahmen, Rück- und Aufprojektion sind Techniken, die Bilder kombinieren und die beim Drehen eingesetzt werden. Masken-Tricks («matte») und «blue screen» oder Wandermasken («traveling matte») werden dagegen im Tricklabor produziert. Aufnahmen mit festen Masken ergeben etwa den gleichen Effekt wie Glas-Aufnahmen. Im Labor wird der Film auf einen weißen Karton projiziert, und die abzudeckenden Flächen werden nachgezeichnet und schwarz ausgemalt. Diese schwarze Form wird dann aufgenommen und der Film nach der Entwicklung zu-

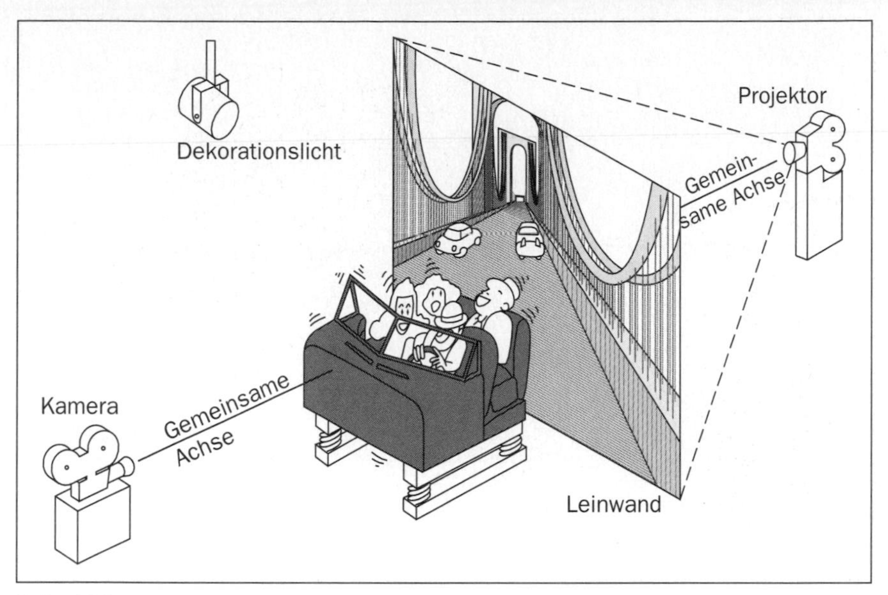

Rückprojektion. Kamera und Projektor sind gekoppelt, damit beide genau zum selben Zeitpunkt ein Bild projizieren beziehungsweise aufnehmen. Die Schauspieler in der Autoattrappe vor der Leinwand sind so ausgeleuchtet, daß die durchscheinende Bildwand hinter ihnen nicht reflektiert; sie läßt nur das Licht vom Projektor durch. Die Federung der Autoattrappe dient dazu, Bewegungen zu simulieren.

sammen mit dem Original durch einen Projektor geführt; dabei wird eine Kopie gemacht, bei der in jedem Bild die vorgesehenen Flächen ausmaskiert sind. Die Szene, die dieses Bildfeld ausfüllen soll, wird dann (zusammen mit einer Umkehrung der ersten Maske) zum anderen Originalteil kopiert, die Kopie dann entwickelt.

Wandermasken-Aufnahmen ersetzten Auf- und Rückprojektionen und kamen in Gebrauch, als der Farbfilm in der Industrie die Vorherrschaft gewann. Der Prozeß läuft in groben Zügen so ab: Ein dunkelblauer Wandschirm («blue screen») wird hinter die Vordergrundaktion placiert und die Szene dann gedreht. Da die Hintergrundfarbe einheitlich und präzise ist, können vermittels Filtern «positive» und «negative» Masken herauskopiert werden. Ein blauer Filter läßt nur das Hintergrundlicht durch, die Vordergrundhandlung wird blank, und so entsteht eine «negative» Maske; ein Rotfilter hält den Hintergrund ab, belichtet nur den Vordergrund und produziert eine schwarze Silhouette, die «positive» Maske. Die negative Maske kann dann dazu benutzt werden – wie bei den festen Masken –, den blauen Hintergrund abzukaschen, wenn man eine Kopie des Originalfilms herstellt; die positive Maske kaschiert präzise die richtigen Teile der ausgewählten Hintergrundszene; der ausmaskierte Hintergrund kann dann mit dem ausmaskierten Vordergrund kom-

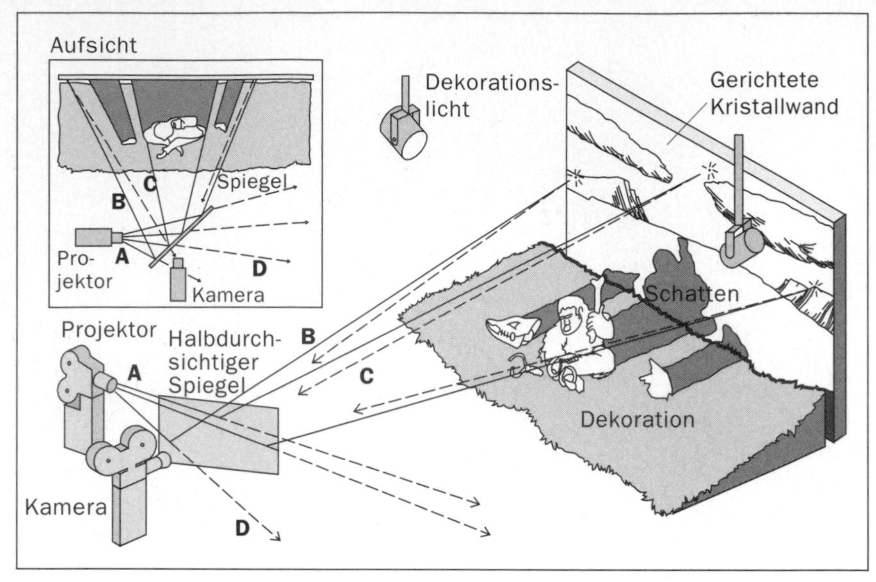

Aufprojektion. Das entscheidende Element des Aufprojektionssystems ist der halbdurchsichtige Spiegel, der Licht sowohl durchläßt wie auch reflektiert. So ist es möglich, daß der Projektor das Hintergrundbild auf die Leinwand hinter Dekoration und Schauspieler genau in der Bildachse der Kamera projizieren kann. Dadurch sind die Schatten, die Schauspieler und Dekorationen werfen, für die Kamera unsichtbar. Das Dekorationslicht ist gerade hell genug, um das Hintergrundbild, das auf Schauspieler und Dekorationen fällt, wegzunehmen. Die Bildwand ist stark «gerichtet», das heißt, sie reflektiert den größten Teil des projizierten Bildes auf der Projektionsachse zurück und ergibt so ein genügend helles Bild. Die projizierte Szene geht vom Projektor (A) aus, wird vom halbdurchsichtigen Spiegel auf die Bildwand (und Dekoration und Schauspieler) geworfen (B), dann *durch* den Spiegel zurück zur Kamera (C). Teile des vom Projektor ausgehenden Lichts gehen direkt durch den Spiegel (D). Die nächste Abbildung zeigt das Ergebnis.

Aufprojektion aus *2001*. Kubrick und sein Team von Fachleuten für Spezialeffekte haben das System für den Film verfeinert. (*Standvergrößerung*)

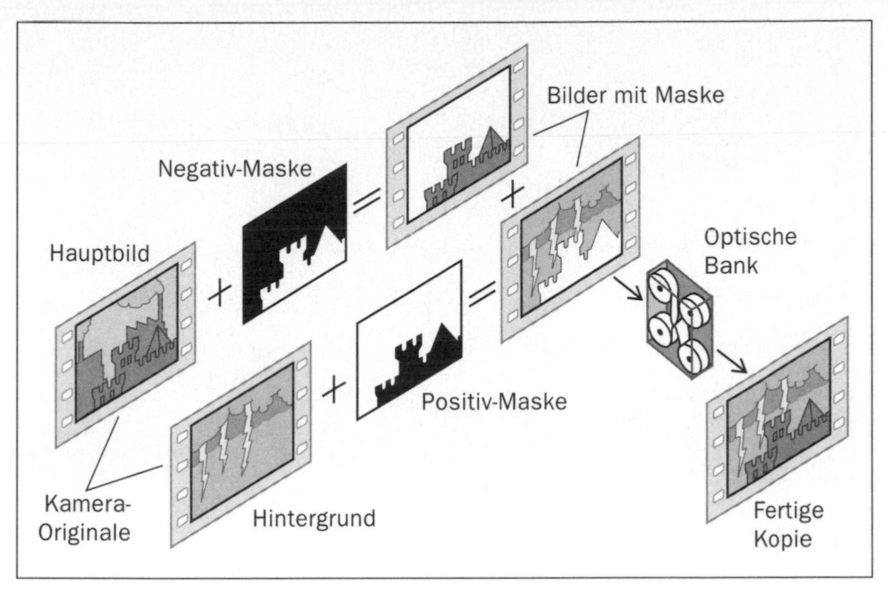

Masken. Sowohl die Positiv- wie die Negativ-Maske sind aus dem Hauptbild abgezogen. Beim Verfahren mit festen Masken werden sie gezeichnet; beim Wandermaskenverfahren («traveling matte») besteht der Hintergrund des Hauptbildes aus einem «blue screen» (hier nicht abgebildet), und die Masken entstehen auf optischem Wege.

biniert werden. Dies ist ein schwieriger und mühevoller Prozeß beim Film, doch die Technik ist vom Fernsehen übernommen worden, wo der Blue-Screen-Effekt einfach elektronisch mit einem Knopfdruck erreicht werden kann. Er ist zu einer Standardprozedur des Fernsehens geworden, zum Beispiel, um bei den Nachrichten den Ansager mit der Hintergrund-Grafik zu kombinieren.

Wie fast überall bei der Post-Production ersetzen Computer auch hier in rasch wachsendem Maß die hochpräzisen und arbeitsaufwendigen mechanischen Techniken, die über die Jahre von den Filmemachern entwickelt wurden, um die von ihren Kameras festgehaltenen Aufnahmen zu korrigieren und zu modifizieren. Vorder- und Hintergründe kann heute jeder geübte DTP-Anwender kombinieren. Und die Filmemacher selbst haben den nächsten logischen Schritt getan, nämlich ihre Aufnahmen tatsächlich nach ihren Absichten neu zu gestalten und umzuformen. Diese Umformung läuft unter der Bezeichnung «Morph»; durch James Camerons *Terminator 2* (1991) wurde sie erstmals einem breiteren Publikum bekannt (wobei sie allerdings zuvor bereits äußerst effektvoll für Fernseh-Werbespots angewandt worden war). Es dauerte nur eineinhalb Jahre, bis ähnliche Software zu Preisen unter 100 Dollar für jeden Macintosh-Besitzer verfügbar war.

Eine Maskenaufnahme aus *2001*. Die Mondoberfläche ist durch Masken einkopiert. Die Bilder auf den kleinen Bildschirmen unterhalb der Fenster entstanden durch Rückprojektion. (*Standvergrößerung*)

Optische Effekte und das Labor

Das Labor erfüllt zwei Aufgaben für den Filmemacher: Die erste besteht darin, das Bild so zu korrigieren, daß es der Vorstellung des Filmemachers beim Drehen möglichst nahekommt; die zweite besteht darin, optische Effekte hinzuzufügen, gewöhnlich um Akzente zu setzen.

Beim Farbfilm ist die Rolle des Labors ausschlaggebend. Während das Gehirn automatisch und unbewußt Unterschiede in Helligkeit und Farbton ausgleicht, tut es der Film nicht. Der Labortechniker unterzieht die Kopie einer Lichtbestimmung, gleicht die Farben verschiedener Szenen, die zu unterschiedlicher Zeit und unter stark variierenden Bedingungen gedreht wurden, auf einen zuvor festgelegten Standard an. Wie schon erklärt wurde, können gewisse Unterschiede der Farbtemperatur beim Drehen korrigiert werden, dennoch ist fast immer eine Lichtbestimmung notwendig. Gleichzeitig kann das Labor Über- und Unterbelichtung durch Unter- und Überentwicklung ausgleichen. Um eventuell sonst unbrauchbares Material zu retten, kann der Film an diesem Punkt mit Flashing behandelt werden. Man hat Methoden des Flashing erprobt (beispielsweise Gerry Turpin für *Young Winston*, 1973), durch die an dieser Stelle ein Farbton hinzugefügt wird. Dies ist die Rückkehr zu einem der ältesten Hilfsmittel der Filmgeschichte, denn in den zwanziger Jahren wurden Schwarzweiß-Filme auf viragiertes Material kopiert, um einer Szene einen bestimmten Gefühlswert zu geben.

Eine Modellaufnahme der Mondlandestation aus *2001*. In die kleinen Luken im Modell der Landekapsel wie auch in die hellen rechteckigen Felder rechts und links wurden Spielszenen einkopiert, um so die Illusion der Modellaufnahme zu erhöhen. Viele feine Details gehen in dieser Abbildung verloren. (*Standvergrößerung*)

Zusätzlich zur Lichtbestimmung und zur Korrektur von Belichtungsunterschieden führt das Labor eine Reihe akzentuierender optischer Effekte aus: Auf- und Abblenden, Überblendungen, Bildeinfrierung und Masken. Diese werden im nächsten Kapitel genau behandelt. Eine Anzahl weiterer optischer Effekte steht außerdem zur Verfügung. Bildschatten («ghosts», eine Art optisches Echo durch Doppelkopierung), Mehrfach-Bilder («split-screen» und ähnliches) und Doppelbelichtungen («super-impositions») sind die verbreitetsten.

Schließlich besitzt das Labor Einrichtungen zur Vergrößerung oder Verkleinerung des Bildes. Der ganze Film kann vergrößert oder verkleinert werden, um ihn in einem anderen Format verleihen zu können, oder einzelne Aufnahmen können durch Ausschnittvergrößerung auf der optischen Bank («optical printer») verändert werden, der Maschine, mit der man die meisten der hier erwähnten Effekte ausführt. Einige Fernsehsysteme benutzen zum Beispiel eine Technik des Abschwenkens, um Breitwandfilme an das 1.33-Fernsehbild anzupassen.

Fast alle diese Labor-Effekte fügen dem Kopierprozeß weitere Generationen hinzu und beeinflussen damit die Bildqualität. Folglich vermeidet man sie, soweit es geht. Alle diese Arbeiten sind natürlich deutlich einfacher und billiger, wenn das Bildmaterial digitalisiert ist und nicht auf photochemischer Basis beruht.

Die Techniken und das Vokabular der Cutter, Tonmischer und Tricktechniker waren lange Zeit ebenso geheimnisvoll und abgehoben wie die Fachsprache von

Druckern und Buchherstellern. Nach der einzigartigen Revolution der Mikrocomputer jedoch schwindet das Geheimnisvolle und erweist sich als ebenso alltäglich wie etwa die drucktechnischen Ausdrücke «Zeichensatz» und «Bundsteg». Die Arbeit des Filmemachers – wie auch die des Buchherstellers – wird vielen zugänglich. Neueinsteiger können filmische Effekte so leicht erzielen, daß sie sich womöglich wundern, weshalb man sich früher damit so angestellt hat.

Soweit es jedoch die Filmemacher selbst betrifft, hat die Revolution gerade erst begonnen. Die ganze schwierige Arbeit wird durch digitalisiertes Bildmaterial so entscheidend erleichtert, daß der Übergang vom Film auf chemischer Basis zur elektronischen Bildverarbeitung als unwiderstehlich erscheint. Der Film, wie wir ihn kennen, ist gegenwärtig in einer allmählichen Mutation in Richtung HDTV (high-definition television) begriffen.

Video und Film

Die Technologie von Fernsehen und Video wird detaillierter in Teil 6 behandelt, doch hier können wir die sich zwischen Film und Fernsehen entspinnende Romanze untersuchen. Diese Beziehung war viele Jahre lang eher verdeckt, doch das ändert sich inzwischen rasch. Auf fast jeder Stufe der Filmherstellung, von der Vorbereitung über die Dreharbeiten bis zur Post-Production-Arbeit, übernimmt Video nützliche Aufgaben.

Der augenfälligste Vorteil des Videobandes gegenüber Film ist, daß es sofort wieder abgespielt werden kann und nicht erst entwickelt werden muß. Während außerdem der Kameramann beim Drehen die einzige Person ist, die präzise das gefilmte Bild sieht, kann ein Videobild sofort auf mehrere Monitore übertragen werden. Aus diesen Gründen hat Video immer mehr Anwendung bei den Dreharbeiten gefunden. Es befreit den Kameramann von der Kamera, wie beim Louma-Prozeß (siehe Seite 97). Bei der normalen Kinematografie kann eine Videokamera vermittels eines halbdurchsichtigen Spiegels an die Filmkamera angeschlossen werden, die so dasselbe wie der Kameramann sieht. Der Regisseur (und andere Techniker) können auf einem abseits der Szene installierten Bildschirm das genaue Filmbild verfolgen. Wenn man die Szene aufzeichnet, kann sie sofort anschließend vorgeführt werden, so daß die Schauspieler und Techniker überprüfen können, ob die Aufnahme wie geplant ablief; dadurch wird die Zahl der Wiederholungen reduziert.

Wie wir gesehen haben, ist die Auswirkung von Video beim Schneiden am revolutionärsten. Elektronischer Schnitt ist weit schneller und einfacher als das mechanische Kleben des Films, besonders wenn er durch Computer-Technologie unterstützt wird. Ein Film kann leicht für den Schnitt auf Videoband überspielt werden, wobei ein Kanal (oder ein Teil des Computer-Speichers) für Bildnummern reserviert bleibt. Sobald das Band zufriedenstellend geschnitten ist, können die Bildnummern abgerufen werden, die so einen narrensicheren Ablauf für das Zusammenkleben des Films bilden. Die Computertechnik erlaubt es dem Cutter, eine Bildsequenz zu montieren, diese vom Computer speichern zu lassen, den Schnitt dann zu variieren, die beiden Versionen zu vergleichen und die gelungenste dann abzu-

Video-Unterstützung durch Videoassist. Regisseure greifen bei Dreharbeiten zunehmend auf Video zurück, benutzen manchmal gar den Monitor anstelle des Kamerasuchers. Das Video-Playback ermöglicht die sofortige Überprüfung der Aufnahme, was Zeit und Kosten spart. Der Monitor wird oftmals zum eigentlichen Zentrum des Drehorts, wo sich die Schauspieler und die Filmcrew zusammenscharen, um ihr Arbeitsergebnis sofort in Augenschein zu nehmen.

Oben: Ein Schwarzweiß-CCD-Videoassist Aaton VR42, an eine Aaton-XTR-Plus-Kamera angeschlossen

Unten: Das Innere des Video-Kamerazusatzes. (*Abel Cine Tech*)

rufen. Das Problem des Archivierens und Wiederfindens von vielen tausend Filmstücken ist so stark vereinfacht. Die elektronische Speicherung auf Platten bietet den direkten Zugang zu allen Aufnahmen.

Während die Film-auf-Band-Überspielung beim Fernsehen seit seinen Anfängen reichlich genutzt wird (eine Produktion wird auf Film gedreht, dann für die Sendung auf Band überspielt), findet der umgekehrte Prozeß (Drehen auf Band und Überspielung auf Film) erst langsam Anwendung. Vor der Entwicklung des Videobandes war die einzige Möglichkeit, eine Live-Show des Fernsehens aufzuzeichnen, das Abfilmen vom Monitor – das sogenannte «kinescope». Jeder, der eine solche Aufzeichnung gesehen hat, kennt die schlechte Qualität. Doch ein schärferes Videobild, speziell für die Band-Film-Überspielung produziert und mit elektronischen Techniken aufbereitet, kann ein recht annehmbares Filmbild ergeben. Schon 1971 hat Frank Zappa *200 Motels* mit einem System aufgenommen, das eine Auflösung von 2000 Zeilen erlaubte, weit höher als beim heutigen HDTV und eine ernsthafte Konkurrenz zum 35 mm-Film.

In der Rückschau können wir jetzt die Entwicklung elektronischer Techniken für die Bild- und Tonaufzeichnung als notwendiges Vorspiel zur wahren Revolution verstehen: der Digitalisierung. Sind diese von der Wirklichkeit hervorgerufenen Daten erst einmal erfaßt, haben sie ein so hohes Abstraktionsniveau erreicht, daß wir sie ganz nach Wunsch manipulieren können, und zwar mühelos. Die technischen Grundlagen des Filmemachens verändern sich ebenso wie die moralischen. Die meisten der in diesem Teil behandelten Techniken werden in der elektronischen, digitalen Welt, die wir jetzt betreten, gewaltig vereinfacht. In moralischer Hinsicht ergibt sich mit der grundlegend neuen technischen Macht, daß wir Bildern und Tönen nicht mehr mit dem Vertrauen begegnen können, das wir in den letzten hundert Jahren in sie setzen durften. Sobald die Filmemacher die Aufnahme nahezu total steuern können, hängen sie von der Wirklichkeit als der Quelle von Bildern und Tönen nicht mehr ab. Was wir dann sehen, ist nicht notwendigerweise das, was sie aufgenommen, sondern eher das, was sie sich als Aufnahme gewünscht haben… oder was sie nach ihrer Vorstellung hätten aufnehmen können… oder was – nach späterer Entscheidung – hätte aufgenommen werden sollen.

Die Projektion

Ein letztes Glied bleibt noch in der Kette der Filmtechnik: die Projektion. Es ist in gewisser Hinsicht das wichtigste, denn all die Arbeit, die auf den Stufen zuvor getan wurde, muß wie durch einen Trichter hindurch, ehe ein Film die Zuschauer erreicht. Merkwürdigerweise ist der Filmprojektor dasjenige Filmgerät, das sich in den letzten fünfzig Jahren am wenigsten geändert hat. Außer dem Zusatz eines optischen oder magnetischen Tonkopfes und den für anamorphotische Kopien notwendigen Adaptern ist der Projektor grundsätzlich die gleiche Maschine wie zu Anfang der zwanziger Jahre. Einige Vorführer meinen sogar, daß alte Maschinen aus den dreißiger Jahren besser arbeiten als neue Modelle.

Ein Projektor ist vereinfacht eine Kamera, die umgekehrt funktioniert: Statt ein Bild aufzunehmen, zeigt er es – und das ist der entscheidende Unterschied. Die notwendige Lichtmenge, um ein Bild festzuhalten, ist leicht zu erreichen, doch die viel größere Lichtmenge, ein Bild zu projizieren, muß von einer Lichtquelle ausgehen, die klein genug ist, um hinter die Optik des Projektors zu passen, und sie muß stark genug sein, das etwa 350 mm^2 große 35 mm-Bild 300000fach oder mehr zu vergrößern, um die Leinwand zu füllen. Bis in die sechziger Jahre war die Lichtquelle kommerzieller Projektoren eine Kohlebogenlampe, die das notwendige intensive Licht von 5000 oder 6000 °K hervorbringen konnte. Ein Hochspannungsbogen zwischen zwei Kohlestäben war die direkte Quelle. Die Schwierigkeiten mit der Kohlebogenlampe (wie sie früher auch zur Ausleuchtung bei Dreharbeiten benutzt wurde) war, daß die Stäbe sich bei dem Prozeß verbrauchten und ständig nachgestellt werden mußten. Außerdem brauchten die Lampen ein starkes Entlüftungssystem. Die Kohlebogenlampen wurden durch Xenonlicht ersetzt, das länger hält, nicht dauernd justiert werden muß und keine besondere Lüftung braucht.

Während ein Filmnegativ nur einmal durch die Kamera läuft und einmal durch eine optische Kopiermaschine, unterliegt die Filmkopie einem viel stärkeren Verschleiß, wenn sie normalerweise bis zu 35- oder 40mal pro Woche im Kino vorgeführt wird. Dies ist der zweite wichtige Unterschied zwischen Kamera und Projektor: Letzterer muß den Film sanfter behandeln. Doch da es im Projektorbau nur sehr

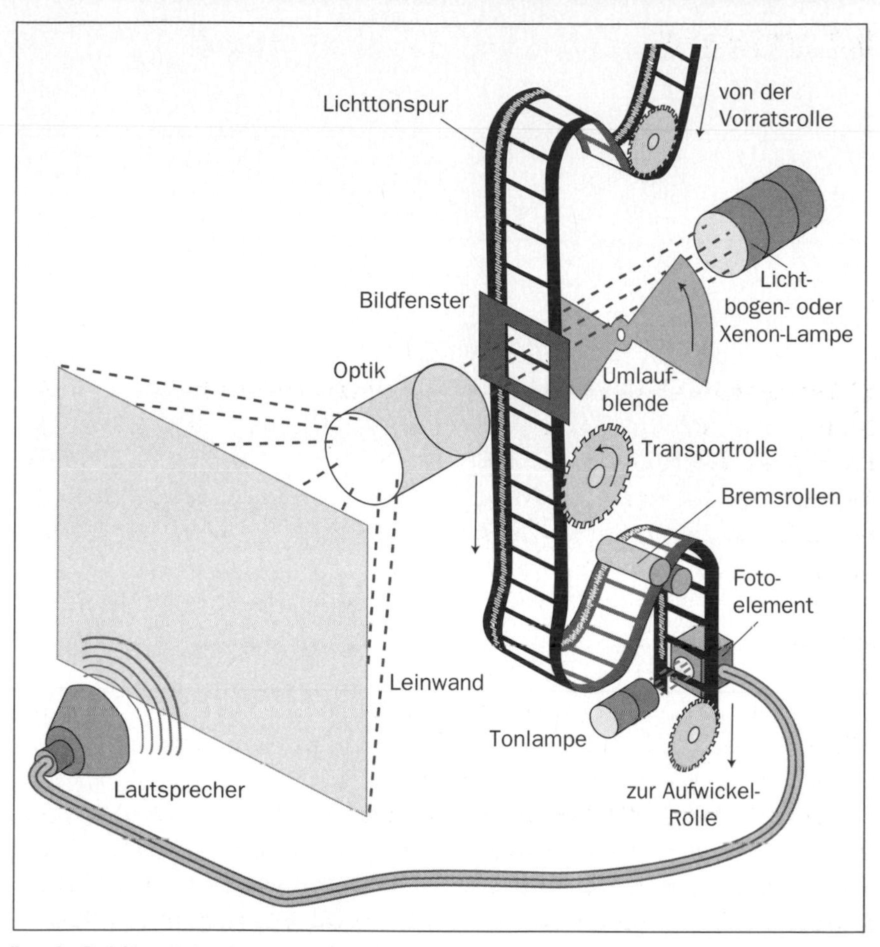

Normaler Projektor. Kleine Transportwalzen ziehen den Film aus der Vorratsrolle beziehungsweise in die Aufwickelrolle. Die Haupttransportwalze führt den Film schrittweise vorwärts; sie ist mit der Malteserkreuz-Schaltung verbunden (siehe Abbildung Seite 89). Einige Rollen bremsen die schrittweise Bewegung des Films, ehe er den Tonkopf erreicht, damit die Tonspur kontinuierlich und gleichmäßig gelesen werden kann.

wenig Fortschritte gegeben hat, erleiden die Kopien unnötig viel Schaden. Das Ergebnis ist, daß man nur sehr selten einen Film genau in der vom Urheber beabsichtigten Art und Weise zu sehen bekommt. Ein Schriftsteller kann ziemlich sicher sein, daß Verleger und Drucker seine Vorstellungen an den Leser weitergeben; ein Filmemacher kann sich bei Verleihern und Kinomachern nicht so sicher sein. Unter Schäden kann man verstehen, daß Teile des Films herausgeschnitten werden. Man macht auch Schnitte, einfach um die Laufzeit zu kürzen (und natürlich politisch oder

Moderner Flachbett-Projektor. Die Vorrats- und Aufwickelspulen sind durch angewinkelte Rollen ersetzt worden, die den Film von großen offenen Spulen abwickeln (auf den Tellern links im Bild untergebracht). Der seltenere Filmrollenwechsel bedeutet, daß die Vorführer mehrere Vorführräume zugleich bedienen können; so kommt es zu den Multiplexen. (*Mit freundlicher Genehmigung von Kinepolis und Sonja Coudeville*)

sexuell unerwünschte Passagen zu entfernen). Ein Leser kann immer feststellen, ob sein Exemplar eines Buches vollständig ist – Seitenzahlen würden fehlen. Ein Filmbetrachter weiß selten genau, in welchem Verhältnis die Kopie, die er sieht, zum Original steht. Film gilt oft als ein dauerhaftes Medium: Es ist im Gegenteil höchst anfällig.

Es gibt durchaus bessere Methoden für die Vorführung. In den siebziger Jahren versprach das Hollogon-Rotationssystem – die erste radikale Neukonzeption von Projektionsmaschinen seit 75 Jahren – einen beträchtlichen Fortschritt. Das Hollogon-System benutzte ein rotierendes 24seitiges Prisma – wie jene in Hochgeschwindigkeitskameras und modernen Schneidetischen –, um den Verschleiß der Kopie zu reduzieren. An Stelle eines komplizierten Systems aus Transportrollen, Greifermechanismus, Bremsrollen und Tonköpfen bestand der Hollogon-Projektor einfach aus zwei synchronen, ununterbrochen rotierenden Rädern. Während das Filmbild um das Bildrad lief, wurde es ständig durch das vielflächige Prisma auf der Leinwand optisch in Position gehalten.

Außer der Wartung des Projektors hat der Vorführer zwei Aufgaben: für die Schärfe des Bildes zu sorgen und – durch die richtige Kombination von Optiken und

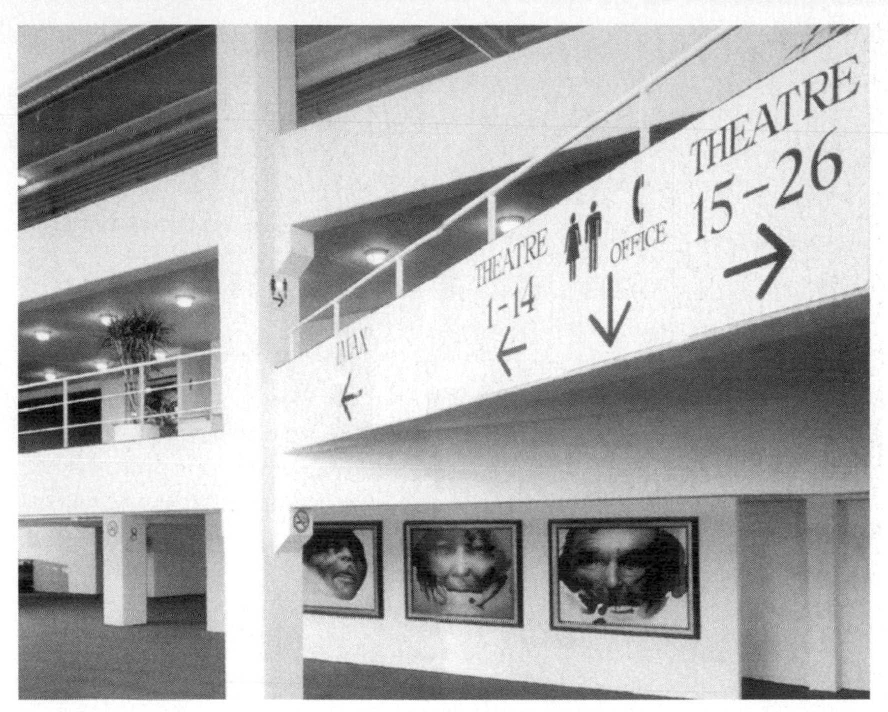

Das recht bescheiden benannte «Kinepolis», 1988 in Brüssel eröffnet, gehört zu den größten Multiplexen mit 26 Vorführräumen, die für 35 mm- und 70 mm-Filme ausgestattet sind, und zusätzlich einem IMAX-Kino. Es verfügt über insgesamt 8000 Sitzplätze und übertrifft damit sogar die Radio City Music Hall in New York, den letzten großen Kinopalast der dreißiger Jahre. Kinepolis liegt im Zentrum eines großen Unterhaltungskomplexes, der ein Schwimmbad und ein «Mini-Europa» aus maßstabsgerechten Modellen sowie Restaurants und Boutiquen umfaßt. (*Mit freundlicher Genehmigung von Kinepolis und Sonja Coudeville*)

Masken – den Film im richtigen Bildformat vorzuführen. Auch diese Aspekte der Projektion werden sehr nachlässig gehandhabt. Obwohl wissenschaftlich präzise Instrumente zur Fokussierung verfügbar sind (und zu irgendeinem Zeitpunkt mal in jeder Vorführkabine zu finden waren), zieht es der normale Vorführer vor, zu improvisieren und sich auf sein bloßes Auge zu verlassen. Es sind Generationen aufgewachsen, die noch nie einen korrekt scharfen Film gesehen haben.

Das Problem der Masken ist sogar noch akuter. Nur wenige Kinos halten eine vollständige Serie von Masken und Optiken bereit. Viele Kinos haben nur die gegenwärtige amerikanische Standard-Breitwand-Maske von 1.85 und die normale anamorphotische Optik. Kommt ein 1.66-Film oder – schlimmer noch – ein Film im Normalformat, so wird er mit der gerade vorhandenen Maske vorgeführt. Köpfe werden rücksichtslos abgeschnitten, und die vom Regisseur vorgesehene Bildkomposition kann man nur ahnen. Und schließlich der Ton: Nur wenige Kinos haben Tonanlagen, die besser sind als die mittelmäßigen Soundtracks, die sie wiedergeben sollen; viele sind bedeutend schlechter und stammen zum Teil aus den dreißiger und vierziger Jahren. In Großstädten findet man einzelne Uraufführungskinos, die für Stereo oder Quintafonie, Dolby oder sogar Magnetton und das THX-Tonsystem eingerichtet sind. Doch die große Mehrheit des Publikums hört den Soundtrack – selbst von Filmen, die mit diesen Systemen produziert sind – auf einer Tonanlage mit der Qualität eines frühen Radioapparats.

Kinozentren mit winzigen Vorführräumen (und besserer Wirtschaftlichkeit sowieso) sind seit den siebziger Jahren wie Pilze aus dem Boden geschossen. Sieht man den Mangel an Fortschritt bei der Projektion im Zusammenhang mit dem Umstand, daß die Zuschauer nun meistens die Filme in Räumen nicht größer als ihr Wohnzimmer und auf Abspielflächen, die mehr dem heimischen Fernseher als der Kinoleinwand früherer Jahre entsprechen, zu sehen bekommen, erscheint es als Wunder, daß der Spielfilm überhaupt überlebt hat.

Es ist klar, daß das Filmemachen nicht einfach darin besteht (wie es Anzeigen für Amateurfilmer seit Jahren versprechen), durch den Sucher zu schauen und einen Knopf zu drücken. Die Filmherstellung setzt einen höheren Grad technischer Kenntnisse und Erfahrungen voraus als alle anderen Künste. Zwar gibt es bestimmte Gebiete, auf denen die Filmtechnik noch hinter den Wünschen der Filmemacher herhinkt, doch ebenso bietet die Technik Methoden an, die von den Cineasten längst nicht ausgeschöpft sind. Die Technik und die Ästhetik des Films sind eng verknüpft: Wohin die eine zieht, muß die andere folgen. Deshalb ist auch ein genaues Verständnis der technischen Grenzen und Abhängigkeiten notwendig, ehe man sich der Gedankenwelt der Filmästhetik zuwendet.

DREI

FILMSPRACHE: ZEICHEN UND SYNTAX

Zeichen

Der Film ist keine Sprache in dem Sinne, wie Englisch, Französisch oder Mathematik Sprachen sind. Zuallererst einmal ist es im Film unmöglich, «ungrammatisch» zu sein. Es ist auch nicht nötig, ein Vokabular zu lernen. Kinder scheinen Fernsehbilder zum Beispiel Monate vor dem Zeitpunkt zu verstehen, an dem sie mit der gesprochenen Sprache etwas anzufangen wissen. Sogar Katzen sehen fern. Es ist offensichtlich nicht nötig, ein intellektuelles Verständnis im Hinblick auf den Film zu entwickeln, um ihn genießen zu können – zumindest nicht auf der untersten Stufe.

Aber der Film hat viel mit der Sprache gemein. Menschen, die viel Erfahrung mit Filmen haben, die visuell in höchstem Maße gebildet sind, sehen und hören mehr als Leute, die selten ins Kino gehen. Eine Einführung in die Quasisprache des Films eröffnet dem Betrachter mehr Bedeutungsmöglichkeiten. Um das Phänomen Film zu beschreiben, ist es daher nützlich, die Metapher der Sprache zu gebrauchen.

Tatsächlich ist unsere Fähigkeit, künstliche Geräusche und Bilder zu verstehen, noch nicht umfassend wissenschaftlich untersucht worden, aber wir wissen dennoch aus der Forschung, daß Kinder erst mit acht oder zehn Jahren ein Filmbild so verstehen können wie ein Erwachsener, obwohl sie Gegenstände in Bildern weit vor dem Zeitpunkt erkennen können, an dem sie fähig sind zu lesen. Darüber hinaus gibt es kulturelle Unterschiede in der Wahrnehmung von Bildern. In einem berühmten Test der zwanziger Jahre untersuchte der Anthropologe William Hudson, ob Afrikaner, die außerhalb der Städte leben und wenig Kontakt mit westlicher Kultur hatten, die Tiefe in zweidimensionalen Bildern genauso wahrnahmen wie Europäer. Er fand ganz eindeutig heraus, daß sie dies nicht tun. Die Resultate variieren – es gab einige Personen, die auf westliche Art auf den Test reagierten –, und dennoch war das Resultat bei einer großen Anzahl aus allen kulturellen und sozialen Schichten übereinstimmend.

Aus diesem und weiteren Experimenten können zwei Schlüsse gezogen werden: erstens, daß jedes menschliche Wesen ein visuelles Bild wahrnehmen und identifizieren kann; zweitens, daß selbst die einfachsten visuellen Bilder in verschiedenen Kulturen unterschiedlich interpretiert werden. Wir wissen somit also, daß Men-

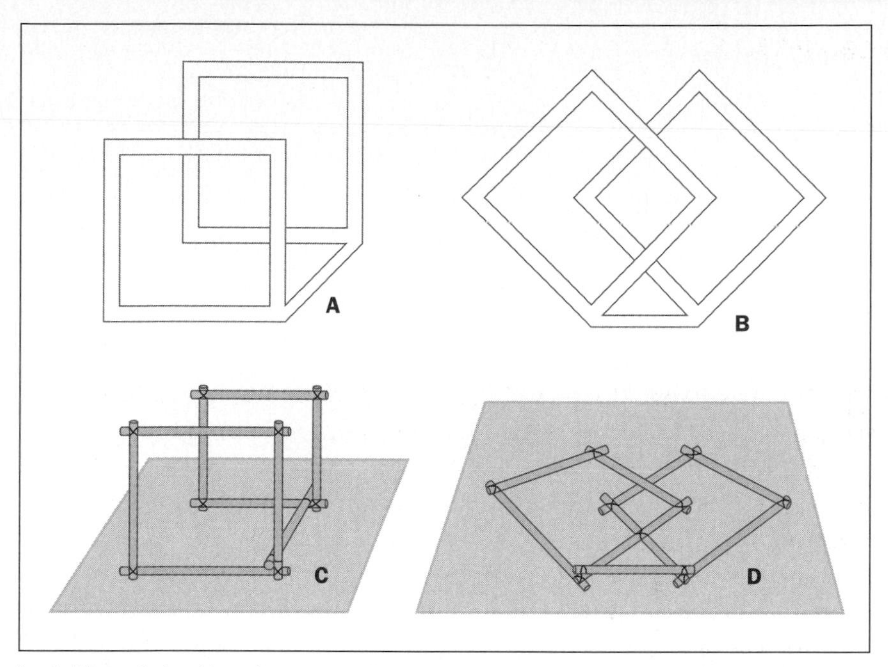

Konstruktionsaufgaben. Versuchspersonen, die gebeten werden, diese Figuren mit Hilfe von Stöcken oder Stäben dreidimensional zu rekonstruieren, reagieren auf verschiedene Weise. Menschen aus westlichen Kulturen, die an die Codes und Konventionen gewöhnt sind, die Künstler benützen, um Dreidimensionalität in eine zweidimensionale Zeichnung zu übertragen, sehen A als dreidimensional und B als zweidimensional. Der Operationscode für Dreidimensionalität verlangt, daß die Tiefendimension durch den 45°-Winkel der schiefen Linie ausgedrückt wird. Dies funktioniert ganz gut in A, aber nicht in B, wo die schiefen Linien nicht auf der Tiefenebene sind. Versuchspersonen aus alten afrikanischen Kulturen sehen beide Figuren meistens zweidimensional, da ihnen dieser westliche Dreidimensionen-Code nicht vertraut ist. Die Abbildungen C und D zeigen die Modelle von A, so wie sie von westlichen beziehungsweise afrikanischen Versuchspersonen rekonstruiert wurden. (*Aus «Pictorial Perception and Culture», Jan B. Deregowski.*)

schen diese Bilder «lesen» müssen. Wenn wir ein Bild betrachten, findet ein Prozeß intellektuellen Verstehens statt – uns nicht unbedingt bewußt –, und es folgt daraus, daß wir zu irgendeiner Zeit dieses Verständnis gelernt haben müssen.

Mit dem «trügerischen Dreizack», einer bekannten «optischen Täuschung» (Seite 154), läßt sich diese Fähigkeit ganz einfach testen. Wahrscheinlich ist die Wahrnehmung des Dreizacks für uns alle verwirrend. Für jemanden, der nicht in westlichen Konventionen von Dreidimensionalität geübt ist, wäre das nicht so.

Andere bekannte optische Täuschungen, wie der «Necker-Würfel» oder die «Ponzo-Illusion», zeigen ebenfalls, daß der Wahrnehmungs- und Verständnisprozeß das Gehirn mit einbezieht: Er stellt sowohl eine mentale als auch eine physische

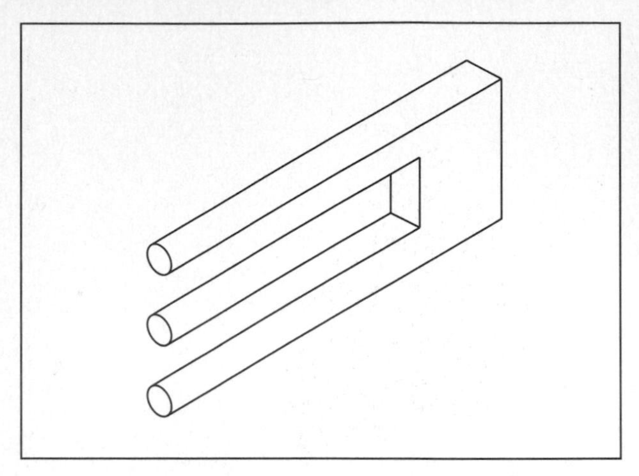

Trügerischer Dreizack. Die Illusion ist nur deshalb interessant, weil wir in westlichen Perspektiven-Codes trainiert sind. Der psychologische Effekt ist außergewöhnlich stark: Unser Geist besteht darauf, das Objekt im Raum und nicht als Zeichnung auf einer Fläche zu sehen.

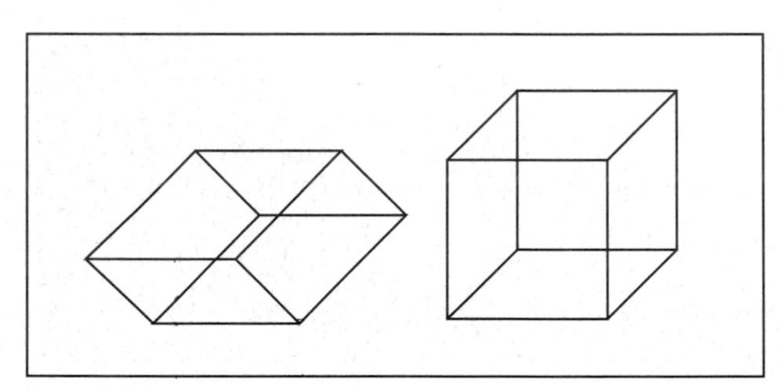

Necker-Würfel. 1832 von L. A. Necker, einem Schweizer Naturalisten, konstruierte «Kippfigur». Die Illusion hängt auch hier vom kulturellen Training ab.

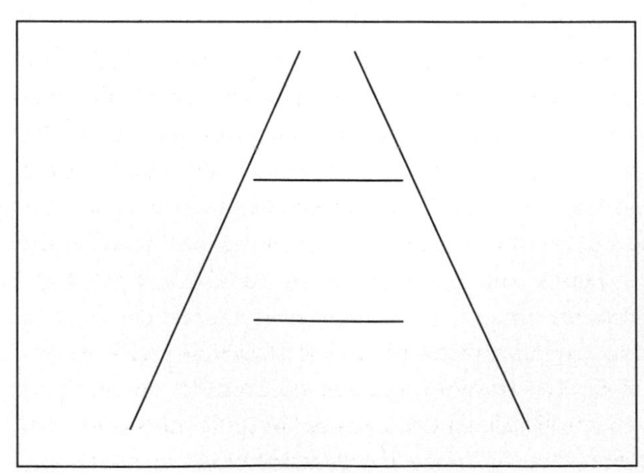

Die Ponzo-Illusion. Die waagerechten Linien sind gleich lang, doch die obere Linie scheint länger als die untere zu sein. Die Diagonalen deuten Perspektiven an, so daß wir die Abbildung dreidimensional sehen und daraus schließen: weil die «obere» Linie «hinter» der «unteren» Linie, also weiter entfernt sein müsse, müsse sie auch länger sein.

«Meine Frau und meine Schwiegermutter», von dem Karikaturisten W. E. Hill, erschien 1915 im *Puck*. Es ist seitdem ein berühmtes Beispiel für das unter dem Namen Vexierbild bekannte Phänomen. Das Kinn der jungen Frau ist die Nase der alten Frau. Das Kinn der alten Frau ist das Dekolleté der jungen.

Erfahrung dar. Ob wir den Necker-Würfel von oben oder von unten «sehen» oder ob wir die Zeichnung von W. E. Hill (oben) als junges Mädchen oder als alte Frau sehen, hängt nicht von der Funktion unserer Augen ab, sondern von dem, was das Gehirn mit der erhaltenen Nachricht macht. Das Wort «Bild» (englisch «image») hat in der Tat zwei miteinander verbundene Bedeutungen: Ein Bild ist ein optisches Muster; es ist aber ebenso eine geistige Erfahrung. Deshalb auch gebrauchen die Engländer wahrscheinlich das Wort «imagine» (vorstellen), um die geistige Schöpfung von Bildern zu beschreiben.

Unsere Fähigkeit, Bilder wahrzunehmen – ob unbewegt oder bewegt –, beruht also in hohem Maße auf einem Lernprozeß. Interessanterweise trifft dies nicht auf Ton-Phänomene zu, und zwar in signifikantem Ausmaß. Wenn die entsprechenden Geräte genügend hoch entwickelt sind, können wir aufgezeichnete Geräusche produzieren, die technisch nicht von ihren Originalen zu unterscheiden sind. Dieser Unterschied zwischen den beiden Wahrnehmungssystemen – dem visuellen und dem auditiven – bedeutet, daß es ausreicht, ein aufgezeichnetes Geräusch wahrzunehmen, um die Realität wahrzunehmen – wie sehr wir unser Gehör auch üben. Andererseits gibt es einen kleinen, aber entscheidenden Unterschied zwischen der Übung, die unsere Augen benötigen, um aufgezeichnete Bilder wahrzunehmen (und unser Gehirn, diese zu verstehen), und der Übung, die wir benötigen, um die Realität zu verstehen, die uns umgibt. Es wäre sinnlos, die Phonographie als eine Sprache zu betrachten, aber es ist nützlich, von der Fotografie (und der Kinematografie) als einer Sprache zu sprechen, da hier ein Lernprozeß mit eingeschlossen ist.

Die Physiologie der Wahrnehmung

Eine andere Art, den Unterschied zwischen Sehen und Hören zu beschreiben, ist in Begriffen der Funktion der Sinnesorgane möglich; Ohren hören alles, was ihnen zu hören zugänglich ist; Augen wählen aus, was sie sehen. Das gilt nicht nur für das bewußte Sehen (auszuwählen, die Aufmerksamkeit von Punkt A auf Punkt B zu lenken oder das Sehen durch Augenschließen ganz zu verweigern), sondern auch für das unbewußte. Da die aufnehmenden Organe, die für visuelle Schärfe zuständig sind, nur in der Fovea der Retina konzentriert (und richtig angeordnet) sind, müssen wir direkt auf einen Gegenstand starren, um ihn klar zu sehen.Sie können sich dies vor Augen führen, indem Sie den Punkt in der Mitte dieser Seite fixieren. Nur die direkte ● Umgebung wird klar erscheinen. Das Resultat dieser Fovea-Sicht ist, daß die Augen sich ständig bewegen müssen, um einen Gegenstand, welcher Größe auch immer, wahrzunehmen. Diese halb unbewußten Bewegungen werden «Sakkaden» genannt und dauern jeweils ungefähr $^1/_{20}$ Sekunde, gerade die Zeit der Wahrnehmungsdauer – das Phänomen, das Film möglich macht.

Aus der Tatsache der Fovea-Sicht läßt sich der Schluß ziehen, daß wir ein Bild tatsächlich physisch wie auch mental und psychisch lesen, genau wie wir eine Seite lesen. Der Unterschied ist, daß wir wissen, wie man eine Seite liest – in Deutsch von links nach rechts und von oben nach unten –, aber uns ist selten präzise bewußt, wie wir ein Bild lesen.

Eine komplette Reihe physiologischer, ethnografischer und psychologischer Experimente könnte zeigen, daß verschiedene Personen Bilder mehr oder weniger gut auf drei verschiedene Arten lesen:

- physiologisch: Die besten Leser würden die effektivsten und ausgedehntesten «Sakkaden»-Muster haben.

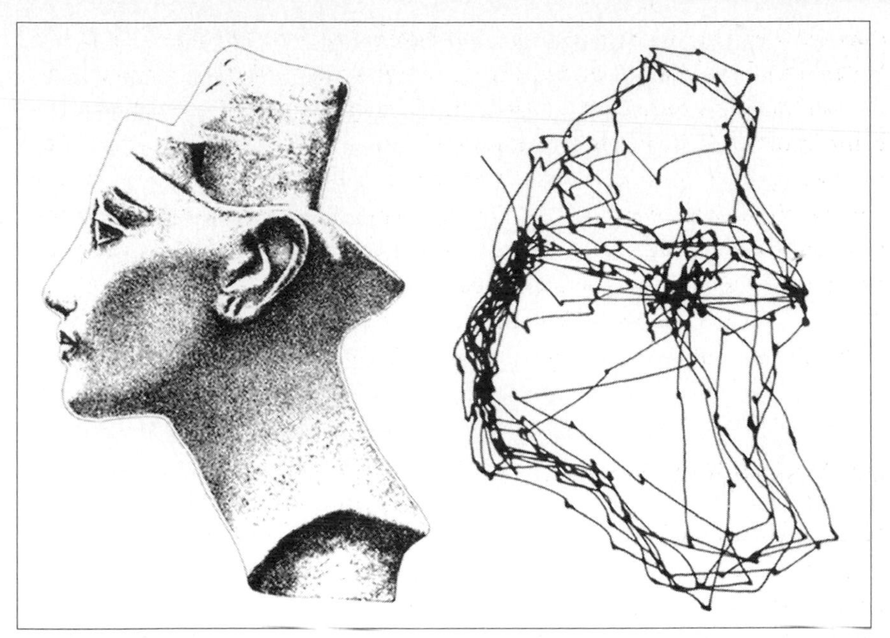

Sakkaden-Muster. Links eine Zeichnung der Büste der Königin Nofretete; rechts ein Diagramm der Augenbewegungen einer Versuchsperson beim Betrachten der Büste: Das Auge folgt eher einem geordneten Muster als wahllos das Bild zu überfliegen. Die Versuchsperson konzentriert sich eindeutig auf das Gesicht und zeigt wenig Interesse für den Hals. Das Ohr scheint die Aufmerksamkeit ebenfalls in besonderem Maße auf sich zu ziehen, wahrscheinlich nicht, weil es an sich interessant ist, sondern weil es in diesem Profil eine wichtige Stelle einnimmt. Die sakkadischen Muster sind nicht gleichmäßig fortlaufend; die Aufzeichnung zeigt deutlich, daß das Auge schnell von einem Punkt zum anderen springt (die «Zacken» in der fortlaufenden Linie), sich dabei auf bestimmte Knotenpunkte fixiert und nicht eine allgemeine Information aufnimmt. Die Aufzeichnung wurde von Alfred L. Yarbus (Institut für Fragen der Informations-Übertragung, Moskau) vorgenommen. (*Aus «Eye Movements and Visual Perception», David Noton und Lawrence Stark, Juni 1971. Copyright © 1971 by Scientific American, Inc. All rights reserved*)

- ethnografisch: Die gebildetsten Leser würden die größte Erfahrung und die umfassendste Kenntnis eines breiten Spektrums visueller Kultur-Konventionen zu Rate ziehen.
- psychologisch: Die Leser, die den Stoff am besten für sich auszuwerten wüßten, wären die, welche die verschiedenen wahrgenommenen Bedeutungen am leichtesten assimilieren und dann diese Erfahrung integrieren könnten.

Wir wissen sehr wohl – und das ist hier die Ironie –, daß wir lernen müssen zu lesen, bevor wir versuchen können, Literatur zu genießen oder zu verstehen; aber wir neigen dazu zu glauben, daß jeder einen Film lesen kann. Es ist wahr, jeder kann einen Film sehen. Aber einige Leute haben es gelernt, visuelle Bilder zu verstehen – physiologisch, ethnografisch und psychologisch –, und dies weitaus besser als andere. Die Tatsache beweist die Gültigkeit des Wahrnehmungsdreiecks, das in Teil 1 dargestellt wurde und welches Autor, Werk und Betrachter verbindet. Der Betrachter konsumiert nicht nur, sondern er nimmt aktiv – oder potentiell aktiv – am Prozeß teil.

Film ist keine Sprache, aber er ist wie eine Sprache, und da er wie eine Sprache ist, können einige der Methoden, die wir zum Studium von Sprache benützen, auch mit Erfolg beim Studium eines Films Anwendung finden.

Da Film jedoch keine Sprache ist, können aufs Linguistische eingeengte Konzepte in die Irre führen. Seit den Anfängen der Filmgeschichte haben Theoretiker den Film vorzugsweise mit der verbalen Sprache verglichen (teilweise um die ernsthafte Beschäftigung mit dem Film zu rechtfertigen), aber das wirkliche Studium des Films als Sprache konnte erst vorankommen, als sich in den frühen sechziger Jahren eine neue, umfassendere Kategorie des Denkens entwickelte, die geschriebene und gesprochene Sprache nur als zwei von vielen Kommunikationssystemen ansah. Diese umfassende Kategorie ist als Semiotik bekannt, die Lehre von den Zeichensystemen.

Semiotiker rechtfertigten das Studium des Films als Sprache dadurch, daß sie das Konzept der geschriebenen und gesprochenen Sprache neu definierten. Jedes Kommunikationssystem ist eine «Sprache». Deutsch, Englisch oder Chinesisch sind «Sprachsysteme». Der Film kann daher in gewisser Weise eine Sprache sein, aber er ist ganz sicher kein Sprachsystem. Der bekannte Filmsemiotiker Christian Metz stellt das so dar: Wir verstehen einen Film nicht, weil wir sein System kennen, sondern wir kommen zu einem Verständnis seines Systems, weil wir den Film verstehen. Anders gesagt: «Nicht weil das Kino eine Sprache ist, kann es uns so schöne Geschichten erzählen, sondern weil es sie uns erzählt hat, ist es zu einer Sprache geworden.» (Metz: *Semiologie des Films,* S. 73)

Für Semiotiker muß ein Zeichen aus zwei Teilen bestehen: dem Signifikant (Bezeichnendes) und dem Signifikat (Bezeichnetes). Das Wort «Wort» zum Beispiel – die Ansammlung von Buchstaben oder Lauten – ist ein Signifikant; das, was es darstellt, ist wiederum etwas anderes – das Signifikat. In der Literatur ist die Beziehung von Signifikant und Signifikat ein Hauptbeweis für die Beherrschung der Kunst. Der Dichter baut Konstruktionen auf, die auf der einen Seite aus Lauten (Signifikanten) und andererseits aus Bedeutungen (Signifikaten) bestehen, und die Beziehung der beiden kann faszinierend sein. Tatsächlich erklärt sich ein großer Teil dessen, was Dichtkunst so anziehend macht, aus dieser Tatsache: dem Tanz zwischen Klang und Bedeutung.

Aber im Film sind Signifikant und Signifikat fast identisch: Das Zeichen im Film ist ein Kurzschluß-Zeichen. Das Bild eines Buches ist viel näher am Buch als das

Logos. Das Konzept der Logotype begleitet uns bereits seit dem Mittelalter, als Gildenhandwerker ihre Erzeugnisse mit einem Urheberzeichen versahen. Im zwanzigsten Jahrhundert wurde das Logo das entscheidende Kennzeichen der «corporate identity» einer Firma. Die frühen Jahre des Firmen-Bewußtseins nutzten oftmals Schriftzüge, wie zum Beispiel Ford oder – in scheinbar persönlicherem Duktus – Coca-Cola. (Sogar die Verwendung der Schleife ist geschützt.) International Business Machines – unter dieser Bezeichnung war die Firma IBM einst bekannt – brachten den Trend zu Abkürzungen in Gang. Esso (eine hübsche Ableitung aus S. O. – Standard Oil) entschied in den sechziger Jahren, daß das Kunstwort nicht modern genug war; die Firma wurde als Exxon wiedergeboren, und zwar im Sinne der Theorie, daß Ixe irgendwie besser dem Zeitgeist entsprechen (in Europa ließ man es allerdings bei Esso). Interessanterweise entwickelten nur zwei der großen Filmstudios Multimedia-Logos: MGM und Fox. Obwohl zahlreiche Produzenten der dreißiger und vierziger Jahre ihre Namensschriftzüge benutzten, entwickelte nur Alfred Hitchcock ein einprägsames Logo.

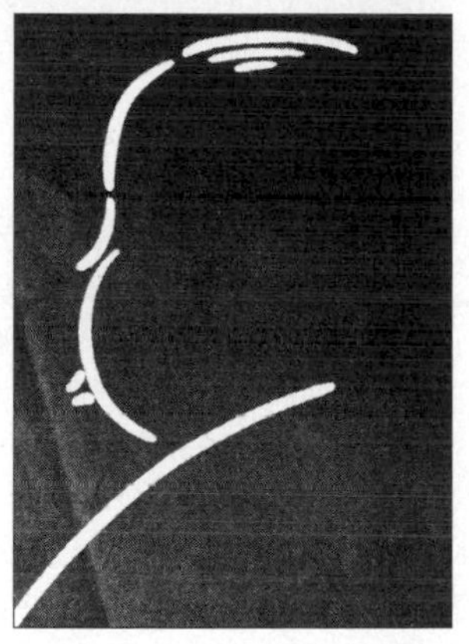

Wort «Buch». Es ist wahr, daß wir im Baby-Alter oder in der frühen Kindheit lernen müssen, daß das Bild eines Buches als Buch interpretiert werden muß, aber das ist sehr viel leichter, als die Buchstaben oder Laute des Wortes «Buch» als das zu interpretieren, was es bezeichnet. Ein Bild hat eine direkte Beziehung zu dem, was es bezeichnet, ein Wort hat das nur selten.*

* In Piktogrammen fixierte Sprachen wie Chinesisch oder Japanisch könnten als Zeichensysteme irgendwo zwischen Film und westlichen Sprachen angesiedelt werden, aber nur, wenn sie geschrieben und nicht gesprochen werden, und auch dann nur in begrenzten Fällen. Andererseits gibt es Wörter – wie zum Beispiel «knacken» –, die lautmalerisch sind und deshalb eine direkte Beziehung zu dem haben, was sie bezeichnen. Aber das gilt nur für die gesprochene Sprache.

Es ist dieses Kurzschluß-Zeichen, das es so schwierig macht, die Filmsprache zu untersuchen. So wie Metz es in einem bemerkenswerten Satz sagt: «Ein Film ist schwer zu erklären, weil er leicht zu verstehen ist.» Das unterscheidet das «etwas mit Film tun» auch so sehr vom «etwas mit Deutsch tun» (sowohl geschriebenem als auch gesprochenem). Wir können die Zeichen des Films nicht auf die Weise verändern, wie wir Wörter in Sprachsystemen verändern können. Das Bild einer Rose im Kino ist das Bild einer Rose ist das Bild einer Rose ist das Bild einer Rose – nicht mehr und nicht weniger. In Deutsch kann eine Rose einfach eine Rose sein, aber sie kann auch verändert oder verwechselt werden mit ähnlichen Wörtern: Rose, rosig, rosiger, Rosse, Russe, Hose und so weiter.

Die Stärke der Sprachsysteme liegt darin, daß es einen großen Unterschied zwischen dem Signifikant und dem Signifikat gibt; die Stärke des Films ist es, daß es diesen Unterschied nicht gibt.

Dennoch ist Film *wie* eine Sprache. Wie macht er dann das, was er macht? Ganz offensichtlich ist die Vorstellung einer Person von einer bestimmten Sache nicht die gleiche wie die einer anderen Person. Wenn wir bereits das Wort «Rose» lesen, denken Sie vielleicht an eine Friedensrose, die Sie im letzten Sommer pflückten, während ich an die Rose denke, die Laura Westphal mir im Dezember 1968 gab. Im Kino sehen wir jedoch beide die gleiche Rose, wohingegen der Filmemacher aus einer unbegrenzten Anzahl von Rosen eine auswählen kann und diese ausgewählte Rose dann auf unbegrenzt viele verschiedene Arten fotografieren kann. Die Auswahl des Künstlers im Film hat keine Grenzen; die Auswahlmöglichkeit des Künstlers in der Literatur ist eingeschränkt, während für den Rezipienten das Gegenteil gilt: Das Großartige an der Literatur ist, daß man sich Vorstellungsbilder machen kann; das Großartige am Film ist, daß man es nicht kann.

In diesem Kontext suggeriert der Film nichts: Er macht Feststellungen. Und darin liegt seine Stärke und die Gefahr, die er für den Betrachter darstellt – der Grund, warum es so nützlich, ja eminent wichtig ist, Bilder richtig lesen zu lernen, so daß der Betrachter ein wenig von der Stärke des Mediums erfassen kann. Je besser man ein Bild liest, desto besser versteht man es und um so mehr Macht hat man darüber. Der Leser einer Buchseite erfindet das Bild, der Leser eines Films tut das nicht, und dennoch müssen beide Leser daran arbeiten, die Zeichen, die sie wahrnehmen, zu interpretieren, um den Prozeß des intellektuellen Verstehens zu vervollständigen. Je mehr sie arbeiten, desto ausgewogener ist die Beziehung von Betrachter und Schöpfer in dem Prozeß, je ausgewogener die Beziehung, desto vitaler und mitreißender ist das Kunstwerk.

Die frühesten theoretischen Filmtexte – sogar viele aus der jüngsten Zeit – verfolgen mit kurzsichtiger Besessenheit den groben Vergleich von Film und geschriebener / gesprochener Sprache. Die Standard-Theorie schlug vor, die Einstellung als das Wort des Films zu betrachten, die Szene als seinen Satz und die Sequenz als seinen Abschnitt. Dieser Vergleich trifft insoweit zu, als diese Unterteilung auf zunehmende Komplexität hin angeordnet ist, aber einer Analyse hält der Vergleich nicht stand.

Nehmen wir für einen Moment an, daß ein Wort die kleinste zutreffende Bedeutungseinheit ist – entspricht die Einstellung ihm? Nicht im geringsten. Zunächst einmal braucht eine Einstellung Zeit. Innerhalb dieser Zeitspanne gibt es eine ständig wechselnde Zahl von Bildern. Macht dann das einzelne Bild auf der Leinwand die unterste Bedeutungseinheit im Film aus? Die Antwort heißt immer noch nein, weil jedes Leinwandbild eine potentiell unbegrenzte Menge visueller Information einschließt, ebenso der das Bild begleitende Ton. Auch wenn wir sagen könnten, daß eine Filmeinstellung so etwas wie ein Satz ist, da sie eine Feststellung trifft und in sich selbst geschlossen ist, kommt es doch vor allem darauf an, daß der Film nicht in so leicht handhabbare Einheiten zerfällt. Auch wenn wir die «Einstellung» technisch ganz gut als ein einzelnes Stück Film definieren können – was geschieht, wenn die einzelne Einstellung in sich gegliedert ist? Die Kamera ist beweglich, die Szene kann sich während eines Schwenks oder einer Fahrt völlig verändern. Sollten wir dann von einer Einstellung reden oder von zweien?

Das gleiche gilt für die Szene. Im klassischen französischen Theater waren Anfang und Ende einer Szene streng durch Auftritt und Abgang einer Person definiert. Im Film sind die Szenen viel verschwommener (wie auch im modernen Theater). Der Begriff «Szene» ist ohne Zweifel nützlich, aber nicht präzise. Sequenzen sind sicherlich länger als Szenen, aber die «Plansequenz», in der eine einzelne Einstellung identisch ist mit einer Sequenz, ist ein wichtiges Konzept, und ihre Untereinheiten ihrerseits sind nicht davon abgetrennt.

Es scheint, daß eine richtige Wissenschaft vom Film davon abhängt, kleinste Konstruktionselemente definieren zu können – wie in der Physik. Technisch können wir dies zumindest für das Bild tun: Es ist das Einzelbild. Aber dies ist sicherlich nicht die kleinste Bedeutungseinheit. Tatsache ist, daß der Film, anders als die geschriebene oder gesprochene Sprache, nicht aus Einheiten als solchen zusammengesetzt ist, sondern daß er eher ein Bedeutungskontinuum ist. Eine Einstellung enthält so viel Information, wie wir darin lesen wollen, und welche Einheiten auch immer wir innerhalb der Einstellung definieren, sie sind willkürlich festgesetzt.

Daher stellt sich uns der Film als eine Sprache (oder etwas Ähnliches) dar, die:

- aus Kurzschluß-Zeichen besteht, in denen der Signifikant fast dem Signifikat entspricht, und die
- von einem kontinuierlichen System abhängt, in dem wir keine Grundeinheit erkennen können, und die wir daher nicht quantitativ beschreiben können.

Das Resultat ist, wie Christian Metz sagt: «Als einfache Kunst ist der Film ständig in Gefahr, seinem Einfach-Sein zum Opfer zu fallen.» Der Film ist zu leicht verständlich, was es schwer macht, ihn zu analysieren. «Ein Film ist schwer zu erklären, da er leicht zu verstehen ist.»

Denotative und konnotative Bedeutung

Filme sind dennoch in der Lage, Bedeutung weiterzugeben. Sie tun dies hauptsächlich auf zwei Arten: durch Denotation und Konnotation.

So wie die gesprochene Sprache, allerdings in höherem Ausmaß, hat das Filmbild (oder der Filmton) eine denotative Bedeutung: Es ist, was es ist, und wir müssen uns nicht bemühen, sie zu erkennen. Dies mag als allzu simple Feststellung erscheinen, aber das Faktum sollte nie unterschätzt werden: Hier liegt die große Stärke des Films. Es gibt einen substantiellen Unterschied zwischen einer Beschreibung einer Person oder eines Ereignisses in Worten (oder sogar durch Fotografie) und einer Film-Aufzeichnung. Da der Film uns eine so große Annäherung an die Realität vermitteln kann, ist er in der Lage, ein präziseres Wissen weiterzugeben, als die geschriebene oder gesprochene Sprache im allgemeinen kann. «Film ist das, was man nicht imaginieren kann.» Sprachsysteme mögen sich viel besser für eine Auseinandersetzung mit der nichtkonkreten Welt der Ideen und Abstraktionen eignen (Stellen Sie sich zum Beispiel dieses Buch im Film vor: Ohne einen vollständigen Kommentar wäre es unverständlich), aber sie sind nicht annähernd in der Lage, genaue Informationen über physische Realitäten weiterzugeben.

Geschriebene/gesprochene Sprache muß auf Grund ihrer Natur analysiert werden. Das Wort «Rose» zu schreiben bedeutet, die Idee einer Rose zu verallgemeinern und zu abstrahieren. Die wirkliche Stärke der Sprache mit Worten liegt nicht in ihrer denotativen Fähigkeit, sondern in diesem konnotativen Aspekt von Sprache: Die Fülle an Bedeutung, die wir einem Wort zuschreiben können und die seine Bedeutung überschreitet. Wenn die Denotation zum Beispiel das einzige Maß für die Stärke einer Sprache wäre, dann wäre Englisch – das ein Vokabular von ungefähr einer Million Wörtern hat und die umfangreichste Sprache in der Geschichte ist – dreimal so wirksam wie Französisch, das nur an die 300 000 Wörter hat. Aber Französisch gleicht sein begrenztes Vokabular durch einen bemerkenswert höheren Gebrauch von Konnotationen aus. Der Film hat ebenfalls konnotative Fähigkeiten.

Wenn man bedenkt, wie stark die denotative Qualität von Filmton und Filmbildern ist, ist es erstaunlich festzustellen, daß diese konnotativen Fähigkeiten durchaus einen Teil der Filmsprache ausmachen. Tatsächlich stammen viele von ihnen von der denotativen Qualität des Films ab. Wie wir im Teil 1 festgestellt haben, kann der Film, um verschiedene Effekte zu erzielen, sich all der anderen Künste bedienen, und dies ist nur deshalb möglich, weil er diese Künste aufzeichnen kann. So können alle konnotativen Faktoren der gesprochenen Sprache auf einer Film-Tonspur untergebracht werden, während die Konnotationen der geschriebenen Sprache in Titel eingeschlossen werden können (ganz zu schweigen von den konnotativen Faktoren des Tanzes, der Musik, der Malerei und so weiter). Da der Film ein Kulturprodukt ist, hat er eine Resonanzfülle, die weit über das hinausgeht, was die Semiotiker seine «Diegesis» nennen (die Summe seiner Denotationen). Das Bild einer Rose ist nicht nur einfach dieses Bild, wenn es zum Beispiel in einem Film über Richard III. erscheint, denn uns ist die Konnotation der weißen Rose und der roten Rose als Symbole der Häuser York und Lancaster bewußt. Dies sind kulturell bedingte Konnotationen.

Zusätzlich zu diesen Einflüssen aus der Allgemeinkultur hat der Film seine eigenen konnotativen Fähigkeiten. Wir wissen (selbst wenn wir uns nicht oft bewußt daran erinnern), daß ein Filmemacher bestimmte Entscheidungen getroffen hat: Die Rose ist aus einem bestimmten Winkel gefilmt, die Kamera bewegt sich oder bewegt sich nicht, die Farbe ist leuchtend oder stumpf, die Rose frisch oder welk, die Dornen sichtbar oder versteckt, der Hintergrund klar (so daß die Rose im Zusammenhang gesehen wird) oder verwischt (so daß sie isoliert erscheint), die Aufnahmedauer ist lang oder kurz und so weiter. Dies sind spezielle Hilfen für die filmische Konnotation, und wenn wir auch ihren Effekt in der Literatur annähernd nachempfinden können, ist es nicht möglich, damit die Präzision oder die Wirksamkeit des Films zu erreichen. Ein Bild ist bisweilen tausend Worte wert.

Wenn unser Erfassen der Konnotation einer bestimmten Einstellung davon abhängt, daß sie aus einer Anzahl anderer möglicher Aufnahmen ausgewählt worden ist, dann können wir in der Sprache der Semiotik sagen, daß dies eine paradigmatische Konnotation ist. Das heißt, der konnotative Sinn, den wir erfassen, resultiert daraus, daß die Aufnahme – nicht unbedingt bewußt – verglichen wird, und zwar mit den nicht realisierten, aber austauschbaren Aufnahmen im Paradigma oder Allgemein-Modell dieser Art von Aufnahme. Eine von unten aufgenommene Rose vermittelt zum Beispiel, daß die Blume aus irgendeinem Grund beherrschend, überwältigend ist, da wir sie bewußt oder unbewußt mit zum Beispiel einer von oben aufgenommenen Rose vergleichen würden, deren Bedeutung vermindert würde.

Umgekehrt sprechen wir von einer syntagmatischen Konnotation, wenn die Bedeutung der Rose nicht von der Aufnahme im Vergleich mit anderen möglichen Aufnahmen abhängt, sondern eher von dem Vergleich mit tatsächlichen Aufnahmen, die ihr vorausgehen oder folgen; das heißt, sie bekommt ihre Bedeutung dadurch, daß sie mit anderen Aufnahmen, die wir wirklich sehen, verglichen wird.

Diese zwei verschiedenen Arten von Konnotation haben ihre Entsprechungen in der Literatur. Ein Wort allein auf einer Seite hat keine besondere Konnotation, nur eine Denotation. Wir wissen, was es bedeutet, wir kennen möglicherweise auch seine Konnotationen, aber wir können die spezielle Konnotation, die der Schreiber des Wortes meinte, erst ergänzen, wenn wir das Wort im Kontext sehen. Dann wissen wir, welch speziellen konnotativen Wert es hat, weil wir seine Bedeutung durch bewußten oder unbewußten Vergleich erforschen, mit a) all den Wörtern, die in diesen Kontext passen könnten und nicht ausgewählt worden sind, und b) den Wörtern, die ihm vorausgehen oder ihm folgen (siehe Seite 435).

Diese zwei Bedeutungsachsen – die paradigmatische und die syntagmatische – sind wertvolle Hilfsmittel zum Verständnis dessen, was Film bedeutet. Tatsächlich hängt der Film als Kunst völlig von diesen zwei Auswahlmöglichkeiten ab. Nachdem ein Filmemacher sich entschieden hat, was er filmen will, sind die zwei zwingenden Fragen, wie er dies filmen soll (welche Wahlen er trifft: die paradigmatische) und wie er diese Aufnahmen präsentieren soll (wie er sie montiert: die syntagmatische). Im Gegensatz dazu ist in der Literatur die erste Frage (wie man etwas sagt) vorherrschend, während die zweite (wie präsentiert man, was gesagt wird) ganz sekundär bleibt. Die Semiotik hat sich bisher auf den syntagmatischen Aspekt des Films konzentriert, und das aus einem einfachen Grund: Hier unterscheidet sich der Film am eindeutigsten von anderen Künsten, so daß die syntagmatische Kategorie (Schnitt, Montage) in gewissem Sinn die «filmischste» ist.

Der Film bezieht einen großen Teil seiner konnotativen Stärke aus den anderen Künsten, aber er entwickelt auch seine eigene – sowohl paradigmatisch als auch syntagmatisch. Doch es gibt auch noch eine andere Quelle konnotativer Bedeutung. Der Film ist nicht völlig ein Medium wechselseitiger Kommunikation. Selten führt jemand einen Dialog, indem er Film als Medium benutzt. Während gesprochene und geschriebene Sprache für wechselseitige Kommunikation benützt werden, stellt der Film, wie die nichtsymbolischen Künste im allgemeinen (auch die Sprache, wenn sie zu rein künstlerischen Zwecken benutzt wird), eine Einbahn-Kommunikation dar. Daher ist selbst der zweckgebundene Film in gewisser Weise künstlerisch. Der Film spricht in Neologismen. Metz schrieb: «Wenn eine ‹Sprache› nicht bereits existiert, muß man fast ein Künstler sein, um sie zu sprechen, wie schlecht auch immer. Denn sie zu sprechen bedeutet, sie teilweise zu erfinden, während die Alltagssprache zu sprechen nur bedeutet, sie zu benutzen.» So haften selbst den einfachsten Feststellungen im Film Konnotationen an.

Es gibt einen alten Witz, der das klarmacht: Zwei Philosophen treffen sich; der eine sagt: «Guten Morgen!»; der andere lächelt erfreut, dann geht er stirnrunzelnd weiter und denkt bei sich: «Was hat er damit wohl gemeint?» Die Frage ist ein Witz, wenn die gesprochene Sprache der Gegenstand der Untersuchung ist; im Film ist es jedoch vollkommen legitim, jede Feststellung zu hinterfragen.

Gibt es noch eine Möglichkeit, die verschiedenen Arten von Denotation und Konnotation im Film zu unterscheiden? In Anlehnung an eine «Trichotomie» des Philosophen C. S. Peirce schlägt Peter Wollen in seinem höchst bedeutsamen Buch *Signs and Meaning in the Cinema* (1969) drei Arten filmischer Zeichen vor:

- Das Icon: Ein Zeichen, in dem der Signifikant das Signifikat hauptsächlich durch seine Ähnlichkeit mit ihm darstellt.
- Der Index: Er mißt eine Qualität nicht, weil er mit ihr identisch ist, sondern weil er eine inhärente Beziehung zu ihr hat.
- Das Symbol: Ein willkürliches Zeichen, in dem der Signifikant weder eine direkte noch eine hinweisende Beziehung zum Signifikat hat, sondern dieses nur auf Grund von Konvention darstellt.

Obwohl Wollen sie nicht in die denotativ/konnotativen Kategorien einordnete, können Icons, Indizes und Symbole als hauptsächlich denotativ angesehen werden. Porträts sind natürlich Icons, aber das sind Diagramme im Peirce/Wollen-System auch. Indizes sind schwieriger zu definieren. Peirce zitierend, schlägt Wollen zwei Arten von Indizes vor, einen technischen – medizinische Symptome sind Indizes für Gesundheit, Uhren und Sonnenuhren sind Indizes der Zeit – und einen metaphorischen: Ein schaukelnder Gang soll anzeigen, daß ein Mann ein Matrose ist. (Dies ist die Stelle, an der die Peirce/Wollen-Kategorien ins Konnotative übergehen.) Symbole, die dritte Kategorie, sind leichter zu definieren. So wie Peirce und Wollen es benutzen, hat das Wort eine ziemlich umfassende Definition: Wörter sind Symbole (denn der Signifikant vertritt das Signifikat mehr auf Grund von Konvention als aufgrund seiner Ähnlichkeit mit dem Signifikat).

Diese drei Kategorien schließen sich nicht gegenseitig aus. Vor allem in Fotografien ist der Icon-Faktor fast immer besonders stark. Wie wir bemerkt haben, ist ein Ding es selbst, sogar wenn es außerdem ein Index oder ein Symbol ist. Die allgemeine semiotische Theorie, besonders wie sie bei Christian Metz dargestellt wird, erfaßt die erste und letzte Kategorie – Icon und Symbol – bereits ganz gut. Das Icon ist das für den Film so typische Kurzschluß-Zeichen; das Symbol ist das willkürliche oder konventionelle Zeichen, das die Basis der gesprochenen und geschriebenen Sprache ist. Es ist die zweite Kategorie – der Index –, der in Peirce' und Wollens System am interessantesten ist: Der Index scheint eine dritte Möglichkeit zu sein, auf halbem Wege zwischen dem filmischen Icon und dem literarischen Symbol, durch die der Film Bedeutungen weitergeben kann. Er ist kein willkürliches Zeichen, noch ist er identisch mit dem Bezeichneten. Er läßt an einen dritten Typ von Denotation denken, einen, der direkt auf Konnotation zielt und in der Tat ohne die Dimension der Konnotation unverständlich sein könnte.

Der Index scheint einer der brauchbaren Wege für den Film zu sein, sich direkt

Icon. Liv Ullmann in Ingmar Bergmans *Ansikte mot Ansikte* (1975). Dieses Bild ist, was es ist.

mit Ideen zu befassen, da er uns konkrete Darstellungen oder Maßeinheiten dieser Ideen gibt. Wie können wir filmisch zum Beispiel die Idee von Hitze vermitteln? In geschriebener Sprache ist das sehr leicht, aber im Film? Das Bild eines Thermometers drängt sich schnell auf. Natürlich ist das ein Index der Temperatur. Aber es gibt auch subtilere Indizes: Schweiß ist ein Index sowie flimmernde, atmosphärische Schlieren und heiße Farben. Es ist eine Binsenwahrheit in der Film-Ästhetik, daß Metaphern im Film schwieriger sind. Liebe mit Rosen zu vergleichen funktioniert in der Literatur ganz gut, aber das filmische Äquivalent ist problematisch: Die Rose, das zweite Element der Metapher, ist im Kino zu real, zu sehr präsent. Daher sind filmische Metaphern, die auf literarischen Modellen basieren, meistens zu platt, statisch und aufdringlich. Der Index könnte einen Weg aus diesem Dilemma zeigen. Hier entdeckt der Film die ihm eigene, einzigartige, metaphorische Stärke, die er der Flexibilität des Bildes verdankt: seine Fähigkeit, viele Dinge gleichzeitig zu sagen.

Der Begriff Index führt uns auch zu einigen interessanten Überlegungen zum Thema Konnotation. Es müßte aus der obigen Diskussion klar sein, daß die Grenze zwischen Denotation und Konnotation nicht klar definiert ist: Es handelt sich da-

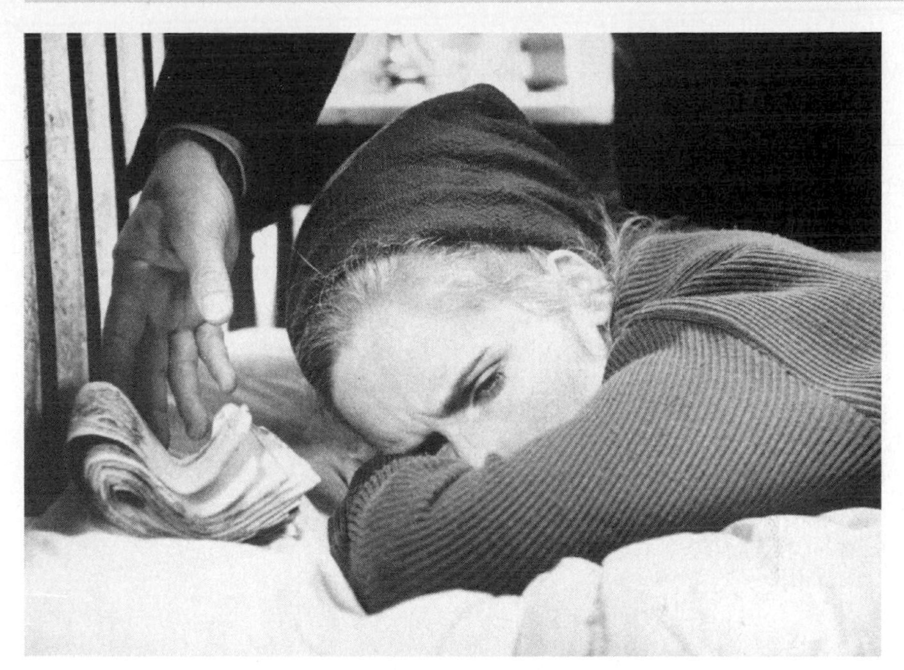

Index. Liv Ullmann in Bergmans *Skammen* (1968). Das Geldangebot – das Bündel Scheine auf dem Kopfkissen – ist ein Index für Prostitution und somit für Evas Scham.

bei um ein Kontinuum. Im Film, wie auch in geschriebener und gesprochener Sprache, werden Konnotationen, wenn sie stark genug werden, manchmal als Denotationen akzeptiert. Es scheint, als ob ein großer Teil der konnotativen Stärke des Films von Index-Kunstgriffen abhinge, das heißt von Zeichen, die nicht willkürlich sind, aber ebensowenig identisch mit dem Bezeichneten.

Zwei literaturwissenschaftliche Begriffe, die eng miteinander verbunden sind, bieten sich an, um die wichtigste Vorgehensweise zu beschreiben, in der der Film konnotative Bedeutung vermittelt: Metonymie und Synekdoche. Eine Metonymie ist eine rhetorische Figur, in der ein assoziiertes Detail oder eine assoziierte Vorstellung benutzt wird, um eine Idee zu evozieren oder einen Gegenstand darzustellen. Etymologisch bedeutet das Wort «Ersatz-Bedeutung» (aus dem Griechischen *meta*, das Wandlung enthält, und *onoma*, Name). So kann in der Literatur vom König (und der Idee des Königtums) als der «Krone» gesprochen werden. Eine Synekdoche ist eine rhetorische Figur, in der ein Teil für das Ganze oder das Ganze für einen Teil steht. Auf ein Automobil kann mit «Vierzylinder» Bezug genommen werden; ein Polizist ist «die Polizei».

Beide Formen treten beständig im Film auf. Die Indizes von Hitze, die oben er-

Symbol. Bergman benutzt in seinen Filmen oft Särge und Leichen als Symbole. Hier wieder Liv Ullmann in *Ansikte mot Ansikte...*

wähnt wurden, sind eindeutig metonymisch: Assoziierte Details beschwören eine abstrakte Idee herauf. Viele der alten Hollywood-Klischees sind synekdochisch (Nahaufnahmen marschierender Füße, um eine Armee zu repräsentieren) und metonymisch (die fallenden Kalenderblätter, die rollenden Räder eine Lokomotive). Da metonymische Kunstgriffe sich so gut im Film verwenden lassen, kann der Film in dieser Hinsicht eine größere Wirkung erzielen als die Literatur. Assoziierte Details können innerhalb des Bildes geballt auftreten und so eine Darstellung von unerhörtem Reichtum bewirken. Metonymie ist eine Art filmischer Stenografie.

Genauso wie unser Verständnis für die Konnotationen im Film im allgemeinen davon abhängt, daß wir den Vergleich des gefilmten Bildes mit Bildern verstehen, die nicht gewählt worden sind (paradigmatischen), und Bildern, die vorher oder danach kommen (syntagmatischen), so hängt unser Verständnis für kulturelle Konnotationen davon ab, daß wir Vergleiche des Teils mit dem Ganzen (Synekdoche) und assoziierter Details mit Ideen (Metonymie) verstehen. Der Film ist eine Kunst und ein Medium, das mit Erweiterungen und Indizes arbeitet. Ein großer Teil seiner Bedeutung entspringt nicht dem, was wir sehen (oder hören), sondern dem, was wir nicht sehen, oder, genauer gesagt, einem fortlaufenden Prozeß des Vergleichs

... und Max von Sydow in *Vargtimmen* (1966).

zwischen dem, was wir sehen, und dem, was wir nicht sehen. Dies entbehrt nicht der Ironie, wenn man bedenkt, daß der Film auf den ersten Blick eine Kunst ist, die viel zu augenscheinlich ist, eine Kunst, die oft dafür kritisiert wird, «daß sie nichts der Phantasie überläßt».

Genau das Gegenteil ist der Fall. In einem Film strenger Denotation werden die Bilder und der Ton leicht und direkt verstanden. Aber es gibt nur wenige Filme, die streng denotativ sind; die meisten sind zwangsläufig konnotativ, «denn sie [die Sprache des Films] zu sprechen bedeutet, sie teilweise zu erfinden». Ein unnachgiebiger Betrachter kann es natürlich vorziehen, die konnotative Stärke des Films zu ignorieren, aber der Betrachter, der es gelernt hat, Film zu lesen, verfügt über eine Vielfalt von Konnotationen.

Alfred Hitchcock zum Beispiel hat im Verlauf einer Karriere, die mehr als ein halbes Jahrhundert überspannte, eine Reihe sehr populärer Filme gemacht. Man könnte seinen Erfolg bei Kritik und Publikum den Themen seiner Filme zuschreiben – sicher trifft der Thriller einen sehr tiefliegenden Nerv im Publikum –, aber wie erklärt man dann all die erfolglosen Thriller seiner Nachahmer? In Wahrheit liegt die Dramatik des Films, seine Anziehungskraft, nicht so sehr in dem, was gefilmt wird

Metonymie (1)

Metonymie (2)

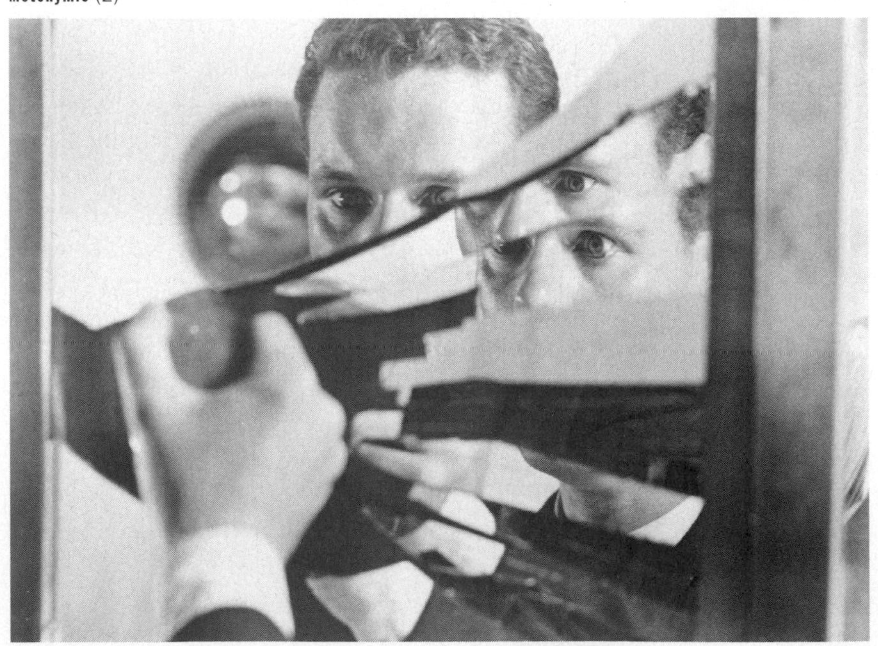

Synekdoche (1)

Synekdoche (2)

(das ist die Dramatik des Themas), sondern darin, wie es gefilmt und präsentiert wird. Und Hitchcock war der unbestrittene Meister dieser zwei schwierigen Aufgaben. Die Dramatik beim Filmemachen liegt zum großen Teil darin, auf diesen beiden eng miteinander verknüpften Gebieten intelligente Entscheidungen zu treffen. Sehr «gebildete» Kinobesucher würdigen Hitchcocks hervorragende filmische Intelligenz ganz bewußt, weniger gebildete Kinobesucher tun dies unbewußt, aber die intelligente Arbeit zeigt in jedem Fall ihre Wirkung.

Ein letztes Element ist dem Lexikon der Film-Semiotik noch hinzuzufügen: die Trope. In der literarischen Theorie ist die Trope eine «Redewendung» oder ein «Bedeutungswandel» – in anderen Worten: eine logische Verdrehung, die den Elementen eines Zeichens – dem Signifikant und dem Signifikat – eine neue wechselseitige Beziehung gibt. Die Trope ist daher das verbindende Element zwischen Denotation und Konnotation. Wenn eine Rose eine Rose eine Rose eine Rose ist, ist sie nichts anderes, und ihre Bedeutung als Zeichen ist eindeutig denotativ. Aber wenn eine Rose etwas anderes ist, ist eine «Wendung» gemacht und das Zeichen für neue Bedeu-

Metonymie (1). In *Il Deserto rosso* (1964) entwickelte Michelangelo Antonioni eine präzise Metonymie der Farbe. Fast den ganzen Film über wird Giuliana (Monica Vitti) psychologisch und politisch durch ihre graue, tödlich großstädtische Industrieumgebung niedergedrückt. Immer wenn es ihr zu verschiedenen Anlässen gelingt, sich diesem Einfluß zu entziehen, signalisiert Antonioni ihre zeitweilige Unabhängigkeit (und ihre mögliche Gesundung) durch leuchtende Farben, die nicht nur im Film, sondern auch ganz allgemein in der Kultur als ein Detail angesehen werden, das mit Gesundheit und Glücklichsein assoziiert wird. In dieser Szene versucht Giuliana, ihren eigenen Laden zu eröffnen. Die grauen Wände haben leuchtende Farbflecken (der Versuch, die Freiheit zu erlangen), aber die Formen selbst sind wild, unorganisiert, angsteinflößend (der Rückfall in die Neurose). Alles zusammen bildet ein kompliziertes System von Metonymien.

Metonymie (2). In Claude Chabrols *A double tour* (1959) stellt André Jocelyn einen Schizophrenen dar. Das Bild im zersprungenen Spiegel ist eine simple, logische Metonymie.

Synekdoche (1). Noch einmal Giuliana in *Il Deserto rosso*, diesmal umgeben und fast überwältigt von Fabrikmaschinen, einem «Teil», der für das «Ganze» der Großstadtgesellschaft steht. Nicht diese Fabrik, diese speziellen Maschinen drücken sie nieder, sondern die viel riesigere Realität, die sie repräsentieren.

Synekdoche (2). Juliet Berto hat in Godards *La Chinoise* (1967) eine theoretische Barrikade aus Maos «Kleinem Roten Buch» gebaut, Teile, die für das Ganze der marxistisch-leninistisch-maoistischen Ideologie stehen, mit der die Gruppe von Linksradikalen, zu der sie gehört, sich selbst schützt und von der aus sie einen Angriff auf die bürgerliche Gesellschaft unternehmen will.

Die Begriffe «Synekdoche» und «Metonymie» – sowie «Icon», «Index» und «Symbol» – sind natürlich unpräzise. Sie sind theoretische Gebilde, die als Analysehilfen nützlich sein können, aber sie sind keine strengen Definitionen. Diese spezielle Synekdoche zum Beispiel könnte sehr wohl als Metonymie klassifiziert werden, in der die kleinen roten Bücher eher assoziierte Details sind als Teile, die für das Ganze stehen. (Die Entscheidung selbst hat bereits ideologische Untertöne!) Und obwohl diese Einstellung am leichtesten als Index klassifiziert werden könnte, sind in ihr sicher Elemente von Icon und Symbol zu finden.

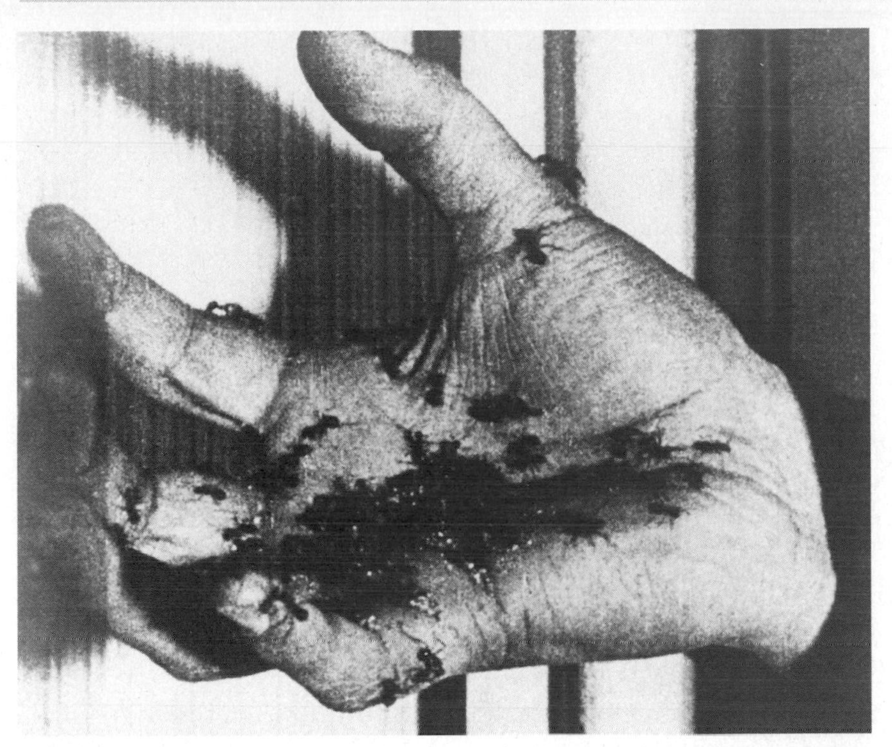

Trope. Eine von Ameisen bedeckte Hand aus Dalís und Buñuels surrealistischem Klassiker *Un Chien Andalou* (1928). Ein ebenfalls sehr komplexes Bild, das nicht leicht analysiert werden kann. Icon, Index und Symbol, sie sind alle vertreten: Das Bild fesselt, so wie es ist; es ist ein Maßstab für die Heimsuchung der Seele dessen, zu dem die Hand gehört; es ist sicher auch ein Symbol für ein allgemeineres Unwohlsein. Es ist metonymisch, weil die Ameisen ein «assoziiertes Detail» sind; es ist auch synekdochisch, weil die Hand ein Teil ist, der für das Ganze steht. Schließlich scheint die Quelle des Bildes eine Trope zu sein: ein Wortspiel mit dem französischen «avoir des fourmis dans les mains», Äquivalent für «eingeschlafene Hände». Dadurch, daß sie diese Wendung wörtlich illustriert haben, haben Dalí und Buñuel die Trope so ausgeweitet, daß eine gewöhnliche Erfahrung zu einem aufrüttelnden Zeichen des Verfalls wird. (Ich danke David Bombyk für diese Analyse. *Museum of Modern Art/Film Stills Archive*)

tungen erschlossen worden. Die Semiotik, so wie wir sie bisher beschrieben haben, war statisch. Der Begriff der Trope erlaubt uns, sie dynamisch zu sehen, eher von Handlungen bestimmt als von Tatsachen.

Wie wir in den voraufgehenden Kapiteln bemerkt haben, besteht eine der großen Kraftquellen des Films darin, daß er die Tropen der meisten anderen Künste reproduzieren kann. Es gibt auch eine Reihe Tropen, die er zu seinen eigenen gemacht hat. Wir haben im ersten Teil dieses Kapitels beschrieben, wie sie im allgemeinen funktionieren. Wenn wir die Aufnahme einer Rose sehen, so haben wir zunächst nur ihre statische Bedeutung als Icon oder Symbol. Aber wenn wir anfan-

Metonymische Geste. Max von Sydow in Ingmar Bergmans *Vargtimmen* (1968)...

...und in *Skammen* (1968) des gleichen Regisseurs. Gesten gehören zu den kommunikativsten Bedeutungsmitteln im Film. «Kinese» oder «Körpersprache» ist grundsätzlich ein metonymisches Index-System der Bedeutung. Hier vermittelt von Sydows Haltung in beiden Filmen die gleiche grundlegende Bedeu-

gen, die Möglichkeiten durch vergleichbare Tropen zu erweitern, wird das Bild lebendig: als konnotativer Index, als Paradigma anderer möglicher Einstellungen, im syntagmatischen Kontext seiner Assoziationen im Film oder so, wie es metaphorisch als Metonymie oder Synekdoche benützt wird.

Es gibt zweifellos noch andere Kategorien der Film-Semiotik, die noch entdeckt, analysiert und weiterverarbeitet werden müßten. Das System in der Abbildung auf Seite 179 sollte keinesfalls als umfassend oder unveränderbar angesehen werden. Die Semiotik ist ganz sicher keine Wissenschaft im Sinne von Physik oder Biologie. Aber sie ist ein logisches System, häufig fähig, Dinge zu durchleuchten, und sie hilft zu beschreiben, wie der Film das macht, was er macht. Film ist schwer zu erklären, weil er leicht zu verstehen ist. Film-Semiotik ist leicht zu erklären, weil sie schwer zu verstehen ist. Irgendwo dazwischen liegt der Genius des Films.

tung: Die Hand bedeckt das Gesicht, schützt es vor der Außenwelt, die Knie sind hochgezogen, fast bis in die embryonale Haltung, um den Körper zu schützen; das Ego ist in einen schützenden Panzer zurückgeschrumpft, eine Bedeutung, die in der Aufnahme aus *Skammen* durch die Umrahmung der hölzernen Treppe, auf der von Sydow sitzt, noch verstärkt wird. Die Umgebung unterstützt in beiden Aufnahmen die Gestik: Beide Hintergründe – einmal außen, einmal innen – sind rauh, kahl, wenig einladend. Die Unterschiede zwischen den Aufnahmen sind genauso bedeutsam wie die Ähnlichkeiten. In *Vargtimmen* ist von Sydows Rolle die eines Mannes, der gelassener, offener ist: So ist auch die Haltung. In *Skammen* ist er (an dieser Stelle der Erzählung) gedemütigt: eine Bedeutung, die sowohl durch die verkrampfte Haltung als auch durch den distanzierteren Aufbau der Aufnahme betont wird.

Syntax

Der Film hat keine Grammatik. Es gibt jedoch einige vage definierte Regeln über den Gebrauch filmischer Sprache, und die Syntax des Films – seine systematische Anordnung – ordnet diese Regeln und zeigt Beziehungen zwischen ihnen auf. Wie bei geschriebenen und gesprochenen Sprachen ist es wichtig, sich daran zu erinnern, daß die Syntax des Films ein Resultat seines Gebrauchs ist, nicht eine seiner Determinanten. Es gibt nichts Vorausbestimmtes in der Film-Syntax. Sie entwickelte sich vielmehr natürlich, wie bestimmte Kunstgriffe sich in der Praxis als machbar und nützlich erwiesen. Wie die Syntax der geschriebenen und gesprochenen Sprache hat die Syntax des Films eine organische Entwicklung und ist eher deskriptiv als normativ. Sie hat sich im Laufe der Jahre außerdem in erheblichem Maße verändert. Die unten beschriebene «Hollywood-Grammatik» mag sich heute lächerlich anhören, aber während der dreißiger, vierziger und frühen fünfziger Jahre war sie ein exaktes Modell für die Art und Weise, in der Hollywood-Filme konstruiert waren.

In Systemen geschriebener/gesprochener Sprache beschäftigt sich die Syntax nur mit dem, was man den linearen Aspekt des Aufbaus nennen könnte: das heißt die Art, in der Worte in einer Kette aneinandergesetzt werden, um Wendungen und Sätze zu bilden, das, was wir im Film die syntagmatische Kategorie nennen. Im Film kann die Syntax jedoch auch räumliche Kompositionen mit einschließen, für die es in Sprachsystemen wie Deutsch oder Englisch keine Parallele gibt – wir können nicht mehrere Dinge gleichzeitig sagen oder schreiben.

Deshalb muß die Film-Syntax sowohl die Entwicklung in der Zeit als auch die im Raum mit einschließen. In der Filmkritik wird die Veränderung des formbaren Raumes im allgemeinen als «mise en scène» bezeichnet. Wörtlich bedeutet der französische Ausdruck das «In-Szene-Setzen». Die Veränderung der formbaren Zeit wird «Montage» genannt (vom französischen «Zusammensetzen»). Wie wir in Teil 4 sehen werden, war die Spannung zwischen den Zwillingsbegriffen Mise en Scène und Montage der Motor der Filmästhetik, und das seit der Zeit, als die Gebrüder Lumière und Méliès erstmals die praktischen Möglichkeiten jedes dieser beiden Begriffe um die Jahrhundertwende erforschten.

Im Laufe der Jahre wurden Theorien zur Mise en Scène meistens als grundsätzlich mit dem Film-Realismus verbunden gesehen, während die Montage als grundsätzlich expressionistisch galt, aber diese Aufteilungen sind trügerisch. Natürlich sollte man annehmen, daß mit der Mise en Scène eine besondere Berücksichtigung des Gegenstandes vor der Kamera verbunden ist, während die Montage dem Filmemacher eine größere Kontrolle über die Manipulation dieses Gegenstandes bietet, aber trotz dieser natürlichen Tendenzen kann bei vielen Gelegenheiten die Montage die realistischere der beiden Alternativen sein und die Mise en Scène die expressionistischere.

Nehmen wir zum Beispiel das Problem der Wahl zwischen Schwenk (von einem Gegenstand zum anderen) und einem Schnitt. Die meisten Leute würden sagen, daß der Schnitt mehr manipuliert, daß er unterbricht und die Realität neu formt und daß deshalb der Schwenk die realistischere der zwei Alternativen sei, da er die Integrität des Raums bewahrt. Und dennoch trifft das Gegenteil zu, wenn wir Schwenk und Schnitt vom Blickwinkel des Betrachters aus sehen. Wenn wir unsere Aufmerksamkeit von einem Gegenstand zu einem anderen wenden, «schwenken» wir nur ganz selten tatsächlich. Psychologisch ist der Schnitt unserer natürlichen Wahrnehmung ähnlicher. Zunächst richten wir unsere Aufmerksamkeit auf den einen Gegenstand, dann auf den anderen; wir interessieren uns selten für den Zwischenraum, und doch richtet der filmische Schwenk unsere Aufmerksamkeit genau dorthin.*

Es war André Bazin, der einflußreiche französische Kritiker der fünfziger Jahre, der mehr als jeder andere die Verbindungen zwischen Mise en Scène und Realismus einerseits und Montage und Expressionismus andererseits herausarbeitete. Fast zur gleichen Zeit, in der Mitte der fünfziger Jahre, entwickelte Jean-Luc Godard eine Synthese der Zwillingsbegriffe Mise en Scène und Montage, die entschieden komplexer war als Bazins binärer Gegensatz. Für Godard waren Mise en Scène und Montage frei von ethischen und ästhetischen Konnotationen: Montage machte nur das in der Zeit, was die Mise en Scène im Raum machte. Beide sind Organisationsprinzipien, und zu sagen, daß die Mise en Scène (Raum) «realistischer» sei als die Montage (Zeit), ist nach Godard unlogisch. In seinem Aufsatz «Montage, mon beau souci» (1956) definierte Godard die Montage neu als einen integralen Teil der Mise en Scène. Eine Szene zu schaffen bedeutet, sowohl die Zeit wie den Raum zu organisieren.

* Der Reißschwenk, bei dem die Kamera sich so schnell bewegt, daß das Bild zwischen dem ursprünglichen Gegenstand und dem folgenden verwischt ist, wurde als die Lösung genannt, die der Wirklichkeit am ehesten entspräche. Aber sogar diese Alternative zieht die Aufmerksamkeit auf sich selbst, was bei der normalen Wahrnehmung gerade nicht passiert. Vielleicht wäre der direkte Schnitt die perfekteste Analogie zur Wirklichkeit. Dabei werden die zwei Einstellungen durch ein einzelnes schwarzes Bild (oder noch besser ein neutral graues) getrennt. Das würde der Zeit (ungefähr 1/20 Sekunde), die jede Sakkade des Auges braucht, entsprechen.

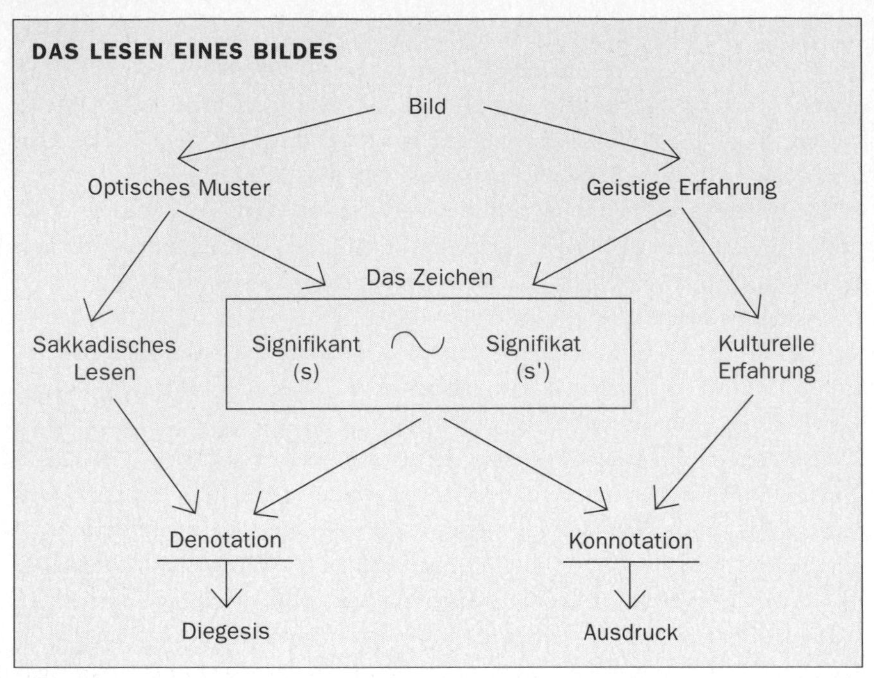

Das Lesen des Bildes. Das Bild wird sowohl als optisches wie auch als geistiges Phänomen erfahren. Das optische Muster wird sakkadisch gelesen; die geistige Erfahrung ist das Ergebnis der Summe der kulturellen Determinanten und wird dadurch geformt. Optisches und geistiges Verstehen treffen sich im Zeichen, in dem der Signifikant (s) mit dem Signifikat (s') verbunden ist. Der Signifikant ist mehr optisch als mental, das Signifikat mehr mental als optisch. Alle drei Stufen des Lesens – sakkadisch, semiotisch und kulturell – verbinden sich dann miteinander auf verschiedene Arten, um Bedeutung zu erzeugen, entweder hauptsächlich denotative oder hauptsächlich konnotative Bedeutung.

Hierbei ist es das Ziel, im Film eine psychologische Realität zu schaffen, die die physische Realität überschreitet. Godards Synthese hat zwei Folgeerscheinungen: Erstens kann die Mise en Scène ganz genauso expressionistisch sein wie die Montage, wenn ein Filmemacher sie benutzt, um die Realität zu verzerren; zweitens kann der psychologischen Realität (im Gegensatz zur «wahren» Realität) mit einer Strategie, bei der die Montage die zentrale Rolle spielt, besser Genüge getan werden (siehe Seite 427–433).

Zusätzlich zu den psychologischen Verflechtungen, die bei dem Vergleich von Montage und Mise en Scène auftreten, gibt es noch einen Wahrnehmungsfaktor, der die Dinge kompliziert. Wir haben bereits festgestellt, daß die Montage innerhalb der Aufnahme nachgeahmt werden kann. Genauso kann die Montage die Mise en Scène nachahmen.

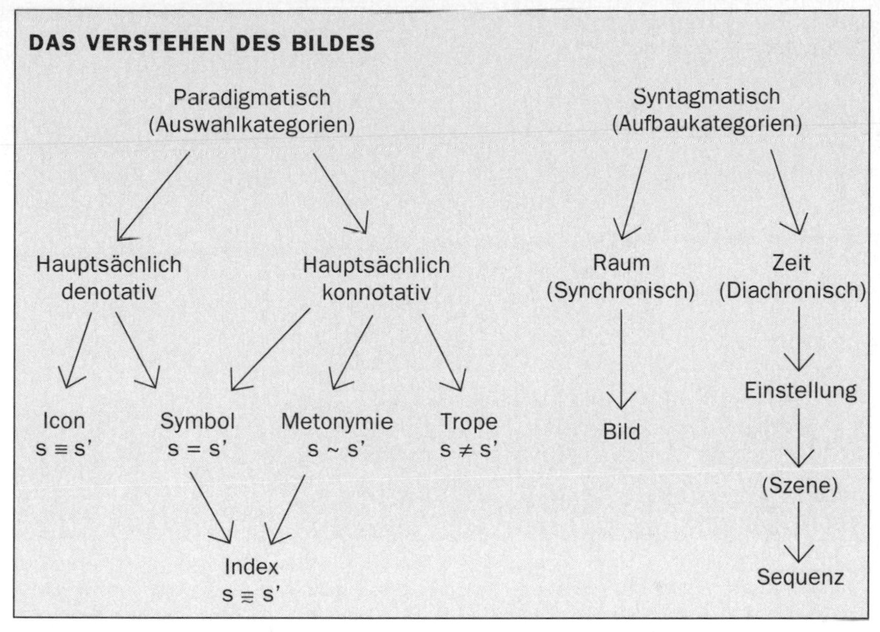

Das Verstehen des Bildes. Wir verstehen ein Bild nicht nur als solches, sondern im Kontext in Verbindung mit Auswahlkategorien (paradigmatisch) und in Verbindung mit Aufbaukategorien (syntagmatisch). Die Auswahlkategorien sind entweder denotativ oder konnotativ, und jede Möglichkeit – deren Grenzen nie scharf umrissen sind – wird charakterisiert durch die Beziehung zwischen Signifikant und Signifikat. Im Icon ist der Signifikant identisch mit dem Signifikat. Im Symbol ist der Signifikant dem Signifikat gleichgestellt, aber nicht identisch. In Metonymien und Synekdochen ist der Signifikant auf bestimmte Art und Weise dem Signifikat ähnlich, während in Tropen der Signifikant dem Signifikat nicht gleich (sondern deutlich verschieden von ihm) ist. Hier besteht eine erheblich schwächere Beziehung. In Indizes stimmen Signifikant und Signifikat überein.
Syntagmatische Beziehungen (Aufbaukonstruktionen) operieren entweder im Raum oder in der Zeit: Synchronische Phänomene passieren zur gleichen Zeit oder ohne Bezug auf die Zeit, während diachronische Phänomene quer durch die Zeit oder in ihr ablaufen. (Die Wörter «synchronisch» und «diachronisch» werden hier in ihrer einfachsten Bedeutung gebraucht. Sie werden im allgemeinen in der Semiotik und der Linguistik auch mit spezifischeren Definitionen angewandt, wobei in diesem Fall synchronische Linguistik deskriptiv ist, während diachronische Linguistik einen historischen Bezug hat.)
Schließlich muß gesehen werden, daß viele der im Diagramm ausgedrückten Begriffe nicht nur für das Bild, sondern auch für den Ton gelten, wenn auch gewöhnlich in weit geringerem Umfang. Wenn es auch stimmt, daß wir den Ton nicht sakkadisch lesen, konzentrieren wir uns doch psychologisch auf bestimmte Töne innerhalb des gesamten Hörerlebnisses, so wie wir unerwünschte oder nutzlose Geräusche «abblocken». Obwohl der Laut im allgemeinen viel denotativer und dem Icon verwandter als das Bild erscheinen muß, ist es dennoch möglich, die Begriffe Symbol, Index, Metonymie, Synekdoche und Trope anzuwenden, wenn die notwendigen Veränderungen gemacht werden.

Mise en Scène oder Montage? Eine entscheidende Szene in Bergmans *Ansikte mot Ansikte*. Dieser Blick aus dem Flur zeigt zwei Räume wie bei einer Split-Screen-Aufnahme. Anstatt von einem Zimmer ins andere zu schneiden, führte Bergman beide gleichzeitig vor und hielt dabei die Handlungsabläufe in jedem Zimmer getrennt. Die Kreuzschnitt-Dialektik der Montage wird so zu einem integrierten Element der Mise en Scène gemacht. (*Standvergrößerung*)

Hitchcocks berühmte Dusch-Sequenz aus *Psycho* ist ein ausgezeichnetes Beispiel für dieses Phänomen. Siebzig verschiedene Aufnahmen werden in weniger als einer Minute psychologisch zu einer fortlaufenden Erfahrung verschmolzen: einer furchteinflößenden und überzeugenden Messerattacke. Das Ganze ist mehr als die Summe seiner Teile.

Codes

Die Struktur des Films wird durch die Codes definiert, mit denen er arbeitet und die in ihm wirksam sind. Codes sind entscheidende Konstruktionen – Systeme von logischen Beziehungen –, die sich aus dem Film selbst herleiten, und nicht bereits existierende Gesetze, die der Filmemacher bewußt befolgt. Das Medium, durch das der Film Bedeutung ausdrückt, ist eine Kombination einer Vielzahl von Codes. Es gibt Codes, die sich aus der Kultur herleiten – solche, die außerhalb des Films existieren und die Filmemacher nur einfach reproduzieren (zum Beispiel die Art, wie wir essen). Es gibt eine Anzahl Codes, die der Film mit anderen Künsten gemein hat (die Geste zum Beispiel, die sowohl ein Code des Theaters als auch des Films ist). Und es gibt die Codes, die nur im Film vorkommen. (Die Montage ist das wichtigste Beispiel.)

Die kulturell abgeleiteten Codes und die, die auch in anderen Künsten auftreten, sind natürlich unabdingbar für den Film, aber was uns hier am meisten beschäftigt, sind die dem Film eigenen Codes, die, welche die spezifische Syntax des Films bilden. Vielleicht ist das Adjektiv «eigen» nicht ganz zutreffend. Nicht einmal die spezifischen Film-Codes, die der Montage, sind nur im Film anzutreffen. Sicherlich betont und benutzt der Film sie mehr als andere Künste, aber so etwas wie die Montage hat immer im Roman existiert. Jeder Geschichtenerzähler ist fähig, mitten in der Erzählung die Szene zu wechseln. «In der Zwischenzeit... zu Hause auf dem Hof» ist ganz klar keine Erfindung des Films. Es ist wichtiger zu sehen, daß der Film über fast ein Jahrhundert einen starken Einfluß seinerseits auf die älteren Künste ausgeübt hat. So etwas wie die Montage hat nicht nur in der Prosa-Erzählung bereits vor 1900 existiert, aber seit der Zeit haben Romanciers, mehr und mehr vom Film beeinflußt, allmählich gelernt, ihre Erzählung dem Film sogar noch mehr anzugleichen.

Das Entscheidende ist einfach, daß Codes lediglich Hilfsmittel der Kritik sind – nichts weiter –, und man sollte ihnen nicht so viel Gewicht verleihen, daß wir mehr mit der genauen Definition des Codes beschäftigt wären als mit der Wahrnehmung des Films.

Am Beispiel der Dusch-Szene aus *Psycho* können wir die Codes, die hier wirksam sind, zurückverfolgen. Es ist eine einfache Szene (nur zwei Personen – von denen eine kaum zu sehen ist – und zwei Handlungen: Duschen und Morden), sie ist von kurzer Dauer, und doch sind alle Codes offensichtlich. Die kulturell abgeleiteten Codes haben mit Duschen und Morden zu tun. Das Duschen ist in der westlichen Kultur eine Aktivität, die Elemente von Privatsphäre, Sexualität, Reinigung, Entspannung, Offenheit und Erholung hat. Mit anderen Worten, Hitchcock hätte keinen besseren Platz wählen können, um die Elemente von Gewalt und Sexualität in dem Angriff zu betonen. Mord fasziniert uns andererseits wegen seiner Motive. Aber der kaum wahrnehmbare Mörder in *Psycho* hat kein erkennbares Motiv. Die Tat wirkt mutwillig, fast absurd – was ihre Wirkung nur noch erhöht. Aus der Historie könnte uns Jack the Ripper einfallen, und dies verstärkt unser Empfinden für die sexuelle Grundlage des Mordes.

Da die Szene in höchstem Maße «filmisch» ist und außerdem so kurz, sind die mit anderen Künsten gemeinen Codes hier relativ unwesentlich. Schauspiel-Codes spielen zum Beispiel kaum eine Rolle, da die Aufnahmen so kurz sind, daß sie keine Zeit zum Spielen lassen, nur die, um einen simplen Ausdruck zu mimen. Die Diagonalen, die so wichtig sind, um die Vorstellung von Desorientierung und Dynamik zu erzeugen, finden sich auch in anderen visuellen Künsten. Die harten Kontraste

Der Badewannen-Dusch-Code. Hitchcocks atemberaubender Mord unter der Dusche aus *Psycho* (1959) ist im Laufe der Jahre wegen seines schwindelerregenden Schnitts berühmt geworden, und dennoch war der Badezimmer-Mord keine neue Idee. (Aus Psycho. *© 1974. Hg. von Richard J. Anobile. Standvergrößerung*)

Einige Jahre zuvor hatte Henri-Georges Clouzots *Les Diaboliques* (1955) das Publikum mit einer unvergleichlich stilleren, aber nicht weniger unheimlichen Mord-Szene geschockt. (Paul Meurisse ist das Opfer.) (*Walter Daran. Time/Life Picture Agency. © Time, Inc. Standvergrößerung*)

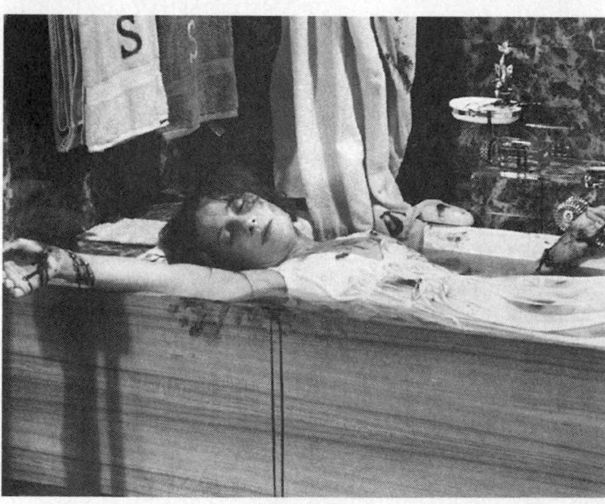

Der Star aus *Psycho*, Anthony Perkins, war Mitautor bei Herbert Ross' *The Last of Sheila* (1973). Joan Hackett begeht Selbstmord in einem eleganten Badezimmer an Bord eines Schiffs.

Mord ist nicht die einzige Aktivität, die in Badewannen stattfindet. In Godards poetischem Meisterwerk *Pierrot le fou* (1965) entspannt sich Jean-Paul Belmondo in einer Badewanne und tauscht dabei Gedanken über den Maler Velasquez mit seiner Tochter aus. (*L'Avant-Scène. Standvergrößerung*)

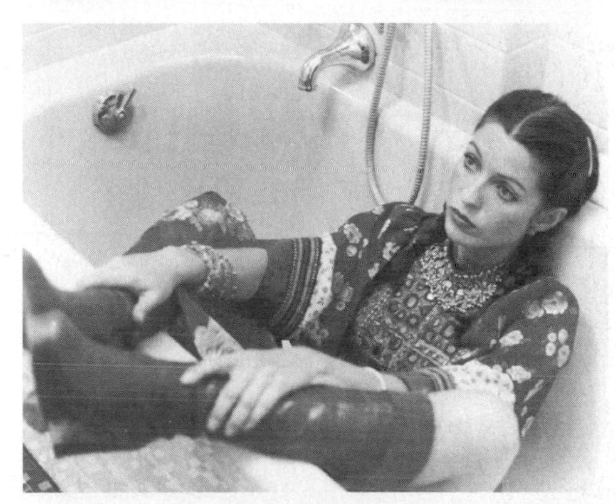

In Jean-Charles Tacchellas *Cousin, Cousine* (1975) ist die leere Badewanne gerade der richtige Ort für Marie-France Pisier, um ihren Gedanken nachzuhängen.

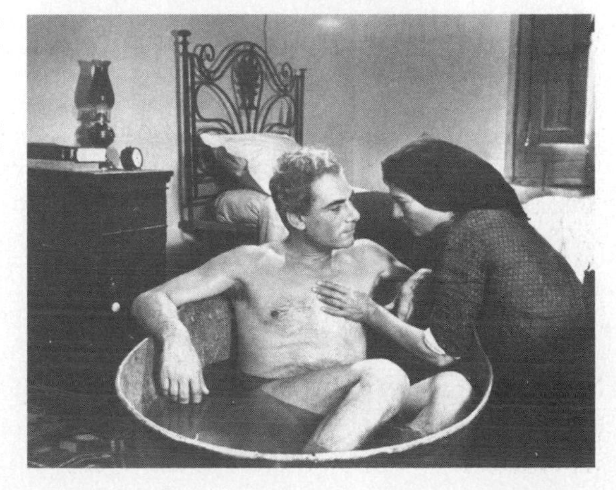

Gian Maria Volonte findet Entspannung von seinem Exil in einem abgelegenen italienischen Dorf in einer altmodischen Badewanne. Irene Papas leistet ihm Gesellschaft (Francesco Rosis *Cristo si è fermato a Eboli*, 1979).

Der Badewannen-Dusch-Code reicht bis zu Jacques Louis Davids *Der Tod Marats* (1793) zurück, so schockierend wegen seines eindringlichen Realismus. (*Öl auf Leinwand, 165 cm x 128 cm. Musées Royaux des Beaux-Arts de Belgique, Brüssel*)

und das Gegenlicht, das den Mörder verdunkelt, sind fotografische Codes. Der musikalische Code von Bernard Herrmanns Begleitung existiert natürlich auch außerhalb des Films.

Zusätzlich können wir die Entwicklung des Gebrauchs kulturell abgeleiteter Codes im Film und in den mit Film verbundenen Künsten zurückverfolgen: Hitchcocks Mordszene findet ein Pendant in der Ermordung Marats in seinem Bad (historisch im Bild von Jacques-Louis David und im Schauspiel von Peter Weiss), im Badewannen-Mord in Henri-Georges Clouzots *Les Diaboliques* (1955) oder in *The Last of Sheila* (1973), nach dem Drehbuch von Stephen Sondheim und Anthony Perkins (der in *Psycho* spielte), oder in der direkten Hommage an *Psycho* in Mike Hodges' *Terminal Man* (1974).

Wie wir bereits bemerkt haben, sind die spezifisch «filmischen» Codes in Hitchcocks einminütiger Tour de force besonders wirksam. Es ist in der Tat kaum vorstellbar, wie die Montage der Sequenz in irgendeiner anderen Kunst nachgeahmt

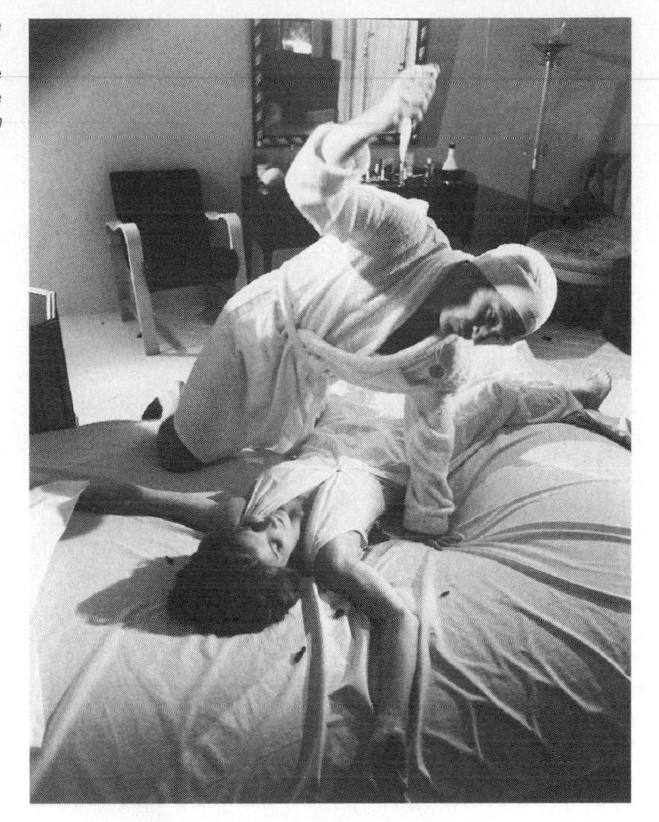

Psycho regte eine Reihe von Hommagen an. Hier: George Segal (gerade mit Baden fertig) in Mike Hodges' *Terminal Man* (1974)

werden könnte. Der schnelle Schnitt der Szene kann tatsächlich als Code wohl nur im Film möglich sein.

Hitchcock manipuliert all diese Codes, um den gewünschten Effekt zu erzielen. Sie berühren uns, weil sie Codes sind – weil sie eine Bedeutung für uns haben, die über die engen Begrenzungen dieser bestimmten Szene hinausgehen. Die Codes sind das Medium, über welches die «Botschaft» dieser Szene weitergegeben wird. Die spezifisch filmischen Codes bilden zusammen mit den Codes, die der Film mit anderen Künsten teilt, die Syntax des Films.

Mise en Scène

Der Filmemacher sieht sich mit drei Fragen konfrontiert: Was er filmen soll, wie er es filmen soll, wie er die Einstellung präsentieren soll. Die Mise en Scène ist wichtig für

Die Zweier-Einstellung im Normal-Format. Spencer Tracy und Katharine Hepburn in George Cukors *Pat and Mike* (1952). Intimer und den Betrachter stärker mit einbeziehend als...

...die Zweier-Einstellung im Breitwand-Format. Jean-Claude Brialy und Anna Karina in Jean-Luc Godards *Une Femme est une femme* (1961). Das Stilleben auf dem Tisch ist sorgfältig arrangiert, zum einen, um die Bildschirmmitte auszufüllen, und zum anderen, um die Personen zu verbinden.

die ersten zwei Bereiche, die Montage für den letzten. Die Mise en Scène wird oft als statisch angesehen, die Montage als dynamisch. Aber das ist nicht der Fall. Da wir die Einstellung lesen, sind wir aktiv mit einbezogen. Die Codes der Mise en Scène sind die Mittel, mit denen der Filmemacher unser Lesen der Einstellung verändert und modifiziert. Da die Einstellung eine solch umfassende Bedeutungseinheit ist, scheint es sinnvoll, ihre Komponenten in zwei Teilen zu untersuchen.

Die Bildkomposition

Alle Codes, die innerhalb des Bildes wirksam sind – von der Zeitachse des Films abgesehen –, hat der Film mit den anderen visuellen Künsten gemein. Die Anzahl und der Bereich dieser Codes ist groß, und sie sind in der Malerei, Bildhauerei und der Fotografie im Laufe von Jahrtausenden entwickelt und verfeinert worden. Grundwerke der visuellen Künste untersuchen die drei Determinanten Farbe, Linie und Form. Sicherlich paßt jeder der visuellen Codes in eine von diesen Rubriken. Rudolf Arnheim schlägt in seiner höchst bedeutsamen Studie *Kunst und Sehen: Eine Psychologie des schöpferischen Auges* zehn Bereiche vor: Balance, Gestaltung, Form, Wachstum, Raum, Licht, Farbe, Bewegung, Spannung und Ausdruck. Sicher wäre eine vollständige Aufzählung aller Codes, die im Bild wirksam sind, ein langwieriges Unternehmen. Wir können jedoch die wesentlichen Aspekte der Bild-Syntax kurz beschreiben. Zwei Aspekte des Bildes sind hier wichtig: die Begrenzungen, die der Bildkader setzt, und die Bildkomposition innerhalb dieses Kaders (die sich nicht unbedingt auf den Kader beziehen muß).

Da der Bildkader die Grenzen des gefilmten Bildes festsetzt, bestimmt die Wahl eines Bildformats bereits die Kompositionsmöglichkeiten. Voller Selbstrechtfertigung, die in bezug auf das schwer faßbare Thema der Filmästhetik verbreitet war, ließen sich frühe Theoretiker wortreich über den Wert des Normal-Formats von 1.33 aus. Als Breitwand-Formate in den fünfziger Jahren beliebt wurden, beklagten die klassischen Ästhetiker die Zerstörung der Symmetrie, die sie im Normal-Format sahen, aber wie wir im vorherigen Kapitel gezeigt haben, gab es nichts Geheiligtes am 4 : 3-Format.

Die Frage ist nicht, welches Bildformat «richtig» ist, sondern welche Codes sich für welche Bildformate anbieten. Es scheint, als ob vor der Mitte der fünfziger Jahre Innenaufnahmen und Dialoge die Leinwand in Amerika und Europa beherrschten. Nach Einführung des Breitwand-Formats in den fünfziger Jahren gewannen Außenaufnahmen und Action-Sequenzen an Bedeutung. Das ist eine oberflächliche Verallgemeinerung, aber es ist ein Körnchen nützlicher Wahrheit daran. Es ist nicht wichtig, ob es eine Ursache-und-Wirkung-Beziehung zwischen den beiden historischen Entwicklungen gab, nur daß die Breitwand eine bessere Ausnützung von Handlungs- und Landschaftscodes erlaubte.

Michelangelo Antonionis Sensibilität für architektonische Metaphern ist bekannt. Diese real kaschierte Einstellung aus *L'Éclisse* (1962) isoliert sowohl Alain Delon als auch Monica Vitti und lenkt die Aufmerksamkeit auf einen Vergleich zwischen der Vitti und dem Porträt an der Wand hinter ihr.

CinemaScope- und Panavisions-Format erschweren es tatsächlich, wie die alten Hollywood-Ästhetiker behauptet hatten, intime Gespräche zu filmen. Da, wo die klassische Zweier-Einstellung im 1.33-Format meistens die Aufmerksamkeit auf Sprecher und Zuhörer gelenkt hatte, können die sehr weiten, anamorphotischen Bildformate es nicht vermeiden, den Raum zwischen diesen Personen oder neben ihnen mitzufilmen und dadurch die Aufmerksamkeit auf das Umfeld zu lenken. Dies ist weder «besser» noch «schlechter», es ändert nur den Code der Zweier-Einstellung.

Der Filmemacher kann die Dimensionen des Bildes während des Filmens durch Maskierung verändern, entweder künstlich oder natürlich durch die Bildkomposition. Dies ist ein wichtiger Aspekt der Syntax des Bildformats, seit D. W. Griffith zuerst ihre Möglichkeiten erforschte.

Genauso wichtig wie die tatsächliche Bildgröße, wenn auch weniger leicht bemerkt, ist die Einstellung des Filmemachers zu den Grenzen des Bildes. Wenn das Bild in sich geschlossen ist, sprechen wir von einer «geschlossenen Form». Im Gegensatz dazu wird die Form als «offen» angesehen, wenn der Filmemacher die Aufnahme so aufgebaut hat, daß wir im Unterbewußtsein ständig den Raum außerhalb des Bildes mitbekommen.

Diese Aufnahme aus Jean Renoirs *Boudu sauvé des eaux* (1932) isoliert die verlorene Gestalt von Boudu, der gerade in die Seine springen will, durch den Vignetten-Kasch des Bildes. Das Kaschen hat ebenfalls eine literarische Funktion: Boudu (Michel Simon) wird in dieser Aufnahme durch ein Fernrohr beobachtet. (*L'Avant-Scène. Standvergrößerung*)

Offene und geschlossene Formen sind eng verbunden mit den Bewegungselementen innerhalb des Bildes. Wenn die Kamera dem Objekt eher getreulich folgt, ist die Form meistens geschlossen; wenn der Filmemacher dem Objekt andererseits erlaubt – es hierin sogar bestärkt –, das Bild zu verlassen und wieder neu zu betreten, ist die Form logischerweise offen. Die Beziehung zwischen Bild und Kamera-Bewegung ist einer der kompliziertesten Codes, ein filmspezifischer Code.

Hollywoods klassische Syntax wurde teilweise durch eine relativ streng geschlossene Form bestimmt. Die Meister des Hollywood-Stils der dreißiger und vierziger Jahre versuchten stets, das Objekt im Bild zu behalten (es wurde als gewagt angesehen, wenn das Objekt nicht die Mitte des Bildes einnahm). In den sechziger und siebziger Jahren haben sich Filmemacher wie Michelangelo Antonioni genauso streng an die offene Breitwand-Form gehalten, weil sie den Raum zwischen den Menschen betont.

Die meisten Elemente der Kompositionssyntax werden nicht nur durch das Bild definiert. Wenn das Bild an den Ecken wie eine Vignette verschwimmt (was selbst eins der einfacheren Mittel des Bild-Codes ist), wirken Codes wie Nähe, versteckte Dominante, Tiefen-Wahrnehmung, Blickwinkel und Licht genauso gut, wie sie es in Bildern mit scharfen Begrenzungen tun.

Der Filmemacher komponiert wie die meisten visuellen Künstler in drei Dimensionen. Das bedeutet nicht unbedingt, daß er versucht, dreidimensionale (oder stereoskopische) Information weiterzugeben. Es bedeutet, daß es drei Codes der Komposition gibt: Einer betrifft die Bildebene (natürlich vor allem, denn das Bild ist schließlich zweidimensional). Einer beschäftigt sich mit der Geografie des Raumes, der fotografiert wird (seine Ebene ist parallel zum Boden und zum Horizont). Der dritte betrifft den Bereich der Tiefen-Wahrnehmung, der senkrecht zur Bildebene und der geografischen Ebene steht. Die Abbildung auf Seite 192 oben veranschaulicht diese drei Kompositionsebenen.

Natürlich greifen die drei Ebenen ineinander. Kein Filmemacher analysiert genau, wie jede einzelne Ebene die Bildkomposition beeinflußt, aber er trifft Entscheidungen, die die Aufmerksamkeit auf Ebenen-Paare konzentrieren. Die Bildebene muß selbstverständlich dominieren, da sie die einzige Fläche ist, die wirklich auf der Leinwand existiert. Der Aufbau dieser Ebene wird jedoch oft von Faktoren aus der geografischen Ebene beeinflußt, denn wenn wir es nicht gerade mit Zeichentrick zu tun haben, muß der Fotograf oder Kameramann die Bildebene in der geografischen Ebene aufbauen. Ebenso sind die geografische Ebene und die Ebene der Tiefen-Wahrnehmung aufeinander abgestimmt, denn ein großer Teil unserer Fähigkeit, Tiefe in zweidimensionalen Darstellungen genauso gut wahrzunehmen wie in dreidimensionaler Realität, beruht auf Phänomenen in der geografischen Ebene. Tatsächlich hängt die Tiefen-Wahrnehmung noch von vielen anderen wichtigen Faktoren ab als nur von der binokularen, stereoskopischen Sicht; daher vermittelt der Film eine starke Illusion von Dreidimensionalität, und deshalb sind stereoskopische Filmtechniken ziemlich sinnlos.*

Die Abbildung auf Seite 192 unten veranschaulicht einige der wichtigsten psychologischen Faktoren für die Tiefen-Wahrnehmung. Überschneidungen finden in der Bildebene statt, aber die drei anderen – Konvergenz, relative Größe und zunehmende Dichtheit – hängen von der geografischen Ebene ab. Wir haben in Teil 2 bereits untersucht, wie verschiedene Objektive die Tiefen-Wahrnehmung beeinflussen (und ebenso die lineare Verzerrung). Ein Fotograf modifiziert, hemmt oder verstärkt die Wirkung des Objektivs durch die Komposition innerhalb des Bildkaders.

* Wenn die sogenannten 3-D-Filmtechniken nur den einen verbleibenden Faktor der Tiefen-Wahrnehmung hinzufügten, wären sie unproblematisch. Die Schwierigkeit besteht darin, daß sie unsere Tiefen-Wahrnehmung in Wirklichkeit verzerren, da sie die Konzentration auf eine einzige Fläche – eine natürliche Reaktion des Betrachters – nicht zulassen und da sie verwirrende pseudostereoskopische und pseudoskopisch-stereoskopische Bilder hervorrufen.

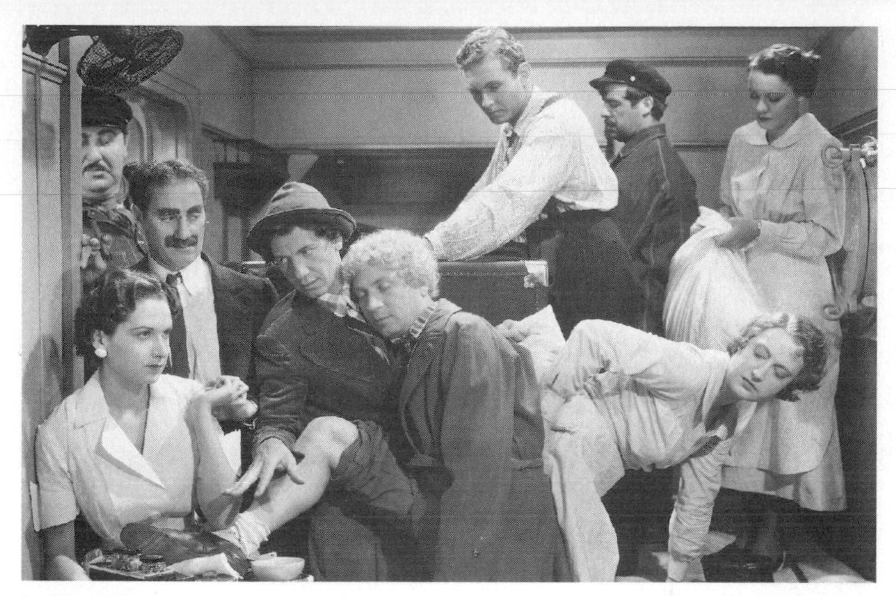

Geschlossene Form. Die berühmte Kabinen-Szene aus *A Night At The Opera* (Sam Wood, 1935) muß der Höhepunkt der geschlossenen Form im Hollywood-Stil sein! Die Marx-Brothers stecken im Bild genauso fest wie in der Kabine.

Offene Form. Macha Meril in Godards *Une Femme mariée* (1964). Das Taxi bewegt sich nach links aus dem Bild heraus, Meril geht nach rechts aus dem Bild und schaut nach links zurück, das Auto im Hintergrund bewegt sich in einer Diagonale nach oben aus dem Bild. Die Kompositionselemente der Aufnahme lassen uns den Raum, der sich hinter den Grenzen des Leinwandbildes fortsetzt, bewußt werden. (*Unifrance*)

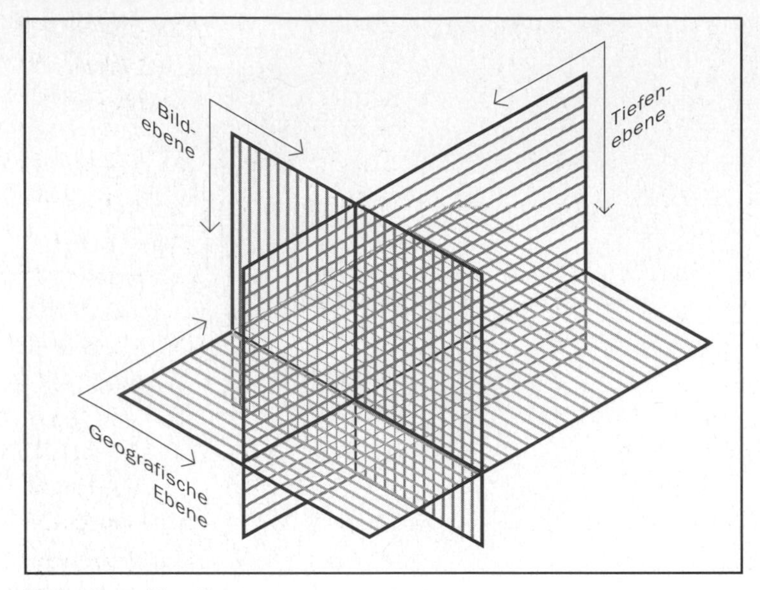

Die drei Kompositions-Ebenen

Konventionen der Tiefen-Wahrnehmung. Dies ist die Veranschaulichung von vier entscheidenden Konventionen der Tiefen-Wahrnehmung: Konvergenz (die Straßenränder), relative Größe (die nahen und fernen Bälle), die Zunahme der Dichte (von Punkten links und Linien rechts) und das Überschneiden (die Bälle rechts).

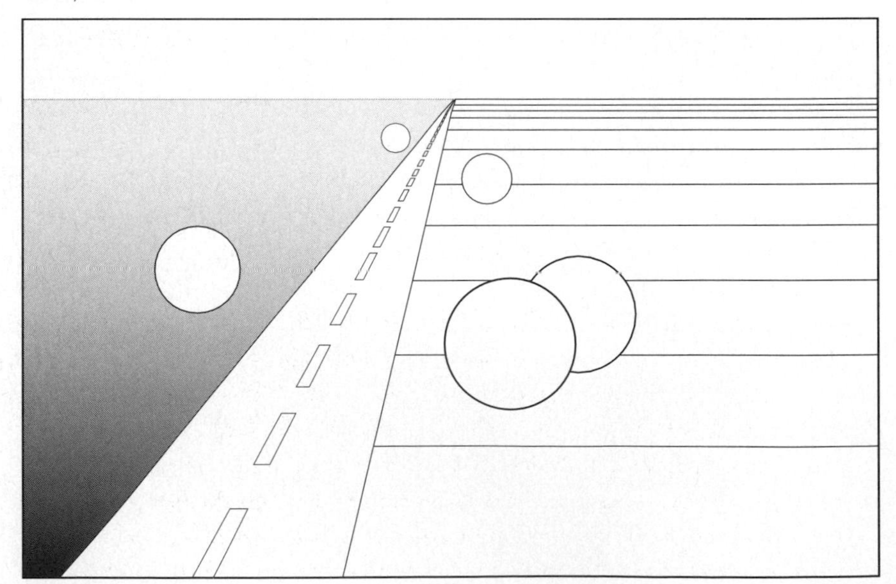

Entfernung und Proportion. Dorothy Comingore (im Schatten), Orson Welles und Joseph Cotten in Welles' *Citizen Kane* (1941). Nicht das Material der Einstellung, sondern seine Anordnung erzählt hier die Geschichte. (*Sight and Sound*)

Hier noch einige Beispiele dafür, wie die Codes der Aufbau-Ebenen einander beeinflussen:

Entfernung und Proportion sind wichtige Sub-Codes. Bühnenschauspieler sind sich ihrer immer bewußt. Je näher ein Gegenstand ist, desto wichtiger scheint er. Daraus resultierend, schwebt ein Schauspieler auf der Bühne immer in Gefahr, von seinen Mitspielern in den Hintergrund gedrängt zu werden. Im Film hat der Regisseur natürlich die totale Kontrolle über die Positionen, und Gegenschuß-Aufnahmen helfen, das Gleichgewicht wiederherzustellen.

Die Abbildung oben, eine klassische Aufnahme aus *Citizen Kane* (1941), zeigt uns ein besonders kunstvolles Beispiel für die Bedeutung von Entfernung und Proportion. Kane betritt den Raum im Hintergrund; seine Frau liegt im Mittelgrund im Bett; eine Flasche mit einem Schlafmittel steht drohend und riesig im Vordergrund. Die drei sind durch ihre Anordnung innerhalb dieses Bildes verbunden. Drehte man die Anordnung genau um, würde die Arzneiflasche in den Hintergrund der Aufnahme verschwinden.

Einer der Aspekte der Bildkomposition, der die barocke Malerei von der der späten Renaissance unterscheidet, ist die Verschiebung der rechtwinkligen Ausrichtung

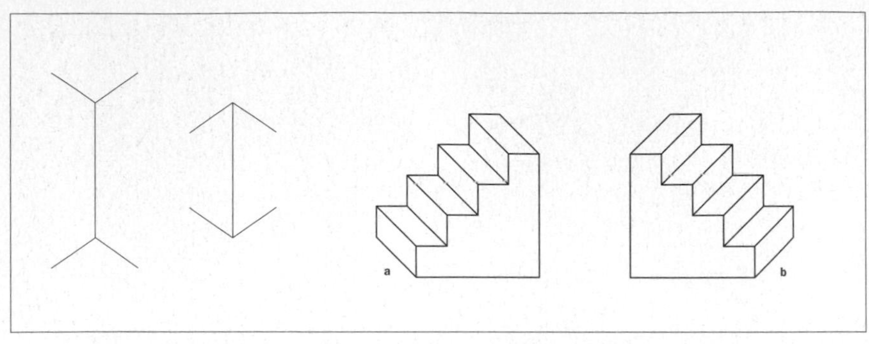

Müller-Lyer-Illusion Treppauf-treppab-Illusion

der geografischen Ebene zur schrägen. Hierfür gab es mehrere Gründe – einer war das Verlangen nach größerer Wahrheitstreue: Der schräge Aufbau unterstrich die Ausdehnung des Bildes, während der in der Renaissance übliche symmetrische Aufbau die Aufteilung des Bildes betonte. Die letztlich erzielte Wirkung war jedoch, die psychologische Dramatik der Aufteilung zu verstärken: Geografische Schrägen erscheinen auf der Bildebene als Diagonalen, die aktiver wirken als Horizontalen und Vertikalen. Wie in den anderen Beispielen findet sich hier eine Beziehung zwischen Aufbaufaktoren auf verschiedenen Ebenen.

Manchmal «füttern» die geografische und die Tiefen-Ebene die Bildebene mit Information. Dies gilt noch mehr für die Malerei und die Fotografie, die nicht die Fähigkeit des Films haben, sich physisch in den visuellen Raum hineinzubewegen, aber es gilt dennoch auch im allgemeinen für den Film. Die Bildebene ist die einzige «wirkliche» Ebene. Deshalb realisieren sich fast alle Kompositionselemente in dieser Ebene.

Das leere Bild ist, entgegen allen Erwartungen, keine Tabula rasa. Schon bevor das Bild erscheint, schreiben wir dem potentiellen Raum des Bildes gewisse Qualitäten zu, die wissenschaftlich gemessen worden sind: unsere natürliche Tendenz, beispielsweise Tiefe in zweidimensionale Formen hineinzulesen. Unbewußte Erwartungen determinieren versteckte Dominanten. Die «Müller-Lyer-Illusion» und die «Treppauf-treppab-Illusion» demonstrieren dies. Bei der «Müller-Lyer-Illusion» haben beide Vertikalen genau die gleiche Länge, die linke Linie sieht jedoch viel länger aus. Das erklärt sich daraus, daß wir die Winkel oben und unten als Ecken lesen, die linken zurückgehend, die rechten hervorstehend. Wenn beide Linien gleich *scheinen*, können wir uns ausrechnen, daß die linke länger sein *muß*, da sie «weiter entfernt» ist. Welche Treppe führt in der Zeichnung hinauf und welche hinunter? Die «richtigen» Antworten sind: a führt hinauf und b hinunter. Der Trick liegt hierbei natürlich in den Verben, da beide Treppen hinauf- und hinunterführen. Aber da Menschen aus der westli-

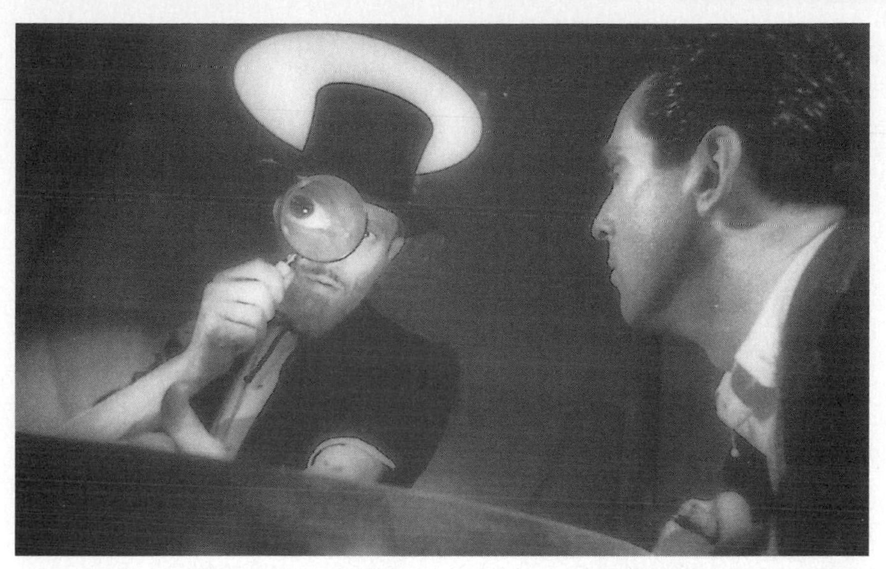

Mischa Auer in Orson Welles' *Mr. Arkadin* (1955): eine für Welles typische gekippte Bildkomposition. Die Tatsache, daß die Tischkante von links nach rechts abfällt, verwirrt uns noch mehr. Der Betrachter im Bild streckt seinen Hals, um besser zu sehen. Die Froschperspektive verstärkt unser Gefühl einer bösen Vorahnung. Am wichtigsten: die Trope des vergrößerten Auges ist verdoppelt und verdreifacht mit einer für Welles typischen Ironie durch die sich wiederholenden Kreise des Zylinders und der Lampe darüber. Das Komische an der Sache ist natürlich, daß das Vergrößerungsglas für uns so gehalten wird, nicht für Auer. (*L'Avant-Scène. Standvergrößerung*)

chen Kultur dazu neigen, von links nach rechts zu lesen, sehen wir a hinaufführen und b herabführen.

So hat das Bild also schon Bedeutung zugeschrieben bekommen, bevor das gefilmte Bild erscheint. Unten ist «wichtiger» als oben, links kommt vor rechts, unten ist fest, oben beweglich; Diagonalen von unten links nach rechts oben führen «hoch» von Festigkeit zu Unbeständigkeit. Horizontalen erhalten mehr Gewicht als Vertikalen: Sehen wir uns horizontalen und vertikalen Linien gleicher Länge gegenübergestellt, lesen wir wahrscheinlich die horizontale als die längere, ein Phänomen, das durch die Dimension des Bildes betont wird.

Wenn das Bild erscheint, werden Form, Linienführung und Farbe von diesen latenten Werten im Bild geprägt. Aber Form, Linie und Farbe haben auch ihre eigenen inhärenten Werte von Gewicht und Richtung. Wenn scharfe Linien im Bildaufbau existieren, lesen wir meistens an ihnen entlang von links nach rechts. Ein Gegenstand mit «geringfügiger» inhärenter Bedeutung (Mrs. Kanes Arzneiflasche) kann durch die Form eine «schwergewichtige» Bedeutung erlangen.

Und die Farbe fügt natürlich eine vollkommen neue Dimension hinzu. Hitchcock

Mehrfachbelichtung. Sie ist einer der unnatürlichsten Film-Codes (wir sehen im wirklichen Leben selten zwei Bilder zur gleichen Zeit), kann aber auch einer der bedeutungsreichsten sein. Hier sind drei Mehrfachbelichtungen von zunehmender Komplexität aus verschiedenen Filmen von Orson Welles abgebildet. Die erste aus *Citizen Kane* (1941) verbindet Susan Alexander (Dorothy Comingore) nur einfach mit ihrem Bild in der Presse, eine verbreitete Anwendung des Doppelbelichtungscodes. (*L'Avant-Scène. Standvergrößerung*)

Die zweite aus *The Magnificent Ambersons* (1942) deutet zwei Realitätsebenen an. (*L'Avant-Scène. Standvergrößerung*)

Die dritte aus *The Lady from Shanghai* (1947) ist aus der berühmten Spiegel-Sequenz: Werden wir diesen Alptraum überleben? (*L'Avant-Scène. Standvergrößerung*)

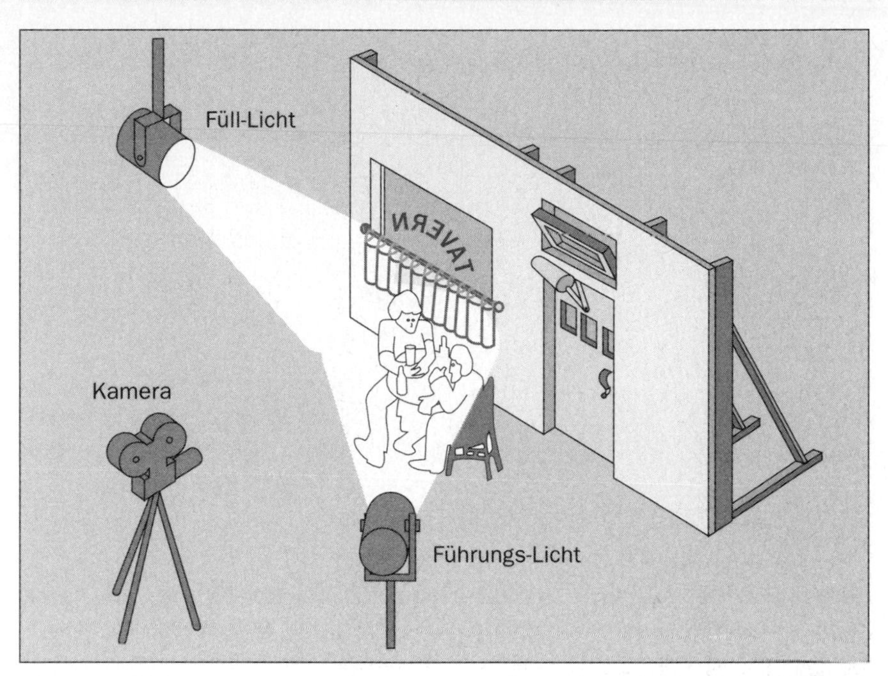

Führungs-Licht und Füll-Licht. Das Führungs-Licht, normalerweise aus einem 45°-Winkel zur Kamera-Objekt-Achse, liefert die Hauptbeleuchtungsquelle. Das schwächere Füll-Licht hellt den Schatten in dieser klassischen Hollywood-Beleuchtungstechnik auf.

beginnt *Marnie* (1964) mit einer Nahaufnahme der leuchtendgelben Brieftasche seiner Heldin. Die anderen Farbwerte der Szene sind neutral. Der Sinn ist der, daß die Brieftasche die Frau trägt und nicht umgekehrt – genau die Wirkung, die Hitchcock erzielen möchte, wenn man bedenkt, daß die gelbe Ausbuchtung der Brieftasche das Geld enthält, das Marnie gerade gestohlen hat, und daß ihr Leben, wie wir später sehen, von ihrer Kleptomanie bestimmt wird. Bevor wir irgend etwas davon durch die Erzählung erfahren, «wissen» wir es. (*Marnie* ist auch ein ausgezeichnetes Beispiel für andere Typen von Farbdominanz, da das Thema des Films Farbsymbolismus ist: Marnie leidet an einer Rot-Phobie.)

Form-, Linien- und Farbelemente haben alle ihre eigenen versteckten Dominanten, wichtige Einflußmöglichkeiten, die sich in komplizierten Systemen entgegenwirken, sich gegenseitig verstärken, kontrapunktieren oder ausgleichen. Jede wird gegen unsere latente Erwartung an das Bild gelesen und mit den Vorstellungen vom Aufbau in Tiefe und Flächenaufteilung kombiniert.

Mehrfachbilder («split screen») und Bildüberlagerungen (Doppelbelichtung etc.) können, auch wenn sie selten benutzt werden, die versteckten Einflußmöglichkeiten

Hollywood-Lichtführung. Margaret O'Brien and Judy Garland in Vincente Minnellis *Meet Me in St. Louis* (1944). Die Dekoration ist gleichmäßig hell ausgeleuchtet. Es gibt nur schwache Andeutungen von Schatten, selbst im Hinterzimmer, das in der Unschärfe liegt. Da dies ein Technicolor-Film war, ist die Ausleuchtung sogar stärker, als sie es bei einem Schwarzweiß-Film gewesen wäre.

um das Zwei-, Drei-, Vier- oder Mehrfache verstärken. Die Feinstruktur ist ebenfalls wichtig, auch wenn sie in der Filmästhetik nicht oft erwähnt wird, nicht nur in bezug auf das Objekt, sondern auch in bezug auf die Materialstruktur – die Körnigkeit – des Bildes. Ein Beispiel wird zur Erklärung reichen: Wir haben gelernt, die Grobheit des Films mit Vergrößerung und Dokumentation zu assoziieren. Dem Filmemacher stand daher dieser Code zur Verfügung. Ein körniges Bild bedeutet ein «wahres» Bild. Die Körnung der Vergrößerung und ihre Bedeutung als Wahrnehmungsbarriere lieferte die Grundmetapher für Antonionis Film *Blow-up* (1966).

Vielleicht ist die Beleuchtung das wichtigste Hilfsmittel des Filmemachers, um die Bedeutung von Form, Linie, Farbe und ihren versteckten Dominanten zu verändern. In den Tagen, als das Filmmaterial relativ unempfindlich war (vor den sechziger Jahren), war die künstliche Beleuchtung eine Requisite, und die Filmemacher machten wie eh und je aus der Not eine Tugend. Die deutschen Expressionisten der zwanziger Jahre entliehen den Code des Chiaroscuro aus der Malerei und wandten ihn für dramatische Effekte an – er erlaubte, den Akzent auf Form vor Wahrheitstreue zu setzen. Der klassische Hollywood-Stil strebte einen natürlicheren Effekt an und entwickelte so ein System ausgewogener Führungs- und Füll-Lichter, die eine ausreichende, aber

Dramatische Lichtführung. Jean-Pierre Melvilles und Jean Cocteaus *Les Enfants terribles* (1950). Auf den Augen liegen spezielle Lichter.

nicht zu aufdringliche Beleuchtung lieferten und so eine minimale Barriere zwischen Betrachter und Objekt darstellten. Bestenfalls konnte dieses komplizierte System einige außergewöhnliche, subtile Effekte erzielen, aber es war in sich unrealistisch; wir sehen selten natürliche Szenen mit einer sowohl gleichmäßig hellen Ausleuchtung wie auch sorgfältig ausbalancierten Nebenlichtquellen, was den Stil Hollywoods charakterisiert (und dies wird heute in Theater- und TV-Produktionen fortgeführt).

Die Entwicklung von empfindlicherem Filmmaterial ermöglichte größeren Spielraum im Beleuchtungscode, und heute bemühen sich die meisten Filmemacher mehr um Naturtreue als um die klassische Ausgewogenheit Hollywoods.

Es ist klar, daß alle Beleuchtungscodes, die für die Fotografie gelten, ebenso für den Film gültig sind. Volle Frontalbeleuchtung läßt das Objekt verschwinden; Oberlicht drückt es hinab. Unterlicht macht es unheimlich, Glanzlichter (Spots) können die Aufmerksamkeit auf Details richten (meistens auf Haar und Augen); Gegenlicht kann das Objekt entweder unterdrücken oder es hervorheben; Seitenlicht kann dramatische Chiaroscuro-Effekte erzielen.

Das Bildformat; offene und geschlossene Form; Bildbegrenzung; geografische und Tiefen-Ebene; Entfernung und Proportion; versteckte Dominanten von Farbe, Form

Gegenlicht. Einer der interessanteren Beleuchtungs-Codes, der aus der Malerei übernommen worden ist. Hier ein relativ frühes Beispiel aus der Malerei, Constance Marie Charpentiers *Mlle Charlotte du val d'Ognes* (ca. 1801). Die Lichtquelle setzt besondere Akzente auf das Haar und die Kleiderfalten. Obgleich keine Lichtquelle von vorn zu erkennen ist, sind die Details dennoch klar, und die Schatten sind weich und fein. (*Öl auf Leinwand, 154,5 cm x 128,5 cm. Metropolitan Museum of Art / The Mr. and Mrs. Isaac D. Flechter Collection*)

und Linie; Gewicht und Richtung; latente Erwartung; schräger oder symmetrischer Aufbau, Struktur und Beleuchtung. Dies sind die wichtigsten Codes, die innerhalb des statischen Filmbildes wirksam sind. In bezug auf die diachronische Aufnahme stehen wir jedoch noch am Anfang.

Die diachronische Aufnahme

Filmemacher benutzen eine Fülle von Begriffen in bezug auf die Einstellung. Die Faktoren, die nun ins Spiel kommen, schließen die Entfernung ein, die Bildschärfe, den Winkel, die Bewegung und den Standpunkt. Einige dieser Elemente wirken auch innerhalb des statischen Bildes, aber alle werden als dynamische Qualitäten angemessener untersucht. Die Aufnahme-Distanz ist die einfachste Variable. Die sogenannten «Normal»einstellungen schließen die Halbtotale, die «amerikanische» Einstellung, die halbnahe Einstellung und die Kopf-und-Schulter-Einstellung mit ein – alle durch das definiert, was im Bild vom Objekt zu sehen ist. Nahaufnahmen,

Jean-Luc Godard ist einer der Filmemacher, die sich für diesen Code interessiert haben. Zur Zeit von *Weekend* (1968), aus dem diese Aufnahme ist, hatte er die Gegenlicht-Aufnahme bis zum Extrem, der Silhouette, abstrahiert. Die Beleuchtung ist hart, scharf und überwältigt das Objekt. Um Details in der Aufnahme herauszufinden, müssen wir uns anstrengen, was uns – mit dem hellen Fenster konfrontiert – fast ein voyeuristisches Gefühl verleiht – genau die Wirkung, die Godard beabsichtigte. Interessanterweise ist auch die Haltung der beiden Frauen ähnlich. Jean Yanne und Mireille Darc in *Weekend.* (*Standvergrößerung*)

Woody Allen gelingt ein völlig anderes Gefühl in dieser Szene aus *Manhattan* (1979), ebenfalls mit starkem Gegenlicht. Man erkennt sofort die Silhouetten von Diane Keaton und Allen bei einer Cocktail-Party im Garten des Museum of Modern Art.

Totalen und Panorama-Einstellungen vervollständigen die Reihe der Distanz-Aufnahmen.

Keiner dieser Begriffe hat irgend etwas mit der Brennweite des benutzten Objektivs zu tun. Wie wir in Teil 2 «Filmtechnik» gesehen haben, werden Einstellungen auch nach den Objektiven benannt, zusätzlich zu ihrer Definition durch Begriffe, die sich aus der Entfernung der Kamera zum Objekt ableiten. Es ist auch festzuhalten, daß diese Begriffe in der Praxis recht unterschiedlich verwendet werden. Die Nahaufnahme des einen ist für den anderen eine «Großaufnahme», und keine Filmakademie hat (bis jetzt) den genauen Punkt festzulegen versucht, an dem eine halbtotale Einstellung eine Totale wird oder die Totale sich in eine Panorama-Einstellung verwandelt. Dennoch haben die Begriffe innerhalb gewisser Grenzen ihre Gültigkeit.

Ein Film, der hauptsächlich aus Nahaufnahmen besteht – zum Beispiel Carl Dreyers *La Passion de Jeanne d'Arc* (1928) –, beraubt uns des umgebenden Raumes

A Sylvia Bataille in Jean Renoirs *Partie de campagne* (1936).

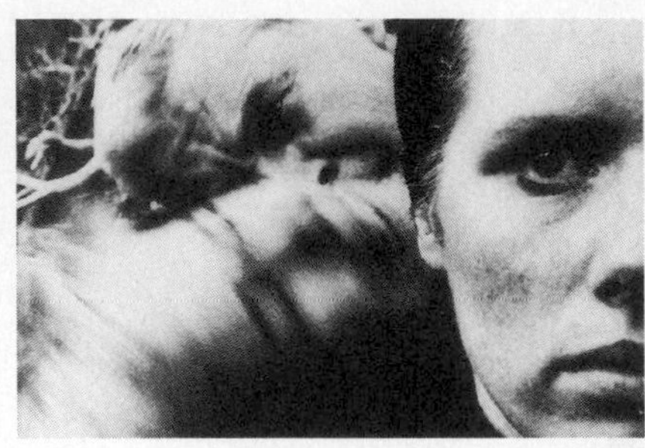

B Bibi Andersson, Gunnar Björnstrand, Liv Ullmann in Bergmans *Persona* (1966).

C Renée Longarini, Marcello Mastroianni in Fellinis *La Dolce Vita* (1959).

D Giulietta Masina in Fellinis *Notti di Cabiria* (1957).

E Masina in Fellinis *Notti di Cabiria* (1957).

F Masina in Fellinis *Giulietta degli spirid* (1965).

Bildkomposition. In der Praxis ist die Aufnahmedistanz viel bestimmender, als die Terminologie andeutet. A und B liegen zum Beispiel beide irgendwo zwischen Nah- und Großaufnahme. Beide zeigen die Gesichtshälfte einer Frau, in A nimmt das Gesicht jedoch fast das ganze Bild ein, während es in B Teil einer Dreier-Aufnahme ist. Das Bildformat ist ebenfalls wichtig. C und D zeigen beide mehr oder weniger halbnahe Einstellungen, und doch hat das CinemaScope-Format in C eine völlig andere Wirkung als D im Normalformat. C schließt viel mehr Handlung mit ein; D wirkt mehr wie eine Nahaufnahme. Die Komposition ist ebenfalls ein sehr wichtiges Element. Die Aufnahmen E und F sind Totalen – gleiche Schauspielerin, gleicher Regisseur. In beiden Aufnahmen nimmt Giulietta Masina ungefähr Dreiviertel der Höhe des Bildes ein. In E hat Fellini die Einstellung jedoch so aufgebaut, daß die anderen Gliederungselemente – die Straße, die Statuen, der Horizont – die Aufmerksamkeit gezielt auf die Masina lenken. Psychologisch ist ihr Bild hier einprägsamer. In F zielt der Aufbau (und Masinas Stellung) darauf ab, ihrer Anwesenheit das Gewicht zu nehmen (*Alle Aufnahmen: L'Avant-Scène. Standvergrößerungen*)

Antonioni war von der Breitwand-Komposition besessen.

Außer von der Breitwand-Bildarchitektur war Antonioni vom Schärfencode fasziniert. Hier, in *Il Deserto rosso* (1964), kommt Monica Vitti unscharf ins Bild (ihrem Charakter entsprechend).

und ist daher verwirrend, klaustrophobisch. Die Wirkung kann äußerst ungewöhnlich sein. Andererseits betont ein Film, der hauptsächlich aus Totalen besteht – viele von Roberto Rossellinis historischen Essays zum Beispiel –, den Kontext vor dem Drama und die Dialektik vor der Persönlichkeit. Der Code der Einstellungsentfernung ist einfach, aber er gibt in hohem Maße vor, welche der vielen anderen filmischen Codes wir ins Spiel bringen.

Die Schärfe ist die nächste der wichtigsten Variablen in der Syntax der Einstellung. Es gibt zwei Achsen für die Bestimmung der Schärfe. Die erste Entscheidung ist die zwischen Schärfentiefe, in der alles von Vordergrund bis Hintergrund ziemlich klar ist, und flacher Schärfe, bei der die Schärfe eine Bildebene heraushebt. Logischerweise gibt die flache Schärfe dem Filmemacher eine größere Kontrolle über das Bild. Schärfentiefe ist andererseits eines der wichtigsten ästhetischen Kennzeichen der Mise en Scène. (Es ist sehr viel leichter, «die Dinge in Szene zu setzen», wenn alles vom Vordergrund bis Hintergrund scharf ist, da die Szene dann viel weiter und sozusagen gefälliger ist – siehe Abbildungen Seite 85)

Perspektive. Eine typische Untersicht-Aufnahme aus Yasujiro Ozus *Kohyagawa-Ke no Aki* (1961). Die Perspektive scheint deshalb nicht so ungewöhnlich, weil die Personen auf dem Boden sitzen.

Die zweite Achse ist das Kontinuum zwischen harter und weicher Schärfe. Dieser Aspekt der Aufnahme steht in Beziehung zur Struktur. Weichzeichner wird im allgemeinen mit sogenannten romantischen Stimmungen assoziiert. Harte Schärfe ist enger mit Naturtreue verbunden. Dies sind Verallgemeinerungen, die oft nicht für bestimmte Fälle gelten. (Wie immer werden die Regeln aufgestellt, um gebrochen zu werden.)

Weichzeichner ist nicht so sehr romantisch wie glättend. Er glättet die charakteristischen Details eines Bildes und schafft so eine Distanz.

Natürlich ist die Schärfe genauso eine Funktion des Standfotos wie der diachronischen Aufnahme. Sie ist aufs engste mit den Kompositionsebenen verknüpft, da sie die Konzentration auf eine einzige Ebene zuläßt. Aber sie dient auch der Bewegung. Indem er eine relativ flache Schärfe beibehält und während der Aufnahme die Schärfe verlagert, kann der Filmemacher die Ebenen abwechselnd betonen, was in gewisser Weise der Wirkung des Schwenks, Zooms oder der Fahrt gleichkommt, dies aber innerhalb des Bildes tut, ohne die Kamera zu bewegen.

Es gibt zwei Hauptarten von Schärfenwechsel innerhalb der Einstellung: Schärfenmitführung – die Schärfe wird gewechselt, damit die Kamera einen sich bewegenden Gegenstand scharf behalten kann – und Schärfenverlagerung – die Schärfe wird verändert, um unsere Aufmerksamkeit von einem Gegenstand weg zu einem anderen zu lenken, zum Beispiel von einem Gegenstand im Hintergrund zu einem im Vordergrund. Schärfenmitführung war eines der grundlegenden Mittel des Hollywood-Stils, wegen ihrer Fähigkeit bewundert, die Aufmerksamkeit auf dem Gegenstand zu belassen. Schärfenverlagerung ist eines der Kennzeichen des modernen, eindringlichen Stils. Die Schärfe ist dann einer der Codes, die die Kompositionscodes mit denen der Bewegung verbinden.

Der dritte Aspekt der diachronischen Aufnahme – die Perspektive – hängt sowohl mit der statischen Komposition als auch mit der Bewegung in der Aufnahme zusammen. Da die Beziehung zwischen Kamera und Objekt im dreidimensionalen Raum existiert, gibt es drei verschiedene Blickwinkel, die die Aufnahme bestimmen.

Einen davon haben wir bereits im vorhergehenden Abschnitt erörtert, den Annäherungswinkel (frontal-symmetrisch oder schräge). Um die Beziehung zwischen den drei verschiedenen Blickwinkeln zu verstehen, könnte es nützlich sein, sich die drei imaginären Achsen, die durch die Kamera laufen, vor Augen zu führen (siehe Abbildung Seite 94). Die Schwenk-Achse (vertikal) ist ebenfalls die Achse des Annäherungswinkels; sie ist entweder rechtwinklig oder schräg. Die Neigungsachse (horizontal von links nach rechts) bestimmt, von welcher Höhe aus die Kamera aufnimmt: Vogelperspektive, Obersicht, Augenhöhe, Untersicht (eventuell Froschperspektive) sind die hier verwendeten Grundbegriffe. Es ist selbstverständlich, daß die Obersicht die Wichtigkeit des Gegenstandes verringert, während die Untersicht seine Bedeutung betont. Interessanterweise läßt sich die Aufnahme in Augenhöhe, die unauffälligste von allen, meistens am schlechtesten definieren. Der Stil des japanischen Filmemachers Yasujiro Ozu ist bekannt für seine ständig niedrige Kamera-Position, aber Ozu versucht nicht wirklich, die Grundkomposition des Bildes zu verzerren: Er filmt nur aus der Augenhöhe eines japanischen Betrachters, der auf einer Tatami-Matte sitzt. «Augenhöhe» hängt natürlich vom Auge des Betrachters ab. Selbst im europäischen und amerikanischen Kino können die feinen Unterschiede zwischen Augenhöhen, wenn auch nicht gleich bemerkbar, entscheidende Wirkung auf den Ablauf eines Films haben.

Die dritte Blick-Variable wird bestimmt von der Kamerabewegung um die Horizontal-Achse, die parallel zur Achse des Objektivs ist. Wahrscheinlich weil diese Achse das metaphysische Band zwischen Betrachter (Kamera) und dem Objekt darstellt, vielleicht weil Rollen die Stabilität des Horizonts zerstört, wird die Kamera nur selten um diese Achse gedreht. Das einzige Rollen, an das man spontan denkt, ist das, womit die Bewegung des Horizonts nachgeahmt wird, wie sie sich von einem Schiff auf schwerer See darstellt. Rollen (oder der schräge Horizont einer statischen Aufnahme) ist die einzige Veränderung der Kamera-Perspektive, bei der der Schwerpunkt sich nicht entscheidend verändert. Schwenken oder Neigen bedeutet, das Bild zu wechseln, Rollen heißt nur, das ursprüngliche Bild zu verändern.

Die bewegliche Kamera. Eine Arbeitsaufnahme aus Jean-Luc Godards *One Plus One* (1968). Der typische Kamera-Kran rechts ist Teil des Films. (Die rote und die schwarze Fahne gehören *nicht* zur Standardausrüstung.) Die Kamera-Plattform wird durch Gegengewichte stabilisiert, die nicht im Bild zu sehen sind. Im Mittelgrund sind Schienen zu erkennen, die für eine Kamera gelegt worden sind, die ganz links gerade noch zu sehen ist. Im Vordergrund ist eine dritte Kamera auf ein Spezialauto montiert.

Die Kamera dreht sich nicht nur um diese drei Achsen, sie bewegt sich auch von einem Punkt zu einem anderen: bei «Fahrten» (oder Dolly-Aufnahmen) und «Kran»-Aufnahmen. Der Zoom – wie im vorigen Teil besprochen – ahmt zusätzlich die Wirkung einer Ran-Fahrt oder einer Rück-Fahrt nach, aber nicht ganz genau. Beim Zoom – die Kamera bewegt sich ja nicht – bleiben die Beziehungen zwischen Objekten auf verschiedenen Ebenen des Bildes die gleichen, man hat nicht das Gefühl, in die Szene einzutreten; unsere Perspektive bleibt konstant, selbst wenn das Bild vergrößert wird. Bei der Fahrt jedoch bewegen wir uns physisch in die Szene hinein; die räumlichen Beziehungen zwischen den Gegenständen verlagern sich, wie auch unsere Perspektive. Wenn auch der Zoom oft eine billige Alternative zur Fahrt darstellt, so schafft er doch eine merkwürdige Distanz: Wir scheinen uns in größere Nähe zu begeben, ohne wirklich näher zu kommen, und das ist verwirrend, da wir im wirklichen Leben keine solche Erfahrung zum Vergleich haben.

Wie sich eine Diskussion zwischen Verfechtern der Schärfentiefe und der flachen Schärfe, zwischen Befürwortern der Mise en Scène und der Montage ent-

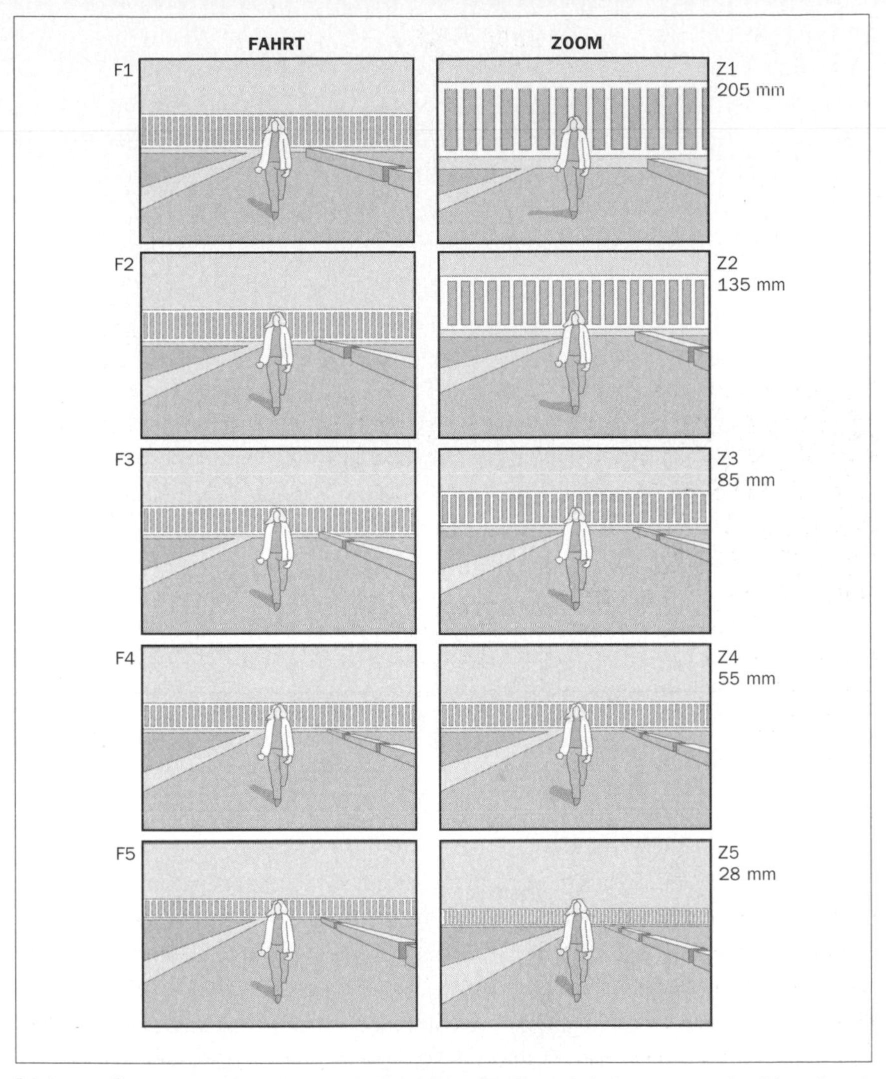

Fahrt versus Zoom. Diese zehn Bilder von parallelen Fahrt- und Zoom-Aufnahmen veranschaulichen die entscheidenden Unterschiede zwischen diesen beiden Techniken. In beiden Serien geht die Frau auf die Kamera zu und legt dabei zwischen Bild 1 und Bild 5 eine Entfernung von ca. 45 Metern zurück. Die Fahrt wurde zuerst gefilmt, mit einem 55 mm-Objektiv. (Daher sind die Bilder F4 und Z4 identisch.) Der Zoom wurde danach gefilmt, um der Fahrt zu entsprechen. Die Beziehung von Person und Hintergrund ist im Zoom völlig anders. Während das Objektiv von einer Teleobjektiv-Einstellung (205 mm) zu einer Weitwinkel-Einstellung (28 mm) wechselt, verändert sich die Tiefenschärfe von ausgesprochen schwach zu übertrieben scharf, und die Perspektive erfährt ebenfalls eine leichte Veränderung. In der Fahrt-Aufnahme bleibt die Entfernung zwischen Person und Kamera von Bild zu Bild gleich, und das Gebäude ist so weit im Hintergrund, daß es sich nicht entscheidend verändert. Beim Zoom verändert sich die Entfernung zwischen Person und Kamera ständig. Die relative Größe des Gebäudes im Hintergrund wird in den Tele-Aufnahmen vergrößert und in der Weitwinkel-Aufnahme verkleinert. Bemerkenswert ist auch der Winkel des Schattens, der sich beim Zoom verändert. Siehe Abbildung Seite 77.

wickelt hat, so hat auch die bewegliche Kamera ihre Anhänger und ihre Gegner. Da sie ständig unsere Perspektive verändert, vergrößert die Fahrt-Aufnahme unsere Tiefenwahrnehmung. Wichtiger noch, die bewegliche Kamera hat eine ihr inhärente ethische Dimension. Sie kann auf zwei grundsätzlich verschiedene Arten benutzt werden (wie Schärfenverlagerung, Schwenken und Neigen): Entweder um dem Gegenstand zu folgen oder um ihn zu verändern. Die erste Alternative legt die Betonung vor allem auf die zentrale Stellung des Gegenstandes des Films; die zweite verlagert das Interesse vom Gegenstand zur Kamera, vom Thema zum Filmemacher. Wie André Bazin gezeigt hat, sind dies ethische Fragestellungen, da sie die menschlichen Beziehungen zwischen Künstler, Gegenstand und Betrachter bestimmen.

Obgleich einige Ästhetiker darauf bestehen, daß die bewegliche Kamera, weil sie die Aufmerksamkeit auf den Filmemacher richtet, irgendwie weniger ethisch als die feste Kamera sei, so ist dies doch eine ebenso trügerische Unterscheidung wie die früheren Dichotomien zwischen Mise en Scène und Montage, zwischen tiefer und flacher Schärfe. Eine Fahrt oder eine Kran-Aufnahme muß nicht zwangsläufig das Interesse vom Gegenstand auf die Kamera verlagern: Sie kann ebensogut die Aufmerksamkeit auf die Beziehung zwischen den beiden lenken, und es ließe sich darüber diskutieren, ob dies nicht realistischer und zugleich ethischer ist, da ja in der Tat eine solche Beziehung besteht.

Viele der besten und lyrischsten Fahrten sind wahrhaft das filmische Äquivalent zum Liebesakt, wie der Filmemacher zunächst wirbt und sich dann mit seinem Motiv vereinigt; die Kamerafahrt wird zur Beziehung und die Aufnahme zu einer Synthese von Filmemacher und Motiv, größer als die Summe ihrer Teile.

F. W. Murnau und Max Ophüls sind bedeutende Gestalten in der Geschichte der beweglichen Kamera. Sie benutzten sie für zutiefst humanistische Ziele – um ihre Gegenstände lyrisch zu feiern und um ihr Publikum tiefer mit einzubeziehen. Stanley Kubrick, ein zeitgenössischer Filmemacher, für den Fahraufnahmen typisch sind, benutzt die Kamerabewegung auch, um sein Publikum mit einzubeziehen, aber auf kühlere, intellektuellere Weise. Michael Snow, ein wichtiger abstrakter Filmemacher und Künstler, hat – in einer Serie von drei grundlegenden Filmen – das Bedeutungspotential der beweglichen Kamera gründlich erforscht.

Wavelength (1967) besteht aus einem wie besessenen Zoom, der 45 Minuten dauert und uns von einer Total-Einstellung eines ziemlich großen New Yorker Loft bis zur abschließenden Großaufnahme eines Fotos führt, das an der gegenüberliegenden Wand des großen Raumes hängt. Die Möglichkeiten des einfachen Schwenks von links nach rechts und zurück werden erforscht in <—> (1968/69, auch *Back and Forth* genannt). Snow stellte seine Kamera in einen leeren Klassenraum und schwenkte dann gleichmäßig und schnell über einen Sektor von ca. 75°, und zwar in Abständen von fünfzehn bis zu sechzig Zyklen pro Minute. *La Région*

Fahrt. Murnaus Szenenaufbau für *Sunrise* (1927). Die lange Straßenbahnfahrt hat sich in der Filmgeschichte einen Platz erobert. In diesem Fall ist die Fahrt-Aufnahme nur realistisch: Es gibt keine andere Möglichkeit, die Straßenbahn zu benutzen, als auf Schienen zu fahren. (*Museum of Modern Art / Film Stills Archive*)

Max Ophüls war ein Liebhaber der beweglichen Kamera. Dies ist eine Aufnahme aus einer langen, lyrischen und sehr komplexen Kranaufnahme in *La Ronde* (1950). Adolf Wohlbrück (alias Anton Walbrook) links, Simone Signoret auf dem Karussell. (*Museum of Modern Art / Film Stills Archive*)

War die Fahrt-Aufnahme für Murnau noch logisch und realistisch, lyrisch und romantisch für Ophüls, so wurde sie um 1968 ein Mittel intellektueller Analyse (und auch ein ungeheurer Spaß) für Jean-Luc Godard. Dieses Bild ist aus der Mitte der Zehn-Minuten-Fahrt, die die endlose Autoschlange in *Weekend* zeigt. Godards Kamera bewegt sich langsam und unerbittlich an einer scheinbar endlosen Reihe haltender Autos entlang. Die Fahrer und Beifahrer hupen ohne Unterlaß, streiten sich und werden handgreiflich, improvisieren Picknicks, spielen Ball von Auto zu Auto (wie im Bild) oder überprüfen die Ausrüstung der Segelboote auf ihren Anhängern. Die Pappeln, die in gleichmäßigem Abstand am Straßenrand stehen, unterteilen diese wundervolle ununterbrochene Einstellung wie einzelne Bildkader. (*Standvergrößerung*)

Rollen. Schwenks, Neigen und Fahrten sind ziemlich alltägliche Film-Codes, aber das Rollen ist relativ selten. Der Grund liegt auf der Hand: Schwenk, Neigen und Fahrt imitieren normale alltägliche Bewegungen, aber wir «rollen» unsere Köpfe nur selten (sondern neigen oder kippen sie zur Seite), daher ist dies eine äußerst ungewöhnliche Perspektive. Während die Aufnahmen oft aus einem *statischen* verkanteten Winkel gemacht werden (siehe Beispiele aus Orson Welles' Filmen in den Abbildungen Seite 195 und 196), ist die *Bewegung* des Rollens ungewöhnlich. Hier führt Fred Astaire eine ganzen Tanz in einer ununterbrochenen Einstellung vor. Er bewegt sich allmählich die Wand hoch, die Decke entlang und an der gegenüberliegenden Seite hinunter. Der Film ist Stanley Donens *Royal Wedding* (1951). Der genau einstudierte Tanz wurde in einer Dekoration ausgeführt, die in einer Art Trommel aufgebaut war. Die Möbel und die Kamera waren befestigt. Während Astaire sich vom Fußboden zur Wand und von der Wand zur Decke bewegte, drehte sich die Dekoration und mir ihr die Kamera.

Stanley Kubrick benützte für viele ungewöhnliche Aufnahmen in *2001: A Space Odyssey* (1968) eine ähnliche Apparatur. Diese spezielle Aufnahme war nur dazu da, diese Apparatur vorzuführen. Die Flugbegleiterin ging um den ganzen Kreis herum und trug dabei auf diesem besonderen Bodenbelag vermutlich Velcro-Schuhe mit Klettsohle. (*Standvergrößerung*)

Centrale (1970/71), Snows Meisterwerk, das mehr als drei Stunden dauert, zeigt uns eine eindringliche «Landkarte» des kompletten Raumes, der die Kamera auf allen Seiten umgibt. Snow konstruierte einen mit Servo-Mechanismus ausgestatteten Schwenkkopf für seine Kamera, stellte sie in eine abgelegene, felsige Gegend im Norden Quebecs und kontrollierte – hinter einem Felsen versteckt – ihre Bewegungsabläufe. Die Kamera saust hinab, wirbelt herum, kreist, quirlt, kippt, beschreibt

Zickzacklinien, schwingt, beschreibt Bogen und Achten in einer Vielzahl von Mustern, wobei nichts außer der kahlen Landschaft, dem Horizont und der Sonne zu sehen ist. Die Wirkung ist die völlige Befreiung der Kamera vom Gegenstand wie vom Kameramann. Der kugelförmige Raum, der sie umgibt, wird das Rohmaterial für Snows komplexe Bewegungsmittel. Bewegung ist alles.

Die befreite, abstrakte Qualität von Snows Bildern führt uns direkt zu einer Betrachtung der letzten der fünf Aufnahme-Variablen: des Blickpunkts. Anders als die ersten vier ist dies mehr eine Sache der Metaphysik als der Geometrie. Die Hauptsache in *La Région Centrale* zum Beispiel ist, daß dieser Film keinen Blickpunkt hat, oder vielmehr, daß sein Blickpunkt abstrakt und global ist. Die meisten narrativen Filme zeigen jedoch einen irgendwie gearteten, subjektiven Blickpunkt. Dieser variiert vom objektiven Blickpunkt der Totale, Schärfentiefe und statischen Kamera zum subjektiven von Nahaufnahme, flacher Schärfe und beweglicher Kamera. Wir haben bereits festgestellt, daß die bewegliche Kamera einen ethischen Aspekt hat, die Frage des Blickpunkts befindet sich im Zentrum dieses ethischen Codes, und Kritiker und Semiotiker beginnen erst gerade, dieses Phänomen genauer zu untersuchen. Wenn wir die Struktur der künstlerischen Erfahrung betrachten, die wir in Teil 1 «Film als Kunst» dargestellt haben, dann ist die Ethik des Films – die Qualität und die Form der Beziehungen zwischen Filmemacher, Gegenstand, Kunstwerk und Publikum – elementar: Alle anderen Ideen zum Film müssen sich von ihr ableiten und sich auf sie zurückbeziehen.

Der Blickpunkt ist in der Prosa-Erzählung leichter zu beschreiben: Romane werden entweder von jemandem in der Geschichte erzählt – dem Ich-Erzähler – oder von jemandem außerhalb – dem allwissenden Erzähler. Der Ich-Erzähler kann sowohl eine wichtige als auch eine unwesentliche Rolle im Ablauf der Handlung haben; der allwissende Erzähler wird manchmal als eigene Person entwickelt, bisweilen überhaupt nicht, abgesehen davon, daß er die Person des Autors darstellt. In seiner Gesamtheit kann der Film diese fiktiven Modelle recht gut nachahmen.

Die meisten Filme, wie die meisten Romane, werden von einer allwissenden Perspektive aus erzählt. Wir sehen und hören, was immer der Autor uns sehen und hören lassen will. Doch was die Ich-Erzählung betrifft – die sich in der Prosa als so nützlich erwiesen hat, da durch sie besondere Feinheiten zwischen den Ereignissen und dem Charakter oder der Person des Erzählers, der sie wahrnimmt, entwickelt werden können –, da wird es im Film problematisch. Es ist ziemlich leicht, eine Person im Film die Geschichte erzählen zu lassen. Die Schwierigkeit ist, daß wir das, was geschieht, sowohl sehen als auch hören. Im Roman hören wir tatsächlich nur. Wie wir bereits früher bemerkt haben, ist Robert Montgomerys *Lady in the Lake* (1945) das berühmteste Beispiel für strenge Anwendung der Ich-Erzählung im Film – und der eindeutige Beweis für ihr Scheitern.

Michael Snows *Wavelength* (1967) behandelt die Fahrt-Aufnahme – das Thema des Films – als strukturelles Gesetz. Dies ist ein Bild ungefähr aus der Mitte des 45-Minuten-Zooms. Am Ende des Films hat sich Snows Kamera bis zu einer Detail-Aufnahme der Fotografie genähert, die über dem Stuhl an der Wand befestigt ist. Das Bild? Natürlich Wellen. (*Museum of Modern Art / Film Stills Archive. Standvergrößerung*)

Michael Snows unübertroffene Schwenk-Neig-Roll-Maschine mit Kamera, aufgestellt, um *La Région centrale* aufzunehmen. Snow bediente die Kamera verborgen hinter dem Felsen rechts. So erschien er nicht im Bild. (*Museum of Modern Art / Film Stills Archive*)

In *Stage Fright* (1950) entdeckte Alfred Hitchcock zu seinem Bedauern, daß der Blickpunkt des Ich-Erzählers im Film voller Probleme ist, selbst dann, wenn er nur oberflächlich angewandt wird. In diesem Film ließ Hitchcock eine seiner Figuren eine Rückschau – und Lüge – erzählen. Die Zuschauer sahen die Lüge auf der Leinwand, und als sie später herausfanden, daß es eine Lüge war, reagierten sie verärgert. Sie konnten die Vorstellung nicht akzeptieren, daß das *Bild* lügen würde, obgleich sie jederzeit bereit waren anzunehmen, daß die *Figur* gelogen hatte. Das Leinwandbild ist mit einer unantastbaren Aura von Gültigkeit ausgestattet.

Bis zu den frühen vierziger Jahren hatte Hollywood eine sehr glatte, wirkungsvolle und klar verständliche Sprache des Blickpunkts entwickelt. Die einführende Einstellung («establishing shot») – eine Totale – vermittelte den Schauplatz, oft die Zeit und manchmal andere notwendige Informationen. Hitchcock war ein Meister der Einführungseinstellung. Der Eröffnungsschwenk und die Fahrt zu Beginn von *Rear Window* (1954) sagt uns zum Beispiel, wo wir sind, warum wir dort sind, mit wem wir zusammen sind, was nun passiert, was passiert ist, um uns dorthin zu bringen, wer die anderen Personen in der Erzählung sind, und schlägt uns sogar mögliche Entwicklungen der Erzählung vor – alles leicht und schnell und ohne ein gesprochenes Wort! Ganze Kapitel Prosa sind hier auf Sekunden Filmzeit verdichtet.

Der Hollywood-Dialogstil ist ebenso wirkungsvoll: Normalerweise beginnen wir mit einer Einstellung der beiden Sprecher (eine einführende Zweier-Einstellung), dann bewegen wir uns weiter zu einer Montage von Einer-Einstellungen, wobei jeder der Teilnehmer abwechselnd spricht und zuhört. Dies sind oft Aufnahmen über die Schulter, eine interessante Anwendung des Codes, da er den Blickpunkt des Sprechers andeutet, aber physisch gleichzeitig von ihm getrennt ist. Die Aufnahme der ersten Person von (ungefähr) dem Blickpunkt der zweiten aus wird im allgemeinen Gegenschuß genannt. Die Rhythmen dieser vorsichtigen, insistierenden und intimen Schuß-Gegenschuß-Technik sind oft betörend: Wir umkreisen das Gespräch.

Dies ist der endgültige allwissende Stil, da er uns erlaubt, alles aus der idealen Perspektive zu sehen. Modernere Techniken, die eher die Getrenntheit und die Individualität der Kamera betonen, könnten uns erlauben, «alles zu sehen», aber immer von einem getrennten, abgesonderten Blickpunkt. Antonionis Kamera hält zum Beispiel oft eine Szene fest, die eine Person entweder noch nicht betreten oder schon verlassen hat. Das hat zur Wirkung, daß die Umgebung vor den Personen und der Handlung betont wird, der Kontext vor dem Inhalt. Wir könnten dies die Perspektive der «dritten Person» nennen: Die Kamera scheint manchmal einen eigenständigen Charakter zu bekommen, der sich von dem der anderen Personen abhebt.

Im allwissenden Stil – sowohl dem Hollywood-Stil als auch dem modernen – wird die subjektive Aufnahme («point-of-view shot» oder «pov») angewendet. Ein

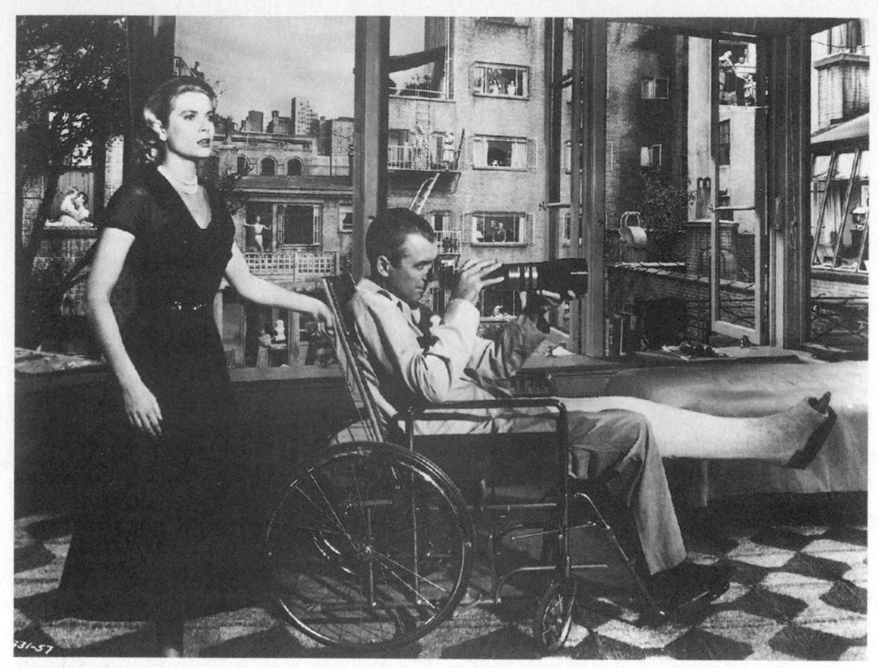

Grace Kelly und James Stewart in Hitchcocks *Rear Window* (1954). Stewart, ein Fotograf, kann sich nicht aus seiner Wohnung in der Tenth Street in Greenwich Village fortbewegen. Die «CinemaScope»-Aussichtsfenster des Gebäudes auf der anderen Seite des Hofes machen ihn neugierig. Er wird tief verwickelt in die Geschichten, die sie erzählen. Eine Metapher für das Filmemachen? Ganz bestimmt eine Studie zum Thema Perspektive. (*Museum of Modern Art / Film Stills Archive*)

begleitender Erzähler im Ton kann oft die Perspektive der Person in bezug auf die Ereignisse verdeutlichen. Und doch schwächt das, psychologisch gesehen, insistierende und immer präsente Bild diese Perspektive. Bei der gedruckten Sprache müssen wir nicht immer «sehen»: Schriftsteller beschreiben oder erzählen nicht immer, sie erklären oder kommentieren oft. Im Film jedoch findet sich wegen der Präsenz des Bildes immer ein beschreibendes Element – selbst wenn der Ton gleichzeitig zur Erklärung, zum Kommentieren oder für die Diskussion genutzt wird. Dies ist einer der wesentlichsten Unterschiede zwischen Prosa-Erzählung und Film-Erzählung. Natürlich besteht die einzige Möglichkeit, diese insistierende, beschreibende Natur des Filmbildes zu umgehen, darin, es völlig auszuschalten, wobei dann der Ton das abstrakte, analytische Potential der geschriebenen Sprache kopieren kann. Jean-Luc Godard experimentierte mit genau dieser Technik in seinen höchst theoretischen Filmen der späten sechziger Jahre: Manchmal ist die Leinwand einfach dunkel, während wir den Wörtern von der Tonspur zuhören.

Der Ton

Während die Eigenschaft des Bildes in gewisser Weise für die Perspektive bei der Filmerzählung von Nachteil ist, ist die Eigenschaft des Tons - seine Allgegenwart – ein klarer Vorteil. Christian Metz unterscheidet fünf Informationskanäle im Film: (1) das visuelle Bild; (2) Schrift und andere Grafiken; (3) Dialog; (4) Musik; (5) Geräusch (Toneffekte). Interessanterweise ist die Mehrzahl dieser Kanäle eher auditiv als visuell. Wenn man diese Kanäle in Hinblick auf die Art ihrer Kommunikation untersucht, entdeckt man, daß nur zwei von ihnen ständig präsent sind – der erste und der fünfte. Die anderen drei werden unterbrochen – sie werden an- und abgestellt –, und es ist leicht, sich einen Film ohne Schrift, Rede oder Musik vorzustellen.

Die zwei fortlaufenden Kanäle selbst kommunizieren auf eindeutig unterschiedliche Weise. Wir «lesen» Bilder durch Steuerung unserer Aufmerksamkeit, wir lesen den Ton nicht, zumindest nicht auf die gleiche bewußte Art. Der Ton ist nicht nur zeitlich allgegenwärtig, sondern auch örtlich. Da er ständig präsent ist, neigen wir dazu, ihn zu unterschätzen. Bilder können auf viele verschiedene Arten manipuliert werden, und die Manipulation ist relativ offensichtlich; beim Ton ist selbst die begrenzte Manipulation, die vorkommt, vage und wird meistens nicht erkannt.

Es ist die Allgegenwart des Tons, die seine attraktivste Qualität ist. Er bewirkt den Aufbau von Raum wie Zeit. Er ist wesentlich für das Schaffen eines Schauplatzes; die «Raumatmosphäre», die auf der Echo-Zeit, den Schwingungen und so weiter eines bestimmten Ortes beruht, ist kennzeichnend für ihn. Ein tonloses Bild wird lebendig, wenn ein Soundtrack hinzugefügt wird, der eine Vorstellung vom Ablauf der Zeit hervorrufen kann. Der Ton erweist sich dadurch als nützlich, daß er eine Basis der Kontinuität schafft und so die Bilder unterstützt, die im allgemeinen mehr bewußte Beachtung erfahren. Dialog und Musik erfahren natürlicherweise Beachtung, da sie eine spezifische Bedeutung haben. Aber das sogenannte «Geräusch» des Soundtracks – «Toneffekte» – ist am wichtigsten. Hier findet der wirkliche Aufbau des akustischen Umfeldes statt.

Aber «Geräusch» und «Effekt» sind wahrhaft unzureichende Etiketten für eine achtbare Kunst. Möglicherweise könnten wir diesen Aspekt des Filmtons «akustisches Umfeld» nennen. Der Einfluß des akustischen Umfeldes ist in zeitgenössischer Musik, besonders in der «musique concrète», bereits bemerkt worden. Selbst die aufgezeichnete Rede ist von dieser neuen Fähigkeit beeinflußt worden. In den großen Tagen des Radios waren «Toneffekte» auf die physikalisch herstellbaren beschränkt. Synthesizer, Mehrspur-Aufzeichnung und jetzt der mittels Computer manipulierte digitalisierte Ton haben es den Technikern für Toneffekte – oder «Foley-Künstlern», wie sie jetzt genannt werden – ermöglicht, eine unendliche Anzahl von natürlichen wie auch völlig neuen künstlichen Geräuschen zu erzeugen. Ein großer Teil des modernen Hörspiels (das hierzulande hauptsächlich in speziellen Programmnischen des Rundfunks stattfindet) hat das ungeheure Potential dessen erkannt, was bisher ganz einfach «Toneffekte» genannt wurde. Die zeitgenössische Musik zelebriert ebenfalls diese früher eher prosaische Kunst.

Der Film hat die neue Bedeutung des Tons ebenfalls erkannt. In den frühesten Tagen des Tonfilms waren Musicals zum Beispiel visuell außerordentlich kunstvoll, Busby Berkeley erfand ausgeklügelte bildliche Darstellungen musikalischer Ideen, um das Interesse des Publikums zu fesseln. Heute ist jedoch das einfache Konzert die kraftvollste Form des Film-Musicals. Der Ton trägt den Film, die Bilder werden von ihm beherrscht.

Man kann sich ebenso den Film ohne Musik vorstellen. In England, wo das Hörspiel sich länger hielt als in den USA, hat sich, seit den *Goon Shows* der fünfziger und über *Monty Python's Flying Circus* der siebziger Jahre hinaus, die Hörspiel-Tradition gehalten. Francis Ford Coppolas faszinierender Film *The Conversation* (1974) erreichte im Kino für das Ohr das, was *Blow-up* (1966) acht Jahre zuvor für das Auge tat. Obwohl der Ton im Film sicher mehr Beachtung vertragen könnte, als ihm bisher zugestanden wurde, kann er nicht leicht von den Bildern getrennt werden. Ein Großteil der Sprache, die wir verwenden, um die Codes des Tons zu diskutieren, handelt von der Beziehung zwischen Ton und Bild. Siegfried Kracauer schlägt die Unterscheidung vor von «aktuellem» Ton, der logisch zum Bild gehört, und «kommentierendem» Ton, der das nicht tut. Ein Dialog von Personen im Bild ist aktuell, der von Personen außerhalb des Bildes ist kommentierend. (Ein Filmemacher, der wie Richard Lester in bezug auf den Ton sehr erfindungsreich war, setzte oft den kommentierenden Dialog von Personen ein, die zwar im Bild waren, aber nicht zur handelnden Gruppe in der Einstellung gehörten.)

Karel Reisz, Filmemacher und Theoretiker, benutzte eine ein wenig abweichende Terminologie. Reisz, der das Standardwerk über die Filmmontage schrieb, unterscheidet jede Art von Ton in «synchron» und «asynchron». Synchroner Ton hat seine Quelle im Bild (der Cutter muß versuchen, ihn synchron zu bekommen). Asynchroner Ton kommt von außerhalb des Bildes.

Wenn man diese beiden theoretischen Begriffsreihen verbindet, bekommt man eine dritte*, deren Pole «paralleler» Ton und «kontrapunktischer» Ton sind. Paralleler Ton ist aktuell, synchron und mit dem Bild verbunden. Kontrapunktischer Ton ist kommentierend, asynchron und dem Bild entgegengesetzt oder kontrapunktisch zu ihm. Es macht keinen Unterschied, ob es sich um Dialog, Musik oder Geräusche aus dem akustischen Umfeld handelt: Alle drei sind zeitweilig unterschiedlich parallel oder kontrapunktisch, aktuell oder kommentierend, synchron oder asynchron.

Die Unterscheidung von parallelem oder kontrapunktischem Ton ist vielleicht der kontrollierende Faktor. Diese Vorstellung vom Ton als logischerweise mit oder gegen das Bild arbeitend, liefert die grundlegende ästhetische Dialektik des Tons. Der Hollywood-Tonstil war ausgesprochen parallel. Die programmatische Musik der Filme in den dreißiger Jahren deutete an, unterstrich, betonte, charakterisierte und beeinflußte sogar die einfachsten Szenen, so daß die langweiligsten wie auch die fesselndsten Bilder gründlich durchdrungen waren von den Gefühlen, die die Komponisten des fast ununterbrochenen Soundtracks erzielen wollten. Erich Wolfgang Korngold und Max Steiner waren die beiden bekanntesten Komponisten solcher gefühlsüberladenen Musik.

In den experimentierfreudigen sechziger und siebziger Jahren gab der kontrapunktische Ton dem zeitgenössischen Stil der Filmmusik eine ironische Note. Oft wurde der Soundtrack als dem Bild gleichwertig, aber andersartig angesehen. Marguerite Duras zum Beispiel experimentierte mit kommentierendem Ton, der völlig vom Bild abgelöst ist, wie in *India Song* (1975). In den achtziger Jahren kehrte Hollywood zu programmatischer Musik zurück. John Williams, Komponist der Soundtracks vieler Großproduktionen der späten Siebziger und der Achtziger, von *Jaws* und *Star Wars* bis zu *Home Alone* (1990) und *Jurassic Park* (1993), hat einer ganzen Generation ihre Leitmelodien gegeben, wie es auch seine ehrenwerten Vorgänger getan haben. Aber zugleich wird Musik immer noch kommentierend verwendet. Der Rock bietet den Filmemachern zum Beispiel einen unmittelbaren Zugang zu modernen Ideen und Empfindungen, wie George Lucas' *American Graffiti* (1973), Lawrence Kasdans *The Big Chill* (1983) oder die Filme von John Hughes klar gezeigt haben.

Ironischerweise ist die Musik – die einst das machtvollste asynchrone und kommentierende Element des Tons war – im wirklichen Leben so allgegenwärtig geworden, daß ein Filmemacher eine strenge Synchronität von aktuellem Ton beibehalten und dennoch einen kompletten Musik-Soundtrack produzieren kann. Der Walkman und der «Gettoblaster» haben das Leben zu einem Musical gemacht.

* Ich stütze mich bei dieser Zusammenfassung auf Win Sharples, Jr.: «The Aesthetics of Film Sound», *Filmmakers Newsletter 8 : 5*.

Die Montage

Das Zusammensetzen der einzelnen Film-Aufnahmen heißt in Frankreich «montage», während die englischen Begriffe «cutting» oder «editing» und der deutsche Begriff «Schnitt» sind. Letztere lassen an einen Aussortierungsprozeß denken, bei dem unerwünschtes Material entfernt wird. Michelangelo beschrieb einst auf ähnliche Weise die Bildhauerei als das Wegschneiden unerwünschten Materials, um die natürliche Form des Bildwerks in einem Block Marmor zu entdecken. Man schneidet Rohmaterial zurecht. «Montage» jedoch läßt an eine aufbauende Arbeit denken, die sich vom Rohmaterial hinaufarbeitet. Der klassische Stil des Hollywood-Schnitts der dreißiger und vierziger Jahre, in den Achtzigern teilweise wiederbelebt – das, was die Franzosen «découpage classique» nennen –, besaß in der Tat eine unauffällige Eleganz, Flüssigkeit und Komprimiertheit. Und die europäische Montage wurde seit den deutschen Expressionisten und Eisenstein in den zwanziger Jahren durch einen Prozeß der Synthese charakterisiert: Man erkennt, daß ein Film eher zusammengesetzt als zurechtgeschnitten wird. Die zwei Begriffe zur Beschreibung dieser Arbeit drücken die beiden Grundhaltungen ihr gegenüber aus.

Während die Mise en Scène durch ein Verschmelzen vieler komplexer Faktoren bestimmt wird, ist die Montage überraschend einfach, zumindest auf der technischen Ebene. Es gibt nur zwei Möglichkeiten, zwei Filme aneinanderzufügen: Man kann sie übereinanderlegen (Doppelbelichtung, Überblendungen, Mehrfach-Bilder), oder man kann sie aneinanderreihen. Die zweite Möglichkeit ist fast ohne Einschränkung beim Bild die vorherrschende, während sich der Ton sehr viel besser für die erste eignet, so sehr, daß dieses Verfahren einen eigenen Namen hat: Mischung.

Im allgemeinen Sprachgebrauch wird Montage auf drei verschiedene Arten benützt. Während sie ihre Grundbedeutung beibehält, wird sie zusätzlich spezifisch verwandt:

- als dialektischer Prozeß, der eine dritte Bedeutung aus den beiden ursprünglichen Bedeutungen zweier aufeinanderfolgender Aufnahmen schafft, und
- als Prozeß, in dem eine Anzahl kurzer Aufnahmen zusammengefügt wird, um in kurzer Zeit eine Menge an Information mitzuteilen.

Dieser letzte Prozeß ist nur ein spezieller Fall der allgemeinen Montage; der dialektische Prozeß ist jeder Montage inhärent, bewußt oder unbewußt.

Découpage classique, typisch für Hollywood, entwickelte ganz allmählich eine große Anzahl von Regeln: zum Beispiel die Praxis, immer mit einer Einführungseinstellung zu beginnen und sich dann vom Allgemeinen auf das Detail zu konzentrieren; oder die strenge Daumenregel, Dialogszenen mit «master-shots» und Gegenschuß zu schneiden. Alle Schnittpraktiken der Hollywood-Grammatik waren dazu gedacht, unauffällige Übergänge von Einstellung zu Einstellung zu ermöglichen und die Aufmerksamkeit auf die jeweils ablaufende Handlung zu konzentrieren. Alles, was half, die Unmittelbarkeit und den Fluß des Handlungsablaufs beizubehalten, war gut, was ihn störte, war schlecht.

In der Tat wird jede Art der Montage letztlich durch das bestimmt, was sie abbildet. Um Fotografien aneinanderzufügen, reicht es, den Rhythmus der aufeinanderfolgenden Aufnahmen zu beachten. Diachronische Aufnahmen, die in sich aktiv sind, verlangen, daß die Bewegungen in der Aufnahme selber beim Schneiden berücksichtigt werden. Der «jump cut» («Sprung-Schnitt»), bei dem die natürliche Bewegung unterbrochen wird, liefert ein interessantes Beispiel für die unterschiedliche Vorgehensweise, mit der die Découpage classique und der zeitgenössische Schnitt ein Problem behandeln.

Im Hollywood-Film war der «unsichtbare Schnitt» das Ziel, und der Jump Cut wurde als Trick benutzt, um tote Zeit zu komprimieren. Ein Mann betritt beispielsweise einen riesigen Raum an einem Ende und muß zu einem Tisch am anderen Ende gehen. Der Jump Cut kann das Tempo beibehalten, indem er den größten Teil des Durchquerens des langen Raums überspringt, aber das muß er unauffällig machen. Die Regeln der Hollywood-Grammatik verlangen, daß die überschüssige tote Zeit überspielt wird, entweder durch einen Schnitt auf ein anderes Element der Szene (den Tisch selbst, eine andere Person im Raum) oder dadurch, daß der Kamerawinkel so verändert wird, daß die zweite Einstellung eindeutig von einem anderen Kamera-Standort kommt. Das einfache Herausschneiden unerwünschter Längen aus einer einzelnen Einstellung und von einem einzigen Kamerawinkel aus ist nicht erlaubt. Die Wirkung wäre nach Hollywood-Regeln verwirrend.

Der moderne Stil erlaubt weit größere Freiheiten. In *À bout de souffle* brachte Jean-Luc Godard einige Ästhetiker durch Jump Cuts mitten in der Aufnahme aus der Fassung. Die Schnitte waren in keiner Weise nützlich und nur verwirrend. Godard benutzte diesen Trick später nur selten, aber sein «ungrammatischer» Aufbau ist in die allgemeine Montage-Stilistik aufgenommen worden, und Jump Cuts sind nun für rhythmische Effekte erlaubt. Selbst der einfache, nützliche Jump Cut ist geglättet worden: Aus einer einzigen Einstellung (nur ein Kamerawinkel) geschnitten, kann er durch eine Serie von schnellen Überblendungen überspielt werden.

Richard Lesters lebendige Filme aus den sechziger Jahren – insbesondere seine Musikfilme *A Hard Day's Night* (1964), *Help!* (1965) und *A Funny Thing Happened on the Way to the Forum* (1966) – machten Jump Cuts, schnelle und «ungrammatische» Schnitte populär. Mit der Zeit wurde sein zerstückelnder Schnittstil zu einer Norm, heutzutage weltweit jeden Abend in Hunderten von Musik-Videos auf MTV zelebriert. Weil diese Video-Bildwelt mittlerweile unser Leben im Griff hat, ist es nur schwer zu begreifen, wie frisch und innovativ diese Techniken in den sechziger Jahren erschienen. Lester ist – wenigstens in einer Hinsicht – als der einflußreichste Filmstilist seit D. W. Griffith anzusehen. «Morphe» ausgenommen, gibt es in gegenwärtigen Musik-Videos nur wenige Techniken, die Richard Lester nicht als erster ausprobiert hat. (Aber nun steckt ja auch in der gegenwärtigen Musik vieles, was die Beatles und ihre Kollegen in den Sechzigern als erste erkundet haben.)

Es sollte festgehalten werden, daß tatsächlich zwei Prozesse ablaufen, wenn Aufnahmen geschnitten werden. Der erste betrifft das Zusammenfügen zweier Aufnahmen. Ebenso wichtig ist es jedoch, die Länge jeder einzelnen Aufnahme zu bestimmen, sowohl in bezug auf voraufgehende als auch folgende Aufnahmen wie auch in bezug auf die Handlung in der Aufnahme. Die Découpage classique fordert, daß eine Aufnahme so geschnitten wird, daß der Schnitt nicht mit der zentralen Handlung der Aufnahme kollidiert. Wenn wir die Handlung in einer jeden Aufnahme so konzipieren, daß wir zunächst eine steigende und dann eine fallende Kurve bekommen, verlangt die Hollywood-Grammatik einen Schnitt kurz nach dem höchsten Punkt der Kurve. Moderne Regisseure wie Michelangelo Antonioni drehen die Logik jedoch um und lassen die Aufnahme lange nach dem Höhepunkt weiterlaufen, zeigen die ganze Spanne ihrer Nachwirkung. Die letzte Einstellung von *Professione: Reporter* (1975) ist dafür ein ausgezeichnetes Beispiel. Um den Film mit einer langen, majestätischen und geheimnisvollen Fahrt zu einem Fenster hoch und dann hindurch enden zu lassen, hat Antonioni eine komplizierte Apparatur konstruiert – eine Art Kombination aus Steadicam, Skycam und Überkopf-Schiene. Der Schwenker lenkte die an einem Kran aufgehängte Kamera an das Fenster heran, Bühnenarbeiter öffneten dann das Fenster und hängten die Kamera in die Schiene der Decke ein, so daß sie sich in den Raum hineinbewegen und die Figuren im Innern erkennen lassen konnte.

Der rhythmische Wert des Schnitts ist wahrscheinlich am besten im Code der «beschleunigten» Montage zu sehen, bei der das Interesse an der Szene gesteigert und durch ständig kürzere Einstellungswechsel zwischen zwei Gegenständen (oft in Verfolgungsszenen) zu einem Höhepunkt geführt wird. Christian Metz wies auf die beschleunigte Montage als filmspezifischen Code hin (obgleich Charles Ives' antagonistische Blechbläser ein Beispiel für diese Art von Kreuzschnitt in der Musik liefern). Beschleunigte Montage deutet eine zweite Art von Schnitt an.

Die Montage wird nicht nur dazu benützt, ein Kontinuum zwischen den Einstellungen einer Szene herzustellen, sondern auch, um die Zeitlinie eines Films zu krümmen. Die «Parallel»-Montage erlaubt es dem Filmemacher, durch Hinundherschneiden, zwischen zwei Erzählungen abzuwechseln, die miteinander verbunden oder unverbunden sein können. (Die beschleunigte Montage ist ein spezieller Typ der Parallel-Montage.) Rück- und Vorblenden erlauben Abschweifungen und Vorgriffe. Die «Schachtel-Montage» («involuted montage») erlaubt es, eine Sequenz ohne besondere Rücksicht auf die Chronologie zu erzählen. Eine Handlung kann wiederholt werden, Einstellungen können ohne chronologische Ordnung eingeschnitten werden. Jede dieser Ausweitungen des Montage-Codes strebt etwas anderes an als die Herstellung einer einfachen Chronologie, ein Faktor, der beim klassischen fortlaufenden Schnitt kaum Beachtung fand.

Womöglich ist der «match cut» («zusammenfügender Schnitt») der häufigste dialektische Trick, der zwei verschiedene Szenen durch die Wiederholung einer Handlung oder einer Form oder die Verdoppelung der Mise en Scène verbindet. Stanley Kubricks Match Cut in *2001: A Space Odyssey*, zwischen einem prähistorischen Knochen, der durch die Luft wirbelt, und einer Raumstation aus dem einundzwanzigsten Jahrhundert, die sich im Raum dreht, ist wahrscheinlich der anspruchsvollste Match Cut der Geschichte, da er versucht, die Vorgeschichte mit der menschheitlichen Zukunft zu verbinden, und weil er gleichzeitig im Schnitt selbst eine besondere Bedeutung dadurch schafft, daß er die Funktion von Knochen wie auch Raumstation als Werkzeuge betont: Erweiterungen der menschlichen Fähigkeiten.

Die Codes der Montage mögen nicht so deutlich erkennbar sein wie die der Mise en Scène, aber das bedeutet nicht, daß sie deshalb weniger komplex sein müssen. Wenige Theoretiker haben mehr Unterscheidungen getroffen als die zwischen paralleler Montage, erzählerischer Montage, beschleunigter Montage, Rückblenden und Schachtel-Montage. In den zwanziger Jahren erweiterten Vsevolod I. Pudovkin und Sergej Eisenstein die Montage-Theorie über diese eigentlich praxisorientierten Möglichkeiten hinaus. Pudovkin unterschied fünf Haupttypen der Montage: Kontrast, Parallelität, Symbolismus, Gleichzeitigkeit und Leitmotiv. Er entwickelte dann eine Theorie der Interaktion zwischen den Aufnahmen, die er die «Beziehungsmontage» oder «Verknüpfung» nannte. Eisenstein sah seinerseits die Beziehungen zwischen den Einstellungen eher als Zusammenprall denn als Verknüpfung und verfeinerte die Theorie noch insofern, als sie sich nicht nur mit den Beziehungen zwischen Elementen einzelner Einstellungen beschäftigte, sondern auch mit Beziehungen zwischen ganzen Einstellungen selber. Das nannte er die «Montage der Attraktionen». Beide Theorien werden in Teil 4 «Filmgeschichte» genauer untersucht.

In den späten sechziger Jahren versuchte Christian Metz, all diese verschiedenen

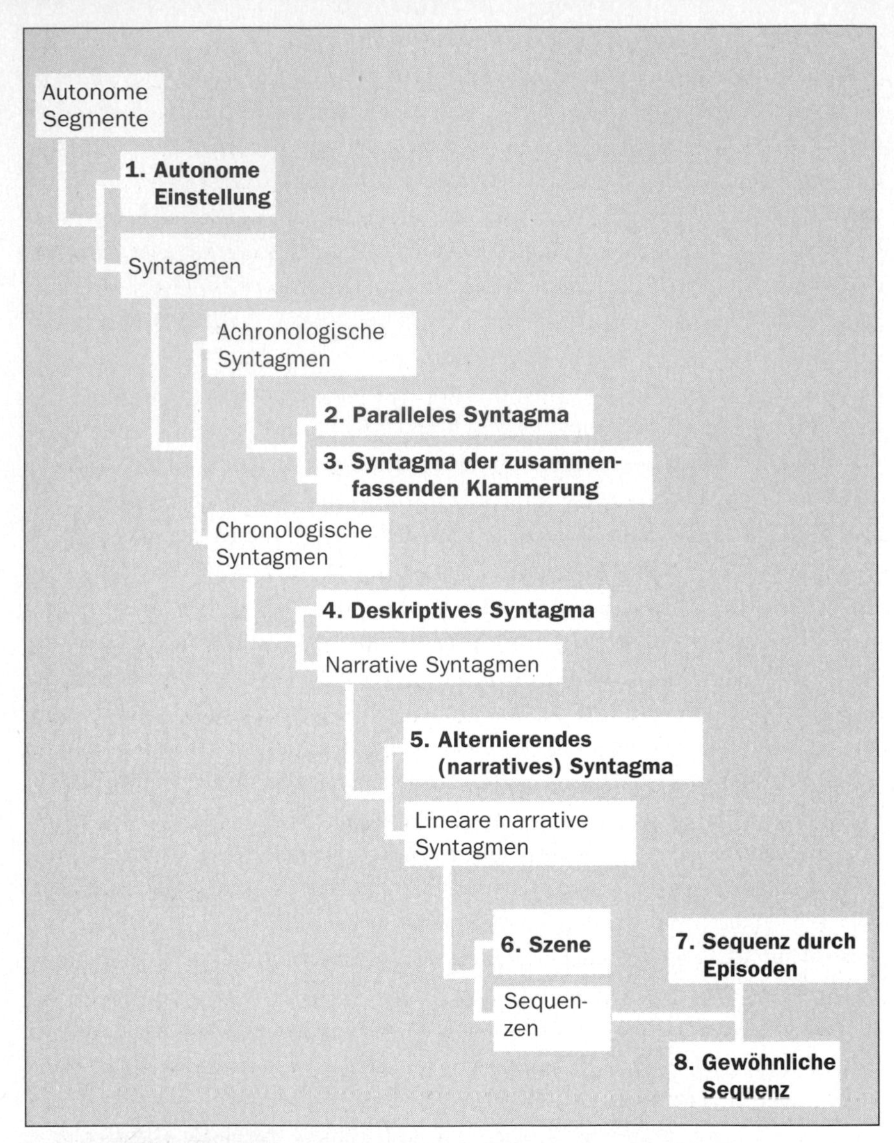

Metz' syntagmatische Kategorien

Montage-Theorien zu verschmelzen. Er entwarf ein Diagramm, in dem er aufzuzeigen versuchte, wie acht Montage-Typen logisch miteinander verbunden waren. Es gibt eine Anzahl Probleme mit Metz' Kategorien, doch das System hat eine eigentümliche Eleganz, und es beschreibt die meisten der wesentlichen Montage-

Muster. Wichtiger noch: Trotz seiner Eigentümlichkeiten und gelegentlicher Verirrungen bleibt es der einzige Versuch der letzten Jahre, das komplexe System der Montage zu erfassen.

Zu bemerken ist, daß sich Metz für narrative Elemente – Syntagmen – interessiert, die innerhalb einer Aufnahme wie auch zwischen ihnen bestehen können, eine wichtige Verfeinerung, da, wie wir bereits gezeigt haben, die Wirkungen vieler Montage-Arten innerhalb einer Aufnahme erzielt werden können, ohne daß wirklich geschnitten werden muß. Wenn die Kamera zum Beispiel von einer Szene zu einer anderen schwenkt, stehen diese beiden Szenen miteinander genauso in Verbindung, als wenn sie zusammengeschnitten worden wären.

Metz' großartiger Entwurf mag auf den ersten Blick gefährlich erscheinen, aber wenn man ihn studiert, erweist er sich als nützliches logisches System. Er erreicht das, indem er sich auf autonome Segmente des Films beschränkt. Dies müssen entweder autonome Einstellungen sein – die völlig unabhängig sind von dem, was voraufgeht oder folgt –, oder es müssen seine sogenannten Syntagmen sein, das heißt Einheiten, die bedeutungsvolle Beziehungen untereinander haben. (Wir könnten sie «Szenen» oder «Sequenzen» nennen, aber Metz behält sich diese Begriffe für spezielle Typen von Syntagmen vor.) Auf jeder Stufe dieses binären Systems wird eine weitere Unterscheidung gemacht: Die erste Klammer unterscheidet zwischen autonomen Einstellungen und verbundenen Einstellungen, was sicher der erste Faktor beim Kategorisieren der verschiedenen Montage-Arten ist. Entweder ist eine Einstellung mit ihrer Umgebung verbunden, oder sie ist es nicht.

Die zweite Klammer unterscheidet zwischen Syntagmen, die chronologisch wirken, und solchen, die das nicht tun. In anderen Worten: Der Schnitt erzählt entweder eine Geschichte (oder er entwickelt eine Idee) in chronologischem Ablauf oder tut das nicht. Auf der dritten Stufe verzweigen sich die Unterscheidungen. Metz unterscheidet zwei getrennte Arten von achronologischen Syntagmen, die parallelen und die Syntagmen der zusammenfassenden Klammerung. Dann unterscheidet er zwischen zwei Arten chronologischer Syntagmen: Entweder beschreibt ein Syntagma, oder es erzählt. Wenn es erzählt, kann es das entweder linear oder nichtlinear tun. Wenn es linear beschreibt, ist es entweder eine Szene oder eine Sequenz. Und schließlich, wenn es eine Sequenz ist, ist es entweder episodisch oder gewöhnlich.

Das Endresultat ist ein System von acht Montage-Arten oder acht Syntagmen. Die autonome Einstellung (1) ist auch als «Plansequenz» bekannt (obgleich Metz hier auch bestimmte Arten von Einfügungen – kurze, isolierte Fragmente – einordnet). Das parallele Syntagma (2) ist bereits als das bekannte Phänomen der Parallel-Montage diskutiert worden. Das Syntagma der zusammenfassenden Klammerung (3) ist jedoch Metz' eigene Entdeckung – oder Erfindung. Er beschreibt es als «eine Serie kurzer Szenen, die solche Ereignisse darstellen, die als typische Beispiele für eine bestimmte Realität angesehen werden und die ganz bewußt nicht in ein zeitliches Verhältnis zueinander gebracht werden ...» (Metz: *Semiologie des Films*, S. 173).

Dies ist mehr ein System von Andeutungen. Ein gutes Beispiel könnten vielleicht die Bilder zu Beginn von Godards *Une Femme mariée* (1964) sein. Sie spielen alle auf moderne Einstellungen zum Sex an. In der Tat schien Godard in vielen seiner Filme das Syntagma der umfassenden Klammerung besonders zu lieben, da es dem Film erlaubt, ein wenig wie der literarische Essay zu arbeiten.

Das deskriptive Syntagma (4) beschreibt nur. Die Beziehung seiner Elemente ist eher räumlich als zeitlich. Fast jede Einführungssequenz (wie die bereits besprochene aus *Rear Window*) ist ein gutes Beispiel für das deskriptive Syntagma. Das alternierende Syntagma (5) ist dem parallelen Syntagma sehr ähnlich, abgesehen davon, daß das parallele Syntagma zwei verschiedene Szenen oder Sequenzen anbietet, die durch die Erzählung nicht verbunden sind, während das alternierende Syntagma parallele oder alternierende Elemente anbietet, die verbunden sind. Die Wirkung ist hierbei Gleichzeitigkeit, wie in Verfolgungsszenen, in denen die Montage zwischen Aufnahmen von Verfolger und Verfolgten wechselt.

Wenn die Ereignisse nicht gleichzeitig passieren, passieren sie eines nach dem anderen, in einem linearen Ablauf, und das bringt uns zu Metz' verbleibenden drei Montage-Kategorien, der Szene (6) und zwei Sequenz-Arten – Sequenz durch Episoden (7) und gewöhnliche Sequenz (8). Es hat immer eine große Verwirrung im Vokabular der Filmkritik zwischen den Begriffen Szene und Sequenz gegeben, und Metz' ausgefeiltes System besitzt einen großen Wert wegen der hierzu angebotenen präzisen Definition. Metz leitet seine Definition der Szene aus dem Sprachgebrauch des Theaters ab. In der Szene ist die Abfolge der Ereignisse – die lineare Erzählung – kontinuierlich. In der Sequenz wird sie aufgebrochen. Sie ist immer noch linear, narrativ und chronologisch, sie ist immer noch mit anderen Elementen verbunden, aber sie ist nicht kontinuierlich.

Metz' letzte Unterscheidung zwischen der Sequenz durch Episoden und der gewöhnlichen Sequenz ist ein wenig willkürlich. In der Sequenz durch Episoden ist die Diskontinuität organisiert; in der gewöhnlichen Sequenz ist sie es nicht. Ein gutes Beispiel für die episodische Sequenz ist daher die Sequenz aus *Citizen Kane*, in der Orson Welles die zunehmende Verschlechterung von Kanes Ehe durch eine Reihe aufeinanderfolgender Episoden am Frühstückstisch darstellt. Tatsächlich könnten wir dies eine «Sequenz von Szenen» nennen, und dies ist ein Hauptcharakteristikum der Sequenz durch Episoden: Ihre Elemente sind so angeordnet, daß jedes von ihnen eine eigene Identität zu haben scheint.

Einige dieser Unterscheidungen könnten immer noch unklar sein. Für die meisten Filmbetrachter sind die Begriffe vom Syntagma der zusammenfassenden Klammerung und dem deskriptiven Syntagma so nahe beieinander, daß kein offen-

A

B

C

D

Diese Sequenz aus vier Aufnahmen ist eine doppelte Überblendung aus Alfred Hitchcocks *North by Northwest* (1959). Zunächst scheint sie nur eine sehr ökonomische Verbindung zweier Szenen zu sein: der voraufgehenden Szene im UN-Gebäude, in der Roger Thornhill (Cary Grant) fälschlicherweise für einen Mörder gehalten wurde, und der Konferenzszene beim CIA in Washington, auf der diese Entwicklung der Ereignisse diskutiert wird. Hitchcock blendet von seiner eindrucksvollen Vogelperspektive auf den winzig kleinen Thornhill, der vom Klotz des UN-Sekretariats (kaum sichtbar in A) wegläuft, über zum Schild in B. Da Hitchcock umsichtig genug gewesen ist, ein Schild mit einer spiegelnden Oberfläche zu benutzen, kann es das Capitol widerspiegeln und so die Stadt auch als «Company» identifizieren und zusätzlich eine Extra-Einstellung einsparen. Dann blendet er über zur Schlagzeile in D, die uns mitteilt, daß (1) Zeit vergangen ist, (2) Thornhill identifiziert worden ist und (3) daß er bis jetzt nicht verhaftet werden konnte. Die Zeitung wird vom Chef des Geheimdienstes gehalten. Hitchcock fährt zurück von der Zeitung und setzt die Konferenzszene fort.
Zur gleichen Zeit enthält diese kleine, elegante Überblendung jedoch außergewöhnlich metaphorische Informationen, denn wenn wir diese Bilder analysieren, können wir erkennen, daß der CIA sich der UNO aufdrängt, daß das Capitol ein Spiegelbild des CIA ist (oder daß der Geheimdienst sich über den Sitz der Regierung gelagert hat) und daß er schließlich die Zeitungsschlagzeilen hervorbringt, die außer der als Information für die Handlung wichtigen auch noch die folgenden Informationen enthalten: «Nationaler Streik befürchtet» und «Nixon verspricht: Westmächte bleiben in Berlin». (*Standvergrößerungen*)

Mit einem herausragenden Beispiel für ein eingefrorenes Bild endet *Les quatre cent coups* (1959) abrupt und spöttisch. (*Museum of Modern Art/Film Stills Archive*)

sichtlicher Unterschied zu bestehen scheint. Das parallele Syntagma und das alternierende Syntagma weisen die gleichen Schwierigkeiten auf wie auch die Sequenz durch Episoden und die gewöhnliche Sequenz. Dennoch, trotz seiner Schwierigkeiten bleibt Metz' System ein hilfreicher Führer durch das, was bis jetzt ein relativ weißer Fleck auf der Landkarte war: die sich ständig verschiebende, komplizierte und verworrene Syntax der Filmerzählung. Ob nun seine acht Kategorien brauchbar oder nicht erscheinen, die von ihm definierten Faktoren der Unterscheidung sind höchst bedeutungsvoll, und wir sollten sie uns noch einmal vor Augen führen:

- Ein Filmsegment ist entweder autonom oder nicht.
- Es ist entweder chronologisch oder nicht.
- Es ist entweder deskriptiv oder narrativ.
- Es ist entweder linear oder nicht.
- Es ist entweder kontinuierlich oder nicht.
- Es ist entweder organisiert oder nicht.

Wir brauchen nur noch die «Interpunktion» des Films zu beschreiben, um diesen kleinen Überblick über die Syntax der Mise en Scène und der Montage zu vervollständigen. Weil Mittel der Gliederung in die Augen springen und sich leicht definieren lassen, nehmen sie oft in Diskussionen über die Filmsprache einen herausragenden Platz ein. Sie sind zweifellos nützlich, wie zum Beispiel das Komma in der geschriebenen Sprache.

Das einfachste Gliederungsmittel ist der harte Schnitt. Ein Bild endet, ein anderes beginnt. Die Blende lenkt die Aufmerksamkeit auf das Ende oder den Anfang, wie zum Beispiel die Iris-Blende (ein besonders beliebtes Mittel der frühen Filmemacher, das heute kaum noch verwendet wird). Die Trickblende, bei der ein Bild ein anderes durch eine schwindelerregende Vielfalt von Möglichkeiten ersetzt (Wischblende, Klappblende, Schiebeblende, Kippblende, Zerreißblende, Spiralblende), war in den dreißiger und vierziger Jahren besonders beliebt. Optische Firmen boten Kataloge mit Verzeichnissen von Trickblenden an. Inzwischen wird sie nur noch für nostalgische Zwecke verwendet.

Zwischentitel waren ein wichtiges Gliederungsmittel des Stummfilms und werden auch heute noch gelegentlich benützt. Das «Einfrieren» des Bildes ist populär, seit es von François Truffaut mit solch großer Wirkung in *Les Quatre cent coups* (1959) eingesetzt wurde. Filmemacher haben in den sechziger und siebziger Jahren einige der alten Formen modernisiert: in Farbe blenden statt in Schwarz (Ingmar Bergman) oder der Schnitt auf einfarbige Bilder (Godard). Das Spiel mit der Schärfe (der Effekt, langsam die Schärfe am Anfang der Einstellung zunehmen oder am Ende abnehmen zu lassen) trat neben das Abblenden, und Antonioni ließ gern eine Einstellung mit einem unscharfen Hintergrund beginnen, bevor ein scharf eingestelltes Motiv ins Bild kam.

All diese verschiedenen Gliederungen entsprechen dem Punkt. Satz-Ende. Ein Auf- oder Abblenden kann eine Beziehung bedeuten, aber ist kein direktes Bindeglied. Die Überblendung jedoch, in der sich Auf- und Abblende überlagern, verbindet. Wenn es im Film ein Komma zwischen diesen verschiedenen Punkten gibt, ist es die Überblendung. Interessanterweise dient sie vielen Zwecken: Sie wird im allgemeinen benützt, um eine Rückblende einzuführen; sie wird auch bei der erzählerischen Montage mit dem Jump Cut angewendet, während sie gleichzeitig das Verfließen eines großen Zeitraumes darstellen kann, vor allem, wenn sie wiederholt auftritt. Sie ist im Film das Interpunktionszeichen, das Bilder vermischt, während es sie gleichzeitig verbindet.

VIER

FILMGESCHICHTE: EIN ÜBERBLICK

Französische Filmtheoretiker unterscheiden gern zwischen «film» und «cinéma». «Film» ist jener Aspekt der Kunst, der das Verhältnis zur Umwelt behandelt; «cinéma» betrifft nur die Ästhetik und die innere Struktur der Kunst. Im Englischen existiert ein drittes Wort neben «film» und «cinéma»: «movies» (was etwa unserem «Kino» entspricht), ein guter Begriff für die dritte Facette des Phänomens: seine ökonomische Funktion als Ware. Die drei Aspekte sind natürlich eng verquickt: Was dem einen «Kino» ist, ist dem anderen «Film». Doch allgemein werden die drei Begriffe in etwa folgender Unterscheidung benutzt: «movies» werden wie Popcorn konsumiert; «cinéma» ist erhabene Kunst, mit dem Geruch von Ästhetik; «film» ist der allgemeinste, am wenigsten präzisierte Begriff.*

Die Geschichte des Films (movies / film / cinéma) ist verwickelt und komplex, obwohl sie nur ein Jahrhundert überspannt. Die Filmgeschichte gliedert sich in Abschnitte von nur fünf oder zehn Jahren. Das folgt zum Teil aus der explosiven Natur des Phänomens Film, der als Kommunikationsmittel auf Anhieb für eine große Anzahl Menschen verständlich war, zum anderen stellten der rasche technische Fortschritt im zwanzigsten Jahrhundert und die Wirtschaftszyklen den Film vor die Alternative: Weiterentwicklung oder Untergang.

Bei den drei Aspekten – movies, film, cinéma – sollte nicht übersehen werden, daß sie jeweils von einem Funktionsspektrum überlagert werden, das vom dokumentarischen über den marktbeherrschenden narrativen Film bis zum avantgardistischen und «Kunstfilm» reicht. Der folgende historische Abriß behandelt vor allem den mittleren Bereich, da hier der Einfluß von Wirtschaft und Politik besonders ausgeprägt war.

Zwischen der Entwicklung des Romans in den letzten dreihundert Jahren und der

* *Anmerkung des Herausgebers*: Die beiden im Deutschen gebräuchlichen Ausdrücke «Film» und «Kino» entsprechen in etwa «film» beziehungsweise «movies»; dem «gehobenen» Ausdruck «cinéma» fehlt die Entsprechung – auch ein Symptom für die Stellung des Films im Bewußtsein des Publikums, zugleich Indiz für die immer noch embryonale Lage der hiesigen Filmwissenschaft.

Der Entwicklungsstand der Phantasiewelt Hollywoodland in den Hollywood Hills im Jahre 1924. Die gigantische Werbetafel wurde zum Wahrzeichen des Ortes (einmal fiel die Endung ab). (*Hollywood: The First Hundred Years. Mit freundlicher Genehmigung von Bruce Torrence.*)

des Films in den letzten achtzig existieren interessante Parallelen. Beides sind vor allem populäre Künste, die eine große Anzahl Konsumenten voraussetzen, um wirtschaftlich existieren zu können. Beide haben journalistische Wurzeln – das heißt, sie halten Realität fest. Beide machten eine frühe, von Erfindungen und Experimenten gekennzeichnete Phase durch und erreichten bald eine die anderen Künste dominierende Position. Beide entwickelten ein komplexes System von Genres, die sich an eine Vielzahl verschiedener Zielgruppen wandten. Schließlich erreichten beide ein neues Stadium der Konsolidierung, in dem das Elitäre stärker betont und ästhetische Werte über diejenigen der populären Unterhaltung gestellt wurden, als die Herausforderung durch ein neues Medium erwuchs (Roman durch Film, Film durch Fernsehen).

Ebenso wie der Roman dem Film als Stofflieferant diente, so der Film dem Fernsehen. Vielleicht lassen sich tatsächlich in Zukunft kaum noch größere Unterschiede zwischen diesen drei Formen der narrativen Unterhaltung feststellen. Ökonomisch sind Roman, Film und Fernsehen heute so eng verflochten wie nie zuvor.

In der Entwicklung des Films gibt es jedoch zwei wesentliche Abweichungen von der des Romans. Ehe die Erzählprosa ein weites Publikum erreichen konnte, mußte die Fertigkeit des Lesens verbreitet werden. Der Film hatte keine solche Vorbedingung. Andererseits beruht er auf einer hochentwickelten Technik. Zwar ist der Roman von der Drucktechnik abhängig, doch ist diese Technik relativ unkompliziert, und so ist der Roman nur in sehr geringem Maße von technischen Entwicklungen beeinflußt worden. Man könnte also die Geschichte des Romans als publikumsintensiv bezeichnen – das heißt eng verbunden mit der Entwicklung von Fertigkeiten des Publikums –, die Geschichte des Films hingegen als technikintensiv – sie hängt weniger von den Fähigkeiten des Publikums ab als von jenen der Technik.

Alle Filmgeschichten setzen natürlich einen Einschnitt zwischen Stumm- und Tonfilm. Zwar ist jede Strukturierung, die über diese grobe Zweiteilung hinausgeht, willkürlich, doch lohnt sich der Versuch einer präziseren Gliederung. Jede der im folgenden aufgeführten acht Perioden besitzt ihren eigenen Zusammenhang. Wenn wir auch dazu neigen, diese Epochen mit ästhetischen Kriterien zu fassen («cinéma») so ist es doch interessant, daß sie eher durch ökonomische Entwicklungen bestimmt sind («movies»).

- Die Frühgeschichte des Films umfaßt alle Vorläufer des «Cinématographe» wie auch die Herausbildung gewisser Aspekte in anderen Künsten, die – im Film angewandt – einen wichtigen Einfluß gewannen (zum Beispiel das viktorianische Melodram oder die Porträt-Fotografie).
- In den Jahren zwischen 1896 und 1912 entwickelte sich das Kino von einer Varieté- und Jahrmarktsattraktion zu einer selbständigen Wirtschaftsbranche und Kunstform. Das Ende dieser Periode wird durch das Entstehen des langen Spielfilms markiert.
- Die Jahre von 1913 bis 1927 umfassen die Stummfilmzeit.
- Zwischen 1928 und 1932 befand sich die Welt-Kinematografie in einer Übergangsperiode. Dieser Abschnitt ist künstlerisch weniger ergiebig, doch ökonomisch wie technisch höchst wichtig.
- In die Periode von 1932 bis 1946 fällt Hollywoods «goldene Ära»; in dieser Zeit hatte das Kino seinen größten wirtschaftlichen Erfolg.
- Gleich nach dem Ende des Zweiten Weltkriegs begann für den Film die Herausforderung durch das Fernsehen. Die Jahre von 1946 bis 1959 wurden von dieser Konfrontation bestimmt, ebenso von einer wachsenden Internationalisierung. Ästhetisch, wenn auch nicht wirtschaftlich, verlor Hollywood seine Vorherrschaft.
- Das Entstehen der Neuen Welle in Frankreich, Anfang der sechziger Jahre, kennzeichnete den Beginn der von 1960 bis 1980 dauernden siebten Periode der Filmgeschichte. Neue technische Mittel, neue wirtschaftliche Wege der Produktion und ein neues Bewußtsein für die politischen und sozialen Werte des Films ließen zahllose kleine «Neue Wellen» in Osteuropa, Lateinamerika, Afrika, Asien und schließlich auch in den Vereinigten Staaten und Westeuropa entstehen.

1980 bietet sich offensichtlich als Schlußpunkt der Periode der Neuen Welle in der Welt-Kinematografie und als Beginn dessen an, was man den «postmodernen» Film nennen könnte. In dieser gegenwärtigen Ära erscheint der Film am ehesten als Teil des weitgefächerten Angebots der Unterhaltungs- und Kommunikationsmedien, die eindeutig durch das Fernsehen in all seinen Formen dominiert werden. Als Teil jener Gruppe, zu der Schallplatten, Videokassetten und Bildplatten, diverse Druckverfahren, Rundfunk, Satelliten- und Kabel-Fernsehen gehören, hat der Film seinen früheren ökonomischen Einfluß verloren. Zwar dient das Kino noch immer als Prestige-Modell für diese anderen Medien, doch zunehmend muß der Film in diesem weiteren Zusammenhang verstanden werden. Die Herstellung von Kinofilmen ist lediglich eine der zahlreichen Facetten dieses Mediensystems.

Tatsächlich brauchen wir heute einen neuen Begriff, durch den allgemein die Produktion audiovisueller Kommunikation und Unterhaltung bezeichnet wird. Ob diese noch unbenannte, doch allgegenwärtige Form auf Filmmaterial produziert wird, auf Magnetband oder auf Platte (analog oder digital), ob sie durch Kino, Rundfunk, Kabel, Platte oder Band zu uns gelangt – unser Erlebnis läuft im Grunde auf dasselbe hinaus. Wenn wir also hier über movies / film / cinéma sprechen, so schließen wir meist auch die anderen Medienformen mit ein.

Den Film heute kann man als Synthese all jener Kräfte verstehen, die zu anderen Zeiten jeweils zu dominieren schienen. Für das Verständnis von Filmgeschichte ist jedoch sehr wichtig zu erkennen, wie diese sozialen, politischen, ökonomischen, kulturellen, psychologischen und ästhetischen Faktoren untereinander dynamisch zusammenhängen. Man faßt Filmgeschichte am besten als Produkt vieler verschiedener Antithesen auf; dies kann man auf allen Ebenen beobachten, im Detail wie im Allgemeinen.

Die Darstellung eines Schauspielers ist zum Beispiel das Ergebnis des Konflikts zwischen der Rolle und der Persönlichkeit des Schauspielers. Manchmal dominiert die Persönlichkeit, manchmal die Rolle, doch immer ist das Ergebnis ein Drittes, eine dialektische Auflösung: die Darstellung – die ihrerseits Element einer größeren Einheit wird, des Films. Ein bestimmter Film ist wiederum das Produkt einer Anzahl von Gegensätzen: Regisseur – Drehbuchautor, Ideal-Buch – Realität der Dreharbeiten, Schatten – Licht, Bild – Ton, Einzelrolle – Gesamthandlung etc. Jeder Film wird dann zum Element im größeren System der Gegensätze: Genreregeln kontrastieren mit der Individualität des Drehbuchs, Studiostil mit dem persönlichen Stil des Regisseurs, thematische Tendenzen mit der konkreten Realität des Mediums. Schließlich ist jedes dieser größeren Elemente Teil eines oder mehrerer Widersprüche, die gemeinsam der allgemeinen Geschichte des Films ihre Form und ihren Inhalt geben.

Man sollte im Auge behalten, daß nur in den seltensten Fällen die Phänomene der Filmgeschichte nach einem einfachen Ursache-Folge-Schema zu beschreiben sind. Der leichteren Darstellung halber ist der folgende kurze Überblick der Geschichte des Films nach drei Grundkategorien gegliedert: Ökonomie, Politik (einschließlich Psychologie und Soziologie) und Ästhetik. Doch keiner dieser Faktoren ist letztlich vorherrschend. Wenn der Film auch grundsätzlich ein wirtschaftliches Produkt ist, so gab es doch zahlreiche Filmemacher, die ohne erkennbare Rücksicht auf die Realitäten des Marktes gearbeitet haben und denen es gelang zu überleben. Wenn gewisse Filmarten besonders wegen ihrer politischen und sozialen Wirkungen behandelt werden, so sollte man doch bedenken, daß die Gründe dieser Wirkung überhaupt nicht politisch zu sein brauchen, sondern ganz persönlich und ästhetisch.

Kurzum, es ist nicht unser Ziel, oberflächlich zu entscheiden, «was verursachte was» in der Filmgeschichte, sondern Verständnis dafür zu wecken, «was hängt womit zusammen». Für jede interessante Erscheinung der Filmgeschichte existieren verschiedene sinnvolle Erklärungen. Es ist weniger wichtig festzulegen, welche dieser Erklärungen «wahr» ist, als vielmehr zu erkennen, wie sie untereinander zusammenhängen und auf ihr gesellschaftliches Umfeld bezogen sind.

Wie jede Kunst – und durch seine umfassende Popularität sogar besonders intensiv – reflektiert der Film die wechselnden Zusammenhänge des «contrat social». Deshalb ist es sinnvoll, zunächst einen Blick auf die wirtschaftlichen und technischen Grundlagen des Mediums zu werfen (was Ökonomen und Kulturhistoriker die «Infrastruktur» nennen würden), dann einige wichtige politische, soziale und psychologische Aspekte der Kunst (ihre «Struktur») zu untersuchen und mit einem kurzen Abriß der filmkünstlerischen Entwicklung zu schließen.

Jeder dieser drei Aspekte der Filmgeschichte gäbe Stoff genug für einen dicken Band. Was folgt, ist lediglich der Grundriß einiger wichtiger Themenkomplexe. Zudem hat sich Film nicht unabhängig von den anderen Künsten und Medien entwickelt. Seine Geschichte muß im Zusammenhang mit dem Wachsen der anderen technischen Medien und in Verbindung mit Entwicklungen in den älteren, nichttechnischen Künsten gesehen werden. Einige dieser Verbindungen wurden bereits in Teil 1 «Film als Kunst» aufgezeigt.

Kino: Die Ökonomie

Mehr noch als die anderen technischen Neuerungen, die das Panorama der modernen elektrischen und elektronischen Kommunikationsarten bilden, war Film eine gemeinschaftliche Erfindung. Im Gegensatz zu Telefon, Telegraf und sogar Rundfunk beruht Film auf einer ganzen Serie kleiner Erfindungen, die jeweils anderen Erfindern zugeschrieben werden. Einzelne Konzepte hatten sogar mehrere Urheber.

In den USA wird die Erfindung der laufenden Bilder hauptsächlich Thomas Edison zugeschrieben, und in der Tat fand ein wichtiger Teil der Entwicklungsarbeit in seinem Laboratorium in New Jersey statt. Doch zieht man Edisons einmaliges Talent und sein offensichtliches Verständnis für die Probleme eines funktionstüchtigen Kamera-/Projektor-Systems in Betracht, so ist erstaunlich, daß er persönlich nicht mehr erreichte. Der Engländer William Kennedy Laurie Dickson war Edisons Hauptexperimentator bei diesem Projekt. Er demonstrierte bereits 1889 ein rohes Projektionssystem, doch Edison scheint den Film mehr als ein Individual- denn als Gemeinschaftserlebnis konzipiert zu haben. Er war mehr an der Produktion eines Guckapparates für eine Einzelperson als an der eines Projektors zur Unterhaltung größerer Gruppen interessiert. Er nannte seinen Guckkasten das «Kinetoscope». Es wurde seit Anfang der neunziger Jahre produziert – eines der ersten kurzen Programme war das berühmte Fred Ott's Sneeze – und war bald eine erfolgreiche Jahrmarktsattraktion.

Das Kinetoscope regte eine Reihe europäischer und amerikanischer Erfinder und Geschäftsleute an, ihre Talente der Lösung der noch offenen Probleme zu widmen. In England entwickelten der Franzose Louis Augustin Le Prince und der Engländer William Friese-Greene funktionstüchtige Kamera-/Projektor-Systeme schon gegen Ende der achtziger Jahre, die jedoch nicht weitergeführt wurden.

Der Schlüssel zum Problem der Projektion für ein größeres Publikum war der schrittweise Bildtransport. Louis und Auguste Lumière in Frankreich und Thomas Armat in Amerika kamen 1895 auf die Lösung. Armat verkaufte seine Idee an Edison. Die Lumières machten sich an die Produktion und zeigten am 28. Dezember 1895 im Untergeschoß des Grand Café in Paris, 14 Boulevard des Capucines, die er-

So filmte die American Mutoscope and Biograph Co. eine Bühnenvorführung. Mit vier laufenden Kameras dürfte sie kaum etwas verpaßt haben. (*Museum of Modern Art/Film Stills Archive*)

sten projizierten Filme vor einem zahlenden Publikum. Während des nächsten Jahres wurde Lumières Cinématographe in den meisten Großstädten Europas präsentiert. Edisons erste formelle öffentliche Vorstellung mit einer großen Leinwand fand am 23. April 1896 in *Koster and Bial's Music Hall*, New York, Ecke 34th Street und Sixth Avenue, statt.

Die Entscheidung der Lumières, sich auf die Filmprojektion für größere Gruppen zu konzentrieren, hatte weitreichende Auswirkungen. Wäre die technische Entwicklung in die Richtung weitergegangen, die Edison anstrebte, so wäre das Ergebnis eher ein Medium wie das Fernsehen gewesen, privat genossen, wahrscheinlich zu Hause. Die dann ziemlich andere Art von Verteilung und Vorführung hätte zweifellos die Art der produzierten Filme beeinflußt. Doch so mußte Edisons Kinetoskop recht bald Lumières Cinématographen (und Edisons sehr ähnlichem Kinetograph-Projektor) weichen – und damit war die Zukunft des öffentlichen Gruppen-Kinos für zumindest die nächsten achtzig Jahre gesichert. Erst in den letzten Jahren wurde die Art des privaten, individualisierten Kinetoskops durch die Entwicklung von Bildplatten und Videokassetten wiederbelebt.

Während der nächsten ein, zwei Jahre traten eine Reihe Konkurrenten auf. Der

Italiener Filoteo hatte schon vor 1896 zahlreiche wichtige Patente angemeldet; in Deutschland bastelten Max und Emil Skladanowsky ihr Bioskop (das sie am 1. November 1895 im Berliner Varieté Wintergarten zum erstenmal vorführten), und Oskar Messter erreichte eine Verbesserung der Apparate, unter anderem durch die Einführung des Malteserkreuzes für den Filmtransport; in England projizierte Robert W. Paul (mit seiner Version von Edisons Maschine) Filme schon wenige Wochen nach der Lumièreschen Premiere, 1896 und 1897 wuchs die Verbreitung von Cinématographe, Edisons Kinetograph und ähnlichen Maschinen.

Bald wurde auch das beträchtliche Gewinnpotential der Erfindung deutlich. In den USA verließ Dickson Edisons Firma und gründete (mit Partnern) die American Mutoscope and Biograph Company, die nicht nur einen besseren Guckapparat (das Mutoscope) als Edisons Kinetoscope produzierte, sondern auch einen besseren Projektor. Die Biograph Company dominierte bald den amerikanischen Film. J. Stuart Blackton, wie Dickson ein Engländer, gründete die Vitagraph Company. Die Büros von Biograph und Vitagraph lagen in der Nähe des New Yorker Theaterbezirks (Biograph in der East 14th Street, nahe der Fifth Avenue; Vitagraph im Chelsea District), was ihnen einen leichten Kontakt zu den Bühnenschauspielern ermöglichte – die nachmittags heimlich Filme drehten, ehe sie dann abends im Theater auftraten.

In Frankreich erkannte Georges Méliès, ein Bühnenmagier, die illusionäre Kraft des Mediums und begann zu produzieren, während Charles Pathé eine erbarmungslose Kampagne zur Beherrschung der sich gerade entwickelnden Industrie startete. Pathé war damit einigermaßen erfolgreich. Im Gegensatz zu seinen Konkurrenten gelang es Pathé, finanzkräftige Partner zu finden, wodurch er eine vertikal gegliederte, nahezu monopolistische Position erreichte. Er kontrollierte die französische Filmindustrie von der Herstellung der Apparate über die Produktion der Filme (in seinem riesigen Studio in Vincennes) bis hin zur Verteilung und Vorführung, und sein Einfluß war auch in anderen Ländern zu Anfang des Jahrhunderts deutlich spürbar. So kam es, daß der französische Film die Leinwände der Welt vor dem Ersten Weltkrieg beherrschte. Vor 1914 vertrieb Pathé allein in den USA fast doppelt so viele Filme wie die gesamte amerikanische Filmindustrie. Aus anderen, eher ästhetischen Gründen gab es damals auch einen starken italienischen und dänischen Einfluß.

Etwa um 1905 hatte sich das Konzept des Filmtheaters durchgesetzt. Die Lumières hatten 1897 das erste Etablissement eröffnet, das ausschließlich der Vorführung von Filmen diente. Thomas L. Tallys Electric Theatre (vorausdeutend in Los Angeles gelegen) war 1902 das erste amerikanische Filmtheater. Innerhalb weniger Jahre verbreitete sich das Konzept rasch. 1908 gab es überall im Lande mehr als fünftausend «Nickelodeons» («Nickel», denn ein Nickel, fünf Cent, war der Eintrittspreis; «Odeon» ist das griechische Wort für ein kleines Gebäude, das der Aufführung von Musik oder Schauspiel dient). Das letzte Glied der Kette – Herstellung, Produktion, Verteilung, Aufführung – war geschlossen. Doch keine Firma oder Einzelperson besaß die vollständige Kontrolle über dieses System.

Thomas Edison versuchte dies zu korrigieren. 1897 begann er eine lange Serie von Gerichtsverfahren gegen lästige Konkurrenten. Armat, der sich von Edison betrogen fühlte, unternahm seine eigenen juristischen Schritte. Biograph, das selbst einige wichtige Patente besaß, antwortete mit Gegenklagen. Insgesamt wurden im ersten Jahrzehnt der Filmindustrie mehr als fünfhundert Prozesse angestrengt. Diese wurden im Januar 1909 zeitweilig durch die Gründung der Motion Picture Patents Company gelöst, eines monopolistischen Konsortiums der neun größten Produzenten – Edison, Biograph, Vitagraph, Essanay, Selig, Kalem, Méliès und Pathé – mit dem Vertreiber George Kleine.

Alle Patente wurden in einen Pool eingebracht, Edison erhielt Tantiemen aus allen produzierten Filmen, und George Eastman verpflichtete sich, nur Monopol-Mitglieder mit seinem Filmmaterial zu versorgen. (Pathé hatte sich weitsichtig schon Jahre zuvor das Monopol für Eastmans Rohfilm in Frankreich gesichert.) Kein Vertrieb, der mit Filmen anderer Firmen handelte, durfte Filme der Patent Company vertreiben. Die meisten Vertriebe schlossen sich zu einem eigenen Trust, der General Film Company, zusammen. Verständlicherweise widersetzten sich eine Reihe von Vertrieben diesen umfassenden Monopolvereinbarungen. Die Lösung war die eigene Produktion von Filmen, so entstanden einige unabhängige Herstellungsfirmen, von denen Carl Laemmles Independent Motion Picture Company («Imp»), aus der später die Universal-Studios hervorgingen, die wichtigste war.

Antitrustprozesse ersetzten die Patentprozesse, und die amerikanische Filmindustrie stürzte sich in eine zweite zehnjährige Runde juristischer Streitigkeiten. Schließlich wurde die Motion Picture Patents Company als illegales Monopol verurteilt, doch zu der Zeit waren die meisten Gründungsfirmen aus dem Geschäft. Keine von ihnen überlebte die zwanziger Jahre. 1912 kontrollierten die Patent Company und die General Film Company mehr als die Hälfte der zehntausend Vorführungsorte – Nickelodeons – im Lande, doch das ließ den Unabhängigen noch genügend Spielraum.

Ihre größte Waffe gegen den Trust war nicht die gerichtliche Auseinandersetzung, sondern eine neue Form des Films. Der Trust und die Nickelodeons waren nur auf Ein- oder Zwei-Akter (ein Akt, das heißt eine Rolle, dauerte damals etwa zehn Minuten) eingestellt. Die Unabhängigen nahmen ein Konzept auf, das italienische und französische Filmemacher entwickelt hatten, und führten den langen «Feature»-Film ein. Innerhalb weniger Jahre waren die Patent Company und ihre kurzen Filme aus dem Geschäft.

Ironischerweise war D. W. Griffith, also derjenige Regisseur, der den Erfolg der wichtigsten Trust-Firma Biograph sichergestellt hatte, nach seiner Trennung von dieser Firma auch der erste Amerikaner, der die Möglichkeiten des langen Films erprobte. Der überragende finanzielle Erfolg von *The Birth of a Nation* (1915) sicherte die Zukunft der neuen Form. Er prägte auch das Muster des «blockbuster», also jener Filmprojekte, bei denen riesige Summen in monumentale Produktionen gesteckt werden, in der Hoffnung noch größerer Einnahmen. *The Birth of a Nation* kostete die bis dahin noch nie dagewesene und, wie manche meinten, tollkühne Summe von 110 000 $ und erbrachte schließlich mehr als 20 Millionen Dollar. Die tatsächliche Summe ist schwer zu ermitteln, da der Film nach dem «state's-rights»-System vertrieben wurde, bei dem die Lizenzen für die Aufführungsrechte des Films durchgängig verkauft wurden. Die tatsächlichen Einnahmen für *The Birth of a Nation* liegen wahrscheinlich zwischen 50 und 100 Millionen Dollar, eine fast unvorstellbare Summe für einen so frühen Film. Das Hauptgewicht der Filmaktivitäten hatte sich eindeutig aus dem Nickelodeon ins Filmtheater verschoben – zum Schaden der Monopol-Trusts.

Der Drang zum Monopol blieb jedoch unwiderstehlich. Der Erste Weltkrieg ließ die Filmproduktion in Europa verkümmern, und die Vorherrschaft Frankreichs, Dänemarks und Italiens war bald gebrochen. Durch eine Serie von Fusionen waren die neuen unabhängigen amerikanischen Filmfirmen rasch imstande, den Weltmarkt zu versorgen und ihre Position auf dem Binnenmarkt zu konsolidieren.

Adolph Zukor übernahm die Verleih- und Kinofirma Paramount Pictures Corporation und vereinigte sie mit seiner eigenen Produktionsfirma (Famous Players in Famous Plays) und einer anderen, die Jesse Lasky gehörte. Carl Laemmle gründete, auf der alten Imp aufbauend, die Universal Film Manufacturing Company. William Fox, bislang im Kino- und Verleihgeschäft, begann 1912 selbst zu produzieren, woraus später dann die Twentieth Century Fox wurde. Der erfolgreiche Theaterbesitzer Marcus Loew übernahm 1920 die Metro Pictures Corporation (deren Geschäfte von Louis B. Mayer geführt wurden) und vereinigte sie dann 1924 mit Goldwyn Pictures (von Samuel Goldfish – später Goldwyn – und Edward Selwyn gegründet) zu Metro-Goldwyn-Mayer. Die vier Brüder Warner erweiterten 1912 ihre Kino- und Verleihfirma um die Produktion von Filmen. Ihre Firma schluckte später First National (die ebenfalls als Vertrieb begonnen hatte) und die letzte überlebende Trust-Firma Vitagraph.

Bis 1920 hatten die «Unabhängigen» ein informelles, unauffälliges Oligopol gebildet, um das die aggressiveren Trust-Companies sie beneidet hätten. Jede der großen Firmen kontrollierte einen wichtigen Sektor der Industrie, jede war vertikal integriert, das heißt auf allen Ebenen der Film-«Kette» aktiv: bei Produktion, Distribution und Präsentation. Erst Ende der vierziger Jahre gelang es, dieses De-facto-Monopol erfolgreich vor Gericht anzufechten. Selbst dann wurden die «major

Frühe Hollywood-Studios. Das berühmte Tor zu Paramount Pictures. (*Hollywood: The First Hundred Years. Mit freundlicher Genehmigung von Bruce Torrence*)

Douglas Fairbanks' und Mary Pickfords Beitrag zu United Artists.

companies» lediglich dazu gezwungen, ihre Theater-Ketten abzustoßen. Die Kontrolle über den Vertrieb, das Herz des Systems, wurde ihnen belassen. Alle fünf Firmen existieren noch heute und kontrollieren immer noch die Filmindustrie (wenngleich MGM in den Siebzigern und Achtzigern nur eine untergeordnete Rolle spielte und in den Neunzigern von Auflösung bedroht ist).

Eine der modernen Produktions- / Distributions-Organisationen besaß jedoch andere Wurzeln. United Artists wurde 1919 von Charles Chaplin, Mary Pickford, Douglas Fairbanks und David W. Griffith als Firmenmantel für ihre eigenen Aktivitäten gegründet.

Um diese Konstellation von sechs Major Companies bildeten sich in den Zwanzigern, Dreißigern und Vierzigern eine Anzahl kleinerer Produzenten, die sogenannten armen («Poverty Row») Firmen. Einige von ihnen, zum Beispiel Republic und Monogram, spezialisierten sich auf «B»-Filme, die als zweiter Film in den damals üblichen «Double-bill»-Doppelprogrammen einen festen Markt besaßen. Als Mitte der fünfziger Jahre dieser Markt der Programmfüller verschwunden war, waren auch deren Produzenten aus dem Geschäft. In gewisser Weise wurden sie durch solche unabhängigen «low-budget»-Produzenten wie American International Pictures in den fünfziger, Roger Cormans New World in den sechziger und New Line in den achtziger Jahren ersetzt, die sich auf billige «exploitations»-Filme, vornehmlich für den Jugendmarkt, spezialisierten.

Eine «arme» Firma überlebte und wurde zur Major Company: Columbia Pictures. Sie war 1924 aus einer Firma entstanden, die von dem Vaudeville-Schauspieler und Sänger Harry Cohn, seinem Bruder Jack und ihrem Freund Joe Brandt gegründet worden war. Mit United Artists galt sie für viele Jahre als eine der «beiden Kleinen», ehe sie Ende der vierziger Jahre in die Etage der Majors aufstieg. In den Fünfzigern schuf sich Columbia den Ruf als einer der wichtigsten Produzenten internationaler Filme.

In den Dreißigern und Vierzigern zählte auch RKO, die aus einer Reihe Fusionen entstanden war und als Mantel für das RCA-Ton-System mit Western Electric um den Markt für die neue Technik kämpfte, zu den «großen fünf». Disney, Selznick und Goldwyn ließen ihre Filme durch RKO vertreiben. 1948 kaufte Howard Hughes die Aktienmehrheit auf. 1953 gab RKO die Produktion auf und verkaufte seine Studios an Desilu für Fernsehproduktionen.

Wegen seiner Vorherrschaft im Trickfilmgeschäft stand Disney schon in den vierziger Jahren in Blüte; die Firma rief in den fünfziger Jahren Buena Vista als eigene Vertriebsorganisation ins Leben und operierte in den Achtzigern mit einem ambitionierten und erfolgreichen Angebot von «normalen» Spielfilmen im Vordergrund. Ab 1984 arbeiteten Michael Eisner und Jeff Katzenberg im Studio, um Filme für den breiten Markt zu produzieren und zu vertreiben. Die 1984 eingeführte Marke Touchstone Pictures sollte der Gesellschaft auch den Markt für die erwachsenen Zielgruppen erschließen. Nach dem unmittelbar einsetzenden Erfolg schlossen sich 1989 Hollywood Pictures an. Während der ganzen achtziger Jahre und bis in die Neunziger gehörten die Disney-Marken zu den erfolgreichsten in Hollywood.

Die nationalen Filmmärkte in Europa unterlagen ebenfalls Monopol-Bestrebungen. Die französischen Organisationen – Pathé und Gaumont – dominierten auch nach dem Ersten Weltkrieg das nationale Vertriebssystem. In Deutschland wurden 1917 die größeren Filmfirmen – Messter, Projektions-AG «Union» (PAGU) und Nordische (Tochter der dänischen Nordisk Films Kompagni) – durch die Gründung der Universum-Film AG (UFA, deren Grundkapital zu einem Drittel vom Staat kam) zusammengefaßt. Die sowjetische Filmindustrie wurde 1919 verstaatlicht, die wichtigsten Produzenten (Josef Ermolieff), Techniker und Stars (Iwan Mosjukin) in die Emigration nach Westeuropa getrieben. In Großbritannien stammte der größte Teil der Filme aus Amerika, aber die Theater waren in britischer Hand. Gaumont-British und Associated British Picture Corporation (die durch ihre Tochter British International Picture auch produzierten) kontrollierten 1936 jeweils 300 (von insgesamt 4400) Theatern. In Italien unterbrach das faschistische Regime die ästhetische Entwicklung dieses ursprünglich so erfolgreichen Filmlandes; es wurden zwar weiterhin Filme produziert, deren Erfolg blieb jedoch auf den italienischen Markt beschränkt. Als die Nazis 1933 in Deutschland die Macht ergriffen, bedeutete das zugleich ein Ende für den Einfluß des deutschen Films in der Welt.

Doch nicht nur das Debakel des Ersten Weltkrieges und das Aufkommen faschistischer Regierungen in Italien und Deutschland verschafften den amerikanischen Firmen die Herrschaft über den internationalen Markt. Wichtiger waren wahrscheinlich die industriellen Aspekte des amerikanischen Produktionssystems.

In Europa war schon früh das Konzept des Films als Kunst entstanden und hatte sich parallel zum Kino als Geschäft entwickelt. Die «film-d'art»-Bewegung kam 1908 in Frankreich auf. Ihre frühen Erfolge, viele davon mit Sarah Bernard in ihren Bühnenrollen, beeinflußten die Entwicklung des langen Spielfilms. Der «film d'arte italiana» folgte bald darauf. Nach dem Krieg entstanden in Frankreich immer wieder avantgardistische Experimente, und Theoretiker begannen, das Medium ernster zu nehmen, es neben Literatur und die schönen Künste zu stellen. Der Däne Ole Olsen und bald auch die Deutschen versuchten ab 1913 durch «Autoren-Films», das heißt die Verfilmung anerkannter Literaturwerke, gutbürgerliche Publikumsschichten zu gewinnen.

In den USA war der Film jedoch schlicht und einfach «movies», Kino. Selbst die frühesten Produktionsfirmen – besonders Biograph und Vitagraph – sahen ihre Studios als Fabriken, die eine Ware herstellten und nicht Kunstwerke schufen. 1910 begann D. W. Griffiths Truppe aus Schauspielern und Technikern den Winter in Los Angeles zu verbringen. Andere Firmen folgten bald nach. Die Unabhängigen schätzten die Isolation der Westküste, wo sie in gewissem Maße vor den Nachstellungen der Patent Company abgeschirmt waren. 1914 hatte sich das Zentrum der Filmherstellung von New York nach Hollywood verlagert. Die Gegend um Los Angeles bot viel Sonnenschein, gutes Wetter und viele verschiedenartige Landschaften – kurzum: die Rohmaterialien des Filmemachens – und außerdem ein attraktives Arbeitskräfteangebot. Die Filmindustrie wählte also Hollywood aus den gleichen Gründen wie die Autoindustrie Detroit: Nähe von Rohmaterial und Arbeitskräften.

Dreitausend Meilen vom kulturellen Zentrum des Landes entfernt, waren die amerikanischen Filmemacher fast vollkommen von den künstlerischen Strömungen isoliert. Außerdem besaßen die Männer, die die großen Produktionsfirmen gründeten, nur eine minimale künstlerische oder literarische Bildung. Es waren vor allem Einwanderer der ersten oder zweiten Generation aus Deutschland, Polen oder Rußland, die als Händler begannen, zur Filmvorführung auf Jahrmärkten überwechselten und von da zum Vertrieb kamen. Sie wurden Filmproduzenten, hauptsächlich um weiterhin Produkte für ihre Theater zu haben.

Ein weiterer wichtiger Faktor war die durch die riesige Popularität des Films ausgelöste rasche Expansion der Industrie, die wiederum große Investitionen nach sich zog. Die «Moguln» wandten sich an die Banken und wurden so immer abhängiger von ihnen. Zum Zeitpunkt der Umrüstung auf Ton waren sie bis über die Ohren verschuldet. Der Filmhistoriker Peter Cowie schrieb: «Etwa 1936 war es möglich, größere Besitzanteile an allen acht Firmen auf die beiden einflußreichen Bankengruppen Morgan und Rockefeller zurückzuführen.» Ähnliche Abhängigkeiten zwischen Bankinteressen und Filmfirmen entwickelten sich in europäischen Staaten – besonders in Deutschland, wo die Deutsche Bank nach dem Krieg praktisch die UFA kontrollierte.

Noch in neuerer Zeit haben sich Banken im Sinne dieser Tradition durch die Filmindustrie fasziniert gezeigt. Die New Yorker Investment-Bankiers Allen & Co. halten längst schon Anteile der Columbia-Pictures, und die fanzösische Bank Crédit Lyonnais stand in den frühen neunziger Jahren plötzlich als Besitzer einer bankrotten MGM da, nachdem sie für sehr viel Geld das traditionsreiche Atelier aufgekauft hatte.

Die nationalen Kinematografien in Europa mußten sich des Ansturms der amerikanischen Produktionen erwehren. Großbritannien war in dieser Hinsicht besonders verwundbar. Direkt nach dem Ersten Weltkrieg gab es zwar einen Aufschwung in der britischen Produktion, doch wurde er durch die unsicheren ökonomischen Verhältnisse Anfang der zwanziger Jahre abgebrochen. 1927 verabschiedete das Parlament das Cinematograph Act, das «Blockbuchen» (die übliche Praxis, die einen Theaterbesitzer zwang, die Jahresproduktion von einem einzigen Studio abzunehmen) verbot und eine nominelle Fünf-Prozent-Quote aufstellte, die sichern sollte, daß britische Theater jährlich wenigstens ein paar britische Produktionen zeigen würden.

Zu diesem Zeitpunkt hatten die amerikanischen Produktionsfirmen schon bri-

Die Studios der Warner Bros. / First National / Vitaphone in Burbank, Kalifornien, im August 1931, eine der bestausgestatteten Filmfabriken jener Zeit. Die großen Hallen sind die Tonstudios («sound stages»). Im Hintergrund stehen einige fest installierte Außendekorationen – Westernstädte, Straßen von New York und ähnliches – auf dem Freigelände («back lot»). (*Marc Wanamaker / Bison Art Ltd.*)

tische Tochterfirmen gegründet und konnten so ihr britisches Kapital durch die Produktion eigener «quota-quickies» sichern. Selbst als sie das Geschäft an britische Produzenten übergaben, setzten sie ein Limit von 6000 Pfund pro Film fest und beschränkten die Länge der Filme auf die vom Gesetz vorgeschriebene Mindestzeit (6000 Fuß – etwas mehr als eine Stunde). Die deutsche und die französische Regierung etablierten ähnliche Schutzwälle, mit dem gleichen Mißerfolg.

Ab 1920 beherrschten die amerikanischen Produzenten den Weltmarkt eindeutig. Im gleichen Maße, wie die Filme hinausgingen, strömten die Künstler herein, als die Studios ihre Suche nach neuen Talenten ausweiteten. In einem der frühesten Beispiele des «brain drain», der Talentabschöpfung, wurden europäische Filmemacher nach Hollywood engagiert. Ernst Lubitsch war einer der ersten. Ihm folgten in den zwanziger und dreißiger Jahren weitere deutsche Regisseure, unter anderem F. W. Murnau, Paul Leni, E. A. Dupont und Fritz Lang. Die zwei wichtigsten schwedischen Regisseure ihrer Zeit, Mauritz Stiller und Victor Sjöström, emigrierten nach Hollywood. Stiller brachte seinen Star mit: Greta Garbo. Tatsächlich waren viele der erfolgreichsten amerikanischen Stummfilmstars europäische Zuwanderer – Garbo und Rudolph Valentino als die bekanntesten.

Mit der Umstellung auf Ton stieg die Nachfrage nach im Ausland geborenen Filmemachern weiter an. Vor 1932, als sich die Technik der Nachsynchronisation

Radio City Music Hall in New York, einer der großen Film-Paläste der dreißiger Jahre im Stil des Art déco, dessen Fassungsvermögen erst von den modernen Multiplex-Kinos der Neunziger übertroffen wurde. (*Museum of Modern Art / Film Stills Archive*)

durchsetzte, war es üblich, wichtige Filme in Parallel-Versionen (meist englisch, französisch, spanisch und deutsch) zu drehen. Ausländische Regisseure waren für die fremdsprachigen Versionen von Vorteil. Viele der erfolgreichsten Studio-Regisseure der dreißiger Jahre waren Einwanderer, darunter William Dieterle (Deutscher), Edgar Ulmer (Österreicher), Robert Florey (Franzose) und Michael Curtiz (Ungar), außerdem Lubitsch, Murnau und Lang. (Sternberg und Stroheim, beides Österreicher, waren als Jugendliche ausgewandert.)

Mitte der zwanziger Jahre war der Stummfilm als wichtige Unterhaltungsform fest etabliert. Filme wurden nun nicht mehr in schäbigen Nickelodeons oder als Ergänzung von Vaudeville-Vorstellungen präsentiert. Sie besaßen nun eigene, kostbar ausgestattete Unterhaltungspaläste. Diese Paläste faßten mitunter einige tausend Zuschauer gleichzeitig. Die vielleicht prächtigsten dieser Filmtheater waren diejenigen, die Roxy Rothapfel in New York betrieb, das immer noch das Präsentationszentrum war, wenn auch nicht mehr das der Produktion. Das Roxy wurde 1927 eröffnet; ihm folgte 1932 die Radio City Music Hall, die absolute Kino-Kathedrale und einer der wenigen Paläste, die noch stehen, auch wenn Filme heute nicht mehr regelmäßig gezeigt werden.

Alle wichtigen technischen Entwicklungen, denen der Filmprozeß unterzogen wurde – die Hinzufügung von Ton, Farbe und Breitwand –, wurden zum erstenmal der Öffentlichkeit auf der Pariser Weltausstellung von 1900 vorgestellt, wenn auch in primitiver Form. Farbfilme waren zum Beispiel meist handkoloriert, kaum ein kommerziell verwertbares Verfahren. Ton konnte durch den primitiven nichtelektronischen Phonographen erzeugt werden, doch war die Synchronisierung der «Tonbilder» sehr schwierig und die Lautstärke problematisch. Lee DeForests Erfindung der Kathodenröhre im Jahre 1906 (siehe Teil 6 «Die Medien», Seite 461) wies den Weg zum funktionstüchtigen elektronischen Tonverstärker. 1919 war der deutsche Triergon-Prozeß patentiert worden und Filmton eindeutig möglich. Ende der zwanziger Jahre, angesichts des wachsenden Interesses der Öffentlichkeit am Radio und eines anscheinend gesättigten Marktes für Stummfilme, wandten sich die Produktionsfirmen zögernd dem Ton zu.

Etwa 1932 war die technische Umbruchperiode zum Ton vorüber, und die Umrisse des Hollywood-Systems zeichneten sich ab. Außer der Herstellung von technischer Ausrüstung und Rohfilm kontrollierten die Studios jeden Schritt des Filmprozesses von der Produktion über Distribution bis zu den Theatern. Das Blockbuchungssystem und die engen Verbindungen zwischen den meisten Studios und großen Theater-Ketten bedeutete, daß nahezu jeder Film, den ein Studio produzierte, auch gezeigt wurde – künstlerisch nicht unbedingt von Nachteil. Auf seinem Höhepunkt produzierte das mächtigste Studio, MGM, 42 Spielfilme in einem Jahr, in 22 Tonateliers und auf 40 Hektar Freigelände mit festen Kulissenbauten.

Die Studios arbeiteten wie straff geführte Fabriken. Rechte an Stoffen wurden gekauft, Autoren beauftragt, sie für die Produktion aufzubereiten, Dekorations- und Kostümabteilungen stellten die benötigten Gegenstände her. Die Techniker waren feste Angestellte, ebenso Schauspieler und Regisseure. Heute ist es ungewöhnlich, wenn ein Regisseur mehr als einen Film pro Jahr macht. Zwischen 1930 und 1939 drehte Michael Curtiz 44 Filme, Mervyn LeRoy 36 und John Ford 26. Nach den Dreharbeiten wurde das Rohmaterial der Post-Production-Abteilung für Schnitt, Mischung und Nachsynchronisation übergeben. Studio-Chefs trafen die künstlerischen Entscheidungen. Den ganz berühmten Regisseuren wurde mitunter Einfluß auf die Post-Production-Arbeit gestattet, doch die wenigsten konnten einen Film von der ersten Entscheidung bis zur Premiere betreuen.

Das Ergebnis war, daß die Studios einen eigenen Stil entwickelten, der denjenigen des Regisseurs oft überlagerte. MGM war für aufwendige Ausstattung und Themen für «Normalverbraucher» bekannt. *Gone With the Wind*, der Großfilm des Jahres 1939, ist eine Art Musterbeispiel für den MGM-Stil (auch wenn er unabhängig durch David O. Selznick produziert und von MGM nur vertrieben wurde) – ein romantisches Melodram, großzügig produziert, einschmeichelnde Musik, ein episches Thema, das jedoch nur ziemlich oberflächlich abgehandelt wurde.

Paramount, das überdurchschnittlich viele Emigranten beschäftigte, zeigte eine

Fast die ganzen dreißiger und vierziger Jahre hindurch waren die Filme der Warner Bros. von denen der Konkurrenz durch ihren realistischeren, härteren Stil zu unterscheiden. Hier eine Szene aus einem der bekanntesten sozialkritischen Filme der Warners, Mervyn LeRoys *I Am a Fugitive from a Chain Gang* (1932). Hauptdarsteller Paul Muni lehnt sich an den Pfeiler. (*Museum of Modern Art / Film Stills Archive*)

europäische Sensibilität, sowohl in der Darstellung wie auch in den Themen. Universal spezialisierte sich auf Horror-Filme, Republic auf Western. Warner Brothers, ein großer Konkurrent für MGM und Paramount, doch ärmer und hungriger, entwickelte – unbeabsichtigt – einen Ruf für Realismus. Warum? Um Geld zu sparen, drehten die Warner Brothers oft an Originalschauplätzen.

In diesem straff organisierten, arbeitsteiligen Produktionssystem konnten sich einzelne Beteiligte – ob Regisseur, Kameramann, Autor oder Ausstatter – nur sehr schwer hervortun. Die Masse der Filme zeigte nicht nur einen gewissen Studio-Stil, sondern auch eine erstaunliche intellektuelle Konformität. Wir können zwischen der Pracht eines MGM-Films und Paramounts Raffinesse unterscheiden, doch es gibt kaum einen Unterschied im politischen und sozialen Bewußtsein. Die Moguln des goldenen Zeitalters in Hollywood waren vor allem um den Warenwert der von ihnen produzierten Filme besorgt, und so sollte ein Film sein wie der andere – nur nicht anders.

Folglich fallen nur sehr wenige der vielen tausend Filme, die in jener Zeit entstanden, durch Einmaligkeit auf. So besteht die Beschäftigung mit Hollywood vor allem in der Untersuchung von Typen, Mustern, Konventionen und Genres und nicht im Herausarbeiten der Qualitäten einzelner Filme. Das bedeutet jedoch nicht, daß die Hollywood-Filme uninteressanter sind als persönliche Filmwerke. Tatsächlich sind sie durch die Fließbandproduktion und ihre große Zahl oft ein genauerer Index für allgemeine Stimmungen, gemeinsame Mythen und Gewohnheiten als individuell konzipierte, bewußt künstlerische Filme.

In den vierziger Jahren wurden diese Eigenschaften der Studios sogar noch deutlicher. Noch vor dem Kriegseintritt der Vereinigten Staaten beschäftigten sich die großen Studios mit Propaganda und Beeinflussung und behielten gleichwohl ihren Stil in Propagandawerken wie *Freedom Comes High* (Paramount) und *You John Jones* (MGM) bei.

Hollywood gedieh während des Krieges. 1946, in seinem besten Jahr, stiegen die Kino-Einnahmen auf 1,7 Milliarden Dollar. In gewisser Weise zögerte der Zweite Weltkrieg den Augenblick der Wahrheit für Hollywoods Filmfabriken hinaus, indem er die Einführung des kommerziellen Fernsehens verhinderte, das in den dreißiger Jahren erfolgreich vorgestellt worden war. Außerdem beschränkte der Krieg die Konkurrenz aus den europäischen Ländern. In den Zwanzigern war Deutschland ein bedeutender Konkurrent durch die Produktion nicht nur erfolgreicher, sondern auch mit dem Wertsiegel der Kunst versehener Filme gewesen. In den Dreißigern errang eine Handvoll französischer Regisseure ziemlichen Respekt für die Produktion ihres Landes. Großbritannien produzierte 1936 trotz des Drucks durch die englischsprachigen Filme aus Hollywood 225 Filme; es lag damit an der zweiten Stelle in der Welt. Der Krieg beendete diese Bedrohung, verschloß zugleich aber auch Exportmärkte, was einigen kleineren Firmen schadete.

Die Einführung des Fernsehens Anfang der fünfziger Jahre wirkte sich verheerend aus. Das Fernsehen entwuchs eher dem Radio als dem Film und beschäftigte daher Rundfunkleute. Statt zu erkennen, daß sie ebensogut Filme fürs Fernsehen wie für die Kinos produzieren könnten, versuchten die Studios zu kämpfen. Jahrelang weigerten sie sich, ihre riesigen Archive auszuwerten. Im Gegenteil, sie zerstörten – kurzsichtig und unkaufmännisch – alte Filme eher, als für ihre Lagerung zu bezahlen. Die Auswirkung dieses Verhaltens war, daß die Fernseh-Produktionsfirmen Zeit gewannen, sich zu entwickeln, wodurch die taktische Position der Studios geschwächt wurde. So wiederholte sich der gleiche Mechanismus wie vierzig Jahre zuvor: als nämlich die Trust-Firmen unwillig oder unfähig waren, sich von den Kurzfilmen fürs Nickelodeon auf Spielfilme fürs Filmtheater umzustellen.

Der Anpassungsprozeß an die neuen Verhältnisse war unnötigerweise langsam und schmerzhaft. Mehr als fünfzehn Jahre brauchten die Studios, um sich mit der neuen Landschaft zu arrangieren. Alternde Besitzer und Produzenten klammerten sich an die alten Methoden der Massenproduktion in Studiokomplexen mit riesigen Festkosten. Psychologisch hing das vielleicht mit ihren alten Wurzeln als Kinobesitzer zusammen. Die Kinopräsentation war zwar schon immer das schwächste Glied in der Monopolkette Hollywoods, besaß jedoch für die Gründer eine besondere Faszination.

1946 verlangte ein Gerichtsspruch nach den Anti-Trust-Gesetzen von Paramount Pictures (und damit indirekt auch von den anderen Studios), sich von ihren Kino-Ketten zu trennen. Die Studios gingen – erfolglos – in die nächste Instanz, und 1951 wurde ein Vergleich geschlossen. Doch die Änderung war nicht so einschneidend, wie sie schien. Da die Studios weiterhin ihr Vertriebsnetz behalten durften, besaßen sie immer noch praktisch – wenn auch nicht juristisch – die Kontrolle über die Kinos. Hätten die Studios ihre Situation genauer analysiert, so hätte die Anti-Trust-Entscheidung eine heilsame Auswirkung gehabt. Sie hätten nur ihre Gürtel enger schnallen müssen und die Aufmerksamkeit vom Kino-Markt auf die neuen, zunehmend gewinnträchtigeren Fernseh-Kanäle verschieben müssen. Dies geschah nicht sofort (obwohl heute die großen Studios, nachdem sie Blut gerochen haben, für den größten Teil der Fernsehprogramme verantwortlich sind).

Ihr Vermögenswert sank, die Gründergeneration starb oder zog sich zurück, und so wurden die Studios in den Fünfzigern und Sechzigern von den sich entwickeln den Industrie-Konglomeraten aufgesogen oder ganz verkauft. Fernseh-Produzenten füllten das entstandene Vakuum: Desilu kaufte die RKO-Studios, Revue übernahm die Tonateliers der Republic. Gleichzeitig machten unabhängige, weitsichtigere Vertriebsfirmen unauffällig große Gewinne, indem sie zwischen den aufstrebenden Fernseh-Systemen und den paralysierten Filmstudios vermittelten.

Eliot Hyman war wahrscheinlich der erfolgreichste dieser Zwischenhändler. Zunächst kaufte er die Archivbestände der Warner Brothers, handelte eine Zeitlang damit und verkaufte sie dann an United Artists. Dann erwarb er die Rechte für eine ziemliche Anzahl Fox-Filme. 1967 war seine Firma – Seven Arts – stark genug, um Warner Brothers vollkommen aufzukaufen.

Anfang der Fünfziger hatte Howard Hughes die RKO an General Tire and Rubber verkauft, die das Studio dann liquidierten, und Universal war von der amerikanischen Tochter des Decca-Schallplatten-Konzerns geschluckt worden. Die Music Corporation of America (MCA), ursprünglich eine Künstler-Agentur, erwarb die Bestände der Paramount, aus deren Gewinnen sie die Übernahme der Decca – und damit der Universal – finanzieren konnte.

Paramount ging 1966 in den Gulf + Western Industries auf. Kurz darauf wurde United Artists von Transamerica Corporation geschluckt, einem damals typischen multinationalen Konglomerat, zu dem neben United Artists und deren Tochterfirmen die Firmen Budget Rent-a-Car, Transamerica Computer Services, Pacific Finance Loans, Occidental Life Insurance Co., Transamerica Insurance Co., Cinegraphics Inc., Transamerica Airlines, ein Kapitalfonds, ein Investmentfonds, eine Ansiedlungsagentur, eine Titel-Versicherung, ein Mikrofilm-Service, eine Spedition und eine Grundstückssteuer-Beratung gehörten.

1969 fusionierten Warner Brothers – Seven Arts mit Steven Ross' Kinney National Services, woraus später Warner Communications wurde. Kinney (ebenso wie Ross) hatten ihr Vermögen mit Bestattungsinstituten und Parkplätzen erworben, aber wie die Film-Moguln der alten Zeit erwies sich auch Ross als überraschend geschickt bei dem Geschäft, aus Warner ein blühendes Unterhaltungs-Konglomerat zu machen. 1989 fusionierte Warner mit Time Inc., wodurch das größte Medien-Unternehmen der Welt entstand.

1969 übernahm Kirk Kerkorian, ein Grundstückshändler aus Las Vegas, einen Hauptanteil von Metro-Goldwyn-Mayer, dem ehemals mächtigsten und einflußreichsten Studio. Kerkorian war an MGM offensichtlich nur wegen des geschützten Markennamens interessiert, den er auch sogleich seinem im Bau befindlichen Hotel verpaßte. Die Gesellschaft wandte sich Low-Budget-Filmen zu, aber nur mit geringem Erfolg. 1974 wurde MGM erfolgreich liquidiert, das Atelier verkauft und der Verleih aufgelöst. In den Siebzigern war MGM vor allem als Besitzer des MGM Grand Hotel (nach dem MGM-Film des Jahres 1932 benannt) in Las Vegas bekannt.

Nachdem er wahrscheinlich seine frühere Entscheidung bedauert hatte, das MGM-Kapital von der Film- in die Glücksspiel-Industrie zu transferieren, versuchte Kerkorian 1979, einen kontrollierenden Anteil an den Columbia Pictures Industries zu erwerben. Der Handel kam nicht zustande (man sprach von Fusionskontrollen), und kurz darauf wurde bekanntgemacht, daß sich die MGM Company mit Zustimmung ihrer Aktionäre aufspalten würde; die ursprüngliche Firma sollte die Kasinos (inzwischen auch in Reno und Atlantic City) weiterführen, während die «neue» Firma sich wieder der Filmproduktion und dem Verleih zuwandte.

Die von MGMs Film-Gesellschaft eingeschlagene Low-Budget-Strategie zahlte sich nicht aus, und Kerkorian startete eine neue Runde von Transaktionen. 1981 kaufte er die Überreste von United Artists der schwer angeschlagenen Transamerica ab. 1985 verkaufte er die Gesellschaft an Ted Turner, nur um sie bald darauf wieder zurückzukaufen, das Filmarchiv blieb allerdings bei Turner, und der Grundbesitz ging an Lorimar. 1989 verkaufte Kerkorian den Torso abermals, diesmal an Pathé in Europa, ein vom italienischen Unternehmer Paretti kontrolliertes und von der niederländischen Crédit-Lyonnais-Tochter gestütztes Unternehmen. Paretti sah sich bald in juristische und finanzielle Probleme verstrickt. Crédit Lyonnais übernahm die Kontrolle über MGM und versuchte verzweifelt eine Rettung durch mittlerweile beträchtliche Investitionen. 1993 sah es so aus, als habe es die Gesellschaft unter der Leitung des angesehenen Industrie-Managers Frank Mancuso, früher bei Paramount, geschafft, wieder ins Geschäft zu kommen, wenigstens für eine Weile. Da Crédit Lyonnais durch die Gesetzgebung für das US-amerikanische Bankwesen dazu gezwungen wird, seine Beteiligung an MGM abzustoßen, wird die Firma ein weiteres Mal verkauft werden. Das dürfte für lange Zeit unter den finanziellen Transaktionen in Hollywood den Rekord halten.

Das MGM-Drama war gewiß das beschämendste, aber es war nur eins aus einer langen Kette von Finanzmanövern, die in den ausgehenden siebziger und in den achtziger Jahren für Gesprächsstoff in den zunehmend besser verdienenden Restaurants Hollywoods sorgten. Für die «Industrie» war ja längst der Schacher wichtiger und auch spannender geworden als ihre Produkte, bei den größten und besten Transaktionen ging es um Ateliers und nicht um Filme. Die zunehmend mächtigeren Künstler-Agenturen haben daraus ihre Schlüsse gezogen, wie wir sehen werden.

1977 wurde David Begelman, damals Produktionschef von Columbia, angeklagt, einen Scheck über 60000 Dollar unterschlagen zu haben; der Fall wurde ausführlich in der Presse behandelt und rief eine Diskussion über gewisse dunkle Geschäftspraktiken in Hollywood hervor (die jedoch in keiner Weise neu waren). Alan J. Hirschfield, zu der Zeit Präsident von Columbia, versuchte Begelman aus ethischen Gründen zu feuern, mußte jedoch selbst gehen. Viele Beobachter vermuteten, daß dem Management von Columbia Picture Industries mehr an Begelmans angeblich glücklicher Hand bei der Produktion profitabler Filme lag als an Hirschfields moralischem Standpunkt. Begelman wurde schließlich verurteilt – und von MGM als Produktionschef engagiert. Auch Hirschfield fiel weich, er wurde Präsident von Twentieth Century Fox.

Anfang 1978 traten die fünf Vorstandsmitglieder von United Artists gemeinsam zurück wegen Meinungsverschiedenheiten mit der Mutterfirma Transamerica über Management und Gehaltsfragen. Arthur Krim und Robert Benjamin hatten Anfang der Fünfziger die moribunde Verleihfirma übernommen und in den sechziger und siebziger Jahren zu einer der führenden Filmfirmen entwickelt. 1968 hatten sie sie dann an Transamerica verkauft. Nun bedauerten sie diesen Schritt. Zusammen mit dem Präsidenten Eric Pleskow, dem Finanzchef William Bernstein und Produktionschef Mike Medavoy gründeten sie die Orion Pictures Corporation – ein Gebilde, größer als eine einfache Produktionsfirma, doch kleiner als ein vollentwickeltes Studio. Ein bisher einmaliges Abkommen mit Warner Communications gab ihnen damals volle Kontrolle über Marketing und Werbung ihrer Filme, die durch Warner vertrieben wurden. Orion gelang der Aufstieg in die Riege der Großen in Hollywood, was es seit den dreißiger Jahren nicht gegeben hatte. Ohne Krims erfahrenes Team geriet mittlerweile United Artists in Schwierigkeiten. Der Mißerfolg mit *Heaven's Gate* (1980) katapultierte dieses Studio aus dem Geschäft, gerade nur drei Jahre nachdem die Orion-Gruppe sich von United Artists getrennt hatte.*

Orion erhielt sechzehn Monate später Gesellschaft auf dieser Machtebene durch

* Diese Ereignisse werden sehr farbig in drei interessanten Büchern nachgezeichnet: *Fade Out: The Calamitous Final Days of MGM* von Peter Bart geht mit viel Liebe den Drangsalen und Leiden dieses Studios mit dem ehemals so großen Prestige nach; *Indecent Exposure* von David McClintick ist eine Chronik der Begelman-Affäre; *Final Cut* von Steven Bach erzählt die Geschichte von United Artists.

die Ladd Company, die von Alan Ladd jr. und einigen Geschäftspartnern gegründet worden war, nachdem sie Twentieth Century Fox nach einer Reihe erfolgreicher Jahre verlassen hatten. Als sich 1979/80 die Fernsehsysteme wieder der Produktion und dem Verleih von Spielfilmen zuwandten (Ende der Sechziger waren sie damit gescheitert) und sich neue, mächtigere Produktionsfirmen wie Lorimar und EMI in Hollywood auf einem nur geringfügig niedrigeren Level als Orion und die Ladd Company etablierten, änderte sich die Machtstruktur der amerikanischen Filmindustrie.

Die Gründung von Orion und der Ladd Company (auch wenn letztere nur wenige Jahre überdauerte) signalisierte die Machtverschiebung von den Kapitalgesellschaften zu finanzkräftigen Einzelpersonen. Diese Veränderung bahnte sich in den sechziger Jahren an, als der Zusammenbruch des alten Studiosystems begann. Da die herausragenden «Talente», die Leute mit dem künstlerischen und produktiven Potential, nun nicht mehr durch Langzeitverträge gebunden waren, mußte jeder Film neu ausverhandelt werden. Die Macht verschob sich zu Talent-Agenten, Packagers und einigen wenigen Studiochefs, die ein unschätzbares Netz persönlicher Beziehungen aufgebaut hatten.

Innerhalb weniger Jahre, nachdem die fünf Orion-Gründer United Artists verlassen hatten, war dieses Studio weitestgehend aus dem Geschäft. Als Orion Anfang der neunziger Jahre selbst in den Seilen hing, tauchte sein Produktionschef Mike Medavoy bald schon in führender Position bei Tri-Star auf und brachte seine Kontakte zu einem ganzen Stall von Talenten mit. Als Orion unterging, ging Tri-Star am Himmel Hollywoods auf. Das Wachstum kleiner «Studios» und «Mini-Großer» in den Achtzigern ließ die neue Machtbasis sich noch weiter ausdehnen (auch wenn Gesellschaften wie Cannon oder Carolco gerade so eben die Lebensdauer von Wüstenblumen hatten).

Eins der kleinen Unternehmen gedieh prächtig. New Line Cinema wurde 1967 von Bob Shaye in heruntergekommenen Räumen über einer Bar am University Place in Greenwich Village gegründet. Nach langsamem Wachsen mit Importen und Aufkäufen fremder Produktionen war New Line Ende der siebziger Jahre so weit, in die Produktion einzusteigen. Zwei Serien bluttriefender Horror-Filme, *Friday the 13th* und *Nightmare on Elm Street*, ließen die Firma durch die Achtziger hindurch weiter wachsen. 1990 galt sie dann als Kandidat für die Aufnahme unter die ausgewählten Studios, die in Hollywood den Ton angeben. 1993 hat Ted Turner New Line aufgekauft.

Tri-Star wurde 1982 von Columbia, CBS und HBO als Gemeinschaftsunternehmen mit der Aufgabe alternativer Produktion/Distribution ins Leben gerufen. (Die fehlgeschlagenen Versuche der Fernseh-Netze, sich in Hollywood einen Brückenkopf zu kaufen oder aufzubauen, sind eine der interessanteren Nebenhandlungen in diesem verwickelten Spiel.) 1982 hatte Coca-Cola Columbia gekauft, wobei allein

die New Yorker Investment-Bankiers Allen & Co. für ihren Minderheitsanteil von 2,4 Millionen Dollar nicht weniger als 40 Millionen Dollar eingesteckt haben sollen. Herbert Allen jr., der Chef des Bankhauses und lange schon eine graue Finanz-Eminenz in Hollywood, hat seine Beteiligungen in zahlreiche lukrative Geschäfte mit Coca-Cola und anderen umgemünzt.*
Offenbar wollten sich keine «Synergien» zwischen Kino und Limonade einstellen. Jedenfalls wollte Coke 1989 seine Anteile verkaufen. Der mit Allen befreundete Super-Agent Michael Ovitz fand einen willigen Käufer in Sony, der kreativsten Kraft in der Elektronik-Industrie der Nachkriegszeit. Sony kümmerte sich zunehmend um Software und hatte gerade im Jahr zuvor CBS Records gekauft. Da man auf einem Bein nur schlecht stehen kann, dauerte es nicht lange bis zum nächsten Coup: 1990 arrangierten Ovitz und Allen für den Erzrivalen Matsushita den Kauf der Universal für eine Summe von mehr als 6 Milliarden Dollar. 1995 verkaufte Matsushita die Masse seiner Anteile an den Getränkekonzern Seagram.

Sony wuchs der Hollywood-Szene dadurch ans Herz, daß es sogleich – mit viel Sinn für die großzügige und verschwenderische Geste – die Produzenten Peter Guber und Jon Peters mit ihrem noch ganz frischen *Batman*-Triumph für die Studio-Leitung anheuerte. Um einsteigen zu können, mußten die beiden sich erst aus ihrem Vertrag mit Warner freikaufen und ihre Produktions-Gesellschaft erwerben, was den Gesamt-Kaufpreis um Hunderte von Millionen Dollar in die Höhe trieb. (Matsushita ließ, konservativ wie immer, das Universal-Management auf seinen Stühlen.)

Meanwhile, back at the ranch – in Century City, um genau zu sein –, wurde Twentieth Century Fox 1981 vom Erdöl Magnaten Marvin Davis aufgekauft und 1985 an den australischen Medien-Zaren Rupert Murdoch weiterverkauft. Mit Barry Diller am Ruder wurde Fox in den ausgehenden achtziger Jahren zu einer bedeutenden Macht im Fernsehbereich.

Nachdem sich all der Staub gelegt hatte, sah das Ende des Jahrzehnts zwei Hollywood-Studios Seite an Seite auf dem Sterbebett (MGM und United Artists), eins zerstörte sich von innen heraus selbst (Orion), und alle hatten mindestens einmal die Besitzer gewechselt, außer Paramount und Disney. Nicht daß es nicht auch bei den beiden versucht worden wäre! Über Disney kamen regelmäßig solche Gerüchte auf. Und Paramount-Boß Martin S. Davis, der nach dem Tod von Charles Bluhdorn Gulf + We-

* Eine der Geschichten, die in Hollywood herumgeistern, solange es besteht, besagt, daß die Moguln, egal ob früher oder heute und allem Prunk und Protz zum Trotz, es niemals geschafft hätten, sich der Kontrolle der «Ostküsten-Bankiers» zu entziehen. Auch Mitte der neunziger Jahre mußten sich von den sieben Großen gleich fünf (Columbia, Tri-Star, Warner, Fox, Paramount) in New York verantworten, wo Sony, Time Warner, News Corp. und Viacom ihre Hauptsitze haben, eine Filmfirma (Universal) redet mit Kanada, und die einstmals mächtige MGM muß nach Den Haag fahren, um größere Schecks abzeichnen zu lassen. Nur bei Disney sind Kapital und Leitung noch einheimisch.

stern wieder auf Kurs gebracht hatte, indem er den Namen in Paramount Communications änderte, um die Ausrichtung auf den Mediensektor zu signalisieren, hatte bei Verkaufsverhandlungen mit Time Inc. eine Niete gezogen. (1994 erzielte Davis am Ende einen Abschluß, indem er die größere Paramount an Sumner Redstones kleinere, straff geführte Viacom verkaufte, aber erst nach länger sich hinziehendem Gerangel mit dem früheren Paramount-Boß Barry Diller, der ihm als Nemesis im Nacken saß.)

Betont sei, daß 1990 nicht weniger als sechs der acht Unternehmen, die sich mit Fug und Recht Hollywood-Studios nennen konnten, in ausländischer Hand waren.* Diese Sachlage mag die allmählich alt werdenden Kulturkritiker ernüchtern, die damals in den siebziger Jahren gegen den Kultur-Imperialismus der USA gewettert haben.

Trotz dieser noch nie dagewesenen Umwälzungen in den Finanzverhältnissen sind keine Veränderungen am Produkt Hollywoods zu erkennen. In den neunziger Jahren glauben die Konzerne, denen die Studios gehören, an Synergie. Ihre Organisation ist horizontal (statt vertikal) entwickelt. Außer den Studios besitzen sie auch Taschenbuch-Verlage, Schallplatten-Firmen, Fernseh-Produktionen, Vergnügungsparks, Ladenketten für Sportartikel, Stadien – und gelegentlich einen Wildpark. (Die Spielwaren-Firmen wurden abgestoßen.) Ein einmaliges Nutzungsrecht kann so in fünf oder mehr Medien ausgewertet werden: als Film, Buch, Schallplatte, Fernsehsendung, Bildplatte und Videokassette. Dennoch verkehrt bei Time Warner der Printmedien-Bereich mit dem Film-Bereich wie mit einer Fremdfirma, Columbia beschäftigt keineswegs mehr Musiker mit Sony-Music-Vertrag als zuvor, und zwischen Twentieth Century Fox und Rupert Murdochs Boulevard-Blättern besteht keine tragfähige Verbindung (abgesehen davon, daß Fox Murdochs Ambitionen in Richtung aktueller TV-Journalismus angeregt hat).

Paradoxerweise hat die Konzentration im Medienbereich, der jetzt in nur wenigen Händen liegt, nicht dazu geführt, daß die fürs Zustandekommen der Produkte letztlich zuständigen Künstler weniger Freiheit hätten. Dem liegt eine trickreiche Strategie zugrunde, auf die wir im Teil 7 «Multimedia» zurückkommen. An dieser Stelle soll die Feststellung genügen, daß es in der Geschichte Hollywoods immer diese «Ostküsten-Bankiers» gegeben hat, und für sie galt, wie Steven Spielberg meinte: «Egal, wieviel sie einem zahlen, es reicht nicht.» Die Moguln, die die amerikanische Filmindustrie begründet haben, brachten darin ihre Persönlichkeit zum Ausdruck und hinterließen ihre unübersehbaren Spuren. Aber die Geschäftsleute,

* Columbia und Tri-Star sind in japanischem Besitz, Universals Mehrheitseigner ist aus Kanada. MGM und United Artists, soviel oder sowenig sie wert sind, gehören Europäern, Fox gehört Rupert Murdochs News Corp. – Murdoch hat in den achtziger Jahren aus geschäftlichen Gründen die US-Staatsbürgerschaft angenommen, aber News Corp. hat ihren Sitz noch in Australien.

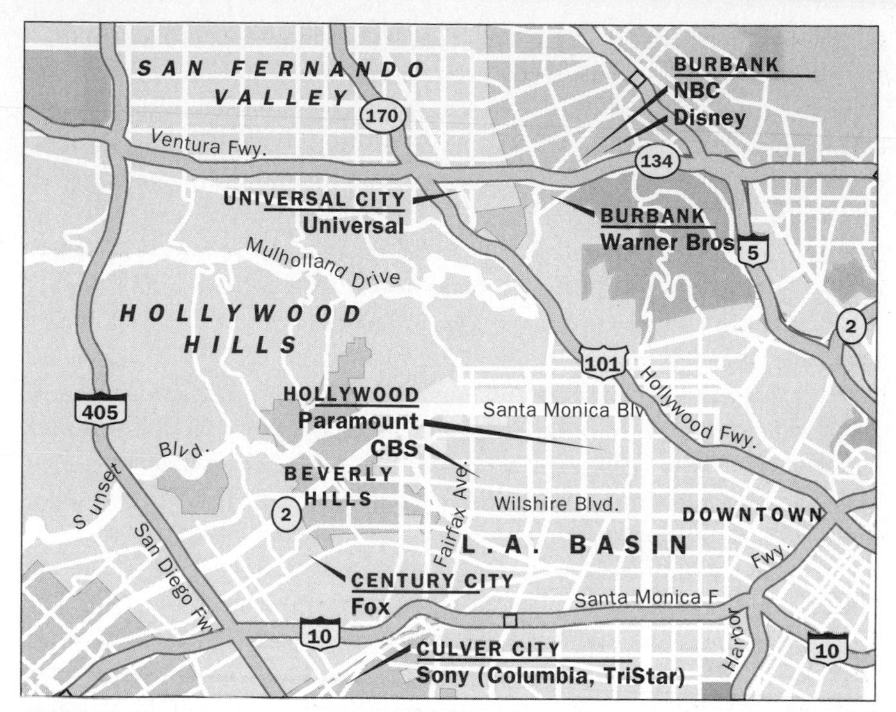

«Hollywood» heute. Das heutige Los Angeles ist ein Gewirr von Vorstädten, das das Becken südlich der Santa-Monica-Berge und das San-Fernando-Tal im Norden bedeckt: eine nach der Erfindung des Automobils entstandene und ohne dieses nicht zu denkende Stadt. Ein winziger Kern im Stil einer Ostküstenstadt des frühen zwanzigsten Jahrhunderts ist erhalten und versteckt sich hinter den modernen Wolkenkratzern der neuen «Downtown». In der Hill Street oder am Broadway von Alt-L. A. könnte man etwa auf Cleveland tippen, und die Filmemacher tun das auch heute noch. Wenn man von der Downtown über den Wilshire Boulevard auswärts fährt, am einst entlegenen Vorort Hollywood vorbei, durch das schicke West Hollywood und das geruhsame Beverly Hills, vorbei an Century City – größte Errungenschaft der Twentieth Century Fox – und um Westwood herum hinein nach Santa Monica, begreift man die historische Entwicklung einer Stadt, die sich selbst weitgehend nach dem Modell ihrer geliebten Industrie erfunden hat. Nur eines der großen Studios ist tatsächlich in Hollywood angesiedelt. Die anderen haben sich, wie L. A. selbst, in einem weiten Ring auf beiden Seiten der Hügel ausgebreitet.

die danach ihre Schöpfungen kauften (und verkauften und kauften und wieder verkauften), haben das nicht getan. Wenn die Bilanzen der jüngst zusammengestückten Mega-Unterhaltungs-Firma längst der Vergangenheit anheimgefallen sind, wird man sich noch der Filme erinnern, die so kräftig zu ihren Gewinnen (oder Verlusten) beigetragen haben.

Seit vielen Jahren schon werden die Studios oft von ehemaligen Künstler-Agenten geleitet – Leuten, die es gewohnt sind, «Pakete» aus Stars, Büchern und der Finanzierung zusammenzustellen. So sollte es nicht überraschen, daß seit Mitte der siebziger Jahre die Talent-Agenturen das eigentliche Machtzentrum in Hollywood sind. Viele Jahre dominierte die Agentur von William Morris, dann wurde sie von IMC – von Morris-Renegaten gegründet – überholt. Seit Mitte der Achtziger galt CAA (Creative Artists Agency), von Michael Ovitz geleitet, als Spitzenadresse unter den Agenturen, dicht gefolgt von ICM unter Jeff Bergs Leitung und von Morris. Ovitz war an der San Fernando Valley High School Klassenkamerad des Finanziers, verurteilten Straftäters und als Sozialarbeiter wiedergeborenen Michael Milkin. Er hatte in den achtziger Jahren auf seinem Feld ebenso großen Einfluß wie Milkin an der Wall Street. Ja, als er die Columbia- und Universal-Übernahmen vermittelte, bewegte Ovitz sich schon auf Milkins ureigenem Territorium.

Da die Studios keine festangestellten Techniker und Schauspieler mehr unter Vertrag haben, hat sich das Hauptgewicht auf den Verkauf der Filme verschoben. In geringem Umfang arbeiten sie auch noch als Finanziers. Die tatsächliche Arbeit der Filmproduktion wird heute von einer ganzen Anzahl unabhängiger Produzenten vollbracht, von denen viele auch gleichzeitig Regisseure oder Stars sind – was im Hollywood-Jargon «hyphenate» (etwa «Bindestrich-Person») heißt.

Die Studios gelangten dahin durch einen Prozeß des Ausprobierens, obwohl die Struktur des Filmmarktes nach Einführung des Fernsehens schon früh hätte vorausgesagt werden können. Das Fernsehen trat eindeutig die Nachfolge des Kinos in seiner Funktion als Massenunterhaltung an. Wenn der Kino-Film überleben sollte, so mußte er sich auf besondere Zielgruppen spezialisieren. Und genau dies trat auch ein. Die Kinopaläste sind durch kleinere Kinos mit unter zweihundert Plätzen ersetzt worden. Diese kleinen Kinos sind zu Kino-Centern zusammengefaßt, um so eine größere Auswahl zu bieten und gleichzeitig die Festkosten zu senken.

In den USA gibt es heute mehr als doppelt so viele Leinwände wie in den frühen siebziger Jahren. Noch wichtiger ist, daß Hollywood jetzt mehr als die Hälfte seines Einkommens aus Nebenrechten bezieht, und zwar hauptsächlich durch Video. Dennoch hat die bedeutende Vervielfachung der Distributions-Kanäle nicht die Wirkung gehabt, die ihr hätte vorhergesagt werden können. Trotz eines kurzen Flirts mit der neuen Freiheit gegen Ende der sechziger Jahre verabscheuen es die Studios, diese Möglichkeiten auszuschöpfen. Im Gegenteil wandten sie sich in den Siebzigern zunehmend dem Blockbuster-Film zu, der durch vorherigen Buchverkauf und durch massive Fernsehwerbung unterstützt wird und dabei riesige Summen verschlingt. Diese Praxis hielt sich die ganzen achtziger Jahre hindurch. Dem jungen Kinobesucher der Neunziger muß es wirklich überraschend vorkommen, daß es einmal eine Zeit gab, in der ein Erfolgsfilm nicht sogleich eine Lawine von Sequels lostrat.

International hatte der Tod des alten Studio-Systems positive Auswirkungen, indem dadurch zeitweise der Weltmarkt einem stärkeren Wettbewerb geöffnet wurde. Anfang der fünfziger Jahre etablierten die französische und die italienische Regierung quasioffizielle Export-Organisationen (Unifrance, Unitalia), die die

Märkte für Filme dieser Länder aufbrachen (Unifrance war dabei viel aktiver als ihr italienisches Gegenstück). Das Aufblühen von Filmfestivals in den meisten größeren filmproduzierenden Ländern hat in dieser Hinsicht auch Erfolg gehabt.

Zwei wichtige Faktoren beim Aufschwung der Filmproduktion in vielen Ländern waren staatliche Filmförderungsmaßnahmen und die Koproduktion mit dem Fernsehen. Das Svenska Filminstitutet war ein Modell für diese neue Finanzierungsmethode. Es wurde 1963 gegründet, um Gelder zu verteilen, die durch eine zehnprozentige Abgabe auf alle Kinokarten hereinkamen; Verteilungskriterien waren teils der finanzielle Erfolg, teils die künstlerische Qualität eines Films. Dieses schwedische Modell hat die Produktion exportfähiger Filme in einem kleinen Land stark aufblühen lassen. Das französische Subventionssystem hatte sich deutlich auf die dortige Filmindustrie ausgewirkt. 1993 beliefen sich die französischen Subventionen auf insgesamt 350 Millionen Dollar, die 150 in diesem Jahr entstandenen Filmen zugute kamen. Die Mittel entstammten einer Eintrittskarten-Steuer – größtenteils auf amerikanische Filme erhoben, die in französischen Kinos ihre Dominanz ausbauen, und zwar trotz des Subventionssystems, zu dem sie dank ihrer Popularität noch kräftig beitragen.

Die europäische Filmindustrie wurde in den fünfziger und sechziger Jahren auch durch Auslandsproduktionen der Amerikaner unterstützt, die so ein niedriges Preisniveau ausnützen wollten. Dieser zeitweise Internationalismus endete 1970, als sich die Preise anglichen und die amerikanischen Firmen sich in einem finanziellen Engpaß befanden. Die britische Filmindustrie, die in den Sechzigern stark vom amerikanischen Kapital abhing, blieb durch den Rückzug fast auf der Strecke. Doch der Verlust für den Film war ein Gewinn für das Fernsehen. Die besten britischen Filmemacher arbeiten heute für das Fernsehen (oder in Hollywood).

Bis 1980 hatten amerikanische Firmen die Kontrolle über die Leinwände der Welt zurückerobert, nur zuweilen von europäischen Konglomeraten wie Lord Grades ITC oder Polygram (Philips) herausgefordert. Mit dem außerordentlichen Erfolg des französischen Pay-TV Canal Plus schien sich in den achtziger Jahren der Aufstieg zu einer internationalen Macht anzudeuten, aber im weltweiten Medienspiel fehlt immer noch ein starker französischer Mitspieler. Ähnlich gelang dem italienischen Magnaten Silvio Berlusconi in den Achtzigern der Aufbau einer europäischen Unterhaltungs-Krake, aber den Vorstoß in die wirklichen Weltmächte hat er noch vor sich, nachdem er sich die italienische Politik als die kleinere Herausforderung ausgesucht hat. Mit Goldcrest Films nahmen die Engländer in den Achtzigern einen zwar kurzen, aber dennoch ermutigenden Anlauf. Sie haben damit gezeigt, daß auch kleine Gesellschaften eine Chance haben gegenüber der Dominanz der Konglomerate.

Als in den achtziger Jahren die Video-Industrie explodierte, mästete sich die Filmindustrie an den zusätzlichen Einnahmen. Die meisten der großen Studios gründeten rasch ihre eigenen Firmen zur Distribution von Videocassetten, gelegentlich mit TV-Gesellschaften als Partner (RCA Columbia, CBS-Fox). Dennoch entwickelte sich der Cassetten-Markt nicht unter Hollywood-Kontrolle. Cassetten haben sich in den späten siebziger Jahren nur deshalb als mächtiges Unterhaltungs-Medium etabliert, weil weitab von Hollywood ein paar unternehmende Einzelkämpfer darauf gekommen sind, daß dem Normalverbraucher daran liegen könnte, sich gerade nur für einen Abend ein Band zu leihen (statt es zu kaufen). Das lief darauf hinaus, daß den Filmvertrieben Einnahmen in Milliardenhöhe entgingen, die sie leicht in ihre Taschen hätten lenken können, wenn sie gleich zu Beginn des Cassetten-Geschäfts eine wirksame «Sell-through»-Strategie entwickelt hätten.

Immerhin haben die Einkünfte aus Videocassetten eine Reihe unabhängiger Produzenten mit Mitteln ausgestattet, so daß sie um 1990 jungen Filmemachern ein fruchtbares Übungsgelände bieten konnten. Baseline listet in seinen Informationen zur Filmindustrie für 1992 insgesamt 529 angelaufene Filme auf, davon nur 330 in Kino-Kopie – der Rest erschien größtenteils direkt auf Video. So ist dieses neue Genre billiger Produktionen an die Stelle der B-Filme und Programmers der dreißiger und vierziger Jahre gerückt.

Eine weitere Herausforderung erwächst der Filmindustrie in den neunziger Jahren mit der in Schwung kommenden Multimedia-Revolution. Videocassetten sind ein Medium für Distribution, viel mehr aber auch nicht; das Cassetten-Geschäft, wie es heute läuft, ist auf Hollywoods Filmware angewiesen. Das jetzt anlaufende Multimedia-Geschäft konkurriert mit dem Film als einem Medium für Produktion und ist ihm zugleich verpflichtet. Es verkörpert das erste neue Medium für Produktion seit dem flächendeckenden Fernsehfunk, und als solches macht es möglicherweise der altehrwürdigen Kinofilm-Industrie wertvolle Talente, Kapital und Zuschauer abspenstig.

Was Compact Discs angeht, ist dort die Möglichkeit eines Verteilungssystems gegeben, das ebenso präzise und flexibel arbeitet wie das der Print-Medien, zumal wenn die Technologien von Film und Video noch weiter in eins fallen. Als Unterhaltungs- und Informationskanäle zeichnen sich sowohl Film als auch Fernsehen bis heute durch beschränkten Zugang aus: In den USA kontrollierten fünf bis sieben Studios den Filmmarkt; drei kommerzielle Networks kontrollierten den Zugang zum Fernsehen. Heute bietet die digitale Revolution im Verein mit der neuerdings erlangten Reife des Kabelfernsehens eine bemerkenswerte Vielfalt an Zugangswegen.

Wird Hollywood auch weiterhin den amerikanischen Unterhaltungssektor dominieren? Oder verlagern sich die Machtzentren vom San Fernando Valley mit den Studios ins Silicon Valley der Computerindustrie – oder vielleicht gar ins Hudson-Tal, von wo aus die Print-Medien herrschen und wo vor einem Jahrhundert die Filmindustrie geboren ward?

Film: Die Politik

Die Ökonomie des Films bestimmt seine Infrastruktur – seine Basis – und damit sein Potential. Die Politik des Films bestimmt seine Struktur: die Art seines Verhältnisses zur Welt. Wir verstehen, erleben und konsumieren den Film aus zwei unterschiedlichen Perspektiven. Die «Soziopolitik» des Films beschreibt, wie er die allgemeine menschliche Erfahrung reflektiert und in sie integriert ist. Seine «Psychopolitik» versucht, unser persönliches und eigentümliches Verhältnis zu ihm zu erklären. Da der Film ein so verbreitetes und populäres Phänomen ist, spielt er in der modernen Kultur eine so bedeutende Rolle – *sozio*politisch. Da er eine so kraftvolle und überzeugende Wiedergabe der Realität darstellt, besitzt der Film auch einen tiefreichenden Einfluß auf sein Publikum – *psycho*politisch. Die beiden Aspekte hängen eng zusammen, dennoch ist eine Differenzierung sinnvoll, da dadurch die Aufmerksamkeit auf den sehr realen Unterschied zwischen der allgemeinen Wirkung des Films und seinem persönlichen Effekt gelenkt wird.

Wie wir auch den Film betrachten, er ist eindeutig ein politisches Phänomen. In der Tat ist seine Existenz selbst revolutionär. In seinem bedeutenden Essay «Das Kunstwerk im Zeitalter seiner technischen Reproduzierbarkeit» schrieb Walter Benjamin: «Die Reproduktionstechnik, so ließe sich allgemein formulieren, löst das Reproduzierte aus dem Bereich der Tradition ab... (Sie) setzt an die Stelle seines einmaligen Vorkommens sein massenweises. Und indem sie der Reproduktion erlaubt, dem Aufnehmenden in seiner jeweiligen Situation entgegenzukommen, aktualisiert sie das Reproduzierte. Diese beiden Prozesse führen zu einer gewaltigen Erschütterung des Tradierten... Sie stehen im engsten Zusammenhang mit den Massenbewegungen unserer Tage. Ihr machtvollster Agent ist der Film. Seine gesellschaftliche Bedeutung ist auch in ihrer positivsten Gestalt, und gerade in ihr, nicht ohne diese seine destruktive, seine kathartische Seite denkbar: die Liquidierung des Traditionswertes am Kulturerbe.» (*Kunstwerk*, S. 16)

Benjamins Prosa ist etwas schwer verständlich, doch seine Thesen sind grundlegend für ein Verständnis, wie Film (und andere technisch reproduzierbare Künste) in der Gesellschaft wirken. Der wichtigste Unterschied, meint Benjamin, zwischen

Film und den traditionellen Künsten liegt darin, daß die neue Kunst massenhaft hergestellt werden kann und so viele statt nur weniger erreicht. (Das ist der soziopolitische Aspekt.) Dies hat eine revolutionäre Auswirkung: Die Kunst ist so nicht nur einer großen Anzahl Menschen ohne weiteres zugänglich, sie kommt dem Betrachter auch in seiner Umgebung entgegen, wodurch das traditionelle Verhältnis zwischen dem Kunstwerk und seinem Publikum auf den Kopf gestellt wird. Diese beiden Aussagen über den Film – (a) daß er vielfach und nicht mehr einmalig ist, (b) daß er unbegrenzt reproduzierbar ist – widersprechen direkt der romantischen Kunsttradition und beleben und reinigen somit. (Das ist der psychopolitische Aspekt.)

Film hat unsere Art, die Welt zu sehen, verändert und damit in gewisser Weise, wie wir uns in ihr verhalten. Doch mag auch die Existenz des Films revolutionär sein, die Praxis ist es oft keineswegs. Da die Verteilungskanäle beschränkt sind (da wegen der hohen Produktionskosten nur die Wohlhabendsten Zugang zur Filmproduktion haben), unterlag das Medium einer strengen, wenn auch unauffälligen Kontrolle.

In Amerika zum Beispiel bildete zwischen 1920 und 1950 das Kino das wichtigste kulturelle Mittel für die Erkundung und Beschreibung der nationalen Identität (nach 1950 wurde das Kino schrittweise vom Fernsehen abgelöst). Historiker diskutieren, ob der Film einfach die nationale Kultur widerspiegelte oder ob er ein Phantasiebild davon aufbaute, das schließlich als Wirklichkeit akzeptiert wurde. In gewisser Weise ist der Punkt strittig. Zweifellos brachten die Autoren, Produzenten, Regisseure und Techniker, die zu Hollywoods Blütezeit in den Studios arbeiteten, nur Materialien, die sie im «realen Leben» gefunden hatten, auf die Leinwand. Zweifellos wurden diese Materialien nicht unbedingt bewußt zu bestimmten politischen Zwecken verzerrt, dennoch hatte die Tatsache, daß die Filme bestimmte Aspekte unserer Kultur verstärkten, andere verdrängten, einen tiefgehenden Einfluß.

So wird die Politik des Films durch zwei Paradoxa bestimmt: Zum einen ist die Filmform revolutionär; zum anderen beruht der Inhalt meistens auf konservativen und traditionellen Werten. Zudem sind die Politik des Films und die «reale» Politik so eng verflochten, daß normalerweise nicht festgestellt werden kann, wo die Ursache, wo die Folge liegt.

Diese Untersuchung geht hauptsächlich vom amerikanischen Film aus. Das Verhältnis zwischen Politik und Film ist in anderen Zusammenhängen nicht weniger interessant, doch durch das homogene Fabriksystem der Studios wurde die sie umgebende politische Kultur besonders genau reflektiert (oder inspiriert). Da Hollywoods Filme Massenprodukte waren, wurde in ihnen die umgebende Kultur – oder präziser, die etablierten Mythen dieser Kultur – genauer widergespiegelt als in den Werken starker individueller Künstler. In der Tat liegt die Bedeutung vieler sehr wichtiger «auteurs» der Filmgeschichte gerade darin, daß ihre Werke politisch gegen den Strich des Etablierten gingen: Chaplin, Stroheim, Vidor, Eisenstein, Renoir, Rossellini, Godard, zum Beispiel.

Die grundlegende Binsenweisheit der Filmgeschichte lautet, daß die Entwicklung der Kunst / Industrie am besten als Produkt der Dialektik zwischen Film-Realismus und Film-Expressionismus aufzufassen ist: zwischen der Fähigkeit des Films, die Realität nachzuahmen, und seiner Kraft, sie zu verändern. Die ersten Filmkünstler – die Gebrüder Lumière und Georges Méliès – repräsentierten diese Dichotomie zwischen Realismus und Expressionismus vorzüglich. Dennoch unterliegt dieser Dialektik von Mimesis / Expression eine andere, tiefergehende Prämisse: Die Definition des Filmstils beruht auf dem Verhältnis des Films zu seinem Publikum. Wenn sich ein Filmemacher für einen realistischen Stil entscheidet, so möchte er die Distanz zwischen dem Zuschauer und dem Gegenstand vermindern; der expressionistische Stil versucht dagegen den Zuschauer durch die Technik des Films zu verändern, zu bewegen oder zu unterhalten. Beide ästhetischen Entscheidungen sind grundsätzlich politisch, da sie auf Beziehungen (zwischen Filmemacher, Film, Gegenstand und Zuschauer) beruhen und nicht auf idealisierten abstrakten Systemen. Insofern ist auch der Film selbst direkt politisch: Er hat ein dynamisches Verhältnis zu seinem Publikum.

Um es zusammenzufassen: Jeder Film, auch der unbedeutendste, besitzt eine politische Natur auf einer oder mehreren der folgenden drei Ebenen:

- ontologisch, da das Filmmedium selbst dazu drängt, die Traditionswerte der Kultur zu liquidieren;
- mimetisch, da jeder Film die Realität entweder widerspiegelt oder wiedererschafft (und damit ihre Politik);
- inhärent, da die stark kommunikative Natur des Films der Beziehung zwischen Film und Zuschauer eine natürliche politische Dimension gibt.

Eine politische Geschichte des Films kann also sehr leicht dreimal so komplex sein wie eine ästhetische Geschichte, da die Entwicklung auf allen drei Ebenen verfolgt werden muß. Wir können hier nur einige der wichtigsten Erscheinungen der Filmpolitik behandeln.

Ontologisch ist der beste Beweis, daß Film die Traditionswerte radikal verändert hat, das Phänomen der Prominenz. Zuvor waren gesellschaftliche Vorbilder entweder vollkommen fiktionale Figuren oder reale, verdienstvolle Persönlichkeiten (die man nur aus der Entfernung kannte). Film verschmolz diese beiden Typen: Reale Personen wurden zu fiktionalen Figuren. Das Konzept des «Stars» entwickelte sich – und Stars sind etwas ganz anderes als «Schauspieler». Die wichtigste Rolle, die Douglas Fairbanks spielte, war nicht Robin Hood oder Zorro, sondern «Douglas Fairbanks». (Tatsächlich wurde Douglas Fairbanks von Douglas Ullman gespielt –

so sein wirklicher Name.) Ebenso spielte Charles Chaplin nicht Hitler oder Monsieur Verdoux, sondern immer «Charlot», den Tramp; und Mary Pickford (sie, Chaplin und Fairbanks als die United Artists die strahlendsten Stars ihrer Zeit) mußte immer nur «Little Mary» spielen. Als sie Ende der zwanziger Jahre versuchte, ihr Image zu ändern, endete ihre Karriere.

Die frühen Filmproduzenten erkannten offenbar die Möglichkeiten des Starphänomens. Sie bestanden auf Anonymität ihrer Darsteller. 1912 erschienen jedoch die ersten Fanmagazine, die das «Biograph Girl» und «Little Mary» herausstellten. Wenige Jahre später gab es einen Zweikampf zwischen Chaplin und Pickford, wer von ihnen als erster einen Millionen-Vertrag unterschreiben würde. Little Mary und Charlot trafen offensichtlich eine empfängliche Stelle des Publikums. Die komplexe Beziehung zwischen den Stars und ihrem Publikum macht seither ein wichtiges Element der mythischen – und damit politischen – Natur des Films aus.

«Stars» stellen ihre («persönlichen») Rollen vermittels angeblicher Charakterrollen dar. «Berühmtheiten» treten meist als «sie selbst» auf und sind, wie Daniel Boorstin es nannte, wegen «ihrer Bekanntheit» bekannt. Wir spielen normalerweise die Bedeutung dieses Phänomens herunter, dennoch sind die Stars bedeutsame psychologische Modelle, wie sie nie zuvor existierten.

Man kann die Entwicklung dieses Phänomens der Prominenz zurückverfolgen auf die Lesetourneen des neunzehnten Jahrhunderts, wo intellektuelle Helden wie Charles Dickens und Mark Twain (nebenbei, eine von Samuel Clemens geschaffene «Rolle») sich selbst für ihre Bewunderer darstellten. Doch vor dem «Zeitalter der technischen Reproduzierbarkeit» erreichten diese Berühmtheiten nur sehr wenige Leute. Die öffentlichen Trauerbekundungen über den Tod von Rudolph Valentino im Jahre 1926, nach einer kurzen und unerheblichen Karriere als Filmschauspieler, übertrafen in ihrer Intensität und ihrem Umfang die Reaktion auf alle bisherigen ähnlichen «öffentlichen» Todesfälle. Erst nachdem auch Politiker zu Prominenten wurden, erregen die Opfer von Attentaten eine so allgemeine Trauer.

Obwohl Studio-Moguln versuchten, große Stars künstlich zu erzeugen, hatten sie selten Erfolg. Stars waren – und sind – Geschöpfe der Öffentlichkeit: politische und psychologische Modelle, die eine Eigenschaft verkörpern, die wir kollektiv bewundern.* Clark Gable war objektiv nicht hübscher oder attraktiver als Dutzende anderer junger Schauspieler der dreißiger Jahre, und dennoch gab es etwas in der Persönlichkeit, die er darstellte, auf das die Leute reagierten. Humphrey Bogart war

* Nur wenige Filmkritiker und Historiker haben schlüssig über Stars geschrieben. David Thomsons *Biographical Dictionary of the Cinema* bietet zahlreiche intelligente und überzeugende Skizzen. Richard Schickels *His Picture in the Papers* ist eine nützliche Einführung in das Thema; vergleiche auch *Celebrity*, herausgegeben von James Monaco, und Richard Dyers *Stars*. Die *Sozialgeschichte der Stars* von Enno Patalas ist seit langem vergriffen.

Stars. Sowohl Douglas Fairbanks (links) wie auch Charles Chaplin (rechts) fallen in diesen Publicity-Fotos «aus ihrer Rolle», doch da sie mittlerweile zu Berühmtheiten geworden waren, besaßen sie auch außerhalb des Studios die gewisse Aura des Stars. (*Museum of Modern Art/Film Stills Archive*)

kein herausragender Schauspieler und für Hollywood auch nicht hübsch, und dennoch wurde er ein zentrales Rollenmodell nicht nur für seine eigene Generation, sondern auch für deren Kinder. Wurden Schauspieler zu Stars, so begann ihr Image das Publikum direkt zu beeinflussen. Das Star-Kino – Hollywood-Style – beruht auf dem Schaffen einer starken Identifikation zwischen Held und Zuschauer. Wir sehen die Dinge von seinem Standpunkt aus. Die Wirkung ist subtil, doch eindringlich.

Dieses Phänomen ist auch nicht auf Hollywood beschränkt. In den Sechzigern bewies das europäische Kino eine ähnliche mystische Identifikationskraft. Indem Jean-Paul Belmondo in Jean-Luc Godards *À bout de souffle* (1960) in die Rolle Humphrey Bogarts schlüpfte, schuf er eine zweite Generation der Prominenz, eine, die historisches Bewußtsein demonstriert. Marcello Mastroianni wurde zum Inbegriff des europäischen Mannes von heute. Jeanne Moreau war das Modell der klugen, selbstsicheren Europäerin, Max von Sydow und Liv Ullmann die schwedischen Gegenstücke dieser beiden Modelle. Yves Montand trat als durch und durch gallischer Bogart an. Gérard Depardieu ist für seine Generation zur Ikone geworden.

Doch diese Europäer sind ebenso Schauspieler wie Stars, und so ist auch die Wir-

kung gedämpfter. Es gibt Augenblicke in ihren Karrieren, wo die einzelne Rolle die Starrolle übertönt. Als Ende der sechziger Jahre der amerikanische Film wiederbelebt wurde, entwickelte sich eine neue Generation Stars, die den europäischen in ihrer kritischen Intelligenz und ihrer starken Persönlichkeit entsprachen. Politisch ist dies ein wichtiger Fortschritt. Die schädlichste Auswirkung des Starsystems in Hollywood war die psychologische Ächtung von Rollen, die seinen eigenen Wunschbildern nicht entsprachen. Es war erlaubt, sich wie Bogart, Gable oder John Wayne zu verhalten, doch es gab bis Ende der sechziger Jahre keinen männlichen Star, der nicht ein harter Kerl (wie diese drei) oder elegant und gebildet (wie Fred Astaire und Cary Grant) war. Heute können wir mit Berühmtheiten kritisch umgehen, so daß das zeitgenössische Publikum in den Genuß eines breiteren Typenspektrums kommt.

Das Kino hilft weitgehend, zumindest in Ländern mit einer starken Filmszene, zu definieren, was kulturell erlaubt ist: Mithin die gemeinsame Erfahrung der Gesellschaft. Da diese Rollenmodelle psychologisch so mächtig sind, ist es für einzelne Mitglieder der Gesellschaft sehr schwierig, Rollen, für die kein Modell geboten wird, überhaupt zu konzipieren, geschweige denn auszuleben. Wie die Märchen und Sagen beschreibt der Film Tabus und hilft, sie zu lösen. Das Verhältnis von Ursache und Wirkung ist, wie schon erwähnt, nicht sehr klar, doch ist es interessant festzustellen,

Humphrey Bogart (links) als Philip Marlowe mit Lauren Bacall in *The Big Sleep* (Howard Hawks, 1946) (*Museum of Modern Art/Film Stills Archive*). Jean-Paul Belmondo (rechts) imitiert Humphrey Bogart als Michel Poiccard in *À bout de souffle* (Jean-Luc Godard, 1959). Die Triebkraft dieses Films ist das Verhältnis von Film und Leben.

wie das quasirebellische Verhalten im Amerika der sechziger Jahre um mehr als fünf Jahre durch die beiden wichtigsten Starpersönlichkeiten der fünfziger Jahre vorweggenommen wurde – Marlon Brando und James Dean –, die beide bemerkenswert rebellisch waren. Ein noch deutlicheres Beispiel ist Jean-Luc Godards *La Chinoise* (1967), in dem eine Gruppe revolutionärer Studenten der Pariser Universität in Nanterre dargestellt wurde – ein Jahr vor der Revolte vom Mai/Juni 1968, bei der tatsächlich Studenten aus Nanterre die Avantgarde der niedergeschlagenen realen Revolution waren, gerade wie in Godards fiktionaler Rebellion.

Im Zeitalter der technischen Reproduzierbarkeit besitzt die Fiktion eine zuvor nie gekannte Macht.

Wegen seiner Allgegenwart hat das Fernsehen einen großen Teil der Sagen-Funktion des Films übernommen. In Haskell Wexlers *Medium Cool* (1969), einer sarkastischen, brillanten Analyse des Verhältnisses von Medien und Politik, fordert eine Gruppe militanter Schwarzer einen Fernsehreporter auf: «Zeig ihn (eine der Personen) in den 6-Uhr-, den 10-Uhr- und den 12-Uhr-Nachrichten, *dann* wird er zur Realität!» Die Funktion der Medien, über die Wirksamkeit einer Tat, einer Person oder einer Idee zu entscheiden, war eine der Hauptregeln der radikalen Politik der sechziger Jahre (und ist es heute noch).

Diese ungewöhnliche Fähigkeit des Films, Realität zu «machen», ist seine wich-

James Dean in einem Publicity-Standfoto zu *Rebel Without a Cause* (Nicholas Ray, 1955). Kaum ein Jahr später starb er mit 24 Jahren bei einem Autounfall und machte damit die Legende komplett. Obwohl er bis zu seinem Tode nur drei größere Filme gedreht hatte (*East of Eden, Giant* und *Rebel*), traf Dean den Nerv seiner Zuschauer in den Fünfzigern, und die Trauerkundgebungen bei seinem Tod erinnerten an die Hysterie beim Tode von Rudolph Valentino dreißig Jahre zuvor. Es gibt sogar einen Film über die Wirkung seines Todes auf ein paar Teenager in einem Südstaaten-Städtchen: James Bridges' *September 30, 1955* (1977). (*Museum of Modern Art/Film Stills Archive*)

tigste mimetisch-politische Funktion. Zum Beispiel lag eine der treffendsten sozialen Anklagen der Black-Power-Bewegung der Sechziger in ihrer historischen Analyse der eingeschliffenen rassistischen Darstellung von Schwarzen während der gesamten Geschichte von Film und Fernsehen. In dieser Hinsicht reflektierten die Medien ebenfalls getreulich die Wertvorstellungen der Gesellschaft. Doch sie verstärkten zugleich die reale Situation. Im allgemeinen (es gab bedeutsame Ausnahmen) zeigten Filme Schwarze nur in unterwürfigen Rollen. Wichtiger noch, Schwarze durften nur Schwarze spielen, das heißt Rollen, bei denen die Rasse ein wichtiges Element war. Eines der wichtigen Ergebnisse der Black-Power-Bewegung in den Sechzigern war es, mit dem Niederreißen dieser Barriere angefangen zu haben. Schwarze Rechtsanwälte, Ärzte, Geschäftsleute – selbst Helden – sind heute in den Medien üblich, wenn auch nur von Fall zu Fall. Aber nach wie vor ist es noch selten, daß ein Besetzungsbüro einen Afroamerikaner für eine Rolle engagiert, die nicht im Drehbuch ausdrücklich als die eines «Schwarzen» angegeben ist.

Wie so viele andere Aspekte unserer Kultur scheint auch der Fortschritt in der Rassenpolitik seit mehr als zwanzig Jahren zu stagnieren.* Auf den ersten Blick gibt es in den Neunzigern nicht mehr – oder bessere – Rollen für Afroamerikaner als

* Ich persönlich datiere den Beginn dieser Vereisung auf 1971, als Don McLean auf seiner Platte *American Pie* zum ersten Mal «the day the music died» besang.

Brando in den Fünfzigern. *A Streetcar Named Desire* (Elia Kazan, 1951) mit Vivien Leigh. Auch Brando vermittelte die Vorstellung von Rebellion, die in den Fünfzigern die Phantasie der Zuschauer erregte. (*Museum of Modern Art / Film Stills Archive*)

Doch in zwanzig Jahren wandelte sich die sexuelle Energie und brachte das verschrobene, trostlose Bild hervor von Brando in den Siebzigern, hier in *Ultimo tango a Parigi* (Bernardo Bertolucci, 1972). Die Augen, der Blick, die Gestik, das Verhältnis zu Frauen sind ähnlich, doch gereifter nach zwanzig Jahren.

Brando war der erste der großen Stars, der gleichzeitig das Bild eines intelligenten Schauspielers und eine Persönlichkeit entwickelte, und einer der ersten, die zur Karikatur ihrer selbst wurden. Ende der Siebziger war Brandos Image so konzentriert, daß er nur kurz in einem Film auftauchen mußte, um ihm sein Siegel aufzudrücken. Sein berühmtester kurzer Star-Auftritt war die Rolle des verfetteten Kurtz in *Apocalypse Now* (Francis Ford Coppola, 1979).

seinerzeit in den Siebzigern. Zu den erfreulicheren Entwicklungen der letzten Jahre gehört es, daß sich in den Randbereichen Hollywoods eine neue Gruppe afroamerikanischer Regisseure etabliert hat. Aber die interessanten Arbeiten von Filmemachern wie Spike Lee, Matty Rich und John Singleton verbindet nichts mit der ersten Welle des Schwarzen Films 25 Jahre zuvor; sie bauen nicht auf der Arbeit einer früheren Generation auf, sondern fangen wieder ganz von vorne an.

Der Rassismus findet sich in den amerikanischen Filmen, da er ein Grundmerkmal der amerikanischen Geschichte ist. Es ist eine der häßlichsten Tatsachen der Filmgeschichte, daß der bedeutende Film *The Birth of a Nation* (1915) allgemein als Klassiker gelobt wird – trotz seines eindeutigen Rassismus. Weder technische Brillanz, investiertes Geld noch künstlerische Wirkung sollten die in *The Birth of a Nation* gedankenlos vertretene antischwarze Politik aufwiegen dürfen; doch in der Filmgeschichte, wie sie heute geschrieben wird, lobt man weiterhin den Film wegen seiner Form und ignoriert den empörenden Inhalt, erwähnt ihn bestenfalls mit einem Alibi-Satz.*

Dies soll nicht heißen, daß Griffiths Meisterwerk eine Ausnahme bildete. Bis in die späten fünfziger Jahre herrschten rassische Stereotype im Film, später im Fernsehen, vor. Es gab wohl vorher einzelne Filme mit liberalem Gewissen – King Vidors *Hallelujah* (1929) oder Elia Kazans *Pinky* (1949) zum Beispiel –, doch selbst diese zeichneten sich durch eine gewisse Herablassung aus. Erst Ende der sechziger Jahre begannen Schwarze nichtstereotype Rollen in amerikanischen Filmen zu übernehmen. Wir sprechen hier von Hollywood. In den zwanziger Jahren entstand eine kleine, selbständige afroamerikanische Filmindustrie, die Filme über Schwarze, von Schwarzen, für Schwarze produzierte. Doch diese Filme bekam das breite Publikum natürlich niemals zu sehen.

Die Indianer wurden bis vor kurzer Zeit ebenso schlecht behandelt. Da sie ein fester Bestandteil des populären Western-Genres waren, erschienen sie öfter auf der Leinwand als die Schwarzen, doch die Stereotype waren ebenso schädlich. Hier gab es allerdings einige Ausnahmen. Vielleicht weil der Kampf gegen die Indianer schon gewonnen war, erschienen sie bisweilen in einigen Filmen in einem positiveren, menschlicheren Lichte. Thomas Inces *The Indian Massacre* (1913) ist ein frühes Beispiel, ein neueres ist John Fords *Cheyenne Autumn* (1964).

Das Bild der Frau im amerikanischen Film ist ein komplexeres Problem. Offensichtlich haben die Filme der zwanziger Jahre viel dazu beigetragen, das Bild der selbständigen Frau zu popularisieren. Selbst Sirenen wie Clara Bow und Mae West, vorwiegend zwar männliche Phantasiebilder, konnten gleichwohl ein gewisses Maß

* Eine Fernsehausstrahlung des Films 1993 in Großbritannien wurde durch die kritische Stellungnahme eines schwarzen Filmkritikers eingeführt, die Video-Version mit einer Warnung versehen.

Unabhängigkeit und eine Prise Ironie in ihre stereotypen Rollen einbringen. Insgesamt aber war das Bild der Frauen im Film der dreißiger und vierziger Jahre dem der Männer ziemlich ebenbürtig. Eine aufmerksame Feministin kann in den Filmen jener Zeit natürlich zahllose stereotype Einschränkungen feststellen, doch für die meisten von uns würde ein Vergleich der dreißiger Jahre im Film mit den Sechzigern, Siebzigern oder Achtzigern ergeben, daß trotz des erwachten Bewußtseins der Frauen im Film erst jüngst die Intelligenzstufe der Sexualpolitik aus der Mitte der dreißiger Jahre erreicht wurde. Schauspielerinnen wie Katharine Hepburn, Bette Davis, Joan Blondell, Carole Lombard, Myrna Loy, Barbara Stanwyck, Irene Dunne, selbst Joan Crawford, prägten ein Bild von Intelligenz, Unabhängigkeit, Sensibilität und gleichberechtigter Sexualität, wie man es seither selten sah.

All dies endete Anfang der fünfziger Jahre mit dem Aufkommen von Rollenmodellen, die durch Stars wie Marilyn Monroe (die verführerische Kindfrau) und Doris Day (das jungfräuliche Mädchen von nebenan) repräsentiert wurden. Von den beiden war das von Doris Day und ähnlichen Schauspielerinnen gezeigte Image vorzuziehen. Dieser Frauentyp erreichte zwar niemals völlige Unabhängigkeit, war jedoch meist mehr als nur ein männliches Phantasieprodukt wie die Monroe. Offensichtlich existierten keine Schauspielerinnen mehr vom Format der früheren Stars. Von den acht jungen Schauspielerinnen, die zum Beispiel in Sidney Lumets *The Group* (1966) Hauptrollen spielten, zeigten zumindest sieben Talent. Dennoch hatte von ihnen lediglich Candice Bergen später nennenswerten Erfolg. Mit den «Kumpel»-Filmen der späten sechziger Jahre (deren populärstes Beispiel *Butch Cassidy and the Sundance Kid*, 1969, war) sind die letzten größeren Rollen für Frauen fast verschwunden.

Die Sexualpolitik der amerikanischen Filme in den letzten zwanzig Jahren ist ein Gebiet, wo das Kino die Politik der Realität nicht einfach widerspiegelt. Das war in gewissem Maße in den fünfziger Jahren der Fall, als die amerikanische Kultur darauf aus war, die Frauen, die während der Kriege ein gewisses Maß an Unabhängigkeit gewonnen hatten, zurück an den heimischen Herd zu scheuchen. Doch das Kino der siebziger und achtziger Jahre, als Millionen Frauen begannen, ihr Bewußtsein – wenn nicht gar das ihrer Angetrauten – zu schärfen, lieferte sicherlich ein falsches Bild der realen Welt. Einer der ersten Filme, die in den Siebzigern wegen ihrer «feministischen» Tendenz gelobt wurden, war zum Beispiel Martin Scorseses *Alice Doesn't Live Here Anymore* (1975); doch dieser Film zeigte uns eine Frau, die nicht fähig war, selbst zu überleben, nachdem man ihr die kreatürlichen Annehmlichkeiten eines Haushalts geraubt hatte, und die sich am Ende glücklich wieder in die Rolle einer hilfreichen Gattin begibt. Warum an sich intelligente Kritiker *Alice* in irgendeiner Weise als feministisch ansehen konnten, ist schwer zu beurteilen, außer daß vielleicht die Situation sich so drastisch verschlechtert hatte, daß jeder Film, in

«America's Sweetheart», die «kleine» Mary Pickford (um 1920). Korkenzieherlocken, karierter Baumwollstoff und schnuckelige Hündchen. (*Marc Wanamaker / Bison Art Ltd.*)

Judy Garland als Dorothy in *The Wizard of Oz* (1939): Zöpfchen, noch mehr Karos und Kindheits-Phantasien: Amerikas «Sweetheart» der zweiten Generation. (*Marc Wanamaker / Bison Art Ltd.*)

dem einer Frau eine zentrale Rolle eingeräumt wurde, unabhängig von seiner politischen Haltung, schon als Fortschritt gelten mußte.

Trotz vielem Presserummel gewann in den Siebzigern oder Achtzigern die feministische Position im Film kaum an Boden. In so hochgerühmten «Frauen-Filmen» wie *An Unmarried Woman, The Turning Point* und *Julia* (alle 1978) standen zwar Frauen im Mittelpunkt, jedoch ohne erkennbar stärkeres Bewußtsein. In Martin Ritts Drama *Norma Rae* (1979) erhielt Sally Field die kraftvolle, Oscar-gekrönte Hauptrolle, im übrigen aber ging es mehr um Gewerkschafts- als um Geschlechterpolitik.

Ironischerweise war der Film, der in jener Periode das beste Verständnis der Sexualpolitik zeigte, Robert Bentons *Kramer vs. Kramer* (1979); hier ist die Frau (Meryl Streep) zwar nicht gerade der «Bösewicht», sicher jedoch der Urheber des Problems, während das Hauptinteresse fast ausschließlich auf der sensiblen und schmerzvollen Reaktion des Mannes (Dustin Hoffman) liegt – in der Umkehrung eine klassische feministische Situation der siebziger Jahre. In den letzten Jahren hat kein Film so viel Verständnis für den weiblichen (hier vom Mann eingenommenen) Standpunkt aufgebracht. Wenn man nach dem von Hollywood vermittelten Bild gehen

Clara Bow, das «It girl», die Frau mit dem gewissen Etwas, strahlte in den Zwanzigern ein kraftvolles sexuelles Image aus, aber mit so viel Sinn für Humor, daß sie für das immer noch puritanische amerikanische Publikum akzeptabel war. «S. A.» – Sex Appeal – ist seitdem ein Motor der Filmindustrie.

sollte, so war der Hauptnutzen der Frauenbewegung die Befreiung des Mannes von männlichen Stereotypen. Das trifft zwar auch zu, zeigt aber nur einen Zipfel der Wahrheit.

In den achtziger Jahren wurde der «neue Frauenfilm» (ich zögere mit der Bezeichnung «feministischer Film») rasch als Genre akzeptiert, allerdings ohne wirkliche emotionale oder politische Schlagkraft. Aktuelle «Frauenfilme» wie *Steel Magnolias* (1989), *Fried Green Tomatoes* (1991), *Nine to Five* (1980) und *Thelma & Louise* (1991) haben zwar ihre Verdienste, teilen uns aber nicht so viel über Sexualpolitik mit. Die beiden ersten Filme zeigen Frauen in ihrer eigenen Welt. Die anderen beiden dagegen lassen sie die gewöhnlich von Männern gespielten Kumpelrollen übernehmen und feiern den neuerdings akzeptablen Typus der befreiten Frau, ohne allerdings den Dialog weiterzuführen und ohne akzeptierte moralische Maßstäbe in Frage zu stellen.

Was ist also sonst noch neu? Von Mitte der siebziger bis in die Mitte der neunziger Jahre stagnierte in den USA und in Europa die Entwicklung der Geschlechterpolitik – wie der Politik überhaupt. Auf dem zwanzigsten Earth Day wurden diesel-

Die Sechziger sahen nur eine geringe Verbesserung gegenüber den Fünfzigern, was Frauenrollen angeht. Im ganzen gesehen dominierten Männer die amerikanischen Filme der Dekade, Kumpel-Filme verherrlichten die Männerfreundschaft. Hier agieren Paul Newman und Robert Redford mit krachenden Revolvern in *Butch Cassidy and the Sundance Kid* (1969) – vielleicht die Apotheose der Kumpel-Filme.

Es dauerte bis zu *Thelma and Louise* von 1991, daß das Kumpel-Thema in einem Erfolgsfilm feminisiert wurde. Der Film über zwei bewaffnete Ausreißerinnen wurde zur Mediensensation, nachdem die Diskussion über seine Tragweite als feministisches Statement einsetzte. Hier geben Susan Sarandon und Geena Davis Vollgas.

ben Fragen diskutiert wie schon auf dem ersten. «Minderheiten», wie sie nach wie vor unpassenderweise genannt werden, stehen heute wie damals vor denselben Problemen. Die Kämpfe gehen ohne Ende weiter.

Dennoch, obwohl sich keine Kontinuität des Fortschritts feststellen läßt, stehen Frauen im Film besser da als vor dreißig Jahren. Es existiert das unbestimmte Gefühl, daß sich das Gleichgewicht zwischen Mann und Frau unerbittlich verlagert. Noch bedeutsamer ist es, daß es heute für eine Schauspielerin durchaus möglich ist, die Karriere als Hauptdarstellerin auch noch als über Fünfzigjährige fortzusetzen: Jane Fonda, Shirley MacLaine, Tina Turner, Goldie Hawn und Barbra Streisand haben auch im «reiferen» Alter nichts von ihrer Anziehungskraft verloren. Und Susan Sarandon war über vierzig, als sie erstmals ihr Talent voll auslotete. Sarandon ist wohl seit langem wieder die erste Schauspielerin, die Sexualität und reife Intelligenz zu einer präsenten Star-Persönlichkeit verschmelzen läßt; ähnlich hat sich Meryl Streep ihre Position als imponierende «actor's actor» erworben. Hier sind tatsächlich Frauen der Motor, unser Empfinden von Lebensalter neu zu definieren. Die in den sechziger Jahren mündig gewordene Generation, das heißt die Kriegs- und die geburtenstarken Nachkriegsjahrgänge des «baby boom», will ihre Sexualität auch mit über fünfzig noch auf einem Level ausleben, der dreißig Jahre zuvor nicht denkbar gewesen wäre.

Gleichzeitig hegt die «Generation X» paradoxerweise einen rückwärtsgewandten Mythos von Sexualität, in dem die übelsten Erscheinungen der fünfziger Jahre anklingen. Madonna hat das Sexkätzchen Marilyn Monroes zu einer Schickimicki-Walküre umstilisiert, mit ihrer Unterwäsche als Panzer. Schauspielerinnen wie Sharon Stone, Demi Moore, Kim Basinger und Drew Barrymore werden regelmäßig benutzt und mißbraucht. Da paßt der Ausdruck «young hookers», «junge Nutten». Wie schon ihre männlichen Vorgänger in den Achtzigern – Sean Penn, Rob Lowe, Matt Dillon, Patrick Swayze als «brat pack», etwa «Flegelbande» – beutet diese neue Schauspielerinnen-Generation weniger hehre Hollywood-Traditionen aus. Der Einwand, daß bei derartigen Rollen Ironie im Spiel sein könnte, greift zu kurz; wir wissen schließlich alle, was da verkauft wird. In den neunziger Jahren ist Sex zur Handelsware verkommen, einer irgendwie langweiligen überdies. Hardcore-«Porno» wie *Deep Throat* und *The Devil in Miss Jones* – Filme, die in den frühen siebziger Jahren für Empörung sorgten – ist heute dank zahlreicher Kabelnetze in jedem Wohnzimmer verfügbar und läßt die Videoshops in den Schlafstädten florieren. Seit *Flashdance* (1983) und *Dirty Dancing* (1987) ist Sex für Pubertierende und Präpubertierende ein einträgliches Nebengeschäft für Hollywood, und viele Spielfilm-Produktionen schlagen mit deutlicher zur Sache kommenden «Videoversionen» für den Kassettenmarkt Kapital aus ihren Softcore-Qualitäten.

Vielleicht sieht so der Fortschritt aus; vielleicht ist der Durchgang durch diese

Während die achtziger und neunziger Jahre immer noch keine Rückkehr zu unabhängigem Geist und Charaktertiefe erlebten, die die Frauen der Dreißiger und Vierziger an den Tag legten, war die Periode doch in einer Hinsicht bemerkenswert: Als die Actricen der Sechziger und Siebziger in die Jahre kamen, Jane Fonda und Barbra Streisand voran, übernahmen sie als Vierzig- bis Fünfzigjährige romantische Hauptrollen. Zum erstenmal seit vielleicht dem achtzehnten Jahrhundert war es Frauen in den mittleren Jahren erlaubt, ihre Sexualität zu bewahren, sie gar auszuleben. (Natürlich waren seit Fairbanks auch amerikanische Männer in Würde und sexuell attraktiv auf der Leinwand gealtert.) Tina Turner (links) mit 54, Susan Sarandon mit 45.

Phase einfach nötig, um Romantik und nichtpornographische Erotik wiederzuentdecken; vielleicht ist das Mehr an «virtuellem Sex» eine Antwort auf Aids. In jedem Fall scheint es, daß die Mitte der Neunziger eine gute Zeit ist, sich Fellinis *Satyricon* mal wieder anzusehen und sich daran zu erinnern, daß Clara Bow – in den zwanziger Jahren das «It girl», die Frau mit dem gewissen Etwas –, die den Sex Appeal als Idee aufgebracht hat, ihre Rolle mit einer Gewitzt- und Direktheit spielte, die beide weit mehr an Selbstgefühl und tiefer Sinnlichkeit spürbar werden ließen, als all der Abklatsch in den Videoshops zusammen.

Die Sexualpolitik im Film ist eng mit dem verbunden, was man die «Traum-Funktion» des Kinos nennen könnte. Ein großer Teil der akademischen Kritik der späten Siebziger und der Achtziger konzentrierte sich auf diesen Aspekt des Filmer-

Daß wir das sexualpolitische Gleichgewicht der vierziger Jahre noch nicht wiedererlangt haben, ist vielleicht mehr uns als Hollywood anzulasten. Trotz fünfunddreißig Jahren «sexueller Revolution» und fünfundzwanzig Jahren einer aktiven feministischen Bewegung ist die Sexualität in den Neunzigern oft genug abgestanden und verquält, wie an dieser Publicity-Aufnahme von Sharon Stone abzulesen ist.

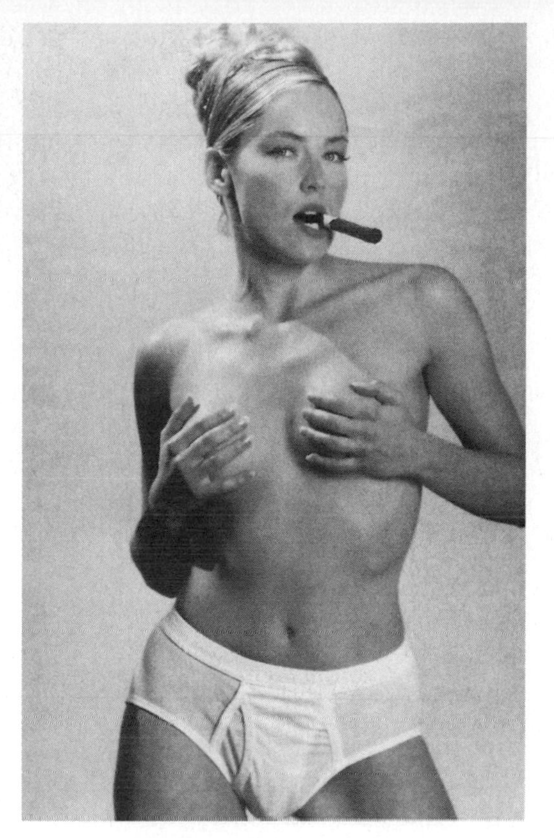

lebnisses. Unsere starke Identifikation mit den Filmhelden ist ein offensichtlicher Beweis dafür, daß Film auf unsere Psyche ähnlich wie ein Traum wirkt. Dies ist ein unabtrennbarer Aspekt der Politik des Films: Wie reagieren wir auf Filme? Seit den frühen Tagen verkaufen uns die Filmemacher Phantasien voll Romantik und Aktion – oder wie heutzutage die Begriffe lauten: Sex und Gewalt. In dieser Hinsicht unterscheidet sich Film nicht sehr von Literatur. Der Erfolg von Filmen wie der von Romanen beruht auf der anregenden Kraft dieser libidinösen Impulse.

Es ist ein komplexes Thema: Film befriedigt die Libido nicht nur durch die Realisierung von Phantasien, sondern ebenfalls auf einer formalen Ebene – der Stil eines Films, seine Sprache, kann romantisch sein oder aktiv, sexuell oder gewaltsam, unabhängig von seinem Inhalt. Außerdem ist die genaue Wirkung speziell dieser Funktion des Films auf das Erleben der Zuschauer ziemlich unklar. Ersetzt er reales Erleben? Oder regt er dazu an?

Dies ist in bezug auf das politische Handeln eine besonders interessante Rätselfrage. Ein Film, in dem sich der Held durchsetzt, könnte dem Publikum einfach vermitteln, daß «alles schon gut werden wird» (man also nicht zu handeln braucht), während ein Film, in dem der Held verliert, die Vergeblichkeit des Handelns signalisiert. Wie kann dann ein politischer Filmemacher eine Struktur aufbauen, bei der die Zuschauer einbezogen werden, jedoch nicht so stark, daß die Darsteller als Surrogate dienen? Wie kann deutlich gemacht werden, daß im realen Leben Handeln möglich und notwendig ist? Es gibt keine einfachen Antworten.

Die Frage des Handlungsersatzes ist in bezug auf Romantik und Sex einfach zu erklären. Hier sind die Darsteller eindeutig Surrogate für den Zuschauer, und eine Übertragung der Filmhandlung auf das reale Leben ist nicht wirklich beabsichtigt. Tatsächlich deutet der Realismus des Filmerlebens das Gegenteil an: daß das Erlebnis im Film weitgehend das Erlebnis im realen Leben ersetzt. Wir sprechen von Film-«Fans» und Film-«Buffs», doch es gibt ebenso eine Subkultur der Film-Süchtigen: Menschen mit einem überaus starken Bedürfnis für das Traumerlebnis des Films, das sowohl physiologisch wie psychologisch sein kann. Diese entscheidenden Aspekte der Filmwirkung sind bisher noch nicht ausreichend erforscht. Ein Großteil der interessantesten Entwicklungen auf dem Gebiet der Filmtheorie wird sich in den nächsten Jahren mit diesem Thema befassen.

Die libidinöse Wirkung des Films als Traum hat auch einen praktischeren Aspekt. Seit Edisons Kinetoscope-Schleife *Kiss* (1896), mit John Rice und May Irwin, haben Filme immer wieder Moralin-Ergüsse hervorgerufen, die wiederum zu Zensurmaßnahmen führten. Während die Zensur auf dem europäischen Kontinent vorwiegend politischen Charakter besaß, war sie in den USA und Großbritannien moralisch und puritanisch, ein Überbleibsel des heimischen Puritanismus und des viktorianischen Verhältnisses zum Sex.

Als Reaktion auf eine angeblich allgemeine moralische Entrüstung über eine Anzahl von Sex-Skandalen, an denen Hollywood-Schauspieler beteiligt waren (vor allem die Fatty-Arbuckle-Affäre), gründete Hollywood 1922 die Organisation der Motion Picture Producers and Distributors of America (MPPA, die allgemein nach ihrem ersten Präsidenten das «Hays Office» genannt wurde. Das Hays Office übte keine formale Zensur aus und wollte nur schlechter Publicity durch gute entgegenwirken, doch nach und nach wurden Richtlinien entwickelt. Der erste «Production Code» stammt aus dem Jahre 1930. Nachdem Joseph Breen 1934 in der MPPA tätig wurde, begann man, den Production Code strenger anzuwenden. (Im selben Jahr wurde die Catholic Legion of Decency gegründet, die bis in die sechziger Jahre hinein einen streng puritanischen Einfluß geltend machte.)

Der Code stellte absurde Forderungen an die Filmemacher. Streng verboten waren nicht nur eindeutig sexuelle und gewalttätige Handlungen, sondern nach dem strikt durchgesetzten Regelkatalog auch die Abbildung von Doppelbetten, selbst bei

John Rice und May Irwin in Edisons *Kiss* (1896), mit dem alles anfing.

verheirateten Paaren, und Flüche wie «God», «hell», «damn», «nuts» – sogar «nerts». Der Effekt war tiefgreifend.

Eine der größten Überraschungen für Filmstudenten, die zum erstenmal Filme aus der Zeit vor dem Code sehen, ist die erstaunlich moderne Moralauffassung in den Filmen der späten zwanziger und frühen dreißiger Jahre, die auch Themen wie Sex und Drogen behandeln, die danach bis in die späten sechziger Jahre verboten waren. Die Wirkung ist merkwürdig verwirrend. Wir sind mit den Hollywood-Filmen der späten Dreißiger, der Vierziger und Fünfziger durch die (meist noch mal zensierte) Ausstrahlung im Fernsehen aufgewachsen. Das Erlebnis einiger der realistischen Vor-Code-Filme ist die Wiederentdeckung einer verlorenen Generation. Zu den letzten Überbleibseln aus dieser wichtigen Epoche zählt zum Beispiel der Zyklus der Gangster-Filme – darunter *Public Enemy* (1931) und *Scarface* (1932) –, die versuchten, politische Themen direkt anzugehen.

In Großbritannien ist die Selbstzensur durch das British Board of Film Censors sehr viel strikter und entstammt dem Jahre 1912. Interessanterweise hatte das britische Zensursystem einen weniger deutlichen Einfluß als der amerikanische Code. Bis 1951 wurden Filme in die Kategorien U, A und H (für Universal, Adults und Horrific – verboten für Jugendliche unter sechzehn Jahren) eingeteilt. Ziel war es, Kinder nicht unnötig extremer Gewalt (worauf sich «horrific» bezieht) auszusetzen – eine anerkennenswerte Absicht. 1951, als der Sex im Film an Bedeutung gewann, wurde H durch X ersetzt.

Der amerikanische Code war den Produzenten während der Hollywood-Ära sehr nützlich. Er stellte zwar unsinnige und willkürliche Regeln auf, gleichzeitig entband er aber auch die Studios von jeglicher moralischer Verpflichtung, relevante politische und sexuelle Themen aufzugreifen oder selbst harmlosere Themen mit einem gewissen Maß an Intelligenz zu behandeln. Hollywood zog sich Mitte der dreißiger Jahre bequem auf einen Filmstil zurück, der Themen von allgemeiner Bedeutung zugunsten der hochgelobten – oft hohlen – phantastischen «Unterhaltungs-Werte» der Goldenen Ära vermied.

Nicht nur die direkten Vorschriften des Code waren wichtig, er hatte auch eine allgemein einschüchternde Wirkung auf eine Industrie, die besonders sensibel auf ökonomischen Druck reagierte. Zudem ergab sich aus dieser Verwundbarkeit eine andere Art Zensur. Die Studios produzierten nichts, was irgendeine mächtige Minderheitengruppe unter den Zuschauern verletzen konnte. Sie hatten zudem für Vorschläge des politischen Establishments immer ein offenes Ohr. Die Gesetzlosigkeit der Prohibitionszeit, zum Beispiel, führte zu einer Reihe von präfaschistischen Filmen Anfang der dreißiger Jahre – *Star Witness* (1931), *Okay America* (1932) und *Gabriel Over the White House* (1934) sind Beispiele dafür.

Während des Zweiten Weltkrieges ergriff Hollywood natürlich die Gelegenheit, etwas für die gute Sache zu tun, nicht nur durch die Produktion von abertausend Trainings- und Propagandafilmen (das berühmteste Beispiel ist Frank Capras *Why-We-Fight*-Serie), sondern ebenso rasch im Spielfilm, wo ein Mythos des Konfliktes entwickelt wurde, der sehr dazu beitrug, das Land für den Kampf zu einen.

Ein perfektes Beispiel dafür ist Delmer Daves' *Destination Tokyo* (1934), der zeigt, wie die sonst getrennten ethnischen Gruppen vereint gegen den gemeinsamen Feind vorgehen. Während des Films schreibt der Kapitän (Cary Grant) seiner Frau im mittleren Westen einen Brief. Die Sequenz dauert über zehn Minuten. Während Grant schreibt und den Krieg rechtfertigt, illustrieren Dokumentaraufnahmen seine Lektion, deren Tendenz darin besteht, daß die Japaner und Deutschen rassisch minderwertig seien, während die verbündeten Chinesen und Russen genetisch dazu bestimmt seien zu gewinnen und historisch ebenso friedliebende Völker seien wie die Amerikaner selbst! Später paßte dies nicht mehr in die Mythologie des kalten Kriegs. Mit Absicht oder zufällig fehlte diese treffliche Sequenz in vielen Kopien von *Destination Tokyo*, die in der heißen Phase des kalten Kriegs im Umlauf waren.

Gegen Kriegsende gab es bisweilen realistische Darstellungen der Kampfhandlungen, die im Ansatz fast wie Antikriegsfilme wirken. *The Story of G. I. Joe* und *They Were Expendable* (beide 1945) sind wichtige Beispiele.

Nach dem Krieg folgte Hollywood gehorsamst, als sich die nationalen Mythen des kalten Kriegs entwickelten. In den quasidokumentarischen Spionagefilmen, die Louis de Rochemont produzierte (*The House on 92nd Street*, 1945; *13 Rue Madeleine*, 1947; *Walk East on Beacon*, 1952), kann man den sanften Übergang von den Nazis auf die «Commies» als Bösewichte verfolgen, ohne daß sich der Stil oder die Struktur der Filme änderte.

In den fünfziger Jahren war die Kalte-Krieg-Mentalität allgemein verbreitet. Es gab Reihen von Spionagefilmen und Filme, die solche Institutionen des kalten Kriegs wie das Strategic Air Command und das FBI glorifizierten. Doch auf einer abstrakteren Ebene kann man auch die Psychologie des kalten Kriegs im populären Genre der Science-fiction in den fünfziger Jahren verfolgen. *Invasion of the Body Snatchers* (1956) ist vielleicht die beste Metapher für die politische Paranoia jener Jahre, während *Forbidden Planet* (1956) eine intelligentere Herangehensweise bietet. In diesem letzteren Film sind die Monster nicht heimtückische, unerbittliche, außerweltliche Wesen, gegen die es kein Mittel außer der totalen Mobilisierung gibt, sondern eher Kreaturen unseres eigenen Unterbewußtseins, Reflexionen unserer eigenen elementaren Ängste. Sobald die Personen in *Forbidden Planet* gelernt haben, ihr Unterbewußtsein zu beherrschen, verschwinden auch die Monster.

Offensichtlich hatten die Eingriffe und die schwarzen Listen des House Un-American Activities Committee Ende der vierziger Jahre einen tief verunsichernden Einfluß. Doch dies reicht nicht aus, die weitverbreitete, konforme Ideologie der Hollywood-Filme in den Fünfzigern zu erklären. Die Filmemacher waren von der gleichen Paranoia ergriffen, die den Rest der USA im Banne hielt. Es schien so, als ob man nach dem Gefühl der Einheit und des sinnvollen Kampfes gegen den Faschismus verzweifelt nach einem ebenso gefährlichen Gegner suchte, der Amerika wieder zusammenbringen könnte. Als in den sechziger Jahren schließlich die Mythen des kalten Kriegs zerbrachen, wurden zum Teil Kräfte des sozialen Wandels freigesetzt. Diese Änderung schlug sich ebenfalls in den amerikanischen Filmen nieder.

In Europa hatte der Krieg paradoxerweise positive Folgen für den Film. In der stillen, rationaleren Propaganda von Filmen wie *In Which We Serve* (Noël Coward, 1943) fanden die englischen Filmemacher eine sinnvolle Aufgabe. In der Anwendung von Dokumentartechniken Griersons und seiner Mitarbeiter auf den Spielfilm fand England zum erstenmal einen eigenen nationalen kinematografischen Stil. Politisch bewußt, historisch intelligent, wurde dieser Stil für eine kurze Zeit um 1960 wiedergeboren, als die «zornigen jungen Männer» des Theaters auf den Film ausstrahlten.

In Italien endete die lange Dürre des Faschismus in einer Flut politisch aktiver, ästhetisch revolutionärer Filme, die unter dem gemeinsamen Namen Neorealismus bekannt wurden. Rossellinis *Roma, città aperta* (1945) und *Paisà* (1946), De Sicas

Ladri di biciclette (1948) und *Sciuscià* (1946), Viscontis *Ossessione* (1942) und *La terra trema* (1947) setzten Standards, die noch auf Jahrzehnte hinaus Filmemacher in aller Welt inspirierten.

Doch die politische Relevanz, die den englischen und italienischen Film in den Vierzigern bestimmte, konnte sich in den Fünfzigern nicht sehr lange halten. Erst Ende der Sechziger wurde sie in einer Reihe französischer und italienischer Filme wiederbelebt, die Skandale aufdeckten und tatsächlich politische Wirkung besaßen. Die wichtigsten Vertreter dieses Stils waren Constantin Costa-Gavras (*Z*, 1969; *État de siège*, 1973) in Frankreich und Francesco Rosi (*Salvatore Giuliano* 1962; *Il Caso Mattei*, 1972) in Italien. Es gab nur sehr wenige Beispiele dieses dekuvrierenden Filmstils in den USA. Das bedeutendste Beispiel ist *The China Syndrome* (1979): Der Film lief erst wenige Wochen, als die Realität der Fast-Kernschmelze von Three Miles Island seine Story einholte.

Wie alle Formen der Massenunterhaltung war der Film in starkem Maße mythenbildend, gerade indem er unterhielt. Hollywood half gewaltig mit, Amerikas nationale Mythen (und damit sein Selbstbewußtsein) zu formen – und oft zu übertreiben. Ebenso hatte es im Ausland einen tiefgreifenden Einfluß. Für die Nouvelle Vague im Frankreich der frühen Sechziger war der amerikanische Kulturimperialismus ein wichtiges Studienobjekt. 1976 entfielen zum Beispiel in der Bundesrepublik Deutschland nur vierzig Prozent der Kinoeinnahmen auf amerikanische Filme. Bis 1992 hatte sich diese Zahl mit 83 Prozent mehr als verdoppelt. In so wichtigen filmproduzierenden Nationen wie England, Italien und Frankreich ist der amerikanische Film fast ebenso dominant. Amerikanische Filme spielen durchweg fünfzig bis sechzig Prozent der Einnahmen auf dem französischen Markt ein. In kleineren Staaten Europas und besonders in den Entwicklungsländern ist die Situation sogar noch unausgewogener. 1975 gingen zum Beispiel in den Niederlanden achtzehn Prozent der Filmeinnahmen an einheimische Produzenten. 1991 hat sich dieser Anteil auf sieben Prozent verringert. (Dabei ist zu bedenken, daß sich der Marktanteil amerikanischer Produktionen in Abhängigkeit von den in einem bestimmten Jahr jeweils anlaufenden Filmen entscheidend ändern kann; die amerikanische Marktbeherrschung ist also nicht unbedingt unabwendbar.)

Gegenwärtig wird die überwältigende Vorherrschaft amerikanischer Filme auf dem Weltmarkt von verschiedenen Seiten angegriffen. Einige Länder haben Quoten-Systeme eingeführt. In den Siebzigern bemühten sich Filmemacher der Dritten Welt, den Mythen Hollywoods ihre eigenen entgegenzusetzen, während eine Reihe anderer Filmemacher sogar den noch radikaleren Ansatz wagte, die eigentliche Grundlage des Hollywood-Films in Frage zu stellen: Unterhaltung. Dieser Ansatz, manchmal dialektischer oder Essay-Film genannt, versucht die unterhaltende Konsumware zu einem intellektuellen Mittel der Analyse und Diskussion umzuformen.

Bei dieser Auffassung von Film wird die Beziehung zwischen Film und Zuschauer nicht nur reflektiert, sondern man führt sie offen vor und hofft, sie dadurch zum Nutzen des Zuschauers anzuwenden. Wie in den Stücken Bertolt Brechts (siehe Teil 1) wollen diese Filme den Zuschauer intellektuell wie emotional ansprechen. So ist es notwendig, daß sich die Zuschauer intellektuell am Filmerlebnis beteiligen; mit anderen Worten: sie müssen mitarbeiten. Als Folge werden viele Leute, die diese dialektische Grundregel nicht verstehen, abgeschreckt. In der Erwartung, daß der Film alle Arbeit für sie übernimmt, sie in Phantasien einspinnt, finden sie die dialektischen Filme – zum Beispiel die Filme Jean-Luc Godards – langweilig.

Obwohl dieser Ansatz ganz sicher keinen größeren Marktanteil garantiert, bietet er doch – richtig verstanden – eine der erregenderen Perspektiven für die zukünftige Entwicklung des Films:

- *Ontologisch* wird die Macht des Films, Traditionswerte abzubauen, verstärkt und angewandt.
- *Mimetisch* wird der Film nicht einfach eine phantastische Widerspiegelung der Wirklichkeit, sondern ein Essay, in dem wir die Muster einer neuen und besseren sozialen Ordnung erproben können.
- *Inhärent* wird die politische Beziehung zwischen dem Film und dem Zuschauer als solche anerkannt, und das Publikum hat zum erstenmal Gelegenheit, einzugreifen und sich direkt am Prozeß des Films zu beteiligen.

Der Hollywood-Film ist ein Traum – aufregend, fesselnd, doch zuweilen ein politischer Alptraum. Der dialektische Film kann ein Gespräch sein – lebendig und anregend.

Cinéma: Die Ästhetik

Wenn wir all die Kräfte in Betracht ziehen, die zusammenspielen müssen, um einen Film auf die Beine zu stellen, all die zwangsläufig hineinwirkenden ökonomischen, politischen und technologischen Faktoren (Dichter, Maler oder Komponisten als Einzelpersonen müssen nur einen ganz geringen Teil davon berücksichtigen), ist es geradezu ein Wunder, daß im mühseligen Prozeß des Filmemachens so etwas wie «Kunst» überleben kann. Wie jedoch der Film im zwanzigsten Jahrhundert für den Ausdruck unserer Gesellschaft ein Kanal von primärer Bedeutung ist, hat er sich ebenso als Haupttummelplatz für den Ausdruck unserer Ästhetik erwiesen. Weil er ein derart öffentliches Medium ist, handelt er – ob beabsichtigt oder nicht – von unserem Zusammenleben. Weil er ein derart expansives, allumfassendes Medium ist, bietet er berauschende und einzigartige Möglichkeiten für den Ausdruck ästhetischer Ideen und Empfindungen.

Ein Weg, ein Gefühl für die Gestalt der Filmgeschichte zu bekommen, besteht darin, die ästhetische Dialektik zu identifizieren, in der jede Periode die Informationen zum Stand ihrer Entwicklung zu finden scheint. Diese sauber dualen Gegenüberstellungen mögen als allzu schlicht erscheinen, wenn sie auf ein so facettenreiches und komplexes Ausdrucksmedium angewandt werden, aber sie bieten doch bequeme Handhaben. Aus ihrem ganz persönlichen Ringen mit diesen Ideen heraus haben die meisten der öffentlich wirkenden Künstler dieses Jahrhunderts ein reiches Erbe geschaffen.

Es ist natürlich unmöglich, eine knappe Geschichte der Filmstile und Filmemacher in einem einzigen Band (geschweige denn in gerade nur einem Kapitel) zu geben. Unsere Skizze geht weitgehend von Einzelpersönlichkeiten und individuellen Leistungen aus; sie macht den Versuch, die bedeutendsten zu verzeichnen.

Das Entstehen einer Kunst: Lumière gegen Méliès

Die erste Dichotomie der Filmästhetik ist jene zwischen dem Frühwerk der Gebrüder Auguste und Louis Lumière und Georges Méliès. Die Lumières stießen von der

Fotografie zum Film. Sie sahen in der neuen Technik eine großartige Möglichkeit, die Realität wiederzugeben; ihre wirkungsvollsten Filme halten einfach Ereignisse fest: die Ankunft eines Zuges auf dem Bahnhof von Ciotat; Arbeiter, die die fotografische Fabrik der Lumières verlassen. Dies waren einfache, doch eindrucksvolle Proto-Filme. Sie erzählten keine Geschichte, sondern sie gaben lediglich einen Ort, einen Zeitpunkt und eine Atmosphäre so wirkungsvoll wieder, daß das Publikum eifrig dafür zahlte, dieses Phänomen zu besichtigen. Georges Méliès andererseits, ein Zauberkünstler, sah sofort die Möglichkeiten des Films, die Realität zu verändern – frappierende Phantasien zu produzieren. Méliès' *Le Voyage dans la lune* (1902) ist das berühmteste Beispiel seiner durch und durch filmischen Illusionen und einer der aufwendigsten frühen Filme. Bezeichnenderweise tragen viele von Méliès' Filmen das Wort «Traum» oder «Wunder» im Titel. Die Dichotomie, die durch den unterschiedlichen Ansatz der Lumières und von Méliès repräsentiert wird, ist für den Film grundlegend und erscheint in den darauffolgenden Jahren immer wieder in unterschiedlicher Ausprägung.

Zur gleichen Zeit produzierte in den USA Thomas Edison einfachere Filme, die selten den seinen französischen Zeitgenossen eigenen Sinn für das Filmische zeigten. *Fred Ott's Sneeze* und *Kiss* (mit John Rice und May Irwin) sind zwei typische Beispiele für Edisons anderen Ansatz.

1897 trat Edwin S. Porter, ein Handelsvertreter, in Edisons Firma ein. In den nächsten elf Jahren war er der wichtigste amerikanische Filmemacher. Nach dem Auftrag, Wochenschauaufnahmen zu machen, drehte Porter 1903 zwei Filme – *The Life of an American Fireman* und *The Great Train Robbery* –, die zu Meilensteinen der Filmgeschichte wurden. Porter ist berühmt für seinen flüssigen Parallelschnitt (oft nennt man ihn sogar den «Erfinder» des Filmschnitts), und während diese beiden Filme tatsächlich einfallsreich sind, wirft seine Reputation als einer der Väter der Filmtechnik das erste Problem der Filmkunstgeschichte auf. Porters spätere Filme erfüllten niemals, was die ersten versprachen. Außerdem zeigten zur gleichen Zeit Filmemacher in England und Frankreich durchaus die gleiche Fertigkeit. Tatsächlich könnte die berühmte Parallelmontage von *The Life of an American Fireman* zum Teil Zufall sein, da es Porters Absicht bei der Herstellung des Films war, einige Filmreste zu verwenden, die er in der Edison-Fabrik gefunden hatte. Dennoch wird Porter in bekannten Filmgeschichten als Entdecker gefeiert. Eines der größten Probleme der bisherigen Filmgeschichtsschreibung ist der unkontrollierbare Drang, «Ersttaten» zu entdecken, eine Art Rekordliste des Films aufzustellen.

Die Wahrheit ist, daß es für Porter (oder sonstwen) schwierig gewesen wäre, die mit dem Schnitt gegebenen Möglichkeiten *nicht* zu «entdecken». Er liegt in der Natur des Films; selbst für dieses wahrscheinlich filmischste Mittel finden sich in an-

Lumiéres Realität. *La Sortie des usines* (1895): Die Tatsache der Existenz. (*Museum of Modern Art/Film Stills Archive. Standvergrößerung*)

deren Künsten Vorläufer, und jeder halbwegs intelligente Künstler hätte zu dem notwendigen logischen Schritt fähig sein müssen. Porters Parallelmontage, Griffiths Großaufnahmen, Fahrten und Schwenks waren alles Mittel, die danach schrien, entdeckt und angewandt zu werden; verglichen mit den Standards der etablierten Künste, waren sie kaum Neuerer. Beim Film war es jedoch sehr leicht, Rekorde aufzustellen, wenn man zu den allerersten gehörte, die sich an dem Spiel beteiligten.

Anfang des Jahrhunderts entstanden in England, geschult an den inhaltlichen und stilistischen Konventionen (Bildeinstellung, Montagetechnik, dramaturgischer Ablauf) der im 19. Jahrhundert populären Magic Lantern Shows, viel interessantere Werke als die Porters. Cecil Hepworths *Rescued by Rover* (1905) schöpfte so die Möglichkeiten des Schnitts besser aus als die amerikanischen Klassiker.

In Frankreich übernahm Ferdinand Zecca die Leitung der Herstellung von Pathé und erprobte, ausgehend von nachgestellten Verbrechensszenen aus Wachsfigurenkabinetten, bei wachsender Produktion die Möglichkeiten des Mediums; Max Linder (Gabriel Leuville), der erste erfolgreiche Filmkomiker, entwickelte die dramaturgischen Muster, die später von den amerikanischen Slapstick-Klassikern übernommen wurden. Bei der konkurrierenden Filmfabrik Gaumont drehte Alice Guy, die vermutlich erste Filmregisseurin der Welt, regelmäßig Filme; 1905 wurde sie von Louis Feuillade als künstlerischer Leiter abgelöst, der nach Komödien und der naturalistischen Serie *La vie telle qu'elle est* in den zehner Jahren international höchst erfolg-

Méliès' Phantasie. *Le Royaume des fées* (1903): Die expressive Erzählung. (*Museum of Modern Art/Film Stills Archive. Standvergrößerung*)

reiche Serien schuf, beispielsweise mit dem Superverbrecher Fantômas. Gleichzeitig begann auch Émile Cohl, die Möglichkeiten des Animationsfilms zu erforschen.

Als Reaktion auf die in vielen Ländern üblichen Angriffe von besorgten Pädagogen und «Filmreformern» gegen den verderblichen Einfluß des Kientopps entstand gegen Ende des ersten Jahrzehnts die Bewegung des «Film d'art», der sich durch Anlehnung an etablierte Künste wie das Theater oder durch Beschäftigung von anerkannten Künstlern die Legitimation der «siebten Kunst» zu verschaffen suchte. So komponierte Camille Saint-Saëns die Begleitmusik zu *L'Assassinat du Duc de Guise* (1908), in dem Mitglieder der Comédie Française spielen.

Zum neben Frankreich bedeutendsten Filmland entwickelte sich um 1910 Dänemark. Die 1906 von Ole Olsen gegründete Nordisk Films Kompagni hatte 1907 mit dem «Sensationsfilm» *Løvejagten* einen europäischen Erfolg. Im nächsten Jahr entwickelte der Schauspieler und Regisseur Viggo Larsen mit den ersten Filmen seiner Sherlock-Holmes-Serie die Grundlage für die einflußreichen Detektivserien. 1910 popularisierten Alfred Lind und August Blom mit je einem *Den hvide Slavehandel* das damals überaus erfolgreiche Genre der Mädchenhändler-Filme (bis 1914 circa 50 Filme). Im gleichen Jahr stand in *Afgrunden* erstmals Asta Nielsen vor der Kamera, die im nächsten Jahr mit ihrem Regisseur Urban Gad nach Berlin ging, wo sie mit ihrer sehr modernen Darstellung unterschiedlichster Frauentypen zum europäischen Superstar aufstieg. Andere dänische Filmemacher folgten, so die Schauspieler/Regisseure Viggo Larsen und Holger-Madsen, der Schauspieler Olaf Fønss und die Kameraleute Axel Graatkjær und Frederik Fuglsang.

Dänemark gab auch den Anstoß zur Bewegung der Autorenfilme, die auf literarischem Gebiet an den Film d'art anknüpfte. So entstanden 1913 *Atlantis* (August Blom) nach dem Roman des frischgekürten deutschen Nobelpreisträgers Gerhart Hauptmann und *Elskovsleg* (Blom und Holger-Madsen) nach dem Skandalstück «Liebelei» von Arthur Schnitzler. Noch im gleichen Jahr wurde das Konzept in Deutschland von Max Mack aufgenommen, der die Jekyll-&-Hyde-Paraphrase *Der Andere* drehte. Die Hauptrolle übernahm Bühnenstar Albert Bassermann, der damit den Bann der Theaterschauspieler gegen das Kino brach. Ein anderer erfolgreicher Schauspieler, Paul Wegener, entwickelte gemeinsam mit dem Kameramann und Tricktüftler Guido Seeber das Konzept des Phantastischen als dem Film eigentümliche Kunstform, das er in *Der Student von Prag* (1913), *Der Golem* (1914), *Rübezahls Hochzeit* (1916) und *Hans Trutz im Schlaraffenland* (1917) beispielhaft anwandte.

Bassermann wie Wegener gehörten zu den Stars von Max Reinhardts Deutschem Theater in Berlin, das jahrzehntelang eine Talentschmiede auch für den deutschen Film bildete: Conrad Veidt, Dagny Servaes, Fritz Kortner, Alexander Moissi, Ernst Deutsch, Käthe Dorsch, Alexander Granach, Werner Krauss, Friedrich Wilhelm Murnau und viele andere standen dort auf der Bühne. Ebenfalls vom Deutschen Theater (wenn auch dort nur in kleinen Nebenrollen) stammte Ernst Lubitsch, der ab 1913 – zunächst als Darsteller, bald auch als Regisseur – eine spezielle berlinisch-jüdische Komik entwickelte: *Die Firma heiratet* (1913, Carl Wilhelm), *Schuhpalast Pinkus* (1916), *Meyer aus Berlin* (1918). Nach Ende des Krieges konzentrierte er sich auf die Regie. Er produzierte Lustspiele wie *Die Austernprinzessin, Die Puppe, Kohlhiesels Töchter* und *Die Bergkatze*, Anfang der zwanziger Jahre dann aufwendige Historienfilme, die Staatsaktionen mit ironischen Blicken in die Boudoirs verbinden: *Madame Dubarry, Anna Boleyn*. Seine Stars waren neben Emil Jannings und Harry Liedtke Ossi Oswalda, Pola Negri und vor allem Henny Porten, seit 1906 der große deutsche Filmstar mit einem breiten Repertoire zwischen tragischer Dame und neckischer Komikerin.

Zu den wichtigen Filmemachern, die vor allem seit der Hausse der deutschen Filmindustrie nach Kriegsbeginn Karriere machten, gehörten die beiden Wiener Richard Oswald (Richard W. Ornstein) und Joe May (Julius Otto Mandl), die beide auch als selbständige Produzenten und Autoren arbeiteten. Beide begründeten ihren Erfolg mit Detektivserien. Oswald setzte daneben auf Literaturverfilmungen, so *Hoffmanns Erzählungen* (1916), *Das Bildnis des Dorian Gray* (1917), *Der lebende Leichnam* (1918). Seinen Ruhm begründete er jedoch mit Sitten- und Aufklärungsfilmen, die sexuelle Themen mit aufklärerischem Impetus zu einem Erfolgsmix verbanden: *Es werde Licht!* (drei Teile, 1916–18, Geschlechtskrankheiten), *Sündige Mütter* (1918, Abtreibung), *Anders als die Andern* (1918/19, Homosexualität), *Das*

Europas erster Star: Asta Nielsen in *Der Reigen* (Richard Oswald, 1920) mit Conrad Veidt, der in den zwanziger und dreißiger Jahren zum Weltstar aufstieg. *(CineGraph Hamburg)*

gelbe Haus (1919, Prostitution). Das Konzept dieser Filme, die wiederholt Probleme mit der Zensur hatten, entwickelte Oswald zu Publikumsfilmen weiter, in denen immer wieder das Darstellergespann Conrad Veidt, Reinhold Schünzel, Anita Berber brillieren konnte.

May machte noch während des Krieges seine Gattin Mia May in Serien von Melodramen und Gesellschaftsfilmen zum Star. In seinem Atelier in Berlin-Weißensee und auf einem großen Freigelände in Woltersdorf baute er eine Filmfabrik auf, in der er viele neue Talente förderte, darunter die Autoren und Regisseure Ewald André Dupont, Thea von Harbou und Fritz Lang; eine langjährige Freundschaft und Partnerschaft verband ihn mit dem Ausstatter und Regisseur Paul Leni. Gegen Ende des Weltkriegs entstand der dreieinhalbstündige «Prunkfilm» *Veritas vincit*, der mit seiner Jahrhunderte umfassenden Episodenstruktur an mögliche Vorbilder wie Griffiths *Intolerance* (1916) und italienische Monumentalfilme erinnert.

Mit antiken Dramen wie *Quo vadis?* (1913, Enrico Guazzoni) und *Cabiria* (1912–14, Piero Fosco, bürgerlich Giovanni Pastrone) machte die italienische Kinematografie auf sich aufmerksam. Daneben waren Salon-Melodramen mit üppigen Diven wie Francesca Bertini und Maria Carmi oder Sensationsfilme mit Muskelmännern wie Maciste (Bartolomeo Pagano) und Galaor (Alfredo Boccolini) internationale Erfolge.

So ist die erste Periode der Filmgeschichte eindeutig die Geschichte europäischer Leistungen.

D. W. Griffith kam 1907 als Schauspieler zum Film. In den nächsten sechs Jahren führte er in Hunderten von Ein- und Zweiaktern für Biograph Regie und begründete dabei seinen Ruf als führender Filmkünstler seiner Zeit. Griffiths Talent lag besonders im Umgang mit Schauspielern und theatralischen Effekten – vor allem der Beleuchtung. Er benutzte Großaufnahmen, Fahrten, Schwenks und Parallelmontagen mit großer Sicherheit. Er drehte emotional tief erschütternde Filme, auch wenn sie sich fast immer innerhalb der Konventionen des viktorianischen Melodrams bewegten. Er verdiente zu Recht den Namen «Vater» des Spielfilms. Dennoch gibt es mit seinem Werk einige ernsthafte Probleme.

Man muß Griffiths Werk gar nicht mit den gleichzeitigen Entwicklungen in den anderen Künsten vergleichen – Picasso in der Malerei, Conrad, Joyce und Dreiser im Roman, Strindberg, Čechov und Shaw auf dem Theater. So ein Vergleich wäre zweifellos unfair, da der Film immer noch eine unsichere Unternehmung war, die stark von ihrem Publikum abhing. Doch andere Filmemacher drehten zur gleichen Zeit frische, interessante Filme, die nicht durch die Klischees des Theaters zurückliegender Jahrzehnte belastet waren. Ein Großteil von Griffiths Reputation als Patriarch der Filmkunst beruht auf einer Art ästhetischem Minderwertigkeitskomplex, der die Filmgeschichtsschreibung bis mindestens in die sechziger Jahre beherrschte.

Griffith, der seine Karriere beim Theater begonnen hatte, strebte danach, «respektable» Filme zu machen. Er wollte den Film von seinem Ruf der unterklassenmäßigen «Unseriosität» befreien. Doch gerade in dieser Unangepaßtheit lag ein guter Teil der Kraft und Vitalität des Films. 1911 drehte Mack Sennett, der bei Griffith als Schauspieler und Autor begonnen hatte, seine ersten Komödien, die ein Gefühl der Freiheit und einen Schwung vermitteln, wie sie auch an den besten Stellen bei Griffith zu finden sind, der jedoch dies zurückzudrängen versuchte. Griffiths Kunst war rückwärtsgewandt, Sennett schaute nach vorn, in Richtung Dadaismus und Surrealismus.

Das Problem mit Griffiths Ruhm ist ein Dilemma: Noch nehmen wir das Kino nicht ernst genug und verleugnen deshalb den Slapstick gerne; gleichzeitig nehmen wir den Film zu ernst und suchen deshalb nach einer respektablen Vaterfigur, eine Rolle, die Griffith so gut verkörperte. Eine ähnliche Erscheinung zeigt sich auch auf dem Gebiet der amerikanischen Literatur, wo Schriftsteller überbetont werden, die sich gut in die britische Literatur einordnen lassen, während eigentümlich amerikanische Autoren als nicht ganz respektabel beiseite gelassen werden. Wenn die Balance wiederhergestellt sein wird, kann Griffiths Reputation nur gewinnen, da dann seine Fehler ebenso wie seine Erfolge akzeptiert werden. Man wird dann auch besser verstehen, warum seine vielversprechenden Anfänge zu den hochtrabenden Plänen späterer Jahre führten – und schließlich in den Zusammenbruch.

D. W. Griffith: *The Musketeers of Pig Alley* (1912). Lillian Gish als «das Mädchen». Der Film zählt zu Griffiths größten Erfolgen bei Biograph und ist berühmt wegen seines dokumentarischen Bildes von New York. *The Musketeers of Pig Alley* wurde im September 1912 an Originalschauplätzen in der West Twelfth Street und im Biograph-Studio in der East Fourteenth Street aufgenommen. (*Museum of Modern Art / Film Stills Archive. Standvergrößerung*)

Grundelement sowohl in Griffiths Melodramen wie in Sennetts Burlesken war die Verfolgungsjagd, die im Unterhaltungsfilm heute noch eine wichtige Rolle spielt. Schon in den frühen Beispielen Porters und Hepworths zu finden, mit Vorläufern in den Konventionen des viktorianischen Theaters, bildete die Jagd das einzige wichtige Gestaltungselement, das Film und Theater nicht gemeinsam hatten. Es durchbrach den Rahmen der Guckkastenbühne und strebte hinaus in die Welt und wurde so zum Parademodell für den Kampf zwischen Held und Bösewicht, der alle dramatischen Handlungen vorantreibt.

In Griffiths besten Momenten, in Filmen wie *The Lonedale Operator* (1911), *The Musketeers of Pig Alley* (1912), der Schlußsequenz von *Intolerance* (1916) oder *Way Down East* (1920), ist die Verfolgungsjagd oft das (reale oder metaphorische) Mittel, das es ihm erlaubt, sich von der Steifheit der viktorianischen Sentimentalität zu befreien und die dem Melodram innewohnende Kraft zu entdecken. Ebenso bilden Sennetts wirbelnde Jagden durch die öden Straßen von Los Angeles einige der einfallsreichsten Augenblicke der Frühgeschichte der Filmkunst.

Die Sennett-Verfolgungsjagd. Die Keystone Cops in Action in den Straßen von Alt-Los Angeles.

Der Stummfilm: Realismus gegen Expressionismus

Das große Spektakel, das Melodram und die Sentimentalität, die man mit Griffith assoziiert, haben die Stummfilmperiode ökonomisch geprägt, wie die erfolgreiche Karriere Cecil B. DeMilles zeigt. Vermutlich hingen die beiden letzten Elemente auch mit dem phänomenalen Erfolg Mary Pickfords Ende der zehner und während der zwanziger Jahre zusammen. Doch ästhetisch war es die Sennett-Schule, die in jenen Jahren überreich und eindrucksvoll blühte.

Der Stummfilm ist in den USA vor allem Komödie. Charles Chaplin, Buster Keaton, Harold Lloyd, Harry Langdon sowie Mack Sennett und Hal Roach als Produzenten beherrschen diese Periode – völlig zu Recht. Die durch Chaplin, Keaton und Lloyd entwickelten Figuren zählen zu den bemerkenswertesten und bedeutungsreichsten Schöpfungen der Filmgeschichte. Sennett hatte seine frühen Filme um eine einfache Strukturidee gebaut: Seine Geschichten besaßen keine Moral; sie waren lediglich Ansammlungen von Gags. Die großen Komiker fügten dann eine Dimension des Kommentierens hinzu, die den Slapstickfilm von der Ebene mechanischer Kompetenz auf die metaphorische und bedeutungsvolle Ebene hob. Interessanterweise zeigt Chaplin fast genausoviel viktorianische Sentimentalität wie Griffith, doch drückt er es in zeitgemäßerer Weise aus.

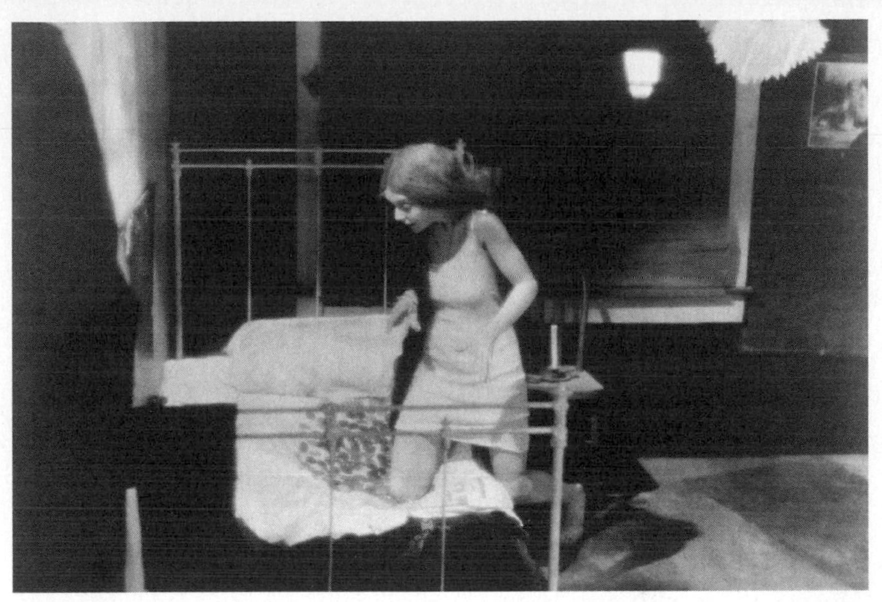

Zasu Pitts und ein Lager aus Goldmünzen: Erich von Stroheims *Greed* (1923). (*Museum of Modern Art / Film Stills Archive*)

Alle Stummfilm-Komiker übersetzten ein grundlegendes politisches Problem – wie kann sich das Individuum in der Industriegesellschaft und gegen die Machtpolitik durchsetzen? – in physische Signale. Das Publikum reagierte und reagiert noch immer mit spontanem Verständnis. War Lloyd der mechanischste und abstrakteste der Stummfilm-Komiker, so war Chaplin der menschlichste und politischste; doch bis zu einem gewissen Grade verbanden sie alle Mechanik mit Moralität. Das vielleicht treffendste Beispiel für die Stile und Anliegen der Stummfilm-Komödie ist Chaplins Meisterwerk *Modern Times* (obwohl erst 1936 gedreht, enthält es keinen Dialog, nur Musik), ein Film über Mensch und Maschine, der auch heute nichts von seiner Bedeutung verloren hat.

Neben der komischen Tradition war im amerikanischen Kino der zwanziger Jahre die Erkundung der Möglichkeiten eines Film-Realismus die wichtigste ästhetische Strömung. Erich von Stroheim, der gegen den sich entwickelnden ökonomischen Strom schwamm, vermochte nur eine Handvoll Filme zu vollenden. Zumeist wurden seine Konzepte durch die Studios drastisch verändert, dennoch besitzt er einen tiefgreifenden Einfluß auf den Lauf des amerikanischen Films. *Foolish Wives* (1921), *Greed* (1923) und *The Wedding March* (1928) – alle drei durch Studio-Chefs verstümmelt – überlebten dennoch als Legenden und anschauliche Beispiele für die vitale Kraft der realistischen Techniken wie Schärfentiefe, komplexe Inszenierung und Originalschauplätze. Filmemacher sind noch immer dabei, die Möglichkeiten dieser Mittel auszuloten. Stroheim war einer der ersten, die erkannten, daß der Filmzuschauer die Freiheit braucht, die Schöpfung des Filmemachers fortzusetzen.

Stroheim war nicht der einzige, der in den Zwanzigern die Möglichkeiten der Kamera als Kommunikations- und nicht als Manipulationsinstrument erforschte. Außerhalb des Hollywood-Systems arbeitend, wurde Robert Flaherty mit seinen Filmen *Nanook of the North* (1922) und *Moana* (1926) der erste bedeutende Dokumentarist. Friedrich W. Murnau kam 1926 nach einer erfolgreichen Karriere in Deutschland nach Hollywood. *Sunrise* (1927) und *Tabu* (1929/31, zusammen mit Flaherty) sind noch heute bemerkenswerte Beispiele, wie Theatralisches mit Realismus verbunden werden kann. In geringerem Maße sind King Vidors *The Big Parade* (1925) und *The Crowd* (1928), wie auch sein späterer *Our Daily Bread* (1934), Beispiele für politischen Realismus.

Während in den Zwanzigern in Amerika der Film zunehmend industrialisiert wurde, war er in Europa ein Geschäft, das als Kunst angesehen wurde. Filmemacher arbeiteten allgemein enger mit etablierten Malern, Musikern und Dramatikern zusammen als die Amerikaner, nicht nur weil alle in denselben Städten zusammensaßen, sondern auch weil das neue Medium die sich damals formierende Avantgarde ansprach.

In London wurde 1925 die Film Society zur Förderung der Filmkunst gegründet. In Frankreich wurde Louis Delluc zum ersten bedeutenden Theoretiker der Filmästhetik, während Filmemacher wie Abel Gance, Jean Epstein, Germaine Dulac, René Clair, Luis Buñuel und Salvador Dalí, Man Ray und Marcel Duchamp praktische Beispiele für Film als Kunst schufen, das kommerzielle Kino dagegen kaum etwas von Wert hervorbrachte.

In Deutschland bemühten sich weitsichtige Produzenten und Filmemacher, die ästhetischen Standards ihrer Werke zu heben, um so auch Auslandsmärkte erobern zu können. Das Ergebnis war eine der blühendsten Epochen der Filmgeschichte: das Weimarer Kino. Gefördert wurde diese Erscheinung durch das aus der ökonomischen Krise entstandene Phänomen des «Inflationskinos»: Großer finanzieller Aufwand bei der Produktion im inflationsgeplagten Berlin ließ sich durch den Verkauf des Films selbst in kleinere europäische Länder amortisieren, die eine stabile Währung hatten.

Als erste wichtige Vertreter des deutschen Films schafften es Ernst Lubitsch und sein Produzent Paul Davidson (PAGU, dann Ufa), mit ihren Großproduktionen, die spektakuläre Menschenmassen mit intimem Witz verbanden, selbst den amerikanischen Markt zu erobern. *Madame Dubarry* unter dem Titel *Passion* und *Anna Boleyn* als *Deception* hatten in den USA Erfolg. Nachdem der Versuch gescheitert war, Lubitsch, Davidson und Jannings mit amerikanischem Kapital im Rahmen der

E. F. A. (Europäische Film-Allianz) der Ufa Paroli bieten zu lassen, lud man den Regisseur und seine Stars ein: Das war der Beginn der ersten deutschen Emigrationswelle nach Hollywood.

Mit dem Achtteiler *Die Herrin der Welt* (1919), einer einflußreichen Anthologie aus Elementen von Abenteuerfilm, Komödie und Melodram, gab Regisseur-Produzent Joe May auch seinen Assistenten Uwe Jens Krafft und Fritz Lang die Chance, sich in große Produktionsformen einzuüben. Nach einem Drehbuch von Lang und Thea von Harbou entstand 1921 – ebenfalls für die E. F. A. – das exotische Abenteuer *Das indische Grabmal* (das in den dreißiger und fünfziger Jahren Remakes erlebte). Neben Mia May und Emil Jannings hatte in dem ausufernden vierteiligen Kriminal- und Gesellschafts-Melodram *Tragödie der Liebe* (1922/23) Marlene Dietrich eine erste kleine Rolle. Mit der Ufa-Produktion *Der Farmer von Texas* (1924/25) zielte May mit deutsch-amerikanischem Stoff und Besetzung vergeblich auf den internationalen Markt. Die finanziellen Verluste reduzierten seine Aktivitäten zunächst auf die Produktion gängiger Programmfüller, bis er – im Rahmen der Ufa – mit *Heimkehr* (1928) und vor allem mit dem brillanten Großstadtmelodram *Asphalt* (1928/29) einen glänzenden Schlußpunkt für den deutschen Stummfilm markierte.

Auch Richard Oswald versuchte sich zu Anfang des Jahrzehnts an Export-Spektakeln: *Lady Hamilton* (1921), *Lucrezia Borgia* (1922), *Carlos und Elisabeth* (1923/24), in denen er neben den internationalen Themen aus der europäischen Chronique scandaleuse vor allem auf die Attraktivität seiner Stars, an der Spitze Conrad Veidt, setzte. Nach Ende der Inflation wandte er sich wieder dem Genre der populären und zeitnahen Sitten- und Milieufilme zu (und geriet damit wiederholt in Zensurprobleme). Sein neben Veidt wichtigster Star, Reinhold Schünzel, wechselte in den zwanziger Jahren zunehmend auch hinter die Kamera und entwickelte sich mit Komödien wie *Hallo Caesar!* (1926) zu einem Star des populären Publikumfilms.

Für die optische Qualität vieler Oswald- und May-Filme bürgte als «Produktions-Designer» der Kunstmaler und Filmarchitekt Paul Leni, der seit Ende des Weltkriegs auch zunehmend Regie führte. Mit dem düsteren Kammerspiel *Hintertreppe* (1921, Spielleitung: Leopold Jessner) und dem Episodenfilm *Das Wachsfigurenkabinett* (1923), einer Mischung aus Märchenstimmung, Brutalität und optischer Vielfalt, schuf er zwei zentrale Werke, die wegen einiger stilistischer Anklänge – verzerrte Dekorationen, deutliche Lichteffekte und Fritz Kortners Darstellungstechnik – zum deutschen Filmexpressionismus gezählt werden. 1926 wurde auch er nach Hollywood verpflichtet, wo er durch seine ungewöhnlichen Arbeitsmethoden und extreme Licht- und Bildführung Aufsehen erregte und mit dem Thriller *The Cat and the Canary* (1926/27), der Victor-Hugo-Adaption *The Man Who Laughs* (1927/28) mit Conrad Veidt und dem Theaterkrimi *The Last Warning* (1928) auf der Grenze zum Tonfilm stilistische Anstöße für die erfolgreiche Serie der Universal-Thriller der dreißiger Jahre gab. Sein früher Tod 1929 verhinderte eine erfolgreiche Hollywood-Karriere.

Zentralfigur des Weimarer Kinos jedoch war der Produzent Erich Pommer. Aus dem Ersten Weltkrieg zurückgekehrt, begann der ehemalige Generalvertreter der französischen Eclair für Mitteleuropa, in seiner während des Kriegs aufgebauten Firma Decla-Film mit Blick auf die sich langsam öffnenden Auslandsmärkte ambitioniertere Produktionen herzustellen. Nach dem Abenteuerfilm *Die Spinnen* (1919) des von Pommer entdeckten Wieners Fritz Lang entstand als künstlerisches Experiment *Das Cabinet des Dr. Caligari* (Robert Wiene). Die Billigproduktion wurde weltberühmt und hat nachhaltig das Bild des Weimarer Kinos in der Geschichtsschreibung geprägt: «deutscher Expressionismus». Nach Fusion mit der Deutschen Bioscop und der Übernahme der Decla-Bioscop (samt ihres Ateliergeländes Neubabelsberg) durch die Ufa stieg Pommer zum Produktionschef aller Ufa-Filme auf. Unter seiner Leitung entstanden viele der deutschen Stummfilmklassiker.

Er bildete künstlerische Produktionsgruppen, die oft über Jahre gemeinsam arbeiten konnten. Vertrauen und Experimentierfreude schufen bedeutende Ergebnisse und jene optische Meisterschaft, für die die deutsche Filmindustrie der zwanziger Jahre berühmt war. Zu Pommers Spitzenkräften gehörten die Kameramänner Karl Freund, Carl Hoffmann und Fritz Arno Wagner, die Architekten-Teams Robert Herlth und Walter Röhrig, Erich Kettelhut, Otto Hunte und Karl Vollbrecht. Auf dieser handwerklichen Basis konnten die Regisseure Fritz Lang (*Der müde Tod*, 1921; *Die Nibelungen*, 1922–24), Friedrich Wilhelm Murnau (*Der letzte Mann*, 1924; *Faust*, 1925/26), Arthur Robison (*Manon Lescaut*, 1925/26), Ludwig Berger (*Ein Walzertraum*, 1925) relativ ungestört ihre Ideen entwickeln. Ein typisches Spitzenprodukt der Pommer-Produktion ist der international erfolgreiche Film *Varieté* (1925), der dem Regisseur Dupont – wie auch Murnau, Freund, Pommer und anderen – ein Angebot aus Hollywood einbrachte. Pommers Konzept, mit spektakulären Produktionen auf den Weltmarkt zu zielen, ging jedoch nur teilweise auf. Die kostenintensive Herstellung stürzte die Ufa in eine anhaltende Finanzkrise. Höhepunkt war der exorbitant überzogene Etat von Langs *Metropolis*, dessen Drehzeit sich über siebzehn Monate hinzog. Bei der Premiere des Films arbeitete Pommer bereits (erstmals) in Hollywood. Die Ufa wurde von der Unternehmensgruppe des Deutschnationalen Hugenberg übernommen.

Zwischen der Ufa – mit ihrer Marktmacht vor allem als Verleih und Kino-Kette – und den zahlreichen Kleinproduzenten, die für das Programmfutter der kleinen Vorstadtkinos sorgten, konnten Regisseure und Produzenten eigene Handschriften und Themen entwickeln, so Lupu Pick, der in enger Zusammenarbeit mit dem Filmdichter Carl Mayer einige intensive Kammerspiele drehte: *Scherben* (1921) und *Sylvester* (1923); Gerhard Lamprecht bemühte sich um eine realistische Milieu-

Chiaroscuro im deutschen Expressionismus: Robert Wienes *Raskolnikow* (1923). Der Kontrast von Licht und Schatten war ein Hauptcode. (*Museum of Modern Art/Film Stills Archive*)

zeichnung, so in der Thomas-Mann-Verfilmung *Die Buddenbrooks* (1923) und den «Zille-Filmen» *Die Verrufenen* (1925) und *Die Unehelichen* (1926). Geschult an den in Berlin erfolgreichen Russen-Filmen von Eisenstein und Pudovkin, die er für den deutschen Markt einrichtete, drehte Phil Jutzi 1929 den dokumentarischen Spielfilm *Um's täglich Brot (Hunger in Waldenburg)* und das Proletarier-Melodram *Mutter Krausens Fahrt ins Glück.*

Zum bedeutendsten Vertreter eines realistisch engagierten Films entwickelte sich jedoch in den zwanziger Jahren der Wiener Georg Wilhelm Pabst. In *Die freudlose Gasse* (1925) gab er ein eindringliches Bild des inflationsgeplagten Kleinbürgertums, *Die Liebe der Jeanne Ney* (1927) war ein stimmungsvolles Melodram zwischen russischer Revolution und der Glitzerwelt von Paris. Höhepunkte des deutschen Stummfilms wurden schließlich zwei Filme, für die er die eigenwillige amerikanische Schauspielerin Louise Brooks nach Berlin holte: *Die Büchse der Pandora* (1928/29) und *Tagebuch einer Verlorenen* (1929).

Eine späte stumme Außenseiterproduktion, in der sich einige Nachwuchskräfte erprobten, die im Tonfilm und später in Hollywood Karriere machten (Robert und Kurt Siodmak, Billy Wilder, Fred Zinnemann), war *Menschen am Sonntag* (1929/30).

Der Dokumentarfilm florierte in den zwanziger Jahren in Form der kurzen Ufa-Kulturfilme über meist naturwissenschaftliche Themen für Schule und Kino, aber auch in der mit «kultureller» Nacktheit erfolgreich auf Publikumsresonanz spekulierenden Geschichte der «Körper-Kultur» *Wege zu Kraft und Schönheit* (1925). An der Schule der Neuen Sachlichkeit orientiert war *Berlin, die Sinfonie der Großstadt* (1927) des Experimentalfilmers Walther Ruttmann.

Ein an der Grenze zwischen Stumm- und Tonfilm sehr erfolgreiches Genre war der Bergfilm, der – von der Kritik als zukunftweisend und progressiv begrüßt – überhöhte «freie» Natur präsentierte. Schöpfer des Bergfilms war der Skifahrer und Bergsteiger Arnold Fanck, der mit Lehr- und Dokumentarfilmen eine Reihe von naturbegeisterten Kameraleuten heranzog (Sepp Allgeier, Hans Schneeberger, Richard Angst), die auch seinen Spielfilmen Authentizität verliehen: *Der heilige Berg* (1925 / 26), *Die weiße Hölle vom Piz Palü* (1929), *SOS Eisberg* (1932 / 33). Seine Darsteller Luis Trenker und Leni Riefenstahl entwickelten als Regisseure in den dreißiger Jahren seine Ideen auf sehr unterschiedliche Weise fort.

Während die Stummfilme des Weimarer Kinos weltweit einen starken Einfluß ausübten, bahnten sich auch in Schweden und Dänemark interessante und fruchtbare Traditionen an. Die schwedischen Regisseure Mauritz Stiller und Victor Sjöström kamen beide vom Theater. Seit den frühesten Tagen bis hin zu Ingmar Bergman besaß der schwedische Film enge Verbindungen zum Theater. Stiller wurde zunächst durch geistvolle Komödien (*Kärlek och journalistik*, 1916; *Thomas Graals bästa film*, 1917) bekannt, wandte sich dann mehr literarischen Themen zu (*Gösta Berlings Saga*, 1924), ehe er dann mit seinem Star Greta Garbo nach Hollywood ging. Sjöström, ebenfalls Schauspieler, erwarb sich einen Ruf als Schöpfer poetischer und sozial engagierter Filme (*Terje Vigen*, 1917; *Körkalen*, 1921), in denen er – Jahre vor dem deutschen Bergfilm – den Gegensatz zwischen Mensch und Natur optisch und dramaturgisch überzeugend gestaltete.

Die dänische Filmindustrie geriet gegen Ende des Weltkriegs in eine künstlerische Krise. In den zwanziger Jahren arbeiteten die wichtigsten dänischen Filmemacher im Ausland, meist in Deutschland. Einen internationalen Erfolg erlebte ab 1921 das Komiker-Duo Carl Schenstrøm und Harald Madsen als «Fy og Bi» («Pat und Patachon» in Deutschland). In Schweden drehte Benjamin Christensen sein umstrittenes Filmessay *Häxan* (1921 / 22).

Die Karriere des dänischen Regisseurs Carl Theodor Dreyer umfaßt mehr als fünfzig Jahre, in denen er relativ wenig Filme drehte. Sein *La Passion de Jeanne d'Arc* (1928) zählt zu den anerkannten Meisterwerken der Filmgeschichte, ebenso *Vampyr* (1932) und *Gertrud* (1964). Dreyers Filme zeichnen sich durch ihre transzendentale Einfachheit aus, durch die Faszination der Grausamkeit, der Unterdrückung, des Leidens.

Die zwanziger Jahre waren auch die Blütezeit des sowjetischen Kinos. Lev Kulešov und Vsevolod Meyerhold hatten eigenständige, doch parallele Schauspieltheorien entwickelt, die von Sergej Eisenstein (*Stačka*, 1924; *Bronenosec «Potem-*

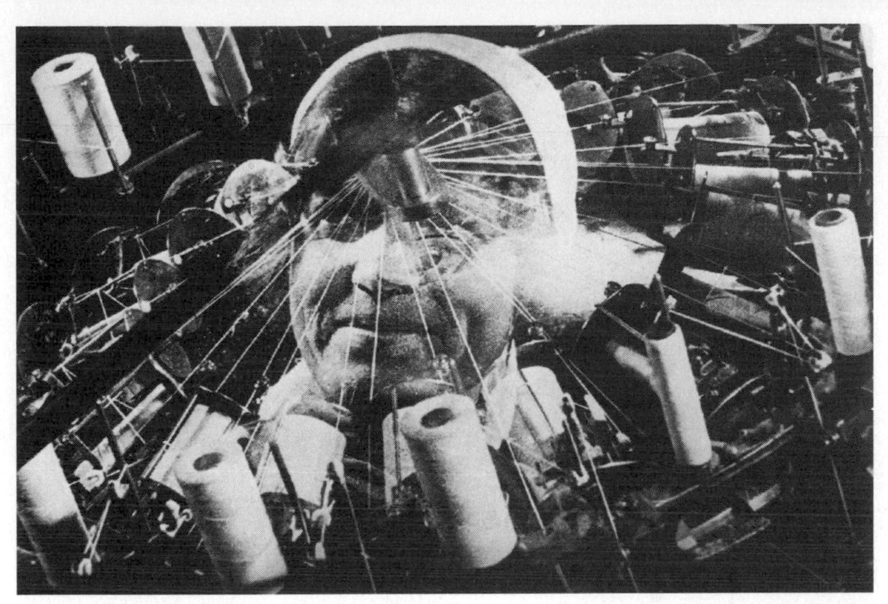

Dziga Vertovs *Čelovek's Kinoapparatom* (1929): eigenartige Kino-Prawda. (*Museum of Modern Art / Film Stills Archive. Standvergrößerung*)

kin», 1925; *Oktjabr*, 1927), Vsevolod I. Pudovkin (*Mat'*, 1926; *Konec Sankt Petersburga*, 1927) und Aleksandr Dovženko (*Arsenal*, 1929; *Zemlja*, 1930) aufgenommen und beträchtlich weiterentwickelt wurden. Diese Filme bleiben Wendepunkte der Filmgeschichte, vor allem *Potemkin*, dem vielleicht klarsten Beispiel für Eisensteins einflußreiche Montagetheorien.

Eisenstein sah Film als dialektischen Prozeß, und seine Technik in *Potemkin* demonstriert die Wirksamkeit dieses Ansatzes. Durch die Verwendung von «Typen» an Stelle voll entwickelter Charaktere schafft er eine kraftvolle, durchgängige Logik in dieser Darstellung der Meuterei auf dem Panzerkreuzer «Potemkin» im Jahre 1905. Die Sequenz auf der Treppe von Odessa (vergleiche Abbildungen Seite 420/21) ist eines der berühmtesten Beispiele seiner Montagetechnik, in dem Spannung und Bedeutung allein durch das Gegeneinanderschneiden von Einstellungen aufgebaut wird.

Gleichzeitig entwickelte Dziga Vertov seine Theorie der «Film-Wahrheit» in Filmen wie *Kinopravda* (1922–25), *Kinoglaz* (1924) und *Čelovek's Kinoapparatom* (1929). Wie die Deutschen die Ausdruckskraft von künstlichen Dekorationen und Mise en Scène erforscht hatten, so erkundeten die sowjetischen revolutionären Filmemacher die ausdruckskräftige Intelligenz der Montage. Ihre Theorien, die zu den wichtigsten des Films gehören, werden in Teil 5 dargestellt.

Von der Zensur als demoralisierend verboten: Jean Renoirs zeitkritisch-sarkastische Komödie *La Règle du jeu* (1939).

Hollywood und Europa: Genre gegen Auteur

Anfang der dreißiger Jahre hatte das amerikanische Kino eine beherrschende Rolle auf den Leinwänden der Welt errungen. Zwischen 1932 und 1946 ist die Geschichte des Films – mit zwei Ausnahmen – identisch mit der Geschichte Hollywoods. Die Ausnahmen sind die Gruppe französischer Regisseure, die man meist unter dem Begriff «Poetischer Realismus» zusammenfaßt, und die Anfänge der britischen Dokumentar-Schule mit John Grierson und seiner Gruppe. Grierson, der selbst nur einen einzigen Film machte, spielte die Rolle des Produzenten, Organisators und Propagandisten der britischen Dokumentar-Schule der dreißiger Jahre, eine Bewegung, deren Einfluß auf die weitere Entwicklung des britischen Kinos wichtiger war als ihre Filme selbst. Obwohl nicht direkt mit Grierson verbunden, produzierte Humphrey Jennings während des Weltkriegs die vielleicht eindrucksvollsten Beispiele dieses Genres: *Listen to Britain* (1942), *Fires Were Started* (1943) und *A Diary for Timothy* (1945) sind dokumentarische, ganz persönliche Äußerungen des ehemaligen Dichters und Malers.

Wie Alfred Hitchcock den britischen Spielfilm der dreißiger Jahre beherrschte, so überragte Jean Renoir die französische Filmszene jenes Jahrzehnts. Damals weniger anerkannt als heute (wo er zu den unbestrittenen Meistern der Weltfilmkunst gezählt wird), schuf Renoir eine neuartige Verschmelzung der Richtungen. Er verband den Humanismus von Stummfilmkünstlern wie Chaplin mit realistischer Technik und brachte so eine Reihe außerordentlicher Filme hervor: *Boudu sauvé des eaux* (1932), *Toni* (1934), *Le Crime de Monsieur Lange* (1935), *La Grande illusion* (1937) und *La Règle du jeu* (1939). Die Einflüsse seines humanen, sozial bewußten und komödiantischen Stils wirken immer noch nach.

Zur selben Zeit bildete sich in Frankreich eine Anzahl anderer starker, sehr persönlicher Stile heraus: Marcel Pagnol drehte einige populäre, lyrische und schüchterne Studien des französischen Provinzialismus. René Clair, dessen Ruf mit den Jahren gelitten hat, machte amüsante, wenn auch leichtgewichtige Filme. Marcel Carné zeichnete verantwortlich für eine Reihe höchst theatralischer, geistreicher Dramen, vor allem *Les Enfants du paradis* (1944). Jacques Prévert war oft sein Mitarbeiter. Die vielleicht bemerkenswertesten waren die zwei großen Filme, die Jean Vigo vor seinem Tod mit 29 Jahren vollenden konnte: *Zéro de conduite* (1933) und *L'Atalante* (1934) sind erfrischende und direkte Werke, die Vigos klaren Blick und seine virtuose Filmkunst beweisen.

Nach Deutschland kam der Tonfilm auf Umwegen. Bereits Anfang der zwanziger Jahre hatten die Erfinder des Tri-Ergon-Lichttonverfahrens erfolgreich Versuchsfilme hergestellt, doch die kommerzielle Auswertung des Patents zog sich hin. Erst 1925 entschloß sich die Ufa, einige Experimental-Tonfilme herzustellen. Nachdem die Aufführung des ersten kurzen Ufa-Tonfilms *Das Mädchen mit den Schwefelhölzern* im Dezember 1925 an zahlreichen technischen Pannen gescheitert war, stellte die Firma angesichts ihrer akuten Finanzkrise die Tonversuche zurück. Erst als der Tonfilm durch Hollywood popularisiert worden war, wandte man sich wieder der neuen Technik zu.

Während sich die europäischen Elektrokonzerne noch gegenseitig mit Patentprozessen um das Tonfilmsystem blockierten, kamen die ersten Filme mit deutschen Dialog-Passagen ins Kino. Der «erste deutsche 100%ige Sprechfilm» stammte aus London. Nach dem Scheitern seines Hollywood-Abenteuers hatte Regisseur E. A. Dupont die Produktionsleitung der British International Pictures im Studio Elstree übernommen und 1927/28 zwei Stummfilme mit internationalem Flair hergestellt (*Moulin Rouge* und *Piccadilly*). 1929 inszenierte er *Atlantic*, gleichzeitig in englischer und deutscher Version: Dialogszenen wurden in derselben Dekoration nacheinander mit einem englischen und einem deutschen Darsteller-Ensemble gedreht. Nach dem Erfolg dieser beiden Versionen wurde – unter Verwendung von Szenen der englischen Version – auch eine (etwas abweichende) französische Sprachversion hergestellt. Duponts nächste B. I. P.-Produktionen entstanden dann gleich in drei Versionen.

Die Herstellung von Versionen war ein Versuch der Produzenten, ihr internationales Publikum zu erhalten. Bei der Nachsynchronisation mit fremden Sprechern, die technisch durchaus möglich war und teilweise praktiziert wurde, befürchtete man eine Ablehnung durch irritierte Zuschauer. Dies Verfahren setzte sich in der ersten Hälfte der dreißiger Jahre schließlich gegenüber der teuren Versionen-Produktion weitgehend durch.

Der erste lange Ufa-Tonfilm – *Melodie des Herzens* (Regie: Hanns Schwarz) – hatte im Dezember 1929 Premiere. Gleichzeitig entstand auf dem Ufa-Gelände Neubabelsberg ein hochmodernes Tonfilmatelier, das Tonkreuz. Hier begannen die Produktionsgruppen von Joe May und Erich Pommer mit der regelmäßigen Produktion von Tonfilmen. May bevorzugte zunächst die Synchronisation (Gustav Ucickys *Der unsterbliche Lump*; Kurt Bernhardts *Die letzte Kompagnie*), stellte seinen ersten selbst inszenierten Tonfilm, *Ihre Majestät die Liebe* (1930), eine der besten Komödien des deutschen Films, dann in deutscher und französischer Version her. Pommer setzte bei seinen auf den Export zielenden Filmen sofort auf Genre-Produktionen (meist deutsch / französisch / englisch). Wilhelm Thiele entwickelte die Tonfilm-Operette, die entweder die beliebte Rhein-, Wein- und Wien-Seligkeit fortführte (*Liebeswalzer*, 1929 / 30) oder mit kabarettistischen Einlagen Zeitnähe suchte (*Die Drei von der Tankstelle*, 1930) und mit der Einbettung der Gesangsstücke in die Handlung die Entwicklung zum Filmmusical einleitete. Pommer drang sofort auch auf die Entwicklung einer eigenen künstlerischen Tonfilm-Dramaturgie und Internationalität in der Produktion. Für seinen Lieblingsschauspieler Emil Jannings (1928 in Amerika mit dem ersten Darsteller-Oscar ausgezeichnet) holte er den Hollywood-Regisseur Josef von Sternberg nach Berlin, um *Der blaue Engel* (1929 / 30) zu inszenieren. Der Welterfolg machte Marlene Dietrich zum Star – in Hollywood.

Auch andere Schauspieler stiegen in Pommers Produktionen zum Tonfilmstar auf, so die grazile Sängerin und Tänzerin Lilian Harvey (Erik Charells *Der Kongreß tanzt*, 1931, multilingual in mehreren Versionen). Der Erfolg ihres Partners Willy Fritsch blieb weitgehend auf den deutschen Sprachraum beschränkt, ebenso der des jungenhaft quirligen Komikers Heinz Rühmann und des nuschelnden Draufgängers Hans Albers, der die Hauptrolle in der teuersten Produktion dieser Epoche – des Ingenieur-Abenteuers *F. P. 1 antwortet nicht* (1932) – spielte.

Die künstlerisch bedeutendsten Werke des frühen Tonfilms entstanden jedoch bei der Nero-Film. Unter der Produktionsleitung Seymour Nebenzahls drehte G. W. Pabst 1930 / 31 mit *Westfront 1918*, *Die 3-Groschen-Oper* und *Kameradschaft* Meisterwerke, die unter Beibehaltung der optischen Kunst des späten Stummfilms die ästhetischen Chancen der neuen Technik ausschöpften. Nebenzahl gelang es zudem, die Maßlosigkeit des Regisseurs Fritz Lang zu zügeln und den düsteren Kriminalfilm *M* (1930 / 31) herzustellen. Ihre zweite Zusammenarbeit, *Das Testament des*

Dr. Mabuse, erlebte ihre Premiere 1933 in Wien – die inzwischen zur Macht gelangten Nazis hatten den Film über den Superverbrecher verboten.

Nebenzahl und Lang gingen nach Paris (und später weiter nach Hollywood), ebenso wie Erich Pommer und viele der besten Künstler und Techniker der deutschen Filmindustrie, die in den nächsten Jahren aus rassischen, politischen oder persönlichen Gründen Deutschland verlassen mußten. Erste Stationen auf diesem Weg waren Prag und Wien, vor allem aber Paris – wo Pommer (Fox-Europa) und Nebenzahl (Néro-Films) mit den Regisseuren Lang (*Liliom*, 1933/34), Max Ophüls (*On a volé un homme*, 1933/34), Robert Siodmak (*Cargaison blanche*, 1936), Kameraleuten wie Erich Schüfftan oder Komponisten wie Paul Dessau ihre Arbeit fortsetzten. Elisabeth Bergner und Conrad Veidt gelang es, in London – wo es bereits seit Ende der zwanziger Jahre eine starke Kolonie deutscher Kameramänner und Architekten gab – zu Stars des britischen Theaters und Films aufzusteigen. Andere, wie die Ungarn Alexander Korda und Emmerich Pressburger, konnten sich nach einem Zwischenspiel in Berlin erfolgreich in London als Produzent beziehungsweise Regisseur etablieren.

Selbst in den kleinen Niederlanden erlebte die Filmherstellung durch den Zufluß deutscher Talente einen kurzzeitigen Aufschwung: So entstanden Richard Oswalds *Bleeke Bet* (1934), Kurt Gerrons *Het mysterie van de Mondscheinsonate* (1935) sowie Ludwig Bergers *Pygmalion* (1936/37) und *Ergens in Nederland* (1940). Gerron blieb im deutschbesetzten Amsterdam, wurde 1943 ins KZ Westerbork gebracht, 1944 dann ins KZ Theresienstadt, wo unter seiner Leitung der Nazi-«Dokumentarfilm» *Theresienstadt* (auch bekannt als *Der Führer schenkt den Juden eine Stadt*) entstand. Nach Abschluß der Filmarbeiten wurde Gerron wie andere Beteiligte nach Auschwitz transportiert und dort in der Gaskammer ermordet.

Für die meisten aus der deutschen Filmindustrie vertriebenen Künstler (darunter viele, für die Berlin bereits die erste Station auf ihrem Weg aus Osteuropa war) war jedoch die Filmmetropole in Kalifornien das Ziel ihrer Flucht, oft auch ihrer Hoffnungen. Deutsche Filmemacher, die bereits in den zwanziger und frühen dreißiger Jahren nach Hollywood gekommen waren und sich in der Industrie etabliert hatten, wie der Kameramann Karl Freund oder der Schauspieler-Regisseur Wilhelm/William Dieterle, halfen persönlich oder durch Hilfsfonds den Neuankömmlingen über Notlagen hinweg oder gaben ihnen durch Engagements Starthilfe für eine neue Karriere.

Allerdings gelang es den meisten nicht, ihre Karriere in gleicher Weise fortzusetzen. Eine der wenigen Ausnahmen war Fritz Lang, der sich als Regisseur von Genrefilmen durchsetzte. Andere, wie Joe May oder E. A. Dupont, konnten sich der neuen Situation nicht mehr anpassen und schlugen sich (bestenfalls) mit gelegentlichen B- und C-Produktionen durch. Schauspieler hatten oft das Problem, durch ihren Akzent auf Rollen von Nazis festgelegt zu sein. Nur wenige, wie Peter Lorre, Curt Bois oder der Ungar Szöke Szakall, fanden (zumindest zeitweise) eine spezielle

Nische für ihr schauspielerisches Talent. Alle drei tummelten sich im Ensemble des Kultfilms *Casablanca* (1942) von Michael Curtiz (auch er als Mihail Kertesz aus Ungarn über Wien und Berlin nach Amerika gekommen), der fast als eine Art Anthologie deutscher Filmemigranten gelten kann.

Manchen Jüngeren, die in Berlin gerade beim Film gestartet waren, wie den Autoren und Regisseuren Billy Wilder, Robert und Kurt Siodmak, gelang es jedoch, sich in Hollywood als amerikanische Filmemacher durchzusetzen und europäische Elemente in ihre Hollywood-Produktionen einfließen zu lassen. Der Film Noir der späteren vierziger Jahre wurde entscheidend durch europäische Emigranten geprägt.

Einige Musiker, die an den Akademien in Berlin oder Wien ausgebildet waren, begründeten im Grenzbereich von Klassik und Avantgarde, Operette und Unterhaltungsmusik die Schule der klassischen amerikanischen Filmmusik: Franz Wachsmann (Waxman), Werner Richard Heymann, Erich Wolfgang Korngold, Hans J. Salter, Friedrich Hollaender; auch Komponisten wie Karol Rathaus, Paul Dessau und Kurt Weill trugen (bisweilen auch anonym) Melodien und Arrangements bei.

Während so der bessere Teil des deutschen Films im Ausland stattfand, machte sich der filmbegeisterte Nazi-Propagandaminister Goebbels in Berlin auf die (vergebliche) Suche nach dem «deutschen Eisenstein» und einer eigenen nationalen Filmkunst. Bereits existierende Pläne der SPIO (Spitzenorganisation der deutschen Filmindustrie) für eine ständische Struktur des Filmwesens brauchten von den Nazis nur in die Realität umgesetzt zu werden, um eine weitgehende Kontrolle über die Produktion zu erlangen. So bot die Einrichtung einer Reichsfilmkammer mit obligatorischer Mitgliedschaft für alle beim Film Beschäftigten eine bequeme Handhabe zur Gleichschaltung oder zur Ausschaltung «unliebsamer Elemente».

Dennoch gab es keinen harten Bruch in der Entwicklung. Eine Tendenz zum Konservativ-Nationalistischen war, zumal in der Ufa-Direktion, schon seit Ende der zwanziger Jahre zu verzeichnen; Geheimrat Hugenberg, der 1927 die Ufa übernommen und saniert hatte, war Minister in Hitlers erster Regierung. Doch zugleich – nach dem Motto «Politik stört das Geschäft», vor allem in einer so auf die internationalen Märkte angewiesenen Industrie wie dem Film – versuchte beispielsweise die Ufa-Leitung, durch ein paar Gesten gegenüber den neuen Machthabern Zeit zu gewinnen. Man trennte sich von einigen exponierten jüdischen Mitarbeitern wie Erich Pommer und Erik Charell, beschäftigte andere, zunächst als unentbehrlich erachtete Fachkräfte weiter und versuchte, die bewährte Linie fortzusetzen. Erst im Laufe der dreißiger Jahre ließ Goebbels die Aktien der großen Filmfirmen aufkaufen und faßte sie 1941 zu einem Konzern, der Ufa-Film GmbH (UFI), zusammen,

Opportunistische Versuche, sich bei den neuen Machthabern mit offen propagandistischen Werken wie Hans Steinhoffs *Hitlerjunge Quex* (1933) beliebt zu machen, wurden bald von Goebbels untersagt. Auch er setzte auf Unterhaltung. So konnte der «Halbjude» Reinhold Schünzel, der seit Anfang der dreißiger Jahre mit einigen eleganten Komödien wie *Viktor und Viktoria* (1933) international erfolgreich war, zunächst mit Sondererlaubnis weiterarbeiten. In *Amphitryon* (1935), seiner Satire auf pseudoklassizistischen Pomp, trat Hitlers SS-Leibstandarte in Griechenröckchen als Statisten auf. Doch 1937, nachdem seine satirischen Anspielungen in *Land der Liebe* den Nazi-Zensoren zu kraß geworden waren und – nach dem propagandistischen Erfolg der Olympischen Spiele von 1936 – die rassistischen Gesetze verschärft wurden, mußte auch Schünzel nach Hollywood gehen.

Zu den Filmleuten, die man zu dieser «zweiten Emigrationswelle» zählen kann, gehörte auch der junge Regisseur Detlef Sierck, der seine Filmkarriere erst unter den Nazis begonnen hatte und mit einigen gekonnt inszenierten Melodramen (*Schlußakkord*, 1936) und exotischen Star-Filmen mit der schwedischen Sängerin und Schauspielerin Zarah Leander (*Zu neuen Ufern* und *La Habanera*, 1937) Erfolg hatte; unter dem Namen Douglas Sirk wurde er in den fünfziger Jahren zum Meister des Hollywood-Melodrams. Ähnlich wie Leander sollte auch die ungarische Sängerin und Tänzerin Marika Rökk den deutschen Revuefilmen internationales Flair verleihen.

Nachdem die Spitzenregisseure ins Exil getrieben waren, rückten einige gute Handwerker aus dem zweiten Glied in den Vordergrund. Der Wiener Gustav Ucicky, seit 1919 als Kameramann aktiv und durch den Fredericus-Rex-Film *Das Flötenkonzert von Sanssouci* (1930) auch auf dem Gebiet «nationaler Unterhaltung» ausgewiesen, drehte in den späteren Dreißigern einige solide Literaturverfilmungen (*Der zerbrochene Krug*, 1937; *Der Postmeister*, 1939/40) und Abenteuer mit Hans Albers, ehe er sich zur heimatlichen (und weniger politisch involvierten) Wien-Film zurückzog. Karl Ritter, Offizier des Ersten Weltkriegs, gab 1933 seinen Einstand als Produktionsleiter bei der Ufa mit *Hitlerjunge Quex* und etablierte sich ab Mitte der Dreißiger als Spezialist für militaristische Propaganda (*Patrioten*, 1937; *Pour le Mérite*, 1938; *Stukas*, 1941).

Als opportunistische Seiltänzer zwischen Melodram und Propaganda – und über alle politischen Brüche hinweg – erwiesen sich die Schauspieler und Regisseure Wolfgang Liebeneiner und vor allem Veit Harlan. Liebeneiner – 1942–45 Produktionschef der Ufa – kam in der Nazizeit beispielsweise mit *Der Florentiner Hut* (1938/39) und der Euthanasie-Rechtfertigung *Ich klage an* (1941) zu Ehren, nach dem Krieg folgten etwa *Die Trapp-Familie* (1956), *Taiga* (1958) und *Ein Mann für alle Fälle* (TV 1983). Harlan bewegte sich zwischen volkstümlicher Komödie (*Kater Lampe*, 1935/36), repräsentativem Staatsfilm (*Der große König*, 1940–42) und gekonnter Melodramatik (*Immensee*, 1942/43); wiederholt bediente er auch die propagandistischen Bedürfnisse des Regimes: antisemitische Hetze in *Jud Süß* (1940), sinnlose Durchhaltepropaganda in *Kolberg* (1943/44).

Nur «unpolitische Künstlerin» zu sein, beanspruchte (bis in die neunziger Jahre hinein) auch die ehemalige Tänzerin Leni Riefenstahl, die ihrem hohlen Schönheits-Ideal in der Hitler-Apotheose *Triumph des Willens* (1934/35) und dem Körperkult in *Olympia* (1936–38) frönte. Am Rande der «staatspolitisch wertvollen» Produktionen hielten sich Regisseure, denen bisweilen ein visuell und dramaturgisch rundes Werk gelang, so Paul Martin mit *Glückskinder* (1936), einer Paraphrase auf die erfolgreiche Hollywood-Komödie *It Happened One Night* (1933/34). Daneben entwickelten sich einige junge Talente, die dann erste Filme inszenieren konnten, so der Schauspieler Wolfgang Staudte, der mit dem Zirkusfilm *Akrobat schö-ö-ö-n...* (1942/43) als Regisseur debütierte. Ab 1939 bewies Helmut Käutner so viel Talent für musikalische Publikumsfilme (*Wir machen Musik* und *Romanze in Moll*, beide 1942), daß man ihm sogar 1943/44 die Aufgabe übertrug, mit *Große Freiheit Nr. 7* auf Agfa-Farbfilm und mit dem Superstar Hans Albers eine Prestige-Produktion durchzuführen: Hamburg-Nostalgie, während die Stadt in Trümmer fiel. Und während die Rote Armee sich den deutschen Grenzen näherte, drehte er in und bei Berlin die stimmungsvolle Binnenschiffer-Ballade *Unter den Brücken*. In den Studios Tempelhof und Babelsberg wurde gefilmt, bis die ersten sowjetischen Soldaten ans Ateliertor klopften.

Zu jener Zeit gab es in Hollywood kaum deutlich unterscheidbare, persönliche Handschriften. Alfred Hitchcock, der in England seinen Stil zur Reife gebracht hatte, war seit seiner Ankunft 1940 der ausgeprägteste Auteur in Hollywood. Er beherrschte ein halbes Jahrhundert lang das Genre des Thrillers.

Kein Wunder, denn er hat es erfunden. In einer Anzahl Filme, die er in seinen ersten Jahren in Amerika drehte, verfeinerte er die Grundstimmung politischer Paranoia, mit der er zuvor in England in den dreißiger Jahren experimentiert hatte. *Foreign Correspondent* (1940) war ein Film subtiler Umkehrungen und Verbindungen, der zukünftige Entwicklungen andeutete. *Saboteur* (1942) war der erste seiner Filme, in denen er die amerikanischen Landschaften von Küste zu Küste in einer Verfolgungsjagd vor Augen führte. In diesem Film entwickelte er einige interessante Ideen über das Verhältnis zwischen Individuum und Staat zu Kriegszeiten. *Shadow of Doubt* (1943), nach einem Buch des Dramatikers Thornton Wilder, konstrastierte eine kriminelle Persönlichkeit mit dem Leben in einer Kleinstadt und wird allgemein zu den Höhepunkten in Hitchcocks Werk gezählt. *Spellbound* (1945) wirkt heute sehr grob gestrickt, war jedoch einer der ersten amerikanischen Filme, der Ideen Sigmund Freuds verwandte. *Notorious* (1946) vereinte Cary Grant und Ingrid Bergman in einer intensiven, persönlichen Erforschung der Wirkung von Kriegsparanoia auf eine Beziehung.

Ebenfalls während dieser Periode prägte Josef von Sternberg einer Reihe visuell kunstvoller Romanzen (*Der blaue Engel*, *Morocco*, 1930; *Shanghai Express*, 1932; *The Scarlet Empress*, 1934) sein Siegel auf. Busby Berkeley erfand eine eigentümlich filmische Form des Musicals (*Gold Diggers of 1935*, 1935; *The Gang's All Here*, 1943). John

Kino als rituelle Erfahrung: Reichsparteitagsfilm *Triumph des Willens* von Leni Riefenstahl (1934 / 35).

Ford brachte den Western mit neuen Obertönen zum Singen (*Stagecoach*, 1939; *My Darling Clementine*, 1946) und gab vielen der Metaphern dieses amerikanischsten aller Genres in seinen zahllosen anderen Filmen ein weiteres Anwendungsfeld.

Howard Hawks hinterließ sein Markenzeichen, geistvollen Witz, leichte Stimmung und kunstvolle Konstruktion, in einem weiten Spektrum von Genres, darunter sogenannte «Screwball»-Komödien (*Twentieth Century*, 1934; *Bringing Up Baby*, 1939; *His Girl Friday*, 1939), Dramen (*To Have and Have Not*, 1944) und Western (*Red River*, 1948; *Rio Bravo*, 1959). Hawks' *The Big Sleep* (1946) ist ein klassischer Detektivfilm in der Tradition des «Film Noir» mit Humphrey Bogart und Lauren Bacall, nach dem Roman von Raymond Chandler. Es ist auch ein fast perfektes Beispiel für die Qualitäten des Hollywood-Kinos. Chandler, Hawks, Bogart und die Drehbuchautoren William Faulkner, Leigh Brackett und Jules Furthman vereinten ihre Talente zu einem dichten Geflecht ihrer verschiedenen Interessen und Stile. Das Bedeutsame an diesem Film ist, daß er – obwohl Produkt einer Anzahl künstlerischer Persönlichkeiten – dennoch wegen seiner Geschlossenheit beeindruckt. Kaum ein Hollywood-Film kommt ihm an Unterhaltsamkeit gleich. Die elektrisierende Beziehung zwischen Bogart und Bacall verschmilzt mit Hawks' geistvoller Inszenie-

Lauren Bacall und Humphrey Bogart in: *The Big Sleep* (Howard Hawks, 1945): ein ausgewogeneres Verhältnis zwischen Frau und Mann als später üblich. (*Museum of Modern Art / Film Stills Archive*)

rung, Chandlers lakonisch-poetischem Existentialismus und den harten, brillanten, witzigen Dialogen und der elegant verschlungenen Handlungsführung, die die Drehbuchautoren (unter Hawks' Leitung) beisteuerten. Das Ergebnis ist intensive Unterhaltung mit reichen Untertönen.

Doch *The Big Sleep* geht wie alle Spitzenfilme Hollywoods – fast unbewußt – darüber hinaus. Hawks' Frauen suchen ihresgleichen in bezug auf die Tiefe der Charakterisierung und, wichtiger noch, die von ihnen ausstrahlende Stärke und Intelligenz. (Und dies von einem Regisseur, der besonders für seine Behandlung von Männerfreundschaften berühmt ist!) Die ausgewogene Spannung zwischen den Männern und Frauen gibt diesem Film eine besondere psychologische Relevanz. Zugleich ist *The Big Sleep* auch in einer weniger positiven Hinsicht ein Musterbeispiel für den Hollywood-Stil: Der größte Teil der direkt politischen Anspielungen von Chandlers Roman fehlt im Film, so daß er in dieser Hinsicht ein schwacher Abklatsch des Originals ist. Erst nahezu dreißig Jahre später begab sich *Chinatown* (1974), geschrieben von Robert Towne und von Roman Polański inszeniert, in die gleiche Atmosphäre von Verfall und Korruption, die Raymond Chandler in fast allen seinen Romanen, auch in *The Big Sleep*, behandelt, die in den vielen in den vierziger Jahren entstandenen Filmversionen seiner Geschichten jedoch nur angedeutet wird.

Joel McCrae als erfolgreicher Regisseur Sullivan – Veronica Lake zur Seite – schickt sich an, in Preston Sturges' beißender Satire auf Hollywood zu leiden (*Sullivan's Travels*, 1942).

Hitchcock, Ford, Hawks, von Sternberg und einige andere haben es vielleicht geschafft, in der großen Ära Hollywoods ihren Filmen eine gewisse persönliche Handschrift zu verleihen. Doch zum größten Teil war das Hollywood-Kino das Produkt zahlloser Handwerker: Regisseure, Schauspieler, Kameramänner, Drehbuchautoren, Ausstatter, Produzenten. Regisseure wie William Wellman, Lewis Milestone, Leo McCarey und John Huston besitzen zweifellos einen persönlichen Stil und dienen Anhängern der Autoren-Theorie zu Recht als Studienobjekte, doch das Hollywood-System war grundsätzlich so strukturiert, daß selbst starke Regie-Persönlichkeiten meist im Meer der Studio-Stile, Schauspieler-Stile, Produzenten-Forderungen und Eigenarten der Autoren versanken.

Eine der interessantesten Ausnahmen von dieser Regel war Preston Sturges. In den Zwanzigern hatte er als Dramatiker gearbeitet und war – wie viele seiner Kollegen – bei der Einführung des Tons von New York nach Hollywood gezogen. In den dreißiger Jahren machte er eine erfolgreiche Karriere als Drehbuchautor. *Easy Living* (1937, Regie Mitchell Leisen) ist sein vielleicht bestes Skript jener Periode: 1940 begann er selbst Regie zu führen und konnte fast ein Jahrzehnt lang ein bemerkenswertes Maß an Kontrolle über seine Filme behalten, indem er alle seine Bücher selbst schrieb und regelmäßig mit derselben Gruppe von Darstellern arbeitete. Seine

Genre. In den Dreißigern machte Busby Berkeley bei Warner Bros. das Musical mit ausgetüftelten geometrischen Choreographien berühmt, doch es war nicht nur seine Erfindung. Hier eine Szene aus dem ersten Musical mit Fred Astaire und Ginger Rogers, RKOs *Flying Down to Rio* (Thornton Freeland, 1933). Der Film vereint die lebendigen Soli von Astaire / Rogers mit dem «pas de milles», für den Berkeley berühmt wurde. Der Choreograph dieses Films war Dave Gould. (*Museum of Modern Art / Film Stills Archive*)

exzentrische, scharfe Satire kommt am besten in *The Lady Eve* (1941), *Sullivan's Travels* (1942) und *The Miracle of Morgan's Creek* (1944) zur Geltung.

Diese Dialektik zwischen Auteur und Genre trieb das klassische Hollywood-Kino voran: der Zusammenprall von künstlerischer Sensibilität und den umschriebenen mythischen Strukturen der populären Handlungstypen. Das wohl wichtigste Genre war der Western, denn er umfaßte viele jener Mythen – die Grenze, Individualismus, das Land, Gesetz und Ordnung gegen Anarchie –, auf denen die nationale Psyche der Vereinigten Staaten immer noch beruht. Das Musical war wahrscheinlich das nächsterfolgreichste Genre, sowohl Busby Berkeleys geometrische Exerzitien bei Warner Brothers wie auch die spritzigen, leichten Komödien mit Fred Astaire bei RKO.

Die Komödie war auch in den dreißiger Jahren stark vertreten, als die Broadway-Autoren der zwanziger Jahre en masse importiert wurden, um für den Tonfilm Dialoge zu verfassen. Auch diesmal gaben die Darsteller den Ton an, wie schon im Stummfilm. Die Marx Brothers, Mae West und W. C. Fields (der schon beim Stummfilm begonnen hatte) schufen einige der fesselndsten komischen Figuren; wobei die Marx

Autorenfilm. Orson Welles' *The Magnificent Ambersons* (1942). Weniger spektakulär als *Citizen Kane* (1941), war *Ambersons* dennoch nicht weniger scharfsichtig in bezug auf die amerikanischen Zustände und – in seinem Kommentar zur Rolle des Automobils in der amerikanischen Gesellschaft – erstaunlich prophetisch. In seinen ersten beiden Filmen beschrieb Welles die beiden wichtigsten Faktoren – die Medien und das Automobil –, die Amerika im zwanzigsten Jahrhundert geprägt haben. (*Museum of Modern Art/Film Stills Archive*)

Brothers einen Stil der Unlogik entwickelten, der noch in den Neunzigern nachwirkte. Das leichte Geplauder und die Unbekümmertheit des Broadway-Theaters in den Zwanzigern führte zur Screwball-Komödie, jenem Genre, das die dreißiger Jahre wohl am besten auf Amerikas Leinwänden verkörperte. Weitere wichtige Genres waren Gangsterfilm, Horrorfilm, die historische Romanze und im Ansatz der Thriller.

In den Vierzigern schlug die Stimmung um. Natürlich kam der Kriegsfilm zum Katalog der Genres hinzu. Mit Anfängen in den Mittvierzigern trat auch diese merkwürdige Mischung aus urbanem Zynismus, deprimierenden Themen und Verdüsterung auf, die als «Film Noir» bekannt wurde; das paßte in eine Zeit, zu der ein nationaler Zynismus der amerikanischen Palette dunkle und nichts Gutes verheißende Farben hinzufügte.

Während dieser ganzen klassischen Hollywood-Periode entwickelten sich die Genres weiter, bis sie schließlich fast Selbst-Parodien waren. Doch erwiesen sie sich in zweierlei Hinsicht als fesselnd: Zum einen waren die Genres ihrer Natur nach mythisch. Das Erlebnis einer Screwball-Komödie, eines Horror- oder Gangsterfilms wirkte kathartisch. Die Elemente waren wohlbekannt: Jedes populäre Genre besaß einen festen Kanon. Teil des Vergnügens war es zu sehen, wie diesmal diese Grundelemente variiert würden. Andererseits waren einzelne Beispiele eines Genres oft eigenständige Äußerungen. Für den eingeweihten Zuschauer lag ebensoviel Interesse in der Beobachtung des Films als Kulminationspunkt verschiedener Stile – dem Stil des Studios, des Regisseurs, des Stars, des Produzenten, bisweilen sogar des Drehbuchautors, des Ausstatters oder Kameramanns. Die Genres boten Myriaden von Kombinationen einer begrenzten Zahl von Elementen.

Inmitten dieses oft verwirrenden Gestrüpps von Genres, Stilen, Auteurs und Stars erhebt sich wie ein Felsen Orson Welles' *Citizen Kane* (1941), der wahrscheinlich wichtigste amerikanische Film aller Zeiten. Welles' Klassiker gehört keinem bestimmten Genre an, arbeitet jedoch wie ein Genre-Film, indem er mythische Resonanzen in der Historie anschlägt und sie zu dramatischen Zwecken einsetzt. Die Saga von Charles Foster Kane, Medienmogul und Politiker, öffentliche Figur und Privatmann, ist ein Symbol des amerikanischen Lebens in der ersten Hälfte dieses Jahrhunderts. Zudem präsentiert Welles – mit der sicheren Hand eines Meisters – seine Geschichte mit einer überwältigenden Fülle an filmischen Mitteln. Es war, als ob dieser Fremdling in Hollywood, dieser Sproß der New Yorker Theater- und Rundfunk-Szene, die verschiedenen Entwicklungsstränge der Filmtechnik Hollywoods objektiv beobachtet und sie alle verwoben hätte. Sein berüchtigtes Selbstbewußtsein, das er als Mitautor, Produzent, Regisseur und Star geltend machte, läßt Welles' Film auch zum Musterexemplar des Autorenfilms werden.

Sein zweiter Film, *The Magnificent Ambersons* (1942), kam nie in der von ihm vorgesehenen Form an die Öffentlichkeit, und Welles erreichte niemals wieder den Erfolg von *Citizen Kane.* Diese Vereinigung eines starken Auteurs mit starken Genre-Elementen war ein einmaliges Ereignis und zugleich die gewaltigste Tour de force der Filmgeschichte.

Neorealismus und die Folgen: Hollywood gegen die Welt

Das Fernsehen war nicht die einzige Herausforderung, der sich die Hollywood-Studios in den späten Vierzigern und den Fünfzigern gegenübersahen. Das Kino anderer Länder reifte heran und reorganisierte sich nach der Paralyse durch Faschismus und Krieg. Die 16 mm-Ausrüstungen, die für den Kriegsgebrauch weiterentwickelt worden waren, erlaubten ein alternatives, langsam, aber stetig wachsendes Vertriebssystem, das sich in den Sechzigern dann voll etabliert hatte. Filmfestivals und Filmklubs blühten auf und bildeten wertvolle Promotion-Instrumente für Filmemacher, denen kein Hollywood-Apparat half. Frankreich erkannte zum Beispiel den

Film als Exportware und baute das Festival von Cannes zum internationalen Umschlagplatz aus und etablierte zur Unterstützung des Exports die Organisation Unifrance.

Diese weniger verhärtete ökonomische Atmosphäre erlaubte wichtigen Filmkünstlern, selbst aus kleinen Ländern, den Zugang zum internationalen Markt. Während sich Hollywood ökonomisch mit dem Fernsehen auseinandersetzen mußte, um die Fünfziger zu überleben, mußte es sich gleichzeitig ästhetisch gegen ein weltweites Aufblühen neuer Talente behaupten. Die alten Genres blieben, ein paar neue kamen hinzu; die alten Aktiven von Hollywood wurden älter. Doch in Europa und Asien drängte sich ein neues Kino in den Vordergrund: persönlich, erfinderisch, nicht abgeklatscht und die zeitgenössische Erfahrung direkt ansprechend.

Die erste Gruppe solcher Filme entstand in Italien gegen Kriegsende, die Produkte der neorealistischen Bewegung. Cesare Zavattini, ein Autor und Kritiker, hatte die Grundregeln des Neorealismus formuliert und war für die Drehbücher einiger wichtiger Filme (*Sciuscià*, 1946; *Ladri di biciclette*, 1948; *Umberto D.*, 1952) verantwortlich. Vittorio De Sica, der in den dreißiger Jahren ein erfolgreicher romantischer Filmstar war, inszenierte diese drei Skripte (und andere mehr von Zavattini) und leistete damit einen wichtigen Beitrag zum Neorealismus, ehe er sich Mitte der Fünfziger wieder kommerziellen, weniger interessanten Werken zuwandte. Luchino Visconti drehte einen der ersten neorealistischen Filme (*Ossessione*, 1942), einen Klassiker während der Blütezeit der Bewegung (*La Terra trema*, 1948) und auch eines der letzten Beispiele dieses Stils (*Rocco e i suoi fratelli*, 1960), während der Hauptteil seines Werkes stilistisch eher seiner großen Liebe, der Oper, nahestand als dem Neorealismus.

Die größte Bedeutung hat das Werk von Roberto Rossellini (*Roma, città aperta*, 1945; *Paisà*, 1946; *Germania, anno zero*, 1947; *Stromboli, terra di Dio*, 1949), denn er ist der einzige der drei großen Regisseure, der die Erfahrungen des Neorealismus weiterentwickelte. Seine Arbeit in den Fünfzigern und für das Fernsehen, dem er sich 1960 zuwandte (*La Prise de pouvoir par Louis XIV*, 1966; *Atti degli Apostoli*, 1968; *Socrate*, 1970), legte die Grundlagen für das materialistische Kino, den direkten Nachkommen des Neorealismus.

Roma, città aperta bleibt einer der Marksteine der Filmgeschichte. Der Film wurde heimlich noch während der deutschen Besetzung Roms geplant und kurz nach der Befreiung durch die Alliierten gedreht. Die Bedingungen, unter denen der Film entstand, trugen stark zum bedrängenden Gefühl des Realismus bei. Die Geschichte eines Widerstandskämpfers und eines Priesters, die von der Gestapo verhaftet und hingerichtet werden, wird in *Roma, città aperta* zu einem eindringlichen Bild der Zeit und des Ortes, an dem der Film gedreht wurde. Rossellini drehte mit allem Filmmaterial, das er nur auftreiben konnte, oft den Materialresten von anderen. Un-

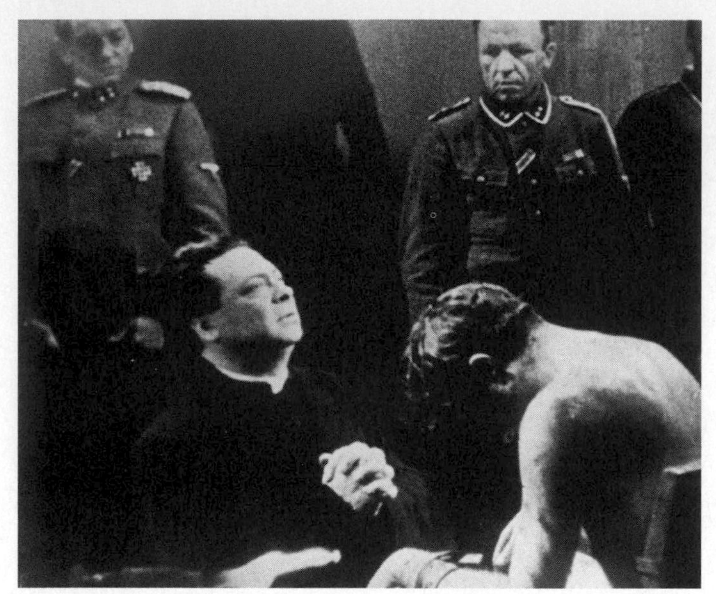

Aldo Fabrizi als Don Pietro in Rossellinis bedeutendem neorealistischem Dokument *Roma, città aperta* (1945). (*Museum of Modern Art/ Film Stills Archive. Standvergrößerung*)

ter diesen Arbeitsbedingungen war es kaum möglich, dem Film den Anstrich von Professionalität zu geben, selbst wenn Rossellini es gewollt hätte. Berufsschauspieler wie Anna Magnani und Aldo Fabrizi spielten neben einer Besetzung, die ausschließlich aus Laien bestand. Das Ergebnis war eine Authentizität der Darstellung, wie man sie sonst nur in Dokumentarfilmen findet. Der Stil des Films war außerordentlich einflußreich. Seither sind die Elemente der realistischen Filmtechnik fester Bestandteil der Filmkunst in aller Welt.

Die Neorealisten arbeiteten für ein eng mit der alltäglichen Erfahrung verknüpftes Kino: Laiendarsteller, einfache Technik, politische Haltung, Ideen statt platter Unterhaltung – alle diese Elemente widersprachen direkt der Hollywood-Ästhetik des glatten, bruchlosen Professionalismus. Während der Neorealismus als Bewegung nur einige wenige Jahre überdauerte, wirkt seine Ästhetik noch heute fort. Tatsächlich haben Zavattini, Rossellini, De Sica und Visconti einen Kanon von Grundregeln für die nächsten fünfzig Jahre gesetzt. Ästhetisch hat sich Hollywood nie mehr erholt.

In der Zwischenzeit nahm auf den Ranches in Südkalifornien das Geschäft seinen üblichen Gang. In Hollywood war weder Raum für die politische Aussage des Neorealismus noch für den persönlichen, ungebundenen Stil, der sich überall in Europa entwickelte. Es gab zwar einzelne Überraschungen wie Frank Capras *It's a Wonderful Life* (1947), das interessanteste seiner sentimentalen, populistischen Dramen und eine treffende, direkte Lektion über die Vorteile kooperativer sozialer und ökonomischer Organisationen – die allgemeine politische Stimmung Hollywoods war jedoch, wie schon erwähnt, reaktionär.

Das ästhetisch interessanteste Ergebnis dieser dunklen, paranoiden Stimmung war die Serie des Film Noir in den Jahren um 1950. Ein nur vage definiertes Genre (wie der Name andeutet, wurde es zuerst von den Franzosen identifiziert), ist der Film Noir einer der komplexeren und intelligenteren Hollywood-Stile. Teils Detektivgeschichte, teils Gangster-Story, teils städtisches Melodram, zeichnet sich der Film Noir vor allem durch seine dunkle und pessimistische Grundstimmung aus. Viele Beispiele dieses Genres ließen zwar Obertöne des kalten Kriegs einfließen, doch das war keine feste Bedingung: Wenn dies Genre eine literarische Quelle besaß, so waren es die Detektivromane von Dashiell Hammett und Raymond Chandler, die beide für linke Positionen bekannt waren.

Eines der ersten Beispiele für einen Film Noir war Hawks' *The Big Sleep* (1946), nach dem Roman von Raymond Chandler. Wenn man den schlaffen Zynismus von Chandlers Helden Philip Marlowe mit den freudianischen Aspekten eines anderen wichtigen Film Noir – Raoul Walshs *White Heat* (1949) – verbindet, so erhält man ein gutes Modell für dieses Genre. Kombiniert man die Titel jener zwei Filme, so ergibt sich kurioserweise: *The Big Heat* (1953), einer von Fritz Langs fatalistischen Filmen und ein zentrales Werk dieses Genres.

Jacques Tourneurs *Out of the Past* (1947) ist eines der vernachlässigsten und schönsten Beispiele des Film Noir, Nicholas Rays *They Live By Night* (1948) eines der bekanntesten. Jules Dassins *The Naked City* (1948) und John Hustons *The Asphalt Jungle* (1950) zeichnen sich durch den beredten Einsatz des so wichtigen städtischen Hintergrunds aus, ebenso Samuel Fullers *Pickup on South Street* (1953), ein Film, der auch zeigt, wie die Psychologie des kalten Kriegs in den Film Noir eingebracht werden konnte. Carol Reeds *The Third Man* (1950) rückte das Genre in einen europäischen Nachkriegskontext und stellte mit den Stars Orson Welles und Joseph Cotten die Verbindung zur amerikanischen Tradition her. Welles' *Mr. Arkadin* (1955) ist ein Musterbeispiel für die Stimmung dieses Genres. Robert Rossens schmales Œuvre enthält zwei überragende Films Noirs: *Body and Soul* (1947) mit John Garfield und später *The Hustler* (1961) mit Paul Newman.

Die Definition des Film Noir läßt sich so erweitern, daß die meisten Filme der «harten» Regisseure hinzugezählt werden können, die sich in den Fünfzigern in den Vordergrund schoben: Samuel Fuller (*House of Bamboo*, 1955; *China Gate*, 1957; *Shock Corridor*, 1963), Robert Aldrich (*Kiss Me Deadly*, *The Big Knife*, beide 1955), Phil Karlson (*Kansas City Confidential*, 1952; *The Phenix City Story*, 1955; und ein späteres Beispiel: *Walking Tall*, 1974) und Don Siegel (*Riot in Cell Block 11*, 1954; *Crime in the Streets*, 1956). Visuell trieb Siegel das Genre mit *Escape from Alcatraz* (1979) zum Extrem, einem Film, der mit so wenig Licht gedreht wurde, daß es ein Rekord für das düstere Genre gewesen sein dürfte. In Robert Bentons *The Late Show* (1977) zeigte Art Carney seine Version des schnüffelnden Anti-Helden – dreißig Jahre später.

Das urbane, schäbige Detektiv-Genre hatte eine Klammer gebildet für das amerikanische Fernsehen von Jack Webbs *Dragnet* der frühen Fünfziger bis zu *Kojak* und *Columbo* in den Siebzigern. Während die achtziger und neunziger Jahre eine regelmäßige Folge von Spielfilmen erlebten, die in direkter Linie vom alten Genre abstammten, haben Autor-Produzenten des Fernsehens es zu neuem Leben erweckt. In den Achtzigern hat Michael Mann mit der in stilistischer Hinsicht einflußreichen Serie *Miami Vice* dem Film Noir bunte Akzente hinzugewonnen, während gleichzeitig Steven Bochco der langen Tradition Ehre erwies, indem er sie im einfallsreichen *Hill Street Blues* satirisch aufgriff. In den neunziger Jahren hat Dick Wolf sie mit seinen analytischen Hommagen *Law and Order* und *Crime and Punishment* formalisiert und intellektualisiert, während wiederum Bochco sie mit *NYPD Blue* in neue TV-Extreme trieb. Film Noir ist also offenkundig die ganze zweite Hälfte des zwanzigsten Jahrhunderts hindurch für Filmemacher ein fruchtbares Genre geblieben.

Zwei andere populäre Genres der fünfziger Jahre, der Western und der Science-fiction-Film, spiegelten die düstere Stimmung des Film Noir wider, jeder auf seine Art. Der Western begann, ernstere und pessimistischere Themen zu behandeln; der Science-fiction-Film entwickelte eine Anzahl objektiver Entsprechungen zur kulturellen Paranoia des Jahrzehnts.

Delmer Daves, einer der unterschätzteren der Hollywood-«Handwerker», drehte 1950 *Broken Arrow*, den ersten Western seit Einführung des Tonfilms, der den Indianern ein gewisses Maß Selbstrespekt erlaubte. Er zeichnete auch verantwortlich für *3 : 10 to Yuma* (1957). John Sturges machte eine Reihe interessanter Western, darunter *Gunfight at the O. K. Corral* (1957), *Last Train from Gun Hill* (1958) und *The Magnificent Seven* (1960). Anthony Mann schuf sich eine Kultgemeinde mit Filmen wie *Winchester 73* (1950), *The Far Country* (1954) und *The Man From Laramie* (1955). Zwei der ersten «Edel»-Western waren Fred Zinnemanns *High Noon* (1952) und George Stevens' *Shane* (1953). John Ford trug *The Searchers* (1956), seinen wahrscheinlich besten Western, und *Two Rode Together* (1961) bei. Henry King drehte *The Gunfighter* (1950) Henry Hathaway *From Hell to Texas* (1958). Arthur Penns erster Film war *The Left-Handed Gun* (1958).

In den Sechzigern entstanden so wichtige Western wie Marlon Brandos *One-Eyed Jacks* (1961), John Hustons *The Misfits* (1961), David Millers *Lonely Are the Brave* (1962) und eine Reihe Filme von Sam Peckinpah, vor allem *Ride the High Country* (1962) und *The Wild Bunch* (1969). In Italien reifte mittlerweile der «Spaghetti»- oder «Italo»-Western heran. Sergio Leone variierte die Elemente des Genres in Filmen wie *Per un pugno di dollari* (1964) und *Il buono, il brutto, il cattivo* (1967), beide mit Clint Eastwood, einem Amerikaner, in der Hauptrolle.

John Fords bevorzugte Westernstars: John Wayne und Monument Valley, wie sie in einem der eindrucksvollsten Western John Fords erschienen: *The Searchers* (1956). Der Film untersuchte kritisch Elemente des Western-Mythos, die man bis dahin als ewige Wahrheiten angesehen hatte. Waynes Ethan Edwards ist ein moderner Held: zugleich einsam und besessen wie heroisch, neurotisch zwanghaft wie treu. Der unterschwellige Rassismus wurde in *The Searchers* an die Oberfläche gebracht. Anschließend war das Western-Genre nicht mehr das alte. (*Museum of Modern Art/Film Stills Archive*)

In den siebziger Jahren ging es mit dem Western bergab, als ein zunehmend verstädtertes Amerika seine Leidenschaft für die grenzenlose Weite verlor. Man kann Robert Altmans bilderstürmerischen und atmosphärisch dichten Film *McCabe and Mrs. Miller* (1971) als Beginn dieser Verfinsterung ansehen. Die lange Western-Dürre – nur durch Terence Malicks bemerkenswerten Film *Days of Heaven* (1978) unterbrochen – endete Anfang der Neunziger mit zwei überraschenden Oscar-Gewinnern: Kevin Costners *Dances with Wolves* (1990), ein schlechter Film, aber ein großartiges Projekt, und Clint Eastwoods *The Unforgiven* (1992). Diese revisionistischen Huldigungen können als elegische Abgesänge auf das Genre gelten.

Die Science-fiction-Filme der fünfziger Jahre waren verräterische psychoanalytische Dokumente: paranoide Phantasien von sich ausdehnenden Nicht-Wesen, unterwandernden Gewächsen, materialisiertem Unterbewußten und Mutationen. Zu den wichtigsten gehören: *The Thing* (1951, Christian Nyby), *The Day the Earth Stood Still* (1951, Robert Wise), *The Invasion of the Body Snatchers* (1956, Don Siegel), *Forbidden Planet* (1956, Fred Wilcox), *The Incredible Shrinking Man* (1957, Jack Arnold), *The Fly* (1958, Kurt Neumann) und *The Time Machine* (1960, George Pal). Mit Stanley Kubricks überragendem *2001: A Space Odyssey* wurde das Genre 1968 wiedergeboren. Der Film kann als der einflußreichste der letzten dreißig Jahre angesehen werden, da er dem lebenskräftigsten Genre der Siebziger und Achtziger zum Aufstieg verholfen hat. Von *Star Wars* bis *Star Trek*, von *E. T.* zu *Jurassic Park* hat das Science-fiction-Genre seltsamerweise seit den ausgehenden siebziger Jahren Triumphe gefeiert.

Das Musical profitierte wie der Western stark von Farbe und der Breitwand und erlebte unter dem MGM-Produzenten Arthur Freed eine Renaissance. Vincente Minnelli drehte *An American in Paris* (1951) und *Gigi* (1958), Stanley Donen arbeitete mit Gene Kelly in *On the Town* (1949) und *Singin' in the Rain* (1952) und mit Fred Astaire in *Royal Wedding* (1951) und *Funny Face* (1957, produziert von Roger Edens für Paramount). Astaire war auch der Star in Rouben Mamoulians *Silk Stockings* (1957, produziert von Freed). Mamoulian war der Verantwortliche für eines der ersten bedeutenden Hollywood-Musicals gewesen: *Applause* (1929). Mit nur wenigen Filmen hinterließ er eine unauslöschliche Spur in diesem Genre. Seine Filme zeichneten sich durch sprühenden Geist und ein ausgefeiltes Gefühl für Timing aus.

Während das Broadway-Musical in den letzten dreißig Jahren weiterhin prächtig gedieh, ist das Film-Musical nahezu ganz von der Bildfläche verschwunden. Martin Scorseses *New York, New York* (1977) und Francis Coppolas *The Cotton Club* (1984) sind ambitionierte Ausnahmen. Obwohl Steven Sondheim auch in den Siebzigern und Achtzigern weiterhin einen guten Teil bester amerikanischer Musik diesseits von Gershwin produzierte, wurden nur wenige seiner Stücke für die Leinwand adaptiert, und keins wurde zum Erfolg wie sein erstes (*A Funny Thing Happened on the Way to the Forum*, 1966). Obwohl das Broadway-Theater seit den Siebzigern durch das Aufkommen und den fortgesetzten Erfolg des Schwarzen Musicals neue Kraft gewonnen hat (von *Ain't Supposed to Die a Natural Death* bis hin zu *Jelly's Last Jam*), nahm Hollywood von diesem vielversprechenden neuen Strang der Kunst keine Notiz. Obwohl mehr Leute zu *Les Misérables* (oder *Cats*) in die Theater gelaufen sind, als die meisten Filme an Zuschauern anziehen, haben diese englischen Ersatz-Musicals kein Geld auf der Leinwand verdient. Aber warum? Ein Grund wird schon sein, daß Musicals sich nicht für Fortsetzungen anbieten.

Trotz der andauernden Vorherrschaft der Genres gelang es Ende der vierziger und in den fünfziger Jahren ein paar amerikanischen Regisseuren, ein starkes Gefühl eines persönlichen Stils in ihren Filmen zu vermitteln. Zu diesen Auteurs zählen Elia Kazan (*Gentleman's Agreement*, 1947; *Viva Zapata!*, 1952; *On the Waterfront*, 1954; *East of Eden*, 1955), Otto Preminger (*Laura*, 1944; *The Man with the Golden Arm*, 1955; *Anatomy of a Murder*, 1959), Nicholas Ray (*Johnny Guitar*, 1954; *Rebel without a Cause*, 1955; *Bigger than Life*, 1956) und Douglas Sirk (*All That Heaven Allows*, 1955; *Written on the Wind*, 1956). Beide, Ray wie Sirk, wurden in den nächsten zwei Jahrzehnten zu den Heroen der jungen europäischen Filmemacher: Ray wegen seiner existentiellen

Yasujiro Ozus *Tokyo monogatari* (1953). Mit typisch japanischer Klarheit, Sensibilität und Respekt behandeln Ozus Filme zumeist Generationenbeziehungen in Familien. Das alte Ehepaar in *Tokyo monogatari* muß bei einem Besuch bei ihren Kindern in der Hauptstadt feststellen, daß die junge Generation zu sehr mit eigenen Geschäften beschäftigt ist, um noch Zeit für die Eltern zu finden. (*New Yorker Films*)

Problematiken in den Sechzigern für die Franzosen, Sirk (als Detlef Sierck in Hamburg geboren) wegen seiner Gefühlsseligkeit in den Siebzigern für die Deutschen.

Trotz dieser interessanten Strömungen und Wirbel im Fluß der Hollywood-Produkte erlebte der amerikanische Film einen langsamen, doch unaufhaltsamen Niedergang während der fünfziger Jahre. Wirkliche Neuerungen im Kino fanden anderswo statt, wo diese Kunst sich in einen populären und einen elitären Zweig spaltete; dem letzteren diente die zunehmende Zahl der Filmkunstkinos.

Das Publikum in aller Welt entdeckte nun zum erstenmal die asiatische Filmkunst. Das japanische Kino besaß eine alte Tradition, darunter eine interessante Variante des Stummfilms, wo «Erklärer» eingesetzt wurden, um die Handlung zu beschreiben und zu erläutern – eine Übernahme aus dem Kabuki-Theater. Filmemacher außerhalb Japans hatten diese Entwicklung ignoriert – bis zu Akira Kurosawas Erfolg mit *Rashomon* auf dem Filmfestival 1951 in Venedig. Obwohl vor allem Kurosawas Samurai-Filme Anklang fanden, drehte er ebenso eine Anzahl von Gegenwartsfilmen. Zu seinen wichtigsten Filmen zählen *Ikiru* (1952), *Shichinin no Samurai* (1954), *Kumunosu-jo* (eine Macbeth-Adaption, 1957) und *Yojimbo* (1961).

Kurosawas Erfolg führte zum Export weiterer japanischer Filme in den Fünfzigern. Kenji Mizoguchi, der 1922 zu filmen begonnen hatte, drehte in den Fünfzigern eine Reihe von Filmen, die zu Klassikern des Weltrepertoires geworden sind: *Saika-*

ku Ichidai Onna (1952), *Ugetsu Monogatari* (1953), *Sansho Dayu* (1954), *Chikamatsu Monogatari* (1954) und *Yokihi* (1955).

Der letzte der japanischen Regisseure, der im Westen «entdeckt» wurde, war Yasujiro Ozu, vielleicht der interessanteste dieser Gruppe. Ozu, ein außergewöhnlicher Stilist, meditiert über Orte und Zeiten mit einer höchst unwestlichen Sensibilität und Gelassenheit, während Kurosawas Filme im Westen viel leichter zu verstehen sind. Zu Ozus wichtigsten Filmen gehört die «Jahreszeiten»-Serie: *Banshun* (1949), *Bakushu* (1951), *Soshun* (1956), *Akibiyori* (1960), *Kohayagawa-ke no Aki* (1961) und *Samma no Aji* (1962), sowie *Tokyo monogatari* (1953), sein im Westen erfolgreichster Film.

Wie Japan besaß Indien schon lange eine fruchtbare Filmindustrie. Hauptprodukt der indischen Kinematografie ist das lange, höchst stilisierte Musical, das bisher noch nicht auf den Weltmarkt vorgedrungen ist. Ende der fünfziger Jahre begann jedoch ein Filmemacher – Satyajit Ray – Filme zu drehen, die sich an ein internationales Publikum wandten. Die Apu-Trilogie (*Pather Panchali*, 1955; *Aparajito*, 1957; *Apur Sansar*, 1959) wurde sofort im Westen gefeiert, und Ray war seither mit Filmen wie *Jalsaghar* (1958), *Kanchenjunga* (1962), *Aranyer Din Ratri* (1969) und *Ashani Sanket* (1973) ein Liebling auf Filmfestivals und in Filmkunstkinos.

Während der fünfziger Jahre trug Großbritannien zum Welt-Film eine Serie köstlicher Alec-Guinness-Komödien (*The Man in the White Suit*, *The Lavender Hill Mob*, beide 1951; *The Horse's Mouth*, 1959) bei, denen in den Sechzigern Peter-Sellers-Komödien folgten (*I'm All Right Jack*, 1959; *Only Two Can Play*, 1961; *Heavens Above!*, 1963) sowie die primitiven Music-Hall-Komödien der *Doctor...*- und *Carry-On...*-Serien.

Der deutsche Film entwickelte sich nach dem Kriege, entsprechend der politischen Situation, zweigleisig. Die Siegermächte hatten, da es sich bei der UFI um ein staatseigenes Unternehmen handelte, alles Eigentum der Firma übernommen, einschließlich der Ateliers und Filmbestände. Ziel war die Entflechtung und Auflösung des Goebbelsschen Propaganda-Apparats. Während sich die Westalliierten – vertreten durch ihre Filmkontrolloffiziere, darunter Erich Pommer als oberster Vertreter der amerikanischen Behörde OMGUS – zunächst ziemlich strikt an die Beschlüsse hielten und Deutschen weitgehend die Lizenzierung verweigerten, unternahm man in der sowjetischen Besatzungszone schon bald erste Schritte zum Wiederaufbau einer deutschen Produktion.

Bereits am 17. Mai 1946 wurde, nach Vorbereitung durch ein «Filmaktiv» aus Emigranten und einigen kommunistischen Filmschaffenden, die die Nazizeit als Techniker überstanden hatten, die DEFA (Deutsche Film-AG) durch die sowjetische SMAD lizenziert. Zunächst eine deutsch-sowjetische Aktiengesellschaft, wurde die DEFA, die 1947 das Filmgelände in Potsdam-Babelsberg übernehmen konnte, schrittweise in deutsche Hände übergeben und schließlich 1953 zum «Volkseigenen Betrieb» ernannt. Älter als die Deutsche Demokratische Republik selbst, hatte die DEFA bis 1990 das Monopol für das gesamte Filmwesen in der DDR und unterstand mit ihren Studios für Spiel-, Dokumentar- und Animationsfilme einem «Filmminister», dem Leiter der 1954 gegründeten Hauptverwaltung Film, der außer der Produktion auch den Vertrieb, die Kinos und das Staatliche Filmarchiv der DDR beaufsichtigte (jedoch nicht das direkt der Propagandaabteilung der SED unterstellte Fernsehen). Eine Zensur fand offiziell nicht statt, doch brauchten alle Filme eine Zulassung durch die HV Film. Auch die Nachwuchsförderung wurde ab den sechziger Jahren dadurch gesteuert, daß ein Zugang zum Studio fast nur über ein Studium an der Filmhochschule in Babelsberg (beziehungsweise einer der Filmakademien in Moskau und Prag) möglich war.

Die Finanzierung der Filmproduktion erfolgte offiziell aus dem Staatsetat, in den allerdings auch alle Einnahmen aus Kino, Vertrieb und Auslandsverkauf flossen. Auf diese Weise konnte die ideologische Fiktion aufrechterhalten werden, der «Staat» unterhalte den Film als Kunst und Propagandamittel – mit allen ökonomischen, politischen und personellen Abhängigkeiten, die daraus resultierten.

So abgekoppelt von den rein ökonomischen Zwängen der Filmproduktion, konnte sich in den fünfundvierzig Jahren ihrer Existenz doch eine – im Westen weitgehend unbekannte – interessante und phasenweise hochstehende Filmkultur entwickeln. Unterstützt wurde das auch durch die Fortführung der Produktionstraditionen im Studio Babelsberg, wo ein großer technischer und künstlerischer Stab festangestellter Mitarbeiter für handwerkliche Meisterschaft sorgte, oft allerdings auch dazu neigte, in unkreativer Routine vor künstlerischem Risiko zurückzuschrecken. Viele renommierte Autoren der DDR-Literatur arbeiteten für den Film oder hatten sogar ihre Karriere als Drehbuchautoren begonnen, so Helga Schütz, Ulrich Plenzdorf, Regine Kühn und Jurek Becker, die alle an der Filmhochschule studierten. Szenografen wie Willy Schiller und Alfred Hirschmeier konnten ihren «professionellen Stammbaum» bis zu den Architekten des *Cabinet des Dr. Caligari* zurückführen. Eine wichtige Position im Produktionssystem der DEFA besaßen die Dramaturgen, die – zuständig für Themenfindung und Stoffentwicklung – oft zugleich auch eine ideologische Kontrollfunktion wahrnahmen (in einzelnen Fällen bis hin zur Bespitzelung für die Stasi).

Auf die Gründung der DEFA folgte eine erste Phase von Filmklassikern, bei der einige Regisseure und Autoren versuchten, auf Traditionen des Weimarer Kinos zurückzugreifen und gleichzeitig die politische und soziale Situation der Zeit zu behandeln. Der erste Spielfilm nach Kriegsende war Wolfgang Staudtes *Die Mörder sind unter uns* (1946). Mit expressiven Lichteffekten und einer offenen Auseinandersetzung mit der direkten Nazi-Vergangenheit begründete er die Tradition des antifaschistischen Films der DEFA, in der einige der wichtigsten deutschen Nachkriegsfilme entstanden. Altregisseur Gerhard Lamprecht knüpfte mit dem Trümmerfilm *Irgendwo in Berlin* (1946) an seinen Erfolg mit dem Jugendfilm *Emil und*

Fritz Rasp in *Irgendwo in Berlin* von Gerhard Lamprecht (1946): einer der ersten Trümmerfilme, der realistisch die Verhältnisse der damaligen Zeit schildert. (*CineGraph Hamburg*)

die Detektive (1931) an. *Freies Land* (1946) von Milo Harbich griff mit seinem Eintreten für die Landreform auch formal Vorbilder des frühen sowjetischen Kinos auf.

Bei Kurt Maetzigs *Ehe im Schatten* (1948), mit mehr als zehn Millionen Zuschauern in allen vier Besatzungszonen einer der erfolgreichsten deutschen Filme aller Zeiten und mit einem Bambi ausgezeichnet, zeigte sich ein Dilemma des frühen DEFA-Films: Wie konnte man sich mit neuen Stoffen beschäftigen, ohne zugleich das Publikum mit seinen an der Nazi-Produktion «geschulten» Sehgewohnheiten zu verschrecken? Außerdem mußte man ja auch weitgehend die Kameraleute und Musiker beschäftigen, die jahrelang andere Inhaltsmuster gestaltet hatten. Bei *Ehe im Schatten* trat dies besonders deutlich zutage: Komponist dieses Films, in dem ein Schauspielerehepaar angesichts der Judenverfolgung durch die Nazis in den Selbstmord geht, war derselbe Wolfgang Zeller, der auch die Musik zu Veit Harlans antisemitischem Hetzfilm *Jud Süß* geschrieben hatte.

Einige DEFA-Filme behandelten die Probleme der Gegenwart auch in der historischen Perspektive, so Erich Engels *Affaire Blum* (1948), der einen authentischen Fall aus der Weimarer Republik behandelte, bei dem ein jüdischer Fabrikant unschuldig für einen Mord verfolgt wurde, den ein Nazi begangen hatte. Maetzigs *Die Buntkarierten* und Staudtes *Rotation* (beide 1948/49) behandelten die deutsche Geschichte der ersten Hälfte des zwanzigsten Jahrhunderts einmal aus der Perspektive von Arbeiterfamilien und setzten so einen Gegenakzent zum vorherrschenden bürgerlichen Geschichtsbild. Ähnlich wirkte Staudtes Verfilmung von Heinrich Manns Satire *Der Untertan* (1951), deren Aufführung in Westdeutschland jahrelang verboten war. Den Schlußpunkt dieser fruchtbaren Phase bezeichnet Falk Harnacks *Das Beil von Wandsbek* (1950/51) nach dem Exilroman von Arnold Zweig, der nach einer für die kulturpolitische Entwicklung der DDR wichtigen Auseinandersetzung verboten wurde, weil Erwin Geschonneck, der große Star des DEFA-Films, dem Schlachter und Nazi-Henker allzu menschliche Züge verliehen hatte. Das paßte nicht mehr in die nach der Staatsgründung einsetzende Stalinisierung der Kultur unter dem Banner des «sozialistischen Realismus».

Das berühmteste Beispiel für diese Tendenz der fünfziger Jahre ist Maetzigs Zweiteiler *Ernst Thälmann – Sohn seiner Klasse / Führer seiner Klasse* (1953–55), das parteiliche Porträt des Kommunistenführers der zwanziger und dreißiger Jahre in Form einer Reihe proletarischer Heiligenbildchen. Neben Verfilmungen des «klassischen deutschen Erbes» wie *Die Geschichte des kleinen Muck* (1953, Staudte) oder *Emilia Galotti* (1957), *Die schwarze Galeere* (1961/62) und *Minna von Barnhelm* (1962) von Martin Hellberg sollten internationale Co-Produktionen – vor allem mit Frankreich: Gérard Philipes *Die Abenteuer des Till Ulenspiegel* (1956) oder *Die Hexen von Salem* (1957) mit Simone Signoret und Yves Montand – für das Renommee der DEFA sorgen.

Es meldeten sich auch die ersten Vertreter einer neuen Regisseurs-Generation zu Worte. Konrad Wolf, der als junger Offizier der Roten Armee aus der Emigration zurückgekehrt war, gab – nach einem Studium am VGIK in Moskau – mit seinen Filmen und als Präsident der Akademie der Künste (ab 1965) wiederholt wichtige künstlerische und thematische Anstöße: *Sonnensucher* (1957/58) bot ein krasses Porträt aus der Frühzeit der DDR und kam erst mit fünfzehnjähriger Verspätung an die Öffentlichkeit, *Der geteilte Himmel* (1963/64) behandelte – nach dem Roman von Christa Wolf – die deutsche Teilung und löste mit seiner ungewöhnlichen Bildgestaltung eine heftige Debatte über «Volksverbundenheit» und «Formalismus» aus. Frank Beyer, der in Prag studiert hatte, orientierte sich an Filmen der tschechoslowakischen und polnischen Neuen Welle und drehte mit *Königskinder* (1961/62) eine ungewöhnliche Liebesgeschichte vor dem Hintergrund des Zweiten Weltkriegs. Regisseur Gerhard Klein und Autor Wolfgang Kohlhaase drehten eine Serie von populären Berlin-Filmen – darunter *Alarm im Zirkus* (1953/54), *Berlin – Ecke Schönhauser* (1957) –, die, orientiert am Neorealismus, alltägliche Geschichten aus der geteilten Stadt erzählten.

Während so in Ostdeutschland im Rahmen einer festen Studio-Struktur – bei allen Nachteilen der politischen Bevormundung und unter weitgehendem Ausschluß von Experimenten – einzelne Filmemacher die Chance hatten, über Jahre hinweg eine eigene Handschrift zu entwickeln und im «antifaschistischen Film» sich eine Art Genre herausbildete, war der westdeutsche Film bis weit in die sechziger Jahre hinein eher eine Art ästhetischer und ökonomischer Sumpf, auf dem einzelne Blüten trieben, die jedoch bald wieder verschlungen wurden.

Direkt nach Kriegsende betrieben die Westalliierten zunächst eine sehr viel strengere Politik gegenüber deutschen Filmschaffenden. Lizenzen wurden zögernd und erst nach «Entnazifizierung» erteilt. Erich Pommer, als oberster Filmoffizier der amerikanischen Besatzungsbehörde OMGUS zurückgekehrt, geriet mit seinen Plänen zum Neuaufbau einer eigenen deutschen Filmwirtschaft bald zwischen die Fronten. Während die amerikanische Filmindustrie von ihm erwartete, ihr den Zugang zum deutschen Markt zu bereiten, sahen ihn deutsche Filmschaffende als Aufseher und Vollstrecker ausländischer Interessen. 1949 versuchte er noch einmal, sich als internationaler Produzent zwischen München-Geiselgasteig und Hollywood zu etablieren, indem er Altstars (Hans Albers) mit neuen Hoffnungen (Hildegard Knef) zusammenbrachte. Nach dem Scheitern des Antikriegs-Films *Kinder, Mütter und ein General* (1956) zog er sich resigniert nach Hollywood zurück.

Einzelne Ansätze, sich – ähnlich wie bei der DEFA – inhaltlich und künstlerisch mit der «jüngsten Vergangenheit» kritisch auseinanderzusetzen, wurden bald wieder aufgegeben: Helmut Käutners *In jenen Tagen*, 1947 in Hamburg (britische Zone), oder Harald Brauns *Zwischen gestern und morgen*, 1947 in München (US-Zone) gedreht, blieben Ausnahmen. Im Kino liefen neben amerikanischen Filmen Überläufer, also Filme, die im letzten Jahr der Nazi-Herrschaft produziert worden waren, aber erst nach Kriegsende gezeigt oder fertiggestellt werden konnten. Ab Ende der vierziger Jahre tummelte sich wieder das alte Personal auf altgewohnte Weise, oft in Neuaufgüssen von Erfolgen der Dreißiger: Wolfgang Liebeneiner ab 1948 (*Liebe 47*, nach Wolfgang Borcherts «Draußen vor der Tür»), Gustav Ucicky zunächst in Wien, ab 1952 in der BRD, Veit Harlan – nach einigen aufsehenerregenden Prozessen «rehabilitiert» – ab 1950 regelmäßig bis 1958.

Mit *Schwarzwaldmädel* (1950) und *Grün ist die Heide* (1951; auch 1932, Hans Behrendt; 1972, Harald Reinl) machte Hans Deppe den Anfang mit dem beliebten Heimatfilm der fünfziger Jahre. *Die Dritte von rechts* (1950, Geza von Cziffra) war der Kassenschlager des Jahres 1950 und ließ den Revuefilm wiederauferstehen, wo sich bald auch das Team Marika Rökk/Georg Jacoby wieder tummelte (*Die Czardasfürstin*, 1951; *Bühne frei für Marika*, 1958). Mitte der fünfziger Jahre unterstützten Heldenbilder aus dem Zweiten deutschen Krieg (*Der Stern von Afrika*, 1956/57; *U 47 – Kapitänleutnant Prien*, 1958) die Wiederaufrüstung. Genre-Serien aus zweiter Hand wie die Edgar-Wallace-Thriller oder die Karl-May-Western führten schließlich erfolgreich in die Sechziger, wo sie sich mit Lümmel- und Pauker-Lustspielen zunächst gegen das Aufmucken der «Jungfilmer» behaupteten.

Ökonomisch bewegte man sich auf schwankendem Grund. Firmen zerbrachen nach kurzer Zeit wegen mangelnder Finanzbasis und ausbleibender Staatsbürgschaften. Nur einige neue Produzenten konnten sich über längere Zeit halten und regelmäßig arbeiten: Artur Brauner mit seinen CCC-Firmen in Berlin-Spandau wagte zwischen viel gängiger Unterhaltungsware ab und zu einmal ein Experiment, konzentrierte sich ab den sechziger Jahren meist auf internationale Serienprodukte. Auch die Real-Film (Walter Koppel, Gyula Trebitsch) im Studio Hamburg schob in ihre Produktionspläne bisweilen kritische Auseinandersetzungen mit Gegenwart und Vergangenheit: so zum Beispiel *Des Teufels General* (1954/55) und *Der Hauptmann von Köpenick* (1956) – beide unter der Regie von Helmut Käutner, der in diesen Jahren als Spitzenregisseur galt und vielfach ausgezeichnet wurde. Die Filmaufbau in Göttingen (Hans Abich, Rolf Thiele) stützte sich auf das gekonnte Handwerk Kurt Hoffmanns (*Bekenntnisse des Hochstaplers Felix Krull*, 1957; *Wir Wunderkinder*, 1958) oder den Erfolg von Alfred Weidenmanns *Buddenbrooks* (1959), wagte 1954/55 mit Herbert Veselys *nicht mehr fliehen* ein außergewöhnliches Experiment, endete in den sechziger Jahren jedoch wie viele als Produzent für das aufkommende Fernsehen.

Der Versuch emigrierter Filmemacher, sich in Deutschland wieder zu etablieren, hatte nur bescheidenen Erfolg. Fritz Kortner stieß in *Der Ruf* (1948/49, Josef von Baky) als vertriebener jüdischer Professor auch im Nachkriegsdeutschland auf antisemitische Tendenzen. Peter Lorres pessimistischer und düsterer Regie-Versuch *Der Verlorene* (1951), vom ebenfalls remigrierten Arnold Pressburger produziert, wurde von Verleihern und Publikum abgelehnt. Dagegen betrieb Robert Siodmaks *Nachts, wenn der Teufel kam* (1957) die Auseinandersetzung mit der Nazi-Zeit in Form eines Thrillers des Film Noir und wurde mit Preisen überschüttet. Max Ophuls scheiterte mit der deutsch-französischen Co-Produktion *Lola Montez* (1955), dem melancholischen Historienbild in der Form einer Zirkusshow, am Desinteresse des Publikums.

Die französischen Leinwände wurden in den Fünfzigern von dem beherrscht, was der junge Filmkritiker François Truffaut das «cinéma du papa» nannte, ein übertrieben literarischer und – wie Truffaut meinte – lächerlicher Stil; doch die Nouvelle Vague stand vor der Tür, und zumindest drei unabhängige, gegensätzliche Auteurs – Jean Cocteau, der Dichter; Jacques Tati, der Komödiant; und Robert Bresson, der asketische Ästhet – produzierten interessante Werke. Cocteau beendete 1950 seinen *Orphée* und ein Jahrzehnt später sein *Le Testament d'Orphée*. Tati inszenierte und spielte in *Les Vacances de Monsieur Hulot* (1953) und *Mon Oncle* (1958). Bresson, ein sorgfältiger Handwerker, drehte *Le Journal d'un curé de campagne* (1950), *Un condamné à mort s'est échappé ou le vent souffle ou il veut* (1953) und *Pickpocket* (1959).

Etwa zur gleichen Zeit kehrte Max Ophüls, dessen Karriere Anfang der dreißiger Jahre in Deutschland begonnen hatte und ihn dann über Frankreich und Italien nach Hollywood führte, nach Frankreich zurück, wo er drei sehr einflußreiche Filme drehte: *La Ronde* (1950), *Madame de...* (1953) und *Lola Montez* (1955). Ophüls ist

Victor Sjöström söhnt sich in Ingmar Bergmans *Smultronstället* (1958) mit seiner Vergangenheit aus. Sjöström, einer der Väter des schwedischen Kinos, krönte mit diesem Film seine Karriere. Nicht zufällig wählte Bergman einen anderen Regisseur für die zentrale Rolle des Professors Isak Borg, denn *Smultronstället* markiert auch einen wichtigen Schritt in Bergmans eigener Auseinandersetzung mit seiner Vergangenheit.

vor allem wegen dieser ironischen Liebesgeschichten berühmt und für seine langen, flüssigen, aufheiternden Kamerafahrten, die das Kennzeichen seines Stils waren.

Die Bewegung der Filmkunst fort von kollektiv produzierten Genres und hin zu einer persönlichen Kunst erreichte Mitte der fünfziger Jahre ihren Höhepunkt, als zwei vollkommen eigenartige Filmemacher ein Stadium der Mündigkeit erlangten: Ingmar Bergman und Federico Fellini. Diese beiden dominierten gemeinsam mit Alfred Hitchcock, dessen Filme der fünfziger Jahre den Höhepunkt seiner Karriere darstellen, die Filmästhetik der späten Fünfziger und bereiteten den Weg für das «cinéma d'auteur», das in den Sechzigern eher die Regel denn die Ausnahme bildete. Interessanterweise behandeln alle drei in gewisser Weise Beklemmungen, die auch die populären Genres jener Zeit prägten und die der Dichter W. H. Auden zur beherrschenden Emotion jener Epoche erklärte.

Bei Bergman drückt sich die «angst» in psychoanalytischen und religiösen Begriffen aus; bei Hitchcock ist die «anxiety» eine Art stilisierter Paranoia im alltäglichen Leben; bei Fellini war «angoscia» ebenso ein soziales Problem wie ein persönliches.

Bergman begann Mitte der vierziger Jahre, Filme zu machen, doch erst mit *Som-*

Wie Bergmans Filme der gleichen Epoche reflektieren die Federico Fellinis vor allem die Selbsterforschung des Regisseurs. *8½* (1962) untersucht das existentielle Dilemma des Filmregisseurs Guido (Marcello Mastroianni), der Fellini nicht unähnlich ist. Der Film beginnt in einem Kurbad, wo die fast mythische Claudia Cardinale Guido das reinigende Wasser reicht. Es ist ein Bild der Unschuld, das ständig in Fellinis Filmen auftaucht. (*L'Avant-Scène. Standvergrößerung*)

La Dolce Vita (1959) endet mit diesem Bild der unerreichbaren Unschuld. Am Strand gelingt es dem Journalisten Marcello (wieder Mastroianni) nicht, mit dieser jungen Frau in Kontakt zu kommen. (*L'Avant-Scène. Standvergrößerung*)

Fellini war während der ganzen fünfziger Jahre von diesem Bildkomplex (und der dadurch repräsentierten Emotionen) besessen. In *La Strada* (1954) und *Le Notti di Cabiria* (1956) baute er ganze Filme darum herum; seine Frau Giulietta Masina übernahm die Personifizierung. Masina hier als Gelsomina in *La Strada*. (*L'Avant-Scène. Standvergrößerung*)

marnattens leende (1955), *Det sjunde inseglet* (1956), *Smultronstället* (1957) und *Jungfrukällan* (1959) erlangte er Weltruhm. Besonders *Det sjunde inseglet* trug dazu bei. Sein Symbolismus war sofort verständlich für Leute, die, an Literatur geübt, gerade dabei waren, den Film als «Kunst» zu entdecken, und dieser Film wurde bald zum Thema für literaturwissenschaftliche Seminare. *Det sjunde inseglet* beruht auf einem Theaterstück Bergmans; Hauptdarsteller war Max von Sydow, der in den

Sechzigern Mittelpunkt von Bergmans außerordentlicher Truppe von Schauspielern wurde. Antonius Blok, ein Ritter, hat während seiner Rückkehr von den Kreuzzügen mehrere Begegnungen mit dem Tod. Schweden wird durch die Pest verwüstet. Parallel zu jeder realen Bewegung – mit einer Truppe Wanderschauspieler, einer Hexenverbrennung, flagellierenden Bauern – findet ein symbolisches Treffen mit der schwarz verhüllten Figur des Todes statt, mit dem Blok Schach um Leben und Tod spielt. Krasse schwarzweiße Bilder vermitteln die mittelalterliche Stimmung des Films, verstärkt noch durch Bergmans optische und dramatische Anspielungen auf Malerei und Literatur des Mittelalters. Im Gegensatz zum Hollywood-«Kino» war sich *Det sjunde inseglet* eindeutig einer elitären künstlerischen Kultur bewußt und wurde deshalb sofort vom intellektuellen Publikum geschätzt.

Federico Fellini kam während der neorealistischen Periode Ende der Vierziger zum Film. Er drehte seinen ersten Film im Jahre 1950. *La Strada* (1954) hatte fast die gleiche Wirkung auf den Welt-Film wie *Det sjunde inseglet* einige Jahre später. Auch *Le Notti di Cabiria* (1956) wurde positiv aufgenommen, während *La Dolce Vita* (1959) den Beginn einer neuen Epoche der Filmgeschichte markierte. Ein ausladendes, dreistündiges Breitwandfresko über das Leben der römischen Oberklasse gegen Ende der fünfziger Jahre, ist *La Dolce Vita* ein ironisches Gegenstück zu *Roma, città aperta.* Fellinis Film entwickelt die Form eines peripatetischen Renaissance-Epos, indem es eine Reihe von Tableaus und Aventiuren aneinanderreiht, die durch die Figur des Klatschkolumnisten Marcello (Marcello Mastroianni) verbunden werden. Das «süße Leben» ist leer und bedeutungslos, doch der Film, der es schildert, ist ein reicher und ironischer Bildteppich über Verhaltensweisen und Moral. Fellini nahm die Stimmung der «swinging sixties» voraus, und der Film war auch außerhalb Italiens ein großer Erfolg, sogar in den USA.

Alfred Hitchcock, eine Generation älter als Bergman und Fellini, blieb der einzige Regisseur, der völlig innerhalb des Genre- und Fabrik-Systems außerordentlich persönliche Filme schuf. Er machte genaugenommen nicht eine, sondern vier Karrieren (im Stummfilm, im Tonfilm in England, im Hollywood der Vierziger und seit 1952 im Farbfilm), von denen jede einzelne ihm einen Platz in der Filmgeschichte sichern würde. Seine wahrscheinlich repräsentativsten (und viele seiner besten) Filme entstammen den Fünfzigern, jener Periode, in der er wohl als einziger Regisseur nahezu allen Kinogängern in Amerika namentlich bekannt war. Mit *Rear Window* (1953), *Vertigo* (1958) und *North by Northwest* (1959) konstruierte er drei Meisterwerke der Angst – der Wahrnehmungspsychose, der psychosexuellen und der psychopolitischen.

Besonders *North by Northwest* erwies sich als prophetisch: Er ist ein Symbol für das Amerika der sechziger und siebziger Jahre. Roger O. Thornhill (Cary Grant) wird eines Nachmittags mit einem mysteriösen Mr. Kaplan verwechselt und von fremden Agenten quer durch den größten Teil der USA gehetzt – Richtung Nordnordwest.

Ende der fünfziger Jahre waren Herausforderung und Großartigkeit der weiten Landschaften des Western zum paranoiden Alptraum geworden. Hier in Hitchcocks *North by Northwest* (1959) rennt Roger Thornhill (Cary Grant), ein Werbe-Mann im grauen Flanell, um sein Leben durch einsame Maisfelder des Mittleren Westens, gejagt von einem gesichtslosen Mörder im Schädlingsbekämpfungs-Flugzeug.

Kaplan, so stellt sich heraus, ist die Erfindung einer Behörde – Hitchcock deutete stark auf den CIA hin (siehe Abbildung Seite 225) –, die recht glücklich ist, eine reale Verkörperung ihrer Fiktion gefunden zu haben. Der Film endet mit einer spektakulären Jagd quer über die steinernen Präsidentenköpfe am Mount Rushmore. Während Grant um sein Leben rennt, starren die nationalen Monumente ungerührt und blind vor sich hin. *North by Northwest*, nach einem Drehbuch von Ernest Lehman, ist ein unterhaltsamer und geistreicher, mitreißend inszenierter Thriller, der ein Jahrzehnt nach seiner Premiere neue Bedeutungsebenen erhielt, als die Spannungen zwischen dem amerikanischen Volk und seiner Administration aufbrachen.

Diese Periode, in der sich der Film als Kunst weltweit etablierte, endete mit einem Höhepunkt. Das Jahr 1959 – plus/minus sechs Monate – war ein «annus mirabilis»: Es sah eine außerordentliche Anhäufung von blühenden Talenten. In Frankreich machten Truffaut, Godard, Chabrol, Rohmer, Rivette und Resnais ihren ersten Film – die Nouvelle Vague war da. In Italien beschritt Fellini mit *La Dolce Vita* neue Wege, ebenso Michelangelo Antonioni mit *L'Avventura*. In England wandten sich die «zornigen jungen Männer» des Theaters der Filmproduktion zu. In Amerika etablierte sich mit dem Anlaufen von John Cassavetes' *Shadows* das persönliche unabhängige Kino.

Die Nouvelle Vague und das neue Kino: Kommunikation vor Unterhaltung

Die Neue Welle in Frankreich signalisierte ein deutlich anderes Verhältnis zum Film. Nach der Einführung des Tonfilms geboren, besaßen die Filmemacher der Nouvelle Vague ein Gefühl für die Kultur und Tradition des Films; ihre Filme vermittelten dieses Gefühl. Claude Chabrol, François Truffaut, Jean-Luc Godard, Eric Rohmer und Jacques Rivette hatten während der fünfziger Jahre alle für die *Cahiers du Cinéma* geschrieben und standen unter dem Einfluß der Theorien von André Bazin. Louis Malle und Alain Resnais begannen zwar nicht als Kritiker, gingen aber von einem ähnlichen Ansatz aus.

Truffauts frühe Klassiker *Les Quatre cent coups* (1959), *Tirez sur le pianiste* (1961) und *Jules et Jim* (1962) waren die ersten großen Publikumserfolge der Gruppe. In diesen drei so unterschiedlichen Filmen zeigte er eine solche Virtuosität, Humanität und Gefühlstiefe, daß er schnell in aller Welt die Zuschauer für sich gewann. Nach dieser frühen Periode zog sich Truffaut auf abstraktere Anliegen zurück und begann mit einer Serie von Genre-Studien: *La Peau douce* (1964), *Fahrenheit 451* (1966) und

Charles Aznavour als Charlie Kohler in Truffauts *Tirez sur le pianiste* (1961), einem Essay über Genres. Wie die meisten Regisseure der Nouvelle Vague war Truffaut vom amerikanischen Kino fasziniert. Er verschmolz Elemente von Film Noir, Western und Gangsterfilm mit einer typisch französischen philosophischen Haltung. So gelang ihm eine anregende Vermischung der Kulturen.

La Sirène du Mississippi (1969) versuchten, wie er es ausdrückte, die Genres durch Kombination aufzubrechen. Es war eine Art Kino, die fast darauf besteht, daß der Zuschauer mit dem Filmemacher eine bestimmte Auffassung über vergangene Formen und Konventionen teilt. Die Geschichte seines Alter ego Antoine Doinel (durchgängig von Jean-Pierre Léaud gespielt), die mit *Les Quatre cent coups* begann, entspann sich in den folgenden zwanzig Jahren über vier weitere Filme, in denen Truffaut der Figur bis ins mittlere Alter folgte. Einer der Filme, *Baisers volés* (1968), war eine romantische Ikone der sechziger Jahre. In den Siebzigern wandte sich Truffaut introvertierteren Genrestudien zu. Zwei Filme ragen heraus: *L'Enfant sauvage* (1969), worin er Sprache und Liebe untersucht, und *La Nuit américaine* (1973), sein Hohelied auf seine eigene Liebe und Sprache: Cinéma. 1984 erlag Truffaut im amerikanischen Krankenhaus von Neuilly einem Gehirntumor.

Wie sein Freund Truffaut begann auch Godard mit einer Reihe persönlicher Varianten von Genre-Filmen: Gangsterfilm (*À bout de souffle*, 1960), Musical (*Une Femme est une femme*, 1961), Film Noir (*Le Petit soldat*, 1960; *Vivre sa vie*, 1962) – sogar ein Hollywood-Melodram mit Starbesetzung (*Le mépris*, 1963). Sein erster Film *À bout de souffle* war eine erfrischend bilderstürmerische Studie, die ihn sofort als eines der innovativsten und intelligentesten Mitglieder der neuen Filmemacher-Generation kennzeichnete. Godard ignorierte die etablierten Konventionen der Handlungsführung, an die sich selbst so persönliche Filmemacher wie Bergman und Fellini mehr oder weniger hielten; er arbeitete gleichzeitig auf mehreren Ebenen. *À bout de souffle* war ein Gangsterfilm und zugleich ein Essay *über* den Gangsterfilm.

Michel Poiccard, gespielt von Jean-Paul Belmondo, tötet einen Polizisten, trifft ein amerikanisches Mädchen namens Patricia (Jean Seberg), treibt sich eine Weile in Paris herum, entkommt der Polizei, wird schließlich von Patricia verraten und niedergeschossen. Poiccard ist fasziniert vom Bild Humphrey Bogarts, so wie er es aus alten Hollywood-Filmen kennt. Er erfindet ein Pseudonym für sich. Er ist weniger ein Gangster als vielmehr ein junger Mann, der die Rolle eines Gangsters spielt, wie er es in amerikanischen Filmen gelernt hat. Patricia andererseits wird optisch von Godard mit einer Anzahl künstlerischer Frauenbilder verglichen, vor allem jenen Picassos. Sie spielt weniger eine Rolle – die «Gangsterbraut» –, sie ist vielmehr wie die Porträts im Film das ästhetische Bild einer Frau. Selbst Michels Tod am Ende des Films wird verfremdet gespielt: Michel versucht, so heroisch wie im Kino zu sterben, während Patricia in ihrer emotionalen Isolation verharrt, ohne jemals die dramatischen Entwicklungen der Ereignisse völlig zu durchschauen.

Im Laufe seiner Karriere wandte sich Godard immer mehr der Form des Filmessays zu, gab schließlich den fiktionalen Handlungszusammenhang völlig auf. In einer außerordentlichen Serie von Filmen in der zweiten Hälfte der sechziger Jahre entwickelte er eine Art des Filmemachens, die in aller Welt Einfluß ausübte – *Une*

Die amerikanische und die französische Kultur trafen sich in der Nouvelle Vague zuerst auf den Champs Élysées in *À bout de souffle* (1960). Michel Poiccard (Jean-Paul Belmondo), ein Anhänger Bogarts und des Gangster-Mythos, verliebt sich in das Zeitungsmädchen Patricia Franchini (Jean Seberg), das Musterbild einer Amerikanerin in Paris, Anfang der Sechziger. (*L'Avant-Scène. Standvergrößerung*)

Femme mariée (1964), *Alphaville, Pierrot le fou* (beide 1965), *Masculin–féminin, Deux ou trois choses que je sais d'elle* (beide 1966), *La Chinoise* (1967) und *Week end* (1968) erforschten gewissenhaft und heiter den Film als persönlichen Essay.

In diesen Filmen baute Godard eine direkte Kommunikation zum Zuschauer auf, benutzte Genre-Regeln zu seinen eigenen Zwecken und mied die Ablenkungen des gut gemachten, mitreißenden dramatischen Erlebnisses. Ende der Sechziger zog sich Godard auf eine noch persönlichere Form des politischen Kinos zurück; eingebettet in die «Groupe Dziga Vertov», drehte er eine Reihe Filme, die keinen Anspruch darauf erhoben, fertige Produkte zu sein, sondern eindeutig als «work in progress» gedacht waren. Am Ende dieser Periode filmischer Kontemplation stand *Tout va bien* (1972). Danach wandte Godard seine Aufmerksamkeit dem Video zu, bevor er 1980 mit *Sauve qui peut (La Vie)* zum Spielfilm zurückkehrte. Der Film markierte den Anfang einer Serie von Reprisen wie *Prénom: Carmen* (1983, Frau als Held), *Détective* (1985, der Genrefilm), *Je vous salue Marie* (1985, Godard wieder als Enfant terrible) und *Nouvelle vague* (1990, ein Essay über Kino).

Im Gegensatz zu Truffaut und Godard beschränkte Claude Chabrol sein Interesse auf ein einziges Genre. Stark von Hitchcock beeinflußt, über den er zusammen mit Eric Rohmer ein Buch verfaßt hatte, transponierte Chabrol das Hitchcocksche Universum in französische Ausdrucksweisen und drehte seit Ende der Sechziger eine ausgezeichnete Serie parodistischer Thriller, die das Wertesystem der Bourgeoisie zugleich einer beißenden Satire unterzogen und es feierten; darunter besonders *Les Biches* (1968), *La Femme infidèle* (1969), *Le Boucher* (1970), *Juste avant la nuit* (1971) und *Les Noces rouges* (1972). Nach einer eher schwachen Periode kehrte Chabrol Mitte der achtziger Jahre mit neuen Erkundungen des Genres zur Form zurück, darunter zum Beispiel *Coq au vin* (1985) und *Une affaire des femmes* (1988).

Eric Rohmer brachte in das Kino das Vertrautsein mit der literarischen Tradition ein. Seine «Contes moraux» – darunter *La Collectionneuse* (1969), *Ma nuit chez Maud* (1968), *Le Genou de Claire* (1970) und *L'Amour, l'après-midi* (1972) – demonstrierte, wieviel vom literarischen Vergnügen an Narration, Konstruktion und rationaler Analyse in das Medium Film abzuleiten war. In den achtziger Jahren begann Rohmer eine neue Serie, die er «Komödien und Sprichwörter» nannte; sie handelt von eigenwilligen Existenzen, die alle ihren Dreh zum Überleben finden.

Während Rohmers Filme vom Roman beeinflußt waren, so waren die Jacques Rivettes der Bühne verpflichtet. Rivette, der als letzter der *Cahiers*-Gruppe bekannt wurde, war besessen von den Strukturen der dramatischen Erzählung. In *L'Amour fou* (1968), *Out One Spectre* (1971), *Céline et Julie vont en bateau* (1973) und schließlich *La Bonde des quatre* (1989) erforschte er die Phänomene der Dauer und der psychologischen Intensität, die unsere Phantasiewelt prägen.

Alain Resnais übertrug etwas von der avantgardistischen Komplexität des Nouveau Roman in seine Filme. Er arbeitete immer eng mit Romanciers zusammen (von denen sich einige – Alain Robbe-Grillet und Marguerite Duras zum Beispiel – später selbst dem Filmemachen zuwandten); mit erstaunlichstem Erfolg erkundete Resnais die Funktion von Zeit und Erinnerung im Handlungsaufbau mit Filmen wie *Nuit et bruillard* (1956, Nazi-KZs), *Hiroshima, mon amour* (1959, die Atombombe), *L'Année dernière à Marienbad* (1962, Erinnerung als ästhetische Abstraktion), *La Guerre est finie* (1965, die Linke arrangiert sich mit der Geschichte) und *Je t'aime, je t'aime* (1968, die Melodie der Zeit).

Louis Malle, der wie Resnais als Techniker ausgebildet war, erwies sich als der größte Eklektiker der Nouvelle Vague: *Les Amants* (1958) war ein höchst romantisches Drama, *Zazie dans le Métro* (1960) eine Screwball-Komödie, *L'Inde fantôme* (1969) ein eigenartiger Dokumentarfilm und *Lacombe Lucien* (1973) einer der besten aus einer damals aktuellen Reihe von Filmen über Frankreich unter der Nazi-Okkupation. Malle ging in den siebziger Jahren in die USA. *My Dinner with André* (1981) wurde in den Achtzigern einer der seltenen Kunstfilme, die bei einem breiteren Publikum ankamen. Mit *Au revoir, les enfants* (1987), ganz persönlichen Erinnerungen an die Nazizeit, gelang ihm ein weiterer Publikumserfolg.

Olga Georges-Picot und Claude Rich in Alain Resnais' *Je t'aime, je t'aime* (1968), einer von Resnais' komplexesten Studien über Zeit und Erinnerung. Resnais benutzt die Fiktion einer Reise vermittels Zeitmaschine, um mit der Wiederholung von Szenen und der Zerstückelung des Handlungsablaufs zu experimentieren. Das Ergebnis kommt der Musik so nahe, wie es ein Film vermag. (*French Film Office*)

Agnès Varda brachte ein Gefühl für das Dokumentarische in die Nouvelle Vague ein. Ihr Film *Cléo de cinq à sept* (1961) war ein Prüfstein der frühen Nouvelle Vague. *Le Bonheur* (1965) ist immer noch eines der interessantesten Experimente mit Farbe vor 1968 und ein ungewöhnlicher romantischer Essay. *Daguerréotypes* (1975) war eine geistreiche und einfühlsame Hommage an Vardas Nachbarn in der Rue Daguerre. Mit *Sans toi ni loi* (1985) erzielte sie ihren größten Erfolg.

Die Nouvelle Vague war vom Hollywood-Kino fasziniert gewesen, doch in den Sechzigern geschah in Amerika kaum etwas Interessantes. Hitchcock arbeitete weiter: Seine Filme *Psycho* (1960), *The Birds* (1963), *Marnie* (1964) und *Topaz* (1969) waren interessant, doch nicht so bedeutend wie seine Meisterwerke der fünfziger Jahre. Hawks und Ford lieferten nur kleinere Beiträge. Georg Axelrod (*How to Murder Your Wife*, 1965) und Blake Edwards (*The Pink Panther*, 1964) haben den Motor der Komik, der die amerikanische Kultur antreibt, wieder zum Laufen gebracht. Edwards zeichnete auch für zwei der romantischsten Klassiker des Jahrzehnts (*Breakfast at Tiffany's*, 1961; *Days of Wine and Roses*, 1962) verantwortlich. Während Axelrod zum Drehbuchschreiben zurückkehrte, gelangen Edwards in den siebziger und achtziger Jahren einige Hits, die sich den widerwilligen Respekt der Kritik erwarben, ganz besonders *S. O. B.* (1981), seine Abrechnung mit Hollywood.

Audrey Hepburn als Holly Golightly feiert in *Breakfast at Tiffany's*, Blake Edwards' romantischem Klassiker aus den frühen Sechzigern. Als romantische Ikone der Fünfziger und Sechziger war Hepburn ohne Konkurrenz.

Allgemein waren die Sechziger jedoch Übergangsjahre für das amerikanische Kino. Künstlerisch fanden die interessantesten Entwicklungen im «Underground» statt, wo eine starke Avantgarde-Tradition Früchte trug in den Filmen von Kenneth Anger, Ron Rice, Bruce Baillie, Robert Breer, Stand Vanderbeek, Stan Brakhage, Gregory Markopoulos, Ed Emshwiller, Jonas und Adolfas Mekas, James und John Whitney, Jordan Belson und vielen anderen. «Overground» produzierte Andy Warhols «Factory» eine Reihe kommerziell erfolgreicher «Underground»-Filme.

Hollywood spürte den ersten Ansturm der Fernseh-Ästhetik, als eine Anzahl Regisseure vom Fernsehen zum Film wechselten. Zu den bekanntesten zählten Arthur Penn (*Bonnie and Clyde*, 1967; *Alice's Restaurant*, 1969; *Little Big Man*, 1970; *Night Moves*, 1976), Sidney Lumet (*The Group*, 1966; *Dog Day Afternoon*, 1975; *Network*, 1976; *Just Tell Me What You Want*, 1980), John Frankenheimer (*The Manchurian Candidate* 1962), Martin Ritt (*Hud*, 1963; *Sounder*, 1972; *The Front*, 1976; *Norma Rae*, 1979) und Franklin Schaffner (*The Best Man*, 1964; *Patton* 1969). Lumet ragt aus dieser Gruppe heraus; in den Achtzigern lieferte er weiterhin eine bunte Mischung von Arbeiten (*Prince of the City*, 1981; *Q&A*, 1990).

Die vielleicht schwerwiegendste Entwicklung in den USA war nicht im Kino, sondern auf dem Bildschirm zu sehen. Die Vervollkommnung der leicht handhabbaren

16 mm-Ausrüstung um 1960 ermöglichte einen neuen Dokumentarstil, der sich so vorteilhaft vom traditionellen, stark arrangierten, oft halbfiktionalen Stil unterschied, daß er einen eigenen Namen verdiente: «direct cinema». Filmemacher wurden zu Reportern mit nahezu der gleichen Beweglichkeit wie Zeitungsjournalisten, und das Fernsehen war ihr Medium. Robert Drew leitete eine Gruppe – die Drew Associates –, die eine Anzahl wichtiger Filme fürs Fernsehen produzierte. Mit ihm arbeiteten Richard Leacock und Donn Pennebaker, Albert und David Maysles zusammen, die alle zu führenden Köpfen dieser Bewegung werden sollten. *Primary* (1960) war der erste wichtige Film des Direct Cinema. Pennebakers *Don't Look Back* (1966) war ein Porträt Bob Dylans. Die Gebrüder Maysles verwandten die Technik in einer Reihe von Filmen für das Kino, die sie «nonfiction features» nannten, darunter *Salesman* (1969), *Gimme Shelter* (1970, über eine Tournee der Rolling Stones) und *Grey Gardens* (1975).

Die Grundregel des Direct Cinema lautete, daß der Filmemacher sich nicht einmischen darf. Die wohlformulierten Kommentare früherer Dokumentarfilme wurden vermieden. Die Kamera sah alles: Viele hundert Stunden Film wurden gedreht, um ein Gefühl für die Realität des Gegenstands festzuhalten. Frederick Wiseman, ursprünglich Rechtsanwalt, vervollkommnete diese Technik in einer erfolgreichen Serie von Studien über öffentliche Institutionen für das Public Television, darunter *Titicut Follies* (1967, über eine psychiatrische Anstalt), *High School* (1968), *Hospital* (1970), *Primate* (1974) und *Meat* (1976).

In Frankreich entwickelte sich während der sechziger Jahre ein ähnlicher Dokumentarstil. Er wurde «cinéma vérité» genannt und unterschied sich vom Direct Cinema dadurch, daß der Einfluß der anwesenden Kamera auf die Realität zugegeben wurde und man direkt darauf einging. *Chronique d'une été* (1960), von dem Anthropologen Jean Rouch und dem Soziologen Edgar Morin gedreht, ist das erste und immer noch klassische Beispiel des Cinéma Vérité. Da Cinéma Vérité und Direct Cinema die Grenzen des im Film Erlaubten erheblich verschoben, hatten sie einen überproportional großen Einfluß, wenn man die tatsächliche Zahl der mit diesen Stilen verbundenen Filme bedenkt.

Das traditionelle Musical wurde durch das gefilmte Konzert verdrängt, das selbst zum dramatischen Ereignis wurde. Noch wichtiger ist, daß unser Gefühl für das «Korrekte» im narrativen Film sich drastisch änderte, indem die Fülle der dokumentarischen Filme uns den Rhythmus realer Zeit einimpfte. Wir bestehen nicht mehr auf der klassischen Hollywood-Dramaturgie.

Ende der vierziger Jahre verfaßte der französische Kritiker Alexandre Astruc (vergleiche Seite 425/26) ein Manifest, in dem er ein Kino des «caméra-stylo» forderte, das ebenso flexibel und persönlich wie Literatur sein sollte. Dieser Wunsch ging weitgehend in den fünfziger Jahren in Erfüllung, als der Film sich vom Fließbandprodukt zur persönlichen Äußerung wandelte. Was er nicht voraussah, war, daß die Flexibilität

Frederick Wisemans *Welfare* (1975). Wisemans Filme verbinden die beharrliche, schonungslose Aufnahmetechnik des Direct Cinema mit dem juristisch geschulten Verständnis für soziale Strukturen, um die inneren Mechanismen wichtiger Institutionen zu erkunden. (*Zipporah Films*)

des Caméra-Stylo zu einer neuen Stufe des Filmrealismus führen würde. Die neue Ausrüstung ermutigte den Filmemacher, sich mehr der ihn umgebenden Welt zuzuwenden, vor Ort zu drehen statt im Studio. Direct Cinema und Cinéma Vérité waren nur zwei Belege dieser radikalen Änderung der Haltung. Das Kino wurde zum Medium mit einem weiten Spektrum von Anwendungsmöglichkeiten.

In England gab es in den sechziger Jahren ein kurzes Aufblühen. 1958 gründete John Osborne, die Zentralfigur der damaligen Bühnenrenaissance, zusammen mit dem Regisseur Tony Richardson die Firma Woodfall Films. Der wichtigste Teil des britischen Films der Sechziger hatte enge Verbindungen mit dem lebendigen Theater jener Zeit. Tony Richardson begann mit zwei Adaptionen von Bühnenstücken John Osbornes, *Look Back in Anger* (1959) und *The Entertainer* (1960), drehte dann eine Adaption von Shelagh Delaneys *A Taste of Honey* (1961), ehe er sich Alan Sillitoes Roman *Loneliness of the Long Distance Runner* (1962) zuwandte. Richardson gewann einen Oscar für *Tom Jones* (1963), nach dem Roman von Henry Fielding aus dem achtzehnten Jahrhundert.

Karel Reisz inszenierte einen der interessanteren «Spülstein»-Filme, *Saturday Night and Sunday Morning* (1960, ebenfalls von Sillitoe verfaßt), später dann *Morgan... a Suitable Case for Treatment* (1966) und *Isadora* (1968), ehe er in die USA ging, wo er *The Gambler* (1974) und *The French Lieutenant's Woman* (1981) drehte. Zu John Schlesingers interessanteren Filmen zählen *A Kind of Loving* (1962), *Billy Liar* (1963), *Darling* (1965, Buch: Frederic Raphael) und *Sunday, Bloody Sunday* (1971, nach einem Drehbuch der Filmkritikerin Penelope Gilliatt). In den USA drehte er *Midnight Cowboy* (1969), einen der Marksteine des amerikanischen Films in den Sechzigern, und *Marathon Man* (1976) und kehrte dann für *Yanks* (1979) nach England zurück. Lindsay Anderson war wohl der ambitionierteste Regisseur dieser Gruppe. Seine Filme waren unter anderem *This Sporting Life* (1963, nach einem Roman von David Storey), *If...* (1968), *O Lucky Man* (1973), *In Celebrations* (1975, nach dem Stück von Storey) und die beißende Analyse *Britannia Hospital* (1982).

Allen frühen Filmen dieser Regisseure war ein Interesse an Themen aus der Arbeiterklasse gemeinsam. Als sie reifer wurden, wandten sie sich allerdings alle vier Mittelklasseproblemen zu. Mit wenigen Ausnahmen ist in ihren späteren Filmen wenig vom Feuer ihrer Frühzeit zu spüren.

Anderson, Reisz und Richardson entstammten der Dokumentarbewegung des Free Cinema in den fünfziger Jahren. Die Dokumentarfilmschule beeinflußte noch in den Sechzigern das britische Kino. Peter Watkins' packender Film *The War Game* (1966) über die Auswirkungen des Atomkriegs erschien der BBC als zu überzeugend für eine Fernsehausstrahlung. Kevin Brownlow und Andrew Mollo dokumentierten in *It Happened Here* (1963) ebenfalls ein fiktives historisches Ereignis: die deutsche Okkupation Großbritanniens während des Zweiten Weltkriegs.

Interessanter war in den sechziger Jahren die Arbeit einiger amerikanischer Exilanten in England. Joseph Losey, in Hollywood auf der schwarzen Liste, drehte eine Anzahl mittelmäßiger Filme, doch seine Arbeiten nach Drehbüchern von Harold Pinter – *The Servant* (1963), *Accident* (1967) und *The Go-Between* (1971) – fingen die für den Stückeschreiber typische bizarre Sicht der bürgerlichen Gesellschaft ausgezeichnet ein.

Stanley Kubrick machte einige interessante kleinere Filme in den USA, ehe er sich in England niederließ. *Dr. Strangelove, or, How I Learned to Stop Worrying and Love the Bomb* (1964) ist noch heute eine herrliche Satire auf die Mentalität des kalten Kriegs, deren Bedeutung mit jedem Jahr zunimmt. *2001: A Space Odyssey* (1968) ist eine meisterhafte Verschmelzung von Filmtechnik mit wissenschaftlichen und religiösen Theorien; der Film prägte jahrzehntelang den Stil der populären und erfolgreichen Science-fiction. *A Clockwork Orange* (1976) war eine treffende Verherrlichung der Gewalt und ist wohl der klarsichtigste Film über die Zukunft, in der wir jetzt leben. *Barry Lyndon* (1976) war nicht nur eine präzise Evokation von Zeit und Ort (Europa im 18. Jahrhundert), sondern beschritt im narrativen Stil neue Wege: ein sehr teures, kommerzielles Unternehmen und zugleich ein Bruch aller Hol-

Julie Christie und George C. Scott in Richard Lesters *Petulia* (1967). Zur Zeit seiner Erstaufführung nicht besonders populär, wird *Petulia* jetzt allgemein als einer der wegweisenden amerikanischen Filme der Sechziger angesehen. Nach fünfzehnjährigem Aufenthalt in Europa konnte Lester die Amerikaner sehen, wie sie sich selbst nicht sehen konnten, und die voreingenommene Sicht der «hip society», die er wiedergab, enthielt mehr Wahrheit als die damaligen Mythen der Gegenkultur.

lywood-Regeln zum Erzähltempo. *The Shining* (1980) war Kubricks Versuch, mit einem Horrorfilm an einem ökonomisch einträglichen, doch ethisch bedenklichen Genre zu partizipieren. *Full Metal Jacket* (1987) führte ihn zum Thema Krieg zurück.

Richard Lester begann seine Karriere als Fernsehregisseur in Philadelphia und zog Mitte der fünfziger Jahre nach London, wo er mit Peter Sellers und den Komikern der *Goon Show* in Kontakt kam. Er erregte zuerst durch seine Beatles-Filme (*A Hard Day's Night*, 1964; *Help!*, 1965) Aufsehen, wurde aber daraufhin von vielen Kritikern wegen seiner angeblich wilden Schnittmethoden verdammt. Sie ahnten nicht, daß er sich als einflußreichster Regisseur seit Welles erweisen sollte, was jeden Tag weltweit und rund um die Uhr von MTV unter Beweis gestellt wird. Lesters Film *A Funny Thing Happened on the Way to the Forum* (1965) ist nach wie vor eine der besten Filmadaptionen eines Bühnenmusicals. *Petulia* (1967), den er in San Francisco drehte, zeichnete sich sowohl durch seine Vorausschau wie durch seine scharfe Ironie aus – einer der zwei oder drei besten amerikanischen Filme jener Zeit. *How I Won the War* (1967) und *The Bed-Sitting Room* (1968) zählen zu den wenigen englischsprachigen Filmen, die erfolgreich brechtische Methoden anwenden; beide Filme waren finanzielle Mißerfolge. Es folgten weniger ambitiöse, kommerziell sichere

Neville Smith, Ann Zelda und Charles Gormley in Maurice Hattons geistreicher, bitterer Widerspiegelung der britischen Filmsituation der Postmoderne, *Long shot* (1979).

Projekte wie *The Three Musketeers* (1973), *Juggernaut* (1974), *Robin and Marian* (1978) und *Superman II* und *III* (1980, 1983).

Als gegen Ende der sechziger Jahre die finanziellen Quellen versandeten, standen die britischen Filmemacher vor der Alternative, das Land zu verlassen oder beim Fernsehen unterzukommen. Regisseure wie John Boorman und Peter Yates gingen in die USA, wo sie sich als erfolgreiche Film-Handwerker etablierten. Ken Loach (*Poor Cow*, 1967; *Kes*, 1969; *Family Life*, 1972; *Black Jack*, 1979) schätzte schon immer das Fernsehen ebenso wie das Kino. Seine Filme sind anspruchsvolle Verfeinerungen der realistischen Techniken, ebenso seine Arbeiten fürs Fernsehen (besonders die Serie *Days of Hope*, 1976).

Maurice Hatton zog es wie Loach vor, in England zu bleiben. Sein erster Spielfilm *Praise Marx and Pass the Amunition* (1970) ist ein seltenes Beispiel für die erfolgreiche Kombination von Politik und Humor. Hattons *Long Shot* (1979) richtet den gleichen bösen Witz auf die moribunde britische Filmindustrie. Der Film, der von den Schwierigkeiten handelt, im England der siebziger Jahre Filmemacher zu bleiben, wurde völlig unabhängig produziert: eine gleichermaßen ökonomisch wie künstlerisch bemerkenswerte Leistung.

Ken Russell und Nicolas Roeg zählten zu den wenigen britischen Filmemachern, die den Rückzug des amerikanischen Kapitals Ende der sechziger Jahre überlebten.

Harrison Ford in *Blade Runner* (1982), einem futuristischen Film Noir, der einen Downbeat-Stil für die achtziger Jahre schuf.

Russell erregte zunächst Aufsehen mit einer Serie ungewöhnlicher Musical-Biografien, die er für die BBC drehte; auch im Spielfilm spezialisierte er sich auf filmische Biografien, deren Ausführung jedoch zunehmend exzentrischer wurde (*The Music Lovers*, 1970; *Mahler*, 1974). Sein greller, von Pop Art und Comic strip beeinflußter Stil kam wahrscheinlich in *Tommy* (1975) am besten zur Entfaltung. Roeg, ein früherer Kameramann, produzierte nach *Performance* (1970, Regie: Donald Cammell) eine Reihe mitreißend fotografierter, doch sonst weniger interessanter Filme (*Walkabout*, 1971; *Don't Look Now*, 1973; *The Man Who Fell to Earth*, 1976; *Bad Timing*, 1980; *Insignificance*, 1985).

Ende der siebziger Jahre gelangte eine neue Generation britischer Filmemacher, die vorwiegend Fernsehwerbung gemacht hatten, zu ökonomischem Erfolg auf den internationalen Märkten. Nach *Bugsy Malone* (1976), einem außergewöhnlichen, liebenswerten Musical mit Kindern für Kinder, aber auch für Erwachsene, drehte Alan Parker *Midnight Express* (1978), der sehr viel erfolgreicher und spekulativer war als sein charmanter Erstling. In den USA hatte er einigen Erfolg mit dem beispielhaft modernen Musical *Fame* (1980) und mit *Mississippi Burning* (1988).

Ähnlich versuchte sich Ridley Scott zunächst an dem romantischen *The Duellists* (1977) und lieferte dann den höchst manipulativen (und profitablen) *Alien* (1979) ab. Zu Kultfilmen avancierten Scotts *Blade Runner* (1982) als allgemein hoch-

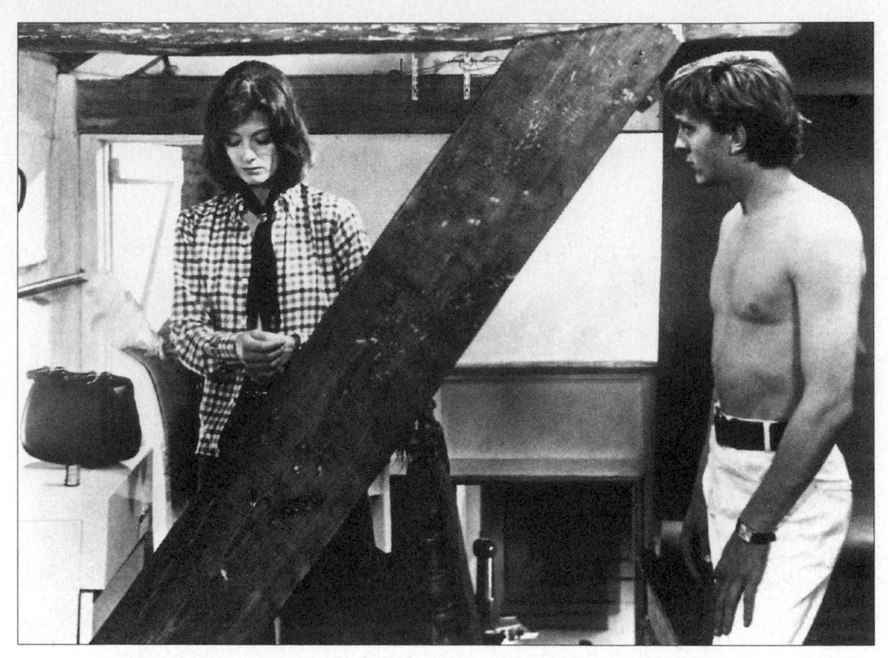

Vanessa Redgrave und David Hemmings. Eine typische, streng komponierte Einstellung aus Antonionis *Blow-up* (1966). Der Film handelt vom Geheimnis der Bilder. (*Museum of Modern Art/Film Stills Archive*)

geschätzter Film Noir in SF und *Thelma and Louise* (1991), das Frauen-Roadmovie für die neunziger Jahre.

Anfang der achtziger Jahre schien sich mit bemerkenswerten Erfolgen der Firma Goldcrest (*Gandhi*, 1982; *Local Hero*, 1983; *The Killing Fields*, 1984) eine Zukunft für die britische Filmindustrie abzuzeichnen. Die Hoffnungen erwiesen sich jedoch als illusorisch, als sich Goldcrest mit einer unseligen Kombination von Mißmanagement und Unterfinanzierung selbst in den Ruin ritt.

In Italien beherrschten in den Sechzigern Fellini und Antonioni, zwei einflußreiche Meister, die Szene. Fellini vollendete mehrere wichtige Filme, darunter *8½* (1962), *Giulietta degli spiriti* (1965) und *Fellini Satyricon* (1969), ehe er sich dem Fernsehen zuwandte, wo er eine Reihe halbautobiografischer Essays produzierte, die schließlich in den Kinofilmen *Roma* (1972) und *Amarcord* (1973) kulminierten. In den Achtzigern segelte Fellini mit *E la nave va* (1983), *Ginger e Fred* (1984) und *Intervista* (1987) vergnüglich ins Greisenalter, nachdem er der Welt seinen Schatz von ebenso ermutigenden wie kühnen Huldigungen an die Triebkräfte des Lebens geschenkt hatte.

Antonioni fand seinen Stil mit *L'Avventura* (1960), mit *La Notte* (1961) und *L'Éclisse* (1962), Teile einer Trilogie, durch die grundlegende Konzepte der Filmdramaturgie erneuert wurden. *Il Deserto Rosso* (1964) und *Blow-up* (1966) setzten seine Experimente mit Narration und Wahrnehmung in einem existentiellen Rahmen fort. *Zabriskie Point* (1970) war sein Essay über das Amerika der sechziger Jahre. *Professione: Reporter / The Passenger* (1975) war ein Musterbeispiel für Antonionis sehr eigentümliches Kino; ein Film, der von existentieller Angst beherrscht wird und aus langen, periodischen und hypnotischen Rhythmen konstruiert ist.

Luchino Viscontis späte Filme (*La caduta degli dei*, 1970; *Morte a Venezia*, 1971; *Gruppo di famiglia in un interno*, 1975) waren träge und dekadent, im Gegensatz zu seinen frühen – wachen und pointierten – neorealistischen Filmen. Die Episode *Il lavoro* (in *Boccaccio 70*, 1962) und *Il Gattopardo* (1963) waren erfolgreicher, jedoch weniger bedeutend.

Pietro Germi, der einer der führenden Regisseure des Neorealismus (*In nome della legge*, 1949) war, ohne außerhalb Italiens Erfolg zu haben, etablierte in den Sechzigern mit seinen beiden frechen Sittenkomödien *Divorcio all'Italiana* (1961) und *Sedotta e abbandonata* (1963) einen internationalen Komödienstil.

Pier Paolo Pasolini, Dichter und Theoretiker, wandte sich dem Film zu und drehte *Accatone* (1961), *Il Vangelo Secondo Matteo* (1964), *Uccellacci e uccellini* (1966) sowie eine Reihe symbolischer Exerzitien, ehe er 1976 ermordet wurde. Francesco Rosi, einer der unterschätztesten der modernen Regisseure in Italien, inszenierte eine Anzahl packender politischer Filme, darunter *Salvatore Guiliano* (1962), *Le mani sulla città* (1963), *Il caso Mattei* (1972), *Lucky Luciano* (1973) und *Cristo si è fermato a Eboli* (1979).

Unter den jüngeren italienischen Filmemachern war Bernardo Bertolucci der erste, der Aufsehen erregte mit Filmen wie *Prima della rivoluzione* (1964), *Il conformista* (1970) und *Ultimo tango a Parigi* (1972). Bertolucci verfiel – ähnlich wie Visconti – sehr schnell der Faszination von Form- und Oberflächenreizen bourgeoiser Dekadenz, die er angeblich kritisierte. *Ultimo tango a Parigi* gelangte durch seine clevere Kombination eines Stars (Marlon Brando) mit offenem Sex zu gewissem internationalem Ruf. Der Film signalisierte einen entscheidenden Wandel der allgemeinen Sexualmoral. In seinem fünfstündigen Epos *1900* (1976) schien sich Bertolucci wieder seiner früheren sozialen Vision mit ihrer epischen Breite zuzuwenden. *Luna* (1979) griff das Thema Inzest auf und hielt sich dabei an die *Tango*-Linie, aber mit *The Last Emperor* (1987), einem bedeutenden internationalen Erfolg, kehrte Bertolucci zur epischen Form zurück.

Marco Bellocchio, der in den sechziger Jahren an der auf Bertolucci gerichteten Aufmerksamkeit teilhatte, erlangte mit seinen ideologischen Satiren – *I Pugni in tasca* (1965), *La Cina e vicina* (1967), *Nel nome del padre* (1971) und *Sbatti il monstro in prima pagina* (1972) – viel weniger internationale Anerkennung.

In den siebziger Jahren zog Lina Wertmüller für kurze Zeit die Aufmerksamkeit

Ermanno Olmis *L'Albero degli zoccoli* (1979), aus einer Art anthropologischer Perspektive gedreht, prägte einen Stil für derartige Studien in den achtziger Jahren.

auf sich mit einer Serie böser, mit einem Hauch Politik gewürzter Sex-Komödien, darunter *Film d'amore e d'anarchia* (1972), *Mimi metallurgio ferito null-onore* (1973), *Travolti da un insolito destino nell'azzuro mare d'agosto* (1974) und *Pasqualino settebellezze* (1975).

Neben diesen Regie-Stars gab es eine Anzahl weniger spektakulärer Regisseure, denen die verdiente internationale Anerkennung nie zuteil wurde. Viele ihrer Filme haben starke soziale Untertöne; das von Rosi und Costa-Gavras entwickelte politische Melodram hatte in Italien besonderen Erfolg. Einige dieser vernachlässigten Regisseure sind: Mario Monicelli (*I compagni*, 1963), Giuliano Montaldo (*Sacco e Vancetti*, 1971), Elio Petri (*Indagine su un cittadino al di sopra di ogni sospetto*, 1970; *La classe operaia va in paradiso*, 1971), Gillo Pontecorvo (*La battaglia di Algeri*, 1965; *Queimada!*, 1968), Gianni Amici (*Tropici*, 1968; *Ritorno*, 1973), Nelo Risi (*Diario di una schizofrenica*, 1968), Marco Leto (*La villeggiatura*, 1974) und Ermanno Olmi (*Il posto*, 1961; *Un certo giorno*, 1969; *Durante l'estate*, 1971).

Olmis *L'Albero degli zoccoli* (1978), eine einfühlsame dreistündige Beschwörung bäuerlichen Lebens zur Zeit der Jahrhundertwende, ist einer der überragenden italienischen Filme der letzten zwanzig Jahre. Wie Bertoluccis *1900* und *Padre, padrone* von den Taviani-Brüdern ist *L'Albero degli zoccoli* typisch für die in Italien gera-

Liv Ullmann, Max von Sydow und viel Geld in Jan Troells *Nybyggarna* (1972).

de wiederentdeckte Faszination für das Leben auf dem Lande. Fellinis *Armacord* und Rosis *Cristo si è fermato a Eboli* könnte man ebenfalls diesem interessanten Genre hinzufügen.

In Schweden lieferte Ingmar Bergman regelmäßig Filme ab; er arbeitete dabei fast immer mit einer festen Gruppe von Schauspielern und Technikern zusammen. Aus dieser Epoche stammen seine besten Filme: *Såsom i en spegel, Nattvardsgästerna* und *Tystnaden* bilden die Trilogie, in der Bergman Gott aus seinem Gewissen vertrieb (1960–63). *Persona* (1966) bleibt wahrscheinlich sein einfallsreichster und gewagtester Film. Die Reihe der Filme mit Liv Ullmann und Max von Sydow (*Vargtimmen*, 1968; *Skammen*, 1968; *En passion*, 1969) bildet wohl eine der bedeutenderen Leistungen im Film der sechziger Jahre. In den Siebzigern zog sich Bergman auf sicheren Boden zurück. Seine Fernsehserie *Scener ur ett äktenskap* (1973) zählte dennoch zu seinen besten Werken. 1976, nach einer kafkaesken Auseinandersetzung mit den Finanzbehörden, verließ er Schweden, um sein Glück woanders zu versuchen (*Das Schlangenei*, 1977; *Herbstsonate*, 1978). Für seine Elegie *Fanny och Alexander* (1982) kehrte er dann nach Schweden zurück.

Jüngere schwedische Filmregisseure fanden in den sechziger Jahren ebenfalls ein internationales Publikum: Jörn Donner (*Att älska*, 1964), Bo Widerberg (*Elvira*

Madigan, 1967), Vilgot Sjöman (*Jag är nyfiken – gul*, 1967) und vor allem Jan Troell, dessen Trilogie über Auswanderung und Neuansiedlung – *Utvandrarna* (1971), *Nybyggarna* (1972) und *Zandy's Bride* (1974) – eine neue, frische Sicht und historische Perspektive in ein klassisches Thema einbrachte.

In Osteuropa brachten die staatlichen Filmschulen in den sechziger Jahren eine Fülle neuer Talente hervor: in Polen Roman Polański (*Nóż w wodzie*, 1962), der sein Land verließ, um ein internationaler Regisseur gefälliger, oft hohler, vage übernatürlicher Thriller zu werden; Jerzy Skolimowski (*Walkover*, 1965; *Bariera*, 1966; und in London *Deep End*, 1970); schließlich Krzysztof Zanussi, dessen stille, intensive Studien über Wissenschaftler und Techniker (*Zycie rodzinne*, 1971; *Iluminacja*, 1973) einmalig sind.

In Ungarn wurde Miklós Jancsó einer der wichtigsten strukturalistischen Filmemacher, wobei er mehr an der Beziehung zwischen Kamera und Gegenstand interessiert war als am Gegenstand selbst (*Csillagosok, katonák*, 1967; *Sirokko*, 1969; *Elektreia*, 1974). Márta Mészáros gewann auf internationalen Festivals viele Freunde für ihre scharf beobachtenden Film-Essays, vornehmlich über die Rolle der Frau, darunter *Örökbefogadás* (1975) und *Kilenc hónap* (1976).

Die vielleicht wichtigste Entwicklung in Osteuropa war der tschechische Frühling, der Mitte der Sechziger für ein paar Jahre aufblühte. Miloš Forman (*Lásky jedné plavovlásky*, 1965; *Hoří, ma panenko*, 1967), Ivan Passer (*Intimní osvětlení*, 1966), Jiří Menzel (*Ostře sledované vlaky*, 1966) und Věra Chytilová (*Sedmikrásky*, 1969) entwickelten einen lebendigen, humanistischen Realismus, gemischt mit Humor und Respekt für ihre Gegenstände; diese Entwicklung wurde 1968 durch die sowjetische Okkupation und die anschließende Rückkehr zum Stalinismus abgebrochen. Forman und Passer emigrierten in die USA, wo sie interessante Filme drehten, die jedoch nie die Qualität ihrer frühen Werke erreichten. Formans *Hair* (1979) war die späte Verfilmung des Erfolgsmusicals, und in *Ragtime* (1981) setzte er Doctorows Roman respektvoll um.

Was die Sowjetunion betrifft, hatte die aus den Anfängen der stalinistischen Periode herstammende harte staatliche Kontrolle das verkümmern lassen, was ehedem eine der führenden Filmkulturen war. In den Zeiten vor Glasnost erschien nur mitunter ein einzelner interessanter Film.

Der bedeutendste sowjetische Regisseur der Sechziger und Siebziger war wohl Andrej Tarkovski, dessen Filme oft komplizierte und hermetische Geflechte aus Realität, Phantasie und sehr persönlichen Assoziationen darstellten und ihm den Vorwurf des «Formalismus» einbrachten. Tarkovski prägte seine Handschrift sehr verschiedenen Genres auf: Mit dem lyrischen Kriegsfilm *Ivanovo detstvo* (1962), in Venedig ausgezeichnet, wurde er im Westen bekannt; der allegorische Historienfilm *Andrej Rublëv* (1967/69) fand ebenfalls im Westen Beachtung; *Solaris* (1972) nach

Stanisław Lem und *Stalker* (1980) sind Science-fiction, *Zerkalo* (1975) ein autobiografischer Filmessay. Tarkovski arbeitete schließlich im Westen (*Offret*, 1986) und starb 1986.

Erwähnenswert sind außerdem die Regisseure Vasilij M. *Šuškin* (*Kalina krasnaja*, 1974), Aleksandr Mitta (*Gori, gori, moja zvezda*, 1970), Larisa Šepikto (*Voschoždenie*, 1977) und Gleb Panfilov (*Prošu slova*, 1976). In einzelnen Sowjetrepubliken entwickelten sich interessante eigenständige Kinematografien, vor allem in Georgien, wo malerische Bildfantasien und der Rückgriff auf Volksmythen einen opulenten Bildstil ergaben: unter anderem bei Georgij Šengelaja (*Pirosmani*, 1969) und Otar Iosselliani (*Pastoral*, 1976), der nach Paris emigrierte und seinen überbordenden Stil auf das Großstadtleben übertrug (*Les Favoris de la lune*, 1984).

Der aus Armenien stammende georgische Regisseur Sergej Paradshanov erwarb sich mit *Teny sabytych prjedkov* (1964) und *Sajat Nova* (1969) internationalen Ruf. Als er sich in der aufkommenden Bürgerrechtsbewegung engagierte, wurde er 1974 wegen Homosexualität verhaftet und in einem Arbeitslager interniert, was international Aufsehen hervorrief. Nach Ende der Ära Breshnev konnte Paradshanov noch einige der georgischen und armenischen Folklore verpflichtete Filme fertigstellen, bevor er im Jahre 1990 starb.

Dušan Makavejev, der bekannteste jugoslawische Filmemacher der Sechziger (*Ljubavni slučaj ili tragedija službenice PTT*, 1967), geriet in Konflikt mit der Zensur, weil er Politik mit Sex auf eine faszinierende, doch offiziell nicht akzeptable Weise vermischte. *WR-Misterije Organizma* (1971) wurde in Jugoslawien verboten.

Als die Regierung der Deutschen Demokratischen Republik mit dem Mauerbau 1961 das weitere «Ausbluten» des Staats durch die Massenflucht in den Westen abgeschnürt hatte und so die Hoffnung auf eine soziale und ökonomische Stabilisierung bestand, sahen die Filmemacher der DEFA die Möglichkeit einer kritischeren Auseinandersetzung mit den inneren Problemen. Frank Beyer nahm sich mit *Karbid und Sauerampfer* (1963) der wirtschaftlichen Probleme der unmittelbaren Nachkriegszeit an und schuf zusammen mit Erwin Geschonneck – dem Star des DDR-Kinos – eine der besten deutschen Filmkomödien. Der Schriftsteller Günter Rücker verglich in seinem Regiedebüt *Die besten Jahre* (1964/65) die Hoffnungen der Anfangsjahre mit der Realität, und Egon Günther zeigte in *Lots Weib* (1964/65) die Auswirkung gesellschaftlicher Konflikte auf eine Ehe.

Mitte des Jahrzehnts hatten viele der führenden DEFA-Regisseure Filme in der Produktion, die offen Mißstände in verschiedenen Bereichen der DDR aufgriffen. Doch im November 1965 startete das 11. Plenum des ZK der SED einen Generalangriff auf die Künste, speziell Literatur (Christa Wolf, Heiner Müller) und Film. Als Hauptziel diente Kurt Maetzigs *Das Kaninchen bin ich*, der erst zur Premiere vorgesehen war. Walter Ulbricht und Erich Honecker beschuldigten die Filmemacher des

«Skeptizismus» und «Subjektivismus». Zusammen mit diesem Film wurde nahezu die gesamte in Arbeit befindliche Jahresproduktion der DEFA verboten, darunter Gerhard Kleins *Berlin um die Ecke*, Egon Günthers Satire *Wenn du groß bist, lieber Adam*, Herrmann Zschoches *Karla* und Frank Vogels *Denk bloß nicht, ich heule*, die sich beide mit dem Schulsystem auseinandersetzten. Wenige Monate später wurde sogar Frank Beyers bereits angelaufener Film *Die Spur der Steine* mit Manfred Krug als anarchischem Brigadier nach inszenierten Krawallen in Ost-Berlin «zurückgezogen». Zum Ausgleich für die ausgefallenen Filme verlegte sich die DEFA, deren Leitung ausgetauscht wurde, auf die Produktion publikumswirksamer Indianerfilme.

Als besonderer Verlust für die Entwicklung der DEFA erwies sich nach der Aufführung der Verbotsfilme nach der Wende 1990 das Verbot von Jürgen Böttchers *Jahrgang 45*. Die im Stil der Nouvelle Vague in den Straßen Berlins improvisierte Alltagsgeschichte war ein belebender Luftzug von Offenheit und Spontaneität. Böttcher drehte nie wieder einen Spielfilm, entwickelte sich jedoch mit seinen feinen Alltagsbeobachtungen (*Wäscherinnen*, 1972; *Martha*, 1978; *Rangierer*, 1984) zum bedeutendsten Vertreter des Dokumentarfilms der DDR. Dieser erlebte – geschützt vor den Unbilden der Ökonomie – eine Hochblüte in den siebziger und achtziger Jahren. Gitta Nickel (*Heuwetter*, 1972) und Volker Koepp (*Mädchen in Wittstock*, 1976; *Hütes-Film*, 1977) berichteten über Menschen in ihrer beruflichen oder privaten Umgebung. Winfried Junge konnte ab 1961 in einem Langzeitprojekt die Entwicklung einer Schulklasse im Dorf Golzow in einer Reihe von Kurzfilmen begleiten, die er 1980/81 im über vierstündigen *Lebensläufe* zusammenfaßte; das Projekt konnte er bis in die neunziger Jahre fortführen. International bekannt wurde auch das Team Walter Heynowski und Gerhard Scheumann (Studio H&S), das mit seinen agitatorischen Filmen (*Der lachende Mann*, 1966; *Piloten im Pyjama*, 1968; *Krieg der Mumien*, 1974; *Die Generale*, 1986) die Außenpolitik der DDR filmisch umsetzte.

Nach dem Schock von 1965 meldete sich erst um 1970 eine neue Generation von jungen Filmemachern zu Worte. Sie hatten gemeinsam an der Filmhochschule in Potsdam-Babelsberg studiert und traten nun unter dem von Lothar Warneke geprägten Schlagwort «dokumentarischer Spielfilm» an, sich in einer Mischung aus dokumentarischen und fiktionalen Mitteln dem Alltag zu nähern. Sie lösten sich ganz von den Schlagworten des starren Sozialistischen Realismus und ersetzten den «positiven Helden» und die «typischen Figuren» durch Individuen mit sehr persönlichen Problemen. Umgesetzt wurde dieses Konzept vor allem vom Kameramann Roland Gräf, der mit Böttcher an *Jahrgang 45* gearbeitet hatte und nun Vogels *Das siebente Jahr* (1968), Zschoches *Weite Straßen, stille Liebe* und Warneckes *Dr. med. Sommer II* (1969) fotografierte, ehe er sich mit *Mein lieber Robinson* (1970) der Regie zuwandte.

Neue Hoffnung auf ein kulturell günstigeres Klima kam auf, nachdem Erich

Honecker Parteichef geworden war. Der erste bedeutende Film, der danach herauskam, war Egon Günthers *Der Dritte* (1971), der für Regisseur, Autor Günter Rücker und Star Jutta Hoffmann nationale und internationale Auszeichnungen einbrachte. Der größte Erfolg dieser Jahre wurde Heiner Carows *Die Legende von Paul und Paula* (1972), die bittersüße Liebesgeschichte nach einem Drehbuch von Ulrich Plenzdorf. Doch schon Siegfried Kühns *Das zweite Leben des Friedrich Wilhelm Georg Platow* (1972/73) stieß mit seinem lockeren Wechsel von Genres und Kamerastilen auf Kritik, ebenso Rainer Simon, der mit *Till Eulenspiegel* (1972/73) die Rebellion gegen die Autoritäten in mittelalterliche Kostüme steckte. Frank Beyer erweiterte mit *Jakob der Lügner* (1974) die Regeln des antifaschistischen Genres, indem er den Holocaust in Form eines sentimentalen Märchens behandelte. Der Film, nach einem erfolgreichen Roman von Jurek Becker, der wiederum auf einem 1965 nicht realisierten Drehbuch beruhte, wurde als erster DEFA-Film für einen Oscar nominiert.

Nachdem alle führenden Regisseure – darunter auch Konrad Wolf mit *Der nackte Mann auf dem Sportplatz* (1973) – mit Gegenwartsstoffen mehr oder weniger angeeckt waren, zogen sie sich auf sichere Themen zurück. Sie widmeten sich dem antifaschistischen Genre – Wolf mit *Mama, ich lebe* (1976) – oder drehten Literaturklassiker oder Künstlerbiografien, um die Konflikte zwischen Individuum und Gesellschaft zu behandeln. Als besonders beliebt erwies sich Goethe: Kühn adaptierte *Die Wahlverwandtschaften* (1973/74), Günther ließ seiner Thomas-Mann-Verfilmung *Lotte in Weimar* (1974/75) seine Adaption von *Die Leiden des jungen Werthers* (1975/76) folgen, ehe er im Westen arbeitete.

Wenn sich Filmemacher wieder an heikle Themen wagten – Carow in seinem schrillen Ehedrama *Bis daß der Tod euch scheidet* (1977/78) und Wolf mit *Solo Sunny* (1978/79, Co-Regie und Buch: Wolfgang Kohlhaase) –, so stießen sie auf ein breites Publikumsinteresse, lösten zugleich eine kritische «Diskussion» über die richtige Behandlung der «sozialistischen Errungenschaften» in den Parteimedien aus. 1981 wurde Rainer Simons *Jadup und Boel* vor der Premiere verboten. Trotz dieser Rückschläge entstanden auch in der stagnativen Atmosphäre der achtziger Jahre einzelne interessante Filme: Lothar Warnekes *Die Beunruhigung* (1981), das dokumentarisch inszenierte Porträt einer Frau; Roland Gräfs subtile De-Bruyn-Verfilmung *Märkische Forschungen* (1981/82), die den Literatur-Betrieb als Folie für individuellen Wahrheitssinn und gesellschaftlichen Erfolg setzt; Siegfried Kühns *Die Schauspielerin* (1987/88) mit Corinna Harfouch als Schauspielerin, die sich in der Nazi-Zeit aus Liebe zur Jüdin macht.

Die Regisseure entwickelten einen hochstehenden narrativen Studiostil, ohne sich jedoch auf visuelle Experimente einzulassen. Ausnahmen bildeten lediglich Rainer Simons *Das Luftschiff* (1982) mit seiner komplizierten Zeitstruktur oder die Filme des Kameramanns Jürgen Brauer, der seit den sechziger Jahren einige der besten DEFA-

Das Fliegen als Metapher für Freiheit, Weite und Selbstverwirklichung: Jörg Gudzuhn als Erfinder Stannebein in Rainer Simons *Das Luftschiff* (1982). (*CineGraph Hamburg*)

Filme fotografiert hatte und sich nun der Regie zuwandte (*Gritta von Rattenzuhausbeiuns*, 1984), oder der Beitrag des Schauspielers Michael Gwisdek, der 1988 die Chance bekam, *Treffen in Travers* zu inszenieren, ein intensives Kammerspiel vor dem Hintergrund der Französischen Revolution. Das größte filmische Talent, das die Filmhochschule in Babelsberg absolviert hatte, war Ulrich Weiß, der jedoch nach zwei stilistisch höchst interessanten Spielfilmen – *Dein unbekannter Bruder* (1980/81) und *Olle Henry* (1982/83) – erst nach der Wende wieder einen Film realisieren konnte.

Dagegen konnten sich in den Achtzigern Nachwuchskräfte bei der DEFA kaum entfalten. Karl Heinz Lotz zeigte interessante Ansätze in der Verbindung von historischem Material mit Spielszenen in *Junge Leute in der Stadt* (1984/85), und Peter Kahane wandte sich mit *Ete und Ali* (1984) erfolgreich an ein jüngeres Publikum. Als Kahane nach jahrelangen Querelen mit *Die Architekten* (1989/90) eine Auseinandersetzung um Anpassung und Widerstehen im Alltag fertiggestellt hatte, war jedoch die Mauer gefallen, und das Publikum zeigte keinerlei Interesse mehr für DEFA-Filme.

Die sechziger und siebziger Jahre erlebten die Ausweitung filmischer Kultur über den Kreis der USA, Europas und Japans hinaus auf die Länder der Dritten Welt. Das Kino der Dritten Welt war oft ruppig und zornig, doch auch vielfach vital und engagiert. Wie die dokumentarischen Filmemacher des Westens sahen die Cineasten der Dritten Welt im Film ein mächtiges Kommunikationsmedium, ein Medium, das sie mit Begeisterung anwendeten.

Die fruchtbarste Bewegung in der Dritten Welt war damals das brasilianische Cinema Novo. Es begann Anfang der sechziger Jahre, verlangsamte sich durch die Machtübernahme der rechten Militär-Junta 1964, hat aber dennoch überlebt, teilweise wegen der stilisierten Symbolik der meisten Filme. Glauber Rocha (*Deus e o diabo na terra do sol*, 1964; *Antonio das Mortes*, 1969) war der Bekannteste dieser Gruppe. Andere wichtige Regisseure waren Ruy Guerra (*Os Fuzis*, 1964), Nelson Pereira dos Santos (*Vidas secas*, 1971), Joaquim Pedro de Andrade (*Macunaima*, 1969), Carlos Diégues (*Os Heredeiros*, 1969), die alle in gewissem Maße Rochas Neigung zur politischen Allegorie teilten.

Mexiko produziert – wie Brasilien – mehr als fünfzig Spielfilme pro Jahr. Jahrelang wurde der mexikanische Film durch die beherrschende Figur Luis Buñuel überschattet. Buñuel, der Ende der zwanziger Jahre in Paris zwei wichtige surrealistische Filme (*Un Chien Andalou*, 1928; *L'Âge d'or*, 1930) zusammen mit Salvador Dalí gedreht hatte, verbrachte die nächsten zwanzig Jahre am Rande der Filmindustrie, ehe er Ende der vierziger Jahre in Mexiko eine neue Heimat fand. Während der nächsten zehn Jahre inszenierte er eine Anzahl vorwiegend kommerzieller Filme.

Aber erst als er 1961 in sein heimatliches Spanien zurückkehrte, um zum erstenmal dort einen Spielfilm – *Viridiana* – zu drehen, erlangte er die verdiente weltweite Anerkennung. Obwohl Buñuel schon 1900 geboren wurde, lag der Schwerpunkt seiner Karriere in den sechziger Jahren. Vorwiegend in Frankreich arbeitend, produzierte er eine meisterhafte Serie surrealistischer Allegorien (*Le journal d'une femme de chambre*, 1964; *Belle de jour*, 1967; *La Voie lactée*, 1969; *Tristana*, 1970; *Le Charme discret de la bourgeoisie*, 1972; *Le Fantôme de la liberté*, 1974), die seinen Platz im Pantheon der Filmkunst sicherten. Buñuels persönlichere, mexikanische Filme sind: *Nazarín* (1958), *El Ángel exterminador* (1962) und *Simón del desierto* (1965), alles antireligiöse Allegorien.

Anfang der siebziger Jahre fand der neue chilenische Film für kurze Zeit starke internationale Beachtung, bevor der Militärputsch von 1973 ihn abwürgte. Zu den wichtigsten Filmemachern, die in der Allende-Zeit arbeiteten, gehörten: Aldo Francia (*Valparaiso, mi amor*, 1967; *Ya non basta con rezar*, 1972), Miguel Littìn (*El Chacal de Nahueltoro*, 1969; *La Tierra prometida*, 1973); Helvio Soto (*Voto mas fusil*, 1971) und Raul Ruiz (*La Expropriation*, 1972). Mit seinem engagierten, begeisterten, direkten, expressiven und lyrischen Ansatz wäre das chilenische Kino wohl ertragreich gewesen, hätte es überlebt. Besonderes Interesse verdient der dreiteilige Dokumentarfilm *La Batalla de Chile* (1973–78), der von Patricio Guzman nach dem Putsch, hauptsächlich mit zuvor gedrehtem Material, im Exil fertiggestellt wurde.

In Kuba hat das Instituto Cubano del Arte y Industria Cinematografica (ICAIC)

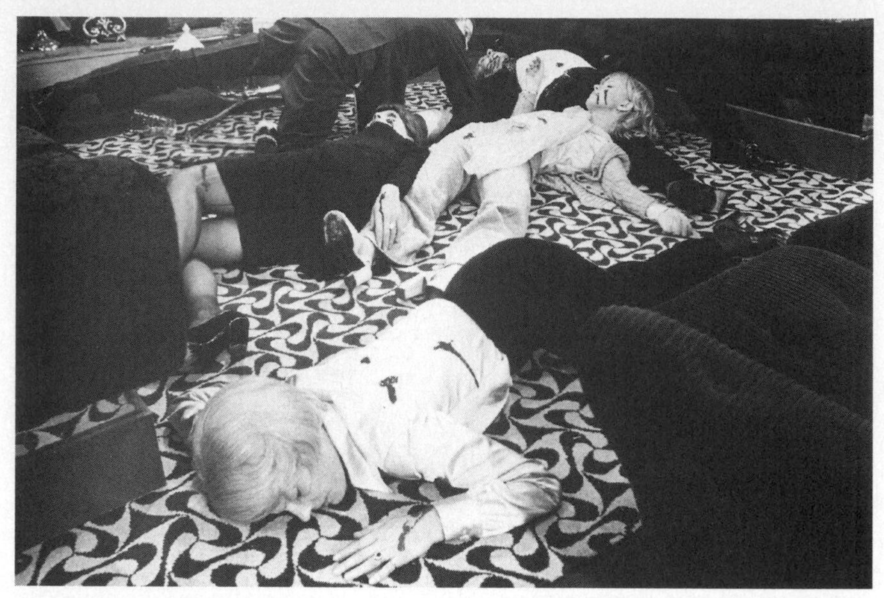

Eine Serie schwarzer, surrealistischer Sketche macht Buñuels *Le Charme discret de la bourgeoisie* (1972) zu einer witzigen, netten Satire. Hier endet eine Abendgesellschaft in diskreter Verwirrung, indem die Gäste niedergemäht werden.

während der sechziger und siebziger Jahre eine aktive und interessante Filmproduktion gefördert. Eine Reihe Filme erregte auch außerhalb Kubas Aufsehen, darunter *Memorias del subdesarollo* (Tomás Gutiérrez Alea, 1968), eine Untersuchung der Psychologie kubanischer Intellektueller zur Zeit der Revolution im Stil der Nouvelle Vague, *Lucia* (Humberto Solas, 1969), eine hochgelobte Studie über die Lage der Frauen in Kuba, und *La Primera carga al machete* (Manuel Octavio Gómez, 1969), eine kunstvoll stilisierte Verfilmung eines Aufstands im Jahre 1868. Santiago Alvarez entwickelte aus einer Mischung von Pathos und Polemik einen sehr eigenen Stil des dokumentarischen Films (*Hanoi, martes 13*, 1967; *L.B.J.*, 1968).

Andere lateinamerikanische Länder trugen nur im beschränkten Maße zum Kanon der Klassiker der Dritten Welt bei. Wichtige Ausnahmen waren *Yawar Mallku* (Jorge Sanjines, Bolivien 1969) und *La Hora de los hornos* (Fernando Solanas und Octavio Getino, Argentinien 1968).

Das afrikanische Kino hat bislang zumindest einen international bedeutenden Filmemacher hervorgebracht: Ousmane Sembène, dessen Filme man regelmäßig in Europa und den USA sehen konnte. Zu seinen wichtigsten gehören *La noire de...* (1965), *Mandabi* (1968) und *Xala* (1974). Der Senegalese Sembène trat auch als Romancier hervor. In Algerien und in Ägypten besteht eine bedeutende Filmindustrie, auch Nigeria und Tunesien haben eine aktive Filmproduktion. *Countdown at Kusini*

Ousmane Sembènes *Xala* (1974), nach dem Roman des Regisseurs, ist eine kritische Satire über den Pomp und die Bestechlichkeit der regierenden Bourgeoisie in den neuentstehenden afrikanischen Staaten. Der Film sorgte für Aufregung, als er in Senegal herauskam. (*New Yorker Films*)

(1976), Regie Ossie Davis, war die erste schwarzamerikanisch-nigerianische Coproduktion.

Das japanische Kino hat im Laufe der sechziger und siebziger Jahre seinen internationalen Einfluß weiter ausgeweitet. Kurosawa vollendete *Tengoku to Jigoku* (1963); *Akahige* (1965), *Dodes 'Kaden* (1970), *Dersu Uzala* (1975) und *Kagemusha* (1980). 1985 folgte sein Epos *Ran*, 1990 sein als filmisches Testament zu wertendes Traumspiel *Hachigatsu no rapusodi*. Zu den interessanteren jungen Regisseuren der Sechziger und Siebziger gehörte Hiroshi Teshigahara, dessen *Suna no Onna* (1964) bald zu einem Klassiker des allegorischen Films wurde und dessen *Summer Soldiers* (1971) ein einzigartiger Versuch war, das Thema der in Japan lebenden amerikanischen Vietnam-Deserteure zu behandeln. Nagisa Oshima war vielleicht der erste japanische Filmemacher, der völlig mit der Vergangenheit gebrochen hatte. Er war zweifellos einer der wichtigsten der neuen Generation. Zu seinen Filmen zählen *Shinjuku dorobo nikki* (1968), *Shonen* (1969) und *Gishiki* (1971); sein internationaler Ruhm jedoch beruht auf seinem «succès de scandale», dem mit sexuellen Exzessen spekulierenden *Ai no corrida/L'Empire des sens* (1976).

Das Kino Südostasiens erlebte in den Sechzigern und Siebzigern eine Blütezeit. Gewalttätige Blut-Epen von den Philippinen wurden regelmäßig in die USA und nach Europa exportiert. Hongkongs Filmproduktion schenkte der Welt das Genre der Kung-Fu-Filme, eine in den Sechzigern und Siebzigern weltweit enorm erfolgreiche Gattung. Stilprägend war hier besonders King Hu (*Lung men k'o-chan*, 1966; *Hsia nü*, 1969; *Ying-ch'un ko chih feng-po*, 1973).

Das englischsprachige Kino Kanadas litt immer unter der Nachbarschaft der Vereinigten Staaten. Erst 1974 gelang es einem englischsprachigen kanadischen Spielfilm (Ted Kotcheffs *The Apprenticeship of Duddy Kravitz*) zum erstenmal, durch die Einnahmen in kanadischen Kinos die Kosten einzuspielen. Das französischsprachige Kino erlebte in den Sechzigern und Anfang der Siebziger einige Erfolge. Claude Jutras *À tout prendre* (1963) war ein wichtiger Film, ebenso sein *Mon oncle Antoine* (1971), einer der ersten Filme aus Quebec, der auch außerhalb Kanadas Anklang fand.

Ein paar englischsprachige kanadische Filme schafften ebenfalls den Sprung über die Grenze, vor allem Irvin Kershners *The Luck of Ginger Coffey* (1964); Paul Almonds *Act of the Heart* (1970), Don Owens *Nobody Waved Goodbye* (1964), Allan Kings *Warrendale* (1967) und *A Married Couple* (1969), zwei einflußreiche Dokumentarfilme, und Donald Shebibs *Goin' Down the Road* (1970). Der Film-Avantgardist Michael Snow, der oft auch in den USA arbeitete, ist vielleicht der bekannteste kanadische Filmemacher. Seine wichtigsten Filme sind *Wavelength* (1967) und *La Région centrale* (1970) – letzterer in Kanada gedreht.

Die kanadische Filmwirtschaft (wenn auch nicht unbedingt die Filmkunst) erlebte 1978 und 1979 ein explosives Anwachsen, als Steuergesetze das Investieren in kanadische Produktionen sehr profitabel machten. Mit dem öffentlichen Verkauf von Anteilen am zu produzierenden Film (gerade so, als ob der Film eine Fabrik sei) waren die kanadischen Produzenten Vorreiter einer Finanzierungsform, die in den achtziger Jahren allgemeine Praxis wurde. Die meisten der nach diesem System hergestellten Filme kann man vergessen, doch einige wenige – wie Darryl Dukes *The Silent Partner* (1979) – erregten auch kritische Aufmerksamkeit. Und zumindest konnten durch die Steuerabschreibungen, die den Investoren kanadischer Produktionen für ihre Verluste angerechnet wurden, eine große Anzahl kanadischer Schauspieler und Techniker – wenigstens eine Zeitlang – im Heimatland Arbeit finden.

Toronto und Vancouver, die sich in dieser Periode zu gastfreundlichen Produktionszentren entwickelten, wurden bald auch zu Ablegern Hollywoods. Inzwischen sind zahlreiche kanadische Filmschaffende – Produzenten, Regisseure, Darsteller – nach Los Angeles abgewandert, wo sie beträchtliche Erfolge verbuchen konnten. Der erfolgreichste dieser Zuwanderer dürfte Ivan Reitman sein (*Animal House*, 1978; *Twins*, 1988; *Dave*, 1993), dessen *Ghostbusters* (1984) rund um die Welt zu einem Wahrzeichen der Achtziger-Jahre-Kultur wurden.

Das australische Kino mauserte sich gegen Ende der siebziger Jahre. Zwar gab es eine ansehnliche australische Filmtradition, aber ihre Produktionen schafften nur

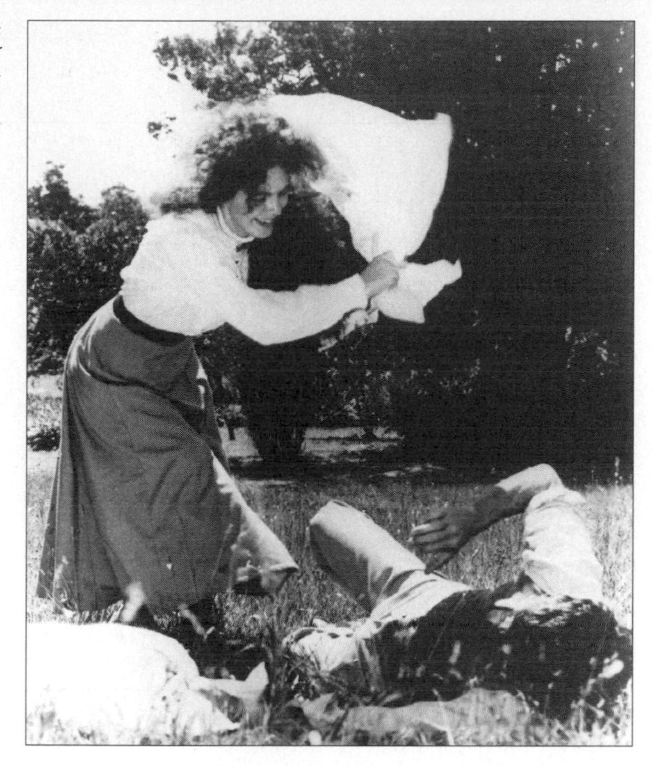

Judy Davis in Gillian Armstrongs *My Brilliant Career* (1979), ein Film der australischen Neuen Welle, die Ende der Siebziger weltweites Interesse erregte.

selten den Sprung über den Ozean (während bisweilen Amerikaner und Europäer den fünften Kontinent besuchten, um seine Naturwunder auszunutzen). Ein aktives staatliches Förderprogramm, das Mitte der Siebziger eingeführt wurde, ließ bald eine Anzahl interessanter australischer Talente auf internationalen Festivals Aufsehen erregen, was bald auch zu lukrativen Verleihverträgen führte. Der kommerziellste dieser Gruppe war Peter Weir, dessen apokalyptische Phantasien – *Picknick at Hanging Rock*, 1975, und *The Last Wave*, 1977 – ansprechende Metaphern für die merkwürdigen psychologischen Stereotypen bilden, die Nichtaustralier gern mit dem Land «am Rande der Welt» verbinden. Philip Noyce' *Newsfront* (1977), eine ungewöhnliche Mischung aus Dokumentarfilm und Fiktion, beschrieb das Leben von Wochenschau-Kameramännern in den Vierzigern und Fünfzigern. Fred Schepisis *The Chant of Jimmy Blacksmith* (1978), Gillian Armstrongs *My Brilliant Career* (1978) nach einem autobiographischen Roman um eine junge Frau, die um die Jahrhundertwende in der australischen Wildnis aufwächst und sich Erfolg in der Zivilisation fantasiert, sowie Bruce Beresfords im Burenkrieg spielender Film *Breaker Morant* (1980) leiteten alle internationale Karrieren ein. Die Genannten arbeiteten zeitweise in den USA. Weir

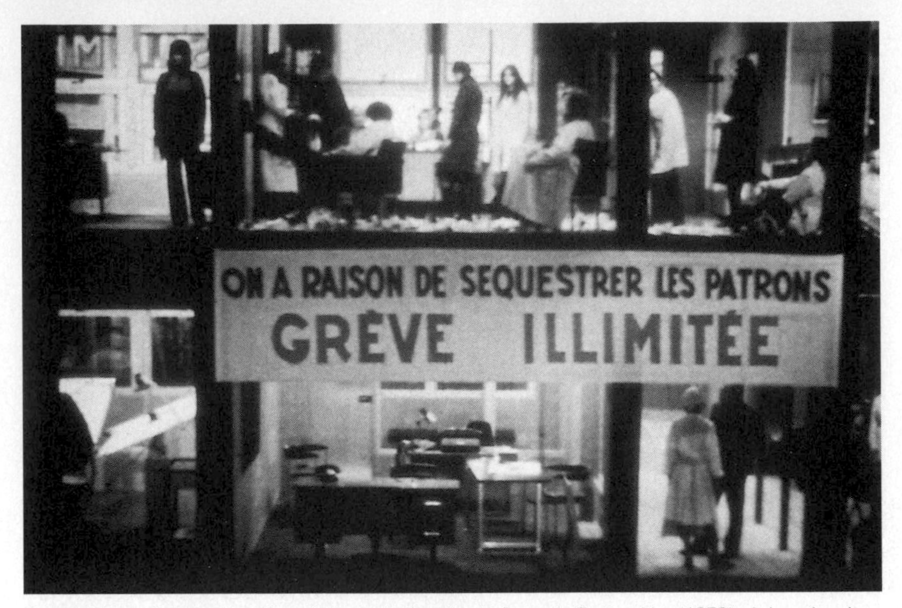

Die im Stil von Jerry Lewis aufgeschnittene Dekoration in Godards *Tout va bien* (1972) wird zu einer konkreten Widerspiegelung der Struktur einer Fabrik-Organisation. Das Spruchband lautet: «Es ist richtig, die Bosse einzusperren. UNBEGRENZTER STREIK.» *Tout va bien* war das praktische Ergebnis von Godards fünfjähriger Periode von Experimenten mit der Film-Form in der Groupe Dziga Vertov. (*New Yorker Films. Standvergrößerung*)

inszenierte *Witness* (1985) und *Dead Poets Society* (1989). Noyce trat mit *Patriot Games* (1992) und *Sliver* (1993) hervor. Schepisi brachte *Plenty* (1985), *Roxanne* (1987) und *Six Degrees of Separation* (1993) auf die Leinwand. Armstrong hatte besonders mit *Mrs. Soffel* (1984) Erfolg, Beresford mit *Tender Mercies* (1982) und *Driving Miss Daisy* (1989).

Die Nouvelle Vague hat den französischen Film auf praktischem wie auf ästhetischem Gebiet geprägt. Godard, Truffaut, Chabrol und die anderen hatten bewiesen, daß es möglich war, Filme ohne großen finanziellen Aufwand zu produzieren, ob sie sich nun an ein breites Publikum oder eine spezielle Zielgruppe wandten. Die Verbreitung der Kinematografie in Länder, die sich zuvor niemals den Kapitalaufwand leisten konnten, ist ein hervorspringendes Ergebnis der neuen Filmökonomie. Ein weiteres, vielleicht noch charakteristischeres, ist der lebhafte Eklektizismus, der in den siebziger Jahren im französischen Kino um sich griff. In jener Periode hat der französische Film seinen Sinn für soziale Werte wiederentdeckt, der ihm seit dem Zweiten Weltkrieg abhanden gekommen war.

Marcel Ophüls' außerordentliches historisches Dokument, der über vierstündige Film *Das Haus nebenan/Le Chagrin et la pitié* (1971), war ein Ausdruck des

«Neo-Nouvelle Vague»: Jean Eustaches *La Maman et la putain* (1973): zwei Schauspieler, deren Karriere in den frühen Tagen der Nouvelle Vague begann – Bernadette Lafont und Jean-Pierre Léaud –, in einem unerbittlichen, eindringlichen, geistreichen Psychodrama. (*New Yorker Films*)

neuen Bewußtseins. Mit großer Verve und Intelligenz wird der wahre Hintergrund der französischen Kollaboration mit den Nazis während des Zweiten Weltkriegs dokumentiert. Der Film hatte eine tiefgreifende Wirkung auf das Selbstverständnis der Franzosen; ein Ergebnis war Anfang der Siebziger eine ganze Reihe von Okkupationsfilmen, von denen Malles *Lacombe, Lucien* und Michel Mitranis *Les Guichets du Louvre* (1974) die interessantesten waren. Ophüls' *Memory of Justice* (1976), eine Untersuchung über die Nürnberger Kriegsverbrecher-Prozesse, war ein ähnlich subtiler Film-Essay.

Jean Eustaches *La Maman et la putain* (1973) bezeichnete in ästhetischer Hinsicht das Ende der Nouvelle Vague. Es gelang Eustache in mehr als drei Stunden intensiven Kinos, nicht nur viele Konventionen der nun alten Nouvelle Vague einzufangen, zu analysieren und zu parodieren, sondern zugleich auch die spezielle, bisweilen stickige Atmosphäre, mit der sich französische Intellektuelle umgeben. Maurice Pialat, bei der Premiere seines ersten Films *L'Enfance nue* (1968) schon über vierzig Jahre alt, hat sich zu einem der einfallsreicheren Regisseure des kommerziellen Kinos entwickelt. *Nous ne vieillirons pas ensemble* (1972), *La Gueule ouverte* (1975) und *À nos amours* (1983) waren fesselnde Studien über heutige Lebensstile.

Nelly Kaplans *La Fiancée du pirate* (1969) war ebenfalls ein interessantes Beispiel in dieser Richtung.

Jean-Louis Bertucelli inszenierte einige der wichtigeren «neu-realistischen» Filme. *Remparts d'argile* (1970), *Paulina 1880* (1972) und *On s'est trompé d'histoire d'amour* (1974) behandelten mit außergewöhnlicher Intelligenz unterschiedliche politische Situationen (und zwar: Algerien zum Zeitpunkt seiner Unabhängigkeit, Feminismus im neunzehnten Jahrhundert und die Sexualpolitik der Gegenwart). Pascal Aubier wandte in *Valparaiso, Valparaiso* (1971) und *Le Chant du départ* (1975) allegorische Techniken auf politische Themen an. Zur gleichen Zeit kehrten einige Filmemacher zu traditionelleren, humanistischen Porträts zurück. Pascal Thomas (*Les Zozos*, 1973; *Pleure pas la bouche pleine*, 1974) und Claudine Guilmain (*Véronique, ou l'été de mes treize ans*, 1975) waren Regisseure, die mehr erwarten ließen.

Bald nach diesem Aktivitätsausbruch kam das französische Kino da zur Ruhe, wo seine Stärke liegt: Mittelstands-Romantik. Zwei Jahre später kam Jean-Charles Tacchellas *Cousin, cousine* (1975) in den USA heraus und brach den Einnahmerekord für ausländische Filme, den mehr als zehn Jahre lange Claude Lelouches *Un Homme et une femme* (1966) gehalten hatte. Dieser erstaunliche Erfolg wurde 1979 durch Edouardo Molinaros *La Cage au folles* übertroffen, einer amüsanten, wenn auch etwas dünnen Geschichte eines homosexuellen Paares.

Bertrand Tavernier hatte Ende der Siebziger auch international Erfolg mit einer raschen Folge von gut konstruierten Melodramen. Taverniers Erstlingsfilm war *L'Horlogier de Saint-Paul* (1975). Das Drehbuch zu diesem Film stammte von zwei Herren namens Jean Aurenche und Pierre Bost – genau jenen beiden, die François Truffaut, zwanzig Jahre zuvor, in seinem berühmten Essay über das «cinéma du papa» angegriffen hatte. Diese Ironie entging einer neuen Generation von Kinogängern, die ebenso amüsiert auf diese Welle nett gemachter «petits drames» reagierte wie ihre Eltern auf ähnliche in den Fünfzigern.

Ästhetisch der wichtigste französische Neuerer der siebziger Jahre war Jean-Marie Straub, der mit seiner Frau und Mitarbeiterin Danièle Huillet einen Typ des materialistischen Films entwickelte, der die Avantgarde mitgeprägt hat. In Frankreich geboren, arbeitete Straub hauptsächlich in deutscher Sprache und mit deutschem Geld. *Chronik der Anna Magdalena Bach* (1967), *Les Yeux ne veulent pas en tout temps se fermer ou Peut-être qu'un jour Rome se permettra de choisir à son tour/Othon* (1969), *Geschichtsunterricht* (1972) und *Moses und Aaron* (1975), eine Verfilmung der Schönberg-Oper, sind strenge Experimente narrativer Techniken und Essays ästhetischer Theorien, die zwar nie beim breiten Publikum Erfolg hatten, dennoch als Anregung für die Filmemacher des Neuen Kinos dienten, das unter der Bezeichnung «Der junge / neue deutsche Film» Ende der sechziger Jahre auf internationalen Filmfestivals ziemlichen Anklang fand.

Mario Adorf und Angela Winkler in Schlöndorffs und von Trottas *Die verlorene Ehre der Katharina Blum* (1975): die politische Seite des neuen deutschen Films.

Der Schriftsteller Alexander Kluge war der erste dieser informellen Gruppe, der sich erfolgreich dem Film zuwandte. *Abschied von gestern* (1966), *Die Artisten in der Zirkuskuppel: ratlos* (1967), *Gelegenheitsarbeit einer Sklavin* (1973), *In Gefahr und größter Not bringt der Mittelweg den Tod* (1974), *Der starke Ferdinand* (1975) und *Die Patriotin* (1979) verbanden politisches Engagement und ironischen Witz zu einer stilistisch reizvollen, sehr persönlichen Collage-Technik. Durch seine juristische Erfahrung, blendende Eloquenz und diplomatisches Geschick wurde Kluge auch in der komplizierten filmpolitischen Szene der Bundesrepublik zu einer Zentralfigur, bis er sich nach Aufkommen des Privatfernsehens mit japanischem Kapital und dem Anspruch auf «aufklärerische Gegenkultur» eine zunehmend esoterische Nische mit formalen Basteleien und quasi-intellektuellen Gesprächen schuf.

Volker Schlöndorffs Kino besitzt ebenfalls einen allgemein politischen Ansatz, doch zeigt Schlöndorff eine stärkere Anwendung traditioneller filmischer Mittel und zugleich ausgefeilterer Logik. *Der junge Törleß* (1966) war eine Verfilmung des psychologischen Romans von Robert Musil; *Der plötzliche Reichtum der armen Leute von Kombach* (1971) eine Art brechtisches Lehrstück.

Zusammen mit seiner Frau Margarethe von Trotta, die am Buch beteiligt war, inszenierte Schlöndorff dann *Strohfeuer* (1972), einen feministischen Film mit einigem kommerziellem Erfolg. Mit ihren eigenständigen Arbeiten ist Margarethe von

Trotta am besten für ihre breit angelegten Studien zu politischen Themen bekannt (*Die bleierne Zeit*, 1981; *Rosa Luxemburg*, 1985; *Das Versprechen*, 1994).

Schlöndorffs und Trottas Film *Die verlorene Ehre der Katharina Blum* (1975, nach der Erzählung von Heinrich Böll) war ein wichtiges Dokument der politischen Situation in der Bundesrepublik; der direkte Angriff auf die hetzerischen Methoden der Springer-Presse machte den Film zu einem großen Erfolg. 1979 vollendete Schlöndorff seine Verfilmung von Günter Grass' Roman *Die Blechtrommel*. Schlöndorffs elegante und inspirierte Version erhielt international die verdiente Anerkennung, darunter den ersten Oscar für einen deutschen Film. In einer bewegenden Dankesrede nahm Schlöndorff den Preis nicht nur für sich und die junge Generation der deutschen Filmemacher entgegen, sondern zugleich für die großen Regisseure wie Fritz Lang und Billy Wilder, die aus Deutschland ins Exil nach Hollywood gezwungen worden waren.

Kluge und Schlöndorff waren auch an zwei Gemeinschaftsfilmen mehrerer Filmemacher beteiligt, die direkt auf die aktuelle politische Situation eingingen: *Deutschland im Herbst* (1978) über die gesellschaftliche Stimmung zur Zeit der Entführung und Ermordung des Arbeitgeberpräsidenten Schleyer durch Terroristen und *Der Kandidat* (1980) über den fast unaufhaltsamen Aufstieg des Politikers Franz Josef Strauß und Momente der politischen Entwicklung seit dem Zweiten Weltkrieg.

Wichtige Filme mit starken politischen und sozialkritischen Bezügen schufen unter anderem die vom Fernsehen herkommenden Regisseure Peter Lilienthal (*Malatesta*, 1969; *Es herrscht Ruhe im Land*, 1975; *David*, 1979; *Das Autogramm*, 1983/84) und Reinhard Hauff (*Mathias Kneißl*, 1971; *Der Hauptdarsteller*, 1977; *Messer im Kopf*, 1978; *Endstation Freiheit*, 1980; *Stammheim*, 1985; *Blauäugig*, 1989).

In der ersten Hälfte der siebziger Jahre setzte sich eine Gruppe, die als «Berliner Realisten» bekannt wurde, mit der sozialen Realität von Fabrikarbeitern auseinander; dazu zählen Christian Ziewer (*Liebe Mutter, mir geht es gut*, 1972) sowie Marianne Lüdcke und Ingo Kratisch (*Familienglück*, 1975).

Rainer Werner Fassbinder, der zugleich als Autor, Schauspieler und Regisseur in Theater, Film und Fernsehen Karriere machte, war in den siebziger Jahren der bekannteste Filmemacher des Jungen Deutschen Films. Als er 1982 im Alter von 37 Jahren starb, umfaßte sein Werk mehr als vierzig Filme. Seine frühen, politischeren Filme – *Katzelmacher* (1969), *Warum läuft Herr R. Amok?* (1970) und *Der Händler der vier Jahreszeiten* (1971) zum Beispiel – und die spröde Literaturverfilmung *Fontane Effi Briest* (1974) verdienen vielleicht größeres Interesse als seine anderen Filme – *Die bitteren Tränen der Petra von Kant* (1972), *Angst essen Seele auf* (1973), *Chinesisches Roulette* (1976) –, die zwar zum Teil erfolgreicher waren, jedoch oft einen melodramatischen Einfluß zeigen (Douglas Sirk ist ein Vorbild Fassbinders) sowie allgemein verworrener wirken. Nach verschiedenen Fernsehfilmen drehte

R. W. Fassbinders *Die Ehe der Maria Braun* (1979) experimentierte so mit der Erzählform, daß der Film immer noch für ein breites Publikum unterhaltsam blieb.

Fassbinder 1978 seinen ersten englischsprachigen Film: *Die Reise ins Licht/Despair* nach Tom Stoppards Drehbuchversion des Romans von Vladimir Nabokov. Trotz dieser eindrucksvollen literarischen Vorlage gelang Fassbinder nicht der internationale Durchbruch. Dagegen hatte sein – nun wieder deutschsprachiger – Film *Die Ehe der Maria Braun* (1979) im In- und Ausland auch beim Publikum großen Erfolg. *Berlin Alexanderplatz* (1979/80), seine fünfzehnstündige Fernsehserie, markiert den Gipfelpunkt seiner kurzen Karriere.

In dieser Gruppe läßt sich Werner Herzog am schlechtesten einordnen. *Fata Morgana* (1968–70) und *Auch Zwerge haben klein angefangen* (1970) waren schwer beschreibbare, eigenwillige Experimente, während sich *Land des Schweigens und der Dunkelheit* (1971) und *Jeder für sich, Gott gegen alle* (1974) dem Zuschauer leichter erschließen; der erstere ist eine dokumentarische Studie über die Welt der Taubblinden, letzterer Herzogs erfolgreiche Version der Legende von Kaspar Hauser. Herzog konzentriert sich, vom Filmemachen rücksichtslos besessen, auf Menschen in extremen Situationen, fast wie ein experimentierender Anthropologe. In *Aguirre, der Zorn Gottes* (1972) verfolgte er einen besessenen spanischen Konquistador in der Neuen Welt bei seiner Expedition einen zunehmend unheimlicheren Strom hinauf. Viele Kritiker verglichen den Film positiv mit dem in Motiven ähnlichen, sehr viel aufwendigeren Nachfolger *Apocalypse Now*, ebenfalls einer Studie über die Psyche in einer Extremsituation. *Herz aus Glas* (1976), nach einem Drehbuch von Herbert Achternbusch, war ein hermetischer, abstrakter Essay über die Mysterien bayerischer Glashüttenarbeiter im neunzehnten Jahrhundert, während *Stroszek* (1977) ein unterhaltsames Porträt eines etwas einfältigen Europäers zeichnete, der mit der amerikanischen Kultur konfrontiert wird. Nach zwei etwas akademischen Adaptionen klassischer Vorbilder – *Nosferatu – Phantom der Nacht* (1978) nach dem Stummfilm von Murnau; *Woyzeck* (1978) nach dem Bühnenfragment von Georg Büchner – begann Herzog in Südamerika mit *Fitzcarraldo.* Die extremen Zustände bei den Dreharbeiten protokolliert der amerikanische Dokumentarfilmer Les Blank in *Burden of Dreams.* Danach begibt sich Herzog in seinen Dokumentar- und Spielfilmen auf Expeditionen zu den Außenposten der Zivilisation: mit *Wo die grünen Ameisen träumen* (1983/84) nach Australien, mit *Cobra verde* (1987) ins koloniale Afrika, mit *Schrei aus Stein* (1990/91) auf den Cerro Torre in Patagonien.

Ein weiterer international erfolgreicher Regisseur des Neuen Kinos war Wim Wenders. Weniger überladen (als Kluge, Herzog und vor allem Fassbinder), realisierte er nach einigen interessanten Experimentalfilmen eine Reihe einfacher, doch intensiver Filme, in denen eher menschliche Anliegen als formaler Stil überwogen: *Alice in den Städten* (1973/74), *Falsche Bewegung* (1974/75), *Im Lauf der Zeit* (1975). *Der amerikanische Freund* (1976/77), eine internationale Coproduktion nach einem Roman von Patricia Highsmith, faßte gekonnt Wenders' Themen der Entfremdung und europäisch-amerikanischen Kulturverschmelzung zusammen. Nach dem Erfolg des Films wurde Wenders durch Francis Ford Coppola «entdeckt» und nach Hollywood geholt. Auf die schmerzhaften Erfahrungen bei der langwierigen Herstellung des Krimis *Hammett* (1980–82) reagierte Wenders, ein wenig selbstmitleidig, in *Der Stand der Dinge* (1981). Wie zum Trotz produzierte Wenders anschließend – nach einem Drehbuch von Sam Shepard – mit *Paris, Texas* (1983/84) *seinen* amerikanischen Film. Die bestechende Kameraführung von Robby Müller und die eindringliche Slidegitarre von Ry Cooder machten den Film zu einem internationalen Erfolg. Neben seinen Spielfilmen führte Wenders in diesen Wanderjahren eine Art filmisches Tagebuch, aus dem eine Reihe von essayistischen Dokumentarfilmen entstand: *Nick's Film – Lightning Over Water* (1979/80) über das Sterben seines Kollegen Nicholas Ray, *Tokyo-Ga* (1983–85), *Aufzeichnungen zu Kleidern und Städten* (1989). Zugleich mußte Wenders erkennen, daß er sein Problem, eine dramaturgisch geschlossene Geschichte zu erzählen, nicht überwinden konnte. Auch in Zukunft blieb er deshalb dem Genre des Roadmovies und einer eher lockeren Episodenstruktur treu. So zeigen alle seine Filme eine bisweilen faszinierende Mischung von beeindruckenden – meist visuellen, bisweilen auch musikalischen – Momenten, die durch eine oft hilflose Struktur verkleistert werden. So drehte er in deutsch-französisch-australischer Coproduktion *Bis ans Ende der Welt* (1990/91) als welt- und endzeitumspannendes Roadmovie. Die Situation der geteilten Stadt und Momente deutscher Geschichte reflektierte er in *Der Himmel über Berlin* (1986/87), in dem sich Bruno Ganz und Otto Sander als Engel ebenso über die Realität erheben wie der Kommentartext von Peter Handke. Auf die deutsche Vereinigung reagierte er mit neuen Erlebnissen der Engel in *In weiter Ferne so nah!* (1992/93). Trotz abnehmender Resonanz bei Kritik und Publikum ist Wenders der einzige Filmemacher seiner Generation, der auch in den Neunzigern kontinuierlich für das Kino produziert hat und international als angesehenster Repräsentant des deutschen Film gilt.

Francis Ford Coppola arrangierte auch das gewisse Aufsehen bei Kritik und Publikum für Hans-Jürgen Syberberg (*Ludwig – Requiem für einen jungfräulichen König*, 1972; *Karl May*, 1974; *Winifred Wagner und die Geschichte des Hauses Wahnfried von 1914–1975*, 1975), den sicherlich abstrusesten der neuen deutschen Filmemacher in den siebziger Jahren. 1979 präsentierte er Syberbergs «magnum opus», den fast siebenstündigen *Hitler – Ein Film aus Deutschland* (1976/77), einem gespannten Publikum in New York und San Francisco. Der geschwätzige Film läßt jegliche Disziplin vermissen und zeigt nur bisweilen den Anflug von Intelligenz, so daß er nur wenig mehr als den übertriebenen Avantgarde-Anspruch erfüllte.

Gegen Ende der sechziger Jahre entstand – angeregt durch das New American Cinema – auch in der Bundesrepublik unter dem Namen «Das andere Kino» eine unabhängige Experimentalfilm-Bewegung; zu deren wichtigsten Vertretern zählen Helmut Herbst, Werner Nekes, Franz und Ursula Winzentsen, Lutz Mommartz, W+B Hein, Adolf Winkelmann, Hellmuth Costard und Klaus Wyborny. Die breitere Bewegung ebbte Anfang der Siebziger wieder ab, während einzelne Filmemacher weiterarbeiteten, sich zum Teil jedoch dem Fernsehen und traditionelleren Filmformen zuwandten, wie zum Beispiel Werner Schroeter (*Eika Katappa*, 1969; *Palermo oder Wolfsburg*, 1980; *Malina*, 1991) und Rosa von Praunheim (*Die Bettwurst*, 1970; *Armee der Liebenden*, 1979).

Die Beschäftigung mit dem Dokumentarfilm fand vor allem im Fernsehen statt. Dabei entwickelten Klaus Wildenhahn, der sich auch theoretisch mit dem dokumentarischen Film auseinandersetzte, und Eberhard Fechner eine eigene Handschrift. Wildenhahn verfolgte – in Anlehnung an das amerikanische Direct Cinema – in technisch bewußt schlichten Schwarzweißfilmen seine Themen oft über Wochen mit Kamera und Tonband (*In der Fremde*, 1967; *Emden geht nach USA*, vier Folgen, 1975/76). Dagegen rekonstruierte Fechner, von der Gegenwart ausgehend, exemplarische Biografien an Hand von Erinnerungen und Dokumenten (*Nachrede auf Klara Heydebreck*, 1969; *Die Comedian Harmonists*, 1976; *Wolfskinder*, 1990/91). In achtjähriger Arbeit entstand 1975–84 anhand von Interviews mit Tätern und Opfern *Der Prozeß*, eine eindrucksvolle Dokumentation des Verfahrens gegen

Wächter des KZ Majdanek. Er wandte sich dann mehr und mehr der präzisen Verfilmung literarischer Stoffe zu (*Tadellöser & Wolff*, zwei Folgen, 1975; *Winterspelt 1944*, 1977). Fechner starb 1992. Ebenfalls für das Fernsehen dokumentierten Theo Gallehr und Rolf Schübel Themen aus der Arbeitswelt (*Rote Fahnen sieht man besser*, 1971). Der Dokumentarist Peter Nestler hatte Anfang der sechziger Jahre einige stilistisch reizvolle Kurzfilme realisiert (*Aufsätze*, 1963; *Ein Arbeiterclub in Sheffield*, 1965), ging dann aus Mangel an Arbeitsmöglichkeiten nach Schweden, wo er seither für das Fernsehen produziert (*Om papperets historia*, zwei Folgen, 1971).

Zwei in ihrem Verhältnis zum Filmmedium sehr unterschiedliche Außenseiter des Neuen Kinos sind Herbert Achternbusch und Niklaus Schilling. Achternbusch, ein bayerischer Schriftsteller, erweiterte seine skurrilen Texte in das optisch-akustische Medium (*Das Andechser Gefühl*, 1974; *Servus Bayern*, 1977; *Der Komantsche*, 1979), wobei er selbst die Hauptrollen übernahm. *Das Gespenst* (1982), in dem er als stigmatisierter Jesus über das Wasser wandelte, wurde durch vergebliche Zensur-Versuche des für die Filmförderung zuständigen CSU-Innenministers zeitweise zum Skandalon, ohne daß Achternbusch von seinem höchst eigentümlichen Weg des Filmemachens abwich (*Mix Wix*, 1989; *Hades*, 1994). Der Schweizer Niklaus Schilling drehte Filme höchster technischer Perfektion, bei denen er mit der Vermischung bekannter Filmgenres spielt (*Die Vertreibung aus dem Paradies*, 1976; *Der Westen leuchtet!*, 1981/82), drehte mit *Der Willi-Busch-Report* (1979) eine gelungene Filmkomödie und experimentierte seit Anfang der Achtziger mit der Verbindung von Videotechnik und Film (*Die Frau ohne Körper und der Projektionist*, 1983).

Zu den Filmemachern, die erfolgreich versuchten, inhaltliche und formale Qualität mit dem Unterhaltungsbedürfnis des Publikums zu verbinden, gehören Hans W. Geissendörfer (*Sternsteinhof*, 1976; *Die gläserne Zelle*, 1977), Bernhard Sinkel und Alf Brustellin (*Lina Braake – Die Interessen der Bank können nicht die Interessen sein, die Lina Braake hat*, 1974; *Berlinger*, 1975) und Erwin Keusch (*Das Brot des Bäckers*, 1976). Sie fanden schließlich ihr Arbeitsfeld beim Fernsehen. Den umgekehrten Weg nahm Wolfgang Petersen. Der Absolvent der Filmakademie in Berlin begann mit einer Reihe interessanter Beiträge zur TV-Reihe «Tatort» (*Reifezeugnis*, 1976) und TV-Filmen, die aktuelle Probleme aufgriffen (*Smog*, 1972), ehe er mit *Das Boot* (1980/81, Kinofassung und TV-Serie) international Erfolg hatte. Nach *Die unendliche Geschichte* (1983) ging er nach Hollywood, wo er sich schließlich mit den Thrillern *In the Line of Fire* (1993) und *Outbreak* (1994) durchsetzen konnte.

Seit Mitte der siebziger Jahre traten verstärkt auch Filmemacherinnen mit eigenen, feministisch geprägten Themen hervor. Zu den wichtigsten gehören neben Margarethe von Trotta Jutta Brückner (*Hungerjahre*, 1980), Helke Sander (*Die allseits reduzierte Persönlichkeit – REDUPERS*, 1977), Ulrike Ottinger (*Bildnis einer Trinkerin*, 1979) und Helma Sanders-Brahms (*Deutschland, bleiche Mutter*, 1980).

Alain Tanners *Jonas qui aura 25 ans en l'an 2000* (1976) bleibt einer der wichtigsten Filme der siebziger Jahre, eine warme, mit Herz geführte Untersuchung über die Art, wie wir damals zu leben hofften.

Beim Filmfest 1979 in Hamburg – an das Oberhausener Manifest anknüpfend – postulierten die Filmemacher: «Phantasie läßt sich nicht verwalten. Gremienköpfe können nicht bestimmen, was der produktive Film tun soll. Der deutsche Film der achtziger Jahre kann nicht mehr von Gremien, Anstalten und Interessengruppen so wie bisher fremdbestimmt werden. (…) Wir müssen uns auf die Socken machen.» Doch es blieb ein Strohfeuer. Die zu Verbündeten aufgerufenen Zuschauer mieden immer mehr deutsche Produktionen, und die Filmemacher machten sich auf die Socken an die Töpfe der Filmförderungen, die auf Länderbasis ebenso aus dem Boden sprossen wie regionale Filmfeste, die zunehmend die einzigen Abspielorte für die geförderten Filme bildeten, soweit diese nicht direkt aus dem Kopierwerk unter Umgehung des Kinos im Archiv landeten.

Das Aufblühen der Schweizer Kinematografie war eine der fesselndsten Entwicklungen der siebziger Jahre. Die Entwicklung setzte zunächst in der französischsprachigen Schweiz ein. Die Filme von Alain Tanner (*Charles mort ou vif*, 1969; *La Salamandre*, 1971; *Retour d'Afrique*, 1973; *Le Milieu du monde*, 1974) zeigen eine einmalige Mischung aus traditioneller Erzähldramaturgie und intelligenter Mise en Scène. *Jonas qui aura 25 ans en l'an 2000* (1976), eine skurrile, humane und sehr kluge politische Allegorie, ist durch seine hellsichtigen Kommentare über die kulturellen und politischen Nachwirkungen der Ereignisse von 1968 eines der wichtigsten sozialen Dokumente der siebziger Jahre. In *Messidor* (1979) konfrontierte Tanner an Hand der Reise zweier junger Frauen durch die Schweiz Postkarten-Ansichten mit der politischen Realität. Claude Gorettas Filme (*L'Invitation*, 1972; *Pas si méchant que ça*, 1975) waren surrealistische Komödien mit einem eigenartigen Charme. Mit *La Dentellière* (1976) gelang ihm ein internationaler Erfolg. Michel Soutter gelang es in *James ou pas* (1970), *Les Arpenteurs* (1972), *L'Escapade* (1973) und *Reperages* (1977) bisweilen, Gorettas Charme mit Tanners Politik zu verbinden. Die Filme aller drei Regisseure erinnern auf angenehme Weise an den Geist der frühen Nouvelle Vague. Die meisten Filme dieser, aber auch einer Reihe weiterer interessanter Schweizer Filmemacher (zum Beispiel Patricia Moraz' *Les Indiens sont encore loin*, 1977) und internationaler Regisseure (Jean-Marie Straubs *Moses und Aaron* u. a.) wurden vom Kameramann Renato Berta aufgenommen, dessen technische und stilistische Brillanz den Aufschwung der Schweizer Kinematografie entscheidend mitprägte.

Mit etwas zeitlicher Verzögerung entwickelte sich gegen Mitte der siebziger Jahre auch in der deutschsprachigen Schweiz eine bemerkenswerte Filmszene. Peter van Gunten (*Die Auslieferung*, 1974), Rolf Lyssy (*Konfrontation*, 1974; *Die Schweizermacher*, 1979), Markus Imhoff (*Fluchtgefahr*, 1974; *Tauwetter*, 1977), Thomas Koerfer (*Der Gehülfe*, 1975; *Alzire oder der neue Kontinent*, 1977) und Kurt Gloor (*Die plötzliche Einsamkeit des Konrad Steiner*, 1976) setzten sich in dokumentarisch geprägtem oder historisch vermitteltem Stil mit der politischen und sozialen Situation der Gegenwart auseinander. Die Filme Daniel Schmids sind stark durch seine deutschen Vorbilder Schroeter und Fassbinder geprägt (*La Paloma*, 1974; *Schatten der Engel*, 1975, nach einem Drehbuch von Fassbinder; *Violanta*, 1977).

Dieser Blüte der Spielfilme ging, teilweise auch im Werk einzelner Filmemacher, ein Aufschwung des Dokumentarfilms voraus. Dabei wurde die gegenwärtige politische Realität aufgezeichnet (*Krawall*, 1970, von Jürg Hassler; *Ein Streik ist keine Sonntagsschule*, 1975, von Hans und Nina Stürm und Mathias Knauer; *Behinderte Liebe*, 1979, von Marlies Graf), verschüttete historische Zusammenhänge aufgedeckt (*Schweizer im Spanischen Bürgerkrieg*, 1973, und *Die Erschießung des Landesverräters Ernst S.*, 1975, von Richard Dindo; *Die Früchte der Arbeit*, 1977, von Alexander J. Seiler) oder ethnographisch genau verschwindende Traditionen festgehalten (*Wir Bergler in den Bergen sind eigentlich nicht schuld, daß wir da sind*, 1974, von Fredi M. Murer). Zur letzten Gruppe der Film-Ethnologen gehört vor allem Yves Yersin (*Une Fromagerie d'Alpage*, 1970; *Die letzten Heimpostamenter*, 1973), der 1979 seinen dokumentarischen Stil in einen Spielfilm einbrachte (*Les Petites Fugues*).

Das amerikanische Kino erlebte um 1970 ebenfalls eine Explosion neuer Talente, aber im Gegensatz zum neuen Kino in Frankreich und der Bundesrepublik blieb es höchst kommerziell. Das Genre-Konzept war nach wie vor stark ausgeprägt.

Gangster- und Musical-Filme konnte man in den siebziger Jahren mit der Lupe suchen, doch wurden sie durch eine Reihe neuer Genres ersetzt, darunter die Autojagd, das Road-Movie, der Nostalgie-Film, der Hollywood-Film (über die unwiederbringlichen goldenen Zeiten), der Karate-Film (vorwiegend importiert – und von *Variety* in Anspielung auf das unablässige Verhackstücken «Chop Socky» getauft), der «respektable» Pornofilm und – Mitte der Siebziger am einträglichsten – der Katastrophen-Film. Alle diese neu entwickelten Genres zeichneten sich durch ihre Schmalspurigkeit aus; keines bot eine ähnlich große Möglichkeit für eine persönliche Ausdeutung wie etwa der Western oder der Film Noir. Wenn auch die neuen Genres nicht ganz ohne Interesse waren, war doch der «black film» in den Siebzigern die bedeutendste Innovation in den USA, das Kino der Schwarzen, eine umfassende Kategorie, die sehr viel billiges Material («blaxploitation» im *Variety*-Slang) einschloß, aber ebenso eine Reihe wichtiger Filme. Zu Ende des Jahrzehnts war der «black film» fast ganz von der Hollywood-Szene verschwunden, aber in den neunziger Jahren kam er mit neuer Energie wieder in Gang.

Melvin van Peebles ging zunächst nach Frankreich, um seinen Entschluß, Filmemacher zu werden, in die Tat umzusetzen. Dort drehte er einen Film (*La Permission,* 1967) und erhielt nach seiner Rückkehr in die USA dank dieser ausländischen Referenz einen Hollywood-Vertrag. Das Ergebnis war eine ziemlich schwache Komödie, *The Watermelon Man* (1969). Sein dritter Film jedoch, die unabhängige Produktion *Sweet Sweetback's Baaadasssss Song* (1971) ist ästhetisch gesehen bis heute der reinste Black Film – ein Schmerzensschrei, zugleich eine Lektion in Überlebenstechnik der Schwarzen in Amerika. Nachdem er Hollywood erobert hatte, wandte van Peebles in den siebziger Jahren seine Aufmerksamkeit der Bühne zu und spielte eine wichtige Rolle in der Entwicklung des schwarzen Musicals (*Ain't Supposed to Die a Natural Death, Don't Play Us Cheap,* beides immer noch wichtige und profitable Beiträge zum Broadway-Repertoire). Dann hat ihn die Welt von Bühne und Film offensichtlich gelangweilt, und er zog in die Wall Street um, in den Achtzigern das angesagte Tätigkeitsfeld. 1986 erschien sein Ratgeber *Bold Money: A New Way to Play the Option Market.* Ende der Achtziger kehrte er zum Film zurück; er arbeitete dabei mit seinem Sohn Mario zusammen.

Gordon Parks Sr war ein erfolgreicher Fotograf der Zeitschrift *Life*, als er sich entschloß, die Rassenschranken der Filmindustrie zu durchbrechen. Sein erster Film, der auf seiner Autobiografie beruhte, *The Learning Tree* (1968), war ein optisch erregender Essay über seine Kindheit in Kansas, für das dauernde Stimulantien gewöhnte Publikum jedoch zu statisch. Parks erfüllte die kommerziellen Erwartungen mit seinem nächsten Film *Shaft* (1970), dem Urbild des schwarzen Action-Genres, das Anfang der siebziger Jahre sehr erfolgreich war. Nach ein paar ähnlichen Produktionen kehrte Parks mit *Leadbelly* (1976) zu einem persönlicheren Thema zurück, der Biografie des Bluessängers, und schuf so einen der wichtigsten Filme in der kurzen Geschichte des Kinos der Schwarzen.

Bill Gunn zeichnete verantwortlich für einen der originellsten und erregendsten Filme der siebziger Jahre – *Ganja and Hess* (1973) –, der als schwarze Vampir-Klamotte begann, doch diesen Ansatz weit hinter sich ließ. Obwohl der Film in Cannes ausgezeichnet wurde, gelangte er nicht in den Verleih und konnte so von kaum jemand gesehen werden. Gunn war Romanautor (*Rhinestone Sharecropping*), Bühnenautor (*Black Picture Show*, 1975), Drehbuchautor (*The Angel Levine*, 1970) und TV-Produzent (*Johannas*, 1972; *The Alberta Hunter Story*, 1982); er starb 1989.

Ende der Sechziger sah es so aus, als könnte eine neue Generation junger amerikanischer Filmemacher – wie ihre Kollegen in Europa – ein stärker persönliches Kino entwickeln. Orientiert an den Beispielen unabhängiger Regisseure wie Arthur Penn (*Bonnie and Clyde*, 1967; *Alice's Restaurant*, 1969; *Little Big Man*, 1970; *Night Moves*, 1975) sowie Frank und Eleanor Perry (*David and Lisa*, 1962; *Diary of a Mad Housewife*, 1970), erhofften sich die jüngeren Amerikaner, die meist den Filmschulen der Universitäten entstammten, ein Kino, das weniger wirtschaftlichen Mechanismen unterworfen wäre als Hollywood in seinen großen Tagen. Zunächst schien dies möglich; die ersten Filme jener Regisseure, die immer noch das amerikanische Kino beherrschen, waren im Ansatz unabhängig, doch nur die wenigsten konnten diesen Geist der Unabhängigkeit aufrechterhalten.

Die Filme, die von der unabhängigen Firma BBS produziert wurden, kündeten einen neuen Stil an: *Easy Rider* (1969, inszeniert vom Schauspieler Dennis Hopper), *Five Easy Pieces* (1970, Bob Rafelson), *A Safe Place* (1971, Henry Jaglom), *Drive, He Said* (1971, Jack Nicholson). Doch der kommerzielle Erfolg von *Easy Rider* brachte lediglich das kurzlebige Genre des Youth-Movie hervor, und selbst Rafelson, der Erfahrenste dieser Gruppe, konnte in den nächsten sieben Jahren nur zwei Filme drehen: *The King of Marvin Gardens* (1972) und *Stay Hungry* (1976). Monte Hellman, der ebenfalls zur BBS-Gruppe gezählt wird, hatte Mitte der Sechziger zwei bemerkenswerte Western gedreht (*The Shooting, Ride the Whirlwind*, 1966) und mit *Two-Lane Blacktop* (1970) einen der besten Filme der Siebziger – und ganz sicher das bedeutendste Road-Movie; in den folgenden sechs Jahren konnte er jedoch nur ein Projekt verwirklichen.

Filmemacher, die an einer persönlichen Version festhielten und gleichzeitig versuchten, eng mit den Studios zusammenzuarbeiten, hatten mit der Realisierung ihrer Filme mehr Erfolg, mußten sich aber den Forderungen der Unterhaltungsindustrie immer mehr anpassen.

Martin Scorsese begann mit zwei ungewöhnlichen, unabhängigen Produktionen (*Who's That Knocking at My Door?*, 1967; *Mean Streets*, 1973), drehte dann jedoch zwei Filme, die zwar oberflächlich den Stil der Unabhängigkeit aufrechter-

Daniel Day-Lewis und Michelle Pfeiffer in Martin Scorseses *Age of Innocence* (1993), einer eleganten Adaption des Romans von Edith Wharton; der Film zeigte eine bewundernswerte Liebe zum Detail und demonstrierte, daß Scorsese über ein reifes stilistisches Repertoire verfügte.

hielten, dennoch vollkommen in die Hollywood-Muster paßten: *Alice Doesn't Live Here Anymore* (1974) und *Taxi Driver* (1976). *New York, New York* (1977), der ambitiöse Versuch, ein Musical im Stil der vierziger Jahre zu inszenieren, fand nie sein Publikum, während *The Last Waltz* (1978), die elegant gefilmte Dokumentation des Abschiedskonzertes von The Band, einigen Erfolg bei Kritik und Zuschauern verzeichnete. In den Achtzigern kam Scorsese mit einer Kette zunehmend interessanter Filme auf Touren. Wie auch andere der berühmteren Filmemacher seiner Generation ließ er sich ganz von seinen Neigungen leiten und erschloß neue Felder mit *Raging Bull* (1980), *The King of Comedy* (1983), *After Hours* (1985), *The Color of Money* (1986), *The Last Temptation of Christ* (1988), *GoodFellas* (1990) und *The Age of Innocence* (1993). In ihrer Gesamtheit stellen diese Filme eine virtuose Leistung dar.

Das Modell der neuen Generation von Hollywood-Regisseuren der siebziger Jahre war Francis (Ford) Coppola, der gleich nach der Filmschule bei Roger Corman zu arbeiten begann, mit Drehbüchern erste Erfolge hatte und dann eine Reihe persönlicher Filme – darunter *The Rain People* (1969) und *The Conversation* (1974) – produzierte und inszenierte. Zwischendurch zeichnete er verantwortlich für einen der erfolgreichsten Filme der frühen Siebziger – *The Godfather* (1972) –, der mit seiner

Fortsetzung (1974) von vielen Kritikern als der wichtigste Film der Dekade angesehen wird. Diese Kombination aus kommerziellem und künstlerischem Erfolg ist selten.

Anschließend brauchte Coppola fast vier Jahre und über dreißig Millionen Dollar, um in dem erregend konzipierten und überwältigend gefilmten *Apocalypse Now* (1979) Joseph Conrads Roman *Heart of Darkness* vor dem Hintergrund des Vietnam-Krieges eine tiefere Bedeutung abzupressen. Kritik und Publikum schienen sich darüber einig zu sein, daß dieser Versuch nicht bis ins letzte gelungen war. Trotz der anschaulichen Metaphern für die Malaise des amerikanischen Vietnam-Komplexes – vielleicht gerade wegen der brillant konstruierten Bilder und Töne – schien uns *Apocalypse Now* nicht sehr viel über Vietnam zu vermitteln. 1968, als Coppola und John Milius die Grundidee entwickelten, hätte ein solcher Film revolutionäre Kraft entwickeln können. Doch mehr als zehn Jahre später brauchte die Nachkriegsgeneration mehr als die Bebilderung der Grausamkeiten des Krieges, sie brauchte Hilfen zum Verständnis. Das ist vielleicht zuviel von einem dreistündigen Film verlangt, doch *Apocalypse Now* weckte während der langen und qualvollen Produktionszeit große Erwartungen, die er schließlich nicht erfüllen konnte.

Unverzagt raffte sich Coppola schnell wieder auf und kaufte im Frühjahr 1980 die ehemaligen Samuel-Goldwyn-Studios in Hollywood. Zehn Jahre zuvor hatte er mit leidlichem Erfolg versucht, in San Francisco ein alternatives Studio zu gründen. Seine Herausforderung an die Machtstruktur von Hollywood – «American Zoetrope» – wirkte hauptsächlich hinter den Kulissen durch Coppolas Unterstützung der Karriere mehrerer junger Filmemacher. Unter dem neuen – ambitionierten – Namen «Omni Zoetrope» hatte das neue Studio eine noch kürzere Lebensspanne.

Die gesamten achtziger Jahre hindurch experimentierte Coppola mit mannigfachen Stilen, selten mit Erfolg beim Publikum. *One from the Heart* (1982) verrannte sich in Computer-Tricks, Jahre bevor sie kommerziell angebracht waren. Mit *The Outsiders* und *Rumblefish* nach den Jugendbüchern von S. E. Hinton wurde 1983 eine erkleckliche Reihe von Schauspielern bekannt, die in den nächsten Jahren in Hollywood den Ton angeben sollten. *The Cotton Club* von 1984, die ambitionierte Nachempfindung einer speziellen Periode der amerikanischen Musikgeschichte, war ein Flop. Aber mit *Peggy Sue Got Married* (1986) und *Tucker: The Man and His Dream* (1988), einem lange sich hinzögernden Projekt, fand Coppola wieder zu seinem Stil. Der erste dieser beiden Filme war eine perfekt realisierte Elegie auf die ausgehenden Fünfziger und frühen Sechziger, in der die betreffende Generation sich wiederfinden konnte. Der andere war der erste Vierziger-Jahre-Film seit *The Godfather* und singt ein Lied auf den amerikanischen Unternehmergeist, das noch an Bedeutsamkeit gewinnen wird, wenn die Zeit darüber hingeht. 1990 schloß Coppola die *Godfather*-Trilogie mit dem dritten Teil ab, der weit weniger erfolgreich war als seine Vorläufer.

Ironischerweise konnte einer von Coppolas frühesten Protegés, George Lucas,

In *Peggy Sue Got Married* (1986) hat Francis Ford Coppola meisterhaft das Bild und das Lebensgefühl der sechziger Jahre eingefangen; zugleich entwickelte er eine beredte Fabel, um die romantischen und abenteuerlichen Mythen dieser Periode einzufangen, die den Amerikanern bis heute gegenwärtig sind. Hier Kathleen Turner als High-School-Queen Peggy Sue.

den Traum seines Mentors von einem eigenen Imperium als erster verwirklichen. Nach seinem Debüt *THX 1138*, einem von Zoetrope produzierten Science-fiction-Film, der an der Kinokasse ohne Resonanz blieb, drehte Lucas 1973 *American Graffiti*, einen der populärsten Filme der siebziger Jahre. Dem folgte 1977 *Star Wars* – als lange erfolgreichster Film aller Zeiten bislang nur von Steven Spielbergs *E. T.* und *Jurassic Park* übertroffen – und die Gründung von Lucas' eigenem Imperium mit Namen Lucasfilm Ltd., ermöglicht durch ein einträgliches Merchandising (Spielzeug, Spiele, Bücher, T-Shirts). Lucas klappte den Regiestuhl zusammen und konzentrierte sich auf Produktion und die Leitung seiner Firma. Mit den Gewinnen aus *Star Wars* baute er in Marin County nördlich von San Francisco ein Atelier auf und operiert seitdem von dort aus.

Die achtziger Jahre hindurch beutete Lucas die Goldader *Star Wars* aus (zwei Fortsetzungen) und baute zusammen mit Steven Spielberg das lukrative und unterhaltsame Geschäft mit *Indiana-Jones*-Lizenzen auf. Daneben stieg er mehr und mehr ins Geschäft mit «special effects» ein, das in den achtziger Jahren beständig

1993 gelang Steven Spielberg ein bemerkenswerter Wurf, als er sowohl einen Monster-Kassenfüller (*Jurassic Park*) – in starkem Maße von fortgeschrittenen Special Effects abhängend – in die Kinos brachte wie eine breit angelegte, Oscar-prämiierte Elegie, die ein schwieriges Thema behandelte und hauptsächlich am intelligenten Dialog hing (*Schindler's List*). Hier füttert Sam Neill einen zutraulichen Brachiosaurus in einem überraschend unzusammenhängenden Film, der nach dem Sequel zu schielen schien – oder vielleicht nach seinem eigenen Freizeitpark.

wuchs, und zwar weitgehend dank dem Erfolg von Filmen wie den beiden *Star-Wars*-Fortsetzungen, die er selbst produzierte.

Die *Star-Wars*-Trilogie selbst ist ein ansehnlicher Katalog der Geschichte Hollywoods. Die meisten seiner populärsten Elemente besitzen direkte Vorbilder in zahllosen Genre-Klassikern, die Hollywoods goldene Ära charakterisierten. *Star Wars* ist nicht nur ein Science-fiction-Film, er ist ebenso zeitweise ein Western, ein Kriegsfilm, Historienfilm, Liebesromanze und so weiter. Bedenkt man die zahllosen Details, Stile und Kunstgriffe, die Lucas bei seinen berühmten Vorgängern ausleiht oder auf die er anspielt, so scheint es nur zu gerechtfertigt, daß diese Filme mehr Geld einspielten als jede andere Fortsetzungsserie in der amerikanischen Geschichte. 1993 gab Lucas die Zeitplanung für drei weitere *Star-Wars*-Filme bekannt.

Kopf an Kopf mit Lucas bewegte sich Steven Spielberg. *Jaws* (1975) hielt eine Zeitlang den Spitzenplatz in *Varietys* Bestenliste der erfolgreichsten Filme, ehe er von *Star Wars* verdrängt wurde, und Spielbergs eigener Versuch im Science-fiction-Genre, *Close Encounters of the Third Kind*, der Ende 1977, sieben Monate nach *Star*

Liam Neeson als Schindler – ein habgieriger Mensch mit einem warmen Herzen und infolgedessen unwiderstehlichem Charakter – verabschiedet sich von den «Schindlerjuden». Spielbergs Film löste in Deutschland eine ähnliche Reaktion aus wie das TV-Melodram *Holocaust* (1978).

Wars, herauskam, erklomm ebenfalls einen der obersten Plätze dieser Liste. *1941* (1979), der Versuch einer Komödie über die Kriegshysterie jenes Jahres, kostete riesige Summen, war ein absoluter Mißerfolg an den Kinokassen und brachte Spielberg einen Moment lang auf den Boden der Tatsachen zurück.

Mit *Raiders of the Lost Ark* (1981), dem ersten der *Indiana-Jones*-Filme, erholte er sich aber sogleich und stieg mit *E.T.: the Extraterrestrial* (1982) wieder steil auf. Seitdem hält sein Höhenflug an. Die achtziger Jahre sahen eine stete Folge größerer und kleinerer Erfolge von *The Color Purple* (1985) und *Empire of the Sun* (1987) bis zu *Always* (1989) und den *Indiana-Jones*-Fortsetzungen (1984, 1989). Ebenso wie Coppola und Lucas war er zugleich auch ein fleißiger Produzent und zeichnete unter anderem für die *Back-to-the-Future-* und die *Gremlins*-Serie sowie für den äußerst bemerkenswerten Film *Who Framed Roger Rabbit*? (1988) verantwortlich. In den letzten zwanzig Jahren hat niemand die amerikanische Alltagskultur stärker beeinflußt als Steven Spielberg. 1993 brach *Jurassic Park* weltweit den Einnahmerekord, während gleichzeitig durch die positive kritische Rezeption von

The Player (1992), Robert Altmans lang erwartete Rückkehr zur Form, erwies sich als ansteckende Satire auf das heutige Hollywood, voll von Insider-Witzen, aber zugleich nicht davon abhängig. Hier empfängt Studio-Manager Tim Robbins eine Botschaft.

Schindler's List klar wurde, daß Spielberg sich mit den Besten der «seriösen» amerikanischen Filmemacher messen kann.

Eine Generation älter als diese drei Regisseure/Impresarios, überlebte Robert Altman eine unbequeme Verbindung mit den Studios und schaffte es, seine Filme nach seinem eigenen Gusto zu machen. Er ist einer der originellsten zeitgenössischen Filmemacher. Sein Kino ist voll Abenteuer: *M.A.S.H.* (1970) definierte die Stimmung einer Generation (und sicherte zugleich Altmans künstlerische Freiheit). *McCabe and Mrs. Miller* (1971) war eindeutig der überragende Western der Epoche, wie *The Long Goodbye* (1972) und *Thieves Like Us* (1974) originelle Versionen ihrer Genres, des Detektiv-Films und des Film Noir, darstellten.

Altmans bedeutendste Leistung war *Nashville* (1975), ein außergewöhnlicher Film, der die mythischen Wurzeln im Zweihundertjahrsjubel aufdeckte. *Buffalo Bill and the Indians* (1976) sprach einige interessante Fragen über den American way of life an. Altmans vielleicht bedeutendster Beitrag für «New Hollywood» ist seine Arbeitsmethode. Während Starregisseure jahrelang emsig an ihren geplanten Meisterwerken herumtüfteln, hatte Altman auf der Höhe seines Schaffens in den Siebzigern einen Ausstoß von einem Film etwa alle neun Monate. Sie waren selten Bestseller, doch spielten insgesamt ihre Kosten wieder ein. Manchmal waren sie interessant (*A Wedding*, 1978), manchmal charmant (*A Perfect Couple*, 1979) und bisweilen unerträglich prätentiös (*Quintet*, 1978). Doch stets spürte man in ihnen die Liebe für das Medium und eine humane Intelligenz – und es waren nicht wenige!

In den achtziger Jahren kam Altman aus dem Tritt, verkaufte sein Studio Lion's Gate, wandte seine Aufmerksamkeit dem Theater zu und inszenierte ein paar Filme nach Bühnenstücken. 1992 erzielte er mit *The Player* einen beträchtlichen Erfolg; der Film ist eine geballte Satire auf das gegenwärtige Hollywood, steckt voll von Insider-Witzen und brachte Geld. Der 1993 angelaufene Film *Short Cuts* rief gemischte Reaktionen hervor.

John Cassavetes, der die Unabhängigkeit heutiger Regisseure mit seinen herausragenden *Shadows* (1959) vorwegnahm, kehrte zehn Jahre später mit *Faces* (1968) zur unabhängigen Produktion zurück. Es folgten *Husbands* (1970), *Minnie and Moskowitz* (1971) und *A Woman under the Influence* (1974), sein erfolgreichster Film; darauf dann einige bemühte Werke, die nur von überzeugten Cassavetes-Anhängern geschätzt wurden (darunter *The Killing of a Chinese Bookie*, 1976; *Gloria*, 1980). Trotz seines schwierigen Stils, der auf Improvisation und intensiven Beziehungen zwischen den Schauspielern beruht, gelang es Cassavetes, seine Filme ohne Studio-Geld zu finanzieren. John Cassavetes war ein vorzüglicher Schauspieler, dem parallel dazu eine produktive Existenz als unabhängiger Regisseur glückte. Damit steht er in der modernen amerikanischen Filmgeschichte einzig da. Er starb 1989.

Paul Mazursky wurde in den Siebzigern zu einem wichtigen Filmemacher, dem es gelang, mehr oder weniger mit Erfolg innerhalb des Studio-Systems zu arbeiten. Mazursky konzentrierte sich mit einer langen Reihe interessanter Filme auf die komischen Seiten menschlicher Existenz. *Bob & Carol & Ted & Alice* (1969), *Alex in Wonderland* (1970), *Blume in Love* (1973), *Harry and Tonto* (1974) und *Next Stop, Greenwich Village* (1976) zeichneten alle mit stillem Humor zeitgenössische Lebensstile nach. *An Unmarried Woman* (1978) war Mazurskys populärster Film, da er damit die feministische Welle auf ihrem Höhepunkt erwischte. *Willie and Phil* (1980) war die Summe seiner Anliegen und ein interessanter Versuch, sein geistiges Vorbild – Truffauts Klassiker *Jules et Jim* – zu kommentieren. In den achtziger Jahren arbeitete Mazursky weiter in dieser Richtung: *Tempest* (1982, eine kühne Shakespeare-Interpretation), *Moscow on the Hudson* (1984, Robin Wilson als russischer Immigrant) und *Enemies, a Love Story* (1989), ein anrührendes Gedenken an die Schatten, die der Holocaust auf New York warf.

Einer der eher unterschätzten Regisseure der Siebziger, Michael Ritchie, verband – in *Downhill Racer* (1969), *The Candidate* (1972), *Smile* (1975), *Bad News Bears* (1976) und *Semi-Tough* (1977) – dokumentarische Techniken mit fiktionalen Struk-

Woody Allens schwarzweiße, romantische Phantasie über seine Heimatstadt, *Manhattan* (1979), betonte die mythischen Elemente New Yorks: Brücken, Flüsse und Parkverbotszonen.

turen zu einer ungewöhnlichen Mischung. *Prime Cut* (1972) bleibt eine geistreiche Metapher für das Amerika der Siebziger, die nichts an Bedeutung verloren hat.

Ebenso erfolgreich im Versuch, die Kontrolle über Inhalt und Form seiner Art von Film in der Hand zu behalten, ist Woody Allen, der nach einer Reihe komischer Erfolge Anfang der siebziger Jahre (*Bananas*, 1971; *Sleeper*, 1973; *Love and Death*, 1975) 1977 mit *Annie Hall* von neuem Aufsehen und kritische Aufmerksamkeit weckte. Als nächstes drehte er *Interiors* (1978), einen mißglückten «ernsten», pseudoeuropäisch gehaltenen Essay über Phobien von Intellektuellen, dessen Haupteffekt war, daß es schwerfiel, Woodys großes Vorbild Ingmar Bergman wieder ernst zu nehmen; doch mit *Manhattan* (1979) zeigte er sich erneut in bester Form. Allen kreuzte durch die achtziger Jahre, indem er ein bemerkenswert konsistentes Werk mit zahlreichen Highlights hervorbrachte: *Stardust Memories* (1980), *Zelig* (1983), *Broadway Danny Rose* (1984), *The Purple Rose of Cairo* (1985), *Hannah and Her Sisters* (1986), *Radio Days* (1987) und *Alice* (1990) sind allesamt von der Sensibilität des typischen New Yorker Intellektuellen durchdrungen, den Allen verkörpert. 1992 geriet er in rauhes Fahrwasser, als seine Beziehung zu Mia Farrow zu einem Fressen für die Fernseh-Nachrichten wurde und die Realität sich als noch eigenartiger als die

Phantasie erwies; aber viele Kritiker sahen dennoch *Manhattan Murder Mystery*, im nächsten Jahr angelaufen, als anerkennenswerte Rückkehr zur Komik an.

Während Allen, Altman, Cassavetes, Coppola, Lucas, Mazursky, Scorsese, Spielberg und Ritchie – das Pantheon der amerikanischen Filmemacher in den Siebzigern – sich aus der Masse der amerikanischen Regisseure herauszuheben scheinen, gibt es noch einige andere in diesem Zeitraum, deren Werk Interesse verdient: Alan J. Pakula, Sydney Pollack, John Korty, Philip Kaufman, Hal Ashby, Paul Schrader und Mel Brooks fallen alle in diese Kategorie.

Der Dokumentarfilm entwickelte sich ebenfalls günstig in den siebziger Jahren. Außer den schon genannten Filmemachern sind Haskell Wexler, Saul Landau, Peter Davis und Emile De Antonio zu nennen. Wexler, ein ausgezeichneter Kameramann, inszenierte einen der wichtigsten Filme der sechziger Jahre – *Medium Cool* (1969) –, in dem er sehr geschickt die dramatischen Vorgänge während des Parteitags der Demokraten in Chicago mit einem scharfsinnigen Essay über das Verhältnis zwischen Politik und Medien verband.

Landau war verantwortlich für eine Reihe hervorragender Dokumentationen (*Interview with President Allende, Report on Torture in Brazil*, beide 1971), bei denen er oft mit Wexler zusammenarbeitete. De Antonio spezialisierte sich auf Kompilationsfilme, bei denen er pointierte politische Essays aus dem Material, das andere gedreht hatten, montierte: *Point of Order* (1963) über McCarthy-Verhöre, *Millhouse, a White Comedy* (1971) über Richard Nixon und *Painters Painting* (1972), sein einziger unpolitischer Film. De Antonio und Wexler drehten 1976 gemeinsam *Underground*, einen Film über untergetauchte Antikriegs-Aktivisten der Weathermen-Gruppe.

Peter Davis' Dokumentar-Essay über das schmerzvolle Verhältnis zwischen den USA und Vietnam, *Hearts and Minds* (1974), verärgerte einige Zuschauer wegen seiner vermeintlichen Parteilichkeit; doch er bleibt einer der bemerkenswertesten amerikanischen Dokumentarfilme nach 1960. Er vermittelte nicht nur optisch sehr wichtige Informationen, sondern wirkte gerade wegen seiner engagierten Haltung dem Thema gegenüber emotional wie intellektuell auf das Publikum. Leider kam der Film erst in den letzten Monaten des Kriegs in die Kinos, als nach zehn Jahren klar war, daß die amerikanische Intervention ein tragischer Fehler gewesen war.

Der Dokumentarfilm erwies sich in den Siebzigern auch als gutes Arbeitsfeld für eine Anzahl weiblicher Regisseure: Joyce Chopra, Martha Coolidge, Julia Reichert, Amalie Rothschild, Claudia Weill, Nell Cox, Cinda Firestone, Barbara Kopple und andere. Die meisten dieser Filmemacherinnen entdeckten den autobiografischen Film als Medium zur Behandlung feministischer Themen. 1978 hatte Claudia Weill mit *Girl Friends* ein eindrucksvolles Spielfilm-Debüt. Der Film war eine unabhängige Produktion, die jene direkte Sensibilität und den ungekünstelten Stil vermittelte, die ein Kennzeichen des unabhängigen Dokumentarfilms der späten siebziger Jahre waren. In den Achtzigern wurde sie einem breiten Publikum als Regisseurin bekannt, die an der herausragenden Fernsehserie *thirtysomething* beteiligt war. Chopra, Coolidge und Reichert gingen ähnliche Wege, indem sie gelegentlich einen Spielfilm inszenierten, im übrigen aber mehr oder weniger durchgängig für das Fernsehen arbeiteten. Rothschild, Cox und Kopple machten weiterhin Dokumentarfilme.

Aus dem reichen Angebot der Dokumentarfilme, die gegen Ende der Siebziger sowohl fürs Kino wie auch für die Fernsehausstrahlungen produziert wurden, lohnen drei historische Studien hervorgehoben zu werden.

Barbara Kopples *Harlan County, U.S.A.* (1976) vermittelte ein lebendiges und bewegendes Porträt jener Frauen und Männer, die in jenem Bergbauzentrum noch immer um bessere Arbeitsbedingungen kämpfen – vierzig Jahre nach den großen Arbeitskämpfen der dreißiger Jahre, die der Gegend den Namen «Bloody Harlan» eintrugen. Kopple mißbrauchte nicht die realen Menschen, um ihre eigene politische Meinung vorzuführen, sondern gab ihnen die Freiheit, uns ihre Seite der Wahrheit zu vermitteln, und sie machte auf diese Weise einfache Leute (mit außerordentlicher Energie, Hingabe und Humor) für eine kurze Zeit zu Filmstars. Der Film hat Modellcharakter für den dramatischen Stil des Dokumentarfilms Ende der Siebziger und in den Achtzigern.

With Babies and Banners (1978) von Lorraine Gray, Anne Bohlen und Lyn Goldfarb dokumentierte die Geschichte der «Women's Emergency Brigade» während des 1937er Streiks bei General Motors durch seltene historische Aufnahmen und einfühlsame Interviews mit denselben Frauen bei einem Treffen vierzig Jahre später.

The Wobblies (1979) von Steward Bird und Deborah Shaffer verband ähnlich historisches Material mit heutigen Interviews, um neue Aufmerksamkeit auf die Gewerkschaft «United Workers of the World» und ihre Kämpfe in den ersten Jahren dieses Jahrhunderts zu lenken. Die von Bird und Shaffer entdeckten Überlebenden waren inzwischen fast alle über achtzig Jahre alt. Beide Filme zeigen, wie das Medium ausgezeichnet auf historische Themen angewandt werden kann.

Die Achtziger und danach: Demokratie und Technologie – das Ende des Films

Entscheidend ist, daß in den achtziger und der ersten Hälfte der neunziger Jahre keine neue Generation angetreten ist, dem Kino der Siebziger etwas Neues entgegenzusetzen. Trotz der gewaltigen Veränderungen im Filmgeschäft (und in der Welt) hat sich bei den Filmen seit Anfang der Achtziger nicht viel getan.

Fortsetzungsmanie ist nach wie vor die Losung zumindest in der amerikanischen Filmindustrie, und jeder Produzent träumt von einem «Kettengeschäft-Film», dessen Handlung und Figuren sich für eine Serie anbieten. Dabei ist es unwahrscheinlich, daß irgendein Produzent Albert «Cubbie» Broccolis Rekord brechen wird: James Bond startete 1962 mit *Dr. No* und hielt sich über mehr als dreißig Jahre und fünf Bond-Inkarnationen hinweg. (Nur Sherlock Holmes wurde von noch mehr Schauspielern verkörpert.) Aber Action-Serien wie *48 Hours, Beverly Hills Cop, Lethal Weapon* und *Die Hard* setzten Bond bei der Jagd nach den Einnahmen hart zu.*

Wenn Hollywood keine Fortsetzungen produziert, müssen es Remakes sein, manchmal von Fernsehserien (*The Fugitive* und *The Beverly Hillbillies*, 1993), oft auch überraschenderweise von europäischen Filmen (*Three Men and a Baby*, 1987; *Somersby*, 1992; *Scent of a Woman*, 1992). Es gibt keinen besseren Beweis für das rapide weltweite Verschmelzen der Filmkulturen als dies ungewöhnliche Hollywood-Interesse an europäischen Erfolgsfilmen.

Europäische Regisseure scheinen jetzt mühelos aus ihrem jeweiligen Kulturkreis nach Hollywood überzuwechseln und gelegentlich auch wieder zurück. Paul Verhoeven hat in seinen heimatlichen Niederlanden Historiendramen und Lebensstudien gedreht; in Hollywood wurde er zum Verfechter modischer actionorientierter Science-fiction (*Robocop*, 1987; *Total Recall*, 1990). Barbet Schroeder war in Frankreich Kritiker der *Cahiers du cinéma* und Partner Eric Rohmers; in den USA verdiente er sich die Sporen mit dem komplexen Drama *Reversal of Fortune* (1990). Britische Regisseure (Alan Parker, Stephen Frears, Michael Apted, Ridley und Tony Scott) wurden mehr in Hollywood beschäftigt und erhielten in den Achtzigern Gesellschaft durch eine Reihe australischer Pendler. Eine kleine deutsche Kolonie bildete sich um Wolfgang Petersen, Uli Edel und den Produzenten Bernd Eichinger.

Einer der Gründe für diese Erweiterung des Hollywoodschen Gesichtskreises war wohl die wachsende Bedeutung des Export-Marktes. Anfang der achtziger Jahre hatte die amerikanische Filmindustrie an Goldcrest Films ihren Tribut zu entrichten, die britische Gesellschaft, der alles zu gelingen schien – ein paar Jahre lang. *Gandhi* (1982) und *The Killing Fields* (1984) heimsten Oscars ein. Von da an verlor die historische Unterscheidung zwischen amerikanischen und ausländischen Filmen an Deutlichkeit.

Die von diesen internationalen Crews produzierten Filme teilten sich zunehmend in zwei getrennte Produktfelder auf: Seiner größten Erfolge erfreut sich Hollywood nach wie vor auf dem Markt für die Dreizehn- bis Vierundzwanzigjährigen,

* Aus dieser Gruppe sticht *Alien* aus zwei Gründen hervor, weil der Film zum einen mit einer Frau (Sigourney Weaver) in der Heldenrolle aufwartet und weil der Serie zum anderen der Hauptpreis für kreative Titelfindung zusteht: *Alien, Aliens, Alien3.*

aber es muß auch die große Gruppe der dem Babyboom der Fünfziger zu Verdankenden im Auge behalten. Mit zwei Filmen aus den frühen achtziger Jahren lassen sich die beiden Märkte sauber kennzeichnen: *E.T.* (1982), der Prototyp des phantastischen Action-Adventures mit Kindern als Hauptfiguren, und Lawrence Kasdans *The Big Chill* (1983) als Modell der unter Menschen mittleren Alters im Mittelstandsmilieu spielenden Gesellschaftsstücke, von denen die Regale der Video-Shops voll sind.

Das mit Abstand führende Genre in den achtziger und neunziger Jahren war der Action-Adventure-Film, der sich so bequem für Fortsetzungen anbietet, weil es ihm kaum um Charakterzeichnung und Charakterentwicklung geht, und der den rasanten Fortschritt von Hollywoods durchcomputerisierter Special-effects-Industrie vor Augen führt. Nur dünn mit Science-fiction und Fantasy überlackiert, die den Trickspezialisten die Rechtfertigung für ihre Betriebsamkeit liefern, reiten die zeitgenössischen Action-Filme auf einem tief verankerten Bedürfnis nach blinder Aufregung und einer Sucht nach Gewalt. Eine vom Nonstop-Fernsehen aufgezogene Generation von Fernsehglotzern – in Amerika plastisch als «couch potatoes» bezeichnet – hat entdeckt, daß die totale Action auf Breitwand und in Rundum-Ton ein guter Grund ist, für ein paar Stunden dem kleinen Schirm zu Hause zu entkommen. Der überbordende Aktionismus des typischen Action-Films dient als paradoxes Gegengift gegen die vom Fernsehen aufgeprägte Passivität. Natürlich ist die gebotene Alternative zur Realität nur virtuell wie nicht anders in den hektischen Videospielen, den Hauptkonkurrenten im Kampf ums Geld, das Teenager und die etwas Jüngeren von ihrem Taschengeld für Unterhaltung abzweigen.

Als führender Action-Star der Achtziger und Neunziger ist Arnold Schwarzenegger zum Modell des Leinwand-Heroen dieses Zeitraums geworden. Wandlungsfähigere und differenziertere Schauspieler der Siebziger, wie Robert Redford, Jack Nicholson und Robert De Niro, gerieten in seinen Schatten. Mit einem Auftritt in *Pumping Iron*, einem Dokumentarfilm über Gewichtheber, fing Schwarzenegger 1976 bescheiden an. Später spielte er die Hauptrolle in den Fantasy-Schinken *Conan the Barbarian* (1982) und *Conan the Destroyer* (1984), bevor er mit *The Terminator* (1984) richtig prominent wurde, dem auch der Regisseur James Cameron und dessen damalige Ehefrau, die Produzentin Gale Ann Hurd, ihren Aufstieg verdanken. Hier war es auch, wo sein schwerer österreichischer Akzent mit einfachen, aber denkwürdigen Sätzen wie «I'll be back» zum Tragen kam. Die Kombination von vielfältigen Filmtricks, magerem Dialog und pseudomythischer Erfindung prägte die Machart des Genres. Die Fortsetzung, *Terminator 2* (1992, ebenfalls Cameron) übertraf den Vorläufer noch insofern, als sie der erste Spielfilm war, der in großem Umfang computerisierte Morphing-Effekte einbezog.

Als ehemaliger Bodybuilder – ein Sport, der sich mehr dem Image des Athleten widmet als wirklich der Bewegung – hat sich Schwarzenegger als passendes, wenn auch ironisches Surrogat für uns in der virtuellen Action-Welt auf der Leinwand erwiesen. Auch den Aufstieg in den amerikanischen «Adel» hat Schwarzenegger dank seiner Ehe mit Maria Shriver, einer Nichte John F. Kennedys, geschafft. Er hat mehr als dreihundert Leute auf der Leinwand umgebracht, was seinen Filmen weltweit gut über eine Milliarde Dollar eintrug.

Um im Hollywood-Pantheon zu dieser einsamen Höhe aufzusteigen, hatte Schwarzenegger zunächst einen furchterregenden Mitbewerber auszustechen: Sylvester Stallone, den Schauspieler und Drehbuchautor, der für die Wiedererfindung des Action-Genres verantwortlich war.* Als Schauspieler kam Stallone nicht voran, bis er für *Rocky* (1976) sein eigenes Buch schrieb, ein Erfolg bei Kritik und Publikum, dessen vier Fortsetzungen ihn bis in die neunziger Jahre beschäftigt hielten. Die ebenso erfolgreiche *Rambo*-Serie (1982 zuerst *First Blood*) verschob die Handlung vom relativ realistischen Boxen hin zu ausufernden Rachephantasien. Stallone vermied das Science-fiction-Element und dessen Filmtricks zugunsten des uramerikanischen Draufgängertums und eröffnete damit Schwarzenegger und Cameron die Möglichkeit, die Entwicklung einen Schritt weiterzutreiben. 1993 jedoch fiel Schwarzenegger mit dem Flop von *Last Action Hero* kräftig auf die Nase, während Stallone mit *Cliffhanger* und der Science-fiction-Komödie *Demolition Man* wieder an frühere Kassenerfolge anschließen konnte. Das Machtgleichgewicht zwischen den beiden Stars war wiederhergestellt.

Wenn Action-Filme oft wie ein Besuch in einem phantastisch ausstaffierten Vergnügungspark anmuten, ist das keineswegs Zufall. Gehen wir doch zum guten Teil aus denselben Gründen ins Kino, aus denen wir uns in die Phantasiewelt der Vergnügungsparks entführen lassen, und sind doch in den USA Vergnügungsparks zunehmend im Besitz von Filmgesellschaften, deren Filme wiederum für die Parks Reklame machen. Der Trend gipfelte in einer weiteren Orgie der zeitgenössischen Filmtrick-Technologie: Steven Spielbergs *Jurassic Park* (1993), der einen futuristischen Vergnügungspark zum Thema hat und natürlich seinerseits eine Flut entsprechender Inszenierungen und Panoramen in Vergnügungsparks auslöste.

Die Quasi-Mythen der amerikanischen Comics haben nicht aufgehört, die Filmemacher in Hollywood zu interessieren, seit *Superman* und seine Fortsetzungen von Tim Burtons *Batman* (1989) und Warren Beattys *Dick Tracy* (1990) Gesellschaft erhielten. Letzterer – mit der Musik von Stephen Sondheim – erwies sich als wohldurchdachte Erkundung der Dreißiger-Jahre-Mythen. *Batman* festigte den Ruf eines jungen Regisseurs, der als Zeichner bei Disney ins Filmgeschäft gekommen ist.

* Bruce Lee, in den siebziger Jahren der Prototyp des Action-Helden, starb, bevor das Genre richtig definiert war. Sein Sohn, der in den Neunzigern das Zeug zu einem Herausforderer hatte, starb ebenfalls jung.

Warren Beattys *Dick Tracy* (1990) war einer der letzten in einer langen Reihe von Filmen, die die Comics der dreißiger und vierziger Jahre recycelten. Als ambitionierter Versuch, die Stimmung und das Bild jener Ära einzufangen (zumindest so, wie sie in den Comics porträtiert wurde), nutzte der Film die Talente sowohl von Madonna und Stephen Sondheim als auch von Kameramann Vittorio Storaro.

Robert Zemeckis' *Who Framed Roger Rabbit?* (1988) zollte ebenfalls der Comic-Welt Tribut, diesmal durch die Erfindung einer eigenen: einem «Toonland», das manchen realer erscheint als seine historischen Vorläufer. Der Film war erfindungsreicher als die Comic-Kassenfüller der achtziger Jahre und überdies auch unterhaltsamer. Hier Bob Hoskins mit der Titelfigur.

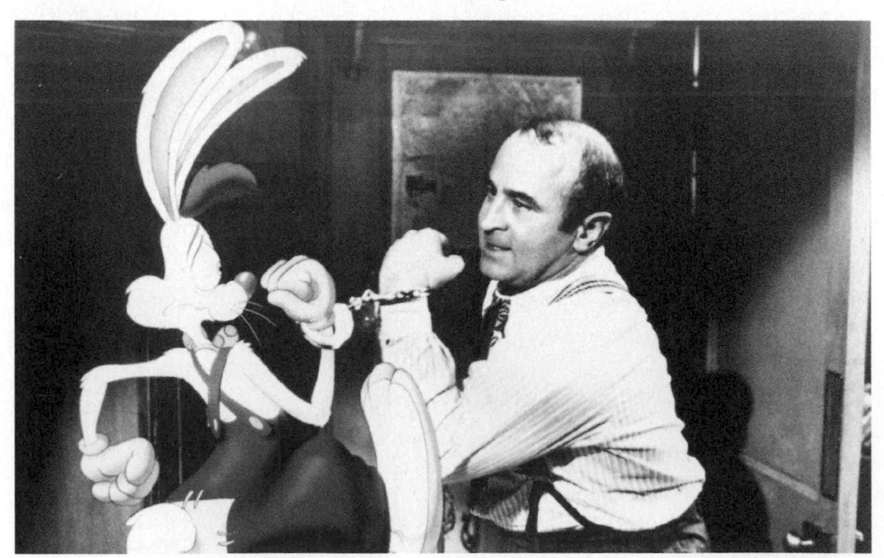

Burton hatte erstmals mit *Pee-Wee's Big Adventure* (1985) und *Beetlejuice* (1988) Aufmerksamkeit auf sich gezogen, zwei überdrehten Versuchen, Schauspieler aus Fleisch und Blut in der Schlichtheit und Reduziertheit von Cartoons erscheinen zu lassen. Im Laufe des Jahrzehnts liefen Live-Darstellung und Animation immer mehr zusammen, in symbolischer Hinsicht ebenso wie in technischer. Nachdem wir erlebt haben, wie ein richtiger, echter Hollywood-Schauspieler die Rolle des Präsidenten der USA spielte, war es vielleicht keine Überraschung mehr, daß die Unterscheidung von Bild und Realität in rapide wachsende Konfusion führte. Die achtziger Jahre bereiteten uns auf das in den Neunzigern heraufdämmernde digitale Zeitalter des «Morphing» vor, in dem keinem Bild – wie authentisch es auch erscheint – mehr zu trauen ist.

Die Konjunktion dieser Entwicklungsmomente wurde in Robert Zemeckis' einfalls- und geistreichem Film *Who Framed Roger Rabbit*? deutlich, der den Zusammenprall der beiden Welten thematisierte: reale Darsteller und die Realität der Cartoons. Zu den weiteren Filmen Zemeckis' gehören die Trilogie *Back to the Future* (1985, 1989, 1990) und die Michael-Douglas-Verfilmung *Romancing the Stone* (1984); in allen zeigt sich eine erfrischende postmoderne Sensibilität.

Steven Spielberg und George Lucas wird zu Recht die Begründung der zeitgenössischen Kino-Mythologie zugeschrieben, aber Regisseure wie Zemeckis und Ivan Reitman spielten ebenfalls eine bedeutende Rolle. Reitmans *Ghostbusters* (1984) gingen auf originelle und spritzige Weise den Horror mit Humor an. Seine Filme mit Schwarzenegger (*Twins*, 1988; *Kindergarten Cop*, 1990; *Junior*, 1994) trugen dazu bei, dem Erscheinungsbild dieses Stars mehr Tiefe zu verleihen, und seine politische Fabel *Dave* (1993) spießte das zerbrechliche neue Politbewußtsein der Neunziger auf.

Reitman fiel zuerst mit *National Lampoon's Animal House* (1978) auf, womit er nicht nur die von den Baby-Boom-Jahrgängen entwickelte Faszination für ihre Jugendzeit vorwegnahm, sondern zugleich das Modell der zeitgenössischen Komödie lieferte, und zwar hochgradig abhängig von John Belushis Wesensart. Reitman arbeitete auch mit Dan Aykroyd und Bill Murray, die ebenso wie Belushi aus dem TV-Programm *Saturday Night Live* hervorgegangen sind. Diese Show bildete eine Art Brutkasten, in dem die meisten Komödienstars der Achtziger ihre Karriere begonnen haben, von Eddy Murphy und Billy Crystal, die beide immer noch die amerikanische Filmkomödie dominieren, bis zu Dana Carvey und Mike Myers.* Die Show

* Als fast die einzigen Filmkomiker, die nicht dem Ensemble von *Saturday Night Live* entstammen, läßt sich das erfolgreiche Gespann Richard Pryor und Gene Wilder nennen – Wilder hat später Gilda Radner geheiratet, für die das nun wiederum zutraf. Im Widerspruch dazu hat es der einflußreichste Komiker dieses Zeitraums, Bill Cosby, nie zu vergleichbarem Filmerfolg gebracht. Robin Williams, ein beachtlicher Komiker, hatte mit ernsten Rollen weit mehr Erfolg als mit komischen.

In den zehn Jahren vor seinem frühen Tod konnte Jim Henson seine ursprünglich für das Fernsehen erfundene Welt der Muppets für das Kino übersetzen, und zwar in einer Serie von Musical-Filmen, die allesamt ebenso intelligent wie charmant sind. Durch ihn wurde es in den achtziger Jahren zu einem Vergnügen, mit den Kindern ins Kino zu gehen. Hier Kermit, Miss Piggi und Freunde.

hatte überraschenderweise derart viel Einfluß auf die amerikanische Jugendkultur, daß in den frühen Neunzigern, fast zwanzig Jahre nach ihren Anfängen, Sketche aus *Saturday Night Live* die Quelle für ausgewachsene Spielfilme abgeben konnten (*Wayne's World*, 1992; *The Coneheads*, 1993).

Während jüngere Kinobesucher in den Achtzigern und Neunzigern die Multiplexe frequentierten, um sich ihre Dosis an virtueller Action, postmodernem Humor und sporadisch auch Sagenhaftem zu holen, besuchten ihre Altvorderen die Programmkinos. Die Erinnerung an die revolutionäre Aufbruchsstimmung der Sechziger (in gewisser Weise hochgehalten im späten Filmkunst-Erfolg *Cinema Paradiso*, 1990) mag da mitgespielt haben, aber der allgemeine Qualitätsanspruch blieb hoch. Wir haben bereits festgestellt, daß die Generation der Siebziger – Coppola, Scorsese, Altman, Mazursky – ihre Arbeit kontinuierlich weiterführte. Kein Filmemacher der Achtziger – ausgenommen vielleicht Spike Lee – hat ein vergleichbares Medieninteresse auf sich gelenkt. Inzwischen wird noch der farbloseste Techniker groß im Vorspann genannt, aber das eigentliche Zeitalter des «auteur» ist dahin.

Was Henson in den Achtzigern für die Mittelschüler geleistet hatte, leistete John Hughes für die Oberschüler von der Highschool: Er lieferte unterhaltsame Essays über amerikanische Mittelklassen-Adoleszenz, die seinem jugendlichen Publikum halfen, ein bißchen mehr von ihrer verwirrenden Welt zu begreifen. *Uncle Buck* (1989), von John Candy gespielt, ist für die Kinder der ideale Erwachsene.

Mag auch das künstlerische Profil der neuen Generation weniger ausgeprägt sein, so hat sie es doch zu einigem Ansehen gebracht. Wir haben bereits Reitmans und Zemeckis' Beiträge zu der von Lucas und Spielberg begründeten jugendspezifischen Mythologie erwähnt. Action-Regisseure wie James Cameron und John McTiernan (*Predator*, 1987; *Die Hard*, 1988) hatten hier ebenfalls ihre Erfolge, dank ihres einfallsreichen Umgangs mit Spezialeffekten.

Bei der Ausgestaltung zeitgenössischer Mythen war Jim Henson genauso einflußreich wie George Lucas und Steven Spielberg, er arbeitete aber größtenteils für das Fernsehen. Als er sich mit *The Muppet Movie* (1979), *The Great Muppet Caper* (1981) und *The Muppets Take Manhattan* (1984) dem Spielfilm zuwandte, bewahrte er in diesem weniger vergänglichen Medium seine Puppen-Gestalten für zukünftige Generationen.

Die Filmemacher, die sich lieber an erwachsene Zielgruppen wandten, entwickelten einen Mix aus Nostalgie und in der Gegenwart angesiedelter Gesellschaftskomödie, der sich als dauerhaft erwiesen hat. Barry Levinson ist ein gutes

Beispiel. Nachdem er für Mel Brooks Drehbücher geschrieben hatte, gelang ihm 1982 mit *Diner* ein beachtliches Regiedebüt, angesiedelt in seinem heimatlichen Baltimore der fünfziger Jahre. In den folgenden zehn Jahren kehrte er noch zweimal in seine Heimatstadt zurück, und zwar für *Tin Men* (1987), ein paar Jahre später spielend, und das elegische *Avalon* (1990), worin er der Geschichte seiner Familie nachspürte. Von solchen Rückblicken in die Vergangenheit waren auch die Kassenerfolge *Good Morning, Vietnam* (1987) und *Rain Man* (1988) durchzogen, beide als Charakterstudien angelegt und eine Tour de force für die Hauptdarsteller Robin Williams beziehungsweise Dustin Hoffman.

Auch die Familie Marshall hat sich in diesem Feld hervorgetan. Penny Marshall (*Big*, 1988; *A League of Their Own*, 1992) und ihr älterer Bruder Garry Marshall (*The Flamingo Kid*, 1984; *Pretty Woman*, 1990) haben ihren intelligenten Sinn für Komik in ihre diversen Projekte eingebracht. Pennys Ex-Mann Rob Reiner legte in seiner fruchtbaren filmischen Arbeit ein breiteres Interessenspektrum an den Tag, von seinem Erstling *This Is Spinal Tap* (1984) bis hin zu *When Harry Met Sally...* (1989, geschrieben von Nora Ephron) und *A Few Good Men* (1992). Sowohl die Marshalls als auch Reiner waren bereits mit Sitcoms im Fernsehen erfolgreich, bevor sie ihre Spielfilm-Karrieren starteten.

Die Essayistin, Roman- und Filmautorin Nora Ephron, Tochter des drehbuchschreibenden Teams Henry und Phoebe Ephron, hatte ihren Durchbruch mit *Sleepless in Seattle* (1993), in dem die beiden Hauptpersonen durch einen ganzen Kontinent voneinander getrennt sind und sich bis zur letzten Rolle nicht «kriegen» – wenn es jemals einen Drehbuchautoren-Film gegeben hat, dann diesen. Diese Schauspieler-Autoren-Regisseure, «Bindestrich-Existenzen» par excellence, bringen einen prickelnden Sinn für Charaktergestaltung in ihre Arbeit ein.

Was Ephron, die Marshalls und Reiner für erwachsene Charaktere getan haben, leistete John Hughes für Teenager. In einer ungewöhnlich dichten Folge von Filmen (*Sixteen Candles*, 1984; *Weird Science*, 1985; *The Breakfast Club*, 1985; *Pretty in Pink*, 1986; *Ferris Bueller's Day Off*, 1986; *Uncle Buck*, 1989), alle im selben Vorort von Chicago angesiedelt, studierte der Drehbuchautor-Produzent-Regisseur Hughes Mitte der achtziger Jahre die Wurzeln der «Generation X», bevor überhaupt jemand ahnte, daß es sie gibt. Er näherte sich seinem Thema mit Verständnis und Stil, bewies ein selten präzises Gespür für die Probleme von Halbwüchsigen und das Familienleben der Mittelschicht. Seine Produktion *Home Alone* (1990, inszeniert von Chris Columbus) verwertete Rohmaterial der früheren Filme, füllte sie mit billiger Comic-Gewalt auf, zeigte aber nichts von Hughes' Markenzeichen, seinem Mitgefühl. Der Film wurde sein größter Kassenerfolg.

Home Alone war offensichtlich gedacht als komische Umkehrung des gegen Ende der achtziger Jahre aufgekommenen neuen Genres der paranoiden Phantasien.

Mit Anklang an den Slang dieses Zeitraums hat der Kritiker James Pallot das Muster als «...aus der Hölle» bezeichnet. Seit *Rosemary's Baby* (1968) stets eine Unterströmung, wurde das Genre mit *Fatal Attraction* (1987, der Liebhaber aus der Hölle) zu einer der Schlüsselformen der achtziger und neunziger Jahre. Im nächsten Jahr lief die Serie *The Child's Play* (das Spielzeug aus der Hölle) an. John Schlesinger steuerte den Mieter aus der Hölle bei (*Pacific Heights*, 1990). Nach dem gewaltigen Erfolg von Jonathan Demmes *The Silence of the Lambs* (1991, der Häftling aus der Hölle) bekam das Genre in den Neunzigern den richtigen Schub. Es häuften sich paranoide Phantasien über Ehemänner, Zimmergenossen, Schulfreunde, Kindermädchen und Sekretärinnen (der Reihe nach: *Sleeping with the Enemy*, 1991; *Single White Female*, 1992; *Poison Ivy*, 1992; *The Hand That Rocks the Cradle*, 1992; *The Temp*, 1993). Seit den Science-fiction-Filmen der Fünfziger waren mehr als dreißig Jahre vergangen, bis eine vergleichbare Welle von Paranoia über das Kinopublikum schwappte.

Das Gegengewicht zu den Ängsten bildete der Nostalgie-Strang. Seine liebenswerteste und originellste Ausprägung fand er in den späten Achtzigern in einer Reihe von Baseball-Filmen. Baseball war lange Zeit in Hollywood verpönt.* Schließlich ist ja dies Nationalvergnügen der Amerikaner bekannt für die langen Zeitspannen scheinbarer Untätigkeit und innerer Monologe, in denen sich Spieler wie Fans im Verlauf eines Spiels verlieren – also kaum die Nonstop-Action, auf die heutige Produzenten aus sind. Aber Barry Levinsons *The Natural* (1984) nach Bernard Malamuds klassischem Roman hatte viel vom mythischen Symbolgehalt und vom Hauch der Geschichte und Tradition eingefangen, derentwegen der Sport bei seinen Fans so beliebt ist. 1988 war dann die Zeit reif für eine Renaissance des Baseball-Films – wenn auch der Sport selbst in eine Phase des Niedergangs geriet.

John Sayles hatte mit *Eight Men Out* (1988), einer historischen Rückschau auf den Black-Sox-Skandal, den ersten Wurf. Rasch folgten der Zweitligist Ron Shelton mit seinem authentischen *Bull Durham* und David S. Ward mit *Major League*. Die Serie gipfelte mit Erfolg bei Kritik und Publikum im elegischen *Field of Dreams* (1989) des Ausputzers Phil Alden. Mit *A League of Their Own* sorgte Penny Marshall 1992 für ein ordentliches Spielende.

Zu all dem Durcheinander von Action und Filmtricks, Paranoia und Nostalgie, künstlerischem Konservatismus und professioneller Stromlinienförmigkeit stehen

* Ich spreche aus eigener Erfahrung. Den größten Teil von 1979 und einen Teil von 1980 habe ich mit dem Versuch verbracht, ein Treatment mit dem Titel «Free Agent» in Hollywood unterzubringen, der Mangel an Erfolg war himmelschreiend. Dabei handelt es sich um eine Komödie um die neuartigen Beziehungen zwischen Spielern, Sponsoren und Fans; sie liest sich immer noch recht flott – und ist noch zu haben. Bei Interesse wäre meine Agentin, Virginia Barber, anzufaxen.

Steven Soderberghs *sex, lies, and videotape* trug Ende der achtziger Jahre dazu bei, das Interesse am Independent-Film erneut anzufachen. Andie MacDowell ist die Frau mit der Videokamera.

zwei verwandte Trends in Kontrast: die weiterhin gegebenen Möglichkeiten für unabhängiges Filmmachen außerhalb des Hollywood-Dunstkreises und die Renaissance des «schwarzen Kinos».

Interessanterweise diente die ganzen achtziger Jahre hindurch das Filmfestival in Cannes als Schaufenster und Testgelände für unabhängige amerikanische Filmemacher. Susan Seidelmans *Smithereens* lief 1982 in Cannes; Jim Jarmuschs *Stranger Than Paradise* wurde 1984 mit der Goldenen Kamera ausgezeichnet. Beide nutzten die dadurch gewonnene Publizität für den Aufbau ihrer Karrieren. Seidelman arbeitete für Hollywood, Jarmusch machte als «Independent» weiter. Ethan und Joel Coens *Blood Simple*, eine Hommage an den Film Noir, lief ebenfalls 1984 in Cannes. Diese beiden fahren fort, im Dunstkreis von Hollywood die klassischen Genres aufzuarbeiten (*Raising Arizona*, 1987; *Miller's Crossing*, 1990; *Barton Fink*, 1991; *The Hudsucker Proxy*, 1994). Steven Soderberghs *sex, lies, and videotape* fand 1989 in Cannes Beachtung durch die Kritik.

John Sayles war der prominenteste unter all den Independents. In den siebziger Jahren war er als Schriftsteller und Drehbuchautor tätig, 1979 debütierte er als Regisseur mit *The Return of the Secaucus Seven*, von den meisten Kritikern als der

Oliver Stone – in den achtziger Jahren als von politischem Interesse getriebener Hollywood-Filmemacher fast allein dastehend – kam mit *Wall Street* (1987) groß heraus. Der Film fing exakt das ethische Klima der Gogo-Achtziger ein und porträtierte zugleich eindrucksvoll eine Gruppe lebendiger – und echter – Charaktere. Michael Douglas als Gordon Gecko.

«wahre» *Big Chill* eingestuft. *The Brother from Another Planet* (1984), *Matewan* (1987) und *City of Hope* (1991) befassen sich ebenso wie *Eight Men Out* von höchst unterschiedlichen Gesichtspunkten aus mit der amerikanischen Gesellschaft, gemeinsam ist ihnen aber die geschickte und genaue Personengestaltung.

Innerhalb Hollywoods war Oliver Stone einer der unabhängigsten Künstler der Achtziger und Neunziger. In *Platoon* (1986), *Born on the Fourth of July* (1989), *The Doors* (1991) und *JFK* (1992) ging er den kritischen Problemen der sechziger Jahre nach: Vietnam-Krieg und seine Folgen, die Gegenkultur der Jugendlichen und Attentate. In *Wall Street* (1987) führte er die achtziger Jahre vor, kurz bevor der Aktienmarkt zusammenbrach. Nur die in *JFK* vertretenen paranoiden Verschwörungstheorien stören in diesem sonst so eindrucksvollen Ensemble von Filmen.

Die neue Welle afroamerikanischer Filmemacher hat ebenfalls von der Beachtung profitiert, die mit einer Präsentation in Cannes verbunden ist. Spike Lees *She's Gotta Have It* lief 1986 auf dem Festival. Lee hat auch danach seine Filme nach Cannes gebracht, und seine Wutausbrüche beim Ausbleiben von Hauptpreisen wurden Tradition. Robert Townsends *Hollywood Shuffle* wurde 1987 in Cannes vorgeführt. Auf dem Festival von 1990 konnte man im Majestic Hotel erleben, wie

Black Power und Hippies. Parodie auf die Blaxploitation-Filme der siebziger Jahre: Keenen Ivory Wayans' *I'm Gonna Git You Sucka!*

Mario van Peebles und sein Vater Melvin für *New Jack City* Verleiher hofierten. John Singletons *Boyz N the Hood* war eins der Hauptgesprächsthemen auf dem Festival von 1991.

Mario van Peebles ist der einzige unter den neuen afroamerikanischen Filmemachern, der in der Filmindustrie verwurzelt ist. Er hat eng mit seinem Vater zusammengearbeitet, der die Bewegung in den Sechzigern begründet hat. Robert Townsend hatte in Paul Mazurskys *Willie & Phil* (1980) sein Debüt als Darsteller und trat in Stand-up-Komödien auf, bevor er als Independent seine Satire auf die Probleme schwarzer Schauspieler produzierte: *Hollywood Shuffle* (1987). Neben häufiger Arbeit für das Fernsehen inszenierte Townsend 1991 *The Five Heartbeats* als seinen ersten Hollywood-Film. Keenen Ivory Wayans arbeitete bei *Hollywood Shuffle* mit Townsend zusammen, im nächsten Jahr machte er sich über die «Blaxploitation»-Filme der Siebziger lustig: *I'm Gonna Git You Sucka!* 1990 nahm ihn das Fox-Fernsehen für die Produktion der von ihm konzipierten Show *In Living Color* unter Vertrag. Darin wurde das Rassenverhältnis von *Saturday Night Live* umgekehrt und damit – erstmals – die Möglichkeit gewonnen, vielfältige und unterschiedlichste afroamerikanische Ansichten zu aktuellen Ereignissen und Problemen zu vermitteln.

1991 verbreitete sich das afroamerikanische Spektrum durch die Debüts zweier noch sehr junger unabhängiger Filmemacher, die in ganz entgegengesetzten Regio-

Angela Basset als Betty Shabazz und Denzel Washington als Malcolm in Spike Lees intensiver Filmbiografie *Malcolm X* (1992).

nen die Gestalten, Problemlagen und Originaltöne ihrer Nachbarschaft einfingen: John Singletons Hood – sein Viertel in der einschlägigen Redeweise – war South Central Los Angeles; Matty Rick kam *Straight out of Brooklyn.*

Dominierende Persönlichkeit in der Renaissance des schwarzen Kinos während der Achtziger und Neunziger war ganz klar der Schauspieler-Autor-Regisseur Spike Lee aus Brooklyn. Seine Abschlußarbeit an der Film School der Universität New York – *Joe's Bed-Stuy Barbershop: We Cut Heads* (1980) – wurde auf dem New York Film Festival in der Reihe mit Arbeiten junger Regisseure vorgestellt. Sein erster Spielfilm, *She's Gotta Have It* (1986), fand Anerkennung in Cannes, beeindruckte die Kritik durch seine opulente Bildlichkeit, erzielt erstaunliche Kasseneinnahmen und machte die von Lee gespielte Gestalt, den gerissenen Rumtreiber Mars Blackmon, zu einem Bestandteil der Alltagskultur. (Zusammen mit Michael Jordan trat er in der Nike-Werbung auf und war auch sonst überall präsent.) *Do the Right Thing* (1989), eine polemisch aufgeladene Darstellung gegenwärtiger Rassenbeziehungen, löste eine heftige Kontroverse aus und wurde zugleich wegen seiner anspielungsreichen Bildwelt von der Kritik gelobt. Viele Jahre lang hatten zahlreiche, meist weiße Filmemacher – vergeblich – versucht, *The Autobiography of Malcolm X* auf die Leinwand zu bringen. Lee hatte Erfolg. *Malcolm X*, mit Denzel Washington in der Titelrolle, lief 1992 an. Es ist ein Schlüsselfilm der amerikanischen Kultur, dem es gelingt, die vielschichtigen Spannungen in der Gestalt Malcolm X zu erfassen und zugleich das Publikum mit einer anrührenden und spannenden Handlung zu unterhalten. Atemberaubend genaue und eindringliche Rollengestaltung durch Washington und Al Freeman Jr als Elijah Muhammad verleihen dem Film seine Eindringlichkeit. Lee hat seinen normalerweise überbordenden Regiestil zurückgenommen und diese historischen Gestalten bemerkenswert ausgewogen ins Bild gebracht. Er hält viele der Verflechtungen und Ironien fest, die in ihrer Gesamtheit dazu führten, daß Malcolm für die Sechziger ein Held von zentraler Bedeutsamkeit wurde.

Während Hollywood in den achtziger Jahren eine stärker internationale Perspektive entwickelte, näherte sich das Kino im Rest der Welt in ästhetischer Hinsicht zunehmend an den amerikanischen Film an. Die ganze Nachkriegszeit hindurch herrschte, wie schon zuvor, in Europa und der Dritten Welt das Bewußtsein einer nationalen künstlerischen Identität, gewöhnlich in Abgrenzung vom Hollywood-Stil definiert. Obwohl Polemiker und Politiker dies Konzept fortwährend im Munde führten, schränkten die Realitäten einer zunehmend vernetzten Weltkultur die Unabhängigkeit nationaler Kinematografien in starkem Maße ein. Der amerikanische Film fand in den Achtzigern dank der Infusionen neuen Kapitals und der lebenserhaltenden Spezialeffekt-Technologie zu neuem Leben, wohingegen derlei Wundermittel für die auf weniger aggressiven Märkten operierenden nationalen Filmkulturen in Übersee entweder gar nicht verfügbar waren oder nicht taugten.

Wie in den USA herrschte auch in Europa die Nostalgie vor, da die Veteranen unter den Filmemachern auf den abgefahrenen Gleisen weiterfuhren, die sie fünfundzwanzig oder dreißig Jahre zuvor gelegt hatten, und die jüngeren ihnen pflichtschuldig folgten. Giuseppe Tornatores *Cinema Paradiso* (1990) war als Elegie auf die Goldenen Jahre des europäischen Films der Fünfziger und Sechziger gedacht. Baselines *Film Guide* meint jedoch dazu: «Nein, sie machen keine Filme mehr wie früher, und diese oscargekrönte italienisch-französische Koproduktion hält sich den größeren Teil der drei Stunden damit auf, das zu beweisen.»

Weil britische Filmemacher eine – zumindest teilweise – gleiche Sprache sprechen, waren sie schon seit langem bevorzugte Opfer des kulturellen Molochs Hollywood. Für kurze Zeit in den achtziger Jahren schien eine Entente zwischen Los Angeles und London zustande gekommen zu sein. Der Produzent David Puttnam stand in den Achtzigern im Brennpunkt des britischen Geschehens. Sein spekulativer *Midnight Express* (1978) und seine unprätentiösen *Chariots of Fire* (1981) wurden mit Oscars ausgezeichnet. Kurz darauf tat er sich mit Goldcrest Films zusammen, deren beachtlicher Erfolg von *Gandhi* (1982) über *The Killing Fields* (1984) bis hin zu *A Room with a View* (1986) es so aussehen ließ, als könnten britische Filmemacher regelmäßig kommerziell erfolgreiche Filme produzieren, lebensfähig durch das Vertriebssystem Hollywoods. 1986 wurde Puttnam Produktionsleiter bei Coca-

Britischer Sportsgeist setzt sich auf Aschenbahn und Leinwand siegreich durch: *Chariots of Fire* (1981).

Colas Columbia Pictures. Ende 1987 setzte man ihn an die Luft, und Goldcrest Films sah sich dem Bankrott gegenüber, verursacht durch Unterkapitalisierung und Mißmanagement. Der Traum vom Hollywood an der Themse war (wieder einmal) abrupt ausgeträumt. Aber es klang noch etwas davon nach, als britische Regisseure zunehmend in den USA Beschäftigung fanden und britische Schauspieler weiterhin einen überproportionalen Anteil an Oscar-Ehren einheimsten.

Für die britischen Filmemacher, die sich einer nationalen Filmkunst verpflichtet fühlten, bedeutete die Gründung von Channel Four, dem zweiten unabhängigen Fernsehnetz, im Jahre 1982 eine Ermutigung. Die gesteigerte Produktion hatte sich jedoch innerhalb weniger Jahre totgelaufen. Dennoch haben Filmemacher wie Stephen Frears (*My Beautiful Laundrette*, 1985; *The Snapper*, 1993), Mike Leigh (*Life Is Sweet*, 1991; *Naked*, 1993), Bill Forsyth (*Local Hero*, 1983), Bruce Robinson (*Withnail & I*, 1987) und Julien Temple (*Earth Girls Are Easy*, 1989) es geschafft, die Kommunikation nicht abreißen zu lassen. Am erfolgreichsten bei dem Kunststück, in allen Lagern einen Fuß zu behalten, war Richard Attenborough, dessen Vorzeigeproduktionen von *Gandhi* bis zu *Chaplin* (1992) vorzüglich in das Hollywood-Muster paßten, wobei sie gleichzeitig die Tradition des britischen Qualitätsfilms fortschrieben.

Wie schon erwähnt, haben auch Australier gelernt, zwischen ihrer Heimat und Hollywood zu pendeln. Zu den beachtenswerten neuen Talenten, die in der jüngeren Vergangenheit aufgetreten sind, gehören George Miller (*Lorenzo's Oil*, 1993), der sich schon mit seinen futuristischen «Western / Road»-Phantasien *Mad Max* (1979) und *The Road Warrior* (1981) weltweit einen Markt gesichert hatte, und Jane Campion, die mit *An Angel at My Table* (1990) und *The Piano* (1993) international Anerkennung bei der Kritik fand.

In Frankreich regiert wieder einmal das «Cinéma du papa», nachdem die Lehrlinge der siebziger Jahre zu «Auteur»-Handwerkern der Achtziger und Neunziger aufgestiegen sind. Wie seit jeher haben französische Filmemacher eine sichere Hand für bürgerliche Dramen und Komödien (Coline Serreaus *Trois hommes et un couffin*, 1985; englisches Remake *Three Men and a Cradle*, 1987) und landen gelegentlich in den Genres Krimi oder Film Noir einen Erfolg (Jean-Jacques Beneix' *Diva*, 1980; Luc Bessons *La femme Nikita*, 1991); insgesamt aber finden sie sich in der erniedrigenden Situation, daß sie Remake-Rechte an Hollywood verkaufen.

Der westdeutsche Film in den achtziger und neunziger Jahren war bestimmt von Verteilungskämpfen der Filmemacher um die öffentlichen Fördergelder und beständigen Klagen der Kritik über die Einfallslosigkeit der einheimischen Produktion. Jungdynamische Produzenten wie Bernd Eichinger reagierten auf die desolate Situation, indem sie ihren Jugendtraum verwirklichten und in Europa hollywoodmäßige Großproduktionen verwirklichten wie *Der Name der Rose* (1986, Jean-Jacques Annaud), um sich schließlich – auf den Spuren von Wolfgang Petersen (*Das Boot*, 1980 / 81; *In the Line of Fire*, 1993) – ganz nach Hollywood zu orientieren, wie bei der deutsch-portugiesisch-dänischen Coproduktion *The House of the Spirits / Das Geisterhaus* (1993, Bille August) mit den Stars Meryl Streep, Jeremy Irons, Glenn Close, Winona Ryder und Armin Mueller-Stahl.

Die größten Erfolge deutscher Filme an der Kinokasse waren meist Ausflügen bekannter Fernsehkomiker auf die große Leinwand zu verdanken: Didi (Dieter) Hallervorden, Loriot (Vicco von Bülow), Otto (Waalkes) oder schließlich Helge Schneider. Auch *Schtonk!* (1991 / 92), die gelungene Satire auf die Presse-Affäre um die gefälschten Hitler-Tagebücher, war erfolgreich durch die Verbindung des Fernsehregisseurs Helmut Dietl (TV-Serie *Kir Royal*) mit Götz George, der seinen Starstatus dem TV-Kommissar Schimanski (*Tatort*) verdankte. Auch die zahlreichen Abgänger der Filmakademien entdeckten – auf den internationalen Erfolg von Doris Dörries *Männer* (1985) spekulierend – die Beziehungs- und Provinz-Komödien als ihr Feld. Der skurrilste Vertreter dieses Genres war der Schleswig-Holsteiner Detlev Buck mit *Wir können auch anders...* (1992 / 93).

Buck war zugleich auch Vertreter der jüngeren Generation bei dem von Edgar Reitz in *Die Nacht der Regisseure* (1995) ausgerichteten Familientreffen der älter gewordenen Jungfilmer (verstärkt durch Uralt-Filmerin Leni Riefenstahl und die unvermeidlichen Ex-DEFA-Leute Frank Beyer und Wolfgang Kohlhaase). In einer

«Alles was erzählt wird, hat sich wirklich ereignet – nichts hat sich so ereignet, wie es erzählt wird.» Picknickfoto mit Selbstauslöser aus Edgar Reitz' elfteiliger Filmchronik *Heimat* (1984), die in privaten Geschichten und historisch repräsentativen Ereignissen Lebenszeit und Zeitgeschichte von 1919 bis 1982 ausdrucksstark vermittelt (Christian Reitz / Edgar Reitz Filmproduktions GmbH).

Der bewegte Mann (Sönke Wortmann, 1994), eine mit viel Gespür für Situationskomik inszenierte Hetero-Homo-Verwechslungskomödie, war der deutsche Erfolgsfilm Mitte der Neunziger.

fiktiven Münchner Kinemathek schauen sie – von Schlöndorff und Fleischmann über Trotta und Sanders-Brahms, Kluge und Syberberg, Wenders und Geissendörfer bis Hauff und Lilienthal – auf hundert Jahre Kino zurück und reminiszieren ihre großen Zeiten im deutschen Film.

Nur wenig besser war die Situation in Italien, obwohl doch von den Dutzenden neuer Fernsehsender – nicht alle im Besitz von Silvio Berlusconi – eine ökonomische Stimulierung zu vermuten gewesen wäre. Außer Tornatore erzielte auch Maurizio Nichetti (*Ladri di saponette*, 1989) internationale Wirkung, und Roberto Benigni stellte mit *Johnny Stecchino* (1991) einen italienischen Einnahmen-Rekord auf. Mit Ausnahme von Benigni, der in Jim Jarmuschs *Down By Law* (1986) mitspielte und in Blake Edwards' *Son of the Pink Panther* (1993) eine Hauptrolle übernahm, sind italienische Schauspieler und Filmemacher in Hollywood weniger präsent als jemals zuvor in der jüngeren Vergangenheit (obwohl Giancarlo Paretti versucht hat, sich durch den Erwerb von MGM einzukaufen). 1993 schlossen sich die Tore von Cinecittà für immer. In den achtziger Jahren konnte der Spanier Pedro Almodóvar (*Mujeres al borde de un ataque de nervios*, 1988; *Atame!*, 1990) mit einigem Erfolg seine eigenwilligen Melodramen exportieren.

Skandinavische Filmemacher erfreuten sich in den letzten Jahren einer gewissen Prominenz auf dem Weltmarkt. Lasse Hallström (*Mitt liv som hund*, 1985), Bille August (*Pelle erobreren*, 1987) und Gabriel Axel (*Babettes gæstebud*, 1987) erwarben sich internationalen Ruf. Hallström und August fanden später den Weg nach Hollywood (*What's Eating Gilbert Grape*? beziehungsweise *Das Geisterhaus*, beide 1993). Der wohl interessanteste Regisseur, der nach langen Jahren in Skandinavien hervortrat, ist der Finne Aki Kaurismäki, der ein breites stilistisches Spektrum von der Slapstick-Komödie bis hin zum absurden Deadpan-Drama beherrscht (*Ariel*, 1988; *Leningrad Cowboys Go America*, 1989; *Tulitikkutehtaan tyttö*, 1989). Gemeinsam mit seinem Bruder Mika (*Helsinki-Napoli. All Night Long*, 1987) repräsentiert er wohl die einzige Filmkunst-Bewegung, die in den neunziger Jahren so bezeichnet zu werden verdient (wenn auch der finnische Ausdruck für «neue Welle» noch nicht in den internationalen Sprachschatz eingegangen ist).

Wohl haben in Asien vereinzelte Filmemacher (Jackie Chan, John Woo) Filme produziert, die den Unbilden des Exports in den Westen gewachsen waren, aber seit den in den Siebzigern in Hongkong und auf den Philippinen entstandenen Actionfilmen war aus dieser Gegend nichts Nennenswertes auf dem Welt-Filmmarkt zu verzeichnen, bis in den ausgehenden Achtzigern in China die «fünfte Generation» aktiv wurde. Diese Filmemacher, die nach der Kulturrevolution das Filminstitut in Beijing besucht hatten, nutzten die Bildersprache des Mediums, um darin verdeckt politische Aussagen zu transportieren. Chen Kaige hat mit *Huang tudi* (*Gelbes Land*, 1984) und *Bawang Bieji* (*Lebe wohl, meine Konkubine*, 1993), der vormalige Kameramann Zhang

Yimou mit *Hong Gao liang* (*Rotes Kornfeld*, 1987), *Judou* (1989) und *Dahong denglong gaogao gua* (*Rote Laterne*, 1992) auf westlichen Filmfestivals starke Beachtung gefunden, nicht minder Zhangs ausdrucksstarke Hauptdarstellerin Gong Li.

Lateinamerikanische und afrikanische Filmemacher waren in diesem Zeitraum im allgemeinen auf ihre einheimischen Märkte beschränkt. Nur gelegentlich gelangten Filme zu internationalem Erfolg (Jamie Uys' *The Gods Must Be Crazy*, 1980), aber sonst reichte das gleichmäßige Spannungsfeld, in dem es zum produktiven Dialog zwischen Filmemacher und Zuschauer kommt, nicht über die jeweiligen Landesgrenzen hinaus.

Eingangs der achtziger Jahre war es klar, daß man keinen Unterschied mehr machen kann zwischen dem, was wir Film, und dem, was wir Video oder Fernsehen nennen. Die verschiedenen Ausprägungen der audiovisuellen Darstellung waren über dreißig Jahre lang als getrennt, ja sogar antagonistisch angesehen worden. Nun muß man sie als Abschnitte desselben Kontinuums begreifen. Wir brauchen tatsächlich ein neues Wort, um Film und Video gemeinsam zu benennen. Da die Videotechnik zunehmend ausgereifter und flexibler wird, ist für den «Film»-Macher die Entscheidung für ein System mehr und mehr eine Sache der Ökonomie und Technologie als der Ästhetik.

Eingangs der Neunziger war es unübersehbar, daß die geographischen Grenzen, die einst bei der Definition des Films als Kunst (wenn nicht als Geschäft) hilfreich waren, sich sogar noch rascher auflösten als die technologischen Demarkationslinien. Die aggressiven Marketing-Strategien von Ted Turners CNN und Viacoms MTV sowie die rasante Expansion des Satelliten-Fernsehens über Grenzen hinweg – zuerst in Europa, dann in Asien – sorgten rund um die Welt dafür, daß die Filmemacher die Konkurrenz des Molochs Hollywood noch stärker spürten.

Gleichzeitig jedoch eröffnete die Technologie viele zusätzliche Kanäle zum Publikum und ermöglichte den Filmemachern einen direkteren Zugang zu ihren Zielgruppen. Tatsächlich muß einem objektiven Betrachter von Film und Fernsehen ersterer als Subkategorie des zweiten erscheinen. Die meisten Filmhersteller produzieren auch Fernsehprogramme und umgekehrt. Die Kinofilm-Industrie in den USA erlöst jährlich etwa fünf Milliarden Dollar, während die Einnahmen der Fernsehnetze mehr als dreimal so hoch liegen. Noch in den Siebzigern genossen TV-Filme bei den meisten Kritikern und Zuschauern weit weniger Prestige und Interesse als Kinofilme. In den achtziger Jahren war diese Stigmatisierung weitgehend verschwunden. Die TV-Filme besitzen noch immer nicht ganz die Aura ihrer teureren Kino-Vettern, aber Schauspieler und Techniker betrachten gehobenere Fernsehproduktionen nicht mehr als ernste Kompromittierung ihrer Professionalität. Für Kabelnetze hergestellte Filme wie die HBO-Produktionen *Citizen Cohn* (1992), *Barbarians at the Gate* (1993) und *And the Band Played On* (1993) könnten unschwer auch im Kino laufen und sich eine Publicity sichern, wie sie für Spielfilme normal ist.

Selbst innerhalb der Grenzen der Kinofilm-Herstellung hat die Video-Technologie zusätzliche Vertriebskanäle eröffnet. Ende der Siebziger übersprangen eine Reihe von Produktionen, die ursprünglich für das Kino projektiert waren, diese Vertriebsstufe und hatten gleich beim Fernsehen einen gewissen Erfolg. Ende der Achtziger wurden jedes Jahr massenhaft Filme direkt für den Videomarkt produziert («Direct-to-Videos»). Obwohl sich ihr finanzieller Erfolg an den Kasseneinnahmen messen ließe, war doch die Kostendeckung ganz nach den erwarteten Einnahmen aus dem Videoverleih kalkuliert. Indem «Direct-to-Videos» – wie vor ihnen schon die Fernsehfilme – das fruchtbare Feld der B-Filme der dreißiger und vierziger Jahre ersetzen, ermöglichen sie es neu angetretenen Filmemachern, ihr Handwerk zu lernen und – was noch wichtiger ist – die rigiden Regeln hinsichtlich Inhalt und Stil zu ignorieren, die den Kinofilmen mit ihren auf mehr als 30 Millionen Dollar gestiegenen Durchschnittskosten zunehmend Grenzen setzen. 1992 fand der von IRS Media produzierte Film *One False Move* in einem Maße den Beifall der Kritik, das in keinem Verhältnis zu seinem Budget stand; er wurde von einflußreichen Kritikern als einer der besten Filme des Jahres gewertet. «Direct-to-Video», die neueste Variante eines alten Hollywood-Themas, hatte sich durchgesetzt.

Eine oder mehrere dieser Stufen können übersprungen werden, ohne daß dadurch notwendig eine Gewinnminderung eintritt. Tatsächlich nimmt das illegale Kopieren von Videobändern und Filmkopien so rasant zu, daß die Studios gezwungen werden, Videokassetten und -discs eines Films fast gleichzeitig mit der Kino-Premiere auf den Markt zu bringen (und ganz sicher, bevor er über Kabelfernsehen gelaufen ist, das den Video-Piraten unwiderstehliche Möglichkeiten bietet). Die TV-Networks werden stärker zurückgedrängt, wodurch sie sich gezwungen sehen, mehr Geld und Talent in Fernsehfilme zu investieren (denn die sind die einzige Form von Film, auf die sie immer noch einen gewissen Einfluß haben). Sie können sich nicht mehr – wie sie es in den Sechzigern und Siebzigern taten – auf die Ausstrahlung von Kinofilmen stützen, um ihre Programme zu füllen. Dies ist auch der Hauptgrund, weshalb die Networks versucht haben, sich der Produktion von Kinofilmen zuzuwenden.

Während sich die kommerziellen, für Konglomerate arbeitenden Filmemacher dank der ungeplanten Auswirkungen der technischen Entwicklung einer anarchischen neuen Welt gegenübersehen, können sich unabhängige Filmemacher auf die dramatisch anwachsenden Möglichkeiten in den Neunzigern und darüber hinaus freuen. Noch 1978 hatte ein Filmemacher, der seinen / ihren Film in die Kinos bringen wollte, praktisch sechs Alternativen: die großen Hollywood-Studios. Unter Berücksichtigung der Inflationsrate sind die Einnahmen an den Kinokassen in den

Bill Paxton und Cynda Williams in Carl Franklins *One False Move* (1992), einem direkt für den Videomarkt produzierten Film, der auch bei den Kritikern starken Eindruck hinterließ.

USA seit den Siebzigern rückläufig. Das in den Achtzigern und Neunzigern zu verzeichnende Wachstum Hollywoods wurde zum einen durch die rasante Expansion von Video und Kabelfernsehen genährt, zum andern – als ein Land nach dem anderen das staatliche Monopol für sein TV-System aufhob, es also sozusagen entstaatlichte – durch die explodierende Zahl privater europäischer Fernsehsender mit ihrem Hunger nach Filmen.

Die neuen, aggressiv vermarkteten Technologien von Videokassette und Bildplatte, Kabel- und Satelliten-Fernsehen bieten völlig neue Möglichkeiten. Der Vertrieb über die Kinos ist inzwischen für einen Filmemacher etwa ebenso wichtig – oder unwichtig – wie die Hardcover-Ausgabe für einen Schriftsteller. Expandierender Kabel-Service und Lieferdienste, die Videos auf telefonische Bestellung hin unters Volk bringen, werden einen noch weit höheren Produktbedarf schaffen. Überdies bieten Band und Disc einen direkten Zugang zum Publikum, wie er ganz ähnlich für Bücher und Schallplatten gegeben ist. Der Unabhängige hat immer noch gegen die geldverschlingenden Werbekampagnen konkurrierender Konglomerat-Produkte zu kämpfen, aber das Potential für ein demokratischeres Vertriebssystem ist wenigstens gegeben.

In den Sechzigern und Siebzigern wurde die Produktion von Filmen deutlich demokratischer, da technische Neuentwicklungen die Preise senkten. In den Neunzigern wird der Verteilungsapparat – früher das Nadelöhr des Systems – dem gleichen Demokratisierungsprozeß unterliegen. Das war so nicht geplant. Tatsächlich ist es nur der (willkommene) Nebeneffekt der wirtschaftlichen Nutzung neuer Hardware auf einem Markt, der sich dem Sättigungspunkt näherte. Dennoch bezeichnet dies einen wichtigen Wendepunkt in der Geschichte des Films, in den USA und anderswo.

Ökonomisch hat sich der Trend zur breiteren Marktzugänglichkeit weiter fortgesetzt. Die amerikanischen Studios mögen zwar immer noch den internationalen Filmmarkt beherrschen, doch zumindest besitzen heute auch andere Länder das Potential, sich diesem Wettbewerb zu stellen. Sie tun dies nicht, indem sie den Import amerikanischer Filme behindern – das wird auch zunehmend schwieriger, da die Technologie den Verleihprozeß demokratisiert –, sondern indem sie die amerikanischen Studios auf ihrem ureigenen Felde herausfordern, getragen vom Verständnis für den ökonomischen Multiplikationseffekt des Kulturexports.

Technisch entwickeln die visuellen Medien ihre Fähigkeit zur Präzision weiter und eröffnen neuen Gruppen von Künstlern den Zugang zum mysteriösen technischen Verfahren. Was einst ein gigantisches Wagnis war, das riesige Kapitalinvestitionen voraussetzte, ist heute schon fast jenes persönliche und flexible Kommunikationsmittel, das Alexandre Astruc den «caméra-stylo» nannte. Zur gleichen Zeit sollten neue Vertriebstechniken einen deutlich besseren Zugang zu einer ständig wachsenden und differenzierteren Öffentlichkeit ermöglichen – nebenbei eine Öffentlichkeit, die eine stärkere Kontrolle über das Medienerlebnis besitzen wird als in der Vergangenheit.

Ästhetisch ergibt das Zusammenwirken all dieser Kräfte ein vielfältiges Spektrum der filmischen Produkte. Der Graben zwischen «Elite»- und «Massen»-Kultur wird weiterhin kleiner. Und die Bedeutung des bourgeoisen Konzepts der «Avantgarde» schwindet mit jedem Jahr mehr.

Als Summe dieser Entwicklungen scheint nun ein guter Zeitpunkt gekommen, das Ende von movies / film / cinéma zu verkünden – zumindest in der bekannten Form. Von nun ab ist «film» lediglich ein Rohmaterial, neben Bildplatten und Video eine dem Medienkünstler offenstehende Möglichkeit. Die «movies» sind fester Bestandteil eines neuen umfassenden, künstlerischen, technischen und industriellen Systems, für das wir noch keinen Namen haben – außer vielleicht «Multimedia». Und «cinéma»? Nach einem langen romantischen, bewegten und erfüllten Leben von hundert Jahren, in denen es unsere Weltschau dominiert hat, ist «cinéma» von uns gegangen.

FÜNF

FILMTHEORIE: FORM UND FUNKTION

In Mel Brooks' und Ernest Pintoffs komischem und intelligentem Kurzfilm *The Critic* (1963) sehen wir abstrakte Zeichentrickgebilde auf der Leinwand agieren und hören dabei Brooks' Stimme, die eines alten Mannes, der voller Zufriedenheit die Bedeutung dieser «Kunst» zu enträtseln sucht:

> *Vot da hell is dis?!*
>
> *Mus' be a cahtoon.*
>
> *Op... Mus' be boith. Dis looks like boith. I remembeh when I was a boy in Russia... biology.*
>
> *Op! It's born. Whatever it is, it's born... Look out! Too late. It's dead already... Vot's dis? Usher! Dis is cute! Dis is cute. Dis is nice. Vot da hell is it? Oh. I know vot it is. It's gobbage. Dat's vot it is! Two dollas I pay for a French movie, a foreign movie, and now I gotta see dis junk!*

Dem ersten Gebilde schließt sich ein zweites an, und Brooks interpretiert:

> *Yes. It's two... two things dat, dat – they like each other. Sure. Lookit da sparks. Two things in love! Ya see how it got more like? – it envied the other thing so much. Could dis be the sex life of two things?*

Die Szene wechselt wieder, und Brooks' alter Kauz fängt an, das Interesse zu verlieren:

> *Vot is dis? Dots! Could be an eye. Could be anything! It mus' be some symbolism. I t'ink... it's symbolic of... junk! Uh-oh! It's a cock-a-roach! Good luck to you vit ya cock-a-roach, mister!*

Als der künstlerische Kurzfilm sich dem Ende nähert, gibt der Kritiker sein endgültiges Urteil ab:

*I dunno much about psych'analysis, but I'd say dis is a doity pictcha!**

The Critic ist zum Teil deshalb so komisch, weil es Brooks gelingt, in seinem kurzen Drei-Minuten-Dialog eine Reihe grundsätzlicher Wahrheiten über die Kritik anzusprechen. «Zwei Dollars» bezahlen wir für einen Film. Was bekommen wir dafür? Wie bestimmen wir den Wert eines Films? Wie wissen wir, was «symbolisch für Dreck» ist? Neben Mel Brooks' Kritiker sitzen andere Leute im Kino, die den Film zu genießen scheinen. Sind Werte denn vollkommen relativ? Gibt es irgendwelche wahren, allgemeingültigen «Regeln» für die Filmkunst? Was macht der Film? Wo sind seine Grenzen?

Fragen dieser Art gehören in den Bereich der Filmtheorie und Filmkritik, zwei miteinander verbundene, aber nicht identische Aktivitäten, die als gemeinsames Ziel ein besseres Verständnis des Phänomens Film haben. Im allgemeinen gilt: Theorie ist die Abstraktion, Kritik ist die Praxis. Am untersten Ende der Skala ist die Art von Filmkritik zu finden, die ein Rezensent praktiziert: mehr Reportage als Analyse. Die Funktion eines Rezensenten ist es, den Film zu beschreiben und zu bewerten, zwei relativ einfache Aufgaben. Am oberen Ende der Skala befindet sich die Art von Filmtheorie, die wenig oder nichts mit der tatsächlichen Praxis des Films zu tun hat: eine intellektuelle Anstrengung, die hauptsächlich zum Selbstzweck existiert und oft ihre eigenen Verdienste, aber nicht unbedingt viel Bezug zur wirklichen Welt hat. Zwischen diesen beiden Extremen ist viel Raum für nützliche und interessante Arbeit.

Eine Reihe wichtiger Dichotomien beherrschen die Filmtheorie. Die erste, der Gegensatz von Praxis und Ideal, bietet sich an durch den Gegensatz von Kritik (praktisch) und Theorie (ideal).

Damit eng verbunden ist der Gegensatz von «normativer» und «deskriptiver» Theorie und Kritik. Der normative Theoretiker beschäftigt sich mit dem, was der Film sein sollte, der deskriptive Theoretiker nur mit dem, was der Film ist. Norma-

* Was zum Teufel ist das? Muß ein Zeichentrickfilm sein. Op... Muß eine Geburt sein. Sieht aus wie eine Geburt. Ich erinnere mich, in Rußland, als ich ein kleiner Junge war... Biologie. Op. Da ist es. Was immer es ist, es ist geboren. Paßt auf! Zu spät. Ist schon tot... Was ist das? Platzanweiser! Das hier ist hübsch! Das ist hübsch. Das ist nett. Was zum Teufel ist das? Oh. Ich weiß, was es ist. Es ist Müll. Genau das ist es. Ich bezahl zwei Dollars für einen französischen Film, einen ausländischen Film, und nun muß ich diesen Dreck sehen!...
Ja. Das sind... zwei Dinger, das da, das da, das dà – sie mögen sich. Klar. Guck mal, die Sterne. Zwei verliebte Dinger! Siehst du, wie das immer ähnlicher geworden ist? – es hat sich so nach dem andern gesehnt. Könnte das Liebesleben von zwei Dingern sein?...
Was ist das? Punkte? Könnte ein Auge sein. Könnte alles mögliche sein! Muß irgendwelche Symbolik sein. Ich glaube... es ist symbolisch für... Dreck! Uh-oh! Es ist eine Kakerlake! Viel Glück mit einer Kakerlake, Mister!...
Ich weiß nich viel über Psychoanalyse, aber ich möchte meinen, 's is 'n Porno!

tive Theorie ist deduktiv; das heißt, der Theoretiker entscheidet sich zunächst für ein Wertesystem und mißt dann die existierenden Filme an seinem System. Deskriptive Theorie ist induktiv: Der Theoretiker untersucht das gesamte Feld der Filmaktivitäten, und dann, erst dann, versucht er, Schlüsse über die wahre Natur des Films zu ziehen. Theoretiker und Kritiker, die Normen setzen, sind natürlich an Bewertung interessiert. Da sie zwingende Wertsysteme haben, messen sie reale Filme logischerweise an ihren Anforderungen und beurteilen sie danach.

Die dritte und einflußreichste Dichotomie ist die zwischen Theorie und Praxis. Tatsache ist, daß kein Filmemacher die Theorie zu studieren braucht, um die Kunst zu praktizieren. Tatsächlich hatten bis vor kurzem nur sehr wenige Filmemacher überhaupt ein Interesse an der Theorie. Sie wußten (oder wußten auch nicht) intuitiv, was gemacht werden mußte. Allmählich jedoch, als die Filmkunst anspruchsvoller wurde, schlug man eine Brücke zwischen Theorie und Praxis. Viele zeitgenössische Filmemacher gehen nun, anders als ihre Vorläufer, von starken theoretischen Grundlagen aus. Sogar die Büros in Hollywood sind heute voll von promovierten Filmschul-Absolventen; seit der Generation von Coppola, Scorsese und Lucas – allesamt aus Filmschulen hervorgegangen – sind qualifizierte Abschlüsse wichtig für eine Anstellung in den Studios.

Das ist ein bedeutender Wandel in der Art, wie in Hollywood die Geschäfte ablaufen. Tatsächlich entwickelte der Hollywood-Stil, der weithin immer noch die Filmgeschichte beherrscht, nie eine kodifizierte Gesamttheorie. Oberflächlich gesehen, schien der Hollywood-Film der dreißiger und vierziger Jahre auf einem komplexen und einflußreichen ästhetischen System zu beruhen, und doch gibt es keine Hollywood-Theorie als solche. Keine Kunst ist auf Theorie angewiesen; kein Künstler hat einen akademischen Abschluß nötig. Wenn akademisches Studium zur Einstellungs-Voraussetzung wird, verändert sich das innere Wesen der Kunst: Sie wird sich ihrer selbst bewußt und wird wahrscheinlich weniger spannend. Man muß kein blauäugiger Romantiker sein, um zu glauben, daß gerade die Renegaten mit ihren Regelverletzungen die überzeugendste Kunst schaffen. Formales Training sichert ein bestimmtes Niveau von handwerklicher Kompetenz, aber es neigt dazu, Kreativität zu unterdrücken. Wir tauschen das Wagnis des Genies gegen die Sicherheit normierter Qualität ein. Das mag eine Erklärung sein für das, was seit den frühen siebziger Jahren dem amerikanischen Film widerfährt.

Die alten Meister arbeiteten natürlich nach Gehör. Das Beste, was D. W. Griffith (der so viele Theoretiker inspirierte) anbieten konnte, war eine reichlich verschwommene Idee, daß der «menschliche Pulsschlag» das geheime Metronom für erfolgreiches Filmemachen sei. In «Pace in the Movies» (*Liberty*, 1926) schrieb er: «Die amerikanische Schule... bemüht sich, das Bild im Rhythmus des durchschnittlichen menschlichen Herzschlags zu halten, der natürlich unter solchen Einflüssen wie Aufregung an Schnelligkeit zunimmt und in spannungsgeladenen Momenten fast aufhören kann.»

Viele dieser Überlegungen im nachhinein waren Ergebnis des Minderwertigkeitskomplexes, den der Film als die jüngste der Künste hatte. Christian Metz weist darauf hin, daß die Funktion solcher Kritik, psychoanalytisch gesehen, die ist, den Film von seinem schlechten Ruf zu befreien. Der Gedankengang war ganz einfach: Wenn der Film ein bedeutsames theoretisches Gebäude stützen kann, dann muß er genauso respektabel wie jede andere der alten Künste sein. Dies mag als Motiv für die Filmtheorie ziemlich kindisch erscheinen, aber es ist noch nicht so lange her, daß der Film von gebildeten Menschen im allgemeinen als unseriös angesehen wurde. In den USA wurde er zum Beispiel erst 1970 als allgemein anerkanntes Studienfach in Colleges und Universitäten akzeptiert. Daher war es der Antrieb eines Großteils der frühen Filmtheorie, eine gewisse Respektabilität zu erlangen.*

Wegen dieser Sehnsucht nach Respektabilität waren viele der frühesten Arbeiten in der Filmtheorie normativ: oft auf eine recht anmaßende Weise, aber manchmal von faszinierender Ausgefeiltheit. Wenn wir die psychoanalytische Metapher beibehalten, können wir dies als Aufstieg des filmischen «Über-Ichs» sehen – des Empfindens für die in der künstlerischen Gemeinschaft geltenden Normen von gutem Benehmen und Respektabilität –, während der Film darum kämpfte, als gleichrangig behandelt zu werden, und seine natürlichen libidinösen Impulse beherrschte. «Normen» waren nötig, und die Filmtheoretiker lieferten sie. Nun, da die Filmtheorie ausgereift ist, besteht sie viel weniger auf Regeln und Vorschriften, die oft aus Gebieten außerhalb der Domäne des Films selbst stammen, und sie konzentriert sich statt dessen darauf, ihre eigenen flexibleren und feineren Werte zu entwickeln.

Innerhalb jeder spezifischen Filmtheorie wirken eine Anzahl von Gegensätzen. Ist die Theorie hauptsächlich ästhetisch, oder ist sie philosophisch? Beschäftigt sie sich allgemein mit den Beziehungen von verschiedenen Filmbereichen untereinander oder mit den Beziehungen, die zwischen den Teilen eines spezifischen Films bestehen? Oder untersucht sie die Beziehungen zwischen Film und Kultur, Film und dem Individuum, Film und Gesellschaft?

Sergej Eisenstein, immer noch der schöpferischste der Filmtheoretiker, benutzte die Filmterminologie, um die unterschiedlichen Ansätze der Filmanalyse zu be-

* Ja, ich weiß, daß wir hier für beide Konfliktseiten zugleich zu sprechen scheinen: Wir wünschen uns den Film an der Universität akzeptiert, aber die Filmemacher sollen möglichst nicht zu viel studieren. Wie in allen möglichen anderen Lebensbereichen der USA in den Siebzigern und Achtzigern schlug auch hier das Pendel zu weit aus. Viele der Wahrheiten, die wir in den Sechzigern entdeckten, wurden im Zuge ihrer Institutionalisierung gefährlich verzerrt. Aus diesem Grund fassen wir unsere Highways mit nackten Mauern ein.

schreiben. In seinem Essay «In Großaufnahme» (1945) beschrieb er «Total»-Theorie als das, was sich mit Film im Kontext beschäftigt, das, was seine politischen und sozialen Implikationen beurteilt. «Halbtotal»-Filmkritik konzentriert sich dahingegen auf die menschliche Seite des Films, mit der sich die meisten Rezensenten beschäftigen. «Nah»-Theorie jedoch «zerbricht den Film in seine Einzelteile» und «löst den Film in seine Elemente auf». Filmsemiotik und andere Theorien, die versuchen, die «Sprache» des Films zu behandeln, sind beispielsweise Ansätze aus der «Nah»-Theorie.

Das hier wesentliche Konzept ist der klassische Gegensatz von Form und Funktion. Interessieren wir uns mehr für das, was ein Film ist (Form), oder dafür, wie er auf uns wirkt (Funktion)? Wie wir sehen werden, hat es eine ganze Weile gedauert, bis die Filmtheorie sich von der Konzentration auf die Form der Kunst hingewandt hat zur schwierigeren und bedeutungsvolleren Analyse seiner Funktion. Nach und nach wich das Aufstellen von Normen wissenschaftlicheren Untersuchungsmethoden, während die Filmtheorie weniger fordernd und eher wißbegieriger wurde.

Der Dichter und der Philosoph: Lindsay und Münsterberg

Wie wir bereits festgestellt haben, waren die ersten Filmtheoretiker vor allem daran interessiert – einige bewußter als andere –, ein respektables künstlerisches Gütezeichen für die junge Kunst zu liefern. 1915, als der Spielfilm gerade begann, Bedeutung zu erlangen, veröffentlichte Vachel Lindsay, zu der Zeit ein bekannter Dichter, *The Art of the Moving Picture*, ein eindrucksvolles, naives, oft simplistisches, aber nichtsdestoweniger scharfsinniges Loblied auf die junge, ungebärdige, populäre Kunstform.

Bereits der Titel seines Buches war eine herausfordernde Behauptung: Er forderte seine Leser dazu auf, diese Jahrmarktsunterhaltung als richtige Kunst anzusehen. In Anlehnung an das Modell der etablierten narrativen und visuellen Künste definierte er drei Grundtypen von «Lichtspielen» – wie Filme, die Anspruch auf künstlerischen Wert erhoben, zu der Zeit genannt wurden: «das Lichtspiel der Handlung», «das intime Lichtspiel» und «das glanzvolle Lichtspiel», drei Kategorien, die immer noch dazu dienen können, das Hollywood-Kino der folgenden achtzig Jahre zu unterteilen. In jeder Kategorie hatte Lindsay Elemente der Erzählung gefunden, in denen der Film nicht nur mit den anderen Künsten konkurrieren, sondern sie oft sogar übertreffen konnte: Handlung, Intimität und Glanz waren alle drei starke (manchmal ungeschliffene) direkte Werte – und sie sind es immer noch.

Dann verglich Lindsay, der spontan aus seiner starken Leidenschaft für das Kino schrieb, das Potential des Films mit den Errungenschaften der älteren Künste, wobei er den Film abwechselnd als «Bildhauerei in Bewegung», «Malerei in Bewegung» und «Architektur in Bewegung» untersuchte. Er beschloß seinen Abriß der Filmästhetik mit zwei Kapiteln, von denen jedes auf seine Weise erstaunlich weitsichtig war. Zu der Zeit, in der er schrieb, waren die wenigen vom Kultur-Establishment ernstgenommenen Filme jene, die das Theater nachahmten – die sogenannten «Lichtspiele».

Dennoch verstand Lindsay schon sehr früh – nach *The Birth of a Nation* (1915), aber vor *Intolerance* (1916) –, daß die wahre Stärke des Films in genau der entgegengesetzten Richtung liegen könnte. In «Thirty Differences between Photoplays and the Stage» umriß er, was für die Filmtheoretiker während der zwanziger und bis in die dreißiger Jahre ein Hauptproblem werden sollte: Welche Gegensätze die anscheinend parallelen Künste Theater und Film darstellten. Als Filmtheoretiker versuchten, eine eigene Identität für die junge Kunst zu finden, wurde dies das vorherrschende Thema.

Lindsays letztes Kapitel über die Ästhetik, «Hieroglyphen» betitelt, vermittelt noch mehr Einblicke. Mit tiefer Einsicht schrieb er: «Die Erfindung des Lichtspiels ist ein ebenso großer Schritt, wie es die Anfänge der Bilderschrift in der Steinzeit waren.»

Er setzt seine Überlegungen damit fort, Film als Sprache zu betrachten, und auch wenn seine Analyse «mehr ein Phantasieflug als ein klares Argument ist», wie er selber sagt, weist sie dennoch direkt auf den letzten Stand der Filmtheorie hin – die Semiotik. 1915 eine beachtliche Leistung für einen antiakademischen Dichter, der verliebt war in das «barbarische Geplapper» und in akademischen Disziplinen nicht geschult war!

Lindsay beschränkt sich auch nicht auf die innere Ästhetik des Films. Der dritte Abschnitt seines Buches ist der Außenwirkung des «Lichtspiels» gewidmet. Die Untersuchung ist auch hier nicht wegen ihrer konkreten Beiträge zum Verständnis des Mediums so bedeutsam, sondern vielmehr als früher historischer Markstein. Dennoch ist eine von Lindsays spitzfindigsten Theorien – die von späteren Theoretikern und Kritikern stets abgelehnt wurde – einer genaueren Betrachtung wert.

Lindsay schlägt vor, daß das Publikum während eines (Stumm-)Films reden sollte, anstatt sich Musik anzuhören. Niemand nahm seinen Vorschlag ernst; hätte man es getan, hätten wir vielleicht viel früher ein gemeinschaftliches und aktives Kino gehabt. Viele Filme aus der Dritten Welt (sowie Godard-Filme) waren trotz ihres Soundtracks als erste Aussagen in einem Gespräch zwischen Filmemacher und Zuschauer geplant. Kurz gesagt, Vachel Lindsay erfaßte als Dichter und leidenschaftlicher Kinoliebhaber eine Anzahl von Wahrheiten, die akademischere Theoretiker, durch ihr rigides, systematisches Denken eingeengt, niemals hätten verstehen können.

Ein Jahr nach Lindsays Loblied auf den Film folgte ihm ein anderer wichtiger Beitrag – direkt entgegengesetzt in Stil, Ansatz und Ton, aber genauso wertvoll: Hugo Münsterbergs grundlegendes Werk *The Photoplay, A Psychological Study* (1916). Der deutschstämmige Münsterberg war Philosophieprofessor in Harvard und, wie sein Gönner William James, einer der Begründer der modernen Psychologie. Anders als Lindsay, der Volkspoet, gab Münsterberg seinem Werk ein akademisches Ansehen. Er war kein «Kinofan», sondern eher ein desinteressierter Akademiker, der noch ein Jahr vor Erscheinen seines Buches wenig oder keine Erfahrung mit der volkstümlichen Spektakel-Kunst hatte.

Seine intellektuelle Analyse des Phänomens lieferte nicht nur eine dringend benötigte Aufwertung, sondern bleibt auch heute noch einer der ausgewogeneren und objektiveren Abrisse der Filmtheorie. Münsterberg bemühte sich, die Kluft zwischen professioneller Theorie und volkstümlichem Verständnis zu überbrücken. «Intellektuell ist die Welt in zwei Klassen aufgeteilt», schrieb er, «die Aufgeklärten (‹highbrows›) und die Ignoranten (‹lowbrows›).» Er hoffte, daß seine Analyse der Filmpsychologie diese beiden Gruppen zusammenbringen würde. Leider ist sein Buch viele Jahre lang ignoriert worden und erst 1969 von Filmtheoretikern und Studenten wiederentdeckt worden.

Wie Lindsay verstand Münsterberg sofort, daß der Film seine eigene spezielle Begabung hatte und daß seine ästhetische Zukunft nicht im Kopieren dessen bestehen würde, was besser auf der Bühne oder im Roman getan werden konnte. Wie der Dichter verstand auch der Professor, daß Filmtheorie nicht nur immanente Ästhetik berücksichtigen muß, sondern ebenso emanente soziale und psychologische Wirkungen. Er nennt diese beiden Facetten die «inneren» und «äußeren» Entwicklungen des Films, und er beginnt seine Studie mit einer Untersuchung dieser Facetten.

Sein wertvollster Beitrag liegt jedoch in der Anwendung psychologischer Prinzipien auf das Phänomen Film. Die Freudsche Traumpsychologie war von den zwanziger Jahren an ein nützliches Hilfsmittel für viele populäre Filmtheorien. Münsterbergs Ansatz ist jedoch präfreudianisch (was eine gute Erklärung dafür liefert, warum er so lange ignoriert wurde); gleichzeitig ist er ein wichtiger Vorläufer der Gestaltpsychologie, was seinen Ansatz erstaunlich modern erscheinen läßt. Die freudianische Filmpsychologie betont die unbewußte, traumähnliche Art der Erfahrung und konzentriert sich daher auf die passive Haltung dem Medium gegenüber. Im Gegensatz dazu entwickelt Münsterberg ein Konzept von der interaktiven Beziehung zwischen Film und Betrachter.

Er beginnt damit, zu beschreiben, wie unsere Wahrnehmung der Bewegung im Film nicht so sehr vom statischen Phänomen der Nachbildwirkung abhängt, sondern von unserem aktiven geistigen Prozeß der Interpretation dieser Serie von Einzelbildern. Dreißig Jahre später wurde dieser aktive Prozeß als Phi-Phänomen bekannt. Münsterberg hatte ihn 1916 beschrieben (ohne ihm einen Namen zu geben).

In Kapiteln über «Aufmerksamkeit», «Gedächtnis und Vorstellung» und «Emotionen» entwickelte er dann eine anspruchsvolle Theorie der Filmpsychologie, die Film als aktiven Prozeß versteht – eine höchst geistige Aktivität, in der der Betrachter der Partner des Filmemachers ist. In einem zweiten Teil über «Die Ästhetik des Lichtspiels» untersucht er einige Verästelungen dieser Annäherung an den Prozeß. Indem er die Aufmerksamkeit von dem passiven Phänomen der Nachbildwirkung ab- und dem aktiven geistigen Prozeß des Phi-Phänomens zuwandte, baute Münsterberg eine wesentliche logische Grundlage für Theorien auf, die Film als aktiven Prozeß begreifen. Dennoch war diese Theorie zumindest in Hinblick auf einen wichtigen Aspekt eher normativ als deskriptiv. In den ersten dreißig oder vierzig Jahren der Filmtheorie herrschte die Vorstellung vom Medium Film als grundsätzlich auf Passivität und Manipulation ausgerichtet vor, so wie es sich in der Filmpraxis auch darstellt. Aber Münsterbergs Verständnis des Mediums als zumindest potentiell interaktiv wurde schließlich wiedererlangt.

Merkwürdigerweise waren Lindsays und Münsterbergs Bücher bis noch vor kurzer Zeit die letzten wirklich wichtigen Werke über Filmtheorie. Es sah so aus, als ob Filmtheorie etwas Abwegiges wäre, nachdem Hollywood anfing, die Filmpraxis zu beherrschen. In den frühen zwanziger Jahren hatte sich das Zentrum der Filmtheorie nach Europa verlagert, und sie wurde fünfzig Jahre lang von französischen, deutschen und osteuropäischen Denkern dominiert.

Wie die britische Tradition ist die Entwicklung der amerikanischen Theorie/Kritik hauptsächlich praktisch ausgerichtet – mehr konkreter Kritik zugewandt als abstrakter Theorie. Im Idealfall ist diese Kritik trotz ihrer praktischen Ausrichtung nicht weniger wertvoll, aber da sie diffus ist, ist es nicht so leicht, sie zu beschreiben oder zu untersuchen. Konzentrierte Einzelwerke abstrakter Kritik lassen sich sehr viel leichter analysieren, eine Tatsache, an die man sich erinnern sollte, da sie unsere Vorstellung über die Form der sich entwickelnden Filmtheorie leicht verzerrt.

Eines der ersten Zeichen wachsender Lebensfähigkeit der europäischen Filmtheorie in den zwanziger Jahren fand sich paradoxerweise im Werk Louis Dellucs, an den man sich, obwohl er mehrere Theorie-Bände veröffentlichte (*Cinéma et cie*, 1919; *Photogénie*, 1920), eher als praktischen Filmkritiker, Filmemacher und Gründer der Ciné-Club-Bewegung erinnert. Zusammen mit Louis Moussinac machte er die Filmkritik zu einem seriösen Unternehmen, das in direktem Gegensatz zur damals üblichen Reportage und Lobhudelei stand. Delluc starb 1924, vor seinem 35. Geburtstag, aber bis dahin hatte sich die europäische Tradition des Kunstfilms (und des Films als Kunst) sicher etabliert.

Expressionismus und Realismus: Arnheim und Kracauer

In seiner nützlichen Einführung zum Thema, *The Major Film Theories* (1976), übernahm J. Dudley Andrew Kategorien, die von Aristoteles stammen, um die Struktur der Filmtheorie zu analysieren. Er untersuchte verschiedene Theorien mit Hilfe von vier Ansätzen: «Rohmaterial», «Methoden und Techniken», «Form und Gestalt» und «Zweck und Wert». Man kann diese Kategorien noch vereinfachen, indem man die beiden zentralen Ansätze – «Methoden und Techniken» und «Form und Gestalt» – einfach als entgegengesetzte Facetten desselben Phänomens sieht, die erste praktisch und die zweite theoretisch. Jede dieser Kategorien zielt auf einen anderen Aspekt des Filmprozesses, der die Kette darstellt, die Material, Filmemacher und Betrachter verbindet. Die Art und Weise, auf die eine Theorie diese Beziehungen einander zuordnet, bestimmt zu einem großen Teil ihr Ziel und ist eine direkte Funktion ihrer zugrundeliegenden Prinzipien. Die Theorien, die das Rohmaterial feiern, sind im wesentlichen realistisch. Die, die vor allem auf die Macht des Filmemachers abzielen, die Realität zu modifizieren oder zu manipulieren, sind vom Ansatz her expressionistisch: das heißt, sie beschäftigen sich mehr mit der Darstellung des Rohmaterials durch den Filmemacher als mit der gefilmten Realität selbst.*

Diese beiden Einstellungen haben die Geschichte der Filmtheorie und Filmpraxis seit den Brüdern Lumière bestimmt (die davon besessen zu sein schienen, die «rohe Realität» auf den Film zu bannen) und seit Méliès (den es offensichtlich mehr interessierte, was er mit seinem Rohmaterial machen konnte). Erst in jüngster Zeit hat die dritte Facette des Prozesses, die Beziehung zwischen Film und Betrachter (in aristotelischen Begriffen «Zweck und Wert»), angefangen, die Filmtheorie zu beherrschen, obgleich sie immer sowohl in den Argumenten der Realisten wie auch denen der Expressionisten impliziert war. Die Semiotik und auch die Politik des

* Der Begriff «Expressionismus» in diesem Zusammenhang darf nicht mit der berühmten ästhetischen Richtung des deutschen Filmexpressionismus (besser: Caligarismus) in den zwanziger Jahren verwechselt werden, die wiederum auf eine frühere Bewegung in Literatur und bildender Kunst Bezug nahm.

Films fangen beide beim Betrachter an und arbeiten sich durch die Kunst des Filmemachers hindurch zurück zur Realität des Rohmaterials auf der anderen Seite.

Das Hauptinteresse hat sich von generativen zu rezeptiven Theorien verlagert. Es interessiert uns heute nicht mehr so sehr, wie ein Film gemacht wird, sondern wie er wahrgenommen wird und welchen Effekt er auf unser Leben hat. Münsterbergs (und sogar Lindsays) Werk hat diese Verlagerung des Akzentes bereits angedeutet. Darüber hinaus sollten wir nicht vergessen, daß diese drei Elemente, die sich alle wechselseitig beeinflussen, während der praktischen Entwicklung des Films eindeutig vorhanden waren, auch wenn die Theorie zu verschiedenen Zeiten dazu neigte, eins zu betonen und dabei die anderen zu vernachlässigen.

Während der zwanziger und dreißiger Jahre beherrschte der Expressionismus die Filmtheorie. D. W. Griffith beschrieb zwei Haupt«schulen» der Filmpraxis, die amerikanische und die deutsche. Die amerikanische Schule, so sagte er seinem Publikum, «sagt dir: ‹Komm und *mach* eine großartige Erfahrung!› Die deutsche Schule sagt hingegen: ‹Komm und *sieh* dir eine großartige Erfahrung an!›» Was Griffith damit wohl ausdrücken wollte, war, daß das amerikanische Kino der zwanziger Jahre aktiver und energievoller war als das deutsche, was zutraf. Und dennoch, obwohl wir in den zwanziger Jahren vom deutschen Expressionismus sprechen und das Wort selten in einem amerikanischen Kontext benutzen, sind beide von Griffiths Schulen auf das zutiefst expressionistische Ziel der «großartigen Erfahrung» ausgerichtet. So wie Griffith seine Theorie vom Rhythmus im Film beschreibt, ist er ein Mittel zur Manipulierung der Gefühle der Zuschauer: «Für eine schnelle, genaue Einschätzung eines Films brauch ich nur einen zehnjährigen Jungen und ein fünfzehnjähriges Mädchen – den Jungen für die ‹Action› und das Mädchen für die Romanze. Es ist in ihrem Leben noch nicht genügend passiert, um ihre natürlichen Reaktionen zu beeinträchtigen.» Was Griffith und Hollywood wollten, waren klare Reaktionen auf ihre Stimuli; demzufolge liegt die Kunst des Films fast nur im Aufbau effektiver Stimuli. Verständnis für einen am Prozeß beteiligten Zuschauer gibt es hier kaum oder gar nicht.

Während der ersten vier Jahrzehnte der Filmgeschichte war der Realismus eine bekannte, wenn auch untergeordnete Strömung in der Filmpraxis. Theoretisch kam er erst in den späten dreißiger Jahren zu seinem Recht (in der praktischen Arbeit der englischen Dokumentaristen, die von John Grierson angeführt wurden) und in den vierziger Jahren (durch den italienischen Neorealismus). Es gab gute Gründe für dies späte Erwachen: Zunächst einmal implizierte die realistische Theorie logischerweise, daß der Film selbst von geringerer Bedeutung war (daß die Realität wichtiger war als die «Kunst»); dies führte sowohl Filmemacher als auch Theoretiker zu expressionistischen Positionen. Der Expressionismus verlieh dem Filmemacher nicht nur im allgemeinen Schema der Dinge mehr Bedeutung, er war auch ein natürliches Ergebnis der frühen Bemühungen, der Film«kunst» ein gewisses Maß an Respektabilität zu verleihen. Im frühen zwanzigsten Jahrhundert bewegte sich jede der anderen, älteren Künste auf größere Abstraktion hin, auf weniger Nachahmung – «weniger Sache mit mehr Kunst». Warum sollte nicht auch der jugendliche Emporkömmling Film in dieselbe Richtung zielen? Darüber hinaus, wenn der Film wirklich als ernsthafte Kunst angesehen werden sollte, war es nötig zu zeigen, daß die Kunst des Films genauso komplex und anspruchsvoll war wie zum Beispiel die Malerei. Der Expressionismus erfüllte genau diese Funktion, indem er den Akzent auf die manipulative Macht des Filmemachers legte.

Der zweite Grund dafür, daß Expressionismus-Theorien die ersten fünfzig Jahre der Filmtheorie beherrschten, ist vielleicht wichtiger: Es gab wenig Raum für private oder persönliche Kunst im Bereich Film. Da er so kostenaufwendig war, mußte der Film eine populäre Kunstform sein. Realismus-Theorien verlangen, daß wir den Zuschauer als am Prozeß Beteiligten sehen. Wenn der Film nichts als eine Dienstleistung ist, wie können wir es da rechtfertigen, den Konsumenten für seine Unterhaltung «arbeiten zu lassen»? Als ein Produkt mußte der Film manipulativ sein: Je mehr «Wirkung» der Film hervorrief, desto mehr Wert hatte der Konsument für das ausgegebene Geld erhalten. Tatsächlich werden die meisten populären Filme immer noch nach dieser einfachen Regel bewertet: Man sehe sich den Erfolg von solchen Spektakeln wie *The Exorcist* (1973), *Jaws* (1975), *Alien* (1979) und *Terminator 2* (1991) an. In diesem ökonomischen Sinn sind Filme immer noch eine Rummelplatzattraktion – Fahrten auf der Achterbahn durch Geisterkammern und Liebestunnel –, und Realismus ist etwas völlig Abwegiges.

Die beiden bündigen und höchst anschaulichen Standardwerke, die expressionistische und realistische Positionen gegenüberstellen, sind Rudolf Arnheims *Film als Kunst* (1932) und Siegfried Kracauers *Theorie des Films: Die Errettung der äußeren Wirklichkeit* (1960 das erste Mal veröffentlicht). Beide Bücher sind in höchstem Maße, auf fast herausfordernde Weise, normativ. Beide präsentieren «Offenbarungen», so als ob die Filmtheorie mehr eine Sache von Verkündigungen als von Untersuchungen wäre. Dennoch bleiben sie denkwürdige Werke, die inzwischen zu Klassikern der Filmliteratur geworden sind, nicht nur deshalb, weil sie beide säuberlich die Positionen ihrer jeweiligen Schulen umreißen, sondern auch zu einem nicht geringen Teil auf Grund ihrer Vereinfachungen: Komplexere, weniger deterministische Filmtheorien werden offensichtlich nicht so leicht behalten.

Arnheim hatte eine Karriere als bekannter Psychologe hinter sich (er ist der Autor von *Kunst und Sehen: Eine Psychologie des schöpferischen Auges*, 1954); so ist es nicht verwunderlich, daß die grundlegenden Lehrsätze von *Film als Kunst* psychologischer Natur sind. Aber anders als sein Vorgänger Münsterberg ist er mehr daran interessiert, wie Film gemacht wird, als daran, wie er wahrgenommen wird. Der Ansatz seines Buches läßt sich in aller Kürze beschreiben: Er geht von der grundlegenden Prämisse aus, daß die Kunst des Films von ihren Begrenzungen abhängig ist, daß ihre physikalischen Begrenzungen gerade ihre ästhetischen Tugenden sind. Er selbst faßt seine Position im Vorwort der Ausgabe von 1957 folgendermaßen zusammen: «Ich habe es unternommen, im Detail darzulegen, wie der Film und die Fotografie die Wirklichkeit keineswegs sklavisch kopieren, und daß sich gerade aus den Abweichungen künstlerische Ausdrucksmöglichkeiten ergeben.» Dies ist eine merkwürdige Behauptung, dennoch in gewisser Weise korrekt, da jede Kunst logischerweise durch ihre Begrenzungen geformt wird. Das Problem ist Arnheims Vorschlag, daß sie diese Begrenzungen nicht überschreiten sollte und daß technische Entwicklungen – Ton, Farbe, Breitwand und so weiter –, die die Grenzen weiter hinausschieben, nicht wünschenswert sind. Er glaubt, daß der Film in der späten Stummfilmzeit seinen künstlerischen Höhepunkt hatte, eine 1933 verständliche Position, die er allerdings noch in der englischen Ausgabe von 1957 vertrat.

Nachdem Arnheim einige Bereiche aufgezählt hat, in denen die Filmdarstellung sich von der Wirklichkeit unterscheidet, bezeichnet er, wie jeder dieser Unterschiede künstlerische Inhalte und Formen liefert. Der Kern seines Argumentes: Für den Künstler und seine Kreativität bleibt um so weniger Raum, je mehr sich der Film dem Reproduzieren der Realität annähert. Der Erfolg dieser Theorie hängt von zwei Annahmen ab, die ganz sicher problematisch sind:

- daß Kunst gleich Wirkung oder Ausdrucksfähigkeit sei, daß die Bedeutung eines Kunstwerks direkt von dem Grad abhängt, mit dem der Künstler Material manipuliert, und
- daß die Begrenzungen einer Kunstform ihre Ästhetik erzeugen und nicht einschränken.

Er schreibt beispielsweise: «Die Tendenz zur Vergrößerung der Bildfläche gehört zusammen mit der Sehnsucht nach dem farbigen, plastischen, tönenden Film. Es ist die Sehnsucht der Leute, die nicht wissen, daß Kunstwirkung an die Begrenzung der Mittel gebunden ist...» (S. 99). Und dennoch haben die Filmemacher mehr und nicht weniger Freiheit erlangt, als diese neuen Dimensionen dem Repertoire der Filmkunst hinzugefügt wurden, und die Möglichkeiten künstlerischer Effekte nahmen erheblich zu.

Die grundlegende Schwierigkeit mit Arnheims Begrenzungstheorie ist, daß er sich viel zu einseitig auf die Herstellung von Film konzentriert und den befreienden und auch erschwerenden Faktor des Wahrnehmens von Film nicht mit in Betracht zieht. Viele der Begrenzungen, die er aufzählt (abgesehen von den technischen Begrenzungen) – der Bildausschnitt, die Zweidimensionalität des Films, das Aufbrechen des Raum-Zeit-Kontinuums durch den Schnitt –, sind sehr viel weniger wichtig für das Wahrnehmen des Films als für dessen Entstehen. Indem er die ganze Spanne des Filmprozesses ignoriert, produziert Arnheim eine streng ideale Vorschrift für Filmkunst, die mit dem tatsächlichen Phänomen des praktischen Films weniger zu tun hat, als es zunächst scheinen könnte. In jedem Fall wurde seine begrenzte, einfache Vorstellung vom Film schnell durch die Ereignisse eingeholt, als sich die Technik entwickelte und Filmemacher in der Praxis die Möglichkeiten neuer Variablen entdeckten.

Der Konflikt zwischen Realismus und Expressionismus, der fast alle Filmtheorie beeinflußt, ist nicht so direkt, explizit und schön ausgewogen, wie es zunächst scheinen mag. Die Beziehung ist eher dialektisch als dichotomisch, so daß die Realismustheorie genauso der expressionistischen erwächst, wie die expressionistische Theorie ihrerseits dem Bedürfnis entsprungen war, eine künstlerische Reputation für den Film aufzubauen.

Siegfried Kracauers Magnum Opus *Theorie des Films: Die Errettung der äußeren Wirklichkeit*, das 27 Jahre nach Arnheims eleganter, bündiger Vorschrift kam, ist im Gegensatz dazu eine weitläufige, manchmal unbeholfene, oft schwierige Abhandlung weitgreifender Realismustheorien, die sich langsam, über mehr als zwanzig Jahre, entwickelt hatten. Der Expressionismus ist relativ leicht darzulegen, da er sich selbst begrenzt und sich selbst definiert. Der Realismus ist andererseits ein vager, umfassender Begriff, der vielen Leuten viele Dinge bedeutet. Alle Literaturstudenten sind bereits früher auf das «Problem» des Realismus gestoßen. Ist Jane Austen, die über einen sehr eng begrenzten Ausschnitt der Gesellschaft schrieb, ein Realist? Ist Weite für die realistische Sensibilität genauso wichtig wie Tiefe? Ist der Naturalismus, der sich als künstlerische Form ziemlich leicht definieren läßt und auf der deterministischen Philosophie basiert, eine Art Realismus, ein Abkömmling, oder steht er in direktem Gegensatz dazu? Im Film ist «Realismus» ebenfalls ein unsicherer, verwaschener Begriff. Der Rossellini von *Roma, città aperta* (1945) ist ein «Realist», aber was ist mit dem Rossellini von *La Prise de pouvoir par Louis XIV* (1966)? Oder Fellini? Ist die Politik für den Realismus notwendig? Was ist mit der Schauspielerei? Sind Dokumentarfilme immer realistischer als Spielfilme? Oder ist es möglich, ein Realist und gleichzeitig ein Geschichtenerzähler zu sein? Der Katalog von Fragen über die Natur des Filmrealismus ist endlos.

Kracauer beantwortet viele dieser Fragen, aber sein Buch liefert in keinem Fall einen vollständigen Überblick über die spitzfindigen Definitionen des Wortes. Es ist *eine* Filmtheorie, nicht *die* Filmtheorie. Wie Arnheim wählt Kracauer eine einzige, wesentliche Tatsache der Filmerfahrung als entscheidend aus, dann baut er eine Vorschrift auf, die zu einer bestimmten Folgerung führt. Wie auch Arnheim schrieb Kracauer hauptsächlich im nachhinein. Wenn die große Zeit des Filmexpressionismus die zwanziger Jahre waren, so war die zentrale Periode des Filmrealismus in den vierziger und fünfziger Jahren. Der wichtigste Realismus-Trend der sechziger Jahre fand zum Beispiel im Dokumentarfilm statt, ein Gebiet der Filmaktivität, über das Kracauer nur wenig zu sagen hat.

Obschon Kracauer den Ruf hat, der wichtigste Theoretiker des Filmrealismus zu sein, war er in Wirklichkeit nur einer von vielen. André Bazin wird im allgemeinen auch als Realist angesehen. Doch obgleich er in den fünfzehn Jahren vor Kracauers Buch eine viel reichere Untersuchung des Phänomens lieferte, ist sein Werk niemals so klar kodifiziert worden wie Kracauers und hat daher bis vor kurzer Zeit nie den starken Einfluß seines Nachfolgers gehabt.

Fast während der ganzen Filmgeschichte war der Realismus für praktische Filmemacher interessanter als für theoretische Kritiker. Dziga Vertov in den zwanziger Jahren in der Sowjetunion, Jean Vigo in Frankreich und John Grierson im England der dreißiger Jahre, Roberto Rossellini, Cesare Zavattini und die Neorealisten im Italien der vierziger Jahre, sie alle entwickelten Positionen, die im Gegensatz zu den expressionistischen Theorien standen. Es war, als ob die Filmemacher sich gegen den möglichen Mißbrauch der Macht ihres Mediums richteten und lieber eine «moralischere» Position im Realismus suchten.

Im Zentrum von Arnheims Theorie lagen die Begrenzungen der Technik und die Form der Filmkunst. Der Kern in Kracauers Theorie ist die fotografische «Berufung» der Filmkunst. Nur weil die Fotografie und der Film sich der Reproduktion der Realität so stark annähern, müssen sie diese Fähigkeit in ihrer Ästhetik betonen. Diese Prämisse ist der von Arnheim diametral entgegengesetzt. Kracauer schreibt, daß der Film einzigartig dafür ausgerüstet sei, die physische Realität aufzuzeichnen und zu enthüllen, und ihr daher zustrebe. Er schlägt vor, daß der Inhalt deshalb den Vorrang vor der Form haben müsse, und er entwickelt dann, was er eine materiale Ästhetik nennt, im Gegensatz zu einer formalen Ästhetik.

Da nun Kunsttheorien so sehr vom Formalismus abhängen, wird der Film für Kracauer eine Art Antikunst. «Der Begriff ‹Kunst› läßt sich seiner festgelegten Bedeutung halber nicht auf wirklich filmische Filme anwenden – das heißt, Filme, die sich Aspekte der physischen Realität einverleiben, um sie uns erfahren zu lassen. Dennoch sind *sie* es und nicht die an traditionelle Kunstwerke erinnernden Filme, die ästhetisch gültig sind.» (S. 69)

Dies ist die dritte Stufe der psychologischen Entwicklung des Films als Kunst. Nachdem er sich in seiner Jugend als respektabel vorgestellt hatte, sich in seinem frühen Erwachsenenalter der Gemeinde der Künste angeschlossen hatte, indem er zeigte, wie ähnlich er ihnen wirklich war, zeigt er nun Reife, beweist seine «Ich-Integrität», indem er sich von der Gemeinschaft trennt und sein persönliches Wertesystem entwickelt. Wenn der Film nicht in die Definition der Kunst paßt, dann muß diese verändert werden.

Nachdem er die Einzigartigkeit des Films gefeiert hat, macht Kracauer einen kritischen, logischen Sprung. Da der Film die Wirklichkeit so gut reproduzieren kann, soll er das auch tun, schlägt er vor. An dieser Stelle kann seiner Theorie am leichtesten widersprochen werden. Es wäre ebenso einfach vorzuschlagen, daß (wie Arnheim es auf bestimmte Weise tut) der Film seine mimetische Stärke gegenteilig einsetzen sollte, da Film und Realität ja in so enger und vertrauter Verbindung stehen: durch Widerspruch und Verformung der Realität und nicht durch ihre Reproduktion. Nach diesen ersten bedeutsamen Erklärungen geht Kracauer jedoch über zu einer allgemeineren und objektiveren Untersuchung des Mediums Film. Der logische Endpunkt seiner vorhergehenden Behauptung von der engen Verbindung von Film und Realität wäre es, den Dokumentarfilm über den Spielfilm zu erheben. Kracauer jedoch, wie wir gesehen haben, läßt dem strengen Tatsachenfilm relativ wenig Bedeutung zukommen und konzentriert sich statt dessen auf den vorherrschenden Filmtyp: das Erzählkino. Er sieht die «gefundene Story» als die ideale Filmform an. Solche Filme sind Fiktion, aber sie sind mehr «entdeckt als ausgedacht». Er fährt damit fort, den Unterschied zwischen quasifiktiver Idealform und dem voll entwickelten Kunstwerk zu klären: «Als Bestandteil des Rohmaterials, in das sie eingebettet ist, kann sich die gefundene Story unmöglich zu einem selbstgenügsamen Ganzen entwickeln; das bedeutet, daß sie so ziemlich das Gegenteil der theatralischen Story ist.» (S. 324).

Im Verlauf der Entwicklung und Ausweitung seiner Theorie wird deutlich, daß Kracauer keine großen Einwände gegen die Form hat – solange sie dem Zweck des Inhalts dient. Und hier kommen wir zum Kern von Kracauers wirklichem Beitrag zur Filmtheorie: Der Film dient einem Zweck. Er existiert nicht nur für sich, als rein ästhetisches Objekt; er existiert im Kontext der Umwelt. Da er von der Realität abstammt, muß er auch dorthin zurückkehren – daher der Untertitel von Kracauers Theorie: *Die Errettung der äußeren Wirklichkeit.*

Wenn sich dies fast religiös anhört, so ist dieser Unterton, nehme ich an, erwünscht. Für Kracauer hat der Film eine menschliche, ethische Natur. Ethik muß Ästhetik ersetzen und somit Lenins Prophezeiung erfüllen, die Jean-Luc Godard zu zitieren liebte, daß «Ethik die Ästhetik der Zukunft» sei. Da wir durch wissenschaftliche und ästhetische Abstraktion von der physischen Realität getrennt sind, brauchen wir die Errettung, die der Film anbietet: Wir müssen wieder mit der physischen Welt in Austausch treten. Der Film kann uns eine Brücke zur Realität schlagen. Er kann unseren Eindruck von der Realität sowohl «bestätigen» als auch «entlarven».

Das scheint ein großartiges Ziel.

Montage: Pudovkin, Eisenstein, Balázs und der Formalismus

Die Begriffe «Expressionismus» und «Formalismus» werden in der Filmkritik oft auswechselbar verwandt, um die Tendenzen zu kennzeichnen, die dem «Realismus» ganz allgemein entgegengesetzt sind. Sowohl Expressionismus als auch Formalismus sind aber auch Etiketten, die sich auf bestimmte Perioden der Kulturgeschichte beziehen: Der Expressionismus war während der zwanziger Jahre die wichtigste Kraft in der deutschen Kultur – im Theater und der Malerei ebenso wie im Film –, während der Formalismus in der Sowjetunion zur gleichen Zeit das aufblühende kulturelle Leben – in Literatur und Film – anzeigte. Der Unterschied zwischen diesen beiden Bewegungen hängt im wesentlichen von einer leichten, aber signifikanten Verschiebung ihres zentralen Anliegens ab. Der Expressionismus steht für eine umfassendere, romantische Vorstellung von Film als einer expressiven Kraft. Der Formalismus ist spezifischer, «wissenschaftlicher» und mehr an den Elementen, den Details interessiert, die diese Kraft hervorbringen. Er ist analytischer, weniger synthetisch, und er hat ein ausgeprägtes Bewußtsein der Bedeutung von Funktion und Form in der Kunst.

In den zwanziger Jahren, direkt nach der bolschewistischen Revolution, gehörte der sowjetische Film zu den aufregendsten der Welt, nicht nur in praktischer, sondern auch in theoretischer Hinsicht. Es gibt keinen Zweifel darüber, daß die sowjetischen Filmemacher/Theoretiker nicht nur die Realität festhalten, sondern sie auch verändern wollten. Der Realismus ist, zumindest in ästhetischer Hinsicht, nicht besonders revolutionär: Wie wir festgestellt haben, neigt er dazu, die Möglichkeiten des Filmemachers zu leugnen, und läßt so den Film weniger geeignet dafür erscheinen, ein machtvolles Werkzeug für soziale Veränderungen zu sein. Während dieser Zeit – bevor Stalin den Filmemachern die Doktrin des Sozialistischen Realismus aufzwang (die weder realistisch noch besonders sozialistisch ist) – produzierten zwei von ihnen, Vsevolod I. Pudovkin und Sergej Eisenstein, nicht nur eine Reihe außergewöhnlicher Filme, sondern auch ein vages Gebäude formalistischer Theorie, das eine tiefreichende Wirkung auf die Entwicklung der Filmtheorie hatte. Zur gleichen Zeit verfolgte der ungarische Schriftsteller, Kritiker und Filmemacher Béla Balázs eine Richtung formalistischen Denkens, das, obgleich weniger bekannt als die Gedanken Pudovkins und Eisensteins, wert ist, neben ihnen eingeordnet zu werden.

Anders als Arnheim und Kracauer waren Pudovkin, Eisenstein und Balázs praktizierende Filmemacher, die es vorzogen, ihre Kunst zu beschreiben und nicht mit Vorschriften zu versehen. Ihre theoretische Arbeit war nicht in einem einzigen Band zusammengefaßt, sondern über viele Jahre hinweg auf einzelne Essays verteilt. Sie war organisch, vorwärtsschreitend und in ständiger Entwicklung begriffen, nicht abgeschlossen, vollständig und endgültig. Es ist daher weniger leicht, diese Theorie in Kürze zusammenzufassen.

Kurz nach der Oktoberrevolution wurde dem jungen Filmemacher Lev Kuleschov eine Filmwerkstatt übergeben. Pudovkin war einer seiner Studenten, wie auch, für kurze Zeit, Eisenstein. Da sie nicht genügend Rohmaterial für ihre Projekte finden konnten, begannen sie, bereits fertige Filme neu zu schneiden, und bei diesem Prozeß entdeckten sie eine Reihe von Wahrheiten über die Technik der Filmmontage.

In einem Experiment verband Kuleschov eine Anzahl von Aufnahmen, die zu verschiedenen Zeiten und an verschiedenen Orten gemacht worden waren. Dieses Gemisch war ein zusammengefügtes Stück Filmerzählung. Kuleschov nannte es «kreative Geographie». In ihrem wohl berühmtesten Experiment nahm die Kuleschov-Gruppe drei identische Aufnahmen des bekannten vorrevolutionären Schauspielers Mosjukin und schnitt sie zusammen mit Aufnahmen von einem Teller Suppe, einer Frau in einem Sarg und einem kleinen Mädchen. Nach Pudovkin, der später die Ergebnisse des Experiments beschrieb, zeigte sich das Publikum höchst begeistert von Mosjukins subtiler und affektiver Fähigkeit, solch unterschiedliche Emotionen wie Hunger, Traurigkeit und Zuneigung zu vermitteln.

In seinen beiden Hauptwerken *Filmregie und Filmmanuskript* (1926) und *Der Schauspieler im Film* (1934) entwickelte Pudovkin auf der Basis seiner Experimente mit Kuleschov eine Theorie des Films, die eine spezielle Art der Montage in den Mittelpunkt stellte. Für Pudovkin war die Montage die Methode, die die psychologische Führung des Zuschauers kontrolliert. In dieser Hinsicht war seine Theorie ganz einfach expressionistisch: das heißt hauptsächlich damit beschäftigt, wie der Filmemacher den Zuschauer beeinflussen kann. Er unterschied jedoch fünf voneinander getrennte und unterschiedliche Arten von Montage: Kontrast, Parallelität, Symbolismus, Gleichzeitigkeit und Leitmotiv.

Hier haben wir die grundlegende Prämisse des Filmformalismus: Pudovkin entdeckte formale Kategorien und analysierte sie. Darüber hinaus war er sehr an der Bedeutung der Einstellung interessiert – an der Mise en Scène –, und er zeigt daher eine Haltung, die wir als zutiefst realistisch anzusehen gewohnt sind. Er sah die

Montage als das komplexe, pumpende Herz des Films, aber er fühlte auch, daß es ihre Aufgabe sein müsse, die Erzählung zu unterstützen, und nicht, sie zu verändern.

Eisenstein stellte seine eigene Montage-Theorie – mehr Zusammenprall als Verknüpfung – in direkter Opposition zu Pudovkins Theorie auf. In einer Serie von Essays, die in den frühen zwanziger Jahren beginnen und sich fast über sein ganzes Leben fortsetzen, erarbeitete und überarbeitete er eine Reihe von Grundkonzepten, während er mit der Form und der Natur des Films rang.* Für Eisenstein hat die Montage das Ziel, Ideen, eine neue Realität zu schaffen und nicht die Erzählung, die alte Wirklichkeit der Erfahrung zu unterstützen. Als Student war er fasziniert von ostasiatischen Schriftzeichen, die Elemente von sehr unterschiedlicher Bedeutung verbanden, um eine völlig neue Bedeutung zu schaffen, und er betrachtete das Schriftzeichen als Modell für die Filmmontage. Er übernahm eine Idee der Literatur-Formalisten und begriff die Elemente des Films als «dekomponiert» oder «neutralisiert», so daß sie für die dialektische Montage als frisches Material dienen konnten. Selbst Schauspieler wurden nicht auf Grund ihrer individuellen Qualitäten aufgestellt, sondern als «Typen».

Eisenstein dehnte sein Konzept der Dialektik bis auf die Einstellung selbst aus. So wie die Einstellungen zueinander in dialektischer Beziehung standen, so konnten die grundlegenden Elemente einer einzelnen Einstellung – die er ihre Attraktionen nannte – wechselseitig aufeinander einwirken, um neue Bedeutungen zu schaffen. Attraktionen, so wie er sie definierte, enthielten «jedes aggressive Moment... jedes seiner Elemente... das den Zuschauer einer Einwirkung auf die Sinne oder Psyche aussetzt, die experimentell überprüft und mathematisch berechnet ist auf bestimmte emotionelle Erschütterungen des Aufnehmenden» (*Schriften I*, S. 217). Da Attraktionen innerhalb dieses Ganzen existieren, schlug Eisenstein eine weitere Ausdehnung der Montage vor: «An die Stelle der statischen ‹Widerspiegelung› eines auf Grund des Themas notwendig vorgegebenen Ereignisses und der Möglichkeit seiner Lösung einzig und allein durch Wirkungen, die logisch mit einem solchen Ereignis verknüpft sind, tritt ein neues künstlerisches Verfahren – die freie Montage – bewußt ausgewählter, selbständiger... Einwirkungen (Attraktionen)» (*Schriften I*, S. 219). Dies war eine völlig neue Basis für die Montage, in ihrer Art völlig anders als Pudovkins fünf Kategorien.

Später entwickelte Eisenstein eine ausgefeiltere Sicht des Systems der Attraktionen, in dem eine Kraft stets vorherrschend und die anderen untergeordnet waren. Das Problem hierbei war, daß diese Idee dem Konzept der Neutralisierung zu widersprechen scheint, das ja alle Elemente darauf vorbereiten sollte, vom Filmema-

* Diese Essays sind russisch in einer sechsbändigen Werkauswahl (1964–71), auf deutsch in verschiedenen Ausgaben gesammelt.

cher mit gleicher Leichtigkeit benutzt zu werden. Es gibt eine ganze Anzahl solcher scheinbaren Widersprüche in Eisensteins Denken: ein guter Beweis dafür, daß seine Filmtheorie organisch, offen und auf gesunde Art unvollständig war.

Vielleicht ist die wichtigste Folgerung aus Eisensteins System der Attraktionen, Dominanten und dialektischer Konfrontationsmontage in den Implikationen für den Filmbetrachter zu finden. Während Pudovkin die Technik der Montage als eine Hilfe für die Erzählung gesehen hatte, rekonstruierte Eisenstein die Montage im Gegensatz zur direkten Erzählung. Wenn Aufnahme A und Aufnahme B eine völlig neue Idee C bilden sollten, dann mußte das Publikum direkt mit einbezogen werden. Es war nötig, daß die Zuschauer «arbeiteten», um die inhärente Bedeutung der Montage zu verstehen. Pudovkin, dessen Ideen den Lehren des Realismus geistig näherzustehen scheinen, hatte paradoxerweise eine Art von Erzählstil vorgeschlagen, der die «psychologische Führung» des Publikums kontrollierte.

Eisenstein, der einen extremen Formalismus vertrat, in dem die fotografierte Wirklichkeit aufhörte, sie selbst zu sein, und statt dessen nur eine Ansammlung von Rohmaterial war – Attraktionen oder «Schocks» –, die der Filmemacher nach Bedarf neu anordnen konnte, Eisenstein beschrieb paradoxerweise ein System, in dem der Zuschauer ein notwendiger und gleichwertiger Partner war.

Die vereinfachende Dichotomie zwischen Expressionismus und Realismus ist somit nicht länger gültig. Für Eisenstein war es nötig, den Realismus zu zerstören, um sich der Realität zu nähern. Der wahre Schlüssel zum System des Films ist nicht des Künstlers Beziehung zum Rohmaterial, sondern eher seine Beziehung zu seinem Publikum. Ein Film mit dem größten Respekt für die fotografierte Realität könnte zur gleichen Zeit wenig oder gar keinen Respekt für sein Publikum zeigen. Andersherum könnte ein höchst formalistischer, abstrakter Film – Eisensteins eigener *Potemkin* (1925) zum Beispiel – sein Publikum in einen dialektischen Prozeß verwickeln, anstatt es durch kalkulierte Emotionen zu überwältigen.

Eisensteins Grundkonzept der Filmerfahrung hatte, wie seine Theorien, ein «open end». Der Prozeß des Films (wie der Prozeß der Theorie) war viel wichtiger als sein Ende, und Filmemacher und Zuschauer waren darin voller Dynamik engagiert. Ebenso waren die Elemente der Filmerfahrung – des Kommunikationskanals zwischen Schöpfer und Betrachter – ebenfalls logisch miteinander verbunden. Eisensteins weitreichende Filmtheorien kündigen so bereits die beiden jüngsten Entwicklungen der Filmtheorie an, denn er ist nicht nur in jeder Beziehung an der Sprache des Films interessiert, sondern auch daran, wie diese Sprache sowohl von Filmemachern als auch Zuschauern benutzt werden kann.

Wie Eisenstein arbeitete Béla Balázs viele Jahre an der Beschreibung der Struktur des Films. Von Geburt Ungar, verließ er seine Heimat, nachdem die ungarische Kommune 1919 gestürzt worden war, und verbrachte danach Jahre in Österreich,

Eisensteins *Panzerkreuzer Potemkin* (1925): Die Treppensequenz von Odessa.
Während die Leute von Odessa sich versammeln, um den rebellierenden Soldaten auf dem im Hafen liegenden Panzerkreuzer «Potemkin» zuzujubeln, erscheinen Soldaten. Die Menge läuft voller Entsetzen die Stufen hinab, während die Soldaten feuern. Ein kleiner Junge wird getroffen. Seine Mutter hebt ihn hoch und wendet sich den Soldaten oben auf der Treppe zu …

… Als sie hinaufsteigt und die Soldaten anfleht, legen diese an. Der Offizier senkt seinen Säbel, und die Soldaten schießen die Mutter und das Kind mit einer Salve nieder. Die Menge läuft die Stufen hinab und trampelt über die schon Gefallenen …

...Als sie den Fußweg am Fuß der Treppe erreichen, werden sie von berittenen Kosaken angegriffen. Die Menschen werden von der Reihe Soldaten, die erbarmungslos weiter die Stufen herabkommt, und den Kosaken, die sie peitschen und niederreiten, in die Zange genommen. Eisenstein schneidet Einstellungen von Opfern und Schüssen der Unterdrücker abwechselnd aneinander. Eine Frau mit einem Kinderwagen wird am oberen Ende der Treppe getroffen. Als sie fällt, stößt sie den Wagen über die erste Stufe...

...Er holpert die Stufen hinunter, während die Leute voller Entsetzen zusehen, und erreicht schließlich die unterste Stufe, wo er umkippt. (*Alle Bilder: L'Avant-Scène. Standvergrößerungen*)

Deutschland, der Sowjetunion und anderen osteuropäischen Ländern. Sein Hauptwerk, *Der Film: Werden und Wesen einer neuen Kunst* (1949), faßt seine lebenslangen theoretischen Arbeiten zusammen. Da er praktische Erfahrung in der Kunst hatte und da er seine Theorie über viele Jahre hin entwickelte, bleibt *Der Film* eines der ausgewogensten Bücher seiner Art.

Obgleich er viele der grundlegenden formalistischen Prinzipien Eisensteins und sowjetischer Literaturkritiker der zwanziger Jahre auch vertrat, gelang es Balázs, diese Konzepte mit gewissen Prinzipien aus dem Realismus zu verbinden. Er war fasziniert von der «geheimen Kraft» der Großaufnahme, die Details der Handlung und der Gefühle enthüllen konnte, und er entwickelte eine Theorie der «Mikro-Dramatik», der feinen Bedeutungsverschiebungen und des stillen, vielseitigen Spiels der Gefühle, das die Großaufnahme so gut übermitteln kann. Sein erstes Filmbuch hatte den Titel *Der sichtbare Mensch oder Die Kultur des Films* (1924). Es stellte diesen zutiefst realistischen Standpunkt klar heraus und beeinflußte wahrscheinlich Pudovkin.

Aber während er die Realität der Großaufnahme feierte, sah Balázs den Film auch eindeutig im ökonomischen Einflußbereich. Er erkannte, daß die ökonomische Basis des Films die Hauptdeterminante der Filmästhetik ist, und er war einer der ersten Filmtheoretiker, der verstand und erklären konnte, wie unsere Haltung jedem Film gegenüber geprägt und geformt ist durch die kulturellen Werte, die wir gemeinsam haben. Bereits Jahrzehnte vor Marshall McLuhan sah er die Entwicklung einer neuen visuellen Kultur voraus, welche gewisse Wahrnehmungskräfte wiedererwecken würde, die, wie er sagte, im Schlaf gelegen hatten. «Die Erfindung der Buchdruckerkunst hat mit der Zeit das Gesicht der Menschen unleserlich gemacht. Sie haben soviel vom Papier lesen können, daß sie die andere Mitteilungsform vernachlässigen konnten.» (*Der Film*, S. 23) Dies ändert sich nun, da wir eine sich entwickelnde, reproduzierbare, visuelle Kultur haben, die dem Druck in Vielseitigkeit und Verbreitung gleichwertig ist. Balázs' Verständnis des Films als einer kulturellen Einheit, die den gleichen Druckmitteln und Kräften unterworfen ist wie jedes andere Element der Kultur, mag heute selbstverständlich erscheinen, aber er war einer der ersten, die diesen hochwichtigen Aspekt des Films erkannten.

Mise en Scène: Neorealismus, Bazin und Godard

Während seiner kurzen Karriere von Mitte der vierziger Jahre an bis zu seinem frühen Tod im Jahre 1958, als er neununddreißigjährig starb, befand sich André Bazin, wie Eisenstein, in einem ständigen Prozeß der Überprüfung und Neubewertung. Im Gegensatz zu fast allen anderen Autoren wichtiger Filmtheorien arbeitete Bazin als Kritiker und schrieb regelmäßig Kritiken zu einzelnen Filmen. Seine Theorie wird zum größten Teil in den vier Bänden gesammelter Essays (*Qu'est-ce que le cinéma?*, deutsch: *Was ist Kino?*) ausgedrückt, die in den Jahren direkt nach seinem Tod veröffentlicht wurden. Sie sind stark geprägt von seiner praktischen, induktiven Erfahrung. Mit Bazin wird die Filmtheorie zum erstenmal voll ausgereifte intellektuelle Aktivität an Stelle einer Sache von Forderungen und Vorschriften, eine intellektuelle Aktivität, die sich ihrer eigenen Begrenzungen sehr wohl bewußt ist. Der Titel von Bazins gesammelten Essays verrät bereits, mit welch bescheidenem Anspruch er seine Theorien vertrat. Für Bazin sind Fragen wichtiger als Antworten.

In seiner Vergangenheit als Student der Phänomenologie verwurzelt, sind Bazins Theorien von der Organisation her eindeutig realistisch, aber der Brennpunkt hat sich auch hier verschoben. Wenn der Formalismus der höher entwickelte, weniger anmaßende Bruder des Expressionismus ist, dann strebt Bazin vielleicht das an, was «Funktionalismus» und nicht einfach Realismus genannt werden sollte, denn durch seine gesamte Argumentation zieht sich die wichtige Idee, daß der Film nicht auf Grund dessen, was er ist, seine Bedeutung hat, sondern auf Grund dessen, was er bewirkt.

Für Bazin ist der Realismus mehr eine Sache der Psychologie als der Ästhetik. Er stellt nicht wie Kracauer eine simple Gleichung zwischen Film und Realität auf, sondern er beschreibt eine subtilere Verbindung zwischen den beiden, in der der Film die Asymptote der Realität ist, die erfundene Linie, der sich die geometrische Linie annähert, die sie aber nie berührt. Einen seiner frühesten Essays, «Ontologie des fotografischen Bildes», begann er mit folgender Überlegung: «Eine Psychoanalyse der bildenden Künste müßte die Praxis des Einbalsamierens als wesentliche Ursache ihrer Genese mit berücksichtigen.» (S. 21) Er behauptet, daß die Künste entstanden sind, weil man andere Formen der Sicherheit suchte. Die Ur-Erinnerung an das Einbalsamieren lebt in der Fotografie und im Kino weiter, die die Zeit einbalsamieren, sie vor ihrem eigenen Verfall bewahren. Dies führt zu einem elegant einfachen Schluß: «Wenn die Geschichte der bildenden Künste nicht nur die ihrer Ästhetik, sondern vor allem die ihrer Psychologie ist, dann ist sie wesentlich die Geschichte der Ähnlichkeit, oder wenn man so will, die Geschichte des Realismus.» (S. 22)

Wenn die Entstehung der fotografischen Künste im wesentlichen eine Sache von Psychologie ist, dann ist das ihre Wirkung ebenfalls. In «Die Entwicklung der kinematografischen Sprache» (1950–55) verfolgt Bazin die Wurzeln des Filmrealismus zurück zu Murnau und Stroheim im Stummfilm, und er beschreibt kurz und elegant, wie eine Abfolge von technischen Innovationen den Film noch näher, noch asymptotischer an die Realität heranführte. Aber obgleich die Technik die Grundlage dieser besonderen Stärke war, wurde sie eingesetzt für psychologische, ethische und politische Wirkungen. Diese Tendenz fand gegen Ende des Zweiten Weltkriegs und direkt danach ihren Höhepunkt in der Bewegung des italienischen Neorealismus – einer Film-Ära, zu der sich Bazin sehr hingezogen fühlte. «Ist nicht der Neo-Realismus in erster Linie ein Humanismus», fragt er abschließend, «und erst dann ein Regie-Stuhl?» (S. 33) Er glaubt, daß die wahre Revolution mehr auf der Ebene des Gegenstandes als auf der des Stils stattfand.

Hielten die Formalisten die Montage für das Herz des realistischen Films, so beansprucht Bazin dies für die Mise en Scène. Mit Mise en Scène meint er besonders Schärfentiefe und Plansequenzen; diese Techniken erlauben dem Betrachter, vollständiger an der Filmerfahrung teilzunehmen. So sieht Bazin die Entwicklung der Schärfentiefe nicht nur als eine weitere Entwicklung im Film an, sondern als dialektischen Schritt nach vorn in der Geschichte der Filmsprache.

Er führt aus, warum das so ist: Schärfentiefe bringt den Zuschauer in eine engere Verbindung mit dem Bild, als er es mit der Realität ist. Dies impliziert konsequenterweise eine aktivere geistige Haltung auf seiten des Betrachters und einen klareren Beitrag zu der ablaufenden Handlung. Da ist nichts mehr von Pudovkins «psychologischer Führung». Das Bild entsteht aus der Aufmerksamkeit und dem Willen des Zuschauers. Darüber hinaus hat die Schärfentiefe eine metaphysische Konsequenz: Montage schließt auf Grund ihrer Natur jede Zweideutigkeit des Ausdrucks aus. Eisensteins Attraktionen sind, was sie sind: Sie sind ausgesprochen denotativ. Der Neorealismus gibt andererseits dem Film ein Gefühl für die Zweideutigkeit der Realität zurück. Frei in der Wahl, sind wir auch frei in der Interpretation.

Mit diesem Konzept des Wertes der Zweideutigkeit eng verbunden sind die Zwillingsbegriffe von Gegenwart und Wirklichkeit im Raum. Bazin weist in einem späteren Essay darauf hin, daß der grundlegende Unterschied zwischen Theater und Film auf diesem Gebiet liegt. Es gibt nur eine Wirklichkeit, die im Film nicht geleugnet werden kann – die Wirklichkeit des Raumes. Umgekehrt kann der Raum auf der Bühne illusionär sein; die einzige Wirklichkeit, die dort nicht geleugnet werden kann, ist die Gegenwart von Schauspieler und Zuschauer. Diese beiden Reduktionen sind die Grundlagen der jeweiligen Künste.

Das bedeutet für den Film: Da es dort keine unüberwindliche Wirklichkeit der Gegenwart gibt, folgt, daß nichts uns daran hindern kann, uns in unserer Phantasie mit der sich bewegenden Welt vor uns zu identifizieren, die dann *die* Welt wird. Identifikation wird so zu einem Schlüsselwort im Vokabular der Filmästhetik. Darüber hinaus ist die einzige unüberwindliche Gegenwart die des Raums. Daher ist die Form des Films aufs engste mit räumlichen Beziehungen verknüpft: Mise en Scène mit anderen Worten.

Bazin lebte nicht lange genug, um diese Theorien auszufeilen, aber sein Werk hatte dennoch eine große Wirkung auf eine ganze Generation von Filmemachern, so wie auch das Werk Eisensteins (aber nicht Arnheims und Kracauers Vorschriften). Bazin legte den Grundstock für die spätere semiotische und ethische Theorie. Zu seinen Lebzeiten inspirierte er eine Reihe seiner Kollegen von den *Cahiers du Cinéma*, der Zeitschrift, die er mit Jacques Doniol-Valcroze und Lo Duca 1951 gründete. *Cahiers*, das einflußreichste Filmjournal der Geschichte, bot in den fünfziger und frühen sechziger Jahren unter anderen François Truffaut, Jean-Luc Godard, Claude Chabrol, Eric Rohmer und Jacques Rivette eine intellektuelle Heimstatt. Als Kritiker trugen diese Männer in hohem Maße zur Entwicklung der Theorie bei, als Filmemacher waren sie die erste Generation von Cineasten, deren Werk zutiefst in der Filmgeschichte und Filmtheorie begründet war; ihre Filme – besonders die von Godard – waren nicht nur praktische Beispiele für die Theorie, sondern selber oft theoretische Essays.

Zum erstenmal wurde Filmtheorie gefilmt und nicht gedruckt.

Diese Tatsache selbst war der Beweis dafür, daß die Vision des Kritikers und Filmemachers Alexandre Astruc realisiert wurde. 1948 hatte Astruc eine neue Kino-Ära gefordert, die er als Ära des «caméra-stylo» (Kamera-Stift) beschrieb. Er sagte voraus, daß der Film «sich allmählich von der Tyrannei dessen, was visuell ist, befreien würde, vom Bild um seiner selbst willen, von den direkten und konkreten Forderungen der Erzählung, um ein Mittel zu werden, mit dem man genauso flexibel und subtil wie in der geschriebenen Sprache schreiben könnte.»* Viele vorhergehende Theoretiker hatten von der «Sprache» des Films gesprochen; die Vorstellung vom «caméra-stylo» war entschieden komplexer. Astruc wollte nicht nur, daß der Film sein eigenes Idiom entwickeln möge, sondern er wollte darüber hinaus, daß dieses

* Alexandre Astruc: «Die Geburt einer neuen Avantgarde: die Kamera als Federhalter». In: Theodor Kotulla (Hg.): *Der Film*. Band 2. München: Piper 1964.

Zeichen fähig sein möge, die subtilsten Ideen auszudrücken. Eisenstein ausgenommen, hatte kein voraufgehender Filmtheoretiker den Film als intellektuelles Medium verstanden, in dem abstrakte Konzepte ausgedrückt werden konnten.

Natürlich nahmen fast alle Theoretiker an, daß der eigentliche Bereich des reproduzierenden Mediums Film das Konkrete war. Selbst Eisensteins dialektische Montage hing durch und durch von konkreten Bildern ab – wir könnten sie eine Dialektik objektiver Korrelative nennen. Astruc wollte mehr. In einer ungezwungenen Stellungnahme zu Eisenstein bemerkte er: «Der Film bewegt sich nun auf eine Form hin, die ihn zu einer solch präzisen Sprache macht, daß es bald möglich sein wird, Ideen direkt im Film zu schreiben, ohne die schwerfälligen Assoziationen der Bilder zu Hilfe zu nehmen, die das Entzücken des Stummfilms waren.» Astrucs Caméra-Stylo war eher eine Doktrin der Funktion als der Form. Sie war eine passende Ergänzung zur sich entwickelnden Praxis des Neorealismus, der Bazin so sehr beeinflußte.

Es sollte mehr als zehn Jahre dauern, bevor Astrucs Vision von 1948 sich im Film der Nouvelle Vague realisieren sollte. In der Zwischenzeit machten sich Truffaut, Godard und andere auf den Seiten der *Cahiers du Cinéma* an die Entwicklung einer Theorie der kritischen Praxis. André Bazin, immer Existentialist, arbeitete an der Entwicklung einer Filmtheorie, die induktiv war – auf der Praxis beruhte. Vieles in diesem Werk kam durch Identifikation und kritische Untersuchung von Genres zustande. «Die Existenz des Films geht seinem Wesen voraus», schrieb er in guter existentialistischer Manier. Welche Schlüsse Bazin auch immer zog, sie waren die direkten Ergebnisse der konkreten Erfahrung des Films.

François Truffaut formulierte am treffendsten das wichtigste theoretische Prinzip, das in den fünfziger Jahren die *Cahiers du Cinéma* charakterisieren sollte. In seinem Artikel «Une certaine tendance du cinéma français» (*Cahiers du Cinéma 31*, Januar 1954), einem Wendepunkt der Filmtheorie, entwickelte Truffaut die «Politique des auteurs», die der Schlachtruf der jungen französischen Kritiker werden sollte. Im allgemeinen als «Autorentheorie» übersetzt, stellte sie überhaupt keine Theorie, sondern eine Politik dar: ein recht willkürlicher kritischer Ansatz. Bazin erklärte dies mehrere Jahre später in einem Aufsatz, in dem er versuchte, einigen der Exzesse dieser Politik entgegenzutreten: «Die Politique des Auteurs besteht kurz gesagt darin, den persönlichen Faktor in der künstlerischen Schöpfung als Bezugspunkt zu wählen und dann anzunehmen, daß dieser sich von einem Film zum nächsten fortsetzt oder sogar weiterentwickelt.*

* François Truffaut: Eine gewisse Tendenz des französischen Films. In: Theodor Kotulla (Hg.): *Der Film.* Band 2. München: Piper 1964.

Wie Bazin zeigt, führte dies zu einigen ziemlich absurden Vorstellungen über einzelne Filme, aber gerade durch ihre Auswüchse half die Politique des Auteurs, den Weg zu bahnen für ein Wiederaufleben des persönlichen Autorenfilms in den sechziger Jahren, der Astrucs Caméra-Stylo mit Grazie und Intelligenz handhaben konnte. Der Film bewegte sich von Theorien abstrakter Formgebung zu Theorien konkreter Kommunikation. Es zählte nun nicht der materiale Realismus oder nicht einmal der psychologische Realismus, sondern eher der intellektuelle Realismus. Nachdem es einmal klar war, daß ein Film das Produkt eines Autors war, daß die «Stimme» des Autors bekannt war, konnten sich die Zuschauer dem Film anders als bisher nähern, nicht so, als ob er Realität wäre oder der Traum von Realität, sondern als einer Darstellung, die von einem anderen Individuum gemacht wurde.

Wichtiger als Truffauts Politique, obgleich zu der Zeit weniger einflußreich, war Jean-Luc Godards Montage-Theorie, die er in einer Reihe von Essays Mitte der fünfziger Jahre entwickelte und am besten in «Montage, mon beau souci» (*Cahiers du Cinéma* 65, Dezember 1956) ausdrückte. Indem er auf Bazins Theorie vom grundlegenden Widerspruch zwischen Mise en Scène und Montage aufbaute, schuf Godard eine dialektische Synthese dieser beiden Thesen, die die Filmtheorie lange Zeit beherrscht hatten. Dies ist einer der wichtigsten Schritte in der Filmtheorie. Godard überdenkt die Beziehung neu, so daß sowohl Montage als auch Mise en Scène als unterschiedliche Aspekte derselben filmischen Aktivität angesehen werden können.

Der Schnitt sei vor allem ein integraler Teil der Mise en Scène, schreibt er. «Das eine läßt sich nicht ohne Gefahr vom anderen trennen ... Das wäre, als wolle man den Rhythmus von der Melodie trennen ... Was jenes im Raum vorauszusehen sucht, sucht dieses in der Zeit.» Darüber hinaus schließt die Mise en Scène für Godard die Montage automatisch mit ein. Im Kino der psychologischen Realität, das von Pudovkin abstammt und die besten Hollywood-Filme beeinflußte, sind Schnitte, «die Anschlüsse machen, die dem Blick folgen ... fast schon die Definition der Montage». Die Montage ist also durch die Mise en Scène besonders determiniert. Wenn sich der Schauspieler umdreht, um einen Gegenstand anzusehen, zeigt uns der Schnitt sofort diesen Gegenstand. In dieser Art des Aufbaus, als «découpage classique» bekannt, hängt die Dauer einer Einstellung von ihrer Funktion ab, und die Beziehung zwischen den Einstellungen wird vom Material innerhalb der Einstellung kontrolliert – ihrer Mise en Scène.

Godards Synthese der klassischen Opposition ist auf elegante Weise einfach. Sie hat zwei wichtige Folgeerscheinungen: zunächst, daß die Mise en Scène genauso unaufrichtig wie die Montage sein kann, wenn ein Regisseur sie benutzt, um die Wirklichkeit zu verzerren; zum zweiten, daß die Montage nicht notwendigerweise der Beweis für Unaufrichtigkeit auf seiten des Filmemachers ist. Zweifellos wird der einfachen plastischen Wirklichkeit durch die Mise en Scène ein besserer Dienst erwiesen, was im strengen Bazinschen Sinne immer noch ehrlicher ist als die Montage. Aber Godard hat die Grenzen der Wirklichkeit neu definiert, so daß wir uns nun nicht mehr auf die plastische Realität zentrieren (die konkrete Beziehung des Filmemachers zu seinem Rohmaterial) und auch nicht auf die psychologische Realität (die manipulative Beziehung des Filmemachers zum Publikum), sondern auf die intellektuelle Realität (die dialektische oder kommunikative Beziehung zum Publikum). Techniken wie Mise en Scène und Montage hören dann auf, von vordringlichem Interesse zu sein. Wir sind mehr an der «Stimme» eines Films interessiert: Ist der Filmemacher bei seiner Arbeit aufrichtig? Spricht er uns direkt an? Hat er eine Manipulationsmaschine entworfen? Oder spricht der Film eine ehrliche Sprache?

(Als 1977 die erste Ausgabe von *How to Read a Film* erschien, war diese Frage der «ehrlichen Sprache» einfach eine hübsche Idee; sie ist jetzt viel wichtiger. Das Wachstum der Spezialeffekt-Technologie in den Achtzigern und die Einführung der Digitalisierung geben den Filmemachern mächtige neue Instrumente zur Erzeugung von «Manipulations-Maschinen» in die Hand, und sie nutzen sie. Teil 7 «Multimedia» zeigt, daß ethische Fragen heute an Bedeutsamkeit gewinnen.)

Godard hat die Montage als Teil der Mise en Scène neu definiert. Montage zu machen heißt also, Mise en Scène zu machen. Dies kündigt bereits den semiotischen Ansatz an, der sich in den sechziger Jahren entwickeln sollte. Godard liebte es, einen seiner früheren Lehrer zu zitieren, den Philosophen Brice Parain: «Das Zeichen zwingt uns dazu, ein Objekt durch seine Bedeutung zu sehen.» Plastischer oder materialer Realismus beschäftigt sich nur mit dem Signifikat. Godards weiter fortgeschrittener intellektueller oder wahrnehmender Realismus schließt den Signifikant ein. Godard pflegte auch Brechts Ausspruch zu zitieren, nach dem der Realismus nicht darin besteht, die Wirklichkeit zu reproduzieren, sondern darin, uns zu zeigen, wie die Dinge *wirklich* sind. Diese beiden Aussprüche richten die Argumentation des Realismus auf die Wahrnehmung. Christian Metz arbeitete dieses Konzept später aus und machte dabei eine bedeutsame Unterscheidung zwischen der inhaltlichen Realität eines Films und der Realität der Sprache, in der dieser Inhalt ausgedrückt wird. Er schrieb, daß es einerseits den *Eindruck* der Wirklichkeit und andererseits die *Wahrnehmung* der Wirklichkeit gibt.

Godard setzte seine Untersuchung dieser theoretischen Probleme fort, nachdem er Filmemacher geworden war. Mitte der sechziger Jahre hatte er eine Form des Film-Essays entwickelt, in dem die Struktur der Ideen im allgemeinen die klassischen Determinanten von Handlung und Personen ersetzte. Die meisten dieser Filme – *Une Femme mariée* (1964), *Alphaville* (1965), *Masculin – Féminin* (1966), *Deux ou trois choses que je sais d'elle* (1966) zum Beispiel – befaßten sich mit allgemeinen politischen und philosophischen Fragen: Prostitution, Ehe, Rebellion, sogar Architektursoziologie. Am Ende der sechziger Jahre war er jedoch noch einmal tief engagiert in der Filmtheorie, dieses Mal der Politik des Films. In einer Reihe komplizierter, experimenteller filmischer Essays entwickelte er seine Theorie der Filmwahrnehmung weiter, um die politische Beziehung zwischen Film und Betrachter mit einzuschließen.

Der erste und intensivste dieser Film-Essays war *Le Gai savoir* (1968), in dem sich Godard mit dem brennenden Problem der Filmsprache beschäftigte. Er deutete an, daß sie dadurch, daß sie manipulativ verwandt worden ist, so verfälscht wurde, daß kein Film die Wirklichkeit genau wiedergeben kann. Er kann auf Grund der Konnotationen seiner Sprache nur ein falsches Spiegelbild der Wirklichkeit darstellen. Er muß daher eher darstellend als symbolisch sein. Während er die Wirklichkeit nicht ehrlich und aufrichtig reproduzieren kann, kann er sich selbst vielleicht ehrlich reproduzieren. Godard schlägt vor, daß Filmemacher die Sprache notwendigerweise zerstören sollten, damit sie wieder etwas von ihrer Kraft zurückerlange, daß sie das aufnehmen sollten, was der Literaturkritiker Roland Barthes «semioclasme» – die wiederbelebende Zerstörung der Zeichen – genannt hat, um «zur Stunde Null zurückzukehren» und neu beginnen zu können.

In den folgenden fünf Jahren, bevor Godard seine Aufmerksamkeit dem Video zuwandte, drehte er eine Reihe von 16 mm-Filmen, in denen er versuchte, die Filmsprache neu aufzubauen. In *Pravda* (1969) untersucht er die ideologische Bedeutung gewisser filmischer Erfindungen; in *Vent d'est* (1969) erforscht er die ideologische Bedeutung von Film-Genres; in *British Sounds* (1969) und *Vladimir et Rosa* (1971) untersucht er unter anderem die Beziehung von Ton und Bild. Der Ton, so glaubt er, leidet unter der Tyrannei des Bildes; zwischen den beiden sollte ein ausgewogenes Verhältnis bestehen. Eisenstein und Pudovkin hatten bereits 1928 ein Manifest veröffentlicht, in dem sie forderten, daß der Ton als gleichwertige Komponente der filmischen Gleichung angesehen werden sollte und daß es ihm erlaubt sein müsse, vom Bild unabhängig zu sein. Aber über vierzig Jahre hatten Filmtheoretiker dem Element des Tons nur eine sehr oberflächliche Aufmerksamkeit geschenkt. Godard hoffte, daß dieses Ungleichgewicht aufgehoben werden könnte.

Tout va bien und *Letter to Jane* (beide 1972) sind wahrscheinlich die wichtigsten theoretischen Arbeiten Godards während dieser Periode. Der erste Film faßt das zusammen, was Godard aus seinen Experimenten gelernt hatte, der zweite ist zum Teil eine Eigenkritik des ersteren.

Tout va bien verwickelt einen Filmemacher und eine Reporterin (ein Ehepaar) in eine konkrete politische Situation (ein Streik und die Besetzung einer Fabrik durch die Arbeiter) und untersucht dann ihre Reaktion darauf. Von da aus baut er eine Analyse des gesamten Filmprozesses von Produktion und Konsumtion auf. Godard überarbeitete seine frühere Synthese von Montage und Mise en Scène in ökonomischen Begriffen, wobei er den Film nicht als ein Ästhetiksystem, sondern

Der Philosoph Brice Parain unterhält sich mit Anna Karina über Freiheit und Kommunikation in Godards *Vivre sa vie* (1962).

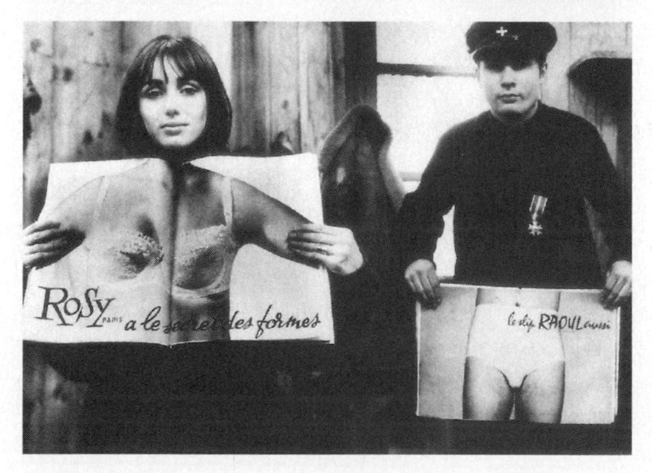

«Rosy» und «Raoul», Konsumenten-Collagen, in *Les Carabiniers* (1963).

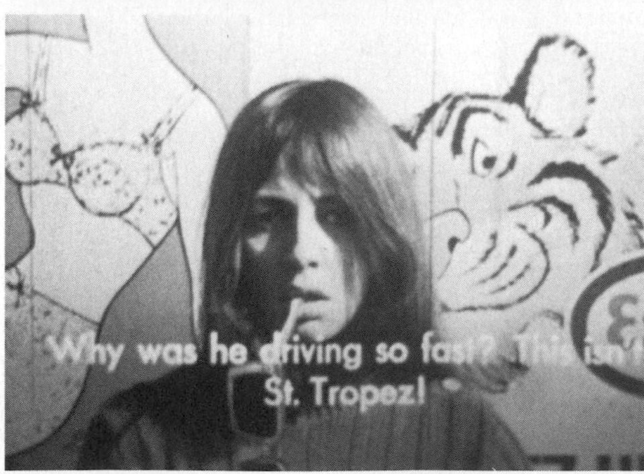

Juliet Berto in *Weekend* (1968) ist zwischen den beiden unkontrollierbaren, widerspenstigen Kräften des Films – Sex und Energie, der BH-Reklame und dem Esso-Tiger – gefangen.

Diese Eröffnungssequenz aus *British Sounds* (1969) folgt in langer Fahrt der Montage eines Autos auf dem Fließband. Die Mise en Scène wird zum ideologischen Werkzeug: Sie ist Erfahrung und wird deshalb *gefühlt*, während die Montage analytisch ist: Sie faßt für uns zusammen, sie regt uns nicht an, unsere eigene Logik auszuarbeiten. Die Montage zieht Schlüsse, die Mise en Scène stellt Fragen.

Als Essay über den Prozeß gegen die «Acht von Chicago» wendet *Vladimir et Rosa* (1971) der Funktion der Medien besondere Aufmerksamkeit zu. «Bobby X» (Godard / Gorins Darstellung des wirklichen Bobby Seale) wird im Gerichtssaal gefesselt und geknebelt. Um die Abwesenheit von Bobby X für die Medien zu demonstrieren, organisieren die Revolutionäre im Film eine Pressekonferenz. Aber er kann nicht erscheinen. Er spricht von einem Tonbandgerät.

Die Fahrt im Supermarkt am Ende von *Tout va bien* (1972) ist ebenso lang (und so erheiternd) wie die frühere Einstellung in *Weekend*. Godards Kamera bewegt sich unerbittlich an der unendlich langen Reihe von 24 Ladenkassen vorbei, die fast alle lustig klingeln, während die Gruppe junger Linker ein politisches Happening im Supermarkt veranstaltet: Produktion gegen Konsumtion – von Bildern wie von Produkten. (*Alle Godard-Bilder Standvergrößerungen*)

als eine ökonomische, wahrnehmende und politische Struktur sieht, in der die Rapports de Production – die Beziehungen zwischen Produzent und Konsument – die Form der Filmerfahrung bestimmen. Die Betonung liegt nicht darauf zu untersuchen, wie sich der Film zu einem Idealsystem (Ästhetik) verhält, sondern eher darauf zu sehen, wie er uns Betrachter berührt. Die Ethik und die Politik des Films bestimmen daher seine Natur.

Dies war keine besonders neue Idee; schon Balázs war sich dieser Dimension des Films bewußt. In den dreißiger und vierziger Jahren hatte die Frankfurter Schule (Walter Benjamin, Theodor W. Adorno und vor allem Max Horkheimer) den Film in diesem Kontext untersucht. Besonders bemerkenswert ist hierbei Benjamins wichtiger Aufsatz «Das Kunstwerk im Zeitalter seiner technischen Reproduzierbarkeit». Benjamin hatte geschrieben: «Die technische Reproduzierbarkeit des Kunstwerkes emanzipiert dieses zum ersten Mal in der Weltgeschichte von seinem parasitären Dasein am Ritual... An die Stelle ihrer [der Kunstproduktion] Fundierung aufs Ritual tritt ihre Fundierung auf eine andere Praxis: Nämlich ihre Fundierung auf Politik.» (S. 21) Benjamin sprach jedoch von einem Ideal. Godard mußte zeigen, wie das kommerzielle Kino das an sich gerissen hatte, was Benjamin die einzigartige Fähigkeit des Films genannt hatte, die Tradition zu zerschmettern, wie es sie sich gefügig gemacht und in den Dienst eines repressiven Establishments gestellt hatte. Diese unterschwellig mächtige Eigenschaft, so erkannte Godard, mußte zerstört werden.

Letter to Jane, ein 45-Minuten-Essay über die ideologische Bedeutung eines Fotos von Jane Fonda (einem der Stars aus *Tout va bien*), führt diesen Prozeß im Detail vor. Gemeinsam mit Jean-Pierre Gorin versucht Godard die Bedeutung des ästhetischen Elements dieses Fotos zu analysieren. Der Blickwinkel, die Formgebung und die Beziehungen zwischen den einzelnen Komponenten haben, wie Godard zeigt, sehr feine, aber wahre ideologische Bedeutung. Zur Zeit von *Letter to Jane* vertrat Godard jedoch keinesfalls allein diesen dialektischen, semiotischen Ansatz zum Verständnis des Films.

Der Film spricht und handelt: Metz und die zeitgenössische Theorie

Während Godard im Film die Konsequenzen der Idee, daß «das Zeichen uns dazu zwingt, einen Gegenstand durch seine Bedeutung zu sehen», untersuchte, studierten Christian Metz und andere die Verzweigungen dieses Ausspruchs in gedruckter Sprache. In zwei Bänden *Essais sur la signification au cinéma*, die 1968 und 1972 erschienen, und in seinem Hauptwerk, *Langage et Cinéma* (1971, deutsch: Sprache und Film, 1973), hat Metz Film als logisches Phänomen umrissen, das mit wissenschaftlichen Methoden untersucht werden kann. Die wichtigsten Aussagen in Metz' These sind bereits in Teil 3 «Filmsprache» erörtert worden. Es soll hier genügen, die Grundprinzipien der bislang komplexesten, subtilsten und ausgefeiltesten Filmtheorie zu skizzieren.

Semiotik ist ein allgemeiner Begriff, der viele spezielle Ansätze zum Studium der Kultur als Sprache umschließt. Begründet in den linguistischen Theorien Ferdinand de Saussures, benutzt sie die Sprache als allgemeines Modell für eine Vielzahl von Phänomenen. Ein solcher Ansatz zeichnete sich zum erstenmal in der Kultur-Anthropologie von Claude Lévi-Strauss in den fünfziger und sechziger Jahren ab. Dieser «Strukturalismus» wurde bald als allgemeines Weltbild akzeptiert. Michael Wood hat den Charakter dieser intellektuellen Moderichtung kurz und bündig beschrieben:

«Strukturalismus wird vielleicht am besten als eine verfilzte und möglicherweise unbenennbare Richtung in der modernen Geistesgeschichte verstanden. Manchmal scheint er gleichbedeutend mit dem Modernismus selbst zu sein. Manchmal scheint er nur einer unter mehreren Formalismen des zwanzigsten Jahrhunderts zu sein ... Und manchmal scheint er das Erbe des gewaltigen Vorhabens zu sein, das mit Rimbaud und Nietzsche geboren, von Mallarmé buchstabiert, von Saussure, Wittgenstein und Joyce weiterverfolgt, von Beckett und Borges besiegt wurde und das nun in eine Unmenge hilfloser Sekten zerschlagen ist: Das, was Mallarmé die ‹orphische› Erklärung der Erde nannte, das Vorhaben, sich die Welt nicht *in* Sprache vorzustellen, sondern *als* Sprache.» (*New York Review of Books*, 4. März 1976)

Kurz gesagt, der Strukturalismus mit seinem Abkömmling Semiotik ist ein verallgemeinertes Weltbild, das die Idee der Sprache als sein grundlegendes Werkzeug benutzt.

Metz' Ansatz ist (wie die gesamte Filmsemiotik) zugleich die abstrakteste wie auch die konkreteste der Filmtheorien. Da die Semiotik als Wissenschaft verstanden werden möchte, hängt sie in hohem Maße von der detaillierten, praktischen Analyse spezifischer Filme und Filmteile ab. In dieser Hinsicht ist die semiotische Kritik viel konkreter und intensiver als jeder andere Ansatz. Dennoch ist die Semiotik zur gleichen Zeit oft ungemein philosophisch. Die semiotische Beschreibung des Filmuniversums wird in gewisser Weise zum Selbstzweck: Sie hat ihre eigenen Reize, und die Betonung liegt oft nicht auf dem Film, sondern auf der Theorie. Darüber hinaus sind Semiotiker – vor allem Metz – dafür bekannt, daß sie selbst elegante Stilisten sind. Ein großer Teil des Vergnügens beim Lesen semiotischer Studien hängt mit der rein intellektuellen Kreativität und der Subtilität der Technik zusammen, die ihre Vertreter an den Tag legen. Metz hat beispielsweise einen drolligen, ausdrucksstarken Humor, der viel dazu beiträgt, sein oft überladenes Theoretisieren abzuschwächen.

Umberto Eco, neben Metz der bekannteste Film-Semiotiker, hat vier Entwicklungsstufen für diese Wissenschaft seit den frühen sechziger Jahren umrissen. Die erste Stufe, die nach Eco bis in die frühen siebziger Jahre reichte, war gekennzeichnet durch das, was er «die Überbewertung der linguistischen Mode» nannte. Während des Kampfs um Anerkennung klammerte sich die Semiotik an die anerkannten Muster der Linguistik, die ihr voraufgegangen war. (Auf die gleiche Art hatte die früheste Theorie des Films die der älteren Künste imitiert.)

Die zweite Stufe begann, als die Semiotiker allmählich entdeckten, daß ihr analytisches System nicht so einfach und allgemein gültig war, wie sie es zunächst gern geglaubt hätten.

Während der dritten Stufe – in den frühen siebziger Jahren – konzentrierte sich die Semiotik auf das Studium eines spezifischen Aspekts im Universum des Films: die Produktion. Die Semiotik des Prozesses, das Erstellen von Texten war hierbei zentrales Anliegen, und politische Ideologie wurde zu einem Teil der semiotischen Gleichung.

In der vierten Stufe, die 1975 begann, verlagerte sich die Aufmerksamkeit allmählich von der Produktion zur Konsumtion, vom Erstellen von Texten zu deren Rezeption. Auf dieser Stufe wurde die Filmsemiotik in hohem Maße von dem französischen Psychoanalytiker Jacques Lacan beeinflußt, der sich auf die Freudsche Psychologie stützte.

Nachdem sie mit einem quasiwissenschaftlichen System gestartet war, das sich die Quantifizierung zur Aufgabe machte und die Aussicht auf eine komplette und exakte Analyse des Phänomens Film anbot, hat die Semiotik sich allmählich zurückgearbeitet zur Grundfrage, die allen Filmtheoretikern ein Rätsel war: Wie wissen wir, was wir sehen? Auf diesem Weg hat die Semiotik durch das Neuformulieren alter Fragen mit neuen Methoden in bedeutsamem Maße zum gemeinsamen Bemühen, die Natur des Films zu verstehen, beigetragen.

Wir könnten inzwischen eine fünfte Stufe hinzufügen – vor allem in England und den USA: die akademische Bestätigung der Semiotik. Während der letzten Jahre hat diese früher elegante Theorie wenig von wirklich intellektuellem Wert produziert. Gleichzeitig ist sie ein nützliches Vehikel für akademische Karrieristen geworden, die, vor ihrem Scheitern, mehr an Publikationen interessiert sind als daran, unser Verständnis der Filmtheorie zu erweitern. Da die Semiotik ihrer Natur nach geradezu herausfordernd schwer verständlich ist, ist sie in dieser Hinsicht besonders gefährlich. In den Händen von eleganten Stilisten wie Metz, Eco (der später erfolgreiche Romane schrieb) oder Roland Barthes (dessen Essaybände ihr Ziel in sich selbst fanden) können die Mittel der Semiotik attraktive und informative Diskurse hervorbringen. Aber weniger bedeutsame Adepten können auf diesem Gebiet eine Menge leichter Erfolge verbuchen. Jeder, der Semiotik liest, sei gewarnt: Nur weil man es nicht verstehen kann, braucht es nicht unbedingt etwas zu bedeuten.

Ein großer Teil von Metz' ersten Arbeiten beschäftigte sich damit, die Prämissen für eine Semiotik des Films aufzustellen. Man könnte meinen, daß die Montage die leichteste Vergleichsmöglichkeit von Film und Sprache im allgemeinen bietet. Das Bild ist kein Wort, die Sequenz kein Satz. Und doch ist der Film *wie* eine Sprache. Was ihn eindeutig von anderen Sprachen unterscheidet, ist sein Kurzschluß-Zeichen, in dem Signifikant und Signifikat fast das gleiche sind. Normale Sprachen machen die Wichtigkeit der «doppelten Artikulation» deutlich: Das heißt, um eine Sprache zu gebrauchen, muß man ihren Klang und ihre Bedeutung verstehen, sowohl ihre Signifikanten als auch ihre Signifikate. Aber das gilt nicht für den Film. Signifikant und Signifikat sind fast das gleiche: Was man sieht, versteht man auch.

Christian Metz ließ die linguistischen Strukturen bald hinter sich, die als Modelle für all die verschiedenen semiotischen Studien des Films, der Literatur und anderer kultureller Bereiche gedient hatten. Er wandte sich der Analyse spezifischer Probleme zu. Auch wenn er nicht der Meinung war, daß die Montage die beherrschende Determinante der Filmsprache sei, glaubte er, daß die Anwendung von Erzählung zentral für die Filmerfahrung sei. Außerdem hielt er es für wichtig, die Motivierung der filmischen Zeichen zu definieren: Der Unterschied zwischen Denotation und Konnotation im Film ist wichtig (siehe Teil 3 «Filmsprache»).

Der zweite wichtige Unterschied in der Erzählung lag nach seiner Auffassung zwischen syntagmatischen und paradigmatischen Strukturen. Beide sind eher theoretische Konstruktionen als praktische Tatsachen. Das Syntagma eines Films oder einer Sequenz zeigt seine lineare narrative Struktur. Es beschäftigt sich mit dem,

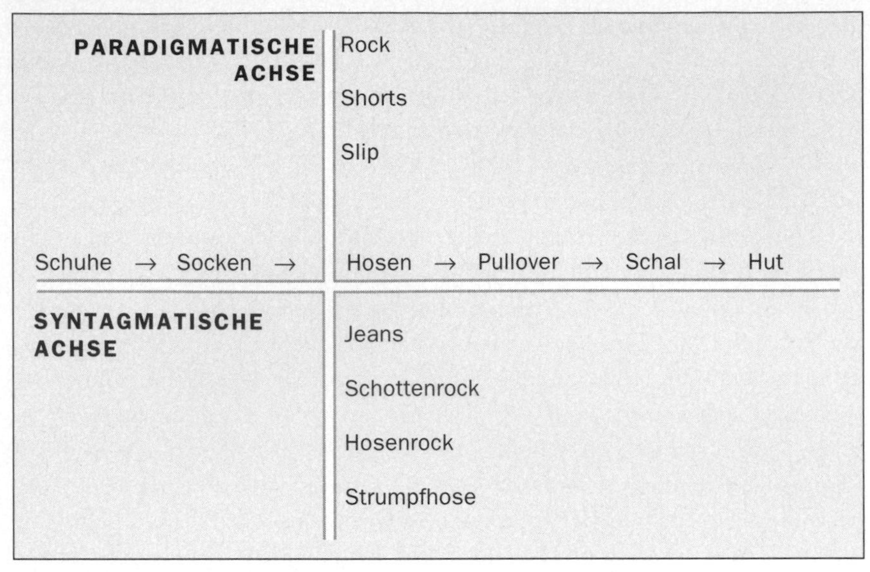

Syntagmatische und paradigmatische Strukturen bei Kleidung

«was aufeinander folgt». Das Paradigma eines Films ist vertikal: Es betrifft die Auswahl «was paßt wozu?».

Metz glaubte nun, ein logisches System zu haben, das die wirkliche Analyse des Filmphänomens erlauben würde. Montage und Mise en Scène waren als die syntagmatischen und paradigmatischen Kategorien gründlich neu definiert worden. Die Cartesianischen Koordinaten bestimmten das Feld des Films.

In *Langage et Cinéma* wandte sich Metz danach einer eingehenden Untersuchung des Code-Systems zu, das die Bedeutung im Film beherrscht. Was ist es, das innerhalb der Syntagmen und Paradigmen der Filmtheorie festlegt, wie wir zu der Bedeutung eines Films gelangen? Die moderne Mengentheorie in der Mathematik spielt eine wichtige Rolle in seiner ausgetüftelten Code-Struktur. Indem er den Unterschied zwischen «film» und «cinéma» (siehe weiter oben) macht, erklärt Metz, daß das Konzept der Codes die Grenzen des Films überschreitet. Viele Codes, die im Film wirksam sind, stammen aus anderen Kulturbereichen. Dies sind «nichtspezifische» Codes. Unser Verständnis des Mords in *Psycho* (1960) hängt zum Beispiel nicht von spezifisch filmischen Codes ab. Die Art, in der Hitchcock diesen Mord jedoch darstellt, ist ein Beispiel für einen «spezifischen» Film-Code. Schließlich gibt es die Codes, die der Film mit anderen Medien teilt oder sich von ihnen entleiht. Die Beleuchtung der Dusch-Sequenz in *Psycho* ist ein gutes Beispiel für solch einen gemeinsamen Code. So finden wir unsere erste Reihe sich überschneidender Mengen.

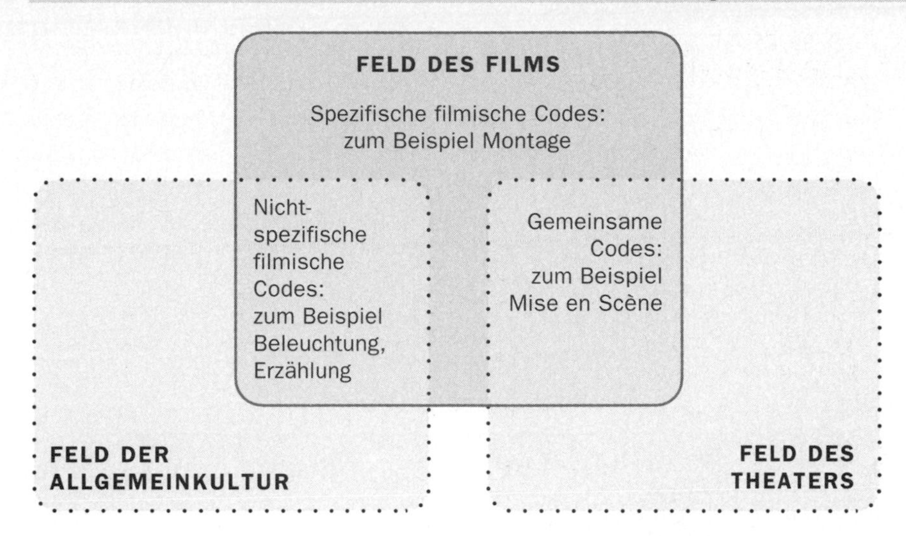

Mengentheorie der Codes: Spezifische, nichtspezifische und gemeinsame Codes

Die nächste Unterscheidung von Codes folgt ganz logisch: Wenn einige Codes filmspezifisch sind und andere nicht, dann sind einige dieser spezifischen Codes in allen Filmen anzutreffen und einige nur in wenigen Filmen, während andere wiederum nur in bestimmten persönlichen Filmen auftreten. Das Diagramm visualisiert diesen logischen Schritt:

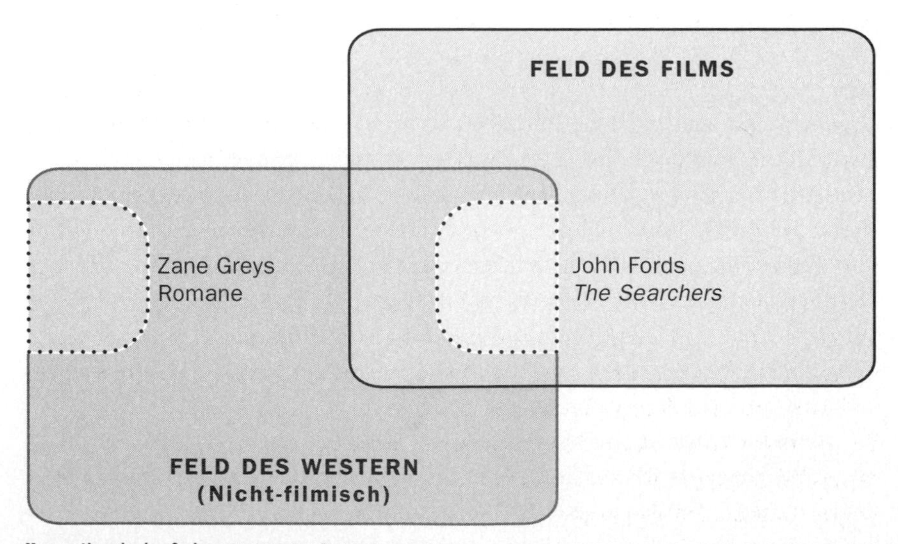

Mengentheorie der Codes: Allgemeingültigkeit von Codes

Schließlich können Codes – alle Codes – in Subcodes aufgeschlüsselt werden; es gibt eine Hierarchie der Codes. Das System ist ganz einfach: Der Film besteht aus allen möglichen Mengen dieser Codes; ein spezieller Film stellt eine begrenzte Anzahl von Codes und Code-Mengen dar. Genres, Karrieren, Studios, nationale Charaktere, Techniken und jedes andere Element, das je von voraufgehenden Theoretikern, Kritikern, Historikern und Forschern vorgeschlagen wurde, kann in Code-Systeme zurückgeführt werden.

Die Dinge, die wir in Filmen lesen, sind Codes.

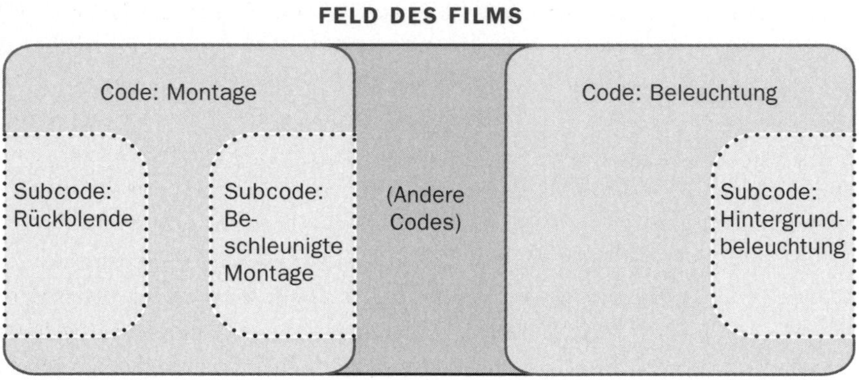

FELD DES FILMS

Code: Montage

Subcode: Rückblende

Subcode: Beschleunigte Montage

(Andere Codes)

Code: Beleuchtung

Subcode: Hintergrundbeleuchtung

Mengentheorie der Codes: Codes und Subcodes

Gemeinsam mit anderen Semiotikern hat sich Metz in den späten Siebzigern einer Untersuchung der Psychologie der Filmwahrnehmung zugewandt, vor allem in seinem langen Essay «Le Signifiant Imaginaire». Indem er sich auf die von Jacques Lacan neuformulierte Freudsche Theorie stützt, unterzieht er nicht nur die filmische Erfahrung, sondern den Film selbst einer Psychoanalyse. Wegen ihrer massiven Berufung auf Freud, dessen Theorien in England und Amerika sehr viel weniger Ansehen als früher genießen, ist dieser Trend der Filmsemiotik unter den englischsprachigen Anhängern der Semiotik auf sehr viel weniger Interesse gestoßen als unter ihren französischen Vertretern.

Wenn auch Metz am meisten beachtet wurde, so stand er doch keinesfalls allein mit seinen semiotischen Studien. Die Bewegung war lange Zeit ein Epizentrum des französischen Geisteslebens. Roland Barthes, obgleich in erster Linie Literaturkritiker, hat bis zu seinem Tode 1980 in bedeutendem Maße zu dieser Diskussion im Film beigetragen. Raymond Bellour hat ausgedehnt darüber geschrieben; seine beiden weitläufigen Untersuchungen von Sequenzen aus Hitchcocks *The Birds* und *North by Northwest* sind von besonderem Interesse. In Italien haben Umberto Eco und Gianfranco Bettetini wichtige Beiträge geliefert, und Pier Paolo Pasolini, der nach eigenen Worten ein «Amateur»theoretiker war, hat einige interessante Analysen vor seinem vorzeitigen Tod verfaßt.

In England fand die Semiotik in der Zeitschrift *Screen* frühzeitig eine interessierte Vertretung und führte zum Aufbau der englischen Schule des «Ciné-Structuralism». Peter Wollens *Signs and Meanings in the Cinema*, dessen wichtigster Gedankengang auf Seite 165 umrissen wird, war der bedeutendste Beitrag in englischer Sprache zum groben Entwurf der semiotischen Theorie. Noël Burchs *Theory of Film Practice*, obgleich nicht streng semiotisch, vertritt eine Menge ähnlicher Ideen.

In den USA hat die Semiotik keine bedeutenden Auswirkungen gezeitigt, außer daß sie in den Siebzigern und Achtzigern den Akademikern, die an der Ausweitung des Filmstudiums an Colleges und Universitäten beteiligt waren, als Werkzeug diente. Besonders intellektualisierte, abstrakte Filmtheorien waren in den USA nie beliebt.

Die einheimische Tradition der USA war die mehr praxisbezogene Kritik, die oft gesellschaftlich, wenn nicht sogar eindeutig politisch ausgerichtet ist und von Harry A. Potamkin und Otis Ferguson in den dreißiger Jahren über James Agee und Robert Warshow in den vierziger Jahren zu Dwight Macdonald, Manny Farber und Pauline Kael in den sechziger und siebziger Jahren reicht. Andrew Sarris, der zwar nicht in diese soziologische Tradition paßt, hat in den Sechzigern und Siebzigern durch sein Engagement für die Autorenpolitik eine große Wirkung auf die amerikanische Filmkritik ausgeübt.

(Von der jüngeren Kritikerschaft, die heute regelmäßig veröffentlicht, hat sich noch niemand als kritische Persönlichkeit von Format etabliert, wie es Sarris, Kael oder gar John Simon in den Sechzigern und Siebzigern waren. Seit dem Aufkommen der TV-Show-Kritik in den frühen achtziger Jahren ersetzt der Daumen die Theorie.)

Die Hauptrichtung der amerikanischen Kritik hat es vorgezogen, Filme nicht so sehr als Produkte bestimmter Autoren zu sehen, sondern als Zeugnisse gesellschaftlicher, kultureller und politischer Strömungen. Besonders in den Arbeiten von Kael, Molly Haskell und der Engländerin Penelope Gilliatt erhielt diese Richtung gesellschaftsbezogener Kritik einen höchst persönlichen Einschlag. Praktisch ist die amerikanische Kritik zur Zeit der französischen theoretischen Tradition sehr nahe. Beide beschäftigen sich intensiv mit dem Problem der Wahrnehmung. Der Unterschied besteht darin, daß die Europäer es, wie gehabt, vorziehen, zu verallgemeinern und ausgeklügelte Theorien zu entwickeln, während die Amerikaner, ihrer Tradition entsprechend, mehr an der alltäglichen Erfahrung eines spezifischen Phänomens interessiert sind.

Gleichzeitig mit dem wachsenden Interesse an der Semiotik hat in Europa die marxistische Kritik eine Wiederbelebung erfahren. Den französischen Zeitschriften *Cahiers du Cinéma* und *Cinéthique* gelang es in den späten Siebzigern, die Semiotik und die dialektischen Traditionen zu kombinieren. In England hatte die Semiotik ebenfalls häufig einen eindeutig politischen Beigeschmack. In Amerika wird der Film in der aktuellen Theorie weithin als politisches Phänomen angesehen, wenn auch eher in abstrakter als in praktischer Hinsicht.

In den siebziger Jahren war die Entwicklung der Filmtheorie in der Dritten Welt ebenfalls von Interesse. Ein entscheidender Beitrag war hier «Hacia un Tercer Cine» (1969) von Fernando Solanas und Octaviao Getino (*Cinéaste IV:3*, 1970). Mehr Manifest als Theorie, regte der Essay der südamerikanischen Filmemacher an, daß das «erste Kino» – Hollywood und seine Nachahmer – und das «zweite Kino» – der persönlichere Stil der Nouvelle Vague oder des Autorenfilms – dem «dritten Kino» weichen würden: Filmen der Befreiung, «die das System nicht assimilieren kann und die nicht seinen Bedürfnissen entsprechen, oder... Filmen, die direkt und offenkundig den Kampf gegen das System aufnehmen». Das ist vielleicht auch hier und da geschehen – zum Beispiel in Chile für ein paar Jahre in den frühen Siebzigern –, aber mit der Segnung der Rückschau können wir eine Menge Wunschdenken in dieser Äußerung erkennen. Die Zeit eilte zu schnell, und die politischen Modelle der Dreißiger waren nicht mehr lebensfähig.

In den USA hat jede dieser verschiedenen Strömungen – die semiotische, die dialektische, die psychoanalytische und die politisch-normative – in den Siebzigern in dem Maße ihre Anhänger gewonnen, in dem die Filmtheorie für Akademiker attraktiv wurde. Die eigene Linie der praktischen Filmkritik hat sich jedoch gleichermaßen weiterentwickelt. Sie hat sich auf das Studium der Erzählweisen des Films konzentriert. Wissenschaftler wie Frank McConnell (*Storytelling and Mythmaking in Film and Literature*, 1979) haben hier fruchtbare Untersuchungsfelder erschlossen.

Der Wert dieser Theorien der Erzählweise liegt paradoxerweise darin, daß sie die Aufmerksamkeit von den spezifisch filmischen Eigenschaften des Films abgezogen haben. Wenn Film vor allem als Erzählung gesehen wird, kommen wir fast zwangsläufig zu dem Schluß, daß Film einfach nur eine von verschiedenen Arten der Erzählung ist. Und das führt uns dazu, Film im Zusammenhang des Medienspektrums zu betrachten. Praktisch wie theoretisch ist dies jetzt ganz klar unumgänglich.

In den achtziger und frühen neunziger Jahren hat die Filmkritik – wie auch der Film, ihr Thema – die «postmodernen» Wahrheiten revidiert, die sich in den Sechzigern und Siebzigern offenbart hatten. Als die französischen Wellen des Althusser-

François Truffaut stellt in *La Nuit americaine* (1972) eine einfache Frage: «Ist der Film wichtiger als das Leben?»

schen Marxismus und der Lacanschen freudianischen Theorie zurückzuebben begannen, ließen die semiotischen und dialektischen Entdeckungen früherer Jahre zwei neue Varianten aufkommen: kognitive Filmtheorie beziehungsweise Kulturwissenschaft.

Indem sie den erkenntnistheoretischen Ansatz der Semiotik ausweitete, suchte die kognitive Filmtheorie die Art und Weise zu erklären, in der ein Betrachter einen Film versteht: wie wir Filme «lesen». Indem sie den dialektischen Sport der Kontextanalyse, wie sie von der Frankfurter Schule ausging, ausweitete, suchte die Kulturwissenschaft die Beziehungen zwischen den Texten der Populärkultur und ihrem Publikum zu verstehen: wie wir Filme benutzen.*

Beide aktuellen Trends haben in feministischen Untersuchungen fruchtbares Material für ihre Analyse gefunden. Da das populäre Medium Film die allgemeine kulturelle Umgebung, in der es gedeiht, so klar widerspiegelt, kann dies nicht verwundern. Zum Ende des zweiten Jahrtausends, da die westliche Kultur allmählich in der Weltkultur aufgeht, sehen wir uns von demselben Hauptthema besessen, mit

* Für diese kurze und bündige Analyse danke ich Richard Allen.

dem wir diese Tausendjahrsreise hin zu geistiger Bildung und intellektuellem Verständnis begonnen haben. Heute nennen wir es Geschlechterpolitik; im elften Jahrhundert nannten wir es Romanze. (Wir verstehen es immer noch nicht; ist es nicht hübsch, daß es ein Mysterium bleibt?)

Aber hier ist möglicherweise noch einiges mehr im Spiel: Vom Rice-Irwin-*Kiss* bis zum Playboy Channel, von der phallischen Kameraoptik bis zu scharfen, runden Baby-Spotlights, vom Liebesakt in der Kamerafahrt über die voyeuristischen Wonnen des Zooms bis zum rhythmischen Pulsen des Schnitts – Filme sind sexuell. Sie handeln nicht nur von Geschlechterpolitik: Sie sind Geschlechterpolitik – Subjekt und Objekt vereint.

Die gegenwärtige Entwicklung der Filmtheorie führt weg vom Normativen und hin zur Beschreibung. Leute, die sich Gedanken über den Film machen, haben nicht mehr das Interesse, ein Idealsystem von ästhetischen, politischen und gesellschaftlichen Werten zu errichten. Sie sehen auch nicht ihr Hauptanliegen darin, eine Sprache zur Beschreibung des Phänomens Film zu finden. Diese Aufgaben der Kritik wurden zuvor schon von den weiter oben in diesem Kapitel behandelten Kritikern mit Anstand gelöst.

Das Anliegen der Filmtheorie ist heute wahrhaft dialektisch. Als voll ausgereifte Kunst ist der Film nicht mehr eine abgegrenzte Erscheinung, sondern als Muster in Kette und Schuß unserer Kultur integriert. Film ist ein expansives und weitreichendes System wechselseitig wirkender Gegensätze: zwischen Filmemacher und Thema, Film und Betrachter, Establishment und Avantgarde, konservativen und progressiven Zielen, Psychologie und Politik, Bild und Ton, Dialog und Musik, Montage und Mise en Scène, Genre und Autor, literarischer Sensibilität und filmischer Sensibilität, Zeichen und Bedeutung, Kultur und Gesellschaft, Form und Funktion, Gestaltung und Absicht, Syntagmen und Paradigmen, Bild und Ereignis, Realismus und Expressionismus, Sprache und Phänomenologie, Sex und Gewalt, Sinn und Unsinn, Liebe und Ehe... eine endlose Reihe von Codes und Subcodes, die grundlegende Fragen zum Leben und seiner Beziehung zur Kunst, zur Realität und zur Sprache stellen.

SECHS

DIE MEDIEN: FILM IM KONTEXT DER KOMMUNIKATION

Trotz der ungestümen Ausbreitung elektronischer Medien in der zweiten Hälfte des zwanzigsten Jahrhunderts hat der Film, diese bedeutende Erfindung des neunzehnten Jahrhunderts, seine Vorherrschaft nicht eingebüßt. Als Gruppe gesehen, widmen die Hollywood-Produzenten den größten Teil ihrer Zeit der Arbeit für das Fernsehen, und sie verdienen damit auch den größten Teil ihres Geldes. In Europa wäre der «Film» nicht mehr existent, wenn das Fernsehen ihn nicht finanzieren würde. Der größte finanzielle Erfolg, den Filmemacher und Darsteller haben können, ist nicht ein Kassenfüller fürs Kino, sondern eine lang laufende Fernseh-Serie. Sogar im Geschäft mit Spielfilmen stammt heute deutlich mehr als die Hälfte der Einnahmen einer durchschnittlichen Produktion vom Fernsehen und aus dem Video-Verleih – nicht aus den Kinos.

Da der Film im Brennpunkt dieses Branchen- und Technologien-Mixes angesiedelt ist, sollte er im Kontext der breiteren Kommunikations- und Unterhaltungs-Industrie – zusammenfassend als «die Medien» bezeichnet – betrachtet werden. Wir haben durchgängig auf diesen Kontext Bezug genommen; jetzt ist es an der Zeit, ihn detaillierter zu untersuchen. Die Technologie ist wichtig wegen ihrer ständigen und immer weiter zunehmenden Wirkung auf die Filmkunst. Die Geschichte des Fernsehens und der anderen elektronischen Medien bildet die Kulisse in der weiterschreitenden Saga des Films... und führt geradenwegs zu seiner Zukunft.

Eine der anschaulichsten Analysen der Unterschiede jener mannigfachen Kommunikations-Techniken, die mit dem Sammelbegriff «Medien» bezeichnet werden, findet sich in einer Reihe von Stücken, die Samuel Beckett in den sechziger Jahren geschrieben hat. In *Play, Film, Eh Joe, Cascando* und *Words and Music* hat der Bühnenautor / Romancier / Dichter / Kritiker, der sowohl englisch als auch französisch schrieb, das Wesen jeder einzelnen Form erfaßt.

Play bringt drei unbeweglich in Urnen steckende Gestalten auf die Bühne. Wenn der Bewußtseinsstrom im Dialog von einem zum andern hin- und herfließt, verfolgt ein scharfes, präzises Spotlight die «Handlung» oder kommentiert sie. Becketts abstraktes Bühnenbild lenkt unsere Aufmerksamkeit auf das Moment der Wahl, das

George Rose in Samuel Becketts *Eh Joe* (New York Television Theatre, 18. April 1966. Produktion: Glenn Jordan; Regie: Alan Schneider). (*Grove Press, Standvergrößerung einer Kinescope-Aufnahme*)

der Betrachter in diesem Medium steuert, während es zugleich betont, wie unbedeutend physisches Handeln ist. Das Spiel auf der Bühne ist für Beckett Mise en Scène mit Schärfentiefe, keine kontrollierte Montage.

Film entwickelt demgegenüber die Dialektik zwischen Filmemacher und Objekt, die Beckett als wesentlich für dieses Medium ansieht. Inszeniert von Alan Schneider und gespielt von Buster Keaton, ist *Film* die stumme und abstrakte Darstellung des Dramas, das sich nicht zwischen den Gestalten entspinnt, sondern zwischen Filmemacher und Darsteller. Keaton ist fast den ganzen Film hindurch allein auf der Leinwand, aber dennoch nicht allein in der Filmhandlung, denn die Präsenz der Kamera ist sehr real, und Keatons Kampf darum, sich ihrem alles sehenden Auge zu entziehen, ist das Motiv des dramatischen Entwurfs.

Play betont die Interaktion zwischen und unter Gestalten sowie die relative Freiheit des Betrachters bei der Formung der Erfahrung. *Film* betont andererseits die Einsamkeit des Objekts, das Drama zwischen Objekt und Künstler sowie den vom Betrachter erlebten relativen Mangel an Möglichkeiten der Teilhabe am Prozeß.

Eh Joe, ein Fernsehspiel, ist eine gleichermaßen scharfsichtige Analyse der wesentlichen Elemente des Fernsehens. In seinen etwa 45 Minuten kontrastiert das Stück die Audio- und die Video-Komponenten des Fernseh-Erlebens. Auf dem Bildschirm ist «Joe», das Motiv des Stücks, in einer einzigen Einstellung zu sehen. Sie verändert sich im Verlauf des Spiels von nahezu einer Totale, die den größten Teil des Raums zeigt, in dem das Spiel angesiedelt ist, zur Halbtotale und Halbnahe, schließlich mit langem, extrem langsamem Heranfahren zur Großaufnahme, die zunehmend und unerbittlich zunächst den ganzen Kopf und schließlich in extremer Nahaufnahme Augen, Nase und Mund zeigt. Im Ton trägt die Stimme einer zu Joe sprechenden Frau einen pausenlosen Bewußtseinsstrom-Monolog vor.

Der Entwurf von *Eh Joe* arbeitet auf subtile Weise die beiden wesentlichen Elemente des Fernsehens heraus, die es vom Film einerseits und vom Bühnenstück andererseits trennen: Der separate, parallele Monolog etabliert Atmosphäre und Ton des Stücks und schärft damit unseren Sinn für die größere Signifikanz des Tons im Fernsehen, während die eindringlich starre Ranfahrt mit ihrem Übergang von Totale zu extremer Nahaufnahme auf gescheite Weise die ungewöhnliche psychologische Intimität dieses Mediums betont.

Cascando und *Words and Music* sind Hörspiele. Die Struktur dieser dramatischen Form ist viel einfacher als die Strukturen des Bühnenstücks, des Films und des Fernsehens. Beckett isoliert die wesentlichen Elemente der Radio-Kunst – «Worte und Musik», das Hintergrundrauschen der Zivilisation. Das Produkt der sich daraus entwickelnden Dynamik ist das «Fallende», «Herabstürzende», das «Cascando» des Radio-Erlebens. In jedem dieser analytischen Stücke erzeugt Beckett eine dramatische Spannung, und zwar nicht zwischen Gestalten, sondern zwischen Strukturelementen der verschiedenen Kunstgattungen: für die Bühne Zuschauerentscheid im Widerspiel mit dem Dialog; für den Film die Kontrolle des Regisseurs und die Integrität des Objekts; für das Fernsehen die Eindringlichkeit des Tons im Widerspiel mit der psychologischen Intimität des Bildes; und für das Radio, einfacher, Wörter und Musik, Information und Hintergrund.

Becketts Serie analytischer Stücke faßt die ästhetischen Unterschiede zwischen und unter den Medien elegant zusammen. Politik und Technologie sind ebenfalls wichtige Faktoren in der Medien-Gleichung. Tatsächlich legen die Nebenbedeutungen des Wortes «Medien» nahe, dem Phänomen eine größere Breite zuzuschreiben, als von den Grenzen der Ästhetik anzunehmen wäre. Die Medien sind per Definition Mittel der Kommunikation: alles mehr oder weniger technische Systeme mit dem Zweck, ungeachtet der natürlichen Grenzen von Raum und Zeit Information zu übertragen. Es ist dahin gekommen, daß sie in mannigfacher Weise genutzt werden, um zu informieren und zu unterhalten.

Darüber hinaus sind sie die primären sozialisierenden Kräfte des modernen Lebens, wie bereits die Wurzel des Wortes «Kommunikation» signalisiert: «Kommunizieren» heißt eine «Kommune» zusammenfügen.

Printmedien und elektronische Medien

Geschriebene Sprache ist der Prototyp aller Medien. Siebentausend Jahre lang bot sie eine brauchbare und flexible Methode, Information von einer Person zur anderen zu übermitteln. Aber es dauerte bis zur Erfindung des Buchdrucks mit beweglichen Lettern durch Johannes Gutenberg im fünfzehnten Jahrhundert, bis «geschriebene» Mitteilungen in die Massenproduktion gingen, so daß der Autor mit einer großen Zahl anderer Individuen zugleich kommunizieren konnte. Diese «multiple Reproduzierbarkeit» ist das Hauptcharakteristikum von Medien. Zwischen 1500 und 1800 entwickelte sich die Buchproduktion zu einer Großindustrie. Es war das Konzept der Zeitung oder des Journals – schnell produziert und in regelmäßigem Turnus erscheinend –, das das zweite entscheidende Element der Medien einbrachte (als Folge des ersten): den offenen Kommunikationskanal. Bücher werden in großer Menge hergestellt, aber sie sind jedes für sich ein singuläres Ereignis, ganz auf ihren Gegenstand begrenzt. Zeitungen und Magazine sind – in der Zeit so gut wie im Raum – offen für fortgesetzte und mannigfache Nutzung.

Obwohl der Buchdruck sogleich als gesellschaftlich revolutionäre Kraft begriffen wurde, dauerte es bis zum neunzehnten Jahrhundert und dem Aufstieg einer breiten gebildeten Mittelklasse, bis das Druckgewerbe sein volles Potential als Medium erkannte. Als Kollektiv brauchten wir also sehr viel länger, um das Lesen von Gedrucktem zu lernen als das «Lesen» von Filmen. Bezeichnenderweise verlief das Aufkommen der elektronischen Medien im zwanzigsten Jahrhundert sehr viel rascher, da für das Verstehen keine besondere Fertigkeit nötig war.

Printmedien profitierten auch von technologischen Fortschritten in der zweiten Hälfte des neunzehnten Jahrhunderts. Die dampfgetriebene Druckmaschine wurde 1810 von Friedrich König entwickelt. Rotations-Druckmaschinen, die kontinuierlich statt schrittweise arbeiteten, kamen in den vierziger bis sechziger Jahren des vorigen Jahrhunderts auf. Richard March Hoe wird die Erfindung der ersten Rotations-Druckmaschine im Jahr 1846 zugeschrieben. Die Kombination von Dampfbetrieb, Rotationsprinzip und einteiligen Stereotypplatten steigerte die Geschwindigkeit und Flexibilität der Druckmaschinen erheblich. Die Schreibmaschine, 1867 von C. L. Sholes erfunden und 1874 von Remington erstmals produziert, und die Linotype-Setzmaschine, 1884 von Ottomar Mergenthaler erfunden, ließen die Verfahren der Druckvorbereitung sehr viel effizienter werden.

1880 druckte die New York Graphic die ersten Rasterfotografien, wobei es allerdings noch mehr als ein Jahrzehnt dauerte, bis diese wichtige Technik sich in Zeitungen und Magazinen durchsetzte. Frühere technologische Entwicklungen des Drucks waren quantitativ ausgerichtet: Sie steigerten die Geschwindigkeit und die Flexibilität des Verfahrens, aber sie betrafen nicht seine Grundlagen. Das Rasterverfahren war ein qualitativer Fortschritt, indem es die Reproduktion von Fotografien zusätzlich in die Drucktechnik integrierte. An diesem Punkte, vor mehr als hundert Jahren also, begann die lange Liebesbeziehung zwischen Text und Bild. Sie ist jetzt dabei, sich in der unter der Bezeichnung «Multimedia» bekannten Ehe zu vollenden.

Das Grundproblem bei der drucktechnischen Wiedergabe von Fotografien bestand darin, daß der fotografische Prozeß eine kontinuierliche und unbegrenzt variable Spanne von Tönen von Weiß über Grau bis zu Schwarz erzeugt, während der Druckvorgang im wesentlichen «dual»* (oder «binär») ist – jeder gegebene Ausschnitt einer Druckseite ist entweder weiß oder schwarz; es gibt keine Abstufungen dazwischen. Die Rastertechnik löste dies Problem auf höchst sinnreiche Weise: Die kontinuierliche Fläche einer Fotografie wurde in einzelne Punkte aufgeteilt, die in die binäre Sprache des Drucks übersetzt wurden. Werden nur fünfzig Prozent einer gegebenen Fläche tatsächlich gedruckt, erscheint diese Fläche in einem mittleren Grau; werden hundert Prozent gedruckt, ist sie schwarz, und so weiter.

Auf seine Weise war das Rasterkonzept für die Fotografie ebenso wichtig wie das Begreifen der Nachbildwirkung für die Entwicklung der Kinematografie: Beide machen sich auf einfache, doch höchst wirksame Weise grundlegende physiologische Gegebenheiten des Sehens zunutze. Darüber hinaus sollte das dem Rasterverfahren zugrundeliegende Konzept – die Übersetzung einer kontinuierlichen Spanne von Werten in ein unterteilend quantifiziertes System – zu einem der signifikantesten und breitestgenutzten Denkmuster des zwanzigsten Jahrhunderts werden: Fernsehen, Bildtelegrafie, Fernmeßtechnik und – vor allem – Computer-Technologie beruhen allesamt auf diesem grundlegenden «dialektischen» Konzept.**

Viele der gesellschaftlichen und semiotischen Wirkungen der elektronischen

* Das Wort «dual» wird hier in seiner philosophischen Bedeutung benutzt, nicht in seiner mathematischen, obwohl das Denken, das der viel späteren Erfindung von binären digitalen Computern zugrunde liegt, gleich anmutet.

** Man könnte sich fragen, ob Nils Bohr und die anderen Philosophen der Quantentheorie in der Physik der zwanziger Jahre nicht vielleicht unbewußt von der zeitgenössischen Massenpresse beeinflußt gewesen waren.

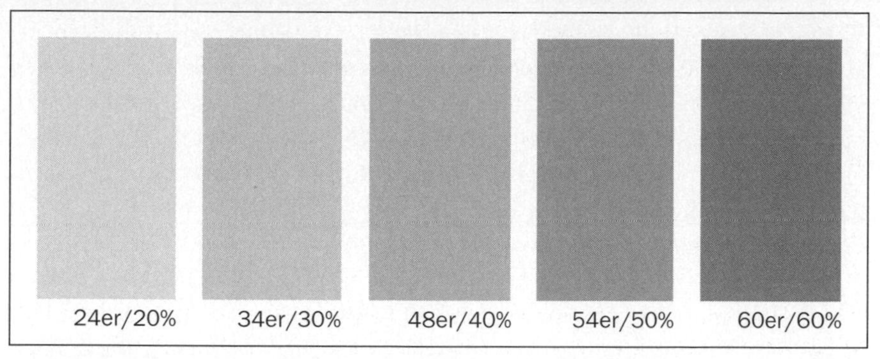

Halbton-Raster. Die Raster mit 14 und 22 Linien pro Zentimeter sind zu grob, als daß sie für irgend etwas anderes als für spezielle grafische Effekte genutzt werden könnten. Der 24er Raster ist Standard für Zeitungen. Für Bücher werden meist 48er bis 60er Raster benutzt. (Alle Fotos in *Film verstehen* sind mit einem 54er Raster wiedergegeben. Der 60er Raster wird für besondere Zwecke angewandt – für medizinische Illustrationen zum Beispiel –, bei denen es auf feine Einzelheiten ankommt.
Die verschiedenen Schattierungen in der Abbildung sind technische Raster für grafische Zwecke. In den Schaubildern dieses Buches kommen 20-, 40- und 60-Prozent-Raster vor. Die Schattierung wird nicht durch Erhöhung der Rastergröße, sondern durch größere Punkte innerhalb desselben Musters erzielt.

Revolution warfen in der Glanzzeit der großen Zeitungen und Magazine des neunzehnten Jahrhunderts ihre Schatten voraus. Es wurde sehr bald deutlich, daß die Medien neue Versionen von Realität, des Geschichtsbildes – manchmal gar einer alternativen Realität – lieferten und daß diese Vermittlungsfunktion eine tiefgreifende Wirkung auf die Lebensorganisation haben würde. Als ökonomische Organe waren die Zeitungen und Magazine angetreten, ihren Lesern Information und Unterhaltung zu verkaufen; sie schritten dann zu einem komplexeren Modus fort, indem sie auch Anzeigenplatz an andere ökonomische Wesen verkauften, die mit der Leserschaft kommunizieren wollten. Mit anderen Worten: Herausgeber von Magazinen und Zeitungen gingen vom Verkauf einer Ware zum Verkauf einer Dienstleistung über; das von ihnen kontrollierte Medium bot den Inserenten ein Mittel des Zugangs zur Öffentlichkeit.

Ab ungefähr 1930 wurde diese Dienstleistung erheblich verfeinert. Techniken der Marktforschung ermöglichten dem Verleger, den Inserenten eine spezielle Zielgruppe statt nur schlicht nackten Anzeigenplatz anzubieten. Die Inserenten hatten zwar immer eine grobe Vorstellung vom Publikum, das sie erreichten, aber das Aufkommen der neuen Wissenschaft der «Meinungsforschung» gab dem Verleger die Möglichkeit, mit hoher Genauigkeit wertvolle Segmente der Gesamtöffentlichkeit anzuvisieren. Ein modernes General-Interest-Magazin wie zum Beispiel *Time* rastert seine Leserschaft in eine Anzahl geografischer und sozialer Sektionen auf und stellt danach separate (wenn auch fast identische) Ausgaben her, so daß es einem Inserenten eine fein auf dessen Message abgestimmte Zielgruppe zum optimalen «Per-Tausend-Preis» anbieten kann. In den vergangenen Jahren führte die Verfeinerung des demografischen Ansatzes dazu, daß Zeitschriften für ein breites Publikum, sogar jene mit hoher Auflage, an Boden verloren haben gegenüber Special-Interest-Magazinen, die ihren Inserenten ein zwar kleineres, aber für die jeweiligen Produkte aufnahmebereiteres Publikum bieten können.

Werbung – entscheidend für das Funktionieren eines kapitalistischen Wirtschaftssystems – hat in den vergangenen 150 Jahren stark auf die Lebensweise eingewirkt. Weil die Medien permanent über die Gesellschaft berichteten, wurde rasch deutlich, daß nicht nur Produzenten, sondern ebenso Politiker und in der Öffentlichkeit agierende Personen «Werbung» zu treiben hatten, wenn ihre Gedanken von den Massen ernst genommen werden sollten. Dies führte zur Entwicklung der mit Publicity und Public Relations befaßten Branchen, die eng mit der Werbung verbunden sind. Darüber hinaus wurde die Werbung selbst zu einer derart hochgezüchteten Branche, daß nun oft der Schwanz mit dem Hund wedelt: Anzeigen-Agenturen sind direkt an der Kreation neuer Produkte beteiligt; sie spüren nicht nur Marktlücken auf, sondern erfinden gelegentlich auch Märkte für neue Produkte, wo zuvor keine existierten, indem sie in den Konsumenten das Bedürfnis erst erzeugen.

Verstrickt in dies komplexe ökonomische System finden sich die sekundären, nichtökonomischen Funktionen der Medien: die Verbreitung von Nachrichten, Unterhaltung und Wissen. In amerikanischen Zeitungen und Magazinen sind oft nicht mehr als 25 Prozent des insgesamt verfügbaren Platzes dem redaktionellen Teil vorbehalten. Mit anderen Worten: Oftmals sind drei Viertel der Vermittlungs-Kapazität der Werbung gewidmet. In Deutschland sieht es (noch) etwas anders aus: Die Stichprobe an je einer Ausgabe von *Focus* und *Der Spiegel* aus dem Januar 1995 ergibt für beide einen Textanteil von 68 Prozent, also fast genau zwei Drittel.

Diese Sintflut der Werbung ist ein Hauptfaktor bei der Festsetzung gemeinschaftlicher Wertsysteme in modernen Gesellschaften. Kommunikation pflegte einst auf der persönlichen Ebene zu geschehen: Die Zahl der erreichbaren Menschen war durch die Größe des Versammlungsortes bestimmt. Aber das Aufkommen der Printmedien hat das Potential für Kommunikation gewaltig ausgeweitet. Nicht nur konnte man weit mehr Menschen erreichen, von denen niemand zur selben Zeit am selben Ort zu sein hatte, sondern – bedeutsamerweise – wurde Kommunikation nun auch meistenteils «unidirektional»: Das heißt, die Mitglieder einer «Zuhörerschaft» hatten keine Möglichkeit mehr, sich mit dem «Sprecher» auszutauschen.

Die Entwicklung der mechanischen und elektronischen Medien folgte im allgemeinen dem Muster, das von den Printmedien in den voraufgegangenen 150 bis 200

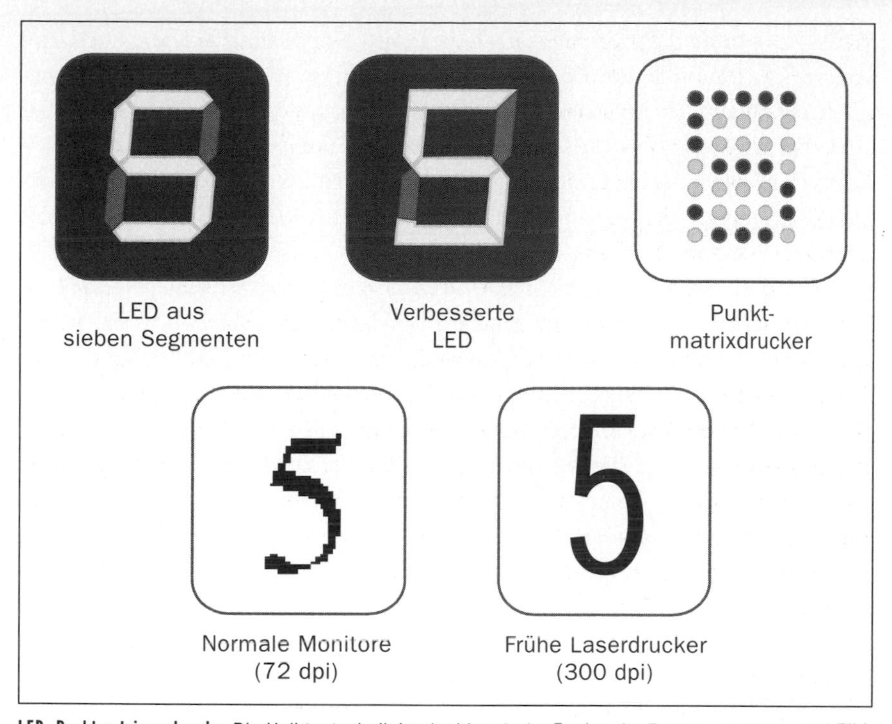

LED, Punktmatrix und mehr. Die Halbtontechnik ist der historische Beginn der Fusion von Druck- und Bildtechnologie. Sie bildete das Muster für die weitere Entwicklung. Beispielsweise wurden Anfang der Siebziger, als elektronische Computer-Anzeigen für professionelle und Heim-Anwendungen entwickelt wurden, zwei einfache alphanumerische Ausgabearten genormt.
Die oben gezeigte LED («light-emitting diode») mit sieben Segmenten ermöglichte lesbare Ziffern, die aus nur sieben ein- und ausschaltbaren Elementen zusammengesetzt waren, was eine bedeutende Vereinfachung darstellte – und eine hübsche analytische Leistung. (In den «verbesserten» LED-Ausführungen wurde das Design der Elemente leicht verändert, um die Lesbarkeit der Ziffern zu verbessern.) Für die komplexeren Schriftzeichen unseres Alphabets wäre solch ein System jedoch ungeeignet (außer für Wörter, die sich aus über Kopf gelesenen Zahlen wie 7353 und 38317 ergeben), also wurde der Punktmatrixdrucker entwickelt, um lateinische Schrift in lesbarer Form auszugeben. Die am meisten verbreitete Version benutzte 35 Punkte in der Anordnung von 5 × 7, um alle Buchstaben des Alphabets darzustellen.
Die Einführung des grafisch orientierten Macintosh-Computers im Jahre 1984 und seines zugehörigen LaserWriter-Druckers im Jahre 1985 brachte die Lesbarkeit von Computer-Bildschirmen und Druckern auf eine neue Höhe, indem sie 72 Punkte pro Zoll (dots per inch / dpi) für den Bildschirm und 300 Punkte pro Zoll für den Ausdruck zum Standard machten – Auflösungsgrade, die schon ausreichten, vereinfachte Versionen moderner Druckschriften anwenden zu können. Zum Vergleich: Dieses Buch wurde mit einer Auflösung von 2450 Punkten pro Zoll belichtet.

Jahren vorgegeben war. Es gab jedoch einige signifikante Unterschiede. Anders als die Printmedien setzten Film, Radio, Fernsehen und Schallplatten nicht voraus, daß ihr Publikum über ein hohes Maß an Vorbildung verfügte, um die von ihnen vermittelten Inhalte aufzunehmen und zu verstehen. Wenigstens in diesem Sinne stimmt es absolut, daß man nicht erst lernen muß, einen Film zu «lesen». Andererseits entwickelten sich die mechanischen und elektronischen Medien auf einem bedeutend höheren Niveau technologischer Raffinesse. «Bildung» mag da verzichtbar sein, aber die Apparate sind es nicht. Der Film blieb mehr eine öffentliche denn eine private Erfahrung, hauptsächlich wegen der Kosten und der Komplexität der für die Bildprojektion benötigten Apparate. Bezeichnenderweise ist er das einzige der modernen Medien, das einen Öffentlichkeits-Aspekt bewahrt hat. Wenn er auch seinem Publikum keine Möglichkeit zur Interaktion mit den Ausführenden läßt (wie es zuvor alle öffentlichen Versammlungen und Bühnendarstellungen getan hatten), so bewahrt er doch wenigstens den Aspekt des gemeinschaftlichen Erlebens.

Alle anderen modernen Medien jedoch entwickelten sich als private «Unternehmungen», und zwar aus einem ganz interessanten Grund. Die stetige Verschiebung vom Produkt zur Dienstleistung, die sich in der Geschichte der Printmedien feststellen läßt, ist bei den elektronischen und mechanischen Medien noch ausgeprägter. Vom Film abgesehen, haben alle neuzeitlichen Medien als Produkt begonnen – genauer gesagt als «langlebiges Gebrauchsgut», um es in der Sprache der Wirtschaftswissenschaften auszudrücken. Wie Zentralheizung, Kühlschrank, elektrische Beleuchtung oder Sanitär-Installationen waren Telefon, Kamera, Plattenspieler, Radio, Fernsehapparat, Videorecorder und Computer einmal bedeutende Investitionen für die Konsumenten.

Um die Geräte zu verkaufen, mußten die Hersteller sie so einfach konstruieren, daß fast jeder sie bedienen kann. Danach hatten sie, in den meisten Fällen, Materialien verfügbar zu machen – «Software» sozusagen. Der Apparat – das Empfangs- oder Wiedergabegerät – wurde in den meisten Fällen als die Hauptquelle des Profits gesehen; die Medien wurden zur Verfügung gestellt, damit der Apparat etwas zu empfangen oder wiederzugeben hatte. Weil die Apparate relativ einfach und billig hergestellt werden konnten und weil diese «Hardware» den *Erst*profit brachte, erwies es sich als nützlich, das Medienerlebnis im privaten Bereich anzusiedeln, damit die größtmögliche Zahl an Apparaten abgesetzt werden konnte.

Als dann die Apparate weite Verbreitung gefunden hatten, schrumpften die mit Hardware zu erzielenden Gewinne, denn die Märkte waren zunehmend gesättigt, und die Geräte selbst waren zu schlichten Gebrauchsgütern geworden. (Niemand hält heute ein Telefon oder gar eine Kamera für eine «größere Kapital-Investition».) Das wirtschaftlich interessante Geschehen verlagerte sich zuerst zum Handel, dann zu den Herstellern der «Software». In den achtziger Jahren, als General Electric die NBC erstand, war es so weit, daß internationale Hardware-Konzerne damit begannen, Software-Produzenten und -Vertreiber aufzukaufen: General Electric übernahm NBC, Sony kaufte CBS Records, Columbia Pictures und Tri-Star, Philips schluckte Polygram, Matsushita erwarb (zeitweise) MCA.

Aus dieser Entwicklung des Produkt-/Service-Marktes läßt sich eine interessante Feststellung ableiten: In jedem der Fälle beginnt das Medium als professionelles Betätigungsfeld, für das ein hohes Maß an Sachverstand nötig ist; sobald dann relativ beschlagene Laien sich die Beherrschung der Technik erschließen, verlagert es sich zu semiprofessioneller Nutzung. Wenn schließlich die vereinfachte Hardware in die häuslichen vier Wände Einzug hält, wird das Medium ein alltägliches Betätigungsfeld, das jedem nach einem Minimum an Training offensteht.

In Teil 4 «Filmgeschichte» sahen wir bereits, wie das Produkt-/Service-Muster in der Filmindustrie funktionierte. Edison und die anderen Pioniere entwickelten die Apparate und lieferten dann die darauf abzuspielenden Filme. Da die Apparate und ihr System kompliziert und teuer waren, bestand kaum Aussicht, Projektoren als langlebige Gebrauchsgüter zu vermarkten, und der Film blieb mehr eine Kunst für die Öffentlichkeit als eine für den privaten Bereich. Allmählich verschob sich der Schwerpunkt der wirtschaftlichen Macht vom Hersteller der Apparate zum Kinobesitzer als Vermittler (die Ebene des «Einzelhandels»), dann zu den Filmproduzenten und Verleihern. In jeder Phase dieses Prozesses versuchten die Film-Geschäftsleute – ob Gerätehersteller, Kinobesitzer, Filmproduzenten oder Verleiher – eine monopolistische Kontrolle auszuüben – was sich später beim Ausbau der Rundfunk- und Fernsehnetze wiederholte.

Noch vor dem Aufkommen des Films hatte sich dieses Entwicklungsmuster bei der Erfindung des Telefons und der Amateur-Kamera angedeutet. Bei beiden waren Service und Maschinerie eng verbunden. Beide boten ebenfalls mehr individuellen Service als breit wirksame Medien der Kommunikation, was sie strukturell von Medien wie Radio, Schallplatte und Fernsehen unterscheidet. Interessanterweise wurde das Radio lange Zeit schlicht als Zusatz zum Telefon angesehen – als ein Mittel, das Kommunikation ermöglichte, aber nur zwischen einem Sender und einem Empfänger. 1899 hat Marconi die Wirksamkeit seiner Erfindung demonstriert, aber erst 1920 wurde «Rundfunk» – die weiträumige Ausstrahlung des Radiosignals, um damit eine große Zahl Hörer zu erreichen – in die Praxis umgesetzt.

Ihrer Natur nach waren die frühen Massenmedien im wesentlichen unidirektional: Die Moguln produzierten, wir konsumierten. Sozialkritiker, von Aldous Huxley und José Ortega y Gasset bis zu Marie Winn und Neil Postman, haben diese Macht beschrieben und uns beredt vor ihren Gefahren gewarnt. Seit den siebziger Jahren jedoch ist «Interaktivität» die Parole.

Dieser Trend begann in den späten Sechzigern. 1968 öffnete die «Carterfone-Entscheidung» der Federal Communications Commission (FCC) das amerikanische Telefonnetz für den Wettbewerb. Ungefähr zur selben Zeit brachte Philips seinen Audio-Cassettenrecorder auf den Markt und versorgte dadurch die Massen erstmals mit einfacher und erschwinglicher Tonaufnahmetechnik. In den frühen

Sechzigern verschaffte die Ausbreitung von Fotokopie und Offsetdruck auch Nichtprofessionellen die Möglichkeit des Veröffentlichens. In den späten Siebzigern weitete die Einführung der Video-Cassettenrecorder die Möglichkeit der Aufzeichnung im Massengebrauch auf Video aus.

Aber all das war nur Vorbereitung für die tiefgreifende Mikrocomputer-Revolution der achtziger Jahre. Mit «Desktop Publishing» beginnend und rasch zu «Desktop-Präsentationen» fortschreitend, gibt der PC zu Anfang der neunziger Jahre bereits Kindern ein Arsenal zur Medienproduktion in die Hand, von dem ein paar Jahre zuvor selbst Profis nur hatten träumen können.

Heute kann jeder ein Buch, einen Film, eine Platte, ein Band, ein Magazin oder eine Zeitung mit weniger Übung produzieren als zur Reparatur eines undichten Wasserhahns nötig ist. Aber schaffen es diese neuen Medienproduzenten, daß ihre Werke von einer großen Zahl Menschen gelesen, gesehen oder gehört werden? Solange das Werk fachlich spezialisiert ist und sich an eine eng eingegrenzte Zielgruppe richtet, ist dies kein Problem. Aber der Autor, der Filmemacher, der «Bandmacher» oder der «Discmacher», der das breite Publikum erreichen will, hat oftmals bedeutende Schwierigkeiten. Die Demokratisierung der Distribution braucht länger, obwohl uns die Computer-Netzwerke zu zeigen beginnen, wie die Verbreitung mit derselben Mühelosigkeit zu bewerkstelligen ist, mit der wir telefonieren. Teil 7 «Multimedia» geht mit weiteren Details auf diese Entwicklungen ein.

Profitieren auch die Konsumenten, wenn die Medienproduzenten mehr Freiheit gewinnen? Dingliche Einheiten wie Bücher, Zeitungen, Magazine, Platten und Bänder sind den Funkmedien beträchtlich überlegen. Sie werden einzeln hergestellt und vertrieben, so daß der Konsument leichter seine Wahl treffen kann. Der Verbraucher steuert auch das Erleben dieser Medien: Eine Platte hören, ein Buch lesen oder eine Bildplatte ansehen kann man so oft, wie man möchte, und so schnell, wie es einem beliebt.

Demgegenüber haben die Funkmedien im Vergleich mit den dinglichen Medien ihre Abgeschlossenheit als hervorstechendes Charakteristikum. Der Zugang ist sehr stark eingeschränkt, auch wenn Kabelfernsehen, das in begrenztem Maße öffentlich zugänglich ist, und Wortsendungen im Hörfunk, die ihre Hörer zum Anrufen einladen, einige zusätzliche Möglichkeiten bieten. Darüber hinaus ist der Konsument in den Zeitplan der Funkmedien gezwungen und hat – da der Vertriebsfluß kontinuierlich statt stückweise stattfindet – wenig Möglichkeit, das Erleben zu steuern. Obwohl das Aufkommen von Videorecordern einiges an «Zeit-Verschiebung» erlaubt, bestimmt der kontinuierliche Fluß der Fernsehsendungen immer noch das Erleben; die Wahl, wann man etwas sehen will, ist noch lange nicht dasselbe wie die Wahl, wie man etwas sehen will.

Bis vor kurzem war auch die Zahl der Kanäle strikt begrenzt. In den USA kennt jeder den Witz von dem Neuverkabelten, der zu seiner Enttäuschung feststellt, daß er nun zwar fünfzig statt nur fünf Kanäle hat, aber immer noch «nichts läuft». Wo wir dabei sind, Computer- und Fernseh-Technologie zu verschmelzen, werden Kabelnetze schließlich doch zu Straßen mit Gegenverkehr, in ihrer Struktur einem Telefonnetz näher als einem Sendenetz. Wenn es 500 Kanäle gibt statt fünfzig und Zuschauer sich eine Übertragung auf Abruf bestellen können, beginnt das Kabelfernsehen einem interaktiven Verbreitungssystem zu ähneln, und der Konsument hat vielleicht tatsächlich eine Möglichkeit der Kontrolle.

Zeitungen und Magazine verbinden nicht nur den Verkauf von Anzeigenplatz und Leserschaft mit dem Verkauf ihres eigentlichen Objekts, sondern – wichtiger noch – sie verteilen ihre Sammlung von Information und Unterhaltung so, daß der Leser echte Macht über das Erleben hat. Der mosaikartige Aufbau dieser Printmedien ermöglicht dem Leser den Luxus dessen, was in der Computer-Terminologie «Zugriff in Echtzeit» heißt. Zum Beispiel kann ein Zeitungsleser präzise die Stellen auswählen, die er zu lesen wünscht, und er kann ebenso entscheiden, wie lange er sich mit jeder aufhalten will, wohingegen jemand beim Ansehen der Fernsehnachrichten in den Zeitrahmen der Sendung gesperrt ist und die Information exakt so erlebt wie jeder andere Zuschauer.

Dies ist der bezeichnendste Unterschied zwischen Print- und elektronischen Medien. Weil Information im Druck strikter kodiert ist als in den elektronischen Medien, ist der Druck immer noch das wirksamste Medium zur Vermittlung abstrakter Information. Zum Teil deshalb, weil der Leser eine so beträchtliche Kontrolle über das Erleben hat, weil weit mehr an Information geliefert werden kann und weil die Struktur der Printmedien sie in effizienterer Weise verfügbar macht: Man kann nicht so einfach eine Schallplatte überfliegen oder einen Film diagonal sehen. (Noch nicht.)

Die Technologie der mechanischen und elektronischen Medien

Unabhängig davon, ob sich der Austausch nun per Senden oder dinghaft gestaltet, beruhen alle mechanischen und elektronischen Medien auf ein und demselben Prinzip: der Physik und Technologie der Wellenform. Da unsere beiden wichtigsten Sinne – Gesicht und Gehör – ebenfalls von Wellenphysik abhängen, kann das nicht überraschen. Trotzdem wurde vor Edisons Phonographen keinerlei Weg gefunden, dies Phänomen nachzuahmen oder nachzuschaffen.

Der Phonograph, wie Edison ihn konzipierte, war ein einfaches mechanisches System, das weder Chemie noch Elektronik einbezog. Die wesentlichen Bauteile sind der Schalltrichter zur Verstärkung von Schallwellen, die Membran zur Umwandlung von Schallwellen in mechanische Bewegung, die Nadel zur Übertragung und die Walze oder Platte – das Aufnahmemedium, das den Ton aufzeichnet und konserviert. Hier wie bei all den später aufkommenden elektronischen Medien besteht das Grundkonzept in der Umwandlung einer Wellenform in eine andere. In diesem Fall werden Schallwellen, deren Übertragungsmedium die Luft ist, in mechanische Wellen umgewandelt, deren Medium der Wachszylinder oder die Platte ist.

Bei aller Genialität der Erfindung war der frühe Edisonsche Phonograph doch auch ein beschränktes Instrument. Viel an Qualität ging verloren auf dem Weg von Schalltrichter zu Membran zu Nadel zu Wachszylinder und sodann zurück über Nadel, Membran und Schalltrichter. Weitere Verbesserungen mußten bis zur Entwicklung der Elektronik in den frühen Jahren des zwanzigsten Jahrhunderts warten. Hier floß dann die Geschichte des Phonographen mit der Geschichte von Radio und Telefon zusammen.

Rundfunk und Fernsprechtechnik beruhen beide auf der Elektrizitätstheorie, aber zwischen ihnen besteht ein bezeichnender Unterschied: Das Telefon überträgt sein Signal durch einen beschränkten Kanal – den Draht –, während das Radio im wesentlichen dieselbe Funktion erfüllt, dabei jedoch elektromagnetische Strahlung als Medium nutzt. Weil die Natur des elektromagnetischen Spektrums die unkomplizierte Ausstrahlung von Radiosignalen erlaubt (ein Radiosignal geht von nur einem Punkt aus, läßt sich aber überall in einem weiten Bereich empfangen), erscheint der Rundfunk zunächst als ein weiter fortgeschrittenes System im Vergleich zur «schmalspurigen» Fernsprechtechnik (ein Telefonsignal läuft immer von nur einem Punkt zu nur einem anderen Punkt).

Wir werden aber noch sehen, daß die Vorzüge des Telefonsystems mit seinem beschränkten Kanal allmählich auch geschätzt werden. Verglichen mit den einfach zu erzeugenden elektromagnetischen Wellen des Radios, sind die Telefonleitungen zwar nur mit viel Aufwand und unter hohen Kosten zu verlegen, aber sie eröffnen doch die Aussicht auf interaktive Zweiwegekommunikation, wie sie mittels Funk weit schwieriger zu bewerkstelligen wäre. Das Kabelfernsehen entwickelt sich rapide in diese Richtung, da Koaxialkabel mit höherer Kapazität und – vor allem – Glasfaserkabel die Kapazität dieses Konkurrenten des erlauchten Telefonnetzes immens erweitern.

Dieselben Technologien stehen den Telefon-Gesellschaften zur Verfügung, die nun beginnen, dem Kabelfernsehen Konkurrenz zu machen. Anfang der achtziger Jahre befreite die Entwicklung der Mobilfunkgeräte das Telefon aus seiner Verdrahtung. In den Neunzigern weiten sowohl Telefon- als auch Kabelfernseh-Gesellschaften ihr Wirkungsfeld auf alle möglichen Formen elektronischer Kommunikation aus. Aller zunehmenden Abstraktion der elektronischen Medien zum Trotz bleiben interessanterweise die in den letzten hundert Jahren mit großem finanziellem Aufwand angelegten Leitungsnetze unschätzbare Aktivposten.*

Samuel Morse ließ 1840 einen Telegraphen-Apparat patentieren. Es war eine einfache Vorrichtung, mittels elektrischer Energie ein Signal durch Kabel zu übertragen. Es hatte jedoch nur zwei «Wörter» zur Verfügung: Der Strom war entweder an oder aus. Der Morsesche Punkt-Strich-Code ermöglichte nützliche Kommunikation; aber ein flexibleres System war nötig.

Das Bellsche Telefon erweiterte die Elektro-Technik um eine bedeutsame Dimension: Es war die erste Erfindung, die Schallwellen analog in elektrische «Wellen» und zurück in Schall übersetzte. Bell ging von einem verstärkenden Schalltrichter aus, der im Prinzip dem Edisonschen ähnelte, aber ihm ging es darum, die Schallwellen in ein elektrisches statt in ein mechanisches Medium zu übersetzen. Damit war das Telefon in der Lage, seine Signale ohne Verzug zu übermitteln.

Bei Bells Telefon – datiert von 1875 – bestand das «Mikrofon» aus einer Sprechmuschel, einer Membran aus weichem Eisen und einem von einer Spule umgebenen Stabmagneten; die vor dem Magneten angeordnete Membran wurde

* «Netze» begegnen uns in vielfältiger Form. So war es eine der genialeren Strategien der neuen amerikanischen Telefon-Gesellschaften, die in den achtziger Jahren mit AT&T in Konkurrenz traten, sich in Verträgen mit den moribunden Eisenbahnen das Recht zu sichern, entlang deren städteverbindenden Gleisen Glasfaserkabel zu verlegen. Sie brauchten sich auf diese Weise nicht um eigene Wegerechte zu kümmern.

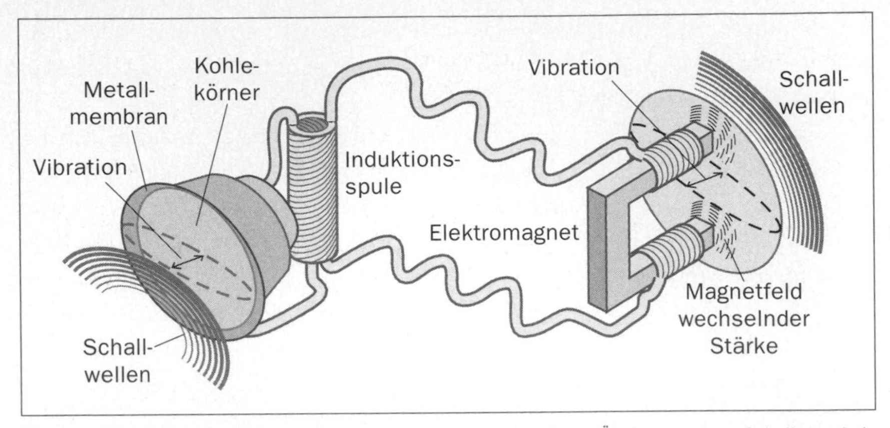

Elektrische Schallübertragung. Das Telefon ist das einfachste Gerät zur Übersetzung von Schallenergie in elektrische Energie und wieder zurück, aber das hier dargestellte Prinzip ist die Basis aller Schallübertragung. Die zentralen Konzepte sind die Kohlekörner-Konstruktion des Mikrofons (oder der Sprechmuschel), das die Schallwellen in elektrische Wellen übersetzt, die Induktionsspule (ein einfacher Transformator), die als Verstärker dient, und die Elektromagnet-Membran-Kombination des Lautsprechers (oder Hörers), die das elektrische Signal in Schall zurückübersetzt.

durch Schallwellen in Schwingungen versetzt und bewirkte Änderungen im Magnetfeld, die in der Spule entsprechende Induktionsströme hervorriefen. Beim Empfänger verlief der Vorgang umgekehrt. Bei etwas späteren Entwicklungen wirkte die schwingende Membran direkt auf eine Ansammlung von Kohlekörnern; in Abhängigkeit von der Stärke der Schallwellen wurden die Kohlekörner mehr oder weniger stark zusammengedrückt, so daß sich ihr elektrischer Widerstand entsprechend dem akustischen Druck änderte und einen hindurchgeleiteten elektrischen Strom modulierte. Am anderen Ende der Leitung übersetzte ein «Lautsprecher» das elektrische Signal im Wege eines leicht abweichenden Verfahrens in ein Schallsignal zurück: Das elektrische Signal erregte in wechselnder Stärke einen Elektromagneten und kontrollierte damit die Schwingung einer Eisenmembran, die ihrerseits die Schallwellen erneut entstehen ließ.

1890 bereits wurde das Telefon weithin benutzt. So wichtig das Bellsche Mikrofon-Hörer-System auch war, seine Nutzbarkeit wäre ohne die Entwicklung sinnreicher Schaltanlagen wie Verstärkungsvorrichtungen doch nur begrenzt gewesen. Das Konzept der Verstärkung, die es dem Telefonsignal ermöglicht, auch größere Entfernungen zu überbrücken, führte direkt zu einer Unzahl von elektronischen Geräten des zwanzigsten Jahrhunderts. Aus dem Telefon-Schaltsystem, das es erlaubte, angeschlossene Telefone beliebig miteinander zu verbinden, entwickelte sich eine Theorie, die auf Computer-Technologie und moderne Systemtheorie vorauswies.

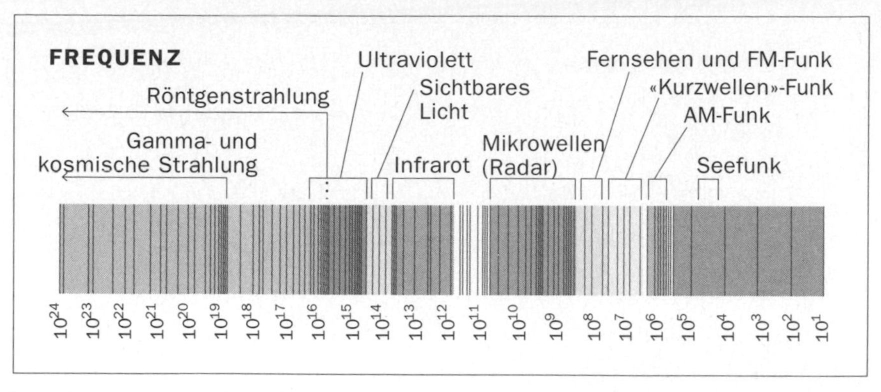

Das elektromagnetische Spektrum. Da die Geschwindigkeit elektromagnetischer Wellen 300 000 km pro Sekunde beträgt, haben die meisten elektromagnetischen Wellen eine extrem hohe Frequenz. Noch die längsten Radiowellen – mit Wellenlängen, die nach Kilometern messen – haben Frequenzen in der Größenordnung von mehreren hundert Schwingungen pro Sekunde. Die kürzesten elektromagnetischen Wellen – Gammastrahlen – haben Wellenlängen, die in Milliardstel Millimetern, und Frequenzen, die in Sextillionen Schwingungen pro Sekunde gemessen werden. Die wichtigsten Bänder im Spektrum sind die vom sichtbaren Licht und dem Radiospektrum eingenommenen; letzteres ist willkürlich in eine Reihe von Bändern weiter unterteilt, die speziellen Verwendungen zugeordnet sind.

Mittlerweile hatte Heinrich Hertz bei Experimenten zur Bestätigung von James Clerk Maxwells elektromagnetischer Theorie einen Weg gefunden, elektromagnetische Strahlung nach Belieben zu erzeugen. Das Spektrum der elektromagnetischen Strahlung – mit Frequenzen von 0 bis zu 1023 Schwingungen pro Sekunde – umfaßt eine Vielzahl nutzbarer Phänomene, so das sichtbare Licht, Wärme, Röntgenstrahlen, Infrarot- und Ultraviolettstrahlung und Radiowellen. Das Radiosegment des Spektrums hat zuerst die Erfinder auf den Plan gerufen.

Hinsichtlich der elektromagnetischen Strahlung waren zwei Fakten von Bedeutung: Erstens erfordern elektromagnetische Wellen kein existierendes Medium (wie die Schallwellen) – sie können auch durch ein Vakuum übertragen werden; zweitens lassen sich Sender und Empfänger so «abstimmen», daß sie nur Wellen einer bestimmten Frequenz senden oder empfangen. Radiosender oder -empfänger können so aufeinander abgestimmt werden, daß sie auf einem aus einer Vielzahl von Kanälen senden beziehungsweise empfangen können – ein großer Fortschritt gegenüber den Telegrafen- / Telefon-Systemen, deren Kanäle mit der Zahl der angeschlossenen Kabeladern begrenzt waren, und gegenüber der Kompliziertheit des Schaltsystems.

Ein junger Italiener, Guglielmo Marconi, war der erste einer Reihe von Experimentatoren, der zu einem funktionierenden System der Radiotelegrafie fand. 1896 und 1897 demonstrierte er in England seinen «drahtlosen» Telegrafen, und schon

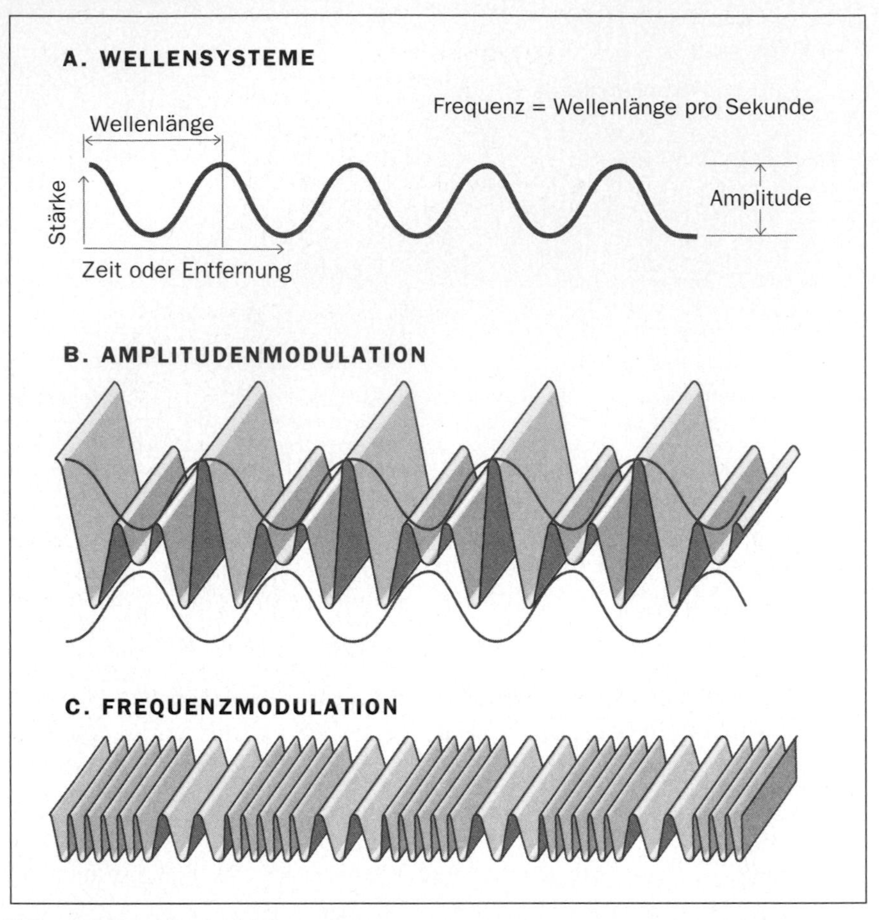

Wellenmechanik und Signalmodulation. Jede Welle – egal ob Schall, Licht oder Radio – wird nach drei Charakteristiken gemessen: Amplitude, Wellenlänge und Frequenz. Die Amplitude ist die Wellenstärke. Wellenlänge und Frequenz sind voneinander abhängig. Frequenzen werden in Schwingungen (oder Wellenlängen) pro Sekunde gemessen, in der als «Hertz» bekannten Einheit. Eine Schallwelle mit einer Wellenlänge von 3,35 m hat mithin eine Frequenz von rund 100 Schwingungen pro Sekunde; entsprechend hat eine Schallwelle mit einer Wellenlänge von 1,675 m eine Frequenz von rund 200 Schwingungen pro Sekunde.
Ein Signal zu «modulieren» heißt, ihm ein anderes Signal aufzulagern. Logischerweise läßt sich das auf zwei Weisen erzielen: Man moduliert entweder die Amplitude oder die Frequenz (letzteres ist dasselbe wie Modulierung der Wellenlänge). AM (Amplitudenmodulation) wird in B illustriert: Die Trägerwelle ist schattiert angedeutet. Das Programmsignal wurde ihr aufgelagert. FM (Frequenzmodulation) wird in C illustriert.

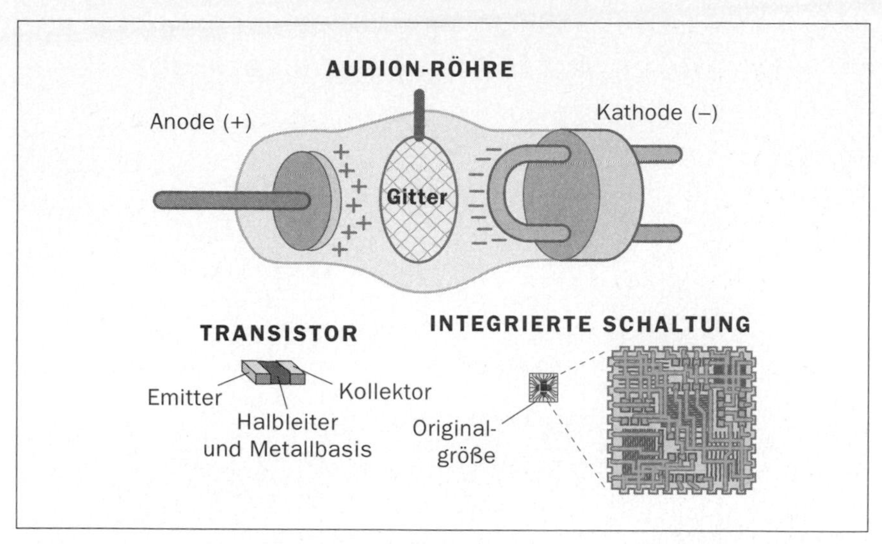

Elektronische Drosselung: von Audion zur integrierten Schaltung. Die Erfindung von DeForest war ebenso wertvoll wie genial. Die Audion-Röhre verstärkt ein Signal, weil das Gitter als sich ständig verändernder Durchlaß für Elektronen funktioniert. Jedes Signal, das auf das Gitter wirkt, wird dem stärkeren Strom aufgeprägt, der zwischen Kathode und Anode fließt. Die Audion-Röhre war der Prototyp für alle Radioröhren – im englischen Sprachraum als «valve» bezeichnet, also mit dem Wort für Ventil oder Drossel.
In den fünfziger Jahren begann der Transistor (links), hier in Originalgröße dargestellt, die Radioröhre in den meisten ihrer Anwendungen zu ersetzen. Das Wirkungsprinzip ist grundsätzlich dasselbe, aber die Wirkungsweise ist mehr chemisch als physikalisch, und der Transistor ist folglich viel kleiner und verläßlicher, was zwei bedeutende Vorzüge sind. Die integrierte Schaltung, in der zahlreiche Transistor-Schaltkreise kombiniert sind, ist sogar noch kleiner; sie ist durch das kleine Quadrat rechts wiedergegeben (Originalgröße).

bald wurden große Firmen zur kommerziellen Nutzung der Erfindung gegründet. Im Unterschied zu Telegrafenleitungen waren Radiosignale keiner Sabotage ausgesetzt: Der militärische Nutzen der Erfindung wurde sofort erkannt.

Doch ebenso wie das Morsesche System konnte das Marconische keine komplexen Schallsignale übertragen, sondern nur den An-Aus-Code. Das Telefon übersetzte Schallwellen in elektrische Wellen, die im Medium des Drahtes übertragen wurden, wohingegen das System der «drahtlosen Telegrafie» bereits mit einem Wellensystem als Medium arbeitete. Wie ließe sich nun ein weiteres Wellensystem (das Signal) durch das Wellensystem des Mediums übertragen?

Reginald Fessenden, ein Kanadier, war einer der ersten, der dies Problem löste. Seine Idee war es, die Trägerwelle mit der Signalwelle zu überlagern; mit anderen Worten: die Trägerwelle zu «modulieren». Dies ist das Grundkonzept der Radio- und Fernseh-Übertragung. Da es bei einer Welle zwei Variablen gibt – Amplitude

Die Kunst des Mikrochips. Weil die Schaltungen gedruckt werden, wie mikroskopisch klein auch immer, zeigt sich an Mikrochips die ganze Ästhetik der ihnen innewohnenden elektronischen Logik, wie in dieser Vergrößerung eines Motorola PowerPC 620 mit 7 Millionen Transistoren, der in Zusammenarbeit mit IBM und Apple entwickelt wurde. Die Geschichte des Mikrocomputers, die im Jahre 1977 ihren Anfang hatte, wurde in den Quantensprüngen der Chip-Gestaltung gemessen, wobei die Zahl der «Transistoren», die ein einzelner Chip «emulieren», also in Realzeit simulieren konnte, von anfangs tausend auf mehrere Millionen hochschnellte. Eine feine Ironie besteht darin, daß der Mikrochip, die bedeutsamste Erfindung unserer Zeit, nichtsdestoweniger immer noch von den alten Technologien der Fotografie und des Druckes abhängt. (*Motorola*)

oder Stärke und Frequenz oder Wellenlänge – gibt es auch zwei Möglichkeiten zur Modulation: Daraus leiten sich AM (Amplitudenmodulation) und FM (Frequenzmodulation) ab, die gegenwärtig gebräuchlichen Sendesysteme.

Fessendens Idee schien zunächst undurchführbar. Entscheidend war Lee DeForests Erfindung der Audion-Röhre (1906). Sie bot eine einfache Möglichkeit zur Modulierung der Trägerfrequenz. Sie war ebenfalls für die Verstärkung von großem Nutzen. Mit der Audion-Röhre war die Elektronik geboren. Das System war allerdings noch ziemlich unausgereift. Es erwies sich, daß die Trägerfrequenz und ihr aufmoduliertes Signal erzeugt, gefiltert, verstärkt und auf andere Weise unterstützt werden mußten. Edwin H. Armstrongs «regenerativer Schaltkreis» und «superheterodyner Schaltkreis» (1912, 1918) gehören zu den ersten und wichtigsten Entwicklungen in dieser Richtung.

Der Gedanke, daß sich ein elektronisches Signal mittels entsprechender Schaltungen modifizieren läßt, wurde zu einem der wichtigsten Konzepte des zwanzigsten Jahrhunderts. DeForests Audion-Vakuumröhre war das Arbeitspferd in den Schaltungen, bis John Bardeen, W. H. Brattain und William Shockley 1948 den Transistor erfanden. Er war nicht nur viel kleiner und verläßlicher, sondern auch in der Herstellung viel billiger und eröffnete zahlreiche neuartige Schaltmöglichkeiten.

Die Komplexität der Technologie erfuhr 1959 einen neuerlichen Quantensprung, als der integrierte Schaltkreis eingeführt wurde. Eher durch chemische als mechanische Verfahren erzeugt, leistete der integrierte Schaltkreis in nur fingernagelgroßen Chips das, wofür man zuvor einen ganzen Kasten voll Elektronik gebraucht hatte. Wir genießen immer noch die Segnungen der unausgesetzten Fortschritte bei der Miniaturisierung des Mikrochips.

Genau wie die an der Entwicklung der Kinematografie Beteiligten immer den Wunsch hatten, sowohl Ton als auch Bild zu produzieren, so wollten die Radiopioniere sowohl Bilder als auch Ton senden. Die Schwierigkeit bestand darin, daß – obwohl Schall und Licht beides Wellenphänomene sind – wir Schallwellen im allgemeinen, Lichtwellen jedoch in gewissem Sinne im einzelnen wahrnehmen. Lichtwellen, die von irgendeinem Punkt in unserem Gesichtsfeld ausgehen, können ebenso komplex sein wie alle Schallwellen in unserem «Gehörfeld» zusammen.

Wegen dieser zusätzlichen Komplexität müßten Lichtwellen in irgendeiner Weise aufgeteilt werden, um mit Radiowellen gesendet zu werden. Die Lösung dieses Problems war ähnlich der in der Drucktechnik üblichen: Das kontinuierliche Bild wird in eine hinreichend große Zahl von Einzelwerten aufgeteilt.

Zunächst wurden mechanische Vorrichtungen ausprobiert. Paul Nipkows Erfindung, die «Nipkow-Scheibe» (1884), benutzte eine spiralige Anordnung von Löchern in einer rotierenden Scheibe, um ein schnelles Abtasten zu erzielen. Noch bis in die frühen fünfziger Jahre bediente sich das Farbsystem der CBS dieser mechanischen Technologie. Sie funktionierte auch ganz wacker in den Farb-Videokameras, die bei den Apollo-Mondflügen in den Sechzigern und Siebzigern im Einsatz waren.

Die Lösung war jedoch letztlich elektronisch statt mechanisch. Ausschlaggebend war das Werk von Vladimir K. Zworykin, der aus Rußland in die USA eingewandert war. Er entwickelte das «Iconoscope», den Stammvater der meisten modernen Fernsehkameras, das ein Bild empfing und es in ein elektronisches Signal übersetzte, wie

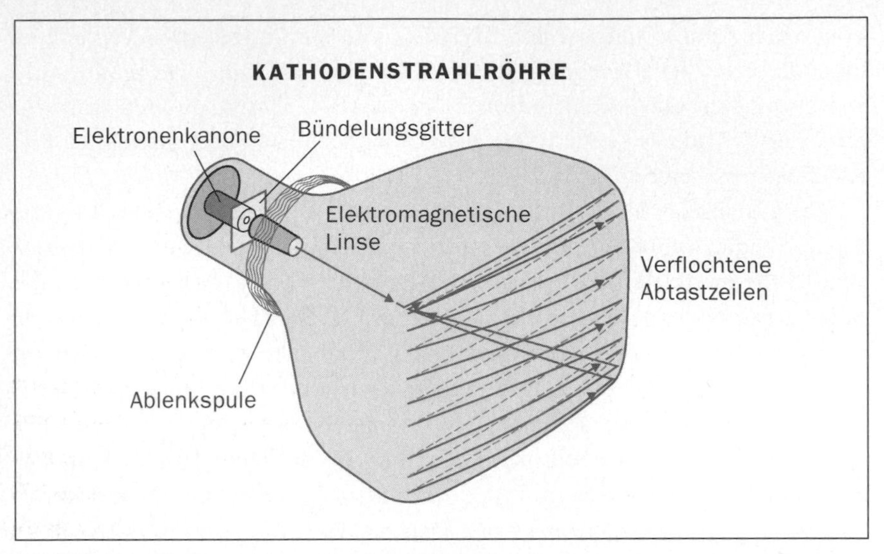

Die Kathodenstrahlröhre und die Kameraröhre von Image Orthicon. Ein optisches Bild in ein elektronisches Signal zu übersetzen ist schwieriger als die umgekehrte Operation. Die Kathodenstrahlröhre besteht im wesentlichen aus einer Elektronenkanone, Anordnungen zur Bündelung (Gitter und Linse) und Ablenkung sowie einem Bildschirm, der mit Bildelement-Phosphoren bedeckt ist. Der von der Elektronenquelle ausgehende Elektronenstrom wird vom Gitter und der elektromagnetischen Linse zu einem scharfen Strahl gebündelt. Die Ablenkeinrichtung veranlaßt den Strahl zur Abtastung in regelmäßigen Mustern. Die amerikanischen und japanischen Fernsehnormen verwenden 525 Zeilen (in jeder Zeile rund 400 Bildelemente), die europäische 625 Zeilen. Dreißigmal in der Sekunde tastet der Strahl jede dieser Zeilen ab (und läuft «leer» zurück – durch die gepunkteten Linien angedeutet). Um ein möglichst flimmerfreies Bild zu liefern, ist die Abtastung «verflochten»: Zuerst werden die ungerade numerierten Zeilen abgetastet, dann die gerade numerierten. Jedes Bild besteht also aus zwei Halbbildern.
Die Röhre der Image-Orthicon-Kamera war komplexer. Eine optische Linse fokussierte das Bild auf den

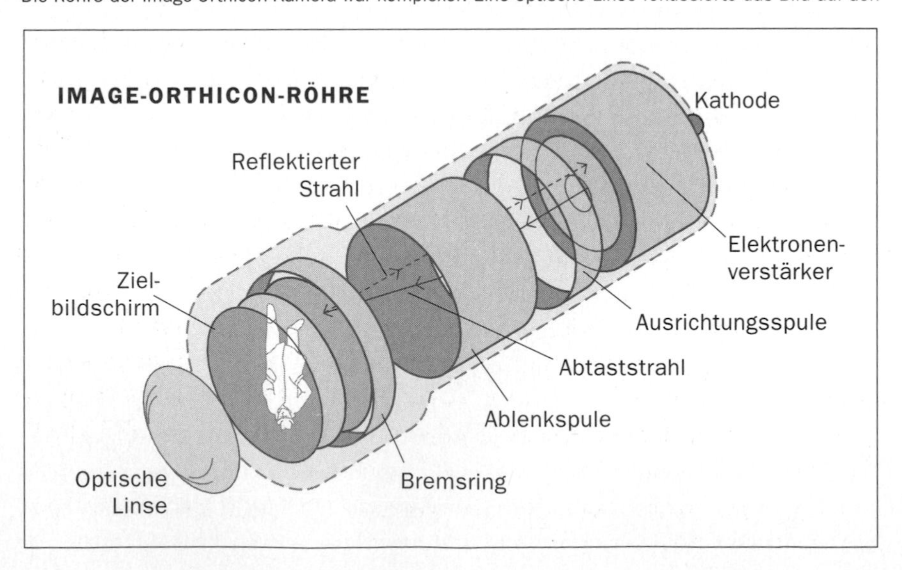

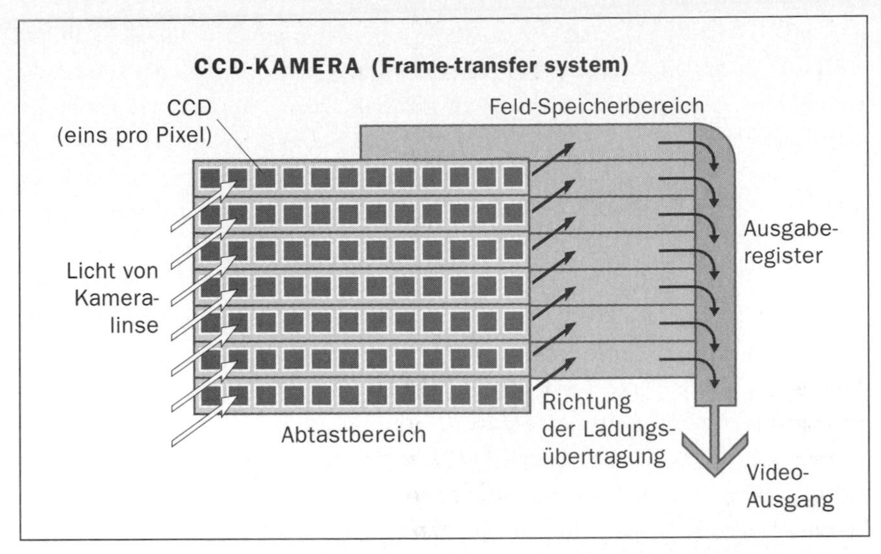

Zielbildschirm; er war mit Bildelementen bedeckt, die die Lichtenergie in elektrische Energie übersetzen konnten. Diese unterschiedlichen Werte wurden dann vom Abtaststrahl gelesen, der den Zielbildschirm im selben verflochtenen Muster wie bei der Kathodenstrahlröhre abtastete. Der Strahl wurde in eine den Elektronenfluß vervielfältigende Vorrichtung reflektiert – ein wesentlicher Bestandteil des Systems –, deren Aufgabe es war, das von der Bildschirm-Oberfläche empfangene sehr schwache Signal zu verstärken. Das resultierende Signal – mit Informationen über die jeweilige Helligkeit jedes der 210 000 beziehungsweise 500 000 Bildpunkte – wurde dann gesendet. Die Vidicon-Röhre (nicht abgebildet) beruhte auf demselben Prinzip, war aber einfacher konstruiert.
Die moderne CCD-Kamera – die Abkürzung steht für «charge-coupled device» (ladungsgekoppelter Halbleiterbaustein) – ist um viele Male empfindlicher als ihre Vorgänger.

auch das «Kinescope», eine Kathodenstrahlröhre zur Rückübersetzung des elektronischen Signals in ein Bild. Um ein Bild von ausreichender Qualität zu erzielen, ist es in mindestens 100 000, besser noch 200 000 «Punkte» aufzuteilen. Diese Punkte werden Bildelemente oder «Pixel» genannt. Wie die beim Druck von Fotografien mittels Rasterung erzeugten Einzelpunkte ergibt auch die Summe der Bildelemente – obwohl jedes für sich einzeln daherkommt – ein kontinuierliches Bild, wie es unserer Wahrnehmungspsychologie entspricht. Beim amerikanischen und japanischen Fernsehen sind die Pixel auf 525 Zeilen angeordnet. Beim europäischen Fernsehen sind 625 Zeilen der Standard. (Daraus ergibt sich, daß das europäische Bild schärfer ist.) *

Zwischen dem Rasterverfahren und der Pixelung des Fernsehens bestehen zwei bedeutsame, miteinander zusammenhängende Unterschiede. Erstens sind die Punkte der Rasterwiedergabe verschieden groß, die Pixel haben dagegen alle diesel-

* In keinem Fall sind alle Zeilen sichtbar; überdies spielen viele andere Faktoren bei der Bildauflösung eine Rolle.

be Größe. Zweitens haben die Pixel eine Spanne wechselnder Helligkeit, während die Rasterpunkte entweder schwarz oder weiß sind. Darüber hinaus bewegt sich das Fernsehbild, was die gedruckte Fotografie nicht tut. Daher kommen, wie beim Film, die Nachbildwirkung und das Phi-Phänomen ins Spiel. Wieder gibt es einen kleinen Unterschied zwischen europäischen und amerikanischen Standards. Das europäische Fernsehen arbeitet mit fünfundzwanzig Bildern pro Sekunde, das amerikanische mit dreißig.

In den Kameraröhren von Iconoscope, Image Orthicon und Vidicon, die alle ähnlich arbeiten, wird das Bild optisch auf eine Fläche oder einen Schirm im Innern der Röhre projiziert; diese lichtempfindliche Speicherschicht ist mit der nötigen Anzahl von Bildelementen in der entsprechenden Anordnung bedeckt; jedes Bildelement hat die Fähigkeit, eine elektrische Ladung zu speichern. Ein Elektronenstrahl – von einer elektromagnetischen Linse gebündelt und gesteuert – tastet die gesamte Fläche fünfundzwanzig- oder dreißigmal in der Sekunde zeilenweise ab. Das resultierende Signal enthält jeweils den spezifischen Helligkeitswert für jedes der 210 000 Pixel fünfundzwanzig- oder dreißigmal in der Sekunde. In jeder Sekunde sind mindestens fünf Millionen Werte aufzunehmen und zu übertragen. Das Video-Signal ist also weit komplexer als das Radio-Signal.

Um ein Bild auf dem Schirm entstehen zu lassen, kehrt die Kathodenstrahlröhre oder Bildröhre, die andere wesentliche Komponente des Systems, das Verfahren in etwa um. Der Schirm der Bildröhre ist mit einer phosphoreszenten Schicht bedeckt, deren Partikel Licht aussenden, sobald sie von einem Elektronenstrahl hoher Energie getroffen werden. Eine «Kanone» am entgegengesetzten Ende der Röhre erzeugt diesen Strahl, dessen Intensität entsprechend dem angestrebten Helligkeitswert variiert. Analog zu dem Vorgang in der Aufnahmeröhre wird der Strahl von einer elektromagnetischen Linse gesteuert und fünfundzwanzig- oder dreißigmal in der Sekunde über die 525 (oder 625) Bildzeilen gelenkt. Tatsächlich ist das System ein bißchen komplizierter. Genauso wie der Verschluß eines Filmprojektors den Lichtstrahl nicht nur zwischen, sondern auch mitten in der Projektion der Einzelbilder unterbricht, um den Flimmereffekt zu verringern, unterteilt der Elektronenstrahl-Erzeuger der Bildröhre jedes Bild im Wege des Zeilensprung-Verfahrens in zwei Halbbilder: Es bringt erst die Zeilen mit gerader Numerierung auf den Bildschirm, kehrt dann ans obere Ende des Bildes zurück, um die Zeilen mit ungerader Numerierung zu «schreiben», so daß die Phosphoreszenz der Bildschirmfläche in der Zeit zwischen diesen Halbbildern gleichmäßiger erlischt.*

* Computer-Monitore teilen im allgemeinen das Bild nicht in Halbbilder auf; sie «verflechten» nicht, das heißt, sie übertragen die Zeilen alle nacheinander. Sie arbeiten auch mit einer höheren Bildwechselfrequenz als dreißig Bilder pro Sekunde. Das sind zwei der technischen Gründe dafür, daß sie schärfer und weit besser lesbar sind als Fernseh-Monitore.

Beim Farbfernsehen ist es ähnlich, nur dreimal so kompliziert. Wie der Farbdruck verbindet es die Psychologie der Farbwahrnehmung mit der Rastertechnik und erzeugt das gesamte Farbenspektrum durch wechselnde Kombinationen von Grundfarben-Werten. Beim Fernsehen sind dies die Farben Rot, Grün und Blau. Farbkameras bestehen entweder aus drei Superorthikon-Röhren, die – durch ein Spiegel- und Filtersystem – jeweils eine der Grundfarben erfassen, oder aus einer einzelnen Röhre, deren Schirm so maskiert ist, daß die Bildelemente in drei separaten Sätzen angeordnet sind. Ebenso kann die Aufnahmeröhre mit drei Elektronenstrahl-Erzeugern ausgestattet sein, die jeweils eine bestimmte Farbe abtasten, oder mit nur einer zur Nacheinander-Abtastung. Die Abbildung Seite 468 stellt das Maskensystem dar, das bei genauerer Betrachtung einer Farb-Bildröhre zu bemerken ist. In den USA wurde das Farbfernsehen 1953 auf kommerzieller Ebene eingeführt, in Europa zumeist gegen Ende der sechziger Jahre.

Interessant ist, daß sich die Wege der aufkommenden Technologien von Bild (Film) und Ton (Radio) 1928 kreuzten, als sowohl der Tonfilm wie auch das Fernsehen zur Welt kamen. Aber während der Tonfilm sogleich akzeptiert wurde, vergingen fast zwanzig Jahre bis zum kommerziellen Einsatz des Fernsehens. Diese Verzögerung hat zum Teil technische Gründe; hauptsächlich jedoch war sie das Ergebnis zunächst ökonomischer Entscheidungen, dann auch der Unterbrechung durch den Zweiten Weltkrieg. Filmproduzenten und -verleiher brauchten den Ton, um der Bedrohung entgegenzuwirken, die vom Radio als einem Unterhaltungs- und Informationsmedium ausging, und um einen schwieriger werdenden Markt neu zu beleben; die Leute beim Rundfunk hatten es demgegenüber mit einem relativ jungen Medium, dem Radio, zu tun, das noch nicht auf der Höhe seines ökonomischen Potentials angekommen war. Es gab also keinen Grund, den Einstieg in die Fernsehproduktion zu überstürzen. Aus Furcht vor den zusätzlichen Ausgaben hat sich William S. Paley, der CBS-Eigner, aktiv gegen die Einführung des Fernsehens eingesetzt.

Ab 1925 machte die Technologie des Phonographen Anleihen bei der aufkommenden Radio-Elektronik. Schaltungen zur Verstärkung und Feinabstimmung bei der Aufnahme wie bei der Wiedergabe haben die Möglichkeiten des Phonographen bedeutend erweitert. Die Einführung der Langspielplatte (1948) und der stereophonischen Wiedergabe (1958) waren Fortschritte auf Basis der Radio-Technologie, wie ganz besonders auch die Entwicklung der noch weit anspruchsvolleren High-Fidelity-Schaltung in den sechziger Jahren. Als Aufnahmemedium hatte die Platte jedoch einen gravierenden Nachteil: Sie konnte nicht geschnitten werden.

Dies änderte sich in den späten vierziger und frühen fünfziger Jahren mit der Perfektionierung des Magnetbandes als Aufnahmemedium. Es war nicht nur präziser und flexibler (weil es das elektrische Tonsignal nicht in physikalische Wellen, sondern in magnetische Entsprechungen übersetzte), sondern linear und konnte

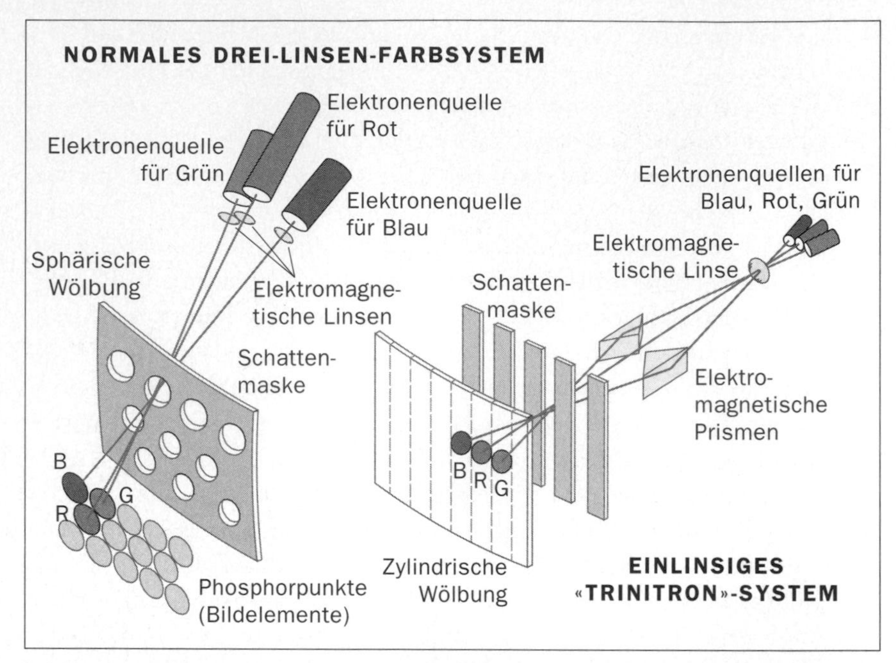

Farbvideo-Systeme. Das normale Farbsystem, links dargestellt, besteht aus drei separaten Elektronenstrahl-Erzeugern, drei Linsen und einer Schattenmaske, die beispielsweise den für Blau zuständigen Elektronenstrahl-Erzeuger daran hindert, etwas anderes als die auf der Bildschirmfläche angeordneten blauen Phosphore zu treffen. Präzise Fokussierung ist entscheidend – in der Tat um so mehr, als bereits die Schwerkraft einen Farbsignal-Strahl auf seiner kurzen Reise vom Elektronenstrahl-Erzeuger zum Bildschirm so weit ablenken kann, daß die Farbe durcheinanderkommt.
Das von Sony entwickelte Trinitron-System umgeht dieses Problem durch vertikale Anordnung aller Farb-Phosphore, so daß ein Elektronenstrahl auch bei leichter Ablenkung nach unten immer einen Punkt seiner Farbe trifft. Überdies bündelt und steuert das Trinitron-Prismensystem alle drei Strahlen mittels ein und derselben Linse und Ablenkspule (in der Abbildung nicht gezeigt). Das Prinzip ist: Je größer Linse und Spule sind, desto präziser ist die Bündelung. Eine einzige Linse für alles kann größer sein als drei separate.

deshalb geschnitten werden. Darüber hinaus bot es die Möglichkeit, eine Darbietung auf mehreren Spuren zugleich aufzunehmen, was dem Toningenieur mit der Technik des «Mischens», einer neuen Form des Schnitts, weitere Kontrolle über das Tonsignal an die Hand gab. Und weil die Bandaufnahme fast ebenso leicht zu bewerkstelligen war wie das Abspielen, wurde schließlich die Aufnahmetechnik für viele benutzbar, was den Zugang zum Medium stark erweiterte. Tatsächlich wurde Audioband (wie Jahre später auch Videoband) zunächst mehr als Do-it-yourself-Medium denn als Alternative zur Schallplatte vermarktet.

Compact-Discs – «CDs» in der Abkürzungs-Stenografie des ausgehenden

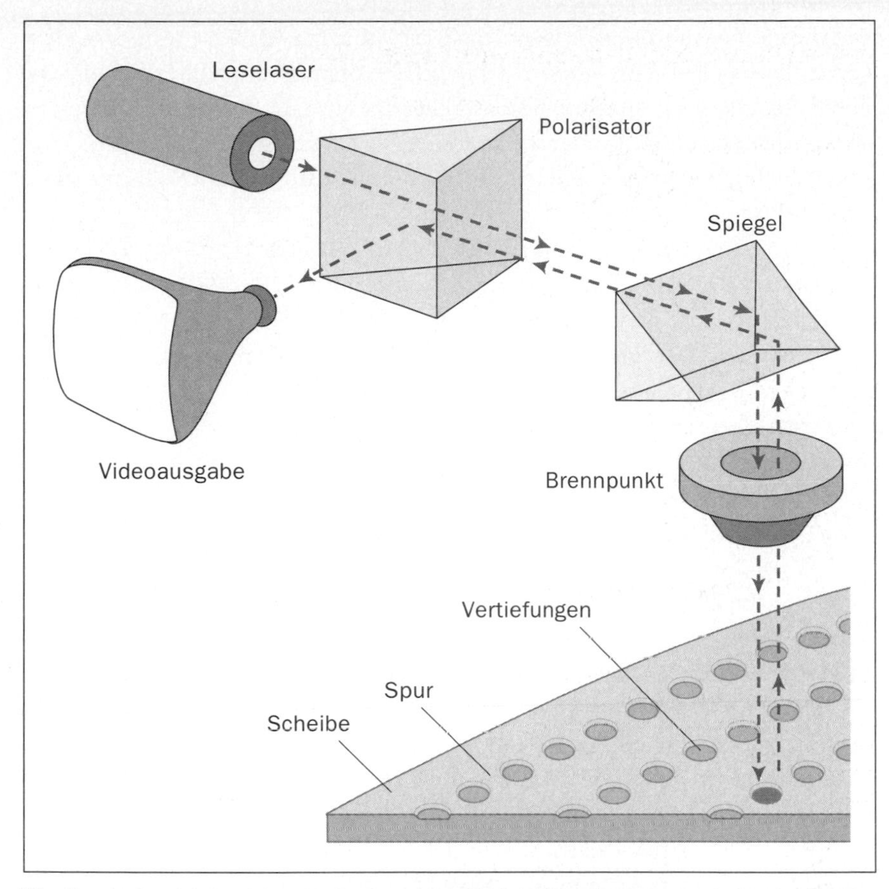

Videodiscs. In den siebziger Jahren konkurrierten verschiedene Videodisc-Systeme miteinander. Das Problem bestand darin, gewaltige Informationsmengen kodiert auf relativ begrenzten Flächen unterzubringen. Das RCA-System benutzte eine konkrete Rille und einen Stift, was auf den ersten Blick der normalen Schallplatte zu ähneln scheint, aber die Information war anders verschlüsselt. Der Stift «polterte» nicht die Spur entlang, sondern las vielmehr die unterschiedlichen Tiefen der Spur als elektrische Ladungen. Das MCA-System von Philips, das durch Hilfe von JVC den Wettstreit gewann, benutzte Laser-Kodierung. Kein konkreter Stift berührte die Disc. Der Laser liest die in das Discmedium gebrannten Löcher als digitale Information.

zwanzigsten Jahrhunderts – trugen wenig zur Technik und zum Erleben des Tons bei, von der dahinstehenden Dauerhaftigkeit des Mediums abgesehen.

Weil das Fernsehsignal entschieden komplizierter ist als ein einfaches Audiosignal, dauerte es gut zehn Jahre, bis die Band-Technologie genügend weiterentwickelt war, um für Video eingesetzt zu werden. Sobald jedoch das Videoband in den

Sechzigern eingeführt worden war, veränderte es nicht nur das Erscheinungsbild des kommerziellen Fernsehens, das bis dahin auf die Alternative von Live-Sendung und Film eingegrenzt war, sondern machte schließlich auch das Fernsehen – zumindest als Aufnahmemedium, wenn nicht gar als Sendemedium – einer breiten Masse zugänglich. Das Ergebnis ist das damit verbundene «Video» – eine Kunstgattung und ein Geschäft.

Die ganzen siebziger Jahre hindurch wetteiferten japanische, europäische und amerikanische Elektronikfirmen darin, eine erfolgreiche Videodisc-Technologie zu entwickeln und auf den Markt zu bringen. Nach manchen Fehlstarts kamen 1978 die ersten brauchbaren Videodisc-Systeme zum Verkauf. Erstaunlich bei der kommerziellen Einführung von Videodisc-Aufnahmen war nicht etwa, daß sie gut funktionierten, sondern daß sie überhaupt funktionierten. Zwei der konkurrierenden Systeme – das RCA- und das deutsche TeD-System – nutzten Aufnahmen mit elektrischen Verschlüsselungen, die an eine konkrete Rille gebunden waren; die Wiedergabe geschah mit einem Stift, der der Rille zu folgen hatte. Die konkurrierende Laser-Videodisc von MCA / Philips, die sich schließlich auf dem Markt durchsetzte, entsprang einer interessanten Hybrid-Technologie: Die Disc enthält ein optisch verschlüsseltes elektromagnetisches Signal. Im Endeffekt kombiniert sie einige der besonderen Vorzüge von Band und Disc, analog und digital. Darüber hinaus steigerte die Disc durch die Einführung der Laser-Technologie in die Aufzeichnungsmedien die Effizienz in hohem Maße, da Lichtwellen weit höhere Frequenzen aufweisen als Radiowellen und deshalb leichter größere Informationsmengen übertragen können.

Ironischerweise führte die Laser-Aufzeichnungs-Technologie zunächst auf dem Audio-Markt zu Geschäftserfolgen, obwohl Audio-CDs erst vier Jahre nach den Laser-Videodiscs eingeführt worden waren. Deren Debüt hatte sich gegen Ende der Siebziger um einige Jahre verzögert und damit Sonys Videocassetten-Technologie Zeit gegeben, sich zu etablieren. Das Band lag nahezu unüberholbar in Führung. Trotz der weit höheren Auflösung und der größeren Flexibilität der Laserdisc war es erst 1991 so weit, daß sie zu einem tragfähigen Geschäft im Heimelektronik-Sektor wurde.* Mitte der achtziger Jahre war es eine Zeitlang nicht einmal möglich, ein Laserdisc-Abspielgerät zu kaufen, obwohl das Medium sich des fanatischen Interesses einer etwa 500 000köpfigen Anhängerschaft erfreute. Während jener Zeit verkaufte das amerikanisch-europäische Gespann MCA und Philips die Technologie an das japanische Handelsunternehmen Japan Victor Corporation (JVC).

* Bei den Video-Cassettenrecordern nach dem VHS-System liegt die Auflösung bei etwa 250 Zeilen, weit unter dem Ideal des gesendeten Fernsehens. Laserdiscs erlauben eine Auflösung von mehr als 400 Zeilen. Es gibt noch mehr Unterschiede, die die Laserdisc als Video-Medium dem VHS-System weit überlegen sein lassen. Nur – die Discs können natürlich nicht aufzeichnen.

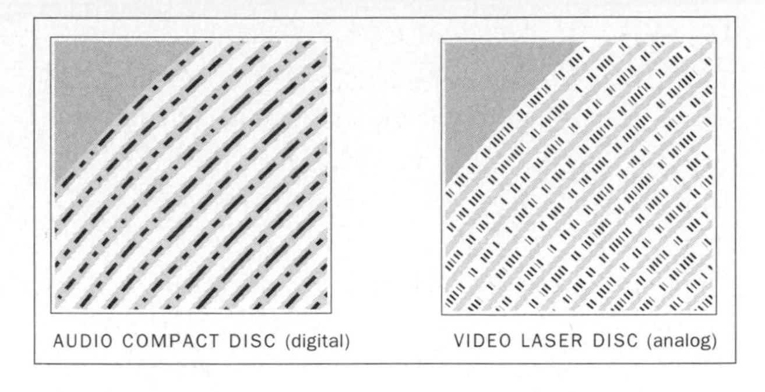

Audio-CD. Während die Videodisc Information im wesentlichen in analogem Format darstellt, ist die Audio-CD rein digital. Die Vertiefungen und die «Ebenen» dazwischen stehen für Binärzahlen, die die Klangwerte der jeweils festgehaltenen Momente widerspiegeln. Wenn eine digitale Aufnahme «perfekt» wäre, wäre ihre Abtastrate unendlich hoch – was unmöglich ist. Die gegenwärtig normalen CD-Aufnahmen nutzen eine Abtastrate von 44 100 Hertz. Der jeweils digitalisierte Wert ist eine einzelne Zahl zwischen 0 und 65 535, da die «Wort»-Länge nur 16 Bits beträgt, womit 2^{16}, also 65 536 Zahlen darstellbar sind. Analoge Audiophile beharren darauf, daß keiner dieser Parameter an eine gute analoge Aufnahme herankommt.

Ein Kampf wie der zwischen den rivalisierenden Videodisc-Technologien in den Siebzigern hatte ähnlich bereits zuvor einige Male stattgefunden: RCA und CBS führten in den späten Vierzigern unterschiedliche Versionen der Langspielplatte ein. Die mit 33⅓ Umdrehungen pro Minute laufende Zwölf-Zoll-Platte von CBS (entwickelt von Peter Goldmark) und die mit 45 Umdrehungen laufende Sieben-Zoll-Platte von NBC kamen schließlich beide zur Anwendung, wenn auch die 33⅓-rpm-Platte revolutionärer auf das Medium einwirkte. Eine Reihe von Jahren später rangen die beiden Riesen des Sender-Oligopols erneut miteinander, und zwar um die Frage eines Farbsystems. Das vollelektronische System von RCA konnte das teilweise mechanische System von CBS (ebenfalls von Peter Goldmark entwickelt) rasch aus dem Feld schlagen. In beiden Fällen wie bei den Videodiscs war die radikalere Technologie die erfolgreichere.

Als zu Anfang der neunziger Jahre die Schlacht um High Definition Television (HDTV) anstand – ein hochauflösendes Fernsehsystem mit mehr Bildzeilen und anders proportioniertem Bild – gingen amerikanische und europäische Firmen vorsichtiger heran. Sony, seit den sechziger Jahren die dominierende innovative Kraft in der Heimelektronik, war HDTV-Pionier und stellte schon zu Ende der Siebziger in Zusammenarbeit mit NHK, dem japanischen Network, einen Großbildschirm mit 1125 Zeilen vor; es dauerte allerdings noch mehr als zehn Jahre, bis das System in Japan offiziell in Betrieb ging, wobei die Geräte für die meisten viel zu teuer und die Sendezeiten eingeschränkt waren. Während die Japaner voranschritten, warteten ihre amerikanischen und europäischen Konkurrenten in Ruhe ab, in der Sicherheit des Wissens, daß die Fernsehnormen staatlicher Zustimmung bedürfen. Das war bei der Entwicklung der Video-Cassettenaufzeichnung in den siebziger Jah-

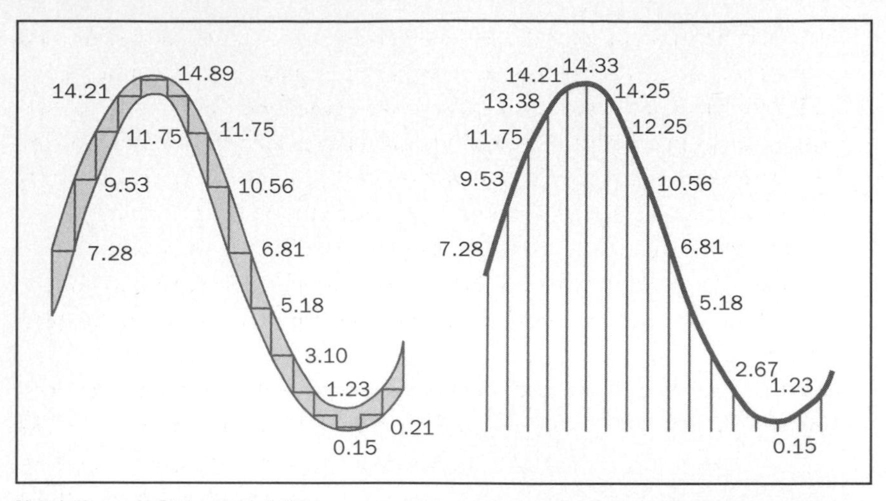

Digital oder analog? Die der Digitalisierung zugrundeliegende Theorie besagt, daß sich *alles* quantifizieren läßt. Eine analoge Aufzeichnung von Tönen oder Bildern (rechts) spiegelt Schall- oder Lichtwellen in einem kontinuierlichen – und kontinuierlich variablen – physischen oder elektronischen Medium, wie etwa einer Schallplattenrille oder einem elektromagnetischen Signal. Eine digitale Aufzeichnung ist diskontinuierlich (ständig unterbrochen) und nicht kontinuierlich variabel: Sie ist durch die Anzahl der Ziffern (oder Stellen, wenn man will) begrenzt, die zur Identifizierung oder «Quantifizierung» jeden Wertes benutzt werden. Eine digitale Aufnahme wird so hergestellt, daß die Schall- oder Licht-Wellenform in jeder Sekunde viele Male ermittelt, das Ergebnis in ganze Zahlen umgesetzt und diese Werte numerisch aufgezeichnet werden.
Während die analoge Aufnahme als perfekt erscheinen mag – an jedem beliebigen Punkt der Kurve läßt sich ein Wert feststellen, und zwar so genau, wie man nur möchte –, erleiden analoge Aufnahmen in der Realität Abnutzung und Schäden, wie es der Natur ihrer Medien entspricht. Während die digitale Aufnahme gegen Abnutzung und Schäden immun ist – Zahlen bleiben Zahlen –, ist sie in der Praxis sowohl durch die Frequenz der Abtastung als auch durch deren Präzision eingeschränkt.

ren nicht der Fall gewesen, einem von Sony eröffneten und bald von der japanischen Elektronik-Industrie besetzten Markt.

Obwohl das japanische System gut funktionierte, wurde die HDTV-Norm zu einem bedeutenden Schlachtfeld in den Handelskriegen. Die Amerikaner und ihre europäischen Partner waren nicht gewillt, der Firma «Japan» die lukrativen Lizenzgebühren in den Rachen zu werfen. 1992 entschied die Federal Communications Commission (FCC), daß die Norm für HDTV-Sendungen, der sie zustimmen würde, digital zu sein hätte. Da die NHK-Lösung analog war (sie stammte aus den siebziger Jahren), war sie aus dem Rennen. Unter dem Druck der FCC führten die vier konkurrierenden Finalisten – darunter kein japanisches Unternehmen – ihre Technologien zusammen und einigten sich im Mai 1993 auf eine Aufteilung der Lizenzgebühren.

Handelspolitik mag beim Zustandekommen der FCC-Entscheidung zugunsten der digitalen Lösung mitgespielt haben, aber sie war zugleich auch technisch sinnvoll. Die Zeiten hatten sich gewandelt; daß die amerikanische HDTV-Norm digital sein würde, bedeutete, daß die Geräte leicht den anderen interaktiven Verwendungen angepaßt werden könnten, die offenbar vor der Tür standen. Die FCC kontrollierte jedoch nur die Sendenorm. Nach einigen Jahren flauen Wachstums begannen die japanischen Pioniere 1983 zu erkennen, daß HDTV eher für Bildschirme in Heim-Videoanlagen als zum Senden dienen könnte – also sozusagen als Plattenspieler statt als Radio. Die technischen Normen auf dem Heimvideo-Markt fallen nicht unter die Kontrolle der FCC.

Es wird deutlich, daß die Geschichte der Protokollmedien von einer einzigen übergreifenden Zielsetzung geprägt ist: wie sich mehr Information mit mehr Details auf weniger Platz unterbringen läßt. Ein Ansatz ist die Verkürzung der benutzten Wellenlängen (Fernsehen gegenüber Hörfunk, Laserdisc gegenüber Magnetband); ein anderer besteht darin, das Medium zu verfeinern (33⅓-rpm-Vinylplatte gegenüber 78-rpm-Wachsplatte, HDTV gegenüber normalem Fernsehen). Während die Audio- und Videoaufzeichnungs-Technologie in der zweiten Hälfte des zwanzigsten Jahrhunderts weiter ausreifte, entwickelte sich unabhängig davon eine andere Form der Informations-Technologie.

Computerspeicher und Datenspeicherung hatten ihre Anfänge in den vierziger Jahren, wobei sie sich die ehrwürdige Vakuumröhre der Radioindustrie untertan machten. In den folgenden dreißig Jahren experimentierten die Computer-Techniker mit einer Vielzahl von Medien, um eine immer größere Effizienz und Kapazität zu erzielen. Weil Computer kein Produkt für jedermann waren, wurde, angefangen mit der Lochkarte, eine Reihe von Datenspeicherungs-Technologien eingeführt, eine Zeitlang genutzt und dann wieder aufgegeben. Mit Beginn in den sechziger Jahren erwies sich das Magnetband als brauchbarer Standard für den Datenaustausch, obwohl sich zeigte, daß die Linearität des Bandes eine immense Hürde für den Zugriff bedeutete. Die Einführung der magnetischen Platte durch IBM im Jahre 1956 löste dieses Zugriffsproblem. Mit der Floppy Disk – das heißt, der Platte für Disketten-Laufwerke – im Jahre 1971 wurde einer der Ecksteine der Mikrocomputer-Revolution gelegt.

Die Computerleute erkannten schnell die von der neuen Laser-Aufzeichnungstechnologie gebotenen Möglichkeiten der Datenspeicherung. Wenige Jahre nach der Laserdisc wurde die Technologie außer für die Aufzeichnung und Speicherung von Bild und Musik auch für die von Bits und Bytes adaptiert. Die CD-ROM (Compact Disc Read Only Memory), 1985 von Philips und Sony eingeführt, war Vorbote der sich anbahnenden Vereinigung von Computern und Medien, Daten- und Protokoll-Technologie.

Die Audio- und Videoleute ihrerseits begannen zu erkennen, daß die Philosophie der Computerleute ihnen etwas zu bieten hatte: kurz gesagt Digitalisierung. Die Computer-Techniker hatten das analoge Modell längst aufgegeben. Der Erfolg der Industrie war auf die digitale Annäherung an die Wirklichkeit gegründet worden. Indem die Computer-Industrie die Welt auf ihre elementarsten Symbole reduzierte – die Einsen und Nullen des binären Zahlensystems – war sie auf dem Weg, die Welt ohne Ende manipulierbar zu machen. Warum? Je einfacher das Kodiersystem, desto einfacher läßt es sich verarbeiten. In den frühen achtziger Jahren ließen sich die Audio- und Video-Technologen von diesem Fieber anstecken.

> Nor mouth had, no nor mind, expressed,
> What heart heard of, ghost guessed...
> (Kein Mund noch Hirn hat je ins Wort gebracht,
> Was im Herzen klingt, die Seele ahnen macht...)

Das hatte Gerard Manley Hopkins in *Spring and Fall* in den Jahren geschrieben, als gerade die Kunst des Films im Entstehen war. Heute könnten sich Audio- und Video-Techniker und -Künstler all dessen erfreuen, wovon ihre Ahnen nur geträumt hatten: totale Macht über ihre Versionen von Realität. Sobald Bilder und Klänge digitalisiert waren, war ihre Wiedergabe auf dem Bildschirm oder über Lautsprecher nur durch die Leistungsfähigkeit der steuernden Computerprogramme begrenzt. Brice Parain hatte bemerkt:

> Das Zeichen zwingt uns, ein Objekt durch seine Signifikanz zu sehen.

Doch für den Fall, daß das Zeichen quantifiziert ist, können wir weiterfolgern:

> Die Signifikanz eines Zeichens ist nur durch die Vorstellungskraft des Zeichenurhebers begrenzt.

Und sobald die Bilder und Klänge, deren Geschichte seit den ersten Fotografien und Phonographen wir verfolgt haben, im selben Medium wiedergegeben werden wie die Wörter (und Zahlen) der Literatur, ist eine Vereinigung möglich. Das ist Thema des Teils 7 «Multimedia».

Radio und Schallplatten

Interessanterweise gibt es in struktureller Hinsicht gar keinen so großen Unterschied zwischen Radio und Fernsehen. Die ästhetische und formale Geschichte des amerikanischen Fernsehens seit 1948 zeigt Parallelen zu der des Radios zwischen 1922 und 1948 (obwohl das Radio seit Einrichtung der Fernsehnetze gezwungen ist, sich in ästhetischer Hinsicht zu spezialisieren). In gewissem Sinne bringt es mehr, von «senden» zu sprechen, was beide einschließt, statt zu stark zwischen den beiden zu differenzieren. Beide dienen der bedeutsamen sozialisierenden Funktion, die uns umgebende Welt zu vermitteln. Zuvor voneinander isolierte Individuen und Gemeinschaften werden in relativ intimen Kontakt mit einer zentralen Quelle gebracht (wenn nicht gar miteinander). Dies war ein radikaler Umschwung kultureller Strukturen. Das Problem ist, daß diese Medien nur in eine Richtung wirken, also unidirektional sind.

Wer jemals ein Kleinkind zu einem Kind mit Fernsehen als Ersatzmutter hat heranwachsen sehen, kann die beträchtliche Macht der elektronischen Medien bezeugen. Bei der Beihilfe zum Schaffen neuer Bedürfnisse (nach Barbie-Puppen und Marken-Cornflakes einerseits, andererseits auch nach kontinuierlicher Phantasie-Stimulierung oder der Allgegenwart einer menschlichen Stimme), beim Einprägen gemeinschaftlicher Werte und bei der Bestimmung der allgemeinen Form der Kultur stehen Fernsehen und Radio einzig da. Die Printmedien – weil ihnen keine personale Präsenz eigen ist, weil der Leser das Erleben steuert und weil sie aktiv entschlüsselt oder gelesen werden müssen – haben nicht ein Zehntel der Macht der elektronischen Medien; die hat auch der Film nicht, der zwar Präsenz hat und in engerem Sinne nicht entschlüsselt zu werden braucht, aber dennoch besonders erfahren wird: Er findet im Kino statt, nicht zu Hause.

Diese elementare Kraft läßt sich deutlicher beim gegenwärtigen Radio als beim Fernsehen erkennen, da das Radio so viel leichter zur Kenntnis genommen werden kann (das heißt, man muß nicht unbedingt hinsehen). In dieser Hinsicht gibt das Radio immer noch ein Modell für das Fernsehen ab, ein Medium, das im Gegensatz zum Film mehr Gewicht auf die Komponente Ton legt als auf das Bild.

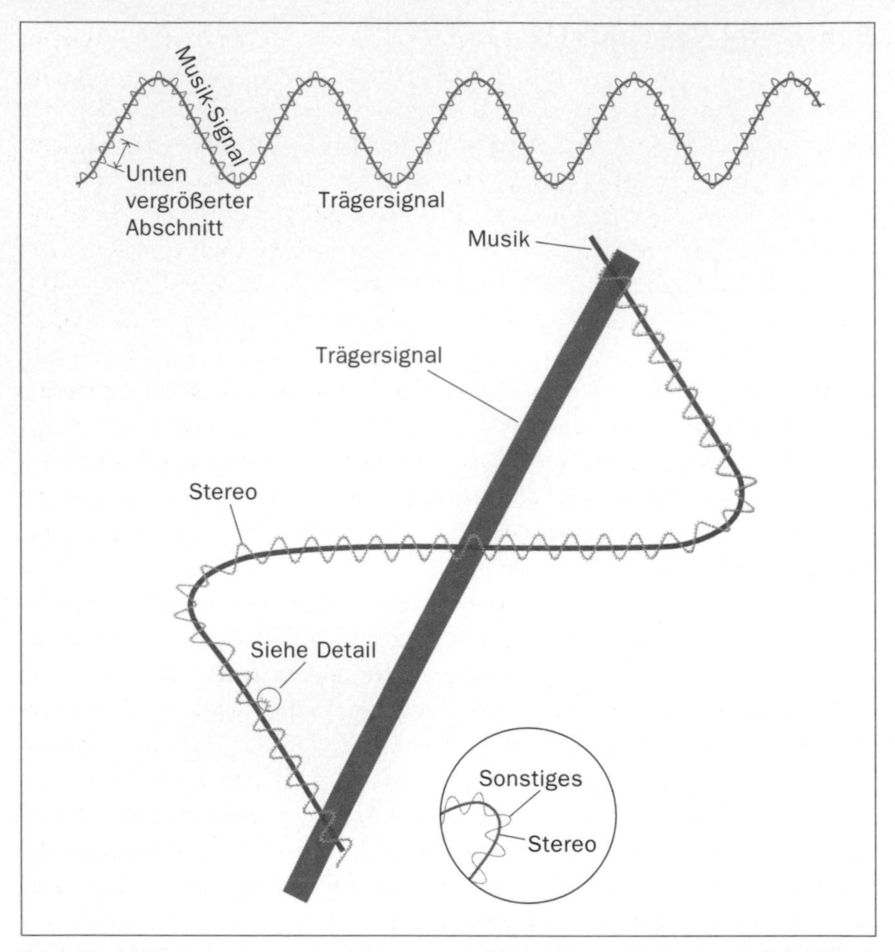

Mehrfachmodulation. Das Senden mit überformten Wellen ist nur durch die Phantasie begrenzt. Ebenso wie die Trägerwelle die Basis bietet, auf die ein Signal aufgelagert wird (siehe oben), kann auch das Signal selbst als Träger für ein zweites Signal dienen, wie es bei der Mehrfachmodulation für Stereo-Übertragung der Fall ist. Dieses Signal läßt sich wiederum als Träger für ein drittes Signal (eine vierte Wellenform) nutzen. Gelegentlich wurde lokaler Musikfunk auf diese Weise betrieben, indem sein Signal von einem FM-Stereosignal Huckepack genommen wurde. Oft werden auf diese Weise Daten übertragen. Es ist etwas schwer, sich die Mehrfachmodulation vorzustellen, aber sie funktioniert.

Wesentlicher Zweck des Radios ist nicht nur, Geschichten zu erzählen und Informationen zu transportieren, sondern auch ein umfassendes Geräusch-Environment zu schaffen. Extremstes Ergebnis dessen ist «Muzak», ein kontinuierlicher Strom sorgfältig gestalteter und in eine Programmfolge gebrachter Musik, die darauf zugeschnitten ist, eine spezielle Stimmung zu erzeugen: Ton als Umweltbestandteil und weniger als Bedeutung. Das gegenwärtige Radio – egal, ob in Musik- oder Wortsendungen – tendiert in diese Richtung. Leere Zeitspannen werden verabscheut, das Entscheidende ist der kontinuierliche Fluß, wie jeder Discjockey weiß. In psychologischer Hinsicht dient das Radio einer «Streichel»-Funktion: Es ist ein künstlicher, aber unentbehrlicher Gesellschafter. Ebenso ist das Fernsehen weitgehend daraufhin gestaltet, den Tagesverlauf zu begleiten. Visuelle Information – obwohl oft von Nutzen – ist paradoxerweise nicht nötig. Es gibt keine besondere Notwendigkeit, einer Talkshow oder den Fernseh-Nachrichten zuzuschauen, und die meisten Fernsehfilme sind im wesentlichen ohne visuellen Input verständlich. So ergibt sich, daß es für manche Menschen nichts Ungewöhnliches ist, gleichzeitig Zeitung zu «lesen» und fernzu«sehen».

Schallplatten als Medium bieten im Prinzip die Möglichkeit, eine ebenso große Bandbreite der Programmgestaltung zu präsenticren wie das Radio. Tatsächlich jedoch ist der Rundfunk im wesentlichen der Diener der Musikindustrie.

Was die Musik anbetrifft, hatte der Einfluß moderner Aufzeichnungs-Techniken im Verein mit der Entwicklung einer flexiblen elektronischen Instrumentierung eine tiefgreifende Wirkung. In ästhetischer wie wirtschaftlicher Hinsicht realisiert sich die Musik heute eher in der Aufzeichnung als bei der Aufführung; eine Reaktion auf diese Entwicklung ist der für Spät-Disco und Früh-Rap typische Kunstgriff, Platten zu «spielen» und das zum Bestandteil der Darbietung zu machen, den Plattenspieler also zum Musikinstrument zu erheben.

Schallplatte und Radio sorgten für die Mittel, musikalische «Ware» abzupacken, so daß die Artikel sich leichter verkaufen ließen, und als die Technologie des Aufzeichnens mit der Einführung des Tonbands und der High-Fidelity-Schaltung sich rasant entwickelte, wurde deutlich, daß die Schallplatte den Musikern eine ungeahnte Flexibilität bot.

Zu Anfang resultierten aus dieser neuen Freiheit nur die Spielereien mit der Doppelspuraufnahme, charakteristisch für einen großen Teil der Unterhaltungsmusik in den fünfziger Jahren. Die Platten von Les Paul und Mary Ford waren in dieser Hinsicht Meilensteine. Doch dann begannen die Mehrspur-Aufzeichnungssysteme raffiniertere Resultate zu liefern. Der bedeutende Erfolg des Beatles-Albums *Sergeant Pepper's Lonely Hearts Club Band* von 1967 bezeichnete einen Wendepunkt. Die meisten Stücke dieses Albums waren so hochgradig kunstvoll gearbeitet, daß sie sich nicht konzertant aufführen ließen. Von diesem Punkt an wurde Musik ebenso oft «gebaut» wie «gespielt». Jean-Luc Godard erkundete 1968 dies Phänomen in seinem Rolling-Stones-Film *One Plus One.*

Die Entwicklung der progressiven Unterhaltungsmusik auf Schallplatte war eng mit der des Radios in den Sechzigern verknüpft. Der mit Frequenzmodulation arbeitende FM-Funk, der für deutlich bessere Tonqualität sorgt als der mit Amplitudenmodulation arbeitende AM-Funk, wurde 1933 von Edwin H. Armstrong entwickelt. Er hatte eine weitgehende Umstellung des Radios auf das neue System mit seiner bedeutend größeren Wiedergabetreue vorhergesehen, aber David Sarnoff, der Chef des Quasimonopolisten Radio Corporation of America, entschied anders. Sarnoff, der mehr an der Vermarktung des Fernsehens interessiert war, befürchtete, daß FM mit dem Fernsehen um das dringend benötigte Kapital konkurrieren würde, und setzte alles daran, den Einsatz der neuen Radio-Technologie zu blockieren. Das ist ihm mehr oder weniger gelungen.

Erst Mitte der sechziger Jahre begann das leistungsfähigere Radiomedium FM in den USA, sich von der Dominanz des AM-Radios zu befreien, indem es zu einer Symbiose mit der damaligen progressiven Rockmusik fand und damit eine zwar relativ kleine, aber interessierte Hörerschaft als attraktiven Markt für Werbung gewann. FM hatte Ende der Siebziger AM als führendes Medium für Radiowerbung überflügelt. Seitdem haben die beiden Rundfunkformen sich das Feld ihren Fähigkeiten entsprechend aufgeteilt: AM konzentriert sich auf Wortsendungen und Nachrichten, FM auf Musik.

Obwohl die Federal Communications Commission FM für den Fernsehton vorgeschrieben hatte, war es ironischerweise so, daß die amerikanischen Fernseh-Netzwerke und Gerätehersteller die von FM gebotenen Möglichkeiten verbesserten Fernsehtons bewußt ignorierten. Bis weit in die achtziger Jahre waren die meisten Fernsehempfänger mit nur schlichten Audiosystemen ausgestattet, die sich kein besseres AM-Radiogerät hätte leisten dürfen. Heute ist Fernsehton in Stereo zwar auf dem Markt, erreicht aber selten die vom FM-Radio gebotene Qualität; nur Liebhaber legen auf leistungsfähige Video-Audio-Anlagen wert, wie sie – trotz der bedeutenden ästhetischen Interdependenz von Bild und Ton – beim breiteren Publikum noch keinen Anklang finden.

Fernsehen und Video

Die Übereinstimmungen von Fernsehen und Rundfunk sind größer als die Unterschiede. Wie beim Rundfunk ist das Konzept des Fließens von alles übergreifender Wichtigkeit; beide Medien produzieren pausenlos und fortgesetzt, ob es nun die kleinere Einheit einer Show oder die größere Einheit eines Tages- oder Abendprogramms betrifft. Darüber hinaus ist das Fernsehen in hohem Grade auf seine Audiokomponenten angewiesen, denn das Fernsehbild ist von relativ schlechter Qualität (verglichen mit dem Kinofilm). Der gewölbte Bildschirm, die niedrige Auflösung, der flaue Kontrast und die Schwierigkeiten beim Antennenempfang (aber auch Kabelempfang) wirken alle zusammen, die Qualität des Fernsehbildes zu mindern. Die Dichte der visuellen Information ist gering, was zum Teil durch die Dichte der Programmfolge, kurze Sequenzen und die beharrliche, geschäftige Tonberieselung aufgewogen wird. Tote Spannen und tote Zeit gehören vermieden, koste es, was es wolle: Der Fluß muß weiterfließen.

1961 erwarb sich Newton Minow, damals Chairman der FCC, einige öffentliche Aufmerksamkeit, als er das amerikanische Fernsehen bezichtigte, «eine gewaltige Wüste» zu sein. Diese Wortwahl blieb haften. Auch heute noch, drei Fernsehgenerationen später, ist «Wüste» die Metapher der Wahl für die meisten Kritiker dieses zentralen Unterhaltungs- und Informationsmediums. Vielleicht tun wir ihm unrecht, indem wir die böse Mär dem Boten anlasten. Wäre das Fernsehen nie erfunden worden, hätte der Rundfunk weiterhin die Rolle des Kitts gespielt, der unsere Gesellschaft zusammenhält, und Newton Minow hätte 1961 sehr wahrscheinlich dieselbe Rede gehalten – über den Rundfunk.

Es gibt allerdings einen bezeichnenden semiotischen Unterschied zwischen den beiden Medien: Der «illustrierte» Rundfunk, der seit fast einem halben Jahrhundert unser Leben dominiert, verlangt von uns eine andere Art Aufmerksamkeit als sein rein auditiver Vetter Radio. Weil die Bildschiene beim Fernsehen so schwach ist, verlangt uns das Medium paradoxerweise ab, gerade davon besessen zu sein. Die visuelle Komponente läßt die dadurch geköderten Zuschauer in eine erschreckende abendfüllende Lähmung verfallen – bildhaft beschrieben in der Redensart «couch

Sinnbild der Neunziger. Ted Turner und Braut Jane Fonda (mit Freund Jimmy Carter) verfolgen ein Spiel seiner Atlanta Braves während der Meisterschaftssaison 1992. Man vergegenwärtige sich all die Bezüge: der Aufstieg des neuen Südens, dynamischer Medien-Unternehmer und Atlantikregatta-Gewinner, *Barbarella*, feministische Aktivistin, *Workout*-Videotapes, Vietnam und die Antikriegs-Bewegung, Lokalpolitik, Zwölf-Meter-Yachten, Western-Helden, Satelliten-Fernsehen, Starruhm und Liebesgeschichte mit 55, eine Hollywood-Dynastie inzwischen in der dritten Generation, das erste weltweite Fernsehnetz, die erste Fernseh-Kinemathek, Golfkrieg live, Ökologie-Aktivistin, die Goodwill-Games, Selbsterfahrungsgruppen, MGM, Baseball und Basketball ... Der Hollywood-Mythos ist noch nicht tot – auch wenn die Atlanta Braves damals nicht gewonnen haben. (*Mit freundlicher Genehmigung der Atlanta Braves*)

potato». Dies ist es, worauf Marshall McLuhan abhob, als er das Fernsehen ein «kaltes Medium» nannte.

Das Zeichen zwingt uns, ein Objekt durch seine Signifikanz zu sehen.

TV: Kunst und Kommerz

Wie bereits beim Rundfunk ist auch beim Fernsehen die Persönlichkeitswirkung der Schlüssel zum Publikum. Die Signifikanz einer Gestalt im Widerspiel mit Handlung, Situation oder Ereignis tritt sogar in Action-Serien zutage, die doch vorgeblich dem Ereignis gewidmet sind. Die erfolgreichsten Detektivhelden der Siebziger waren beispielsweise Columbo (Peter Falk), Kojak (Telly Savalas) und Jim Rockford (James Garner) aus *The Rockford Files.* Nicht das, was diese Charaktere taten, brachte die Leute dazu, sich Woche für Woche einzuschalten, sondern was sie waren. Solche über die Maßen fintenreichen Charaktere sind vielleicht auf der Bühne oder im Spielfilm nicht am Platze, aber sie sorgten für das hundertprozentige Fernseh-Erleben. Man hat sich Woche für Woche eingeschaltet, um mit ihnen zusammenzusein, weil man wußte, was man zu erwarten hatte.

Die Grundeinheit des Fernsehens ist nicht die Show, sondern die Serie; damit gewinnt das Fernsehen beim Aufbau von Charakteren einen Vorsprung vor allen anderen erzählenden Medien, ausgenommen den episch breiten Roman vielleicht. Deswegen auch ist Fernsehen nicht so sehr ein Medium der Geschichten, sondern vielmehr eines der Stimmung und Atmosphäre. Man will beim Einschalten nicht erfahren, was passiert (gewöhnlich passiert immer dasselbe), sondern sucht für eine Weile die Gesellschaft der Gestalten.

Einerseits ist das Fernsehen besser als andere Medien in der Lage, mit feinen Charakterentwicklungen umzugehen, aber andererseits ist es schlecht gerüstet, andere grundlegende Elemente der Dramatik zu bewältigen. Weil es weniger intensiv wirkt als der Film (es liefert weniger visuelle und auditive Information), prägen sich Handlung und Bild weniger ein als im Kino. Und weil es weniger intim ist als unmittelbar erlebtes Theater, ist es auch nicht imstande, das große Schauspiel der Ideen und Emotionen umzusetzen.

Es gibt jedoch einen Faktor, der amerikanische Serien davor bewahrt, ihr Potential hinsichtlich Charakterentwicklung bis an die Grenzen auszuschöpfen: Bis heute lassen sie ihr Ende offen. Eine erfolgreiche Serie kann nahezu ewig weiterlaufen. Das hat zur Folge, daß Seriengestalten – wie bei Pirandello – im nie endenden

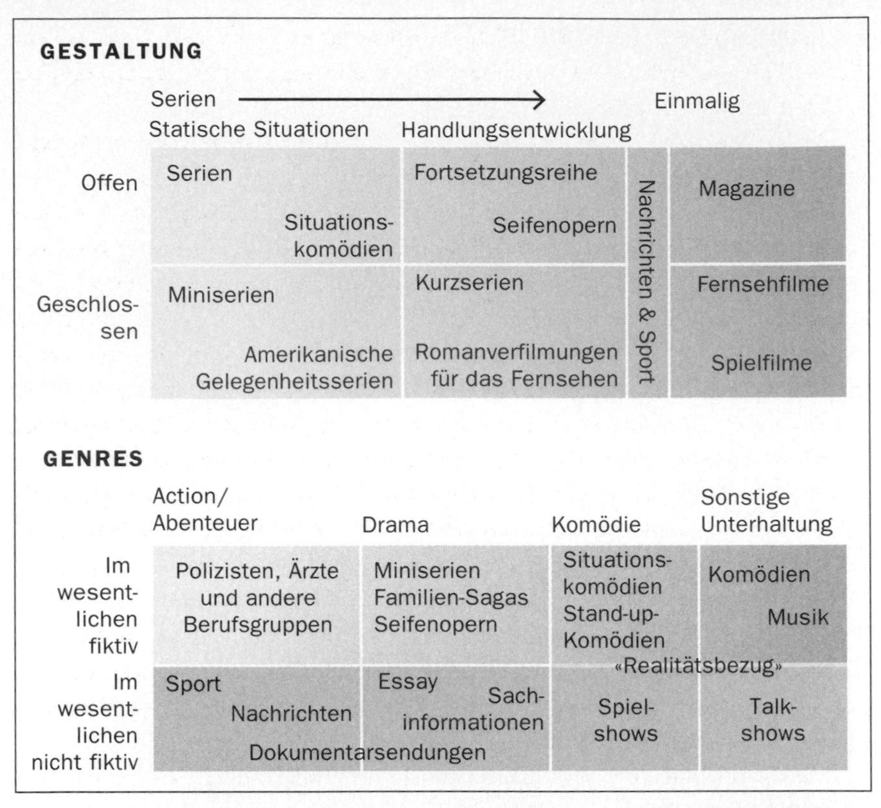

Formate und Genres. Mit den Jahren wurden die Sendeformen des Fernsehens verfeinert und genormt. Zu den Variablen gehören Kontinuität, Entwicklung und Organisation (Format) sowie die Art der Fiktionalität, Qualität und Zugriff (Genre). In den letzten Jahren wurde mehr auf hybride Formate und Genres geachtet: die zwischen Spielfilm und Vollserie angesiedelte Miniserie ist ein Beispiel.

Augenblick eingefroren sein können, nie sich entwickelnd, nie sich ändernd. Ein erfolgreiches Programm hat einfach ein bei weitem zu großes Einnahmenpotential, als daß es aus ästhetischen oder dramaturgischen Gründen zu einem Schluß gebracht werden dürfte, selbst wenn jedermann – von den Zuschauern über die Darsteller bis zu den Programmgestaltern – klar ist, daß es seinen Zweck überlebt hat.

Die Weiterentwicklung der Weltwirtschaft hat nichts daran geändert, daß die USA weiterhin in der Unterhaltungsindustrie dominieren. *Bonanza*, international die populärste US-Serie der Siebziger, konnten jede Woche über 400 Millionen Menschen in neunzig Ländern sehen. In der vierzehnjährigen Laufzeit dürften die Zuschauer der 359 Folgen sich insgesamt ungefähr 143 Milliarden Stunden den Werten der Cartwright Family ausgesetzt haben.

In den sechziger und siebziger Jahren haben Kulturkritiker in den USA wie im Ausland diesen Einfluß einem ruchlosen imperialistischen Streben zugeschrieben. Die Wahrheit ist einfacher.

In den USA wurden Film und Fernsehen seit ihren Anfängen stets vom Marktgeschehen geprägt. Die «Kunst» ist oftmals ein Anliegen europäischer Film- und Fernsehproduzenten und Regisseure, aber in den USA wurde ihr nur selten gestattet, sich in den Prozeß einzumischen. Im Ergebnis produziert Hollywood – noch jedenfalls – mehr verkäufliche Ware als andere Länder. Darüber hinaus sehen amerikanische Darsteller wie jedermann sonst aus. Ein Zuschauer aus Schweden, Nigeria oder Thailand findet in einer amerikanischen Fernsehshow wahrscheinlich eher Leute, die wie er selbst aussehen, als etwa in einer französischen Produktion. Wichtiger noch für ihre Wirksamkeit ist vermutlich, daß die Filmindustrie der USA schon seit langen Jahren international ist und Talente an sich bindet, wo immer sie sie findet.

Diese Erklärung wird einen kaum besänftigen können, wenn man als australischer Produzent versucht, eine Show auf Sendung zu bekommen. Wie Erik Barnouw in seinem Buch *Tube of Plenty* gezeigt hat, verhindern amerikanische Syndikate erfolgreich anderswo eine nationale Produktion, indem sie ihre Ware weit billiger anbieten, als es einheimischen Produzenten möglich ist. Die Schattenseite dieser zunehmend homogenisierten Weltkultur ist, daß uns die Vitalität verlorengeht, die aus regionalen Koloriten erwächst; ein Lichtblick mag sein, daß Menschen, die über dieselben Scherze lachen, weniger dazu neigen, aufeinander zu schießen.

Ein entscheidender Vorteil, den die Amerikaner auf dem Weltmarkt für Film und Fernsehen genießen, ist die englische Sprache. Dies haben sie mit einigen anderen Ländern gemeinsam. In den letzten zwanzig Jahren hat das amerikanische öffentliche Fernsehen enge Verbindungen sowohl zum öffentlich-rechtlichen wie zum privaten Fernsehen in Großbritannien geknüpft. In den späten Sechzigern fingen die qualitativ hochwertigen Erfolgsserien von BBC und ITV an, einen spürbaren Einfluß auf die Weltmärkte zu nehmen, schließlich gar die in der Entwicklung begriffene Gestalt des amerikanischen Fernsehens zu beeinflussen.

Dies verdankte sich zum Teil der britischen Tradition der Unabhängigkeit, aus der heraus der BBC weitgehend eine behördliche Zensur erspart blieb, wie sie die meisten anderen staatlichen Netze hinzunehmen hatten. Weil zugleich die BBC über Hörergebühren (statt durch Werbung oder Zuweisung von Steuermitteln) finanziert wurde, war das öffentlich-rechtliche britische Fernsehen nicht nur frei von den Zwängen, die dieses Finanzierungssystem für das amerikanische Fernsehen mit sich brachte, sondern auch relativ gut von politischer Zensur abgeschirmt. Hinzu kam: Während die amerikanischen Filmemacher das Fernsehen als ein Übungsgelände ansahen, wurde es in den späten Sechzigern in Großbritannien ein Refugium für Kinoregisseure, die keine Spielfilme mehr finanziert bekamen.

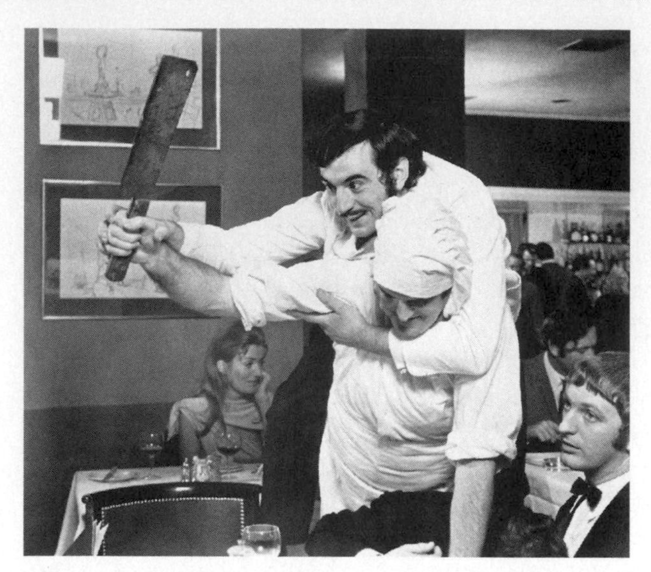

Monty Python's Flying Circus (BBC, 1969–74). Hier der Sketch mit der schmutzigen Gabel. Ausgehend von der britischen Music-Hall-Tradition, wie sie von der *Goon Show* der fünfziger Jahre adaptiert wurde, entwickelten die Pythons einen abstrakten, aber oftmals scharf zugespitzt satirischen Stil, der ein sehr großes Publikum gewann.

Die 26teilige britische Serie *The Forsyte Saga* (BBC, 1967) nach dem sechsbändigen Zyklus des viktorianischen Romanciers John Galsworthy war weltweit ein enormer Erfolg. Hier posieren die fünfzehn Hauptfiguren für ein Familienfoto im Stil der achtziger Jahre des neunzehnten Jahrhunderts. Irene (Nyree Dawn Porter), die Heldin, sitzend in der Mitte. Links von ihr im Vordergrund Soames (Eric Porter), zunächst der Schurke im Stück, später die Hauptfigur. Jo (Kenneth More) als zweiter von links in der hinteren Reihe. Fast die ganze Serie hindurch war er der einfühlsame Erzähler.

Die britische Serie hängt weniger von einem einzelnen Spitzenstar als vielmehr vom Ensemblespiel ab: In den besten Serien herrscht zumeist ein Sinn für Gemeinschaft, wie er im amerikanischen Fernsehen selten anzutreffen ist. Britische Serien haben oft eine begrenzte Länge, was das Aufkommen der amerikanischen Miniserie der ausgehenden siebziger Jahre stimulierte. Schließlich hatten die Briten rasch die Ähnlichkeiten zwischen der abgeschlossenen Fernsehserie und dem Großroman des neunzehnten Jahrhunderts erkannt und eine Reihe von Romanen dem Recycling im neuen Medium zugeführt.

So waren beispielsweise die 26 Folgen der *Forsyte Saga* (1972) nach John Galsworthy ein bedeutender internationaler Erfolg und öffneten dem britischen Fernsehen den Zugang zu den Weltmärkten. Der signifikanteste britische Export der späten Sechziger bleibt jedoch *Monty Python's Flying Circus.* Die britischen Serien-Dramatisierungen sind vielleicht nur wirksamere und beredtere Versionen einer auch in den USA geläufigen Form von Unterhaltung, aber die britische Komödie ist der radikale Abschied vom amerikanischen Stil. *Monty Python*, eine halbstündige Kette von Boshaftigkeiten, Animationsfilm, Wortspiel, Satire und Verrücktheit, hat ein für allemal klar gemacht, daß die Episode das Elementarteilchen des Fernsehens ist und nicht die Show, daß die Komödie mindestens ebenso eloquent, dicht und lohnend sein kann wie das Drama und daß «niemand mit der spanischen Inquisition rechnet».

TV: Die virtuelle Familie

Weil das Fernsehen eine fortgesetzte statt eine in sich abgeschlossene Erfahrung ist, besitzt es eine außerordentliche Fähigkeit, zwischen Zuschauer und Realität zu vermitteln. Filme dauern vielleicht zwei oder drei Stunden, und während dieser Zeitspanne leben wir in ihrer Welt. Fernsehen geht immer weiter, hört niemals auf, egal ob im Kontext eines Tagesprogramms oder im Hinblick auf die Serien und Fortsetzungsfilme, die seine angestammten Formen sind. Darüber hinaus geschieht das Fernsehen in unserem Raum, in unserer Zeit. Für eine amerikanische Durchschnittsfamilie, die fast sieben Stunden täglich fernsieht (den jährlichen Nielsen-Berichten zufolge), bildet das Fernsehen den Hintergrund des Alltagslebens – ein Hintergrund, der oft genug stärker ist als der Vordergrund. Als Konsequenz ergibt sich, daß das Fernsehen nicht nur zwischen Zuschauer und Realität, sondern auch zwischen Realität und Fiktion vermittelt. Wir blicken alle nicht mehr durch.

Weil das Fernsehen zugleich ein Unterhaltungs- wie ein Informationsmedium ist, fällt es uns schwer, zwischen der wesentlich fiktionalen Natur des ersteren und der wesentlich nichtfiktionalen Natur des letzteren zu unterscheiden. Hieran sind auch die «realitätsbezogenen» Sendungen, insbesondere die «Reality Shows», beteiligt, deren Bezeichnung bereits einen Widerspruch in sich offenbart.* Viel ist geschrieben worden über den sozialisierenden Einfluß des Fernsehens – die Wirkung, die wiederholte Gewaltdarstellungen auf Kinder haben, die der Fernsehwelt innewohnende Tendenz, für davon abhängige Menschen zur wirklichen Wirklichkeit zu werden, und so weiter.

Die Wirkung dieses mächtigen Mediums läuft in der Summe darauf hinaus, daß es das Dramatische zu einem Teil des Lebens gemacht hat, wie Raymond Williams es in *Television: Technology and Cultural Form* ausgedrückt hat: «Es ist eindeutig

* In Reaktion auf die durch Kabel und Videorecorder gebotene Fülle von Spielfilmmaterial kehrte das Medium Fernsehen in den achtziger Jahren seine Unmittelbarkeit heraus und entwickelte den Stil der «realitätsbezogenen» Sendungen. Teils kamen abstoßende Magazine voll von so fotogenen Themen wie Mord, Brandstiftung, Vergewaltigung und Kindesmißbrauch auf den Bildschirm, teils aber auch intelligente Dokumentarsendungen.

Virtuelle Familien. Der Cosby-Clan (hier in einer seiner Variationen) beherrschte in den USA den Mythos der Achtziger, blies dem Ideal der heilen Kernfamilie neues Leben ein und schaffte ganz nebenbei Rassengrenzen ab.

eines der unverwechselbaren Charakteristika fortgeschrittener Industriegesellschaften, daß heute das Erleben von Dramatischem dem Alltagsleben teilhaft innewohnt, und zwar in einer quantitativen Dimension, die so weit über das bisher Gewesene hinausgeht, daß sie ein fundamentaler qualitativer Wandel zu sein scheint.»

Dramatisches, das selbst noch in den Glanzzeiten der Kinos ein vereinzelbares Erleben war, nimmt jetzt erstmalig in der Geschichte die Bühnenmitte ein. Bei einer Schießerei auf der Straße drehen sich die Leute automatisch um, um die Kamera zu suchen. Oftmals ist keine da. Militärische Blutbäder begleiten in leuchtenden Farben den vor dem Dinner gereichten Cocktail. Ohne Übergang folgt ein Spot mit der dringenden Warnung vor «Gefrierbrand» in der Tiefkühltruhe oder «Gilb» in den Gardinen. Die Werbung geht nahtlos in eine Polizei-Show über, die zwar ganz und gar erfunden ist, aber dennoch den Zuschauern versichert, daß «alles, was Sie jetzt sehen, wahr ist. Nur die Namen wurden geändert, um Unschuldige zu schützen.»

Der tiefgreifende Einfluß des Fernsehens ist eine Frage von singulärer Bedeutsamkeit. Viele Jahre lang haben Kritiker des Fernsehens sich vor allem dem Problem des Inhalts – insbesondere der Gewalt – und seiner Wirkung auf den Zuschauer zugewandt. Im Hinblick auf kleinere Kinder scheint dies besonders akut zu sein. Es gibt genug Anlaß für die These, daß das Medium tatsächlich den Gewaltquotienten des Alltagslebens steigert.

Dennoch gibt es auch eine überzeugende Sammlung von Anhaltspunkten für den Nachweis, daß das Fernsehen als Sicherheitsventil funktioniert, indem es potentiell gewalttätige Persönlichkeiten entschärft. Ende der Siebziger begründeten die Verteidiger eines in Florida des Mordes angeklagten Jungen seine Tat zum Teil mit der Gewalt im Fernsehen, der er ausgesetzt war, und einige in Kalifornien der Vergewaltigung angeklagte Mädchen führten einen Fernsehfilm als Tatmuster an. Diese Verteidigungsversuche blieben fruchtlos, aber die Problematik war klar umrissen.

In den siebziger Jahren ging die Argumentation in eine neue Richtung. In ihrem Buch *The Plug-in Drug* (deutsch: *Die Droge im Wohnzimmer*) verlagerte Marie Winn den Ansatz der Zensur von den Inhalten zum Erleben des Mediums. Nach Winns Behauptung besteht das mit dem Fernsehen verbundene Problem nicht in dem, was es zeigt, sondern darin, wie es das zeigt. Sie argumentierte überzeugend, daß das Medium Kinder in die Passivität zwingt, und wies darauf hin, daß bei Kleinkindern, die dem Fernsehen ausgesetzt sind, wohl gar die neurologische Entwicklung beeinträchtigt werden könnte. Winn befaßte sich mit dem Einfluß des Fernsehens auf die sprachlichen Fertigkeiten und untersuchte seine Beziehung zu veränderten Bewußtseinszuständen, aber das Zentrum ihrer überaus bündigen Argumentation war ihr kritischer Einwand, die Präsenz des Fernsehens zerstöre das Familienleben.

Nach Winns Verständnis ist der Kasten zu einem Elternersatz geworden. Er übernimmt zum großen Teil die erzieherische Aufgabe, soziale und ethische Werte beispielhaft zu zeigen und zu entwickeln. In diesem Prozeß gewinnt er einen weit höheren Grad an Autorität als die biologischen Eltern. Der Titel von Marie Winns Buch war keineswegs metaphorisch gemeint. Sie stellt fest, daß Eltern das Fernsehen in erster Linie genau wie eine Droge benutzen, die die Kinder ruhigstellen soll. Das Kind wird schließlich abhängig, und der Kasten wird Bestandteil notwendiger, lebenslanger Gewohnheit.

Ganz offensichtlich überleben viele Kinder die Fernseh-Erfahrung, viele sind aber auch schwer dadurch geschädigt, und wir wissen nicht, was in sozialer und politischer Hinsicht daraus erwachsen wird. Diese äußerst gewichtige Frage ist weiterhin Schwerpunkt der Diskussion um das Fernsehen als soziales Phänomen.

Ein Jahr nach Erscheinen von Winns Buch wirkte ihre These schon ausgesprochen konservativ; dafür sorgte der ehemalige Werbemann Jerry Mander mit seinem

Marcy Carsey und Tom Werner, Produzenten der *Cosby Show*, hatten mit der realistischen Arbeiterklassen-Familie in *Roseanne* (seit 1988) abermals Erfolg.

weit ausholenden Angriff auf seine ehemaligen Brötchengeber. Das Werk hatte den schlichten Titel *Four Arguments for the Elimination of Television* (deutsch noch schlichter: *Schafft das Fernsehen ab!*). Mander meinte es ernst. Er fand ein aufmerksames Publikum. Fünfzehn Jahre später lag sein Buch in 27. Auflage vor. Und nichts hatte sich geändert.*

Manders «Vier Argumente» – «Die Vermittlung von Erfahrung», «Die Kolonisierung von Erfahrung», «Wirkungen des Fernsehens auf das Wesen Mensch» und «Die versteckten Tendenzen des Fernsehens» – sind griffige Rubriken für Dutzende von kritischen Äußerungen über das mächtige Medium, das das zwanzigste Jahrhundert geformt hat. Grob umrissen, umfassen sie folgendes: Fernsehen trennt uns von der Realität, Fernsehen nimmt uns die Wahl der Erfahrungen; künstliches Licht ist schädlich, und Fernsehen ist als Medium so schwach, daß es die Realität verzerrt. Manders Anklage ist vernichtend, aber von allen seinen Einwänden ist doch dieser

* Oder doch: 1992 hatte der Durchschnittsamerikaner dreißig oder mehr Kanäle zur Wahl statt einst nur drei, die Aussicht auf Hunderte mehr in naher Zukunft und einen Videorecorder zu Hause für den Fall, daß die Kabelversorgung ausfallen sollte. Der Durchschnittseuropäer konnte unter einem Dutzend Kanäle wählen, Satelliten bombardierten ihn mit noch mehr Fernsehfutter, und einen Videorecorder hatte er auch.

der gravierendste: Die meisten von uns lassen sich ihr Leben vom Fernsehen einrichten; dieses verführende Produkt beraubte uns des intimen Kontaktes mit der Realität.

1985 stürzte sich der Sozialkritiker Neil Postman mit seinem Buch *Amusing Ourselves to Death: Public Discourse in the Age of Show Business* (deutsch: *Wir amüsieren uns zu Tode. Urteilsbildung im Zeitalter der Unterhaltungsindustrie)* in die Schlacht, in dem er sich dem Einfluß des Fernsehens und unseres Unterhaltungs-Universums auf die Politik zuwandte. In seiner Einleitung trifft Postman eine korrekte Unterscheidung zwischen den beiden klassischen Klageliedern aus den vierziger Jahren, George Orwells *1984* und Aldous Huxleys *Brave New World*:

«Orwell fürchtete jene, die sich nicht scheuen, Bücher zu verbieten. Huxley fürchtete, daß es keinen Grund mehr geben könnte, ein Buch zu verbieten, denn es würde niemand mehr dasein, der eins lesen wollte. Orwell fürchtete jene, die sich nicht scheuen, uns der Information zu berauben. Huxley fürchtete jene, die es darauf anlegen, uns derart viel davon zu geben, daß wir in Passivität und teilnahmslose Selbstsucht verfallen. Orwell fürchtete, daß die Wahrheit vor uns verborgen gehalten würde. Huxley fürchtete, daß die Wahrheit in einem Meer des Belanglosen ertränkt würde. Orwell fürchtete, daß wir uns zu einer Kultur des Gefangenseins entwickeln. Huxley fürchtete, daß wir uns zu einer trivialisierten Kultur entwickeln... In *1984* werden die Menschen dadurch gesteuert, daß ihnen Schmerz angetan wird. In *Schöne neue Welt* werden sie dadurch gesteuert, daß ihnen Genuß angetan wird. Kurz gesagt: Orwell fürchtete, daß wir an dem zugrunde gehen, was wir hassen. Huxley fürchtete, daß wir an dem zugrunde gehen, was wir lieben.»

Postman schrieb 1985. Orwells Schreckensjahr war gekommen und gegangen, und seine Prophezeiung verlor an Geltung. Tatsächlich wurde seiner düsteren Vision totalitärer Bedrohung höchst eindrucksvoll Anfang 1984 in Apples berühmtem, hammerhartem Kampfwerbespot zur Einführung des Macintosh gedacht. In Apples orwellscher Marketing-Metapher ist IBM die totalitär versklavende Macht, und der Macintosh bietet die Errettung: «the computer for the rest of us». Hat da jemand etwas von Trivialisierung gesagt? Sogar Orwells beredte tiefe Angst war von einem Apparat wie aus Huxleys Welt neutralisiert worden!

Von der Mitte der neunziger Jahre her gesehen, ist der Huxleysche Einfluß noch offensichtlicher. Die Sowjetunion, Primärobjekt von Orwells Angst, existiert nicht mehr. Der kalte Krieg ist vorüber. Selbst «Big Blue» IBM hat Federn lassen müssen (gestattet sogar neuerdings den kundenferneren Mitarbeitern Casual Wear anstelle von Schlips und Kragen).

Mittlerweile hat sich die Masse der uns bombardierenden Bilder und Klänge exponentiell vervielfacht; ihren Produzenten stehen immer mächtigere Werkzeuge zu Gebote; die Videokultur ist zunehmend vereinheitlicht, und die Bilder und Klänge selbst bewegen sich weiterhin unaufhaltsam fort von der Realität und hin zu einer Phantasiewelt. Ganz entschieden besteht das Problem nicht darin, daß der Big Brother uns beobachtet, sondern vielmehr darin, daß wir dem Big Brother zusehen.

Jerry Mander drückt es in seinen *Four Arguments* so aus:

«Es läßt Bilder in unserem Hirn entstehen.
Das nennen wir Erleben, aber wir können nicht unterscheiden, ob es unser Erleben ist oder etwas anderes.
Es füllt unseren Kopf, aber wir haben es nicht geschaffen.
Wir wissen nicht, ob es real ist oder nicht.
Wir sind nicht imstande, die Übertragung zu unterbrechen.
Wir akzeptieren unterschiedslos alles, was da auch komme.
Eine Vision gleicht der nächsten.
Ein Gedanke ist ebenso gut wie der nächste.
Alle Information fließt ineinander.
Alles Erleben fließt ineinander.
Wir nehmen alles auf Treu und Glauben hin.
Eine Erklärung gleicht der nächsten.
Widersprüche existieren nicht.
Wir haben die Kontrolle über unseren Geist verloren.
Wir haben uns rettungslos im All verirrt. Unsere Welt existiert nur noch in der Erinnerung. Alles ist willkürlich.»

Dies ist eine beißende Reaktion. Bei genauem Hinhören klingt bei allen dreien – Winn, Mander und Postman – aus ihrer Kritik ein anrührender persönlicher Ton heraus. Denn es geschieht ja in unserem persönlichen Leben, in unserer Familie, daß die Macht des Fernsehens sich am unmittelbarsten auswirkt, lange bevor sie anfängt, unsere Politik zu verzerren. Potentiell ein ergiebiger und anregender Gefährte für jene, die allein leben müssen, oder ein beruhigendes, vielleicht gar aufbauendes Medikament für Kranke (wo gibt es noch Krankenhausbetten ohne Fernsehapparat?), ist der Kasten auch in noch einigermaßen funktionierenden Familien oft ein unkontrollierbarer Menschenfresser. Wie ein unheimlicher Alien saugt er das Gespräch aus der Familie. Er vernichtet Zeit. Er ersetzt die Eltern (oder die Kinder), Ehemänner (oder Ehefrauen). Allzu vielen von uns nimmt er das Leben ab.

Das Unwiderstehlichste an den Fernsehfamilien, mit denen wir unsere Zeit verbringen, ist einzig, daß sie nicht fernsehen. Täten sie das, wären sie genauso langweilig wie wir; wir würden sie genauso schnell abschalten, wie wir es mit uns tun.

Das senkrechtstartende Fox-Sendenetz erzielte seine größten wirtschaftlichen Erfolge mit zwei Versionen der gestörten amerikanischen Familie des Fernsehzeitalters: zuerst *Married ... with Children* (im Bild, seit 1987), sodann *The Simpsons* (seit 1990).

Die verführerischsten Elemente von *The Cosby Show* waren zum Beispiel die intensiven Beziehungen zwischen Eltern und Kindern sowie zwischen Cliff und Claire Huxtable, intelligente Leute mit einer stabilen Ehe. Roseanne und Dan Connor redeten in den 22 Minuten der wöchentlichen Show mehr miteinander (und mit ihren Kindern) als die meisten ihrer Fans in den 10050 Minuten zwischen den Sendungen. Würden sie sich 22 Minuten lang nur stumm eine Soap Opera reinziehen, würde niemand zusehen.

Vielleicht muß betont werden, daß all dies keine gegen das Medium an sich gerichtete Anklage ist. Der Fehler liegt nicht im Fernsehen, sondern in uns, die wir es mißbrauchen.

In der kurzen Geschichte des Films und des Fernsehens waren die siebziger und achtziger Jahre eine Phase des Stillstands, in der wir uns die Technologie einverleibten und in bestimmten Fällen verfeinerten. Produzenten und Verleiher bauten die Infrastruktur aus, wie es zur Umsatzmaximierung nötig war, während der größte Teil der Konsumenten nur allzu bereitwillig mitmachte und sein Leben umordnete, um soviel wie möglich zu konsumieren.

Als der Videorecorder eingeführt wurde, meinten seine Erfinder, daß er genutzt würde, um zeitversetzt fernzusehen, wobei sie nicht erkannten, daß nur Kinder hinreichend Interesse aufbringen, um das verdammte Ding programmieren zu lernen. Statt dessen bedeutete der Videorecorder nichts als noch mehr Bildschirmfutter. Dennoch bleibt der Zeitversatz ein Ideal, nur ist nicht so sehr die Zeit, die wir versetzt nutzen wollen, als vielmehr der dafür nötige Kraftaufwand das Problem. Viel von der sozialen Verantwortung des Fernsehkonsums kann wenigstens theoretisch den Apparaten überlassen bleiben, was uns mehr Zeit für aktivere Vorhaben ließe. Wenn die Show sicher auf Band mitgeschnitten ist, wird es in gewisser Weise überflüssig, sie anzusehen. Sobald sie aufgenommen ist, haben wir Kontrolle über sie. Über mehr als ein halbes Jahrhundert haben uns zunächst der Film, dann das Fernsehen diese quälende Passivität eingeimpft, die Aldous Huxley und anderen solche Sorgen bereitete. Aber jetzt verschiebt sich das Gleichgewicht. Nicht etwa weil wir die Warnungen der Sozialkritiker beherzigt und etwas getan hätten, sondern eher weil die heute zur Reife gelangende Bild- und Tontechnologie uns die Macht zur Produktion in die Hand geben.

SIEBEN

MULTIMEDIA

Im Anfang war das Zeichen. Und das Zeichen wurde gesprochen oder gesungen. Dann wurde es geschrieben, zuerst als Bild, dann als Wort. Schließlich wurde das Zeichen gedruckt. Das sinnreiche Kodiersystem des Schreibens machte es möglich, Gedanken und Empfindungen, Beschreibungen und Wahrnehmungen festzuhalten und zu konservieren. Der Buchdruck befreite diese Aufzeichnungen aus isolierten Bibliotheken, indem er ihnen erlaubte, zunächst an Tausende, später an Millionen weitergereicht zu werden. Sie sind der Kitt, der unsere Kultur zusammenhält.

Als die wissenschaftliche Revolution im neunzehnten Jahrhundert an Boden gewann, fand man Verfahren, Bilder und Klänge mit technischen Mitteln festzuhalten. Zunächst die Fotografie, dann auch Tonträger und Film reproduzierten Realität ohne die Intervention der Worte. Wenigstens dachten wir, daß sie das täten. Wir akzeptierten die Reproduktionen, als wären sie real. Dabei waren sie einfach ein anderes System von Codes. Wenn auch weit realitätsähnlicher als Worte, sind die Bilder und der Ton des Films doch immer noch Codesysteme – Destillate der Realität, manchmal auch Verzerrungen davon, immer aber das, was Einbildungskraft daraus macht. Deshalb ist es nötig zu lernen, wie ein Film zu «lesen» ist.

Kinofilme und ihre Abkömmlinge haben das zwanzigste Jahrhundert für uns definiert. Nun aber finden wir uns an der Schwelle einer neuen Phase in der Geschichte der Medien. Die Sprachen, die wir zur Wiedergabe von Realität erfunden haben, vermischen sich. Film ist nicht mehr vom Druck gesondert. In Bücher können Filme integriert sein, Bücher in Filme. Wir bezeichnen diese Synthese als «Multimedia». Die Technologie winkt mit höchst verlockenden Versprechungen: sofortiger und universeller Zugriff auf Wissen und Kunst der ganzen Welt, erfaßt und hervorgebracht mit vielseitigen Medieninstrumenten. Aber sie bringt auch eine Reihe schwerwiegender Bedrohungen mit sich, in technischer wie in ethischer Hinsicht.

Das Informationszeitalter ist durchaus real. Die Mikrocomputer-Revolution der achtziger Jahre hat unseren Zugriff auf Information wie unsere Kontrolle über sie verhundertfacht. Beim Weiterschreiten der Revolution über die nächste Generation hinaus wird die Macht über Information um weitere vier oder fünf Größenordnungen wachsen. Wir werden es noch erleben, daß fast das ganze Wissen der Welt für einen großen Teil der Weltbevölkerung ohne Verzug und mit geringen Kosten verfügbar ist. Es gibt keine Umkehr, auch keinen Zweifel mehr. Wir wissen nun, daß wir alles jemals Gedruckte registrieren und Netze aufbauen können, um innerhalb dieses Informations-Universums in Sekunden statt in Jahren zuzugreifen. (Ein ähnlicher Zugriff auf Audio- und Videomaterial übersteigt noch unsere Möglichkeiten, und über die Indexierung von Bildern und Klängen haben wir noch nicht ernsthaft nachgedacht, aber auch das wird kommen.)

In Godards Film *Les Carabiniers* (1963) gibt es eine denkwürdige Szene, in der die beiden Soldaten nach dem Krieg mit ihrer Beute zu ihren Frauen zurückkehren. Sie haben Postkarten von allen großen Gebäuden der Welt, die sie stolz vorführen, immer eine zur Zeit: der Eiffelturm, die Cheopspyramide, das Empire State Building, der Grand Canyon... Sie glauben, daß diese Abbildungen Besitzurkunden darstellen. Wir lachen über ihre Naivität, wie da der Postkartenstapel wächst und wächst. Die Szene ist eine Metapher für die informationelle Revolution: Wir haben die Verfügungsgewalt über die Wissensschätze der ganzen Welt. Aber was werden wir mit diesem unvorstellbaren Reichtum anfangen? Vielleicht sind wir ebenso naiv wie Godards Soldaten: Uns wurden die Schlüssel zum virtuellen Königreich gegeben, was aber ist mit der Realität, die doch einst dort heimisch war?

Die virtuelle Welt verdrängt zunehmend die natürliche, und eben die Macht, die wir jetzt besitzen, die einstmals kostbaren Bilder und Klänge zu manipulieren, entwertet diese und zerstört dabei unser Vertrauen in ihre Wahrhaftigkeit und unsere Wertschätzung der ihnen zugrundeliegenden Kunst.

Die digitale Revolution

Als 1977 die erste amerikanische Ausgabe dieses Buches herauskam, mag es merkwürdig erschienen sein, daß eine Einführung in das Thema Film so vieles über Druck und elektronische Medien enthielt. Damals schienen Filme und Druckwerke wenig miteinander gemein zu haben: Beide waren sie Kommunikationssysteme, aber da hörte die Ähnlichkeit auch schon auf. Jetzt, nachdem die Technologien und Vertriebssysteme konvergieren, von denen die beiden unausgesetzt reproduziert und ausgesät wurden, können wir erkennen, wie sie ineinandergreifen.

Das geschah fast zufällig. 1960 bemühte sich niemand, einen gemeinsamen technologischen Nenner für Bücher und Filme zu finden. Kein Godard-Fan, der Godards Faszination für die Kollision von Worten und Bildern bemerkte, kam auf die Idee, den gemeinsamen Boden zwischen den beiden zu erkunden. Ebensowenig hätte ein Truffaut-Genießer, der *Fahrenheit 451* gesehen und Truffauts Hitchcock-Buch gelesen hatte, Jahre damit verbracht, zur Entdeckung der technischen Gemeinsamkeit zwischen den beiden Medien zu gelangen, die dieser Filmemacher / Autor in nahezu gleichem Maße liebte. Die Entwicklung der Semiotik in den Sechzigern und Siebzigern folgte eher dem Zufall, da sie nur einen kritischen Ansatz sowohl auf die geschriebene wie auf die gefilmte Sprache anwandte, aber die Semiotik war eine Denkmethode, keine Wissenschaft; keine Regierung hat Semiotiklabors gefördert, um die Grundbausteine der Zeichenwelt zu entdecken.

Die Technologien entwickelten sich eher, wie zu vermuten war, mehr oder weniger unabhängig voneinander und aus handfesten ökonomischen Gründen. Bereits nach einem Jahrzehnt hektischer Aktivität wurde klar, daß Druck und Film auf dem Weg waren, an einer gemeinsamen Technologie teilzuhaben, und daß es – eben deshalb – möglich sein würde, beides zur selben Zeit am selben Ort stattfinden zu lassen. Die gemeinsam genutzte Technologie ist die Digitalisierung.*

* Wenn man davon ausgeht, daß die digitale Technologie in Quantifizierung und dem binären Zahlensystem begründet ist, das die Zahlen auf ihre Grundelemente – die Einsen und die Nullen – reduziert, ist es nicht unpassend, die von der modernen Physik betriebene Suche nach Quarks als Vergleich heranzuziehen.

In den fünfziger Jahren galten Computer einfach als Zahlenfresser. (1952 hat IBM tatsächlich veranschlagt, daß der gesamte Weltmarkt mit achtzehn Computern gesättigt wäre.) Die Maschinen jener Tage wurden programmiert, indem ihnen stapelweise Lochkarten eingefüttert wurden – ein in die neunziger Jahre des vorigen Jahrhunderts zurückdatierendes Medium; sie erforderten sorgfältig geplante Einrichtungen («Computerräume»), und sie wurden von speziell ausgebildeten Technikern bedient, die – wie die Priester der Vorzeit – erst die höheren Weihen empfangen mußten, bevor sie das Heiligtum betreten und sich dem elektronischen Orakel nahen durften.

In den sechziger Jahren stellte sich heraus, daß der Schirm der Kathodenstrahlröhre ein effizienteres Bindeglied zwischen den Maschinen und den sie bedienenden Leuten abgeben könnte als die Lochkarten oder das Papier und das Magnetband, wie es inzwischen üblich war. Der IBM-Ingenieur, der als erster auf die Idee kam, eine Fernseh-Kathodenstrahlröhre an einen Computer anzuschließen, darf als der eigentliche Multimedia-Pate gelten, denn als diese visuelle Vorrichtung zum Hauptkanal für Input und Output wurde, wurde auch die Entwicklung einer visuellen Metapher für die logische Steuerung verlockend. Diese Ehe zwischen den Technologien war nicht vorbestimmt, und wenn Lochkarten und Zeilendrucker (von den Technikern auch Stahlbanddrucker genannt) die Input-Output-Apparaturen für digitale Computer geblieben wären, wären Mikrocomputer und damit Multimedia wohl ein Traum geblieben.

In den siebziger Jahren kam mit den Textverarbeitungssystemen als wichtiges Hilfsmittel im Geschäftsleben die Einsicht auf, daß Computer auch von Laien bedient werden könnten, woraufhin das Interesse an einer visuellen Steuer-Metapher stieg – oder an einer «grafischen Benutzeroberfläche», wie es später im Jargon genannt wurde. Zur selben Zeit erkannten Filmemacher und Audiotechniker die aufregenden Möglichkeiten, Bild und Ton mit diesem neuen Werkzeug zu manipulieren. Filmemacher wie James und John Whitney sowie Jordan Belson benutzten bereits 1961 Großrechner, um abstrakte Bilder für ihre Filme zu erzeugen. Musiker und Audiokünstler ließen sich in den späten sechziger Jahren vom neuen Moog-Synthesizer betören. Der erste digitale Audio-Bandrecorder wurde 1971 von der Firma Lexicon auf den Markt gebracht. Gegen Ende der siebziger Jahre hatte CBS eine Maschine für den digitalen Videotape-Schnitt entwickelt. Der Preis? 1000000 Dollar. (Es ist nicht bekannt, ob welche verkauft wurden. Heute lassen sich weit bessere Ergebnisse mit einem System erzielen, das weniger als 3000 Dollar kostet.) Die Elemente von Multimedia waren voll in der Entwicklung.

Im Dezember 1968 stellte Douglas Engelbart vom Stanford Research Institute eine brauchbare grafische Benutzeroberfläche vor und erfüllte damit einen Traum, den erstmals der Physiker Vannevar Bush in seinem grundlegenden Aufsatz *As We*

May Think umrissen hatte. Anfang der siebziger Jahre kombinierten Forscher im Xerox-Forschungszentrum Palo Alto und anderswo die Grafikfähigkeiten der inzwischen allgegenwärtigen Kathodenstrahlröhre mit einem separaten Zeigegerät. Was Engelbart seinerzeit vielleicht für den Endpunkt einer technologischen Entwicklungslinie gehalten hat, erwies sich nun als Anfang fruchtbringender und faszinierender Erkundungen: die Erfindung einer zusammenhängenden visuellen und mechanischen Metapher zur komplexen und subtilen Interaktion zwischen menschlichen Wesen und ihren ersten wahrhaft intelligenten Werkzeugen. Oberflächen-Gestaltung wurde rasch zum Gegenstand gespannten Interesses. Es geschieht nicht oft, daß eine neue fundamentale und universelle Sprache erfunden wird.* Das zwanzigste Jahrhundert hat das zweimal erlebt: zuerst mit dem Film, dann mit dem Computer-Interface. Film und Computer sind beide neue Kommunikationssysteme, und so war es nur eine Frage der Zeit, daß die Sprachen des Films und der Computer verschmolzen, um Multimedia zu gebären.

Zu den Pionieren im Mikrocomputer-Bereich gehört die amerikanische Atari Corporation (damals im Besitz des Medienkonzerns Warner); mit Atari 400 und Atari 800 stellte sie 1978 die ersten Geräte vor, die die Bezeichnung Mikrocomputer im modernen Sinn verdient haben. Sie waren weit und breit die ersten Computer, die auf ihrer Platine verschiedene spezialisierte Prozessoren für Ton und Grafik besaßen, und markierten damit die lange schon vorhergesehene Geburt von Multimedia. Da Atari allerdings das schlechte Image des ersten Videospiel-Herstellers anhing und eine verfehlte Preispolitik hinzukam, ging das große Geschäft an die Konkurrenz, und Warner verkaufte die Firma 1984 an Jack Tramiel. Unter Leitung des Inders Shiraz Shivji wurden die Rechner der ST-Serie entwickelt. Ataris Geräte wurden zu Rechnern der Wahl, wo keine Kompatibilität zum IBM-Industriestandard nötig war, und fanden mit ihrer schnellen Performance und ihrem wegweisend benutzerfreundlichen Betriebssystem bei Freaks, aber auch im Wissenschaftsbereich (insbesondere Mathematik und Informatik) rasch Eingang. Mit ihrem serienmäßig vorgesehenen Musical Instruments Digital Interface (MIDI) waren sie überdies längst Favoriten der Musikszene. Shiraz Shivji hat Atari längst verlassen, und die Firma blieb glücklos mit einer neuen Spielkonsole und einer IBM-Umarmung.**

Apples Macintosh, im Januar 1984 mit großer Fanfare auf den Markt gebracht,

* Gerade rechtzeitig auch, um die Wissenschaft der Semiotik wiederzubeleben. Als der Macintosh geboren wurde, waren die besten Filmsemiotiker entweder tot oder schrieben Erfolgsromane. Um 1980 herum, als Apple mit der Arbeit am Mac anfing, hatte sich das Epizentrum semiotischer Kreativität von Paris nach Cupertino verlagert – eine bisher von der akademischen Semiotikindustrie noch gar nicht wahrgenommene Tatsache.

** Dieser Absatz ist großenteils dem Vorwort zum *Atari ST Profibuch* von Hans-Dieter Jankowski, Dietmar Rabich und Julian Reschke verpflichtet.

war dann der erste Mikrocomputer, der die Jahre zuvor im Xerox-Forschungszentrum Palo Alto entwickelte grafische Oberfläche mit Erfolg kommerzialisierte. Das Gerät und seine Software boten eine hinreichend ausgereifte Plattform, um in den nächsten zehn Jahren die Multimedia-Entwicklung zu unterstützen.*

Die Firma Apple wurde 1977 von den beiden jungen Kaliforniern Steven Jobs und Stephen Wozniak gegründet. Wozniak galt als der «Technikfreak», aber Jobs, der «kaufmännische Kopf», hatte den entscheidenderen Einfluß auf die Technologiegeschichte, denn er setzte die Vision eines Computers durch, der sich – so leicht wie ein Toaster – ohne spezielle Vorkenntnisse bedienen läßt.

Vor der Einführung des Mac hatte Apple, wie nahezu die ganze Branche, Geräte hergestellt, die zu ihrer Bedienung bedeutende technische Kenntnisse erforderten. Deren Erfolg war zwei Faktoren zu verdanken: dem kämpferischen und romantischen Image, das Jobs und Wozniak durch ihre Ausstrahlung nährten, und dem glücklichen Zufall, daß zwei andere junge Leute, Dan Bricklin und Bob Frankston, in Cambridge, Massachusetts, ein Programm mit dem Namen «VisiCalc» geschrieben hatten, das nur auf Apple II lief. «VisiCalc» kam 1979 auf den Markt, kurz nach dem Debüt der Maschine. Tausende junger Diplomkaufleute, betrunken von den Finanzträumen der achtziger Jahre, rannten los und kauften sich Apples, um das neue Tabellenkalkulations-Programm zu laden, ein Werkzeug für kaufmännische Planung.**

1984 wurden die ersten Macs mit einem Grafikprogramm und mit einer Textverarbeitungs-Software ausgeliefert. Plötzlich konnten die Benutzer auf ihren Bildschirmen nicht nur schreiben, sondern auch zeichnen. Wohl ebenso wichtig: Die Grafikfähigkeit des Geräts erstreckte sich auf den Text wie auf die Bilder. Die Schreiber konnten tatsächlich Schriftarten und Schriftgrößen ihrer Wahl benutzen! Das war ein entscheidender Vorteil gegenüber den ungeschlachten Darstellungen auf den früheren Bildschirmen mit ihrer Punktmatrix-Schrift (siehe Abbildung Seite 451). Was bislang das Geheimwissen von Buchherstellern und Setzern war –

* Einige Jahre zuvor hatte Xerox selbst versucht, ein Gerät mit einer grafischen Oberfläche zu verkaufen, aber der Star war seiner Zeit voraus und überteuert, was auch für Apples Lisa gilt, die ein Jahr vor dem Macintosh angeboten wurde.

** Jobs und Wozniak ist wahrscheinlich der Platz in den Geschichtsbüchern sicher, aber vom aktuellen Schauplatz sind sie recht bald verschwunden. Ab Ende der Achtziger stand ihr Konkurrent und ihre Nemesis, Bill Gates, der Microsoft-Gründer, im Zentrum des Geschehens. Gates hatte Mitte der Siebziger die erste Basic-Version für den neuen Mikrocomputer geschrieben, aber sein beträchtlicher Geschäftserfolg beruhte auf Produkten, die nichts als Imitationen waren. Microsoft war nie ein Pionier, sondern erwarb sich seine beherrschende Position in der Mikrocomputer-Industrie dadurch, überlegene kaufmännische Gewitztheit auf Ideen und Produkte anzuwenden, die von Innovatoren wie Atari, Apple, Digital Research und Lotus entwickelt wurden.

Diagramm Q

Schrifttyp, Durchschuß, Spatium, Punkt, Unterschneiden –, wurde bald zum Allgemeinwissen für eine neue Generation von Schreibkräften und mittlerem Management. Dieser soziale und ästhetische Wandel zeichnete sich bereits in den siebziger Jahren ab, als in den Industrieländern (außer im Ostblock) fast jeder mit Hilfe der allgegenwärtigen und billig zu benutzenden Fotokopierer zu seinem eigenen Verleger werden konnte. Nun ließ der Macintosh jedermann zum Layouter und Typografen werden.

Der noch in den Fünfzigern und Sechzigern so hochgehaltene «Konsument» wich dem «User» der Achtziger und Neunziger. Der Konsument war passiver und pflichtbewußter Partner für die großen industriellen Produzenten der ersten Hälfte des zwanzigsten Jahrhunderts gewesen; der User sollte nun der aktive, unabhängige und fordernde Klient für die Service-Anbieter des nächsten Jahrhunderts werden. Als wir in den Sechzigern durch die Straßen marschierten und «Power to the People!» sangen, haben wir einfach nicht geahnt, daß die Power wirklich gewährt werden würde – aber im Bereich von Kunst und Kommunikation statt in Politik und Wirtschaft.

Diese Beziehung zwischen der Gegenkultur der Sechziger und der Mikrocomputer-Revolution der Achtziger ist verwunderlich, aber nicht abzuleugnen. Apple hat das früh begriffen und profitierte von diesem Gespür. Der berühmte Werbespot, der den Computer «for the rest of us» ankündigte und dem Goliath IBM den Kampf ansagte, hob sehr stark auf die verbliebenen, verschütteten Sehnsüchte der Gegenkultur ab.

Abgesehen vom kulturellen Nimbus, den er erhielt, war der Mikrocomputer auch im reinsten Sinne des Wortes revolutionär, denn das Ausmaß seines historischen Vormarsches bemißt sich eher exponentiell als arithmetisch. Nach dem Mooreschen Gesetz – aufgestellt von Gordon Moore, einem der Intel-Gründer – verdoppelt sich die pro Dollar erhältliche Chipdichte (und dank der Erweiterung auch die Rechenleistung) alle anderthalb Jahre. Das ist in Wirklichkeit eine eher vorsichtige Prognose.

Zahlenmäßig hat die Informations-Revolution der achtziger Jahre in weniger als zehn Jahren bewerkstelligt, wofür die Revolution im Verkehrswesen hundert Jahre brauchte, bevor sie in den sechziger Jahren zum Stillstand kam. Andersherum ausgedrückt: Hätte sich die Verkehrsleistung mit derselben Geschwindigkeit entwickelt wie die Informations-Leistung in den Achtzigern, würde die fünfstündige Reise von New York nach Los Angeles heute ungefähr eineinhalb Minuten dauern. Diese Zahlen haben ein derartiges Gewicht, daß wir nur mutmaßen können, was sich kulturell und sozial daraus ergeben wird. An einen Satz Bob Dylans aus den sechziger Jahren wäre zu denken:

> ...something is happening here
> But you don't know what it is
> Do you, Mr. Jones?*

Während die aufblühende Mikrocomputer-Industrie im Büro den Ton angab, trug die Heimelektronik-Industrie die Mikrochip-Revolution in die Wohnungen.

Ende der siebziger Jahre sah man Filme im Kino, hörte Musik von Schallplatten, sah eins von drei Programmen im Fernsehen (nur aus dem Sessel sich erhebend, um gelegentlich einen anderen Kanal einzustellen), benutzte mit Draht an der Wand angeleinte Telefone und – wenn man denn diese Neigung hatte – korrespondierte miteinander, indem man Kugelschreiber, Bleistift, Schreibmaschine, Papier und die Post benutzte.

Anfang der neunziger Jahre sahen dieselben Leute Filme hauptsächlich zu Hause auf Video, hörten digitale Musik von CDs (häufiger unterwegs als daheim), konnten unter ein bis zwei Dutzend Fernsehkanälen wählen (und betrieben ihr Channel-Switching, ohne sich aus der Polstergarnitur erheben zu müssen), telefonierten im

* *Ballad of a Thin Man.* Copyright 1965 by M. Witmark & Sons.

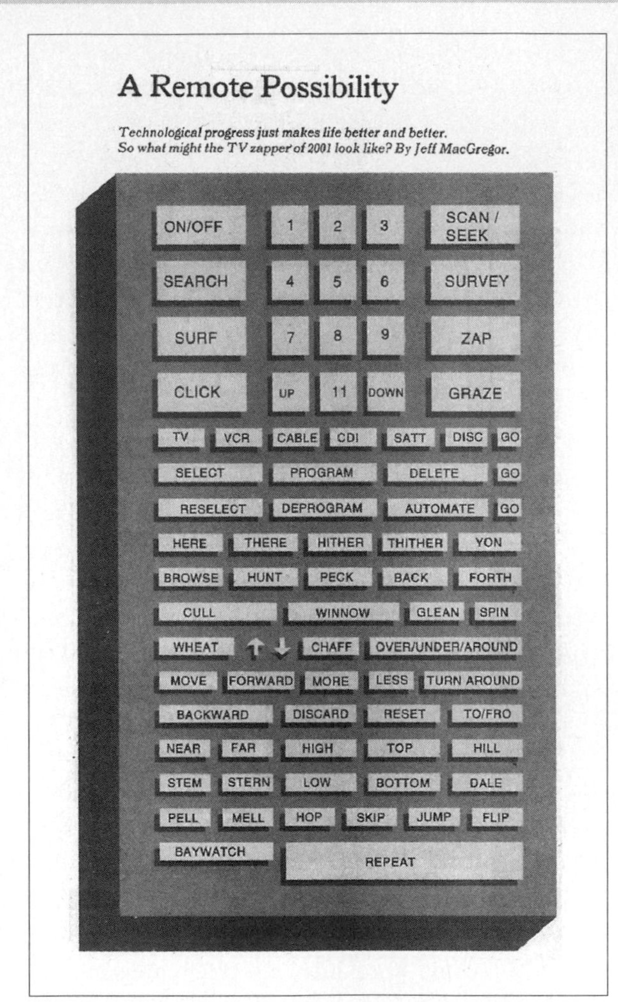

Medien auf Kommando. Der ultimative Telecommander, entworfen von Jeff MacGregor für die *New York Times* vom 16. Oktober 1994 (*Copyright 1994 by The New York Times. Abdruck mit freundlicher Genehmigung*)

Auto oder zu Fuß auf der Straße und – wenn sie denn diese Neigung hatten – korrespondierten per Fax oder Modem miteinander.

Sie konnten sich auch, wenn ihnen daran lag, einen Camcorder kaufen, der ihnen Videoaufnahmen von nahezu Profiqualität zu machen erlaubte. Sie konnten sich ein Heimkino einrichten, wo der Bildschirm fast so groß ist wie die Leinwände im Schachtelkino um die Ecke (und der Ton entschieden besser). Sie konnten sich Videodiscs ansehen und dabei hin und her springen, durchblättern, anhalten und überfliegen, als wäre es ein Buch. Sie konnten sich ihre ganz private Satellitenschüssel installieren oder den Kleinen einen Computer zum Spielen kaufen, der die Leistung eines IBM-Großrechners aus den achtziger Jahren hatte.

Speichertechnologie. Die Lochkarte (1929), der IBM seinen frühen Erfolg verdankte, enthielt 80 Zeichen auf 61 Quadratzentimetern. Die 8-Zoll-Floppy-Disk in der schwarzen Hülle (1971) speicherte 128 000 Zeichen auf 127 Quadratzentimetern. Und die blanke Scheibe der Videodisc (1996) erhöhte das Angebot auf 4,8 Milliarden Zeichen, untergebracht auf 51 Quadratzentimetern.

Mitte der neunziger Jahre verfügte fast die Hälfte der amerikanischen Haushalte über Mikrocomputer, und damit waren die Voraussetzungen geschaffen, um die meisten der technologischen Stränge, die wir aufgezählt haben, im Wege von Multimedia miteinander zu verknüpfen.

«You say you want a revolution...» Digitalisierung und Computerisierung vollendeten den tiefgreifenden Umschwung in der Struktur unserer Kultur, der ein Jahrhundert zuvor in Edisons Werkstatt begonnen hatte. Als das Informations-Zeitalter Wirklichkeit wurde und zusätzlich zu Arbeit und Kapital auch das Wissen in die gesellschaftliche Gleichung einging, konnte die Ideologie nicht mehr Schritt halten. Es ist kein Zufall, daß das Aufkommen des Mikrochips mit dem Ende des kalten Krieges einherging, eine Parallele, auf die selbst Michail Gorbatschow (inzwischen Werbeträger für Apple) einmal hingewiesen hatte.

Trotz des exponentiell zunehmenden Tempos der digitalen Revolution in den achtziger Jahren dauerte es nach der Einführung der CD-ROM im Jahre 1985 fast ein Jahrzehnt, bis Multimedia ein marktfähiges Produkt wurde. Der Grund? Digitalisierte Bilder und Klänge, von Filmen ganz zu schweigen, stellen extrem hohe Anforderungen an Prozessorgeschwindigkeit, Speicherkapazität und Bandbreite des Datenaustausches. Einige Zahlen:

- Der normale Computer-Bildschirm der frühen Neunziger, als Multimedia reif wurde, maß 640 mal 480 Pixel. Wenn jedes Pixel eines Vollbildes entweder schwarz oder weiß war, wären 38400 Byte nötig, es zu definieren.* Wenn man je-

* In der Welt der Mikrocomputer steht die Maßeinheit Byte für 8 Bit. Ein Bit ist ein Einzelwert von entweder 1 oder 0. Das Wort «Bit» ist von «BInary digiT» abgeleitet. Jeder Buchstabe und jedes Zeichen wird durch ein Byte definiert.

doch einen normalen VGA-Farbbildschirm hat, mit einer Palette von sechzehn Farben, ist die Zahl der benötigten Bytes mit 4 zu multiplizieren; bei einem Macintosh mit einer Palette von 256 Farben gilt der Faktor 8; und wenn die Farbdarstellung der Qualität von Fernsehen oder Film nahekommen soll, ist mit 24 zu multiplizieren. Plötzlich braucht eine einzige Bildschirmdarstellung fast ein Megabyte Speicher, fast soviel wie der gesamte Text dieses Buches. Das Mißverhältnis wird deutlich: Man speichert ein ganzes Buch – oder ein einziges passables Farbbild. Ein Bild mag soviel wert sein wie tausend Worte, aber warum soll es 150 000 kosten? Das ist kein guter Tausch.

- Nun soll das farbige Standbild sich bewegen. Und es sollen noch nicht einmal 24 Bilder in der Sekunde sein. Mit nur zwölf funktioniert es auch schon fast. Jetzt benötigt man mehr als 11 Megabyte für jede auf den Bildschirm gebrachte Sekunde ruckeligen Film. Eine CD-ROM mit ihrer garantierten Speicherkapazität von 650 Megabyte könnte also eine Minute Film enthalten (na, nicht ganz). Das ist ebenfalls kein guter Tausch. Die alte Analogwelt erstrahlt plötzlich in neuem Glanz. Diese digitale Angelegenheit ist vielleicht doch nicht der große Hit.
- Geht man davon aus, daß sich das Speicherproblem lösen läßt, ist zu bedenken, daß in jeder Sekunde 11 Megabyte von der Disc zur CPU (Central Processing Unit), dem Herzen des Rechners, und von dort zum Bildschirm zu übertragen sind, damit der «Film» mit seinen zwölf Bildern pro Sekunde zu sehen ist – wobei Ende der achtziger Jahre die normale Übertragungsrate bei 150 000 Byte pro Sekunde lag.*

Man hat nun eine Vorstellung von den technischen Klippen, vor denen sich die Multimedia-Pioniere sahen! Die Lösungen, die sie für die anscheinend unüberwindlichen Probleme gefunden haben, sind so sinnvoll wie lehrreich. Die Entwicklung von Chips zur Verarbeitung einer derartigen Informationsmenge zu einem vernünftigen Preis hätte das Problem nur zur Hälfte gelöst, denn der Speicherbedarf bewegte sich in ähnlich astronomischen Dimensionen wie die Anforderungen an die Prozessoren. Die als Digital Signal Processor (DSP) bezeichneten Chips erwiesen sich als hilfreich, und auch die von RCA entwickelte Hardware mit der Bezeichnung Digital Video Interactive (DVI) zur Komprimierung und Dekomprimierung rasch aufeinanderfolgender Videobilder mag sich noch als nützlich erweisen. Aber die erste Phase von Multimedia wurde durch Software ermög-

* Die Berechnungen: 640 × 480 Pixel × 1 Bit/Pixel = 307 200 Bit. 307 200 Bit/8 Bit pro Byte = 38 400 Byte. Vier Bit an Farbinformation ergeben sechzehn Farben (2 hoch 4). 24 Bit an Farbinformation ergeben mehr als 16 Millionen Farben (2 hoch 24), das ist der augenblickliche Standard für die realistische digitale Farbdarstellung. 38 400 Byte × 24 = 921 600 Byte. 921 600 Byte pro Einzelbild × 12 Bilder pro Sekunde = 11 059 200 Byte pro Sekunde.

licht, die auf ebenso hübschen wie wirkungsvollen mathematischen Techniken beruhte.

Sie sind zu komplex, um hier im einzelnen dargestellt zu werden. Ihr Ansatz bestand darin, die zur Speicherung und Bildschirmdarstellung eines Bildes (oder der Bilderfolge, wie sie als Film bekannt ist) erforderliche Datenmenge zu komprimieren, indem die Differenz zwischen aufeinanderfolgenden Pixeln oder Einzelbildern festgehalten wird statt der individuelle Wert jedes Pixels in jedem Bild. So würde zum Beispiel ein unbewegtes Bild mit einem ausgedehnten dunklen Hintergrund in nur einer Farbe weit weniger Speicherplatz benötigen als dasselbe Bild mit vielfarbigem buntem Hintergrund. Die Zahl der Veränderungen ist wichtig, nicht die Anzahl der Pixel. Ähnlich braucht ein Film mit langsamen Bewegungen und wenigen Schritten weit weniger Speicher als eine Inszenierung mit schnellen Veränderungen und zahlreichen Schnitten. Nur die Unterschiede zwischen den Einzelbildern werden erfaßt, nicht die gesamten Daten jedes Bildes.

Diese Komprimierungstechniken können unschwer den Speicherbedarf für ein stehendes Bild um den Faktor 10, den für ein bewegtes Bild um den Faktor 100 verringern. Damit sind wir wieder innerhalb der Grenzen, wie sie von den Kapazitäten der gegenwärtig verfügbaren Hardware vorgegeben sind. Die Norm für die Komprimierung eines digitalisierten farbigen Einzelbildes wird als JPEG bezeichnet (nach der Gruppe, die sie entwickelt hat: Joint Photographic Experts Group), die Norm für Filme wird als MPEG bezeichnet (nach der Joint Motion Picture Experts Group). Daneben sind mannigfache Varianten in Gebrauch. (Es gibt noch ein sehr einfaches Verfahren, die für einen Multimedia-Film erforderliche Datenmenge zu reduzieren: die Bildgröße reduzieren. Deshalb nimmt das Bildfenster eines digitalen Films meistens weniger als ein Viertel der Bildschirmfläche ein.)

Obwohl die Voyager Company bereits im Jahre 1989 mit Robert Winters *CD Companion to Beethoven's Ninth* die Möglichkeiten von Multimedia demonstriert hatte, trat das neue Medium erst im Juni 1991 wirklich auf dem Markt in Erscheinung, als nämlich Apple seine als «QuickTime» bezeichnete Software-Technologie zur Bearbeitung von Filmen vorstellte. (Im Jahr darauf folgte Microsoft mit «Video for Windows».)

Eines der mit QuickTime verfolgten Ziele war es, eine plattformunabhängige Technologie verfügbar zu machen, so daß bewegte Bilder stets mit der jeweils besten Qualität dargestellt werden könnten, zu der die Hardware, auf der sie laufen, imstande ist. Infolgedessen werden verschiedene Betrachter einer QuickTime-Disc verschiedene Qualitätsstufen zu Gesicht bekommen. Da die Filme und Videobänder im Original normalerweise mit 24 oder 30 Bildern pro Sekunde aufgenommen sind, die Multimedia-Disc aber mit durchschnittlich 15 Bildern pro Sekunde nur eine Annäherung enthält, verpassen wir einen Teil der Information – es ruckelt.

Mit *Ludwig van Beethoven Symphony No. 9* von Robert Winter setzte die Voyager Company 1989 einen Meilenstein für Multimedia.

Bei *A Hard Day's Night*, der multimedialen Umsetzung des Beatles-Films von Richard Lester (1964), brachte Voyager 1993 mit QuickTime den gesamten Film auf die Scheibe, dazu das komplette Drehbuch, verschiedene Essays und Beispiele früherer Arbeiten von Richard Lester.

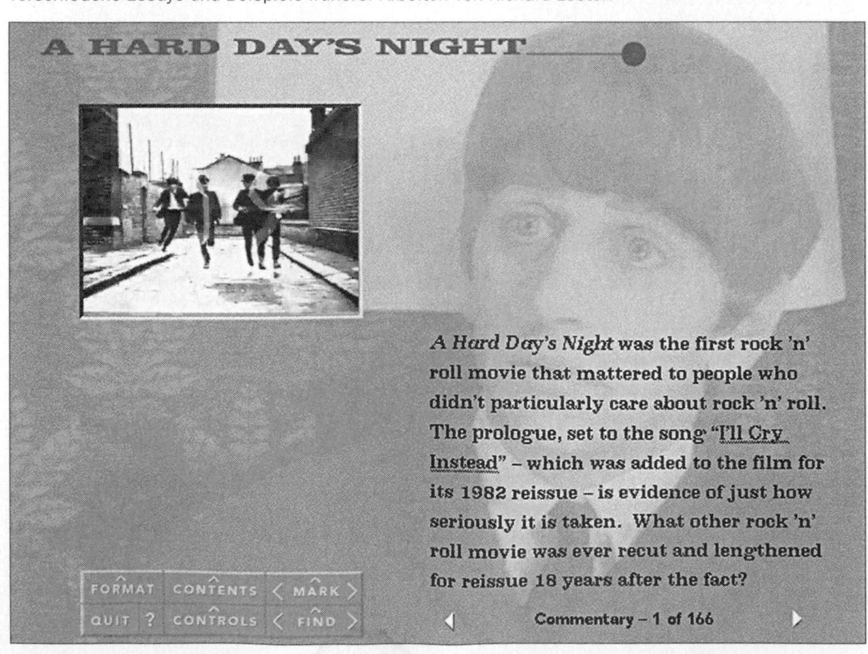

Noch eins: Selbst wenn die Original-Bildgeschwindigkeit eingehalten wird, können wir nicht sicher sein, daß die angewandten Komprimierungs-Techniken die im Original enthaltene Information getreu wiedergegeben haben. Komprimierungs-Algorithmen kommen in zwei Geschmacksrichtungen vor: «verlustig» (lossy) und «nichtverlustig» (nonlossy). Wie die Bezeichnungen schon sagen, gibt nichtverlustige Komprimierung getreu jeden im Original festgestellten digitalen Wert wieder, wohingegen die verlustige Komprimierung das nicht tut: Sie bringt manche Werte nur in Annäherung. Darüber hinaus liegt es bereits in der Natur der Digitalisierung, daß Werte verlorengehen. Ganz gleich, wie hoch die Abtastfrequenz auch ist, theoretisch sind die Werte zwischen den Abtastschritten verloren. Es gibt immer noch Audiophile, die sich über die «Kälte» der CD-Wiedergabe beklagen und – ungeachtet der Anfälligkeit für Beschädigungen – die altmodischen analogen Vinylplatten vorziehen.* Wir werden auf dieses ethische und ästhetische Problem zurückkommen.

QuickTime von Apple war nicht der einzige Zugang zum Multimedia-Feld in den frühen neunziger Jahren. Sein bedeutendster Konkurrent war CD-I (Compact Disc-Interactive) von Philips, 1991 eingeführt. Philips produzierte keine Computer, sondern Heimelektronik und ging ganz anders heran. Die CD-I-Platten laufen auf einem Zusatzgerät zum Fernsehapparat (bei der Einführung für etwa 600 Dollar angeboten) und werden durch einen Joystick ohne Tastatur ferngesteuert. CD-I litt unter zwei schwerwiegenden Einschränkungen: Die schlechte Auflösung des Fernsehbildschirms in Kombination mit dem Fehlen einer Tastatur bedeutete, daß nur sehr wenig mit Text zu arbeiten war. CD-I erwies sich als kaum mehr als ein Abspielmedium für Bilder, eine digitale, aber äußerst beschränkte Version der Laser-Videoplatte, die ironischerweise kurz vor der Einführung von CD-I die kritische Masse als visuelles Medium erreichte.** Wenn es CD-I gelingen sollte, Hardware-Technologien zur Videoverarbeitung wie Digital Video Interactive (DVI) problemlos zu integrieren und die Abspielgeräte preiswert zu machen, mag es noch eine Chance haben, auf dem Markt akzeptiert zu werden, aber dann als digitaler Ersatz für Laserdiscs statt als ein interaktives Multimedia-Medium.

* Audio auf CD-ROMs besitzt nur selten die Qualität von Audio-CDs. Wenn es das täte, gäbe es nicht genug Platz für Bilder, Texte und Filme. Für normale Audio-CDs ist die Abtastfrequenz 44,1 kHz, doppelt oder gar vierfach so hoch wie für Multimedia. Dazu «quantisieren» Audio-CDs den Ton mit einer Genauigkeit von 16 Bit; bei Multimedia wird der Ton normalerweise mit einer Genauigkeit von 8 Bit quantisiert.

** Laserdiscs lagen in den achtziger Jahren darnieder, nur ein Kreis von einigen hunderttausend Film-Aficionados hatte sie ihrer überragenden Auflösung und Steuerbarkeit wegen angenommen. Während das Videoband florierte, erreichte die Laserdisc die Grenze von einer Million Geräten in den USA Anfang 1991. Die sogenannte RCA-Regel lautet, daß für kein Konsumprodukt von einem wirklichen Markt zu sprechen ist, solange nicht eine Basismenge von einer Million Geräten installiert ist. Und natürlich wechselte die Software genau dann aus den Spezialgeschäften in die Videoketten, als die Laserdisc sich diesem Verbreitungsgrad näherte.

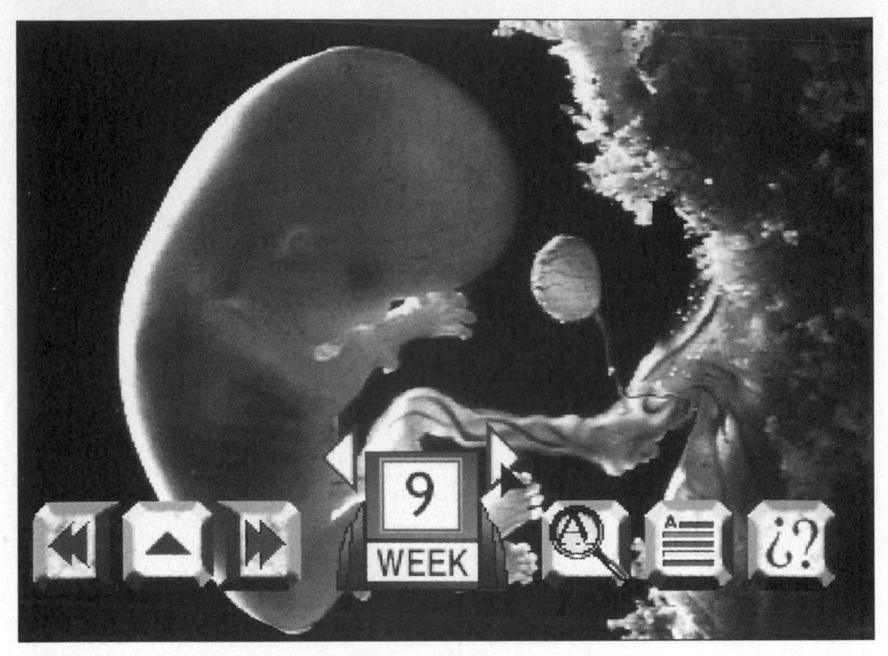

Die Entstehung des Lebens – eine Anwendung auf CD-I. (*Philips Media*)

Das eigentliche Multimedia-Element mit einer wirtschaftlichen Schlüsselfunktion ist die CD-ROM-Technologie. Zur Zeit ist nur das Laser-Aufzeichnungssystem der CD in der Lage, unter vernünftigen Kosten die gewaltigen Speichermengen bereitzustellen, die für Multimedia erforderlich sind. Von Philips und Sony in Zusammenarbeit entwickelt, wurde die CD auf Laserbasis 1982 als Audiomedium eingeführt. Nach sechs Jahren dominierte sie das Tonträgergeschäft, eine der ganz großen Erfolgsstorys im Heimelektronik-Marketing des zwanzigsten Jahrhunderts. Der Erfolg der CD auf dem Audiomarkt ließ die (Herstellungs-)Preise rapide fallen. Das machte sie noch attraktiver für die Computerindustrie, die sich 1985 die CD-ROM als Speichertechnologie der Zukunft aneignete. Ironischerweise hatte Sony – wie auch Philips – nur wenig Erfolg auf dem Multimedia-Markt. In den frühen neunziger Jahren brachte die Firma mindestens vier Versionen eines tragbaren CD-ROM-Abspielgerätes heraus, aber weder der Data Discman (in mehreren Inkarnationen) noch der Bookman noch der MMCD-Player fanden Gnade bei der Käuferschaft.

Die Audio-CD hatte so rasch Erfolg, weil Sony und Philips die Technologie kontrollierten: Ein einziger uniformer Standard wurde von allen Herstellern übernom-

Patriot Games mit Harrison Ford (Phillip Noyce, 1991) – ein Spielfilm auf Video-CD. (*Philips Media*)

men. Paradoxerweise wurde die Entwicklung von CD-ROM-Multimedia durch die Vielfalt der Ansätze verlangsamt. Neben den erfolgreichen Lösungen bei Apple-Macintosh und Microsoft MPC (die zunehmend kompatibel sind) sowie den Bemühungen von Sony und Philips sind noch CDTV von Commodore, VIS von Tandy, Ultimedia von IBM sowie Videospiele von Sega, Nintendo und dem Newcomer 3DO zu nennen. Von Ultimedia abgesehen, bestehen diese Lösungen aus Zusatzgeräten zum Fernsehapparat, womit sie vermutlich im Spielebereich Erfolg haben werden, aber zu einer Nischenexistenz verdammt sind, sobald Multimedia zu einem normalen Feld des Publizierens wird. Solange die Fernsehtechnologie nicht voll digitalisiert ist, bleibt das Medium außerstande, ernstzunehmende Textmengen auf dem Bildschirm unterzubringen.

Der Mythos Multimedia

In Anbetracht der gewaltigen technischen Hürden, die bei der Digitalisierung zu überwinden sind, des desorganisierten Marktes und der ernsten Qualitätsprobleme mag man dem in Ehren ergrauten Cinephilen verzeihen, wenn er zynisch reagiert auf die blinde Multimedia-Begeisterung der neunziger Jahre. Seit der Erfindung des Films kombinieren Künstler Text, Bilder und Klänge. Edison war der erste Multimedia-Künstler, und der Film ist das erste Multimedium. Die Computerisierung von Bild und Ton gibt dem Betrachter eine reale Handhabe, sie zu kontrollieren, was einen nützlichen Fortschritt bedeutet, aber leistet nicht die Laserdisc (immer noch ein Analoggerät) weitgehend dasselbe?

Aus einer strikt filmischen Sicht tut sie das. Wenn es einfach unser Ziel ist, das Erleben der Filmbetrachtung zu steuern, ist ein voll computerisierter Laserdisc-Player die bessere Lösung für das Problem. Darüber hinaus wird das Wachstum einer Multimedia-Industrie die Art, in der die Filmemacher ihre Filme machen, nicht entscheidend verändern. Der Produzent Joe Medjuck hat darauf hingewiesen, daß das lineare Erzählen die Stärke Hollywoods (nie schlechthin aller Filmemacher) ist, und das ist das direkte Gegenteil der Interaktivität, der Seele von Multimedia. Filmemacher erzählen Geschichten: «Zuerst passiert dies, dann passiert das, dann...» Freier Zugriff auf die Teile eines Films kann seine Rhythmen zerstören, seine Existenzberechtigung gar.

Aus der Sicht eines Verlegers ist jedoch das Aufkommen von Multimedia ein historisches Ereignis von ähnlicher Dimension wie die Erfindung des Buchdrucks mit beweglichen Lettern. Erstmals sind alle Medien für den Verleger verfügbar. Bücher hatten schon immer Illustrationen. Manchmal ist ein Bild wirklich soviel wert wie tausend Worte. Also sollten logischerweise bewegte Bilder 24000 Worte pro Sekunde wert sein.

In den siebziger Jahren hat der Wissenschaftler Alan Kay, eine der Schlüsselfiguren der Mikrocomputer-Revolution, im Xerox-Forschungszentrum Palo Alto ein Modell für einen Computer der Zukunft entwickelt; er nannte es das Dynabook. (Das war, wohlgemerkt, bevor es so etwas wie Mikrocomputer gab.) Kay hatte die

Vision eines Handcomputers, der weitgehend «aussieht und sich anfühlt» wie das Buch, mit dem Sie sich gerade beschäftigen (vorausgesetzt, Sie lesen *Film verstehen* in der Buchversion). Er begriff den Wert dieser uralten Informationsform und folgerte ganz zu Recht, was die Computerleute erst viele Jahre später als Regel lernten: «Nicht reparieren, solange es nicht ganz kaputt ist!» Multimedia ist ein wichtiger Schritt hin zur Erfüllung der Dynabook-Versprechung. Es bleibt nur noch, die Tragbarkeit zu gewährleisten, biegbar sollte es auch sein ... und viel schneller (und wenn wir schon mal dabei sind, vervierfachen wir doch gleich die Auflösung).

In gewissem Sinne ist die Bezeichnung «Multimedia» verfehlt. Da es sein Hauptvorteil ist, die verschiedenen in den letzten hundert Jahren entwickelten Veröffentlichungsmedien zu vereinigen, wäre vielleicht «Unimedium» der bessere Begriff. Das würde unsere Aufmerksamkeit auf die anstehende Aufgabe lenken: ein gebündeltes Erleben zu produzieren, Gedanken und Empfindungen mitzuteilen und dabei die jeweils bestgeeigneten Formen der Information zu nutzen.*

Wichtiger ist, daß der wirkliche Wert der als Multimedia bekannten Form viel weniger mit der Kombination von Medien zu tun hat, wonach sie benannt ist, als vielmehr mit ihrem Kodiersystem. Eine weitere bessere Bezeichnung für diese Form wäre «digitales Buch». Während – wie wir gesehen haben – die Digitalisierung eine Reihe ernsthafter Probleme für Multimedia-Filme schafft, ist sie überwältigend befreiend für den Umgang mit Text. Der Vorteile sind mehrere, und sie sind nicht nur eingebildet.

Der wichtigste ist die Mühelosigkeit, mit der digitalisierter Text gesucht und aufgefunden werden kann. Die meisten gedruckten Sachbücher enthalten ein Register, aber digitalisierter Text ermöglicht die «Volltext-Indexierung», mit der jedes Wort auffindbar ist, und das ist bei schöner Literatur fast ebenso nützlich wie bei Sachliteratur. Wird das Konzept des digitalen Buches zur digitalen Bibliothek ausgeweitet, wird diese Methode des unbegrenzten und mühelosen Zugriffs zu einem hochwertigen Werkzeug für geistige Arbeit. Unternehmen wie Dialog und Lexis brachen in den späten sechziger und frühen siebziger Jahren der kommerziellen elektronischen Registererstellung Bahn, lange vor den CD- und Multimedia-Entwicklungen der ausgehenden Achtziger. Diese Online-Datenbanken erfüllen weiterhin eine zentrale Funktion in der Welt der digitalen Bücher, selbst jetzt noch, wo «tragbare» CD-ROM-Datenbanken ihnen zur Seite getreten sind. Selbst eine mit Dutzenden von CD-ROMS gefüllte Abspielstation käme nicht an die Kapazität der zentralen Datenbanken heran, und darin liegt einer der Gründe, weshalb die Online-Technologie weiterhin eine Rolle beim multimedialen Veröffentlichen spielen wird.

* Auf der Digital-World-Tagung im Juni 1991 in Los Angeles, wo Apple seine QuickTime-Technologie vorstellte, waren bei den Leuten der Voyager Company, eines der Pioniere im Multimedia-Bereich, T-Shirts mit der Aufschrift «Text: the New Frontier» zu sehen.

Das *Oxford English Dictionary*, eine der weltgrößten verlegerischen Leistungen, in seiner traditionellen 24bändigen Buchform und auf CD. Die CD-ROM ist technisch einfach zu aktualisieren und sehr viel billiger herzustellen. Die auf ihr gespeicherten Informationen sind weit müheloser aufzufinden. (*Oxford University Press*)

Die Volltext-Indexierung ermöglicht auch die elektronische Variante von Kreuzverweisen, die inzwischen als Hypertext bekannt ist. In einem Hypertext-Dokument steuert der Benutzer den Verlauf der Erzähllogik, indem er den Rahmen der Detaillierung ausweitet oder verengt, in Nebenbezüge abzweigt oder den Gegenstand seiner Darstellung knapp zusammenfaßt. Mit seinen den Text durchziehenden Verweisen auf relevante Informationen ermöglicht Hypertext eine derart hochgradige Kontrolle über das Text-Erleben, wie Druckwerke sie nicht bieten können. Hypertext erfüllt alle Träume solcher Autoren, die in Fußnoten (und Parenthesen) verliebt sind, ebenso wie die der ehrenwerten Herausgeber von Kommentarwerken etwa zu Shakespeare, Goethe oder Brecht sowie von Bibelkonkordanzen, die den Bedarf an einer dritten Dimension in der textlichen Darstellung empfunden hatten. Jetzt haben wir sie.

Der Leser erhält eine neue Verfügungsgewalt über das schriftliche Werk: Digitaler Text läßt sich leicht kopieren und verschieben, sortieren und ändern. Für den Leser ist das von beträchtlichem Nutzen, aber den Verleger stellt es vor eine Reihe ernster wie interessanter Probleme, auf die wir demnächst zu sprechen kommen.

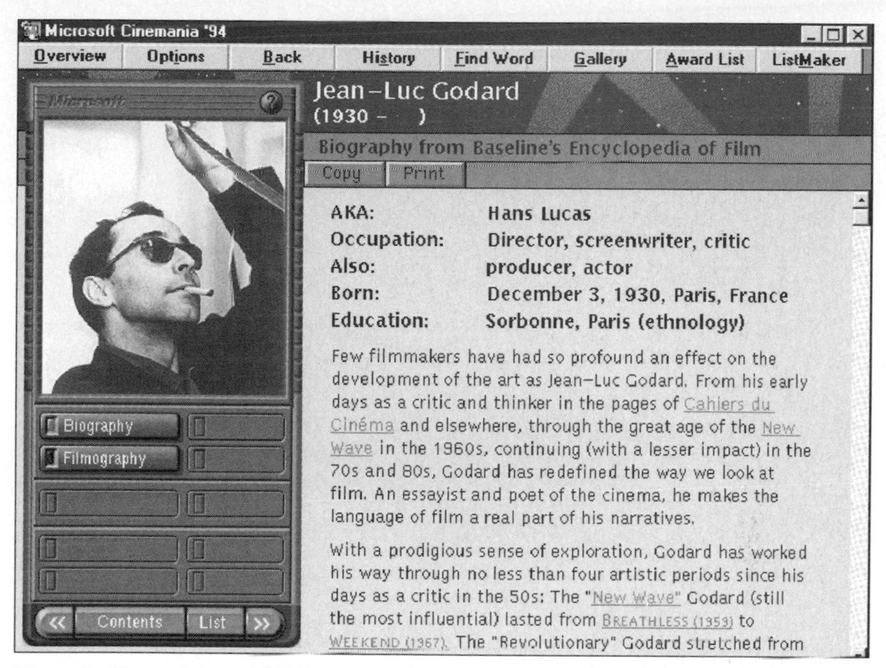

Microsofts *Cinemania* (zuerst 1994) versammelt mehrere filmische Nachschlagewerke, eine Vielzahl von Filmfotos und einige Filmclips auf einer CD-ROM. Besonders komfortabel ist die Möglichkeit, mit Hilfe von «Links» zwischen verschiedenen Texten hin und her zu springen und so Informationen zu verknüpfen. (*Microsoft*)

Digitaler Text leidet immer noch unter der mangelnden Bildschirm-Auflösung, und wenn man die Wahl hat, ist das gedruckte Buch immer noch die beste Art, einen Text zu erleben. Aber das digitale Buch kann mit seiner Steuerbarkeit und mit der Unterstützung der Begriffssuche für seine bisherigen Schwächen entschädigen.

Der aus Verlegersicht wohl wertvollste Vorzug des digitalen Textes ist auch der banalste: sein Preis. Die Kosten für die Herstellung von CDs und magnetischen Disketten sind unbedeutend, verglichen mit den Herstellungskosten eines Buches selbst mit schlichtester Ausstattung. Im Unterschied zu Büchern kommt hinzu, daß Disketten und CDs recht weitgehend nach Bedarf hergestellt werden können. Es erübrigt sich, in große Lagerbestände zu investieren. Den meisten Lesern ist die wirtschaftliche Dimension der Buchherstellung überhaupt nicht bewußt, aber ein Verleger steht unausgesetzt vor dem Dilemma, welche Auflage er riskieren kann.

Beim Buchdruck entstehen die größten Kosten am Anfang. Das Einrichten der Maschinen erfordert mehr Zeit und Mühe als der eigentliche Druckvorgang. Deshalb ist es ganz und gar unökonomisch, nur ein paar Exemplare zu drucken. Nach Maßgabe der gegenwärtigen Technologie sind die Verleger gezwungen, eine möglichst große Auflage drucken zu lassen, damit die Stückkosten vernünftig ausfallen. Mehr als ein Verlag ist an einem übergroßen Verlagslager zugrunde gegangen.

Bei der CD-ROM-Herstellung sind die für die Vorbereitung anfallenden Kosten verschwindend gering, wenn man sie mit den entsprechenden Posten beim herkömmlichen Buchdruck vergleicht. Ein zwanzigbändiges Lexikon im Großformat zum Beispiel müßte in mindestens tausend Exemplaren zu 200 Mark gedruckt werden (wenn weniger Exemplare gedruckt würden, wären nämlich die Stückkosten zu hoch), aber als CD-ROM ließe es sich in weit kleinerer Auflage für zwei Mark pro Exemplar herstellen. Statt einer Investition von 200 000 Mark muß der Verleger nur etwa 2000 Mark aufbringen. Alle möglichen verlegerischen Vorhaben, die in gedruckter Form unwirtschaftlich wären, sind nun auf Diskette oder CD-ROM möglich.*

Die niedrigen Gestehungskosten digitaler Verlagsproduktion könnten tatsächlich dahin führen, daß der Markt nicht mehr von professionellen Organisationen mit hoher Kapitalausstattung dominiert wird. In Elektronik beschlagene Autoren beherrschen jetzt das verlegerische Potential, das einst den etablierten Verlagshäusern vorbehalten war. Mit Software im Wert von wenigen hundert Mark kann ein Autor ein durchgestaltetes Buch produzieren, voll mit Illustrationen (in Farbe und animiert). Mit dem Zugang zu Internet oder anderen Online-Datennetzen kann er oder sie das «Buch» für Millionen verfügbar machen, weltweit und in Sekundenschnelle: eine Art «virtuelles Verlegen». Allerdings schafft es solch ein Cyberautor auch nicht besser als ein kommerzieller Verlag, sein Werk zu vermarkten. Für bestimmte Typen von Publikationen – wissenschaftlich, Special Interest, privat – mag das keine Rolle spielen.

Es ist ebenfalls noch nicht klar, ob dieser universelle Zugang zu Publikationskanälen nur positiv ist. Man muß es nur logisch zu Ende denken: Wenn alles publiziert wird, ist nichts mehr im Blick. Der mühselige Vorgang von Drucklegung und Vertrieb, der dreihundert Jahre lang galt, funktionierte auch als Filter, der wenigstens oberflächlich seine Wirkung tat. Sollten Redakteure und Verleger entfallen, werden wir einen neuen Weg finden müssen, die Spreu vom Weizen zu sondern. Internet ist in höchster Gefahr, von Logorrhöe überschwemmt zu werden.

Ein weiterer Aspekt dieser neuen Welt des virtuellen Publizierens ist zu berücksichtigen. Wir haben festgestellt, daß das traditionelle Konzept des Urheberrechts in Frage gestellt ist, weil der Leser jetzt so viel Verfügungsgewalt über den Text des Au-

* Es stimmt allerdings auch, daß die «Druckvorstufen»-Kosten für Multimedia-CDs sehr hoch sein können: Software-Entwicklung ist weit kostspieliger als Schriftsatz und Buchgestaltung herkömmlicher Art. Aber die Kosten, die vor der CD-Pressung anfallen, werden rasch sinken, da die Verleger allmählich lernen, effektiv mit der neuen Form umzugehen, und da neue Arbeitsmittel entwickelt werden.

tors hat. Digitales Publizieren ist so leicht, daß es uns über das traditionelle Selbstverlegen hinaus zu etwas führt, was sich Wiederverlegen und Wiederverwenden nennen ließe. Zu den Lehrern, die vor zwanzig Jahren dem Sirenengesang der Fotokopierer verfielen und limitierte Editionen von anderer Leute Texte für den Gebrauch in der Klasse herausbrachten, hat sich jetzt der Rest von uns gesellt, die wir nun beispielsweise ein bißchen Multimedia-Hochzeitsanzeige mit ein paar Zeilen Dylan Thomas, ein paar Takten Hochzeitsmarsch und vielleicht einem Magritte als Hintergrund mischen können.

Das Rechtsprinzip des Copyright hat traditionellerweise nicht Gedanken, sondern ihre Gestaltung geschützt. Weil sie alle Texte, Bilder und Klänge in einen einheitlich gestalteten Rahmen einbringt, macht Digitalisierung es zu einer leichten Übung, nicht nur diese vom Urheberrecht geschützten Objekte zu geringen oder ohne Kosten zu reproduzieren, sondern sie auch in einer Weise zu verändern, daß man zwar das Gesetz den Buchstaben nach befolgt, aber nicht in seinem Sinne handelt. Wann wird ein Zitat zum Plagiat? Wann wird das Plagiat zur Hommage und damit ein neues eigenständiges Kunstwerk? Diese Fragen haben uns lange begleitet, aber in der Digitalwelt gewinnen sie zusätzliche Dringlichkeit. Anders als das Sachenrecht, das sich mit dinglichem Besitz befaßt, ist der Besitz am geistigen Eigentum ein relativ neues Konzept mit Wurzeln im neunzehnten Jahrhundert. Es könnte sein, daß es das einundzwanzigste Jahrhundert nicht überdauert.

Wir haben bereits erörtert, wie das Sampling in der Musikindustrie ein Problem wurde. Es ist nur eine Frage der Zeit, daß es mit dem Wachstum von Multimedia auch im Bereich des Films dahin kommt. Sie können sich darauf verlassen, daß in der nächsten Version Ihrer Textverarbeitungs-Software ein Übersetzungsmodul implementiert ist, das den von Ihnen markierten Leihtext gerade genug abändert, daß niemand in der Lage ist, seine Herkunft zu identifizieren. Sie können sich darauf verlassen, daß die nächste Version Ihres Multimedia-Autorenwerkzeugs dasselbe mit Filmen anstellt. Es sind bereits Schrifterstellungs-Programme auf dem Markt, die in ähnlicher Weise mit Schriftschnitten umgehen. Der «Altsys Fontographer» ermöglicht einem nicht nur, in Sekundenschnelle geringfügige Änderungen an einem Zeichensatz vorzunehmen, sondern kann auch zwei ganz unterschiedliche Typen zu einer verschmelzen. Wenn man die richtungweisende und beliebte Palatino von Hermann Zapf mit der eigenwilligen Old Style von Frederick Goudy kombiniert – was schuldet man dann den Schriftdesignern und -herstellern? Dem gegenwärtigen amerikanischen Urheberrecht zufolge ist man nichts schuldig. Schriftenentwürfe werden nicht generell als geistiges Eigentum angesehen, das unter den Schutz des Urheberrechts zu stellen wäre, denn der Entwurf hat nach amerikanischer Rechtsauffassung keine von der Umsetzung unabhängige Eigenexistenz und ist deshalb nicht schützbar (dies ästhetische Paradox hätte die Bauhaus-Leute in den zwanziger Jahren verwirrt, die doch das vom amerikanischen Bildhauer Horatio Greenough formulierte Prinzip «form follows function» vertreten hatten). Dessen ungeachtet hat man doch ganz klar anderer Leute Werk enteignet. Genauso klar ist auch, daß man nur eine minimale eigene Leistung eingebracht hat. In moralischer Hinsicht hat man einen Übergriff begangen, selbst wenn man nach dem Gesetz nicht haftbar zu machen ist. Angenommen nun, man wendet eine gewisse Zeit, Mühe und Talent daran, die neue Schriftart zu verändern. An welchem Punkt beginnt es, zu eigener Arbeit zu werden? An welchem Punkt – wenn es den gibt – hört es auf, ein Plagiat zu sein?

Die Rechtsunsicherheit erstreckt sich auch ins Feld der Datenindustrie hinein. Nach einer höchstinstanzlichen Gerichtsentscheidung in den USA ist das Erstellen einer kompletten und alphabetisch geordneten Sammlung faktischer Daten durch das Urheberrecht nicht geschützt. Dagegen bedeutet jedoch die redaktionelle Auswahl aus dieser Datenbank eine «Autorenleistung», die schützenswert ist.

In der mechanischen Vergangenheit konnte man damit leben: Die Schriftzeichner verdienten ihren Lebensunterhalt, weil ihre Gießereien die teuren Bronzelettern verkauften; der Wert irgendeines gedruckten Verzeichnisses bestand nicht darin, daß es komplett und umfassend war, sondern auf eine handhabbare Größe herunterredigiert. Aber im digitalen Zeitalter hilft uns die augenblickliche Rechtspraxis nicht sehr, wenn Schriften aus unzähligen Bits und Bytes bestehen und komplette Datenbanken der Traum und nicht der Schrecken der Listenverfertiger sind.

Schriften sind relativ schlichte geistige Besitztümer, aber ähnlich könnten auch Texte, Bilder und Filme vogelfrei werden. Die Filmindustrie hat in der Tat mehr Erfahrung im Umgang mit komplizierten Fragen des geistigen Eigentums als irgendwer sonst. Der Film ist natürlich ein auf Gemeinschaftsarbeit beruhendes Medium, und jeder Anwalt der Filmindustrie ist mit den verzwickten Problemen widerstreitender Ansprüche vertraut und muß sich damit herumschlagen, wem denn nun was gehört. Dutzende von Hauptbeteiligten können verschiedene Teile des geistigen Eigentums beanspruchen, das sich in einem Film manifestiert, vom Autor der ursprünglichen Ideenskizze über Regisseur und Darsteller bis zu zahlreichen Verleihern auf zahlreichen Märkten. Die Schwierigkeit liegt darin, daß in den juristischen Grundlagen so wenig Logik steckt, und deshalb wird die neue Multimedia-Industrie sich ihre eigenen vernünftigen Richtlinien erarbeiten und dabei ohne Hilfe der Vorgänger auskommen müssen.

Wenn das Copyright-System überleben wird, dann vielleicht nur deshalb, weil wir eine gewaltige EDV-Leistung der Aufgabe widmen, den Hunderten von Einzelpersonen und Firmen, die in der einen oder anderen Weise zu einer Multimedia-Produktion beitragen, die ihnen zustehenden Prozente zuzuweisen. Als Modell würden Musikverwertungs-Organisationen wie ASCAP, BMI und GEMA oder wie die

Im Rückblick war die Fusion von Text, Bildern und Ton unausweichlich. Jean-Luc Godard benutzte die zu seiner Zeit verfügbare Technologie. Diese drei Aufnahmen aus *Le Gai savoir* (1969) verbinden Cartoon, Zeichnung, Anzeige, Handschrift und Symbolisches. (*L'Avant-Scène. Standvergrößerungen*)

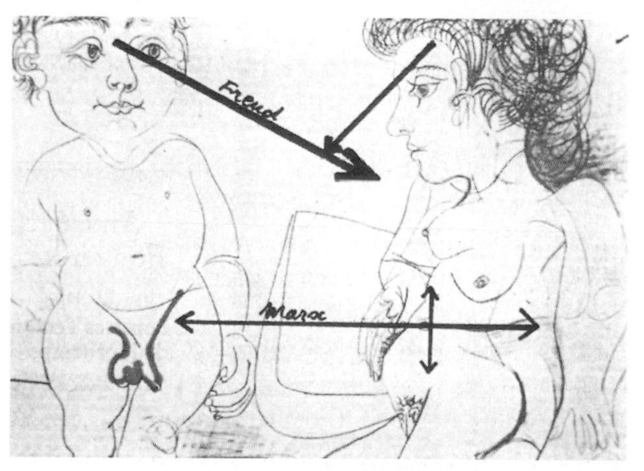

Verwertungsgesellschaft Wort dienen, die ihre Einnahmen nach bestimmtem Schlüssel unter den ihnen angeschlossenen Urhebern aufteilen. Die einzige Alternative ist es, die Idee des Copyrights ganz und gar aufzugeben und zu dem bis ins neunzehnte Jahrhundert geltenden System zurückzukehren, das den Wert eines Kunstwerks seiner dinghaften Manifestation zuschrieb, nicht seiner abstrakten geistigen Form. In der neuen Welt des virtuellen Publizierens, wo jeder Autor auch Verleger ist, wäre dies vielleicht vorstellbar. Es gibt nur ein Problem: Ein sehr großer Teil der geistigen Arbeit im digitalen Zeitalter hat einfach keine dinghafte Manifestation.

Wenn wir erleben, wie dieses neue Medium – die Synthese von fünfhundert Jahren Buchdruck, hundertfünfzig Jahren Fotografie, hundert Jahren Tonaufzeichnung und Film – sich müht, zur Welt zu kommen, machen uns die Widersprüche betroffen:

- Es hat weniger mit dem neuen Medium Film zu tun als mit dem alten Medium Buchdruck.
- Daß Bild, Ton und Text digitalisiert sind, ist wichtiger, als daß sie kombiniert sind.
- Während die Digitalisierung unsere Kontrolle über diese Medien ins Unermeßliche steigert, reduziert sie sie zugleich – zur Zeit wenigstens – zu Abstraktionen mit deutlich geringerer Qualität als die analogen Vorgänger.
- Die Hauptvorteile der Digitalisierung – unmittelbarer Zugriff auf Information und deren umfassende Erschließung durch Indexierung – haben mehr mit dem Aufkommen von Datennetzen und deren Datenbanken zu tun als mit dem Kombinieren von Medien.
- Während die Digitalisierung die Möglichkeiten des Lesers gewaltig erweitert, bedeutet sie eine ernsthafte Bedrohung des Copyright-Prinzips, auf dem unser gegenwärtiges Konzept von Urheberschaft beruht.

Dennoch können wir die Richtigkeit von Multimedia spüren: Sie ist das Ziel, zu dem wir seit Hunderten von Jahren unterwegs sind. Wenn Sir Walter Scott seine Romane um Dia-Shows hätte erweitern können, hätte er das getan. Wenn Charles Dickens seine gewichtigen Geschichten hätte persönlich erzählen können, hätte er das getan (und er tat es ja auch in gewissem Maße auf seinen einträglichen Lesereisen). Wenn Daniel Defoe seinem Buch über die Pest in London eine interaktive Datenbank mit historischen Statistiken hätte beigeben können, hätte er das getan. Wenn Georges Méliès seinen Zuschauern hätte erlauben können, in *Le voyage dans la lune* einzugreifen, hätte er das getan. Wenn George Bernard Shaw in *Candida* und *Man and Superman* die Textvarianten hätte integrieren können, hätte er das getan (und er tat es ja auch in den Druckausgaben seiner Stücke). Wenn Preston Sturges seine Filme als

Fernsehserien hätte weiterspinnen können, hätte er das getan. Wenn Jean-Luc Godard ein Buch hätte schreiben können, das zugleich ein Film wäre, hätte er das getan. Wenn François Truffaut einen Film hätte machen können, der zugleich ein Buch wäre, hätte auch er das getan.

Text und Bilder und Klänge waren Hunderte von Jahren lang voneinander getrennt, nur weil die Technologie hinter unseren Träumen zurückblieb. Jetzt hat sie sie eingeholt, und die Medien sind vereinigt, wie es ihnen bestimmt war: in guten und in schlechten Zeiten.

Der Mythos der virtuellen Realität

Die Zielsetzungen eines Künstlers liegen immer im Streit mit den Grenzen der verfügbaren Technologie. Aber jetzt, wo die digitale Revolution auf dem besten Weg ist, ein gemeinsames Kodiersystem für alle Medienformen zu liefern, weicht die Spannung zwischen Wunsch und Fähigkeit einer neuen prägenden Dialektik: der zwischen Ethik und Ästhetik. Diese historische Entwicklung in unserer Geistesgeschichte ist der Dialektik des Persönlichkeitswachstums nicht unähnlich, die der Psychologe Erik Erikson beschrieben hat. In diesem Fall kehren wir das Wort des klassischen Biologen um: «Die Phylogenese wiederholt die Ontogenese» – in der Entwicklung der Gruppe spiegelt sich die Entwicklung des Individuums.

Wenn Bilder, Klänge und Texte erst einmal digitalisiert sind, ist alles möglich. Ein Ende hat der Kampf mit den Widersprüchen zwischen dem, was wir von unseren Medien verlangen, und dem, was sie zu leisten imstande sind. Oder er ist doch wenigstens gegenstandslos geworden. In der analogen Welt gab es scharfe Grenzen: Man konnte ein Stück Holz oder eine Geige nur zu dem veranlassen, was ihnen zu tun möglich war. In der digitalen Welt gibt es keine dinglichen Grenzen: Alles ist nur eine Frage der Speicherkapazität, der Prozessorgeschwindigkeit und der Kommunikations-Bandbreite.* Die digitale Revolution vollendet die geistige Revolution, die vor Jahrtausenden begonnen hat, als jemand erstmals mit Farbe auf Stein malte. Höhlenmalerei – wie alle seitherige Kunst – suchte die natürliche Welt zu destillieren, sie zu abstrahieren, um eine Idee daraus zu machen. Heute haben wir keine dinglichen Barrieren mehr zwischen uns und der Idee.

* Das mag ein bißchen übertrieben sein, aber nicht sehr. Als Arbeitshypothese nehmen wir einmal an, daß sich alle Texte der Welt auf insgesamt 100 Terabyte belaufen (100 Millionen Bücher zu je 1 Megabyte im Schnitt). Heute kann man ein Gigabyte in die Tasche stecken. In den letzten zwanzig Jahren haben wir die Speicherdichte um fünf Potenzen gesteigert. 100 Terabyte sind 100 000 Gigabyte. Um das niedergeschriebene Wissen der ganzen Welt in die Tasche stecken zu können, brauchen wir eine weitere Steigerung der Speicherdichte um fünf Potenzen. Den halben Weg dahin haben wir schon geschafft. Vielleicht sind ein paar Kompromisse nötig: Man könnte eine oder zwei Taschen mehr benutzen, oder man könnte sich einen Teil online über ein Netzwerk holen.

Im weiteren Sinne des Begriffs existierte virtuelle Realität lange, bevor wir ihr einen Namen gaben. Vielleicht bezeichnet die Ermordung John F. Kennedys im November 1963 einen Wendepunkt. Die ganze amerikanische Nation war in einem Fernsehdrama vereint. Hier erschießt Jack Ruby Lee Harvey Oswald, live. (*Mit freundlicher Genehmigung von Photofest*)

Von dieser neuen Macht bekommt man einen Rausch, aber wie alle Macht bringt sie die Notwendigkeit einer starken ethischen Basis mit sich. Godard zitierte gern Lenins Worte: Ethik ist die Ästhetik der Zukunft. Beide hatten sie recht, aber auf eine Weise, die sie nicht hatten vorhersehen können. Jetzt, wo es keine unüberwindlichen technischen Grenzen mehr gibt, jetzt, wo wir unser künstlerisches Medium zu allem und jedem veranlassen können, was wir uns nur wünschen, müssen wir unbedingt die moralischen Grenzen weit besser verstehen, als es uns vorher gelang. Bis jetzt waren alle Künstler in gewisser Weise Heranwachsende, unter dem Daumen der elterlichen Technologien. Jetzt müssen sie sich in die moralischen Verantwortlichkeiten des Erwachsenseins finden.

Bevor wir jene Verantwortlichkeiten detaillierter untersuchen, sollten wir einen Blick werfen auf das heutige kommerzielle Umfeld der virtuellen Realität. Ebenso wie «Multimedia» und «Cyberspace» war auch «virtuelle Realität» eines der Schlagworte der digitalen Revolution. Im engsten kommerziellen Sinn geht es der virtuellen Realität (VR) darum, digitale Technologie in Computerspiele und Unterhaltung umzusetzen, um die Scheinwirklichkeit des Erlebens durch Verfeinerung der realistischen und interaktiven Momente zu steigern. Statt sich mittels Tastatureingaben oder Mausaktionen von einem Raum in den anderen zu begeben, wendet man jetzt den Körper nach links oder rechts: So genießt man Körperbewegung, ohne eine Anstrengung zu spüren.

Die Techniken der virtuellen Realität variieren je nach Einstellung und Anspruch. Wie nun das Jahrhundert sich seinem Ende zuneigt, durchleben die VR-Techniker und -Produzenten in Wiederholung die künstlerische Dialektik, die hundert Jahre zuvor die Geburt des Films charakterisierte: Sollte die Technologie dazu dienen, die Realität zu reproduzieren oder sie zu ersetzen, die Welt aufzunehmen oder eine neue zu erfinden? Die Streitsache «Lumière gegen Méliès» beginnt wieder ganz von vorn, aber diesmal mit einem besonderen Dreh, denn digitale Protokollierung verrät ihre Herkunft nicht. Méliès' Fantasien waren deutlich von Lumières Realitäten verschieden. Digitale Bildlichkeit hat einen Grad mathematischer Abstraktheit erreicht, der heute keine Unterscheidung zwischen dem einen und dem anderen mehr zuläßt. Interessanterweise scheint die neue Technologie den traditionellen Realisten mehr zu geben als den Fantasten: «Telepräsenz», die Anwendung von VR-Techniken zur Wiedergabe einer fernen Umgebung, wird der Wissenschaft noch erheblichen Gewinn bringen, wenn Apparate dahin vordringen, wo noch kein Mensch war.

Mit diesen klassischen Unterschieden in der Einstellung gehen Unterschiede im Anspruch einher. Das eine Extrem ist die virtuelle Realität zum «vollen Eintauchen», die ein vollständiges Spektrum von Sinneseindrücken anstrebt, wobei sie dreidimensionales Video, Raumklang und taktile Stimulierung einsetzt. Am anderen Ende der Skala finden wir unaufwendige, aber elegante Anwendungen, die uns in den Stand setzen, unsere Perspektive beim Betrachten normaler Bilder zu steuern.

Virtuelle Realität als Konsumgut will die multisensorische Wahrnehmung ansprechen, um uns noch weiter einzubeziehen. Aber wir wollen virtuelle Realität hier in ihrer weiteren Bedeutung verstehen: als die technologische Bewegung in Richtung auf eine erhöhte Realitätsähnlichkeit und Interaktivität, wie sie mit Multimedia eng verknüpft ist.

Im einen wie im anderen Sinn erweitert virtuelle Realität einfach ein Thema, das von Beginn ein Teil der Filmgeschichte ist. In den Anfangsjahren dieses Jahrhunderts haben filmische Reiseberichte angebundenen Fernsüchtigen die Chance für virtuelle Reisen geboten. Wie wir gesehen haben, experimentierten Filmemacher seit den zwanziger Jahren mit Großleinwänden, 3 D und Stereo-Ton. 1953 erlebten wir in *This Is Cinerama* gemeinsam eine Achterbahnfahrt, die immer noch Modell für experimentelles Kino ist. Als Technik zur Steigerung der Realitätsähnlichkeit führt Multimedia diese Tradition fort. Der Unterschied liegt in der Interaktivität, dem Grad der Kontrolle über das Erleben, den es dem Betrachter gewährt.

Totales Eintauchen in die virtuelle Realität mit Cybertron. Nach allen Seiten beweglich in einem Gyroskop aufgehängt und unter einem Helm, der 3-D-Farbbilder und 4-Kanal-Ton übermittelt, kann der Spieler die meisten seiner Sinne ansprechen lassen. (*Mit freundlicher Genehmigung von Straylight Corp.*)

Hier könnte die Technologie ihr Ziel verpassen. Auf der New Yorker Weltausstellung von 1964/65 konnten die Zuschauer im tschechoslowakischen Pavillon über den Handlungsverlauf eines vorgeführten Films abstimmen. Ende der sechziger und Anfang der siebziger Jahre gab es verschiedene Bühnenexperimente, die erstmals dem Publikum Mitwirkung einräumten. Die Technik hat sich nicht durchgesetzt, und zwar aus offensichtlichen Gründen. Die Satire-Zeitschrift *National Lampoon* hat Mitte der siebziger Jahre einen Fall von Publikumsmitbestimmung mit tödlichem Ausgang dargestellt. In ihrer Version von *Warten auf Godot* taucht der Erwartete bereits dreißig Sekunden nach Beginn des Stückes auf. Er und Didi und Gogo unterhalten sich kurz darüber, wo sie was essen wollen. (Soweit ich mich erinnere, entschieden sie sich für chinesisch.)

Als eine eher bei Spielen als im Film angewandte Technik verspricht virtuelle Realität mehr. Das Wesen eines Computerspiels ist seine Interaktivität, deshalb ist die gesteigerte Ähnlichkeit mit der Wirklichkeit, wie sie von der virtuellen Realität geboten wird, für die Intensivierung des Erlebens von Nutzen. Grundkonzept der Abenteuer- und Rollenspiele ist die Matrix vielfältig verwobener Plots, wohingegen ein «Schießspiel» vom Rhythmus in der Abfolge der Reize lebt, die für erhöhte Adrenalinausschüttung sorgen. In beiden Fällen kommt virtuelle Realität der Wirkung zugute. Aber den größten Wert hat sie für den Typ der auf Realitätsverdoppelung abzielenden Spiele, wie zum Beispiel Flugsimulatoren. In der Tat sind Simulatoren nicht so sehr Spiele als vielmehr Prototypen des virtuellen Realitätserlebnisses, und deshalb verspricht man sich von ihnen sehr viel für den Ausbildungsbereich. Wir sind vielleicht noch nicht ganz willens, die Ausbildung unserer Chirurgen einem VR-Labor anzuvertrauen, aber zahlreiche andere Bereiche in Gewerbe und Technik können vom Simulatoreneinsatz profitieren, der den Piloten der Luftfahrt bereits seit vielen Jahren zur Zufriedenheit dient. Und sobald Simulationen digitalisiert sind, sind sie uns allen zugänglich. Die virtuelle Realität hatte ihre ersten Erfolge (von Spielen abgesehen) da, wo etwas probeweise simuliert werden sollte, und zwar mit CAD-Programmen, die uns eine Vorstellung davon vermitteln – wenn auch nur grob –, wie das neue Gebäude aussähe, wenn wir es unserem Entwurf entsprechend bauen würden.

Beide Schlüsselmomente – Realitätsähnlichkeit und Interaktivität – führen zu ethischen Fragestellungen.

Digitale Bilder und Klänge sind nur dann lebensechter, wenn sie aus ihrem eigenen Zusammenhang heraus beurteilt werden. Keiner der heute im Handel erhältlichen Computermonitore kommt der Auflösung eines ordentlich projizierten 35 mm-Films nahe, von den Superfilm-Technologien wie Showscan und Imax zu schweigen. (Ähnlich kann sich auch kein elektronischer Bildschirm mit der Qualität eines gut gedruckten Buches messen.) Und während die CD den digitalen Klang zur neuen Norm hat werden lassen, lehnt doch eine harte Fraktion der Audiophilen sie weiterhin zugunsten der älteren analogen Technologie ab. Handelt es sich bei diesen Leuten nur um eine Rotte ästhetischer Maschinenstürmer?

Die Schärfe eines digital reproduzierten Tons oder Bildes hängt von zwei mathematischen Faktoren ab: der Zahl und der Präzision – oder Dichte – der abgetasteten Signale. Für bewegte Bilder ist ein weiterer Faktor zu berücksichtigen: die Anzahl der Bilder pro Sekunde. Theoretisch müßte die Abtastfrequenz gegen unendlich gehen, um mit der Genauigkeit der analogen Wiedergabe gleichzuziehen. Wie wir in Kapitel 2 gesehen haben, hing bereits die Erfindung des Films von Beschränktheiten des menschlichen Wahrnehmungsvermögens ab. Wir brauchen nur einen bestimmten Fehlerspielraum hinzuzugeben. Hinzu kommt, daß analoge Wiedergabetechniken weit davon entfernt sind, perfekt zu sein. Digitale Modelle brauchen nur das gleiche oder etwas mehr zu leisten als ihre analogen Vorläufer – was die Gegenwart betrifft.

Das Problem ist allerdings, daß sie das noch nicht tun. Während man darüber diskutieren kann, ob der Standard der Audio-CD hinreichend getreu ist, und man davon ausgehen kann, daß die von der Grafikkarte eines High-end-Computers ermöglichten 16 Millionen Farben hinreichend präzise sind, erlegen die Bildschirmauflösung und die gewaltigen bei der Speicherung von bewegten Bildern erzwungenen Kompromisse erhebliche Beschränkungen auf.

In den sechziger Jahren, so erzählt man sich, litt Ingmar Bergman unter Schuldgefühlen wegen der Unehrlichkeit, die dem von ihm gewählten Medium innewohnte. Bergman zerbrach sich den Kopf darüber, daß sein Publikum mehr als die Hälfte der Zeit eine absolut leere Leinwand zu sehen bekam. Man stelle sich die Not vor, die er angesichts der digitalen Bildlichkeit erlebt hätte, wo dieser filmtypische Trick ins Tausendfache vervielfältigt ist!

Das interaktive Moment der virtuellen Realität stellt uns vor ein weiteres ethisches Problem. Wenn wir den vom Zuschauer zum User Gewordenen in den künstlerischen Entscheidungsprozeß einbeziehen, könnten wir gleich die Verantwortung der Urheberschaft abschaffen. Gerade die Reichhaltigkeit der von der virtuellen Realität gebotenen Multimedia-Umgebung kann in die Irre führen. Je mehr wir versuchen, die Realität zu duplizieren, und je mehr Freiheit wir für den User schaffen, diese Umgebung zu manipulieren und zu kontrollieren, desto weiter scheinen wir uns vom Sinn der Sache zu entfernen. Je mehr wir uns der vollen Wiedergabe der Realität annähern, desto mehr entgleitet uns die zwischen der Kunst und ihrem Gegenstand bestehende Dialektik. Die Bezeichnung «virtuelle Realität» verbindet schließlich zwei sich widersprechende Begriffe. In der klassischen Naturwissenschaft ist real, was real ist, und ist virtuell, was nicht real ist. Im Endeffekt finden sich die User der virtuellen Realität wie David Bowman am Ende von *2001: A Space Odyssey* in einem Käfig wieder – einem wunderschönen Käfig, aber gerade deshalb um so beengender, als er den Anschein von Offenheit vermittelt.

Hier paßt der Vergleich mit dem Drogenerlebnis, wie es die Beatles formuliert haben:

> *Nothing is real*
> *An nothing to get hung about...*
> («Strawberry Fields Forever»)

Wir haben die Parallele zwischen bewußtseinsverändernden Präparaten und unseren netzabhängigen Drogen bereits angesprochen. Virtuelle Realität zum vollen Eintauchen ist die elektronische Superdroge. «Strawberry fields forever».

Während die Philosophie der virtuellen Realität diese ethischen Fragen aufwirft, scheinen bestimmte VR-Technologien auf einer eher praktischen Ebene einiges zu versprechen – und zwar in einer Weise, die wir vielleicht gar nicht erwartet haben.

Apples «QuickTime VR» geht in diese Richtung. Im Juni 1994 auf der Digital World vorgestellt, drei Jahre nach dem Debüt des ursprünglichen QuickTime, stellt es dessen Filmtechnologie auf den Kopf. Es benutzt dieselben Algorithmen zur errechneten Darstellung von Filmen und einer digitalen Umgebung und erlaubt dem User, den Betrachtungsstandpunkt zu verändern und einen Raum nach Belieben zu durchwandern. Die Mausbewegung bestimmt den Blickwinkel der Kamera, und ein Mausklick legt ihre Position fest. Panorama-Standfotos mit einem Motiv oder mehreren Motiven des betreffenden Raums sind auf Platte gespeichert. QuickTime VR verarbeitet diese vollständigen, aber verzerrten Aufzeichnungen, um ein passend proportioniertes Standfoto in der vom User gewählten Perspektive darzustellen. Die User können nach Belieben zoomen und schwenken. Wenn im gespeicherten Material mehr als ein Raumpunkt berücksichtigt ist, können sie sich von einem Punkt zum anderen bewegen. Die Technologie ermöglicht dem User auch, ein Objekt von allen Seiten zu betrachten – die Umkehrung des Panorama-Schwenks in einem Raum.

Nun ist dies kaum der Stoff, aus dem die Träume der VR-Visionäre sind. Da fehlt der Versuch, die Sinne zu überwältigen, der User behält die Kontrolle. Das Geniale an der Technologie von QuickTime VR ist seine Schlichtheit. Es setzt elegant und intuitiv den singulären Vorzug um, den digitale Filme ihren analogen Vorgängern gegenüber besitzen: die Fähigkeit, im Wege der Interpolierung aus alten Bildern neue zu berechnen. Das wird als Erbe der Komprimierungstechniken übernommen, die es zu entwickeln galt, um die gewaltigen numerischen Anforderungen des digitalen Kinos zu bewältigen. QuickTime VR ist das jüngste Beispiel eines in der Kunst zu beobachtenden klassischen Musters: Die Beschränkungen des Mediums stiften seinen Nutzen. Der Hauptnachteil des digitalen Films wurde zum Motor einer neuen Technologie.

Natürlich kann man diese neue Technologie nicht als Kino bezeichnen, das sich ja vom griechischen Verb für «bewegen» ableitet; «Akino» (von «unbeweglich») wäre passender, oder auch englisch «stillies» statt movies. Diese Technologie erschafft einen Raum, keine Erzählung. Sie verweigert Mise en Scène ebenso wie den Schnitt. Sie ersetzt den Rhythmus durch Atmosphäre und die Gestalten durch die Umgebung. Sobald sie die entsprechende Reife erlangt, wird sie einige der Bedürfnisse befriedigen, die schon der Film befriedigte. Auf seine spezifische Weise wird uns das «Akino» in anderer Leute Welt entführen, ebenso wie es das Kino getan hat. Aber diese elegant schlichte Technologie wird diese Welten nicht mit der unseren vermischen.

Der Mythos des Cyberspace

Die ersten Visionäre der digitalen Revolution waren von den Kommunikationsmöglichkeiten der neuen Technologie fast ebenso fasziniert wie von ihrer Fähigkeit, Realität zu reproduzieren und verschiedene Medien miteinander zu verschmelzen. Zur selben Zeit, in der die Mikrocomputer in den Büros die Macht dezentralisierten und den einzelnen Angestellten von den Hohepriestern der Technologie in den Sanktuarien der Computerräume befreiten, setzten sich im Telefonnetz neue Kommunikationstechniken durch, um Millionen dieser Apparaturen zum persönlichen Gebrauch miteinander und mit zentralen Datenbanken zu vernetzen.

Dialog, die erste große Online-Datenbank, ging 1965 in Betrieb; Lexis, die erste umfassende professionelle Datenbank, machte 1973 eine ganze juristische Bibliothek online verfügbar. Arpanet, das Modell für die untereinander vernetzten Netzwerke, die später als Internet bekannt wurden, ging 1969 online. Das britische Prestel-System, das ins Jahr 1976 zurückgeht, bewies, daß ein Netzwerk zur Online-Information mittels Computer Privatpersonen ebenso zustatten kommt wie Professionellen. Prestel war nie ein kommerzieller Erfolg, aber seine über das Fernsehen verbreiteten Vettern Ceefax und Oracle wurden in den achtziger Jahren ein Teil des britischen Alltags. Das französische Minitel-System, technisch ausgefeilter als Prestel, entwickelte sich ab 1985 zu einem integralen Teil französischer Kultur. (Als deutsches Pendant zu Prestel und Minitel ist der Btx- oder Bildschirmtext-Service der Telekom anzusehen.)

Das Minitel-System unterschied sich radikal von seinen Vorgängern (Arpanet vielleicht ausgenommen), indem es dezentral strukturiert war. Statt Zehntausende von Benutzern mit nur einem großen Zentralrechner zu verbinden, war es ein Netzwerk von Schaltstellen, das die Verbindungen zu Tausenden kleinerer, unabhängiger Datenbanken herstellte. Einer der erquicklichsten Effekte dieser Struktur war der elektronische Schwatz, in der Szene Chat genannt: getippter Austausch in Echtzeit zwischen Einzelpersonen und innerhalb kleiner Gruppen. Der Online-Zugang zu einer Datenbank war nur dann wichtig, wenn sie zu groß war oder zu oft aktualisiert wurde, um sinnvoll am Ort auf Platte vorgehalten zu werden. Lexis war nur deshalb von Nutzen, weil der einzelne Jurist sich die vielen Gigabyte nicht leisten konnte, die zur Speicherung einer juristischen Bibliothek erforderlich sind.

Rasch wurde deutlich, daß die Kommunikation die Seele eines Online-Systems ausmacht. Der elektronische Schwatz erwies sich als originär neue Form menschlichen Austausches, da der einzelne gleichzeitig mehrere voneinander getrennte Privatgespräche führen konnte. Der Chat war das Echtzeit-Äquivalent der altmodischen schriftlichen Korrespondenz, aber die sofortige Übermittlung in Verbindung mit der Anonymität der getippten Mitteilungen und dem Zugang zu Zehntausenden fremder Menschen rund um die Welt erwies sich bald als süchtigmachende Kombination. Ende der achtziger Jahre war Minitel in Frankreich zu einer Institution geworden; Mitte der Neunziger hat es sich zu einer lebenspraktischen Grundeinrichtung entwickelt: Auf Tausenden von alltäglichen Waren ist die Minitel-Nummer angegeben, nachdem die Vermarkter darin einen neuen Schleichweg zu ihrer Kundschaft entdeckt haben.

Während Minitel Erfolg hatte, schlug eine Reihe amerikanischer Experimente in den Achtzigern fehl, hauptsächlich wegen Fehleinschätzung des Marktes für derartige Dienstleistungen. Die Versuche bedienten sich des Fernsehens und verwechselten das Medium mit seiner Tarnbezeichnung: Videotext.* Damit wurde nicht nur eine zentrale Entscheidungsinstanz inthronisiert – wo es doch um Eins-zu-eins-Kommunikation gehen sollte –, sondern das System litt auch unter der mangelhaften Textwiedergabe auf durchschnittlichen Fernsehbildschirmen. Andere Systeme, wie zum Beispiel Prodigy von IBM und Sears, stützten sich auf ein überholtes Netzwerkmodell (wieder der ungefüge Zentralrechner, diesmal allerdings durch Satellitenrechner unterstützt) mit ebenso veraltetem Grafiksystem.

Die kurze Geschichte der Online-Grafik ist recht interessant. Sam Fedida, ein Techniker der britischen Post, hatte Anfang der Siebziger das Grundkonzept für Prestel entwickelt. Das Ziel war, ein Online-System für Verbraucher bereitzustellen.

* Obwohl zu Anfang der Achtziger, als diese Industrie Gestalt annahm, eine Reihe verschiedener Bezeichnungen in Gebrauch waren, einigten sich die Anglophonen schließlich auf «Videotext» für die auf dem Telefonnetz basierenden Systeme wie Prestel und Minitel und auf «Teletext» für mit dem Fernsehen arbeitende Systeme wie Ceefax und Oracle. Es hätte umgekehrt sein sollen. «Videotext» verlor später das Schluß-t. Der verbleibende Wortstumpf erinnerte eher an Wegwerfprodukte aus Papier – keine glückliche Analogie. Teletext wurde übrigens auch in den USA ausprobiert, mit einem ähnlichen Mangel an Erfolg. Hier war das Problem weit schlichter. In Großbritannien, wo das System Erfolg hatte, waren alle Fernsehgeräte serienmäßig mit Teletext-Decodern ausgestattet, in den USA aber nicht. Der NAPLPS (North American Presentation Level Protocol Standard) wurde Anfang der Achtziger als amerikanische und kanadische Antwort auf die führende Grafiksprache des britischen Prestel und des Teletel-Protokolls von Minitel konzipiert. Prodigy übernahm es nur zwei Jahre bevor weit ausgefeiltere grafische Benutzeroberflächen auf den zahlreichen Mikrocomputern im Lande zur Selbstverständlichkeit wurden.

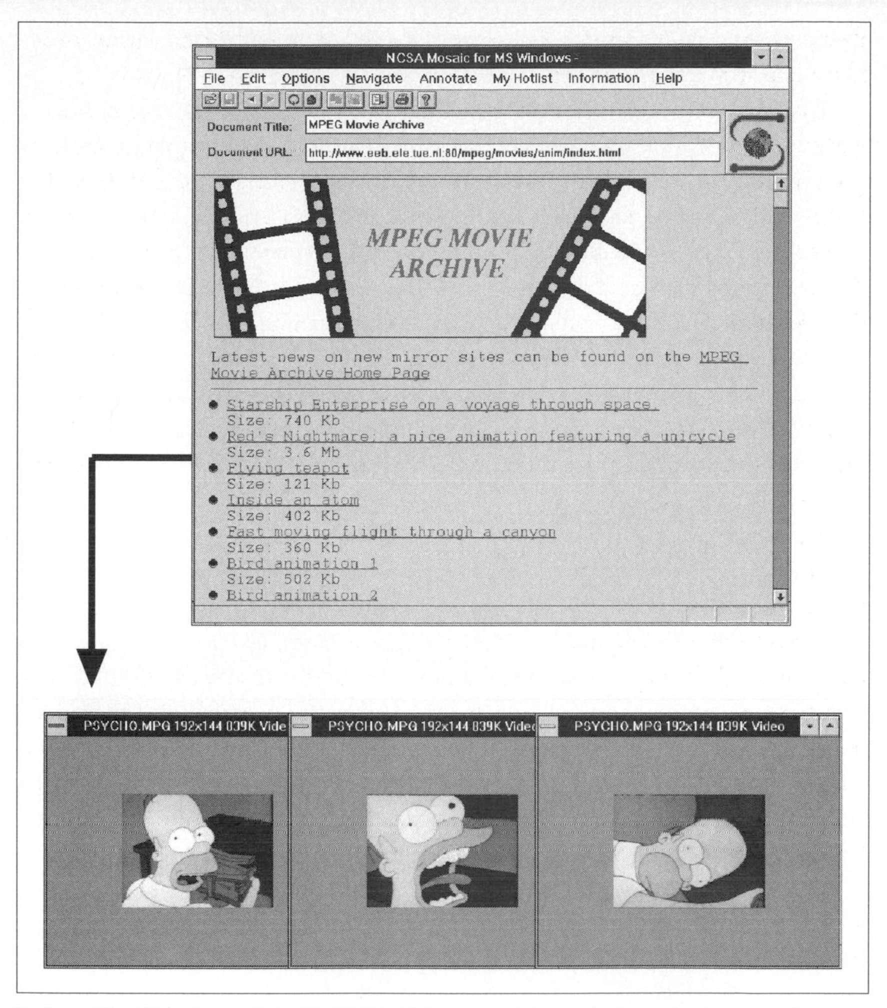

Movies auf Mausklick. Filmarchiv im World Wide Web, einem einfach zu bedienenden System im Internet.

Von Anfang an sollte der Service auch Grafik einschließen – dies zu einer Zeit, als Mikrocomputer noch nicht existierten und ihr damaliges Äquivalent, Datensichtgeräte in Mehrplatzsystemen, ganz und gar textorientiert arbeiteten. Die grafischen Zeichensätze von Prestel (und später auch Minitel) waren höchst erfinderische Lösungen des Problems, Grafik mittels Telefonleitungen zu übertragen. Die Grundfarben und -formen trugen bedeutend zur wirksameren Anzeige von Buchstaben und einfachen bildlichen Darstellungen bei, ohne sich auf die damals noch sehr komplizierte Wiedergabe von Fotos einzulassen.

NAPLPS hatte den Ehrgeiz, die Idee auf die kompliziertere Vektorgrafik auszuweiten. Der Ehrgeiz erwies sich als Hybris, als grafische Benutzeroberflächen wie beim Macintosh sich rasch etablierten. Die Techniker bei Prodigy (einziges der noch bestehenden Systeme, das jemals NAPLPS benutzt hat) hatten sich väterlich auf die grafischen Verantwortlichkeiten des zentralen Großrechners konzentriert und in ihrem Optimismus dabei ganz die um sie her ihren Lauf nehmende Revolution ignoriert. Als die Zahl der Mikrocomputer wuchs und den Gemeinbesitz an Rechnerleistung tausendfach vervielfältigte, war für NAPLPS kein Bedarf mehr – oder für Großrechner von IBM, was das betrifft. Dieses allzu einfache Schriftsystem hatte ein effektives Modell für seine Multimedia-Nachfolger abgegeben, indem es Video und Ton mit der schriftlichen Information verband, die NAPLPS zu verschönern versucht hatte.

Wenn man auch nicht von einem geschäftlichen Erfolg sprechen kann, hatte Prodigy während der fünf Jahre nach seiner Gründung 1988 doch immerhin gut zwei Millionen Benutzer gewonnen. In den USA gewannen zur selben Zeit CompuServe – das schwerfällige, doch profitable Online-System, das von der Computerindustrie als eigenes Forum adoptiert wurde – und die kreative Neuschöpfung America Online zusammen drei Millionen weitere. Die «Industrie auf der Suche nach dem Geschäft», so hieß es in den Achtzigern über Online-Netzwerke, hatte endlich eins entdeckt. 1993, als die Benutzung der Mikrocomputer noch einfacher wurde, beherrschte die Online-Industrie die Wirtschaftsseiten, da die Clinton-Administration den «Information Superhighway» zum Teil ihrer Politik machte.

Die großen und zentralisierten kommerziellen Netzwerke nahmen die Fernsehnetze aus dem voraufgegangenen Medienzeitalter als Strukturmodell. Als allgemeine öffentliche Dienstleistungsunternehmen versuchten sie, für jeden alles zu sein; aber bald empfanden sie die Last dieser Verantwortung. Unterhaltung mag etwas sein, an dem wir gemeinschaftlich teilhaben, aber Information – das Herz dieser Dienstleistungen – ist höchst privat. Jeder von uns hat seine eigenen Erfordernisse. Das Modell hätte sich an der Herausgabe von Magazinen orientieren sollen, nicht am Fernsehfunk. In Frankreich ist man so vorgegangen, teilweise durch Zufall. Aus politischen Gründen hatte die französische Regierung zu Beginn angeordnet, daß alle Minitel-Dienste von existierenden Print-Verlagen durchzuführen wären. Das Ergebnis war, daß diese Dienste in der Anfangszeit dem Special-Interest-Modell ihrer Erzeuger in den Printmedien folgten und bald treue Abnehmer fanden. In den USA mußten die Betreiber von Informationsdiensten viele Schwierigkeiten überwinden, um das zu lernen.

Teils in Reaktion auf dieses Bedürfnis war Mitte der neunziger Jahre das Internet der Online-Mittelpunkt des Presseinteresses geworden. Abstammend vom Arpanet des amerikanischen Verteidigungsministeriums, stellte das Internet ein weitgespanntes Netz miteinander verbundener Großrechner rund um die Welt zur Verfügung und damit auch das, was als perfekter Weg zu einer grenzenlosen Vielfalt von Special-Interest-Diensten erschien. Hinzu kommt, daß die Benutzung «frei» war, da amerikanische Regierung und Universitäten immer noch für seine Unterhaltung aufkamen. Obwohl es gewiß demokratischer war als seine derzeitigen kommerziellen Konkurrenten, hatte «das Netz» noch nicht den Status eines universalen öffentlichen Mediums erlangt – der «Datenautobahn», nach deren Auffahrt jedermann suchte, als sich das Jahrhundert schlingernd zum Ende neigte. Dies wird erst erreicht sein, wenn sich das Internet-Konzept (wie ein Teil seiner Technologie) mit den öffentlichen Telefonnetzen der ganzen Welt verkoppelt – dem einzigen wahrhaft universalen Netzwerk, das heute existiert.

Was tun?

1980 schloß die zweite amerikanische Ausgabe von *How to Read a Film* mit einer Bemerkung über Demokratie in den Medien und der Feststellung, daß zwar die neue Technologie unsere Macht, Medien zu kreieren, erweitert hatte, daß aber die Distribution von Druckwerken, Filmen und Fernsehen immer noch in relativ wenigen Händen konzentriert war: «Die Omnipräsenz der Medien war immer ein verbreitetes Motiv der Science-fiction seit George Orwells Vision des Jahres 1984: ‹Der Apparat, ein sogenannter Televisor oder Hörsehschirm, konnte gedämpft werden, doch gab es keine Möglichkeit, ihn völlig abzustellen.› Aber die Tatsachen vertragen die Wiederholung: Was wir immer noch ‹Realität› zu nennen belieben, ist für uns inzwischen weithin determiniert. Es geht nicht nur darum, daß jemand anders unsere Geschichten erzählt – sondern es geht auch um die Art der Geschichten, die sie da erzählen.»

Der Hinweis darauf, daß die Distributionskanäle im Begriff seien, sich zu verbreitern, fehlte damals ebensowenig wie die Liste unmittelbar bevorstehender Technologien: von der elektronischen Post bis zu Video auf Abruf, von Online-Datendiensten bis zum Glasfaserkabel, vom Satellitenfunk bis zu den Computern in jedem Haushalt. Viele dieser Innovationen sind heute Teil unseres täglichen Lebens. Andere zeigen sich immer noch erst am Horizont. Aber eins ist klar: Die digitale Revolution hat die Art und Weise, in der wir mit Realität umgehen, radikal verändert – ganz gleich, wer sie bestimmt.

Meine Kinder, die nach dem ersten Erscheinen von *Film verstehen* geboren wurden und inzwischen recht herangewachsen sind, haben eine Vielfalt der Medien erlebt, wie sie vor 1980 noch unbekannt war. Sie sind unersättliche Konsumenten von Fernsehen, Video, CDs, Computerspielen, Programmen und Kinofilmen, und sie sind – was in Anbetracht der Vielfalt der neuen Medien überraschen mag – nicht unvertraut mit dem gedruckten Wort. Es kommt wohl vor, daß ich mich beim Abendessen über unsere familiäre Fernsehsucht beschwere (sie dämpfen dann vielleicht den Televisor oder Hörsehschirm, doch es gibt keine Möglichkeit, ihn völlig abzustellen), dennoch sind sie wohl ebenso belesen wie ihre Eltern in diesem Alter.

Bedeutsamer als die Unmenge von Medien, die sie konsumieren, ist die gleichermaßen beträchtliche Menge, die sie ihrerseits produzieren. Ihnen steht eine Palette von Mitteln zur Verfügung, die zwanzig Jahre früher jeden Autor, Filmemacher oder Maler in Aufregung versetzt hätten. Ihren Betten gegenüber haben sie zwei Bildschirme: das Fernsehgerät und den Macintosh. Seit sie sechs waren, haben sie fast so lange am Mac kreativ gearbeitet, wie sie den Fernseher passiv konsumierten.* Bald nachdem sie «HyperCard» entdeckt hatten, fingen sie mit einer Reihe illustrierter Storys an. Als Apple seine Software zum Klingen brachte, übernahmen sie das. Für sie ist das nicht Multimedia, sondern Spaß.

Das Orwellsche Jahr ist gekommen und gegangen. (Wir haben schon vergessen, wer damals welche Meisterschaften gewonnen hat, aber wir erinnern uns noch an den Werbespot, mit dem Apple so zuschlug.) Die Warnungen hinsichtlich der Kontrolle über die Medien erscheinen weniger zutreffend als noch vor fünfzehn Jahren. Wir – zumindest die meisten von uns – sind jetzt so berauscht von unserer neuen Macht, Medien aller Art (Multi, Uni, Ulti, Hyper, visuell, textuell und traditionell) zu produzieren und bald auch zu verbreiten, daß es uns weniger kümmern kann, wem nun die althergebrachten Medien gehören. A. J. Liebling, der große Pressekritiker, hat vor dreißig Jahren angemerkt, daß die Pressefreiheit denen gehöre, die die Presse besitzen. Wir sind jetzt fast an dem Punkt, wo wir alle eine besitzen – und ihr Multimedia-Äquivalent.

Noch bedeutsamer ist, daß die beträchtliche Ausweitung der Bandbreite in der Distribution während der achtziger und frühen neunziger Jahre zu einem politischen Gleichgewicht in den Medien geführt hat, das ebenso frustriert, wie es zu begrüßen ist. Die meisten Standpunkte kommen zur Sprache. Die meisten Leute wissen von den anstehenden Fragen des Tages. In Fernsehbeiträgen und Talkshows bleibt kein soziales oder politisches Problem unbehandelt. Die meisten neuen Ideen finden rasch und effektiv den Weg zum öffentlichen Forum. Es geht nicht mehr um «wir gegen sie». Es geht um «sie gegen sie». Die politische und soziale Dialektik hat sich verflüchtigt unter dem unaufhörlichen und massenhaften Bombardement aus mehr Kanälen, mehr Medien.

Alain Tanner hat diesen Zustand in *Au milieu du monde* (1974) vorhergesagt: «Wir befinden uns in einem Zeitalter der Normalisierung, wo der Austausch erlaubt ist, aber nichts sich ändert.» Wir haben die Medien schneller und gründlicher demokratisiert, als wir je zu hoffen gewagt hatten. Jetzt haben wir die Macht. Wissen wir, wie sie zu gebrauchen ist?

Raymond Williams stellte in *Communications* (1976) fest, daß der Alltag in den

* Damit Sie das nicht von vornherein als blinden Vaterstolz abtun, will ich zugeben, daß diese Ausgewogenheit nur dadurch möglich ist, daß sie nebenbei fernsehen, wenn sie den Computer benutzen.

Industriegesellschaften sich qualitativ gewandelt habe; er stützte sich auf folgende Beobachtung: «In Gesellschaften wie in Großbritannien und den USA sieht die Mehrheit der Zuschauer jede Woche oder jedes Wochenende mehr Dramatisches, als man in irgendeiner der voraufgegangenen geschichtlichen Perioden in einem Jahr oder in manchen Fällen im ganzen Leben gesehen hat. Für die Mehrheit der Zuschauer ist es nicht ungewöhnlich, regelmäßig bis zu zwei oder drei Stunden täglich Dramatisches vielerlei Art anzusehen. Die Implikationen dessen zu untersuchen hat kaum erst begonnen.» Natürlich haben sich die Zahlen geändert, seit Williams das schrieb. «Zwei bis drei Stunden» erscheinen heute als zu gering, und zum Erleben von Dramatischem im Fernsehen müssen wir Infotainment, Videospiele, Bänder und Platten hinzurechnen und bald auch Multimedia.

Wenigstens eine Implikation der neuen Medienwelt wird allmählich deutlich: Wir verlieren unseren Halt in der Realität. Wir sind schon auf dem besten Weg in David Bowmans beängstigenden Käfig. Kaum weist jemand darauf hin, daß Autobahnen Lärm bedeuten, fassen wir sie in Wände ein und vergessen dabei, daß wir uns optisch und moralisch von unserer Umwelt isolieren. Wir schreiben die Geschichte um, damit niemand daran Anstoß nimmt. Wir geben Lippenbekenntnisse ab zu bestimmten sozialen und politischen Problemen, die wir schon vor Jahren erkannt haben, an denen sich aber nichts geändert hat. Wir verfügen über die Erkenntnisse der Wissenschaft, aber nicht über den wissenschaftlichen Geist. Wir verfügen über die Rhetorik der Pflicht, aber nicht über den Willen zum Handeln. Als Gesellschaft sind wir zu jeder Zeit «politisch korrekt», kümmern uns aber kaum um die Konsequenzen, die der Verlust des Gefühls für Ausgewogenheit oder des Sinns für Humor hat.

Wir haben uns – weitgehend wie Raymond Williams befürchtete – in hohem Maße den Fiktionen und Quasifiktionen der Medien überantwortet. Und die Leute, die die Medien machen, sind nicht schlauer als wir. Unsere Filme und unser Fernsehen sind technisch auf der Höhe, inhaltlich relevant, demokratisch – und langweilig. Unsere neuen Technologien sind theoretisch reizvoll, aber... «You say you want a revolution?» Es gibt keine Revolutionen mehr. Die Kultur wurde homogenisiert, und das Gleichgewicht ist allemal ebenso problematisch wie das Ungleichgewicht, das zu überwinden wir einst angestrebt hatten.

«Was tun?» Wir können den Moloch der modernen Medien nicht aufhalten. Er wird weiter unser Leben durchdringen. Neue Diskursweisen mögen – weil sie darauf beharren, daß der Leser sich aktiv am Prozeß beteiligt – uns die Gelegenheiten bieten, unsere Wurzeln wiederzuentdecken. Aber die Ethik ist die Ästhetik der Zukunft. Wir müssen uns darauf konzentrieren, welche Anwendung unsere Talente und Technologien finden. Es ist nicht mehr genug zu wissen, wie ein Film zu verstehen ist. Jetzt müssen wir auch verstehen, und zwar von Grund auf, wie ein Film zu benutzen ist.

Und das wichtigste ist: Wir haben uns zu erinnern, daß es jenseits des Films, jenseits der Medien, jenseits von Multimedia noch einen Rest von Realität gibt.

Dafür haben wir ein Modell. Auf der Höhe seines Schaffens gab William Shakespeare das Gewerbe des Stückeschreibens auf und kehrte in seine Heimatstadt zurück. Sein letztes Stück *Der Sturm* war ganz bewußt an sein Publikum gerichtet, das mehr als zwanzig Jahre lang das Globe-Theater gefüllt hatte. Das Stück handelt vom Theater, seinem Medium, aber es ist weniger eine Verherrlichung als eine Flucht. Es gibt eine reale Welt außerhalb der theaterhaften Insel, auf der das Stück spielt, und *Der Sturm* wie Prospero (wie auch Shakespeare, so dürfen wir folgern) haben zum Ziel, die Magie hinter sich zu lassen und zu dieser Realität zurückzukehren. Im Epilog bittet uns Prospero, ihn ziehen zu lassen:

> Hin sind meine Zauberein,
> Was von Kraft mir bleibt, ist mein,
> Und das ist wenig…
> …
> Füllt milder Hauch aus euerm Mund
> Mein Segel nicht, so geht zugrund'
> Mein Plan; er ging auf eure Gunst.
> Zum Zaubern fehlt mir jetzt die Kunst:
> Kein Geist, der mein Gebot erkennt;
> Verzweiflung ist mein Lebensend',
> Wenn nicht Gebet mir Hülfe bringt,
> Welches so zum Himmel dringt,
> Daß es Gewalt der Gnade tut
> Und macht jedweden Fehlschritt gut.
>
> Wo *ihr* begnadigt wünscht zu sein,
> Laßt eure Nachsicht mich befrein.
> (Ab.)
> *(Übersetzt von August Wilhelm Schlegel)*

ANHANG I

FACHBEGRIFFE

Dies ist keine vollständige Liste all jener Ausdrücke, die von Filmemachern, Filmkritikern und Filmliebhabern benutzt werden. Die Filmkunst ist zu umfassend, und ihre Fachsprache hat sich sehr zufällig entwickelt. Viele Ausdrücke sind aus den traditionellen Künsten wie Literatur, Theater oder bildender Kunst übernommen oder abgeleitet worden. Soweit sie keine spezielle Bedeutung in bezug auf Film besitzen, sind sie hier nicht erklärt. Technische Ausdrücke sind so weit verzeichnet, wie sie für die Erklärung auch ästhetischer oder ökonomischer Zusammenhänge wichtig sind oder eine gewisse historische Bedeutung besitzen.

Dieses Glossar wurde in Anlehnung an das der amerikanischen Originalausgabe neu erarbeitet. Dabei wurde auf filmtheoretische Fachausdrücke verzichtet, die im Zusammenhang der Teile 4 und 5 deutlicher werden.

Für die Neuausgabe wurden Begriffe speziell aus den Bereichen der neuen Medien und der Computertechnologie ergänzt. Bei einer Reihe Stichwörter ist auch der englische Fachausdruck, der bisweilen in der Literatur auftaucht, mit angeführt, da die Allgemein- und Fachwörterbücher hier sehr lückenhaft und oft falsch oder ungenau sind.

Für fachliche Hinweise danke ich Olla Höff, Joachim Kersten, Wolfgang Treu und Jörg Tykwer.

Hans-Michael Bock

A

A-B-Schnitt. **Schnitt**verfahren mit zwei parallelen Bildstreifen zur Vorbereitung von Über-, Ein- beziehungweise **Trickblenden**, die anschließend auf der **optischen Bank** ausgeführt werden.

Abblende (Fade out). Allmähliches Verdunkeln des Bildes bis zum Schwarz, beim Farbfilm auch in eine Farbe. Gegensatz: **Aufblende**. Siehe **Überblendung.**

ABC. 1. American Broadcasting Company, drittes Fernseh-**Network** (neben **NBC** und **CBS**), entstanden in den vierziger Jahren aus mehreren Antitrust-Prozessen zur Entflechtung von Rundfunk- beziehungsweise Kino-Konzernen. 2. Australian Broadcasting Corporation.

Absoluter Film. Nichtnarrative Filmform, bei der Bilder realer Gegenstände, losgelöst von ihren normalen Zusammenhängen, oft rhythmisch montiert, verwendet werden: in Frankreich auch Visuelle Musik oder «cinéma pur» genannt.

Abstrakter Film. Nichtnarrative Filmform, bei der vorwiegend nichtgegenständliche Bilder, zum Beispiel Streifen, Flächen, Farben, rhythmisch angeordnet, eine eigene ästhetische Qualität erhalten.

Academy Aperture siehe **Standardformat**.

Academy Award. Seit 1927 jährlich verliehene Auszeichnung der **Academy of Motion Picture Arts and Sciences**, allgemein **Oscar** genannt, für künstlerisch und technisch bedeutsame Leistungen. Vergleiche **César**, **Europäischer Filmpreis**.

Academy of Motion Picture Arts and Sciences (AMPAS). 1927 von der amerikanischen Filmindustrie gegründete gemeinnützige Institution, die sich der künstlerischen Pflege des Films durch Setzen von Standards (vergleiche **Standardformat**) sowie durch Förderung des Kontakts zwischen verschiedenen Berufssparten widmen soll. **AMPAS** unterhält ein wichtiges Archiv und eine umfangreiche Bibliothek. Die bekannteste Aktivität ist die alljährliche Verleihung der **Oscars** (**Academy Award**). Vergleiche **BAFTA**.

Achsensprung-Regel (180-degree Rule). Wichtige Regel der klassischen Filmmontage: Die Kamera darf eine gedachte Achse zwischen den handelnden Figuren im Bild nicht überspringen, um so für die Zuschauer die räumliche Orientierung, eine Kontinuität der Bewegung von Aufnahme zu Aufnahme und – besonders bei Großaufnahmen – den Bezug der Personen zueinander zu erhalten.

Additive Farbmischung. Durch die Mischung mehrerer farbiger Lichtstrahlen mit den Grundfarben Blau, Grün und Rot läßt sich jede beliebige Farbe herstellen, im absoluten Falle Weiß. Nach diesem Verfahren arbeitet zum Beispiel das Farbfernsehen. Vergleiche **Subtraktive Farbmischung**. Siehe Abbildung Seite 120.

ADR (Additional Dialogue Recording). Seit den achtziger Jahren verbreiteter Begriff für die **Nachsynchronisation**.

AFI siehe **American Film Institute.**

Agent. Ursprünglich der Manager, der einen oder mehrere Künstler gegenüber den Produktionsfirmen vertritt und (gegen eine prozentuale Beteiligung) ihre Verträge aushandelt. In den letzten Jahrzehnten sind einige Agenturen in Hollywood zu bedeutenden Machtfaktoren der Filmindustrie geworden. Aus MCA wurde ein mächtiger Medien-Konzern, William Morris stieg in die Produktion ein, ICM und CAA können durch geschickte Lancierung ihrer Klienten das Zustandekommen von Filmen beeinflussen.

Agfacolor. In den dreißiger Jahren von der deutschen I. G. Farbenindustrie Aktiengesellschaft (Agfa) entwickeltes subtraktives Negativ-Positiv-Farbfilmsystem.

Akt. Aus der Frühzeit des Kinos erhaltene, vom Theater her übernommene Bezeichnung der Filmteile; heute rein technisch für eine Rolle der Filmkopie, zunächst etwa zehn (siehe **Einakter**), heute zwischen fünfzehn und zwanzig Minuten lang.

Aktualitäten. In der Frühzeit des Films **Dokumentarfilme**, Vorläufer der **Wochenschau**.

AM (Amplitudenmodulation). Beim Rundfunk gebräuchliche technische Sendeform: Die Amplitude (Stärke) einer Trägerschwingung wird durch das Programmsignal modifiziert. Vergleiche **FM**.

American Film Institute (AFI). Institution mit Hauptsitz in Washington, die sich um die Erforschung und Bewahrung des amerikanischen Filmerbes kümmert. Zu den Aktivitäten gehören die Erarbeitung einer Filmografie der amerikanischen Produktion und die Unterstützung des künstlerischen Nachwuchses, unter anderem im Center for Advanced Film and Television Studies in Los Angeles. Das AFI ehrt seit 1973 verdiente Filmkünstler mit dem «Life Achievement Award».

Amerikanische Einstellung. **Bildeinstellung**

zwischen **nah** und **halbnah**, zeigt die Personen im Mittelgrund etwa vom Scheitel bis zum Knie.

Amerikanische Nacht (Day for Night). Verfahren, bei dem Nachtszenen durch Verwendung von Filtern und/oder Unterbelichtung bei hellem Tag gedreht werden.

AMPAS siehe **Academy of Motion Picture Arts and Sciences.**

Anamorphot, Anamorphotische Optik. Optisches System, durch das Bilder in horizontaler Richtung bei der Aufnahme im Verhältnis 1:2 zusammengezogen werden; ein entsprechender Anamorphot im Projektor entzerrt das Bild bei der Wiedergabe. Verfahren für **Breitwand**, vergleiche **CinemaScope.**

Anderes Kino. Bezeichnung für die Bewegung der unabhängigen Filmemacher, die Ende der sechziger, Anfang der siebziger Jahre versuchte, im Gegensatz zum kommerziellen Kino und zum «jungen deutschen Film» durch Co-ops alternative Produktions-, Vertriebs- und Abspielmöglichkeiten aufzubauen, vor allem für eher künstlerische **Underground**- und politische «Zielgruppen»-Filme.

Angle of View siehe **Blickwinkel**, vergleiche **Kamera-Standpunkt.**

Animation. Methode, Gegenstände vermittels der Filmtechnik zu beleben, populär Trickfilm genannt. Grundtechniken sind der **Zeichentrick**, der **Legetrick**, der **Puppentrick**, der **Sachtrick** beziehungsweise die **Pixillation.** Technische Grundlage der Animation ist die **Einzelbildaufnahme.**

Anschluß (Continuity). Der **Script-Supervisor** ist dafür verantwortlich, daß die Anschlüsse zwischen verschiedenen Aufnahmen stimmen, auch wenn Tage oder Wochen dazwischenliegen. Das betrifft vor allem die Kostüme, Dekorationen, Positionen von Schauspielern etc.

ANSI (American National Standards Institute) siehe **ASCII.**

Answer Print siehe **Nullkopie.**

Aperture siehe **Blende 1.**

Apple Computer Inc., am 3.1.1977 von Steven Jobs, Stephen Wozniak und A. C. Markkula gegründete Computer-Firma. Durch ihre kleinen Apparate (Apple II, 1977; Macintosh, 1984) und ihre innovative, benutzerfreundliche Software hat Apple die Verbreitung der Personal Computer entscheidend beeinflußt und damit die Entwicklung vom Bürogerät zur populären **Multimedia**-Maschine.

Arbeitskopie. Kopie vom Negativ, die aus den ausgewählten **Mustern** zusammengestellt wird und mit der **Roh**- und **Feinschnitt** durchgeführt werden; anschließend ist sie Vorlage für den **Negativschnitt.** Sie wird außerdem zur Vertonung und anderen internen Arbeitsgängen verwendet.

Arc Light siehe **Bogenlicht.**

Archiv. In vielen Ländern eine (meist) staatliche Institution, die sich um die Erhaltung des filmischen Erbes durch Konservierung, Umkopierung gefährdeter Materialien und Rekonstruktion kümmert. Neben reinen Archiven (vergleiche **Bundesarchiv-Filmarchiv**) gibt es auch **Kinematheken** oder Filminstitute (zum Beispiel **AFI, BFI**, Nederlands Filmmuseum, Svensk Film Institutet), die auch forschen und publizieren. Die großen Filmarchive sind international in der **FIAF** (Fédération Internationale des Archives du Film) zusammengeschlossen. Siehe **Cinémathèque Française.**

Archivaufnahme (Stock Shot). Aus bereits existierendem, älterem Filmmaterial (Dokumentar- oder Spielfilmen) entnommene – «abgeklammerte» – Aufnahmen oder Szenen, die in einen neuen Film einmontiert werden. **Klammerteile** werden entweder aus künstlerischen Gründen verwendet oder um Kosten zu sparen. Siehe **Kompilationsfilm.**

ARD (Arbeitsgemeinschaft der Rundfunkanstalten Deutschlands). 1950 gegründeter Zusammenschluß der öffentlich-rechtlichen Landesrundfunkanstalten der Bundesrepublik Deutschland. Die ARD koordiniert und gestaltet das Erste Deutsche Fernsehen (seit 1.2.1954). Die Landesrundfunkanstalten betreiben daneben die Dritten Fernsehprogramme sowie Hörfunk. Die ARD beteiligt sich an den europäischen Kulturkanälen Arte und 3sat; Mitglied der **EBU.** Vergleiche **ZDF.**

Arriflex. Leichte, kompakte, in den dreißiger Jahren entwickelte Spiegelreflexkamera der Münchener Firma Arnold & Richter, die seit Ende der Fünfziger den **Handkamera**-Stil der **Nouvelle Vague** und des neueren **Dokumentarfilms** ermöglichte.

Art Director siehe **Ausstattung.**

Art Film siehe **Filmkunst.**

ASA (American Standards Association). ASA-Angaben bezeichnen verschiedene **Empfindlichkeits**werte von Film**emulsionen.**

ASCII (American Standard Code for Information Interchange). International benutzter Computer-Standard (ISO 646) für die Darstellung der im lateinischen Alphabet gebräuchlichen

Buchstaben, Zahlen und Zeichen ursprünglich durch einen 7-**Bit**-Code, dadurch Beschränkung auf 128 Zeichen. Die notwendige Erweiterung erfolgte durch den ANSI-Code (ISO 8859/1) auf 256 (8-**Bit**-Code), dann durch **Unicode** (ISO 10646–I) auf 65536 Zeichen (16-**Bit**-Code).

Assoziationsmontage. Besondere Form der **Montage**, bei der durch die Zusammenstellung der Bildeinstellungen beim Zuschauer bestimmte Assoziationen hervorgerufen werden sollen.

Asynchroner Ton. Bild und Ton stimmen – als Folge eines technischen Fehlers oder aus künstlerischer Absicht – nicht überein.

ATAS siehe **Emmy**.

Atelier. Gebäude oder Gebäudeteil, der speziell für die Filmaufnahme eingerichtet worden ist. In der Frühzeit waren es zunächst Freilichtateliers, das heißt, es wurde in Dekorationen gedreht, die man im Freien oder auf Dächern errichtet hatte. Nachdem die im ersten Jahrzehnt dieses Jahrhunderts üblichen Dachateliers mit Glasdächern zu klein wurden, entstanden in den zehner Jahren eigenständige Glashäuser, meist mit angeschlossenen Räumen für Verwaltung, Garderoben, Werkstätten. Die wichtigsten Berliner Ateliers lagen in Neu-**Babelsberg** (1912), Weißensee (1913) und Tempelhof (1913). Nach Einführung des Tons entstanden geschlossene, schallgeschützte Gebäude. Neben den hohen Atelierhallen, die große Dekorationsbauten aufnehmen können, gibt es kleinere Spezialateliers, zum Beispiel zur Herstellung von **Trickfilmen** oder zum **Synchronisieren.** In den USA entstanden die ersten Ateliers in New York, New Jersey und Chicago, dann ab etwa 1909 in und um Los Angeles. Siehe **Hollywood**, **Studio**. Vergleiche **Außenaufnahme**.

Attraktion. Eisensteins Filmtheorie analysiert das Bild als Ansammlung von Attraktionen, die untereinander in dialektischem Zusammenhang stehen. Attraktionen bilden mithin die Grundelemente der Filmform; die Attraktionstheorie ist ein Vorläufer der modernen semiotischen Theorie.

Aufblende (Fade in). Aufhellung des Bildes von Schwarz bis zur richtigen Belichtung. Strukturmittel der Film-Syntax. Gegensatz: **Abblende**. Siehe **Überblendung**.

Auflösungsvermögen (Resolution). Die Fähigkeit eines Objektivs oder einer fotografischen Schicht, feine Details scharf voneinander abgehoben wiederzugeben. Siehe **Definition**.

Aufnahmeleiter (Production Manager). Mitarbeiter einer Filmproduktion, der für die Bereitstellung des notwendigen Materials und Personals am Drehort zu sorgen hat.

Aufprojektion (Front Projection). Trickverfahren mittels **Kombinationsaufnahme**, Verbesserung der **Rückprojektion.** Ein (Film-)Bild wird vermittels eines halbdurchsichtigen Spiegels auf einen stark gerichtet reflektierenden Hintergrund projiziert, vor dem die Schauspieler agieren. Siehe Abbildung Seite 138.

Außenaufnahme (Location). Alle außerhalb von **Atelier**- beziehungsweise Studio-Gelände gedrehten Aufnahmen, sowohl im Freien wie in Innenräumen. Das Drehen an Originalschauplätzen erfolgt aus künstlerischen oder finanziellen Gründen. Allerdings kann durch die weniger kontrollierbaren Umstände (Wetter, Störungen durch Fremde, Beengung in Wohnungen) ein Außendreh auch teurer beziehungsweise technisch weniger ausgefeilt werden als eine Aufnahme im **Atelier**.

Ausstattung. Sammelbegriff für Bauten, Dekorationen, Kostüme und Requisiten bei der Filmaufnahme. Verantwortlich dafür sind der Ausstatter (Art Director) und der Costume Designer. Vergleiche **Production Design**.

Auteur. Filmkritischer Begriff für einen **Regisseur** mit einem stark ausgeprägten persönlichen Stil. Vergleiche **Metteur en Scène**.

Autoren-Theorie siehe **Politique des Auteurs**.

Avantgarde. Sieht man die Kunst als ständig sich entwickelnd und voranschreitend, so ergibt sich eine künstlerische Vorhut – die Avantgarde –, die intellektuell und ästhetisch den Zeitgenossen voraus ist. Mit der stärkeren Betonung einer mehr statischen Kunsttheorie verlor das Konzept von der Avantgarde an Bedeutung. Der Begriff wird auch speziell auf die experimentellen Filmkünstler in Frankreich und Deutschland nach dem Ersten Weltkrieg bezogen. Siehe **Absoluter Film**, **Abstrakter Film**, **Experimentalfilm**, **Poetischer Film**, **Underground Film**.

Azetat siehe **Nitro**.

B

B-Film. Billig und schnell gedrehter Film, der für die zeitweise in Amerika üblichen Double-Feature-Programme als zweiter Film eingesetzt wurde. Heute entsprechen dem die Fernsehserien.

Babelsberg. Populäre Bezeichnung für das Filmgelände zwischen Berlin und Potsdam. 1912 wurde auf einem Gelände in Neubabelsberg ein Glashaus als Atelier der Deutschen Bioscop eröffnet und in den folgenden Jahren erweitert. Nach der Fusion zur Decla-Bioscop und der Übernahme durch die **Ufa** wurde das Gelände zum Zentrum der deutschen Filmindustrie. 1929 entstand mit dem Tonkreuz das erste Tonfilm-Atelier. Mitte der dreißiger Jahre offiziell Umbenennung in Ufastadt Babelsberg. Bei Kriegsende von der Roten Armee besetzt, wurde das Atelier 1947 von der Sowjetischen Militäradministration der DEFA übergeben. Im August 1992 übernahm der französische Konzern Compagnie Générale des Eaux (CGE) das Gelände.

Backlighting siehe **Gegenlicht**.

BAFTA (British Academy of Film and Television Arts). Englisches Gegenstück zur amerikanischen **Academy of Motion Picture Arts and Sciences**; gegründet 1946, verleiht die jährlichen **BAFTA** Awards.

BBC (British Broadcasting Corporation). Öffentlich-rechtliche englische Hörfunk- und Fernseh-Gesellschaft, finanziert durch Gebühren der Zuschauer. Betreibt zur Zeit zwei TV-Kanäle: BBC-1 und BBC-2. Vergleiche **ARD**, **ITV**.

Belichtung. Ein Maß der Lichtmenge, die die Oberfläche des Films trifft. Film kann mit Absicht überbelichtet werden, um eine sehr helle, ausgewaschene, träumerische Bildqualität zu erhalten, oder er kann unterbelichtet werden, um das Bild dunkler, trüber und bedrohlicher zu machen. Siehe **Entwicklung**.

Belichtungsspielraum. Maß des Spielraums einer fotografischen **Emulsion**, der eine befriedigende Belichtung zuläßt.

Bergfilm. Deutsches Filmgenre der zwanziger und dreißiger Jahre, in dem die Natur der Alpen als optische und dramatische Folie für zwischenmenschliche Konflikte diente. Hauptvertreter war der Skifahrer und Bergsteiger Dr. Arnold Fanck, seine Stars waren Leni Riefenstahl und Luis Trenker, der das Genre bis ins Fernsehen weiterentwickelt. Aus den Kameraleuten der Bergfilme entwickelte sich eine eigene Freiburger Kameraschule (Sepp Allgeier, Richard Angst, Hans Schneeberger).

Bertelsmann siehe **Ufa**.

Best Boy siehe **Gaffer**.

Beta (Betamax). System für Videokassetten, das 1976 von der Firma **Sony** auf den Markt gebracht wurde. Es konnte sich wegen falscher Lizenz-Politik nicht gegen das technisch unterlegene VHS-System durchsetzen und wurde Mitte der achtziger Jahre vom Markt genommen. Das System wurde für den professionellen Bereich weiterentwickelt und ist als Halbzoll-System bei Fernsehanstalten in Gebrauch.

Beta-Film (Taurus-Film). Münchner Firmengruppe des Filmkaufmanns Leo Kirch, der durch Erwerb von Filmrechten und Vermittlung von Lizenzen an die deutschen Fersehanstalten in den siebziger und achtziger Jahren einen umstrittenen Medienkonzern aufbaute, zu dem unter anderem Anteile am Axel-Springer-Verlag und an den kommerziellen Fernsehkanälen **sat. 1** und Deutsches Sportfernsehen (DSF) sowie dem **Pay-TV**-Sender Premiere gehören. Ist auch an der Produktion von europäischen TV-Serien beteiligt.

BFI siehe **British Film Institute**.

Bild (Frame). 1. Jeder einzelne Bildkader des Filmstreifens; 2. die Größe und Form des Bildes auf dem Filmstreifen oder der Leinwand; 3. die kompositorische Einheit der Filmform. 4. Außerdem ganz allgemein ein optischer Eindruck (Image).

Bildfenster (Gate). Jener Teil in Kamera und Projektor, der im Augenblick der Aufnahme beziehungsweise Wiedergabe das jeweilige Filmbild freigibt. Durch das Bildfenster kann das **Bildformat** bestimmt werden.

Bildformat. Das Verhältnis der Breite zur Höhe des Filmbildes. Das übliche **Standardformat** (Academy Aperture) ist 1,33:1, **Breitwand**-Formate schwanken, in Europa ist 1,66:1, in Amerika 1,85:1 das verbreitetste Format. **Anamorphot**ische Systeme wie **CinemaScope** und **Panavision** sind noch breiter, 2,00:1 bis 2,55:1. Vergleiche **Vistavision**. Siehe Abbildung Seite 109.

Bildfrequenz. Anzahl der pro Sekunde aufgenommenen und projizierten Einzelbilder. Im Stummfilm waren zwischen 16 und mehr als 30 Bilder üblich. Schwankungen ergaben sich durch die Handkurbel an Kamera beziehungsweise Projektor. Der Tonfilm machte eine Standardisierung notwendig, und man einigte sich auf einen Durchschnittswert von 24 Bildern pro Sekunde (b/s). Im Fernsehen werden die Filme aus technischen Gründen mit 25 b/s abgespielt. Für künstlerische und wissenschaftliche Zwecke benutzt man abweichende Bildfrequenzen als **Zeitraffer** und **Zeitlupe**.

Bildstrich. Der unbelichtete, unbenutzte Streifen

zwischen zwei Bildkadern. Zunächst nur ein schmaler Streifen, wurde er nach Einführung des Tonfilms verbreitert, um so wieder das **Standardformat** der Academy Aperture zu erreichen. Durch falsche Projektion oder durch Fehler in der Kopie kann er im Bild erscheinen.

Bit (BInary digiT). Beim Computer die kleinste Einheit der digitalen Information. Ein Bit kann nur einen von zwei Werten haben: 0 oder 1, ein oder aus, ja oder nein. Zur Darstellung von Buchstaben und Zeichen benutzen moderne Computer 8-Bit-**Bytes**, die 256 Kombinationen ermöglichen. Siehe **ASCII**, **Unicode**.

Blacklist siehe **Hollywood Ten**.

Blende. 1. Technisch: Die variable Öffnung des Lichtganges der Kamera: Iris-, Apertur-Blende (Diaphragm, Aperture); siehe Abbildungen Seite 82 und 90. 2. Technisch: Der mechanische Teil, der laufend die Öffnung im Lichtgang einer Kamera beziehungsweise eines Projektors öffnet und schließt: Umlauf-, Flügel-, Sektorenblende (Shutter), siehe Abbildung Seite 87. 3. Ästhetisch: Sammelname für verschiedene Strukturierungsmittel des Films, zum Beispiel: **Abblende**, **Aufblende**, **Überblendung** sowie eine Anzahl Trickblenden, die jeweils nach ihrer Form benannt werden, zum Beispiel: Schiebeblende, Wischblende, **Irisblende**, Jalousieblende. Blenden wurden ursprünglich in der Aufnahmekamera hergestellt, heute meist von Spezialisten im Tricklabor.

Blendenzahl. Maßangabe der Größe der Blendenöffnung, präzise das Verhältnis der Objektivbrennweite (f) zum Durchmesser (D) der Öffnung: B = f/D. Die Maßeinheit wird f-Stop genannt. Je höher die f-Zahl, desto weniger Licht wird eingelassen. Es gibt auch ein System der T-Zahlen, die die tatsächlich wirksame Lichtmenge physikalisch präziser angeben.

Blickwinkel (Angle of View). Der Winkel, den eine Kameraoptik erfaßt. **Weitwinkelobjektive** haben einen breiten, **Teleobjektive** einen schmalen Blickwinkel. Siehe Abbildung Seite 77.

Blimp. Schallschutzgehäuse der Kamera.

Blockbuchen. Bei der Distribution übliches System, durch das der Verleih den Kinounternehmer zwingt, ein bestimmtes Paket von Filmen abzunehmen, das heißt neben (wahrscheinlich) erfolgreichen auch weniger erfolgreiche.

Blockbuster. Jargonausdruck entweder für einen geschäftlich sehr erfolgreichen Film oder einen, der so kostspielig war, daß er sehr viel einspielen muß, um Gewinn zu machen.

Blue Screen. Aufnahmesystem für das **Kombinationstrickverfahren** der **Wandermasken**, bei dem ein blauer Bildhintergrund verwendet wird. Siehe Abbildung Seite 139.

Bobby. Kern einer Filmrolle, früher aus Holz, heute vorwiegend aus Kunststoff hergestellt.

Bogenlicht (Arc Light). Sehr helles, sehr weißes Licht, das durch einen elektrischen Lichtbogen zwischen zwei Kohlestäben erzeugt wird; wird in Scheinwerfern bei Dreharbeiten und als Lichtquelle in Projektoren benutzt.

Bois d'Arcy. Populärer Kurzname des Service des Archives du Centre National de la Cinématographie (CNC) nach seinem Sitz in der Nähe von Paris; das staatliche Film-**Archiv** in Frankreich.

Boom siehe **Galgen**.

Breitwand (Widescreen). Alle **Bildformate** von 1:1.66 und größer. Ein Breitwandformat wird entweder durch **Anamorphoten** (**CinemaScope**, **Panavision**) oder durch Abkaschung des oberen und unteren Bildteiles bei der Aufnahme, Kopierung oder Projektion hergestellt. Die üblichsten Breitwandformate sind 1:1.66 (in Europa) und 1:1.85 (in Amerika). Siehe Abbildung Seite 109.

Brennweite (Focal Length). Bei optischen Objektiven die Angabe der Entfernung (in mm) zwischen der Linse und der Filmebene in der Kamera. Objektive werden nach dem Verhältnis ihrer Brennweite (f) zur Bilddiagonalen (d) klassifiziert: **Weitwinkel** ($d>f$), Standard ($d \approx f$), lange Brennweite ($d<f$) mit dem Spezialfall der **Teleobjektive**. Objektive mit veränderbarer Brennweite heißen Transfocator- oder **Zoom**-Objektive.

Brillanz. Man bezeichnet damit die Fähigkeit eines Filmmaterials, die Bilder bis in die wichtigen Details abzubilden, bei gleichzeitiger kräftiger Durchzeichnung aller Helligkeitsstufen von den Schattenpartien bis hin zu den Lichtern. Die Brillanz hängt davon ab, wie steil die **Gradations**-Kurve des Materials ist.

British Film Institute (BFI). Filminstitut in London, 1933 gegründet, zu dem unter anderem das nationale Film-**Archiv** (NFTA, National Film and Television Archive), ein Archiv für die Fotos und Plakate, das National Film Theatre und das Museum of the Moving Image (MOMI) gehören. Es veranstaltet das London Film Festival, publiziert Bücher und die Zeitschriften *Monthly Film Bulletin* (1934–1991) und *Sight and Sound* (seit 1932), fördert die Filmproduktion und unterhält eine Bibliothek. Vergleiche **FIAF**, **Kinemathek**.

Bundesarchiv-Filmarchiv. Größtes deutsches Film-**Archiv**, als Teil des Bundesarchivs eine staatliche Behörde mit Sitz in Berlin und Außenstelle in Koblenz. 1990 Erweiterung durch Zusammenschluß mit dem Staatlichen Filmarchiv der DDR. Mitglied der **FIAF**.

Bundesfilmpreis siehe **Deutscher Filmpreis.**

Byte. Gruppe von **Bits**, normalerweise acht. Im binären Zahlensystem der meisten Mikrocomputer entspricht ein Byte einem Zeichen.

C

CAA (Creative Artists Agency) siehe **Agent**.

Cahiers du Cinéma. International bedeutende französische Filmzeitung, 1951 von André Bazin, Jacques Doniol-Valcroze und Lo Duca begründet. Zu den Autoren gehörten Godard, Truffaut, Chabrol, Rohmer, Rivette. Siehe **Nouvelle Vague**, **Politique des Auteurs**.

Camcorder. Ursprünglich der Markenname von **Sony** für sein Videosystem mit kombiniertem Kamera-Recorder und einer 8 mm-Kassette. Inzwischen allgemein gebräuchlich für alle Kamera-Recorder.

Cameo. Kurzer, aber wichtiger Auftritt in einem Film, häufig mit einem berühmten Star.

Camera Angle siehe **Kamera-Standpunkt**, vergleiche **Angle of View**.

Camera Lucida. Gerät, das einen Gegenstand oder eine Szene auf ein Stück Zeichenpapier projiziert.

Camera Obscura. Vorläufer und Urform einer fotografischen Kamera: ein dunkler Raum (=lateinisch: camera obscura) mit einer Lochblende (beziehungsweise Sammellinse), durch die ein Gegenstand kopfstehend und seitenverkehrt auf der (transparenten) Rückseite abgebildet wird; um 1500 von da Vinci beschrieben. Siehe Abbildung Seite 67.

Camera Operator siehe **Kameramann**.

Caméra-Stylo. Die Kamera als Federhalter, Theorie des französischen Kritikers und Filmregisseurs Alexandre Astruc von einer Filmsprache (beziehungsweise -technik), die so flexibel und differenziert sei wie die der Literatur, zum Beispiel von Roman und Essay.

Casting. Die Besetzung eines Film mit Darstellern, in Hollywood meist durch einen oder mehrere (Hauptdarsteller, Komparsen) Casting Directors in Abstimmung mit Produzent und Regisseur durchgeführt.

CBS. Amerikanisches Fernseh-**Network**, 1927 von William S. Paley gegründet. Vor allem durch seine aktuelle Berichterstattung nach dem Zweiten Weltkrieg bis 1976 die Nummer eins in den **Ratings**. In den fünfziger und sechziger Jahren engagierte sich CBS auch auf dem Gebiet der Hardware: Der größte Erfolg war die Durchsetzung der Langspielplatte (12 Inch/33 U/min). Nach dem Verkauf der erfolgreichen Schallplatten-Abteilung (an **Sony**) sowie der Verlags- und Zeitschriften-Abteilungen ist CBS wieder nur ein TV-Network, seit 1992 wieder auf dem 1. Platz in den Ratings.

CD (Compact Disc). Anfang der achtziger Jahre eingeführtes, erfolgreiches digitales Speichersystem von Ton-Informationen auf Plastikscheiben aus Polycarbonat von 120 mm Durchmesser, die einseitig mit einer dünnen Aluminiumschicht bedampft sind, auf der die Informationen gespeichert und durch einen **Laser** abgerufen werden. Die CD kann schnell und billig produziert werden und verdrängte die LP aus Vinyl und die Audiokassette als wichtigstes Massenmedium für populäre und klassische Musik. Das System wurde von **Sony** und **Philips** gemeinsam entwickelt und erstmals 1982 in Japan eingeführt. Vergleiche **CD-ROM**, **Laserdisc**.

CD-ROM. Anwendung der CD als Speichermedium für die Computertechnik, ab 1986 von **Microsoft** entwickelt. **ROM** (Read Only Memory) ist ein Speicher, der nur gelesen, aber nicht beschrieben werden kann. Eine normale 120 mm-CD kann mehr als 600 Megabyte Daten speichern, etwa dieselbe Menge wie 400 3,5 Zoll-**Disketten**. Als die Computerindustrie in den späten achtziger Jahren Techniken für die Digitalisierung von Fotos und dann von bewegten Bildern entwickelte, erwies sich die gewaltige Kapazität der CD-ROM als ideales Medium für die Speicherung von Bildern und Tönen – wie von Daten. Das Ergebnis: **Multimedia**, für die Philips (unterstützt von **Sony** und **Matsushita**) 1991 die Technologie des CD-I (Compact Disc-Interactive) herausbrachte.

CD-Standards. Das *Red Book* beschreibt die Standards für **CD** DA, die von **Sony** und **Philips** entwickelte Digital-Audio-Scheibe, die jetzt den universell verbreiteten Standard für Musik-Vertrieb bildet. Das *Yellow Book* beschreibt die Standards für **CD-ROM**, die Abwandlung der Technologie zur Speicherung von Computer-Daten. Das *Green Book* erläutert die Parameter für CD-I, die erste **Multimedia**-Anwendung der Technologie. Das *Orange Book* erweitert den Standard auf CD WO für beschreibbare Discs. Der *High Sierra* Standard (ISO 9660), benannt nach dem Ort, wo er zuerst besprochen wurde, beschreibt die Directory-Struktur nach dem niedrigsten gemeinsamen Nenner, die von praktisch jedem Computersystem verstanden wird (ein bedeutender Fortschritt in der Computer-Welt und dennoch unerreicht als wahrer Standard). Der CD-ROM-XA-Standard (eXtended Architecture) geht vom *Green Book* aus und fügt Audio-Kompressions-Techniken zum CD-ROM-Format hinzu, um so eine flexible Plattform für Multimedia zu bieten. Das *White Book* beschreibt den Standard für **Video** CD.

Cell siehe **Folie**.

César. Französisches Gegenstück zum **Oscar**.

Chiaroscuro. Aus der Malerei entlehnter Begriff für einen den Kontrast von Licht- und Schatten-Effekten betonenden Bildstil, vor allem im deutschen **Expressionismus**.

Cineast. Aus dem französischen «cinéaste» abgeleiteter Begriff, ursprünglich nur auf Filmemacher, dann allgemein auf Filminteressierte angewandt.

CineGraph. Seit 1984 erscheinendes Lexikon zum deutschsprachigen Film, herausgegeben von Hans-Michael Bock.

Cinecittà. Filmstudio bei Rom, gegründet 1937, in den sechziger bis achtziger Jahren Arbeitsplatz von Fellini und anderen. 1993 geschlossen.

Cinéma du Papa. Von François Truffaut geprägter Ausdruck für die etablierte Filmindustrie, von der sich dann die **Nouvelle Vague** absetzte. Von deutschen Filmemachern als «Papas Kino» ins Oberhausener Manifest (1962) übernommen.

Cinema Novo. Gruppe brasilianischer Filmemacher um Glauber Rocha, die in den sechziger Jahren versuchte, eine wirtschaftlich und ästhetisch eigenständige Filmkultur in Brasilien aufzubauen.

Cinéma Vérité. Schlagwort für einen Stil des **Dokumentarfilms**, der auf der Benutzung einer leichten Filmausrüstung durch eine Zwei-Mann-Crew (Kamera + Ton) beruht und das Interview als Technik betont. Der Begriff wurde von Jean Rouch und Edgar Morin geprägt. Vergleiche **Direct Cinema**.

CinemaScope. Markenname der Twentieth Century-Fox für das 1952 von ihr kommerziell eingeführte **anamorphot**ische **Breitwand**-Verfahren. Vergleiche **Panavision, Vistavision**.

Cinémathèque Française. Berühmtes **Archiv** und **Filmmuseum** (seit 1972) in Paris, 1936 von Henri Langlois und Georges Franju gegründet. Die Vorführung der gesammelten Filme gab wichtige Anstöße vor allem für die Entwicklung der **Nouvelle Vague**. Die Ablösung von Langlois – wegen seiner oft eigenwilligen Arbeitsmethoden – durch den Kulturminister löste 1968 einen Protest der Filmemacher aus und führte zu seiner Wiedereinsetzung. Die Cinémathèque wird finanziert durch das Centre National du Cinéma. Vergleiche **Bois d'Arcy**, **FIAF**, **Kinemathek**.

Cinematographer siehe **Kameramann**.

Cinerama. Von Fred Waller für Paramount entwickeltes **Breitwand**-Verfahren, das drei synchrone Aufnahme- und Wiedergabe-Apparate sowie eine gekrümmte Leinwand verwandte. Der erste Film war *This Is Cinerama* (1952). Später wurde das komplizierte technische Verfahren zugunsten von 70 mm- und **Anamorphot**ischen Systemen aufgegeben, der Name jedoch beibehalten.

Clapper Board, **Clap Slade** siehe **Klappe**.

Closeup siehe **Großaufnahme**.

CNC siehe **Bois d'Arcy**.

CNN (Cable News Network). 1980 von Ted Turner in Atlanta gegründete TV-Station, die 24 Stunden am Tag nur Nachrichten sendet. In den späten achtziger Jahren bot Turner sein Programm auch international als Kabelprogramm in Hotels an. Die aktuelle Berichterstattung während des Golfkriegs 1991 bewies die Wirksamkeit des Konzepts.

Colorization. Künstliches Einfärben von alten Schwarzweiß-Filmen. Ein analoges Colorization-Verfahren wurde 1985 von Color System Technologies vorgestellt. American Film Technologies, inzwischen Teil von Turner Entertainment, wandte das System, ab 1987 digitalisiert, kommerziell an. Die Farbe wird elektronisch dem Videoband oder der Kassette zugefügt.

Columbia. Gegründet 1924 als Nachfolgerin einer von Harry und Jack Cohn mit Joe Brandt seit 1920 betriebenen Handelsfirma. Columbia wurde in den dreißiger Jahren unter Harry Cohn mit Unterstützung von Frank Capra populär. Da Columbia keine Kinos besaß, war das Paramount-Urteil von 1949, das andere Studios zwang, ihre Kinos abzustoßen, eher hilfreich. In den frühen fünfziger Jahren nahm das Studio als erstes die Herausforderung des Fernsehens auf. Screen Gems, Columbias Tochter für Fernsehproduktionen, wurde rasch ein führender Anbieter für das neue Medium, und die Firma gewann an Ansehen. Alan Hirschfield und David Begelman managten das Studio erfolgreich in den siebziger Jahren, bis Begelman 1978 wegen eines gefälschten Schecks gezwungen wurde zurückzutreten. Frank Price wurde Produktions-Chef und war für eine Anzahl von Erfolgen in den frühen achtziger Jahren verantwortlich, ehe er durch David Puttman ersetzt wurde, der wiederum sehr bald durch Dawn Steel abgelöst wurde. Coca-Cola kaufte 1982 das Studio für 750 Millionen Dollar und verkaufte es sieben Jahre später für 3,4 Milliarden Dollar an **Sony**. Sony warb für eine hohe Summe das Managementteam Peter Guber und Jon Peters von **Warner** ab, um die Neuerwerbung zu führen, und übernahm das angesehene **MGM**-Atelier als Hauptquartier für die neue Abteilung Sony Pictures Entertainment. 1995 geriet das Studio in ernsthafte finanzielle Schwierigkeiten. Guber und Peters waren wieder fort, und das Schwesterstudio **Tristar** war in Columbia aufgegangen, um – recht spät – die Kosten zu begrenzen.

Computer-Film. Ein Film, bei dem das Bild durch einen programmierten Computer, zumeist über einen Video-Schirm, gestaltet wird.

Continuity siehe **Anschluß**.

Continuity Editing. Die **Schnitt**-Methode, die – überwiegend in den USA in den zehner Jahren entwickelt – noch heute die Filmsprache beherrscht. Sie strebt nach glatten räumlichen und zeitlichen Übergängen und wendet eine Reihe von Regeln an, deren Absicht es ist, den Schnitt weniger zu betonen als ihn unsichtbar zu machen.

Copyright (Urheberrecht). Die gesetzliche Grundlage, die dem Urheber eines geistigen Werkes (Film, Buch, Melodie oder Computerprogramm) den Besitz an seinem Werk sichert. Das amerikanische Copyright-Gesetz von 1976 sichert einem Urheber das Recht für seine Lebenszeit plus 50 Jahre. Ist der «Urheber» eher eine Firma als eine Person, so gilt das Recht auf 75 Jahre nach der ersten Veröffentlichung oder 100 Jahre nach dem Entstehen des Werks. Sobald das Copyright erlischt, wird das Werk «Public Domain». Das deutsche Urheberrecht garantiert einem Urheber die Nutzungsrechte an seinem Werk für seine Lebenszeit plus 70 Jahre. Das Recht des Filmherstellers erlischt 25 Jahre nach dem Erscheinen des Films beziehungsweise nach Herstellung, wenn der Film in dieser Frist nicht erschienen ist. Nach Ablauf dieser Schutzdauer hängt die Rechtsstellung des Produzenten von den von ihm erworbenen Rechten der Filmurheber (Autor, Regisseur usw.) sowie der verfilmten Werke (Stoffrechte) ab. Liegt ein zeitlich uneingeschränkter Rechteerwerb vor, so bleibt ein Film bis zum Ablauf von 70 Jahren nach dem Tode der Urheber geschützt.

CP/M (Control Program for Microcomputers). Steuerprogramm für Mikrocomputer, 1975 von Gary Kildall entwickelt und durch seine Firma Digital Research Inc. vertrieben, das die Frühzeit der Mikrocomputer-Industrie dominierte und als Modell für Microsofts **MS-DOS** diente.

Credits. Die Liste der Produktionsdaten und Namen der Techniker und Mitwirkenden, die als **Vorspann**- oder Nachspann-Titel den Film begleiten. Die Reihenfolge, selbst die typografische Gestaltung, ist oft vertraglich genau ausgehandelt.

Cross-Cutting siehe **Kreuzschnitt**.

Crosslight. Gegenlichtiges **Seitenlicht**, das heißt Zwischenstufe zwischen halbem Licht und **Gegenlicht**.

Cut siehe **Schnitt**.

Cutter. In Deutschland übliche Bezeichnung für die Person, die den Film**schnitt** beziehungsweise die **Montage** durchführt; englisch: editor.

Cyberspace. Das Konzept einer Gegen-Realität (virtuelle Realität), die auf Online-Networks und digitalen Darstellungen von Realität basiert und von William Gibson in seinem Roman *Neuromancer* (1984) popularisiert wurde. Die Bewohner von Cyberspace sind die Cyberpunks.

D

Dailies siehe **Muster**.

Day for Night siehe **Amerikanische Nacht**.

Découpage. Französisch: Schnitt; Bezeichnung für die letzte Fassung des **Drehbuchs**, das in die einzelnen zu drehenden Aufnahmen zerlegt ist.

Découpage Classique. Begriff der französischen Filmkritik für den klassischen Hollywood-Stil der flüssigen Narration (**Continuity Editing**).

Deep Focus siehe **Schärfentiefe**.

Deep Space (Tiefer Raum). Eine **Mise en Scène**, die eine beträchtliche Distanz zwischen den Vordergrund- und Hintergrund-Ebenen einer **Einstellung** etabliert. Nicht zu verwechseln mit **Deep Focus**.

DEFA (Deutsche Film-AG). Am 17. 5. 1946 durch Lizenz der Sowjetischen Militäradministration gegründete Filmfirma, die in der DDR als staatlicher Volkseigener Betrieb das Monopol auf Produktion von Filmen besaß. Das DEFA-Studio für Spielfilme arbeitete ab 1947 hauptsächlich auf dem ehemaligen **Ufa**-Filmgelände **Babelsberg**. Die DEFA produzierte bis 1991 rund 800 Spielfilme, daneben Fernseh-, Dokumentar- und Animationsfilme. Als DEFA Studio Babelsberg GmbH nach Ende der DDR durch die Treuhand übernommen und im August 1992 verkauft an die französische Compagnie Générale des Eaux (CGE); dabei Tilgung des Namens DEFA.

Definition. 1. die Fähigkeit eines Filmmaterials oder Objektivs, auch kleinste Details scharf wiederzugeben. Vergleiche **Auflösungsvermögen, Körnigkeit**. 2. Auflösungsvermögen eines **Video**-Bildschirms. Vergleiche **HDTV**.

Dekoration siehe **Set**.

Dekorationslicht (Set Light). Jene Lichtquellen, die (schräg von oben) die Dekorationen beleuchten.

Density siehe **Dichte**.

Depth of Field siehe **Schärfenbereich**.

Desktop Publishing. Kombination von Hochleistungs-Software zur Textverarbeitung, die zugleich auch Design, Layout und Typografie bewältigt und in Verbindung mit **Laser**-Drucktechnologie ein qualitativ hochwertiges Produkt ergibt.

Detail-Aufnahme. Einstellung, die nur einzelne Gegenstände, zum Beispiel eine Hand, ein Auge, eine Tasse, wiedergibt.

Deutscher Filmpreis (Bundesfilmpreis). Seit 1951 alljährlich vom Bundesinnenminister verliehene Auszeichnung für Spiel-, Dokumentar- und Kurzfilme. Mit den Goldenen und Silbernen Filmbändern für einzelne Filme sind Geldprämien verbunden. Außerdem gibt es Filmbänder für Einzelleistungen (Regie, Buch, Kamera, Darsteller etc.) sowie für «langjähriges und hervorragendes Wirken» beziehungsweise für das Lebenswerk. Der Wanderpreis einer Goldenen Schale für einen Film wurde 1979 zum letzten Mal verliehen.

Deutsches Filmmuseum siehe **Filmmuseum**.

Dialogband. Eines der drei Hauptbänder, aus denen bei der Mischung der Film**ton** entsteht. Es wird entweder bei den Dreharbeiten als **Originalton** oder anschließend durch **Nachsynchronisation** aufgenommen. Vergleiche **Effektband, Musikband**.

Diaphragm siehe **Blende 1**.

Dichte (Density). Ausdruck für den Grad der Lichtundurchlässigkeit einer entwickelten fotografischen Schicht, beim Schwarzweißfilm zum Beispiel also die Schwärzung.

DIF (Deutsches Institut für Filmkunde e. V.). 1949 aus dem «Archiv für Filmwissenschaft» entstanden, umfaßt das DIF – in enger Nähe zu SPIO und FSK – eine umfangreiche Sammlung von Büchern, Fotos, Plakaten und Dokumenten in Frankfurt sowie seit 1962 ein **Archiv** in Wiesbaden. Vergleiche **Kinemathek**.

Digital. Analoge Systeme der Aufzeichnung oder Übermittlung von Informationen (Daten, Töne, Bilder) benutzen eine Struktur, die versucht, die Wellenform des Originalsignals so genau wie möglich wiederzugeben. Mit der Revolution der Mikrocomputer in den achtziger Jahren begann man, digitale Methoden der Aufzeichnung und Übermittlung zu entwickeln. In einem digitalen System wird die ursprüngliche Wellenform (Data, Audio, Video) mehrere tausendmal pro Sekunde gesampelt; die «Samples» werden in Zahlenwerte umgesetzt, die als Daten gespeichert werden. Da die Information als Zahl gespeichert wird, sind digitale Systeme relativ resistent gegen Abnutzung oder Hintergrundgeräusche: Eine Sammlung von gespeicherten Ziffern auf einer **CD** nutzt sich nicht ab wie die Rille einer Vinyl-Schallplatte, und das Geräusch, das mit einer analogen Aufzeichnung inhärent verbunden ist, existiert einfach nicht. Außerdem kann die digitale Information leichter durch Computer bearbeitet werden.

Digitales Fernsehen siehe **MPEG**.

DIN (Deutsche Industrie-Norm / en vom Deutschen Institut für Normung e. V.) DIN-Angaben bezeichnen verschiedene Empfindlichkeitswerte von Filmemulsionen. Vergleiche **ASA**.

Direct Cinema. Der in den USA seit 1960 vorherrschende **Dokumentar**-Stil. Er beruht wie das **Cinéma Vérité** auf einer leichten, beweglichen Filmausrüstung; doch im Gegensatz zum Cinéma Vérité soll sich der Filmemacher nicht in die Situation einmischen. Außerdem fehlt meist ein erklärender **Kommentar**.

Director of Photography siehe **Kameramann**.

Disc, Disk (Scheibe). Die Aufzeichnung in Form einer Scheibe hat den Vorteil billiger Reproduktion und sofortigen Zugriffs auf jeden beliebigen Punkt der Aufzeichnung. Die Nachteile liegen in der Möglichkeit einer leichten Beschädigung. Außerdem kann sie, da sie nicht linear ist, nur schlecht bearbeitet und geschnitten werden. Eine Disc kann analoge (Schallplatte) wie digitale (CD, **Laser-Disc**) Informationen speichern. Vergleiche **Tonband**.

Diskette (Floppy Disk). Billiges und leicht handhabbares System der externen Datenspeicherung bei Computern durch magnetische Speicherung auf einer dünnen Scheibe. Das verbreitetste Format bei Microcomputern ist die 3,5 Zoll-Diskette, die durch ein festes Plastikgehäuse geschützt ist.

Disney. 1923 von Walt Disney und seinem Bruder Roy gegründet, um ihre **Animations**filme zu produzieren, wandte sich dieses ungewöhnliche Studio erst in den fünfziger Jahren dem Realfilmmachen zu. Von den Fünfzigern bis in die Achtziger konzentrierte sich Disney auf sorgfältig geplante Familienunterhaltung, ein Feld, auf dem das Studio praktisch ein Monopol hatte. Die Firma eröffnete 1955 ihren ersten Unterhaltungspark, Disneyland, und diese Sektion nahm schnell den Mittelpunkt der Firma ein. Walt Disney starb 1966, und für die Firma begann eine Periode des langsamen Abstiegs, da Familienunterhaltung offenbar ihre Attraktivität an der Kinokasse verlor. Selbst die Animation, Disneys ureigenstes Feld, geriet unter Druck. 1979 verließen einige der führenden Animatoren um Don Bluth die Firma, enttäuscht von den niedrigen Ansprüchen. Walt Disneys Schwiegersohn, Ron Miller, wurde 1983 Generaldirektor und begann eine erstaunliche Wende. Er gründete die Abteilung Touchstone Pictures, um mit den anderen Studios auf deren Gebiet – der Unterhaltung für Erwachsene – zu konkurrieren, und verschaffte der Firma selbst im Fernsehen wieder Ansehen, indem er einen eigenen Kabelkanal, The Disney Channel, gründete. Miller verlor 1984 die Kontrolle an Roy E. Disney, Walts Neffen. Die Expansion, jedoch, setzte sich fort, unter der Führung des Vorstandsvorsitzenden Michael Eisner, des Produktions-Chefs Jeffrey Katzenberg (beide zuvor Mitarbeiter von Barry Diller bei **Paramount**) und Frank Wells (früher **Warner**). Eine zweite Filmabteilung, Hollywood Pictures, wurde 1990 gegründet, um Filme mit geringem Budget auszuwerten. Die Firma errang in der Animation wieder Ansehen durch eine Reihe von Erfolgen in den späten achtziger und neunziger Jahren. Frank Wells verunglückte 1994 tödlich. Kurz darauf, als deutlich wurde, daß Eisner ihn nicht befördern würde, verließ Katzenberg die Firma, um mit Steven Spielberg und David Geffen ein eigenes Studio zu gründen, **Dreamworks SKG**. Obwohl Gerüchte über eine Fusion mit CBS seit langem die Runde machen, blieb (im Jahre 1995) The Walt Disney Company das letzte unabhängige Hollywood-Studio.

Dissolve siehe **Überblendung**.

Dokudrama. Vor allem im Fernsehen seit den sechziger Jahren beliebte Behandlung tatsächlicher Ereignisse in Form eines Spielfilms.

Dokumentarfilm. Umfassender, allgemeiner Begriff für alle nichtfiktionalen Filme, die sich der Aufzeichnung von Außenrealität widmen. Der Begriff wird von Theoretikern und Kritikern sehr verschieden, oft stark einschränkend (zum Beispiel auf Filme im Stil des **Direct Cinema** oder **Cinéma Vérité**) und moralisierend definiert. Vergleiche **Aktualitäten**, **Kino-Glaz**, **Kulturfilm**, **Synthetischer Film**, **Wochenschau**.

Dolby. Markenzeichen eines elektronischen Systems zur Verbesserung der **Ton**qualität durch Unterdrückung des **Grundrauschens**. Siehe Abbildung Seite 125.

Dolly. Höhenverstellbarer leichter Kamerawagen, entweder mit Gummibereifung oder auf Schienen. Vergleiche **Fahraufnahme**.

Double. Die Person, die einen Schauspieler in unangenehmen Teilen der Dreharbeiten ersetzt, zum Beispiel beim zeitraubenden Ausleuchten (Licht-Double), Nacktszenen; vor allem aber bei gefährlichen **Stunts**.

Double-System siehe **Zweiband**.

Dramaturg (Story Editor). Vom Theater in die Filmproduktion übernommene Funktion, die das Auffinden und Entwickeln von Filmstoffen bis zum fertigen Drehbuch umfassen kann. Besondere Bedeutung hatte diese überwachende Funktion in der Filmproduktion der DDR.

Dreamworks SKG. Ende 1994 vom Regisseur-Produzenten Steven Spielberg, dem ehemaligen **Disney**-Manager Jeffrey Katzenberg und dem Schallplatten-Tykoon David Geffen gegründet, ist Dreamworks SKG ein vielversprechender Versuch, ein neues Hollywood-Studio zu gründen. Die Kombination von Kapital, Erfahrung und Erfolg lockte sofort nach der Bekanntgabe der Gründung zahlreiche Investoren an. Es bestehen Pläne, eine eigene, neue Studioanlage zu errichten.

Drehbuch (Screenplay). Die schriftliche Fixierung der Ideen, Drehanweisungen und Dialoge, ehe ein Film gedreht wird. Nach der Ausführlichkeit werden folgende Arbeitsphasen unterschieden: Exposé – kurze Skizzierung der Haupthandlung; Treatment – eine genauere Ausführung der Handlungszüge; Szenarium – bei dem filmische Notwendigkeiten, zum Beispiel die Einteilung in Szenen, berücksichtigt werden; das eigentliche Drehbuch, bei dem (oft in zwei Parallelspalten) Handlungsabläufe und Dialoge, bis in einzelne Sequenzen unterteilt (siehe **Découpage**), festgelegt sind und das die Arbeitsunterlage bei den Dreharbeiten bildet. In der Realität können einzelne dieser Stufen entfallen, selbst die letzte. Nach dem fertigen Film werden bisweilen Dialoglisten oder Protokolle gefertigt.

Drehverhältnis. Verhältnis der Länge des in der Kamera belichteten Materials zum **Feinschnitt** des fertigen Films. Bei Spielfilmen in Hollywood ist ein Drehverhältnis von 20:1 typisch, 30:1 nicht ungewöhnlich, bei Dokumentarfilmen kann es bis zu 100:1 sein. Bei deutschen Produktionen und beim Fernsehen ist höchstens 6:1 üblich.

3-D-Film siehe **Stereoskopie**.

Drittes Kino. Von den Argentiniern Fernando E. Solanas und Octavio Getino geprägter Ausdruck für das politische Kino der Dritten Welt, besonders Lateinamerikas, das einen dritten Weg zwischen dem Kommerzkino und dem **Experimentalfilm** bilden soll.

Dub siehe **Synchronisieren**.

Dup (Dupe). Kurzform für Duplikat-Film. Im Laufe des Herstellungsprozesses eines Films müssen meist mehrere **Generationen** von Film-Duplikaten (**positiv** und **negativ**) hergestellt werden, die als Grundlage bestimmter Arbeitsgänge dienen. Siehe Abbildung Seite 102. Vergleiche **Lavendel, Umkehrfilm**.

Dye-Transfer siehe **Technicolor**.

E

Eastmancolor. Das heute meistbenutzte Farbfilm-Material, seit 1952 von der Firma Eastman-Kodak vertrieben, das mit einem durch chemischen Prozeß gewonnenen Negativ arbeitet. 1968 wurde das Material noch einmal entscheidend in Licht-**Empfindlichkeit** und Farbtreue verbessert. Bei den Farbfilmen der Firma Kodak bezeichnet die Endsilbe «-color» Negativmaterial, die Endsilbe «-chrome» Umkehrmaterial.

EBU (European Broadcasting Union). Vereinigung westeuropäischer Fernsehsender zum Austausch und zur Koordinierung von Programmen unter dem Zeichen Eurovision.

Editor siehe **Cutter**.

Effektband. Bei der **Mischung** (oder auch bei Mehrkanal-Kinokopien) der Tonkanal, auf dem sich Geräusche und Toneffekte befinden. Vergleiche **Dialogband, Musikband**.

Effektlicht. Jene Scheinwerfer, die besondere Lichteffekte (Kerzen, Feuer, Jalousien) erzeugen, sowie alle im Bild sichtbaren Lampen und Lichter.

Einakter (One-reeler). In der Frühzeit (bis 1914) ein Film in der Standardlänge von einer Rolle (**Akt**), das heißt etwa zehn bis zwölf Minuten.

Einblendung. Die Einführung eines zusätzlichen Bildmotivs in das Filmbild, zum Beispiel eines **Untertitels**.

Einschaltquote siehe **Ratings 2**, vergleiche **Gesellschaft für Konsumforschung, Nielsen**.

Einstellebene siehe **Schärfenebene**.

Einstellung. 1. (Shot) Ein kontinuierlich belichtetes, ungeschnittenes Stück Film. Ein Film kann aus einer oder mehreren Einstellungen bestehen. Sie ist (neben dem Einzelbild) die Grundeinheit des Films.
2. (Take) Mehrere gleichartige Versionen einer einzelnen Einstellung. Vergleiche **Muster**.
3. (Shot) Die Beschreibung des Bildausschnitts (**Detail-**, **Groß-**, **Nah-**, **Amerikanische**, **Halbnah-**, **Halbtotal-**, **Total-**, **Panorama**-Einstellung), des **Kamera-Standpunkts** (Aufsicht, Untersicht u.a.), der **Kamerabewegung** (**Fahrt, Schwenk, Zoom**), des Bildinhalts (**Two-Shot**) oder der dramaturgischen Funktion (**Establishing Shot, Master Shot**).

Einzelbild-Aufnahme. Fähigkeit der Kamera, einzelne Phasenbilder unabhängig voneinander aufzunehmen. Technische Grundlage von **Animation** und extremem **Zeitraffer**.

Elektronische Aufzeichnung. Beim Fernsehen übliche Aufzeichnung von Bild und Ton auf magnetischen Medien, zum Beispiel **Video**-Band (daher auch MAZ, kurz für magnetische Aufzeichnung). Da unbrauchbare oder bereits gesendete Aufnahmen überspielt werden können und so das Trägermaterial mehrfach benutzbar ist, wird es aus ökonomischen Gründen bei der aktuellen Berichterstattung, bei einmaligen Ereignissen (Shows), aber zunehmend auch bei der Produktion von Fernsehspielen benutzt. Vergleiche **Beta**, **Elektronischer Schnitt, Video**.

Elektronischer Schnitt. 1. Die Montage von Fernsehsendungen, deren Material durch **Elektronische Aufzeichnung** oder **Video** gewonnen worden ist. 2. Methode des Filmschnitts, bei der vom Negativ eine Video-Überspielung vorgenommen und die **Montage** des Films auf

Grundlage dieses «elektronischen Masters» durchgeführt wird. Der elektronisch hergestellte **Feinschnitt** wird schließlich anhand des **Timecode** als Grundlage für den **Negativschnitt** benutzt. Bei **Fernsehfilmen**, die auf Film gedreht wurden, aber nur für die Ausstrahlung vorgesehen sind, kann diese letzte Arbeitsstufe unterbleiben.

Emmys. Nach dem Vorbild der **Oscars** durch die Academy of Television Arts and Sciences (ATAS) und die National Academy of Television Arts and Sciences (NATAS) verliehene Fernsehpreise in über hundert Kategorien.

Empfindlichkeit (Speed). Die Eigenschaft einer fotografischen **Emulsion**, auf Licht zu reagieren. Die Empfindlichkeit eines Films wird mit **DIN**- oder **ASA**-Werten angegeben; je höher diese Werte sind, desto empfindlicher ist das Material, das heißt, bei der Aufnahme ist weniger Licht notwendig. Mit wachsender Empfindlichkeit nimmt normalerweise die **Körnigkeit** zu. Vergleiche **Flashing**, **Orthochromatisch**, **Panchromatisch**.

Emulsion. Die lichtempfindliche Substanz (Bromsilber + Gelatine), die, auf ein Trägermaterial aufgetragen, die chemische Grundlage von Fotografie und Film bildet. Vergleiche **Empfindlichkeit**, **Entwicklung**.

Entwicklung. Chemischer Prozeß, durch den das latente Bild auf dem belichteten Filmmaterial sichtbar gemacht wird. Vergleiche **Chemtone**, **Forcieren**.

Episodenfilm. Ein Film, der mehrere geschlossene Episoden eines oder mehrerer Regisseure enthält, die durch eine Gemeinsamkeit (Thema, Autor, Darsteller, Schauplatz etc.) verbunden sind.

Erstaufführung (First Run). Das Recht zur Erstaufführung eines Films in einer Stadt, einem Gebiet oder einer beschränkten Anzahl Kinos wird oft vom Verleih mit besonderen Verpflichtungen, zum Beispiel der Werbung, verbunden.

Erzählkino. Filmkritischer Begriff für den traditionellen **narrativen** Spielfilm. Vergleiche **Essay-Film**.

Essay-Film. Bezeichnung für den dialektischen, meist nicht**narrativen** Film, in dem der Filmemacher sein Thema in stilistisch und inhaltlich unterschiedlichen Ansätzen behandelt, dabei oft das Filmmedium selbst in die Reflexion einbezieht. Beispiele sind Godards *Le Gai savoir*, Kluges *Die Patriotin*. Der Gegensatzbegriff ist **Erzählkino**.

Establishing Shot. Filmdramaturgisch eine **Einstellung** zu Beginn einer **Sequenz**, die einen allgemeinen Überblick über Lokalität, Personal und Situation gibt.

Europäischer Filmpreis (Felix). Versuch der europäischen Filmindustrie, die Popularität und Werbewirkung der **Oscar**-Verleihung nachzuahmen.

Eurovision siehe **EBU**.

Exciter Lamp siehe **Tonlampe**.

Executive Producer siehe **Produzent**.

Experimentalfilm. Allgemeiner Begriff für Filme, die, außerhalb der kommerziellen Filmwirtschaft hergestellt, als künstlerische (oder ökonomische) Experimente gelten. Vergleiche **Absoluter Film**, **Abstrakter Film**, **Anderes Kino**, **Avantgarde**, **New American Cinema**, **Underground Film**.

Export-Union (Export-Union des Deutschen Films e. V.). Verband der Filmproduzenten und Verleiher zur Propagierung des deutschen Films im Ausland. Vergleiche **Unifrance**, **Unitalia**.

Exposé siehe **Drehbuch**.

Expressionismus. 1. In der anglo-amerikanischen Filmtheorie ein sehr allgemeiner Begriff, der im Gegensatz zu **Realismus** benutzt wird, das heißt für alle Filme, bei denen eine starke ästhetische Prägung durch den Filmemacher festzustellen ist, die sich durch ausführlichen Gebrauch von technischen Möglichkeiten und Montage äußert.
2. Bezeichnung für eine Stilrichtung des deutschen Films der Weimarer Republik, die in einer Tradition von Literatur, Theater und Malerei stand. Auch dieser ursprünglich präzise Begriff wird oft wahllos auf nahezu alle deutschen Produktionen jener Zeit angewandt.

Extreme Long Shot siehe **Panorama-Einstellung**.

F

F-Stop, **F-Zahl** siehe **Blendenzahl**.

Fade in siehe **Aufblende**.

Fade out siehe **Abblende**.

Fahraufnahme (Tracking Shot). Filmeinstellung, bei der sich der Standpunkt der Kamera verändert. Kamerafahrten können entweder auf Schienen (Tracks) vermittels eines frei beweglichen Kamerawagens (**Dolly**) oder eines **Krans** ausgeführt werden. Vergleiche **Louma**, **Zoom**.

Farbe. 1. Die Farbe im Film wird entweder durch **additive** oder **subtraktive** Farbmischung erzeugt. Variable Faktoren der Farbwiedergabe sind die **Farbtemperatur**, die **Farbsättigung** und die Intensität beziehungsweise Helligkeit. 2. Seit den frühesten Anfängen des Films wurde mit Farbsystemen experimentiert. Die zunächst gebräuchlichsten waren die Handkolorierung und die **Virage**. Erste größere kommerzielle Anwendung eines Zweifarbensystems fand **Technicolor** in den zwanziger Jahren in Hollywood, vor allem in der Übergangsphase zum Tonfilm. 1932 kam bei Technicolor dann die zu einer natürlichen Farbwiedergabe notwendige dritte Farbkomponente hinzu. Ein neuer, praktikablerer Ansatz des Farbfilms ergab sich Ende der Dreißiger durch die Entwicklung von **Eastmancolor** in den USA und **Agfacolor** in Deutschland. Ab 1952 wurde dann Eastmancolor auf dem professionellen Filmmarkt zum vorherrschenden System, das 1968 noch einmal entscheidend verbessert wurde. Während vor 1952 Farbe nur für besondere Projekte benutzt wurde, wurde sie dann nach einer Übergangsphase ab 1968 zur nahezu ausschließlichen Norm bei der kommerziellen Filmherstellung.

Farbsättigung (Saturation). Der Grad der Buntheit eines Bildes wird als Farbsättigung bezeichnet.

Farbtemperatur. Die Farbtemperatur ist ein Maß für das vorherrschende Spektrum einer Lichtquelle. Niedrige Temperaturen tendieren zur roten Seite des Farbspektrums, höhere zur blauvioletten. Das Sonnenlicht (ein ideales weißes Licht) hat eine Farbtemperatur von etwa 6000 °Kelvin, während Glühlampen eher eine Orange-Farbtemperatur von etwa 3200 °K haben. Bei der Arbeit mit Farbfilm muß die Farbtemperatur durch den Kameramann genau berücksichtigt werden.

Fast Motion siehe **Zeitraffer**.

FCC (Federal Communications Commission). 1934 vom US-Congress eingesetzte unabhängige Staatsagentur zur Regulierung des Rundfunks über Sender und Kabel.

Feature. 1. Im Englischen die Bezeichnung für den Hauptfilm eines Kinoprogramms. 2. Im Englischen allgemein die Bezeichnung für einen langen, «abendfüllenden» Film (über 75 Minuten). 3. Im Deutschen Bezeichnung für eine längere (über 45 Minuten) Fernseh-Dokumentation.

Feinschnitt. Die letzte Stufe des **Schnitts**, bei der die endgültige Fassung des Films hergestellt wird. Vergleiche **Final Cut**.

Felix siehe **Europäischer Filmpreis**.

Fernsehfilm. Ein Film, der speziell für das Fernsehen produziert wird und bestimmte dramaturgische Rücksichten auf das kleinere Bild nimmt. In der BRD, wo die meisten Kino-Filme von Fernsehanstalten mitproduziert werden, spricht man mitunter von «amphibischen» Filmen, die für beide Medien brauchbar sind.

Fernsehstandards. Es existieren drei Hauptsysteme der elektronischen Farbübertragung. PAL (Phase Alternating Line) ist in Westeuropa (außer Frankreich) verbreitet, SECAM (Séquentielle Couleur à Mémoire) in Frankreich und Osteuropa (früher auch in der DDR). NTSC (National Television System Committee) wird in den USA, Kanada und Japan benutzt. NTSC arbeitet mit 525 Zeilen, PAL und SECAM mit 625 Zeilen pro Bild.

FIAF (Fédération Internationale des Archives du Film). Internationaler Verband der Film-**Archive** mit über hundert Mitgliedern in 60 Ländern. Gegründet 1938 zur Förderung und Koordinierung der Sammlung und Bewahrung des audiovisuellen Erbes. Deutsche Mitglieder der FIAF sind **Bundesarchiv-Filmarchiv**, **Deutsches Institut für Filmkunde** und **Stiftung Deutsche Kinemathek** als Vollmitglieder sowie das Filmmuseum München als Beobachter.

FIAPF (Fédération Internationale des Associations des Producteurs des Films.) Internationaler Verband der Filmproduzenten, der unter anderem **Filmfestivals** den A-Status (internatio nale Jury mit offizieller Preisverleihung) verleiht und über die Durchführung der Festivals wacht.

Film d'Art. Nach einer 1908 gegründeten Produktionsfirma benannte frühe Richtung des französischen Films, bei der versucht wurde, durch berühmte Schauspieler, Autoren und Stoffe dem Film eine größere Respektabilität zu verschaffen.

Film Noir. Von französischen Kritikern geprägter Begriff für ein Genre des Hollywood-Films der vierziger und fünfziger Jahre, vorwiegend Kriminalfilme mit Betonung des düsteren städtischen Milieus und mit einzelgängerischen, zynischen Helden.

Film-Kurier. 1919 in Berlin von Alfred Weiner gegründetes Fachblatt der Filmindustrie, Anfang der dreißiger Jahre größte Filmzeitung Europas. Die Tageszeitung, die bis Ende 1944 erschien (Notblatt bis März 1945: *Film-Nachrichten*), ist die bedeutendste Quelle für Informationen zum Film der Weimarer Republik und der Nazi-Jahre. Ein wichtiger ökonomischer Faktor war die Herausgabe des *Illustrierten Film-Kuriers*, eines meist vierseitigen Programmhefts zu einzelnen Filmen, das – mitunter in Millionenauflage – in den Kinos verkauft wurde. Weitere wichtige deutsche Fachblätter: *Erste Internationale Film-Zeitung* (1907–1920) sowie *Der Kinematograph* (ab 1907), *Lichtbild-Bühne* (ab 1908), *Der Film* (ab 1916), die während der Nazi-Zeit nach und nach zusammengelegt beziehungsweise eingestellt wurden.

Film-Prüfstelle. Staatliche **Zensur**-Institution des Deutschen Reichs mit Sitz in Berlin und München. Mit dem Reichslichtspielgesetz vom 12. 5. 1920 wurde eine zentrale staatliche Filmzensur eingerichtet, die die (in Berlin seit 1906) bestehende lokale Polizeizensur ersetzte. Auch vorher wurden die Entscheidungen der Berliner Film-Prüfstelle im ganzen Reich weitgehend als maßgeblich akzeptiert. Vergleiche **FSK**.

Filmfestival. Präsentation von Filmen der neuesten Produktion oder zu einem bestimmten Thema innerhalb eines kurzen Zeitraums, meist verbunden mit begleitenden Festlichkeiten und Veranstaltungen. Die Filme konkurrieren in einem Wettbewerb um Preise oder laufen in Informationsshows beziehungsweise Fachmessen. Ein Filmfestival wendet sich meist an ein internationales Fachpublikum und/oder als «Ereignis» an die regionale Bevölkerung. 1. Universal-Festivals mit internationalem Wettbewerb sind Venedig (seit 1932, im August/September, Preise: Leone d'oro), Cannes (seit 1946, im Mai, Palme d'or), Berlin (seit 1951, im Februar, Goldener Bär) sowie Moskau alternierend mit Karlovy Vary. Die **FIAPF** hat diesen Festivals (und einigen weiteren) den sogenannten A-Status verliehen. 2. Spezialfestivals (oft nur unregelmäßig) widmen sich bestimmten Formen oder Genres, zum Beispiel: Kurzfilm in Oberhausen, Dokumentarfilm in Leipzig oder Lyon, Animationsfilm in Annecy oder Stuttgart, Experimentalfilm in Knokke (um 1970), Kinderfilm in Gera, Stummfilme in Bologna und Pordenone. Andere zeigen die nationale Produktion: Junger Deutscher Film in Hof, Schweiz in Soloturn, Österreich in Wels, DDR in Karl-Marx-Stadt (1982–88).

Filmformat (Film Gauge, Format). Filmmaterial wird in verschiedenen Breiten hergestellt. Das Standardformat für Kinofilme ist das (schon 1899 durch Eastman und Edison verwendete) 35 mm-Format. Bei bestimmten aufwendigen Produktionen wird auch 65 mm- oder 70 mm-Material verwandt. Beim **Dokumentarfilm**, im **nichtkommerziellen Verleih** und beim Fernsehen herrscht das 16 mm-Format vor, das ursprünglich für Filmamateure eingeführt wurde. Der Amateurmarkt hat sich fast ganz auf das 8 mm- oder Super-8 mm-Format verlagert; früher waren auch die Breiten 17,5 mm und 9,5 mm (mit Mittelperforation) üblich.

Filmhochschule, **Filmakademie.** Ausbildungsstätte für Filmregisseure, Autoren und Techniker. In Deutschland unter anderem: Deutsche Film- und Fernseh-Akademie Berlin (DFFB), Hochschule für Fernsehen und Film (HFF) in München, Hochschule für Film und Fernsehen «Konrad Wolf» in Potsdam-Babelsberg, Filmakademie Baden-Württemberg in Ludwigsburg.

Filminstitut siehe **Kinemathek**.

Filmkunst (Art Film). In den fünfziger und sechziger Jahren unterschied man prätentiösere, «künstlerische» Filme, vor allem aus Frankreich, Italien und Osteuropa, von den «Unterhaltungs»-Filmen aus Hollywood. Die Filme liefen meist in besonderen Filmkunst-Kinos (in der BRD zur «Gilde» zusammengeschlossen) oder in speziellen Vorstellungen, da man ihnen geringere kommerzielle Attraktivität zuschrieb. Auch die Filmclubs widmeten sich besonders diesen Filmen.

Die **Programmkinos** und «kommunalen» Kinos haben seit etwa 1970 diese Bewegung – jedoch mit offeneren Kriterien – aufgenommen.

Filmmuseum. Durch Ausstellung von Filmmemorabilien (Geräte, Fotos, Plakate, Kostüme, Kulissen), zum Teil in nachgebauten und inszenierten Situationen, sollen Kenntnis und Faszination des Mediums Film vermittelt werden. Feste Institutionen sind unter anderem das Musée du Cinéma in Paris, das Museum of the Moving Image (MOMI) in London, das Deutsche Filmmuseum in Frankfurt. Der Begriff wird auch von **Kinematheken** (Det Danske Filmmuseum, Nederlands Filmmuseum) und Archiv- oder **Programmkinos** benutzt.

Filmografie. Der Bibliografie nachgeprägter Begriff der Filmwissenschaft; ein Verzeichnis von Filmen, eventuell mit Anführung von Produktionsdaten (**Credits**).

Filter. In der fotografischen Optik dünne Scheiben aus Gelatine, Glas oder Kunststoff, die vor dem Objektiv befestigt werden und durch ihre spezielle Eigenschaft (zum Beispiel Einfärbung) die Qualität des einfallenden Lichts verändern.

Final Cut. Letzte Stufe der Filmbearbeitung (siehe **Feinschnitt**), die für die endgültige Form des Films entscheidend ist. In Hollywood gibt es über das Recht des Final Cut öfter Streit zwischen Produzent und Regisseur. Das Recht zum Final Cut wird meist vertraglich festgelegt, manchmal sogar dem Star des Films eingeräumt.

FIPRESCI (Fédération Internationale de la Presse Cinématographique). Internationaler Verband der Filmkritiker, vergibt unter anderem auf Festivals den Kritiker-Preis.

First Run siehe **Erstaufführung**.

Fischauge. Ein extremes **Weitwinkel-Objektiv** mit einem **Blickwinkel** von fast 180 °, wobei das Bild allerdings stark verzerrt wird.

Flash Title siehe **Springtitel.**

Flashback siehe **Rückblende**.

Flashing. Technik zur scheinbaren Steigerung der **Empfindlichkeit** einer Filmemulsion durch Erhöhung des Grundschleiers. Dabei wird vor (Preflashing) oder nach (Postflashing) dem Drehen der Film mit einem genau bestimmten diffusen Licht ein zweites Mal belichtet. Durch diese Technik können die Intensität der Farben gedämpft oder Details in Schattenpartien herausgehoben werden. Ein anderer Ausdruck für diese Technik ist Latensification; ein chemisches Verfahren mit der gleichen Wirkung ist **Chemtone**.

Flimmern (Flicker). Bei der Projektion unterbricht die **Umlaufblende** den Lichtstrahl; dieser Wechsel von Hell und Dunkel ist bis zu einer Frequenz, die von der **Nachbildwirkung** abhängt, sichtbar und störend.

Floppy Disk siehe **Diskette**.

Flügelblende siehe **Blende 2**.

FM (Frequenzmodulation). Beim Rundfunk gebräuchliche technische Sendeform: Die Frequenz (Wellenlänge) einer Trägerschwingung wird durch das Programmsignal modifiziert. Vergleiche **AM**.

Focal Length siehe **Brennweite**.

Focus siehe **Schärfe**.

Focus Plane siehe **Schärfenebene**.

Foley Editor. Eine Person, die sich auf den Schnitt von Toneffekten konzentriert. Eine «Foley stage» in einem Tonstudio besteht beispielsweise aus einer Reihe von Behältern mit verschiedenen Materialien, mit denen sich das Lauf-Geräusch auf unterschiedlichen Böden nachahmen läßt.

Folie (Cell). Beim **Zeichentrick**film werden die einzelnen Bewegungsphasen auf durchsichtige Folien gezeichnet, die dann nacheinander auf extra gemalte Hintergründe gelegt und mit **Einzelbild**-Schaltung aufgenommen werden. So müssen nur die sich jeweils ändernden Teile gemalt werden und nicht das gesamte Bild. Siehe **Animation.**

Follow Focus. Die Verstellung der Schärfe während einer Aufnahme, um einen Gegenstand scharf im Bild zu halten, der sich von der Kamera fort oder auf sie zu bewegt.

Forcieren (Push Development). Moderne **Emulsionen** besitzen einen so großen Spielraum, daß man unterbelichtetes Material durch Über-**Entwicklung** forcieren kann, um noch brauchbare Ergebnisse zu erhalten. Gegensatz: Pull Development, das heißt gezielte Unterentwicklung.

Formalismus. 1. Die Betonung von Form gegenüber Inhalt. 2. Die Theorie, daß Bedeutung primär in Form oder Sprache eines Diskurses existiert und nicht im expliziten Inhalt oder Thema. 3. Eine Kunstrichtung in der Sowjetunion der zwanziger Jahre, die diese Theorie anwandte. 4. Kampfbegriff des Stalinismus in den dreißiger bis fünfziger Jahren zur Unterdrückung unerwünschter künstlerischer Äußerungen.

Fortsetzungsfilm (Serial). Meist billig produzierte Filmserien, bei denen die einzelnen Episoden nur Teile einer Gesamthandlung bilden. In der frühen Stummfilmzeit in Europa und den USA üblich, später fast ausschließlich in den USA produziert und im Beiprogramm eingesetzt; vergleiche **Miniserie, Serie**.

FOX. 1986 vom Filmverleih **Twentieth Century Fox** gegründetes viertes Fernseh-Network in den USA. Das Film-Archiv der Twentieth Century Fox wird seit Ende 1994 im Kabel-Kanal fXM: Movies from Fox ausgewertet.

Frame siehe **Bild**.

Free Cinema. Bewegung des sozial engagierten englischen Dokumentarfilms in der zweiten Hälfte der fünfziger Jahre, aus der dann eine Reihe von Spielfilmregisseuren hervorging.

Freeze Frame siehe **Standkopierung**.

Freunde der Deutschen Kinemathek e. V. Ein von der **Stiftung Deutsche Kinemathek** unabhängiger Filmclub in Berlin. 1963 als Verein gegründet, betreiben die «Freunde» das **Programmkino** «Arsenal» und einen **nichtkommerziellen Filmverleih** mit dem Schwerpunkt **Experimental**-, **Dokumentarfilme** und **Drit-**

tes Kino. Seit 1971 sind sie auch für das «Internationale Forum des Jungen Films» im Rahmen der Berliner Filmfestspiele verantwortlich.

FSK. Die Freiwillige Selbstkontrolle wurde 1949 als Kontrollorgan der **SPIO** gegründet, um über Jugend- und Feiertagsfreigabe von Filmen zu entscheiden. Ersetzt in der Praxis die vom Grundgesetz verbotene **Zensur**. Vergleiche **Production Code**.

Führungslicht (Key Light). Die Lichtquelle, die den Beleuchtungsstil einer Aufnahme bestimmt. Vergleiche **High Key**.

Füll-Licht (Fill-light). Die Lichtquelle, meist von der Seite, die die vom **Führungslicht** verursachten Schatten aufhellt.

Full Shot siehe **Halbtotale**.

G

Gaffer. Amerikanische Bezeichnung für den Chefbeleuchter bei den Dreharbeiten; sein Assistent heißt Best Boy.

Galgen. 1. (Boom) Ein beweglicher Arm, an dem das Mikrofon befestigt ist. 2. Beim **Schnitt** ein Gestell, an dem während der Arbeit die einzelnen Filmstreifen griffbereit befestigt werden können.

Gamma. Der Tangenswert des Winkels des geradlinigen Teils der **Gradations**kurve, mit der der **Kontrast**-Umfang einer Emulsion bezeichnet wird. Siehe Abbildung Seite 117.

Gate siehe **Bildfenster**.

Gauge siehe **Filmformat**.

Gegenlicht (Backlighting). Stellung der Beleuchtung, bei der sich der Gegenstand zwischen Kamera und Lichtquelle befindet, wodurch dieser besonders stark hervorgehoben wird. Siehe Abbildungen Seite 200/201.

Gegenschuß (Reverse Angle). 1. Eine Einstellung von der gegenüberliegenden Seite des Gegenstands. 2. Ein dramaturgisches Mittel zur bildlichen Auflösung zum Beispiel einer Unterhaltung, wobei abwechselnd die beiden Partner – sprechend oder reagierend – gezeigt werden. Da die Personen jeweils getrennt aufgenommen werden, beim Schnitt aber direkt zu einer Szene montiert werden, ist hier das Problem der **Anschlüsse** besonders schwierig.

General Release siehe **Verleih**.

Generation. Bei der Filmherstellung werden für Bearbeitungen und Arbeitsgänge immer mehr Generationen neuer **Dup**-Kopien gezogen, deren Qualität mit der Entfernung zur ersten Generation, dem Kamera-Original, abnimmt. Siehe Abbildungen Seite101 und 102.

Genre. Gruppen von Filmen, die gewisse thematische oder stilistische Gemeinsamkeiten besitzen, zum Beispiel: Western, Science-fiction, Musical. Die Kunst der Genre-Filme liegt in der Variation, dem Spiel mit den – ungeschriebenen – Genre-Regeln.

Geräusche. Neben dem Dialog und der Musik eine der drei Ebenen des Film-**Tons**. Elemente des Geräusch-Bands sind die **Raumatmosphäre** sowie die **Toneffekte**.

Gesellschaft für Konsumforschung (GfK). Von den deutschen Fernsehsendern beauftragte Firma zur Ermittlung der Einschaltquoten von Sendungen. Vergleiche **Ratings 2**.

Glasaufnahme. Technik des **Spezialeffekts**, bei dem Teile des Filmbildes (zum Beispiel Dekorationsteile) auf eine Glasscheibe gemalt werden, die dann perspektivisch genau angepaßt vor der Kamera befestigt wird. So können Dekorationsbauten eingespart und Kosten gesenkt werden. Siehe Abbildung Seite 136.

Gradation. Die stufenweise Zunahme der **Dichte** einer fotografischen **Emulsion**. Diese Eigenschaft wird durch die Gradationskurve dargestellt und den **Gamma**-Wert gekennzeichnet. Der Gradationskurve lassen sich unter anderem Angaben über **Empfindlichkeit** und **Brillanz** entnehmen.

Grain siehe **Körnigkeit**.

Grammys. Angelehnt an den **Oscar**, verleiht die National Academy of Recording Arts and Sciences alljährlich Schallplatten-Preise in Form eines Grammophons.

Green Book siehe **CD-Standards**.

Grip. Sammelname für die im Atelier arbeitenden Bühnenarbeiter. Nach ihren Aufgaben werden **Dolly** Grips (Kamerawagen), Lighting Grips (Beleuchter), Construction Grips (Bauten) unterschieden. Der Chef, der mit dem **Kameramann** und dem **Gaffer** zusammenarbeitet, heißt Key Grip.

Gross. In den USA die Gesamteinnahme eines Films an der Kinokasse (Box Office). Der Anteil des Verleihs heißt Shares.

Großaufnahme (Closeup). Sehr nahe **Einstellung**, die zum Beispiel nur den Kopf eines Schauspielers zeigt.

Grundrauschen. Das durch die technischen Grundbedingungen von Tonaufnahme und -wiedergabe bei allen Systemen vorhandene Geräusch. Vergleiche **Dolby**.

Gummilinse. Populärer Ausdruck für ein Transfokator- oder **Zoom**-Objektiv.

H

Halbes Licht siehe **Seitenlicht.**

Halbnah-Einstellung (Medium Shot). **Einstellung,** die etwa eine Person in voller Größe in der Dekoration wiedergibt.

Halbtotale (Full Shot). Eine **Einstellung,** die etwa eine Person oder Gruppe in ihrem Umfeld zeigt.

Handkamera. Nach der Einführung leichter Kameras, zum Beispiel der **Arriflex,** die ursprünglich für **Wochenschau**-Aufnahmen (speziell im Zweiten Weltkrieg) konstruiert wurden, entwickelte sich im **Dokumentarfilm** (siehe **Cinéma Vérité, Direct Cinema**) und seit Anfang der sechziger Jahre auch im Spielfilm (siehe **Nouvelle Vague**) ein auf die Beweglichkeit und Direktheit der Handkamera abgestellter Bildstil. Vergleiche **Steadicam.**

Hard Light siehe **Soft Light 2.**

Hauptfilm. 1. Im Kinoprogramm der lange Spielfilm (**Feature**). 2. Beim **Kombinationstrick**-Verfahren (siehe **Wandermasken**) der Film, auf dem schließlich die kombinierte Aufnahme erfolgt.

Hays Office siehe **Production Code.**

HBO. In den USA 1975 gegründetes erstes **Pay TV** Network über Kabel, gehört zum Medien-Konzern Time Warner.

HDTV (High Definition Television). 1981 von **Sony** in den USA erstmals präsentiertes Fernsehsystem, mit dem die Bildqualität des 35 mm-Films erreicht werden soll: 1125 Zeilen (statt 525 oder 625, siehe **Fernsehstandards**) und die Erweiterung des **Bildformats** von 1.33. auf 1.66 (und weiter). Erste regelmäßige Sendungen begannen am 25. 11. 1991 in Tokio. Die rapide Entwicklung der **Digital**-Technik und Streitigkeiten um einen europäischen Standard haben die Entwicklung dieses analogen Systems beeinträchtigt.

High Key. Stil der **Lichtführung,** bei dem das **Führungslicht** (Key Light) und die Schattenaufhellungen sehr stark sind, helle Töne im Bild also vorherrschen.

Highlighting. Die Heraushebung von Bilddetails, zum Beispiel Augen, durch feine Lichtstrahlen (Spritz- oder Glanzlichter). Siehe Abbildung Seite 199.

High Sierra siehe **CD-Standards.**

Hollywood. 1. Politisch: Teil des County of Los Angeles, der 1913 ein Zentrum der Filmproduktion wurde. 2. Allgemein: Bezeichnung für die amerikanische Filmindustrie, obwohl sich tatsächlich nur noch ein großes **Studio** (**Paramount**) dort befindet; zwei liegen in Burbank (**Disney, Warner** Bros.), je eins in Universal City bei Burbank (**Universal / MCA**), in Culver City (**Sony**) und Century City (**Fox**), alles geografische oder politische Teile von Los Angeles.

Hollywood Pictures siehe **Disney.**

Hollywood Reporter. Tägliches Insider-Fachblatt der Filmindustrie in Los Angeles, 1930 von William R. Wilkerson gegründet, gehört seit 1988 Billboard Publications Inc. Vergleiche **Variety.**

Hollywood Ten. Zehn Filmemacher, die sich weigerten, vor dem berüchtigten HUAC (House Un-American Activities Committee) auszusagen, deshalb zu Gefängnis verurteilt und anschließend auf eine schwarze Liste (Blacklist) gesetzt wurden, wodurch sie bis in die sechziger Jahre nicht (unter ihrem eigenen Namen) arbeiten konnten. Symbol des kalten Krieges und der Kommunistenjagd des Senators Joseph McCarthy. Die Filmemacher waren: Alvah Bessie, Herbert Biberman, Lester Cole, Edward Dmytryk, Ring Lardner Jr., John Howard Lawson, Albert Maltz, Samuel Ornitz, Adrian Scott und Dalton Trumbo.

Holografie. Auf der Laser-Technik beruhendes Verfahren, Bilder dreidimensional wiederzugeben; bisher für den Film noch nicht anwendbar. Vergleiche **Stereoskopischer Film.**

Hypertext. Computer-Software für den interaktiven Umgang mit gespeicherten Informationen (Text und Bild), vor allem bei **CD-ROM**s und **Multimedia**-Programmen. Durch das Anklicken eines Namens oder Begriffs wird man zu weiteren Informationen oder Illustrationen geführt.

I

IBM. Thomas J. Watson, erfolgreicher Vertreter der Firma Cash Register, übernahm 1914 die marode Computing-Recording Company. Innerhalb von fünf Jahren machte er die Firma durch aggressive Verkäufe – vor allem an die US-Regierung – des C-T-T Hollerith-Tabulators, einer Sortiermaschine für Lochkarten, zu einem führenden Hersteller von Büromaschinen. 1924 änderte Watson, angesichts wachsender Umsätze in Europa, Asien und Lateinamerika, den Namen in International Business Machines. Um 1940 war IBM mit einem Umsatz von nahezu 50 Millionen Dollar der führende Büromaschinen-Anbieter in den USA und dominierte die Bereiche Buchhaltungsautomaten, Uhren und elektrische Schreibmaschinen. Obwohl die Firma schon in den vierziger Jahren mit führenden elektromechanischen Rechnern experimentiert hatte, wandte sie sich dem entstehenden «Computer»-Markt erst zu, nachdem Remington-Rand 1951 den UNIVAK vorgestellt hatte. 1952 wurde Tom Watson Jr. Nachfolger seines Vaters und präsentierte den 701, IBMs ersten Computer. System/360, eine vollelektronische Familie, folgte 1964, und in den späten siebziger Jahren dominierte die Firma weltweit den Computer-Markt mit einem Marktanteil von fast 80 Prozent. Die US-Regierung verklagte die Firma aufgrund von Antitrust-Gesetzen, ein Prozeß, der sich über Jahre hinzog. Obwohl die Firma die Entwicklung der Minicomputer in den Siebzigern überstand und in den Achtzigern schnell und effektiv auf den Mikrocomputer-Markt reagierte, begann sie in den späten Achtzigern unter ihrem eigenen Gewicht zu zerbröckeln, als weit billigere Mikros die teuren Mainframes verdrängten, auf denen der Erfolg der Firma beruhte. 1990, in ihrem letzten guten Jahr, erlöste IBM einen Gewinn von fast 6 Millionen Dollar bei einem Umsatz von fast 69 Milliarden Dollar. In den frühen neunziger Jahren verschlankte eine Reihe Generaldirektoren die Firma angesichts substantieller Verluste. Obwohl der Umsatz von IBM enorm blieb und die Firma wieder in die Gewinnzone zurückgekehrt ist, hat IBM seine Position als Führer der Computer-Industrie an Emporkömmlinge wie **Apple** und **Microsoft** verloren.

ICM (International Creative Management) siehe **Agentur**.

Image siehe **Bild 4**.

IMAX. Kanadisches Film-System für höchste Bildqualität, das mit 65 mm-Filmmaterial arbeitet, das waagerecht mit 30 Bildern / Sekunde läuft und auf eine quadratische Leinwand bis zu 18 m Höhe projiziert wird. Populär in Unterhaltungsparks und Museen.

Insert. Die Aufnahme eines Gegenstand-Details, zum Beispiel Kalender, Brief, Schlagzeile, das, in den Film eingeschnitten, eine dramaturgisch wichtige Information vermittelt.

Interaktives Fernsehen. Kabelfernseh-System, bei dem Zuschauer mit Hilfe von Zusatzgeräten aktiv werden können: individuelle Wahl aus dem breiteren Programmangebot eines Senders, Abruf von Videospielen, Direktbestellung von Waren (Teleshopping). Ein zentraler Computer steuert die Angebote, überwacht die abgerufenen Leistungen und stellt sie im einzelnen in Rechnung. Im QUBE-System von Warner Cable wurde interaktives Fernsehen erstmalig kommerziell verwirklicht.

Internegativ siehe **Zwischennegativ**.

Iris-Blende. 1. (Diaphragm) Der aus feinen (Metall-)Lamellen bestehende Teil der Kamera, durch den die Menge des einfallenden Lichts bei der Aufnahme gesteuert wird. Siehe Abbildung Seite 82. 2. Eine Trick-**Blende**, bei der das Bild kreisförmig ein- oder ausgeblendet wird.

ISO (International Standards Organization). Internationale Institution, die technische Normen erarbeitet, vergleichbar dem deutschen **DIN** (Deutsches Institut für Normung). Zahlreiche Standards der Film- und Computer-Technik sind durch ISO festgelegt und mit einer ISO-Nummer bezeichnet. Vergleiche **ASA**, **ASCII**, **Unicode**.

IT-Band (International Tape). Das internationale Band ist die Aufzeichnung der fertig gemischten **Effekt**- und **Musik-Bänder** – ohne Dialog oder Kommentar; es ist bei der fremdsprachigen **Synchronisation** dann die Grundlage des neuen Tons.

Italowestern, auch Spaghetti-Western. In den sechziger Jahren populäres Genre, das Elemente des amerikanischen Western stilistisch (komisch, brutal) abwandelte. Von Italien (Sergio Leone, Sergio Corbucci) ausgehend. Meist europäische Coproduktionen unter italienischer, spanischer, westdeutscher, französischer und jugoslawischer Beteiligung, häufig auch mit einzelnen amerikanischen Darstellern (Clint Eastwood). Eine westdeutsche Parallelerscheinung waren die Karl-May-Western.

ITV (Independent TV). Kommerzielles Fernsehsystem in Großbritannien, 1965 gegründet und durch Werbung finanziert. Das ITV-System, gesteuert von der Independent Broadcasting Authority (IBA), bestand aus fünfzehn regionalen «Franchises», die an verschiedene Träger vergeben wurden. Die bekanntesten dieser Franchises waren London Weekend Television und Thames TV, die sich das Gebiet von London teilten. ITV betrieb auch Channel 4, 1982 für anspruchsvolle Programme gegründet. 1991 wurden die Franchises neu verteilt, ITV in Channel 3 umbenannt, IBA in ITC.

J

Jump Cut. Spezielle, ungewöhnliche **Schnittart**, bei der aus einer langen, kontinuierlich gedrehten Einstellung, zum Beispiel einer **Fahraufnahme**, Teile herausgeschnitten werden, so daß rhythmische Bild- und Zeitsprünge entstehen.

K

K, Kelvin-Grad. Maßeinheit der **Farbtemperatur**.

Kader siehe **Bild 1**.

Kamera-Standpunkt (Camera Angle). Die Perspektive, die die Kamera auf der senkrechten Ebene dem Gegenstand gegenüber einnimmt, zum Beispiel: Vogelperspektive, Aufsicht, Augenhöhe, Untersicht, Froschperspektive.

Kamerabewegung. Die Kamera kann sich um ihre drei (theoretischen) Bildachsen bewegen: waagerecht=**Schwenk** (pan); senkrecht=**Neigen** (tilt); Querachse=**Rollen** (roll); siehe Abbildung Seite 94. Die Kamera selbst kann sich auf einem Wagen (**Dolly**), auf Schienen (**Track**) oder mit einem **Kran** bewegen; vergleiche **Fahraufnahme, Louma**.

Kameramann. Sammelbegriff für eine Reihe von Aufgaben beim Drehen, die meist auf verschiedene Personen aufgeteilt sind und bei denen es um die optische Umsetzung der Ideen des Regisseurs in das Filmmedium geht. Der Chefkameramann (Lighting Cameraman, Director of Photography, Cinematographer) legt **Lichtführung, Einstellung, Blickwinkel** und **Kamerastandpunkt** fest. Die technische Durchführung von **Kamerabewegungen** sowie die richtige **Belichtung, Schärfe** etc. obliegt einem oder mehreren Assistenten (Camera Operator, Focus Puller). In der Frühzeit führte der Kameramann in der Kamera **Blenden** und **Tricks** aus, was heute durch Spezialisten im Labor geschieht.

Kamerawagen siehe **Dolly**.

Kanal (Track). Bei der Tontechnik einer von mehreren parallelen Tonstreifen (auch auf einem Tonträger), die bei der **Mischung** zusammengefahren werden können oder bei der Projektion einzelne Lautsprecher beliefern.

Kasch. Abdeckung von Bildteilen, die beim Drehen in den Lichtgang geschoben wird, um besondere Bildeffekte zu erreichen, zum Beispiel: Schlüsselloch, Fernrohr; oder für **Spezialeffekte** wie Doppelgänger-Aufnahme. Wird allgemein auch **Maske** genannt.

Kassette. Vorratsrolle und Aufwickelrolle befinden sich bei modernen Kameras in einer eigenen lichtdichten Kassette (auch Magazin genannt), um so den Materialwechsel zu vereinfachen und zu beschleunigen. Eine Kassette faßt normalerweise bis 300 m 35 mm- beziehungsweise 120 m 16 mm-Material, so daß die längste durchgedrehte **Einstellung** auf etwa zehn Minuten beschränkt ist.

Kathodenstrahlröhre (Elektronenstrahlröhre, CRT = Cathode Ray Tube). Technische Bezeichnung der Bildröhre eines Fernsehgeräts, eines Computermonitors oder ähnlichem. Die innere Vorderseite ist mit Phosphorteilchen beschichtet; diese werden durch einen Elektronenstrahl zum Leuchten gebracht, der im hinteren Ende der Bildröhre erzeugt und durch eine elektronische Linse gelenkt wird.

Kenworthy. Eine sehr bewegliche, servogelenkte Schnorcheloptik, mit der durch Computersteuerung Miniaturen so aufgenommen werden können, daß die maßstäbliche Reduzierung korrekt berücksichtigt wird. Vergleiche **Louma, Modellaufnahme**.

Key Light siehe **Führungslicht**.

Kientopp. Umgangssprachliche Bezeichnung des frühen Kinos, entsprechend dem amerikanischen Nickelodeon, so genannt, weil der Eintritt einen Nickel (5 Cents) betrug.

Kinemathek (Cinémathèque, Filminstitut). Eine Institution, in der Filmkopien und allgemein mit dem Film zusammenhängende Geräte, Dokumente und Publikationen gesammelt, archiviert und erschlossen werden. Häufig eine Kombination von **Archiv** und **Filmmuseum**. Zu den ältesten und bekanntesten gehören die **Cinémathèque Française** (Paris), das **British Film Institute** (London), Museum of Modern Art-Film Library (New York) und die Library of Congress (Washington). Die größten deutschen Archive – **Bundesarchiv-Filmarchiv, Deutsches Institut für Filmkunde** und **Stiftung Deutsche Kinemathek** – bilden (mit weiteren assoziierten Mitgliedern) den Kinematheksverbund, der die Arbeit koordinieren soll; das Staatliche Filmarchiv der DDR (gegründet 1955) wurde 1990 Teil des Bundesarchiv-Filmarchivs. Vergleiche **FIAF**.

Kino (Cinema). Von «cinématographe» über «**Kientopp**» abgeleiteter Name für den Ort, wo Filme projiziert werden. Nach der Art des Filmeinsatzes unterscheidet man heute **Erstaufführungs-**, Bezirks-(Nachspiel-) und **Programmkinos**; seit 1970 gibt es auch einige sogenannte Kommunale Kinos, die teilweise oder ganz subventioniert werden.

Kino-Glaz, Kino-Auge. In den zwanziger Jahren von Dziga Vertov geprägter Begriff für die von ihm theoretisch und praktisch vertretene Art des **Dokumentarfilms.**

Klammerteil (Film Clip). Aus existierenden Filmen, ob Dokumentar- oder Spielfilm, meist in **Archiven** abgeklammerter Filmausschnitt zur Verwendung in einem neuen Film. Vergleiche **Archivaufnahme, Kompilationsfilm.**

Klappe (Clapper Board). Durch das Zusammenschlagen einer kleinen Holzklappe bei laufender Kamera und Tonbandgerät zu Beginn einer Aufnahme erhält man ein Signal, durch das das **synchrone** Anlegen von Bild und Ton beim **Schnitt** erleichtert wird. Durch Beschriftung kann die Klappe auch zur Identifizierung der Aufnahme dienen.

Kleben. Die einzelnen Filmstreifen müssen beim **Schnitt** in einer Klebelade durch Klebstoff miteinander verbunden werden. Heute wird, besonders beim Fernsehen, meist ein spezieller Klebestreifen benutzt.

Kombinationsaufnahme. Durch verschiedene (Trick-)Verfahren gewonnene Aufnahme, bei der verschiedene Bildelemente, die auch getrennt gedreht sein können, zu einem Bild kombiniert werden. Vergleiche **Aufprojektion, Blue Screen, Kasch, Maske, Modellaufnahme, Rückprojektion, Spiegeltrick, Wandermasken.**

Kommentar (Narration). Ein kommentierender Text, der – vor allem im **Dokumentarfilm** – Zusammenhänge darstellen und Informationen geben soll. Bestimmte Richtungen des Dokumentarfilms (zum Beispiel **Direct Cinema**) vermeiden weitgehend den Kommentar. Vergleiche **Voice-Over.**

Kompendium: Ein gewöhnlich vor dem Objektiv der Kamera angebrachter Vorsatz, der als Gegenlichtblende dient sowie mit verschiedenen drehbaren und schwenkbaren Filterbühnen als Grundlage für Filmeffekte, zum Beispiel Verlauffiltern, versehen werden kann.

Kompilationsfilm. Eine meist dem **Dokumentarfilm** zugezählte (technisch eigentlich **synthetische**) Art Film, bei der weitgehend **Archivaufnahmen** oder **Klammerteile** zur Montage eines neuen Films verwandt werden. Themen sind oft historische oder pädagogische Darstellungen.

Komprimierung (Kompression). Mit dem wachsenden Interesse an Digital-Technologie in den neunziger Jahren wurde die Technik, Audio-, Video- und Daten-Signale zu komprimieren, zunehmend bedeutsam. Die gewaltigen Datenmengen der digitalen Systeme setzen die Ökonomie der verschiedenen mathematischen Kompressions-Verfahren für den wirtschaftlichen Erfolg voraus.

Kontrast. Als Kontrast bezeichnet man die Fähigkeit, wie stark sich verschieden helle oder farbige Details voneinander abheben. Bei einem harten Kontrast finden sich zum Beispiel kaum Abstufungen zwischen Schwarz und Weiß, bei flauem Kontrast herrschen verschiedene Grautöne vor. Kontrast läßt sich beim Film entweder durch die Ausleuchtung steuern oder durch die Auswahl des Filmmaterials beziehungsweise durch die Entwicklung. Je höher die **Gradation** einer **Emulsion**, desto härter der Kontrast.

Körnigkeit (Grain). Die Silberbromkörnchen der **Emulsion** werden in ihren durch den fotografischen Prozeß erfolgten Zusammenballungen ab einer gewissen Vergrößerung sichtbar und bilden die Körnigkeit beziehungsweise Körnung eines Films. Die Körnigkeit hängt auch mit der **Empfindlichkeit** oder der **Entwicklung** eines Filmmaterials zusammen. Körnigere Filme sind empfindlicher und werden deshalb oft im Dokumentarfilm benutzt.

Kosten. Die Kalkulation eines Films setzt sich aus sehr vielen unterschiedlichen Posten zusammen. Grob unterscheidet man in Vorkosten (Above-the-line Costs), die alle Summen zusammenfassen, die vor dem Drehbeginn anfallen (Rechte für den Stoff, Drehbuch, Vorbereitungen), und in Produktionskosten (Below-the-line Costs), die während der Dreharbeiten, des Schnitts und der Endfertigung entstehen. Zusammen ergeben sie die Negativ-Kosten, das heißt die Kosten bis zur Herstellung eines fertigen Negativs. Die anschließend entstehenden Kosten für Kinokopien und Werbung (P&A, Prints and Advertising) werden oft gemeinsam von Produktions- und Verleihfirma getragen.

Kran. Fahrbarer Kranwagen, bei dem sich die Arbeitsplattform für Kamera und Kamerateam am Ende eines langen Arms befindet, der – elektrisch oder hydraulisch angetrieben – in alle Richtungen geschwenkt werden kann. Das Gewicht von Kamera und Team kann auch durch ein Gegengewicht an einer Art Wippe ausgeglichen werden. Siehe Abbildung Seite 206.

Kran-Aufnahme. Aufnahme, bei der die Kamera vermittels eines Krans senkrecht und waagerecht gleitet.

Kreuzschnitt (Cross Cutting). **Schnitt**-Technik, durch die eine **Parallelmontage** erreicht wird.

Kulturfilm. Besonders in Deutschland gepflegte Art des **Dokumentarfilms**, bei dem zum Beispiel naturwissenschaftliche Themen dargestellt werden. Solche Kurzfilme wurden meist als Vorfilme im Kino eingesetzt, da sie als **prädikat**isierte Filme Steuerersparnisse brachten.

Kurzfilm (Short). Ein Film von weniger als dreißig Minuten Spieldauer.

L

Labor. Umfassender Name für die technischen Betriebe bei der Filmherstellung, in denen Filme **entwickelt** und **kopiert** werden, wie auch für die Abteilungen, in denen **Spezialeffekte** durchgeführt werden. Vergleiche **Blende 3**, **Optisches Kopieren**

Laser (Light Amplification by Stimulated Emission of Radiation). 1960 erstmals entwickelt. Ein Laser produziert einen scharf gebündelten reinen Lichtstrahl (nur eine Wellenlänge, nur eine Polarisationsebene), der in den audiovisuellen Medien zahlreiche Anwendungen gefunden hat. Ohne Laser ist die **Holografie** unmöglich, Laserstrahlen dienen als Träger bei der Informationsübertragung (durch Fiberoptik statt Metallkabeln), bei CD-Technik, **Laserdisc** und **Laserprinter**.

Laserdisc. 1. Ursprünglich Markenname der von **Philips** und MCA für ihr Bildplatten-Verfahren entwickelten Technologie. 2. Allgemein jede Bildplatten-Technologie vermittels **Laser**, zum Beispiel CD und CD-ROM.

Laserdrucker. Aus der Verbindung von Fotokopier-, Laser- und Computertechnologie entstand in den frühen achtziger Jahren der Laserdrucker. Zum erstenmal ist eine relativ preisgünstige, hochauflösende Drucktechnologie in einem Büro oder direkt beim Autor möglich. Durch Laserdrucker (mit einer Auflösung von 300 oder 600 dpi = Punkte pro Zoll) wurde für viele Drucksachen der zeitraubende und teure Vorgang des Satzes überflüssig und das **Desktop Publishing** möglich.

Latensification siehe **Flashing**.

Laterna magica (Magic Lantern). Im 18. und 19. Jahrhundert populäres Unterhaltungsmedium durch Projektion von gemalten, später auch fotografierten Glasdiapositiven. Die entwickelten Laterna-magica-Shows des späten 19. Jahrhunderts waren – auch vermittels bewegter Dias oder raffinierter Überblendungstechniken – thematisch und dramaturgisch Vorläufer des frühen Kinos.

Latitude siehe **Belichtungsspielraum**.

Lavalier. Kleines drahtloses Mikrofon, das an die Kleidung geklemmt oder um den Hals getragen werden kann.

Lavendel. Besonders gutes, feinkörniges **Dup**-Positiv, direkt vom Original-Negativ gezogen, das als Meister-Kopie (Master) für weitere **Generationen** dient, um das wertvolle Original-Negativ zu schonen. Der Name stammt von der bläulichen Einfärbung, mit der diese Kopie beim Schwarzweißfilm von anderen Kopien unterschieden wurde.

LCD (Liquid Crystal Display). Technologie für flache Bildschirme, zunächst in den siebziger Jahren für Digital-Uhren, seit den achtziger Jahren auch für Computer-Bildschirme, zum Beispiel bei Laptops, angewandt, seit **Sonys** Video Walkman auch für Fernsehbildschirme.

Leader siehe **Startband**.

Legetrick. **Animations**-Technik, bei der (grafische) Materialien durch schrittweise Verschiebung animiert werden.

Leinwand (Screen). Die Bildwand, auf die der Film projiziert wird, besteht heute zumeist aus einem besonders reflektierenden Kunststoffmaterial, das oft fein gelocht ist, um den Ton der dahinter befindlichen Lautsprecher gut durchzulassen.

Lichtbestimmung (Timing). Da die einzelnen Aufnahmen eines Films unter sehr verschiedenen Lichtverhältnissen gedreht werden, müssen bei der Kopierung die Farb- und Helligkeitswerte in der Lichtbestimmung aufeinander abgestimmt werden.

Lichtführung (Lighting). Die frühesten Filme wurden bei Sonnenlicht im Freien, dann in Glasateliers gedreht. Seit den Zwanzigern geschah die Lichtführung in den Studios vor allem mit großen, störanfälligen **Bogenlampen**, bis vor kurzer Zeit durch Quarzlampen und empfindlicheres Filmmaterial diese Arbeit flexibler wurde, sich oft sogar weitgehend auf das vorhandene Licht beschränkt. Das richtige Setzen des Lichts, das den Stil eines Films stark mitprägt, ist eine der Hauptaufgaben des **Kameramanns**. Grundsätzlich kann man zwischen natürlicher oder realistischer Lichtführung (Source Lighting), bei der in der Szene vorhandene Lichtquellen berücksichtigt und durch Scheinwerfer nur verstärkt werden, und der dramatischen Lichtführung unterscheiden, bei der starke Hell-dunkel-Effekte eine besondere Atmosphäre schaffen. Man unterscheidet **High-Key-**, Normal- und **Low-Key**-Stil. Die Art der Lichtsetzung wird auch durch die Richtung des Lichts bezeichnet, zum Beispiel: Seiten- oder **Gegenlicht**. Einzelne Scheinwerfer oder Scheinwerfergruppen werden nach ihren Funktionen benannt, z. B. **Dekorations-**, **Füll-**, **Führungslicht**.

Lichtstärke. 1. Die Lichtstärke einer Lichtquelle bezeichnet ihre Helligkeit. 2. Die Lichtstärke eines **Objektivs** gibt das Maß seiner Lichtdurchlässigkeit an (Speed).

Lichtton. Der Lichtton ist das bei den Kinokopien vorherrschende Verfahren, da die Tonrandspur in einem Arbeitsgang mit dem Bild kopiert werden kann. Es gibt zwei grundsätzliche Systeme, die heute weniger übliche **Sprossenschrift** und die **Zackenschrift.**

Lighting Cameraman siehe **Kameramann.**

Limited Run siehe **Verleih.**

Linotype. Satztechnik, bei der auf einer Art großer Schreibmaschine schnell und billig ganze Zeilen für den Druck produziert wurden. Seit den siebziger Jahren zunehmend durch Computersatz abgelöst.

Linse. Aus der einfachen optischen Linse, deren Eigenschaften der Fotografie mit zugrunde liegen, wurden komplizierte, zusammengesetzte **Objektive** oder Optiken.

Lippensynchron (lip sync). Die Übereinstimmung von Lippenbewegungen im Bild mit den gesprochenen Worten im Ton. Bei der **Synchronisation** wird eine Annäherung an die Lippenbewegung versucht.

Live-Aufnahme. «Live-Aufnahme» bezeichnet in den **Protokoll-Künsten**, daß ein Ereignis – meist vor Publikum – mit einem Minimum an technischer Bearbeitung elektronisch aufgezeichnet wird.

Location siehe **Außenaufnahme.**

Loop siehe **Schleife.**

Louma. Von Jean-Marie Lavalou und Alain Masseron entwickelter, leichter, beweglicher Kamera-**Kran**, der durch Servomotoren angetrieben wird und über Video aus der Entfernung gesteuert und kontrolliert werden kann. Vergleiche **Kenworthy**, **Skycam.**

Low Key. Stil der **Lichtführung**, bei dem die dunklen Töne vorherrschen, wodurch meist eine düstere Stimmung erzeugt wird.

M

Magnetfilm. Ein meist 16 mm oder 17,5 mm breites, wie ein Filmstreifen perforiertes Tonband (Cord Band genannt), durch das die Synchronität von Bild und Ton beim **Schnitt** erhalten werden kann.

Magnetton. Die elektromagnetische Tonaufzeichnung ist beim Film – außer bei der Bearbeitung – nicht sehr verbreitet, da die Überspielung auf eine eigens aufgetragene Magnetrandspur ein gesonderter, kostenträchtiger Arbeitsgang ist. Magnetton wird nur bei Filmen mit kleiner Kopien-Auflage verwandt oder bei aufwendigen Filmprojekten, zum Beispiel Musikfilmen, wo die bessere Tonqualität des Magnettons mit mehreren **Kanälen** gewünscht wird.

Malteserkreuz. Vorrichtung zum ruckweisen Filmtransport. Siehe Abbildung Seite 89.

Maske (Matte). Bezeichnung für Mittel bei **Trick**aufnahmen, die meist sinngleich mit **Kasch** verwendet wird. In der engeren Definition sind Masken nur die Mittel, die direkt am Filmstreifen oder sogar innerhalb der Farbschichten abdeckend wirken. Siehe **Wandermasken**, **Blue Screen.**

Master siehe **Lavendel.**

Master Shot. Meist in der **Totale** oder **Halbtotale** durchgedrehte Einstellung, die beim **Schnitt** als Grundlage für eine Szene genommen werden kann. Vergleiche **Establishing Shot.**

Materialfilm. Stilrichtung des **abstrakten Films,** bei der die technischen Grundlagen des Films (zum Beispiel Filmmaterial, Bildfrequenz, Tonspur) die formale und inhaltliche Grundstruktur des Films ausmachen.

Matsushita. Japanischer Konzern für Unterhaltungselektronik (Markennamen: Panasonic, Technics), der sich mehr durch sein Marketing als durch seine innovativen Entwicklungen (die eher von **Sony** kamen) hervorgetan hat. 1990 übernahm Matsushita die MCA Inc. mit dem Universal-Studio (ein Jahr nachdem Sony die Columbia Pictures gekauft hatte). Enttäuscht vom Filmgeschäft, gab Matsushita im Frühjahr 1995 80 Prozent der Anteile von MCA an den kanadischen Getränke-Mogul Edgar Bronfman (Seagrams) weiter.

Matte siehe **Maske.**

MAZ siehe **Elektronische Aufzeichnung.**

MCA (Music Corporation of America). 1924 als **Agentur** gegründet und von Jules Stein und Lew Wasserman zum Medien-Konzern MCA

Inc. ausgebaut. 1962 wurde nach einem Gerichtsbeschluß die Agentur abgestoßen. Die Hauptaktivität verlagerte sich auf die Produktion von Schallplatten (Decca Records) und Filmen (**Universal**) für Kino und Fernsehen. 1990 wurde MCA/Universal vom japanischen Elektronik-Konzern **Matsushita** übernommen und 1995 an den kanadischen Getränke-Konzern Seagrams weitergereicht.

McGuffin. Alfred Hitchcocks Bezeichnung für einen Gegenstand oder ein Handlungselement, das das Interesse des Zuschauers fesselt, speziell in Krimis und Thrillern. Laut Hitchcock kann der McGuffin vergessen werden, sobald er seinen Zweck erfüllt hat. Beispiele: die Personen-Verwechslung am Anfang von *North by Northwest* (*Der unsichtbare Dritte*) und die gesamte Nebenhandlung mit Janet Leigh in *Psycho.*

Media. 1991 initiiertes Programm der Kommission der Europäischen Union zur Förderung der Audiovisuellen Industrie in Europa in den Bereichen Vertrieb, Projektentwicklung, Ausbildung u. a. bei Film und Fernsehen. Das Projecto Lumiere unterstützt die Sicherung des filmischen Erbes und die Erarbeitung einer europäischen Filmografie.

Medium Shot siehe **Halbnah.**

Mehrfachbelichtung. Ein Filmstreifen wird in der Kamera oder der **optischen Bank** zwei- oder mehrmal mit verschiedenen Einstellungen belichtet, so daß mehrere unterschiedliche Bilder sich im endgültigen Bild überlagern (superimposition). Eine im Spielfilm selten (für Träume, Visionen) benutzte Technik, jedoch eine der stilistischen Grundlagen des **Experimentalfilms**. Siehe Abbildungen Seite 196.

Mehrfachbilder (Split Screen). Mehrere Bilder werden in der **optischen Bank** gleichzeitig nebeneinander auf einen Filmstreifen kopiert, zum Beispiel eine Aktion von mehreren Kamerastandpunkten aus gesehen.

Melodram(a). Ursprünglich ein Drama mit Musik, genauer im 19. Jahrhundert jenes Drama, das auf dem vereinfachten Konflikt zwischen Guten und Bösen beruhte. Später bezeichnet der Begriff jedes emotional aufgeladene Drama im Film und im Fernsehen.

Metteur en Scène. Französischer Ausdruck für einen Filmregisseur, der manchmal polemisch als Gegensatz zum **Auteur** benutzt wird. Vergleiche **Mise en Scène**.

MGM. Metro-Goldwyn-Mayer entstand 1924 aus der Fusion von Metro Pictures Corporation, Goldwyn Pictures Corporation und Louis B. Mayer Pictures (die alle seit sechs bis acht Jahren bestanden) unter der Kontrolle der mächtigen Kino-Kette Loew's Inc. Louis B. Mayer leitete das Studio bis 1951, als er die Macht an Dore Shary verlor. In den ersten zwölf Jahren seiner Existenz erwarb das Studio – unter dem Einfluß von Mayers Mitarbeiter, dem vielversprechenden Irving G. Thalberg – schnell seinen Ruf für qualitätsvolle, intelligente Filme. Nach Thalbergs Tod (mit 37 Jahren) im Jahre 1936 blieb die Qualität, das Gewicht verschob sich jedoch auf leichte Unterhaltung. Das Studio stellte in den dreißiger und vierziger Jahren seine beeindruckende Liste von Stars in den Vordergrund und erreichte einen Höhepunkt um 1950 mit einer langen Reihe glänzender und farbenfroher Musicals, produziert von Arthur Freed und seinem Team. Als die Stars älter wurden und die Musicals aus der Mode kamen, ging es mit MGM schnell bergab. In den sechziger bis achtziger Jahren schleppte es sich so hin, stützte sich hauptsächlich auf seine Archiv-Schätze. Kirk Kerkorian, ein Grundstückspekulant aus Las Vegas, übernahm die Firma 1970 und setzte Jim Aubrey, einen ehemaligen Programm-Chef von CBS, als Präsidenten ein. Aubrey machte sich eifrig daran, Kosten zu sparen und Werte zu Geld zu machen; er ließ 1970 sogar den überwältigenden Studio-Fundus an Gegenständen und Kostümen versteigern. Kerkorian schien stets eher am MGM-Logo und der Tradition, für die es stand, interessiert als tatsächlich an der Filmproduktion. 1973 hörte MGM auf, seine eigenen Filme zu verleihen und lizenzierte sie an **United Artists** und CIC. 1981 übernahm MGM die Reste von United Artists und begann eine lange Serie von komplizierten Finanzmanövern, die Peter Bart in seinem Buch *Fade Out* anschaulich geschildert hat. 1986 erwarb Ted Turner MGM/UA (wie es damals hieß), nur um die Film- und Fernseh-Produktion an Kerkorian zurückzuverkaufen, der das Atelier-Gelände an Lorimar-Telepictures veräußerte. Das klassische MGM-Studio wurde in den Neunzigern Standort von **Sony** (**Columbia** und **Tristar**). Turner behielt das MGM-Archiv, das nun seit Jahren Programmfutter für seine Kabel-Kanäle liefert. Giancarlo Parettis Pathé Corporation erlangte 1990 nach zahlreichen komplizierten Transaktionen die Kontrolle, doch Paretti verlor sie bald wieder an seine Finanziers. 1992 war die Bank Crédit Lyonnais Eigentümer dessen, was einstmals ein stolzes Studio war.

Microsoft. 1975 von William (Bill) Gates und Paul Allen gegründet, war die Firma zusammen mit **Apple** die innovative Kraft bei der Entwicklung der Mikrocomputer-Industrie in den achtziger Jahren. Microsofts entscheidender Coup war der Vertragsabschluß mit IBM zur Entwicklung des Betriebssystems für deren PCs. Seither dominiert dieses **MS-DOS**-Betriebssystem als Quasi-Industriestandard für PCs. Seit 1985 widmet sich Microsoft intensiv auch der **CD-ROM**-Technologie.

MIDI (Musical Instruments Digital Interface). Standard für die digitale Verbindung zwischen (elektronischen) Musikinstrumenten und Computern.

Mikrofon. Gerät, das Tonwellen aufnimmt und in elektromagnetische Schwingungen umwandelt, die dann aufgezeichnet werden.

Mikroprozessor. Auf der winzigen Fläche eines Chips (meist aus Silicon) zusammengefaßter elektronischer Schaltkreis, der zahlreiche Transistoren und Schaltelemente zusammenfaßt und das technische Herz eines Computers bildet. Die Entwicklung der Mikroprozessoren in den siebziger und achtziger Jahren machte die Revolution der Mikrocomputer bis hin zu **Multimedia** möglich.

Miniatur siehe **Modellaufnahme**.

Miniserie. Im Fernsehen eine kurze (drei bis sechs Folgen), in sich geschlossene Serie mit einem festen Ende, häufig die Adaption eines populären Romans.

Mirror Shot siehe **Spiegeltrick**.

Mischung (Mixing). Die Vereinigung verschiedener, bis dahin separat bearbeiteter **Tonbänder** für Dialog, Geräusche, Musik etc. zum endgültigen **Ton** (**Soundtrack**) des Films, der dann auf die **Tonspur** übertragen wird. Vergleiche **Dialogband**, **Effektband**, **IT**, **Musikband**.

Mise en Scène. Filmkritischer Ausdruck für die Inszenierung eines Films, als Gegensatz zur **Montage**, also für Schauspielerführung, Lichtführung, Kameraanordnung etc. Mise en Scène wird dem **Realismus** zugeordnet, Montage dem **Expressionismus**. Vergleiche **Metteur en Scène**.

Mitchell. Markenname der in Hollywood verbreitetsten Studiokamera, die wegen ihrer Unhandlichkeit und Schwere ein großes Bedienungsteam erfordert. Siehe Abbildung Seite 95.

Mixing, Mixage siehe **Mischung**.

Modellaufnahme. Aufnahme mit maßstäblich verkleinerten Miniaturen, entweder in Verbindung mit realen Schauspielern, wobei das Modell perspektivisch zur Kamera eingesetzt wird (vergleiche **Glasaufnahme**), oder als eigene Sequenz, meist zur Kostenersparnis (zum Beispiel Seeschlacht, Eisenbahnentgleisung).

Modem (MOdulator-DEModulator). Ein Computer-Peripheriegerät, das digitale Computer-Information in analoge Standardsignale umwandelt, die durch Telefonleitungen übermittelt werden können. Beim Empfang arbeitet es umgekehrt.

Mogul. Beim Film meist als polemische Bezeichnung für die einflußreichen Chefs der Hollywood-Studios benutzt.

Monaural, Mono. Die Tonwiedergabe durch nur einen **Kanal**, zum Beispiel beim **Lichtton**. Der Gegensatz ist **Stereo**(**phon**).

Monopolfilme siehe **Verleih**.

Montage. Oft synonym mit **Schnitt** gebrauchter Begriff für Auswahl und Zusammenstellung von Bild- und Tonteilen zu einem Film. Spezieller versteht man darunter die theoretisch und ästhetisch fundierte Anordnung der Filmpartikel. Grundlegende Theorien der Montage stammen von S. M. Eisenstein und (mehr praxisbezogen) von Karel Reisz.

Morph. Der scheinbar stufenlose Übergang einer visuellen Gestalt in eine andere, früher im **Animationsfilm** verbreitet, jetzt meist durch ein Computerprogramm hergestellt. Diese Technik wurde in den neunziger Jahren zunächst in der Werbung, dann im Spielfilm (zum Beispiel *Terminator 2*) populär.

Moviola. Markenname des in Hollywood verbreitetsten **Schneidetischs**, mit senkrechtem Filmlauf, der in Amerika oft zum Gattungsnamen verallgemeinert wird. Vergleiche **Steenbeck**.

MPAA (Motion Picture Association of America), MPEA (Motion Picture Export Association). Die großen, einflußreichen Verbände der Hollywood Studios.

MPEG (Motion Picture Experts Group). Arbeitsgruppe der **ISO**, die einen allgemeinen Standard (ISO 11172) für die digitale Bildübermittlung und Speicherung erarbeitet. Dieses **Digitale Fernsehen** ermöglicht die sehr kompakte Speicherung von Video-Informationen und das gleichzeitige Senden einer großen Anzahl von Programmen innerhalb eines Übertragungskanals.

MS-DOS (Microsoft Disk Operating System) siehe **Microsoft**.

MTV (Music Television). Ein am 1. 8. 1981 von Warner-Amex Cable gegründetes Fernsehprogramm (zunächst über Kabel) zur Verbreitung der neu entwickelten Musik-Videos. Der Sender, inzwischen im Besitz von **Viacom**, hat stilistisch und ökonomisch das amerikanische (zunehmend auch das europäische) Fernsehen und die Schallplattenindustrie revolutioniert. Heute ist eher das durch die Videoclips verbreitete Image für den Erfolg einer Schallplatte wichtig als die Musik selbst.

Multimedia. Die Kombination von Text, Tönen, Fotos und bewegten Bildern in einer Veröffentlichung, meistens interaktiv vermittels einer **CD-ROM**. Vergleiche **Hypertext**.

Multiplex. Ein Gebäude, das mehrere Kinos unter einem Dach zusammenfaßt. Ursprünglich zur besseren ökonomischen Ausnutzung von Personal und Technik beziehungsweise zur Erweiterung der Programmierungs-Möglichkeiten eingerichtet (Schachtel-Kinos), haben sich moderne Multiplexe durch Kombination mit Restaurationsräumen und / oder Läden zu Freizeitzentren entwickelt.

Musik. Musik begleitet den Film seit seinen frühesten Zeiten. In den Stummfilmzeiten wurden die Filme im Kino von Musikern begleitet, zum Teil von großen Orchestern mit speziellen Kompositionen. Frühe Tonfilme enthielten überwiegend einen synchronisierten Musik-**Soundtrack**. Die späteren Hollywoodfilme waren nahezu von Anfang bis Ende mit Stimmungsmusik durchkomponiert. Heute wird Musik sparsamer zur Akzentuierung eingesetzt. Sie ist entweder komponiert oder aus existierenden Musiken kompiliert. Seit viele Filmstudios Teil großer Unterhaltungskonzerne sind, erscheinen oft Soundtrack-Tonträger zur Mehrfachauswertung und gegenseitigen Promotion.

Musikband. Eines der drei Hauptbänder, die bei der **Mischung** zum Filmton vereint werden.

Muster (Rushes, Dailies). Die Muster sind erste Abzüge vom Bild- und Tonoriginal, mit denen das Drehergebnis besichtigt und eine erste grobe Auswahl getroffen wird. Aus diesen Mustern entsteht dann beim **Schnitt** die **Arbeitskopie**.

N

Nachbildwirkung (Persistence of Vision). Physiologische Grundlage des Films. Lichtreize wirken eine kurze Zeit nach ihrem Ende im menschlichen Auge nach, so daß Bilder, die in genügend schneller **Bildfrequenz** aufeinanderfolgen, im Gehirn zu einer durchgehenden Bewegung verschmelzen. Die psychologische Auswirkung dieser physiologischen Erscheinung nennt man Phi-Effekt.

Nachspann siehe **Credits**.

Nachsynchronisation (Additional Dialogue Recording, Post-dubbing). Technik, durch die nach Abschluß der Dreharbeiten das **Dialogband** neu produziert wird. Vergleiche **ADR**, **Mischung**, **Synchronisieren**.

Nadelton. Frühes Tonverfahren, bei dem der Filmton synchron von einer (Wachs-)Schallplatte abgetastet wurde. Das berühmteste Nadeltonverfahren war Vitaphone, das Warner Bros. zusammen mit Western Electric betrieben und auf dem 1926 / 27 die ersten Tonfilme (*Don Juan*, *The Jazz Singer*) herauskamen. Es wurde bald vom praktikableren **Lichtton** abgelöst.

Nagra. Markenname eines weitverbreiteten tragbaren Tonbandgeräts, das vorwiegend zur Aufzeichnung des **Originaltons** verwendet wird und den Dokumentarstil des **Cinéma Vérité** und **Direct Cinema** beeinflußte.

Nahaufnahme. Einstellung, bei der zum Beispiel Personen mit einem Teil ihres Körpers (etwa bis zur Hüfte) sichtbar sind.

Narration siehe **Kommentar**.

Narrativer Film. Ein Film, der eine Geschichte erzählt. Gegensatzbegriffe: **Poetischer Film**, **Essay-Film**. Vergleiche **Erzählkino**.

NATAS siehe **Emmy**.

Natürliches Licht. Die Beleuchtung einer Szene, vor allem bei Außenaufnahmen, die die realen Lichtverhältnisse wiedergibt.

NBC (National Broadcasting Company). 1926 von General David Sarnoff als Tochtergesellschaft der **RCA** gegründetes **Network**, 1986 von General Electric übernommen. Zunächst mit zwei Rundfunkkanälen (Red und Blue), dann auch Fernsehen. In den fünfziger bis achtziger Jahren hinter **CBS** an der zweiten Stelle der **Ratings**, obwohl es für die meisten technischen (Farbfernsehen) und inhaltlichen Innovationen (Talkshows, anspruchsvollere Comedy-Shows) verantwortlich war. 1986 erreichte es durch einfallsreiche Programme, zum Beispiel realistischere Krimiserien wie *Hill Street Blues* und *L. A. Law*, den ersten Platz, den es bis in die frühen neunziger Jahre halten konnte.

Negativ. In der Kamera entsteht ein zur Realität in den Helligkeits- und Farbwerten umgekehrtes Negativ, von dem dann wieder **Positiv-Kopien** gezogen werden können. Vergleiche **Umkehrfilm**.

Negativ-Kosten. Die **Kosten**, die bis zur Fertigstellung des endgültigen Films anfallen, ohne die für **Verleih** und Werbung entstehenden Kosten.

Negativschnitt. Auf Grund der endgültigen **Feinschnitt**-Fassung (Final Cut) der **Arbeitskopie** wird identisch das Originalnegativ an Hand von kleinen Randzahlen oder des **Timecode** zusammengeklebt. Vergleiche **Elektronischer Schnitt**.

Neger. Umgangssprachliche Bezeichnung für schwarze Lichtblenden im Studio. Sie dienten, mit Kreide beschriftet, oft als Gedächtnisstütze für den Dialog der Schauspieler.

Neigen (tilt). Neben **Schwenken** und **Rollen** eine der drei Bewegungsarten der Kamera selbst. Beim Neigen bewegt sich die Kamera in der Senkrechten. Siehe Abbildung Seite 94.

Neorealismus. Stilrichtung des italienischen Films in den vierziger Jahren, die sich durch betont kunstlose, quasidokumentarische Abbildung von sozialer Realität auszeichnete, mit Laiendarstellern und an Originalschauplätzen gedreht. Der Neorealismus hatte über seine relativ kurze Blütezeit hinaus stilistische Wirkungen in aller Welt.

Network. 1. In den USA das System miteinander verbundener Rundfunk-Stationen (Radio und TV). Vergleiche **ABC**, **CBS**, **FOX**, **NBC**.
2. Allgemein jedes zu einem Netzwerk verbundene Kommunikations-System, beispielsweise von mehreren Computern. Eine ausgeweitete Form solcher Netze wird unter dem Begriff Daten-Autobahn (Data Highway) propagiert.

Neue Welle siehe **Nouvelle Vague**.

Neuer deutscher Film. Neben Junger deutscher Film und Das neue Kino vom Feuilleton geprägter Sammelbegriff für die Filmemacher in der BRD seit Mitte der sechziger Jahre. Vergleiche **Anderes Kino**.

New American Cinema. Bewegung des unabhängigen Films in den USA seit etwa 1960, die in der Filmmakers' Cooperative ihr eigenes Vertriebssystem aufbaute und mit *Filmculture* eine Zeitschrift als Sprachrohr besitzt. Haupttheoretiker ist der Filmkritiker und -macher Jonas Mekas. Vergleiche **Anderes Kino**, **Avantgarde**, **Underground**.

Newsreel siehe **Wochenschau**.

Nichtkommerzieller Verleih. Seit Ende der sechziger Jahre sich entwickelnde **Verleih**form, hauptsächlich mit 16 mm-Kopien, die sich an Filmclubs, Jugendzentren etc. wendet.

Nickelodeon siehe **Kientopp**.

Nielsen. In den USA das verbreitetste – nach der durchführenden Gesellschaft genannte – **Ratings**-System für Hörfunk und Fernsehen, veröffentlicht als NSI (Nielsen Station Index) und NTI (Nielsen Television Index). Vergleiche **Gesellschaft für Konsumforschung**.

Nipkow-Scheibe. 1884 von Paul Nipkow entwickelt: eine rotierende Scheibe mit spiralförmig angeordneten Öffnungen, durch die ein Lichtstrahl ein Objekt abtasten (scannen) kann. Grundlage der Fernsehtechnik.

Nitrofilm. Bis Anfang der fünfziger Jahre wurde Nitrozellulose als Trägermaterial bei Normalfilm benutzt. Nitrozellulose ist äußerst leicht entflammbar, wobei sich giftige Gase entwickeln. Außerdem zerfällt mit der Zeit das Material der Nitrokopien selbst bei sachgemäßer Lagerung, so daß seit Jahren Filmarchive in aller Welt bemüht sind, Filme von Nitro auf **Sicherheitsfilm** (Azetat) umzukopieren und sie so zu erhalten.

Normalfilm. Als Normalfilm gilt das 35 mm breite Filmmaterial (DIN 15501).

Nouvelle Vague. Die Gruppe der französischen Filmemacher (Godard, Truffaut, Chabrol, Rohmer, Rivette und andere), die als Kritiker der Zeitschrift *Cahiers du Cinéma* begannen und seit 1959 eigene Filme drehen. Der Begriff Neue Welle wird auch allgemein auf jede Gruppe neuer Filmemacher übertragen.

Novellisation. In den USA seit vielen Jahren, in der BRD seit kurzem übliche Praxis, erfolgreiche Filme in Romanform nachzuerzählen.

NTSC siehe **Fernsehstandards**.

Nullkopie (Answer Print). Die erste Kopie des fertigen Films, nachdem Bild und Ton vereint sowie die **Lichtbestimmung** vorgenommen wurde.

O

Objektiv. Das Objektiv, auch Optik genannt, ist das Linsensystem der Kamera (oder des Projektors), durch das das einfallende Licht den optischen Gesetzen gemäß gebrochen, das heißt beeinflußt wird. Objektive werden nach ihrer **Brennweite** klassifiziert. Vergleiche **Anamorphot**, **Fischauge**, **Teleobjektiv**, **Weitwinkelobjektiv**, **Zoom**.

Off-Ton. Ton, bei dem die Quelle im Bild nicht sichtbar ist, zum Beispiel ein **Kommentar**.

Online. 1. In der Computertechnik allgemein die von einem Zentralcomputer abhängige Arbeit von Peripheriegeräten (Drucker usw.) betreffend. 2. Art der Benutzung einer zentralen Datenbank, die von einzelnen Computern über Modem und Kabel- beziehungsweise Telefonverbindung angewählt wird, um Informationen abzurufen (Online-Recherche).

Optical siehe **Optisches Kopieren**.

Optische Bank (Optical Printer). Technische Einrichtung zur Herstellung von Filmtricks (Opticals) und zum **optischen Kopieren** von Filmen. Das Gerät vereinigt einen Projektor und eine Kamera, die genau synchron laufen, so daß die einzelnen Bilder (oder Ausschnitte) gleichzeitig projiziert und aufgenommen werden. Durch Variation der Projektionsfrequenz (zum Beispiel Stillstand) lassen sich **Standkopierungen**, **Zeitraffer-** und **Zeitlupen**-Aufnahmen herstellen. Die optische Bank ist ebenfalls wichtig beim Vergrößern oder Verkleinern von Bildausschnitten sowie zur Herstellung von **Wandermasken**-Aufnahmen und **Mehrfachbildern** (Split Screen).

Optisches Kopieren. Wird nicht direkt von Negativ auf Positiv in einer Kopiermaschine kopiert, sondern durch Projektion und Aufnahme in einer **optischen Bank**, so spricht man vom optischen Kopieren. Durch Zwischenschalten von **Kaschs** und anderen technischen Mitteln können Trick-**Blenden** (3) und **Kombinationsaufnahmen** hergestellt werden. Diesen Arbeitsgängen entspricht der englische Sammelbegriff Optical. Die Restaurierung beschädigter oder stark geschrumpfter Kopien (vergleiche **Nitrofilm**) ist oft auch nur durch eine optische Kopierung auf einem Spezialgerät möglich.

Orange Book siehe **CD-Standards**.

Originalton, O-Ton (Direct Sound). Der **Ton**, der direkt bei den Dreharbeiten mit aufgenommen wird; beim **Dokumentarfilm** meist unerläßlich, beim Spielfilm oft durch **Nachsynchronisation** ersetzt. Vergleiche **Nagra**.

Orion. Das 1978 von den ehemaligen United-Artists-Managern Arthur Krim, Robert Benjamin, Mike Medavoy, William Bernstein und Eric Pleskow gegründete Studio schien eine gute Chance zu haben, als echtes Hollywood-Studio zu überleben. Die Firma hatte in den Achtzigern eine Reihe von Erfolgen, gründete eine eigene Fernsehproduktion und Orion Classics, einen Verleih für Repertoirefilme, und schluckte 1982 Filmways. Doch als Tod und Austritte die Gruppe der Gründer reduzierten, kamen schlechte Zeiten für die Firma. 1991 beantragte Orion die Einleitung des Vergleichsverfahrens.

Orthochromatisch. Eigenschaft eines Schwarzweiß-Materials, das keine Rotwerte wiedergeben kann. Mitte der zwanziger Jahre wurde das orthochromatische Material durch **panchromatisches** abgelöst.

Oscar. Populärer Ausdruck für die als **Academy Award** verliehene Statuette.

Out-Take. Eine Einstellung (Take), die während des **Feinschnitts** eliminiert wird.

P

P & A siehe **Kosten**.

Package. Filmprojekte werden von **Produzenten** oder **Agenten** zu Paketen geschnürt und den Studios angeboten. Eine Package besteht aus einem oder mehreren Elementen: Stoff/**Drehbuch**, **Regisseur**, **Stars**.

PAL siehe **Fernsehstandards**.

Pan siehe **Schwenk**.

Pan and scan. Vor allem in den USA und England übliches System, Filme im **Breitwand**- oder **CinemaScope**-Format durch Abschwenken des Bildes auf das Fernsehformat zu reduzieren, ohne daß oben und unten schwarze Streifen (Letterbox) entstehen.

Panavision. Markenname des heute verbreitetsten **anamorphot**ischen **Breitwand**-Systems, das **CinemaScope** weitgehend verdrängt hat, «Super-Panavision» arbeitet mit 70 mm-Film und ohne Anamorphot, «Ultra-Panavision» benutzt 70 mm-Material und verzerrt im Verhältnis 1:1,25.

Panchromatisch. Ein Schwarzweiß-Material, das für alle Farben des sichtbaren Spektrums empfindlich ist. Panchromatischer Film ersetzte ab 1925 den **orthochromatischen** Film als vorherrschendes Material.

Panorama-Einstellung (Extreme Long Shot). Eine extreme Total-Einstellung, bei der aus großer Entfernung eine ganze Landschaft eingefangen wird.

Panoramieren. Ein langsamer **Schwenk** über eine Landschaft.

Papas Kino siehe **Cinéma du Papa**.

Parallaxe. Unter Parallaxe (griechisch: Abweichung) versteht man den Unterschied zwischen dem Bild im Kamera-**Sucher** und dem im **Bildfenster**. Die Abweichung wird in der **Reflexkamera** vermieden.

Parallelmontage. Zwei getrennte, meist inhaltlich zusammenhängende Handlungen, die durch **Kreuzschnitt** ineinandermontiert sind und oft zu einer rhythmischen Kulmination führen; zum Beispiel eine Verfolgungsjagd, bei der zwischen Jäger und Gejagtem hin und her gesprungen wird.

Paramount. Adolph Zukor gründete 1912 seine Famous Players Company mit dem Gewinn, den er durch den Verleih von Sarah Bernhardts *La Reine Elizabeth* in den USA gemacht hatte. 1914 übernahm die neu gegründete Paramount Pictures Corporation den Verleih von Zukors Filmen wie auch jenen der Jesse L. Lasky Feature Play. Zwei Jahre später fusionierten Zukor und Lasky und bildeten die Famous Players-Lasky Corporation und übernahmen dabei neben einer Anzahl kleinerer Produzenten auch ihre Verleihfirma Paramount. 1919 begann die Firma systematisch Kinos aufzukaufen. B. P. Schulberg wurde 1925 Produktions-Chef und untermauerte das Renommee des Studios als Hersteller von unterhaltsamen und geistreichen Filmen, oft mit einem europäischen Flair. W. C. Fields, Mae West, Bing Crosby, Bob Hope, Preston Sturges und Billy Wilder schufen über viele Jahre erfolgreiche Paramount-Komödien. 1949 wurde das Studio gezwungen, sich von seinen Kinos zu trennen, doch es überlebte die fünfziger Jahre dank Alfred Hitchcock, Billy Wilder und anderen. Charles Bluhdorns Konglomerat Gulf + Western übernahm 1966 die Kontrolle. In den nächsten zwanzig Jahren wuchs der Erfolg des Studios unter der Leitung von Robert Evans und Barry Diller stetig an. 1983 übernahm Martin S. Davis die Kontrolle der Mutterfirma und ersetzte Diller 1984 durch Frank Mancuso. Dieser setzte die solide Entwicklung bis zu seinem Rauswurf 1991 fort. 1989 wurde Gulf + Western in Richtung auf einen Medien-Konzern umstrukturiert und änderte seinen Namen in Paramount Communications. Nach einem zähen Wettbieten gegen Barry Dillers QVC ging Paramount 1994 an **Viacom**.

Pay TV (Pay Television). Fernsehsystem, das durch Zahlungen der Zuschauer für die von ihnen gesehenen Sendungen finanziert wird und nicht durch Werbung oder Gebühren.

PBS (Public Broadcasting Service). Im November 1969 von der Corporation for Public Broadcasting gegründetes Network, das über 300 öffentliche TV-Stationen in den USA mit Programm versorgt. Über die Produktion von Programmen entscheidet die SPC (Station Program Cooperative), durch die die beteiligten Stationen auch die Kosten aufbringen.

Perforation (Sprockets). Der Filmstreifen besitzt an der Seite in genormten Abständen Perforationslöcher, die den Weitertransport und den festen Bildstand ermöglichen. Die Größe und Anzahl der Löcher hängt vom **Filmformat** ab: 35 mm-Film hat beidseitig je vier Löcher pro Bildkader, 16 mm- und 8 mm-Film ein Loch auf einer Seite.

Persistence of Vision siehe **Nachbildwirkung.**

Phi-Effekt siehe **Nachbildwirkung.**

Philips. In den Niederlanden beheimateter internationaler Konzern für elektrische und elektronische Geräte, der in den letzten Jahrzehnten – neben **Sony** – zahlreiche Innovationen auf dem Gebiet der Unterhaltungselektronik entwickelt hat. Philips beansprucht, in den sechziger Jahren die Audiokassette (Tonbandkassette), in den Siebzigern die **Laserdisc** und in den Neunzigern die CD-I entwickelt zu haben (außerdem den Elektrorasierer in den fünfziger Jahren).

Pilotfilm. Ein (oft abendfüllender) Fernsehfilm, der das Konzept (Personen, Situationen, Stil) einer geplanten Fernseh**serie** erprobt beziehungsweise vorstellt.

Pilotton. Ein elektrischer Zeitimpuls, der bei der Aufnahme über ein Kabel von der Kamera auf eine spezielle Spur des Tonbandes übertragen wird und durch den bei der Überspielung des Tons Gleichlaufschwankungen ausgeglichen werden und **Synchronität** erreicht wird. Der Pilotton wurde in den achtziger Jahren weitgehend durch Quarzsteuerung von Kamera und Tonbandgerät ersetzt.

Pixel (PICture ELement). Jedes der vielen hunderttausend Bildelemente eines Fernsehschirms oder Computermonitors, die jeweils einzeln in ihren Hell-dunkel-Werten oder Farben gesteuert werden können.

Pixillation. Eine Technik der **Animation**, bei der Gegenstände, Menschen oder Ereignisse so aufgenommen werden, daß die Illusion der kontinuierlichen realen Bewegung gebrochen wird. Dies geschieht entweder durch **Einzelbildschaltung** oder durch die Kopierung einzelner Bilder aus einem kontinuierlich gedrehten Negativ.

Plansequenz (Sequence Shot). Aus dem Französischen übernommener Begriff für eine in einer langen **Einstellung** gedrehte **Sequenz**, in der oft komplizierte Kamerabewegungen ausgeführt werden.

Platforming siehe **Verleih.**

Play Back. Ein Aufnahmeverfahren, bei dem der

Ton im voraus produziert wurde und während der Filmaufnahmen wieder abgespielt wird; die Schauspieler bewegen nur die Lippen. Bild und **Ton** werden beim **Schnitt** vereint. Playback wird besonders bei Gesangsaufnahmen verwendet.

Poetischer Film. Vom amerikanischen Filmemacher und -kritiker Jonas Mekas geprägter Ausdruck für den nicht**narrativen**, oft experimentellen Film; er wird besonders auf das **New American Cinema** angewandt.

Poetischer Realismus. Vom Kritiker George Sadoul geprägte Bezeichnung für eine Reihe Filme, die in den dreißiger und vierziger Jahren in Frankreich entstanden. Sie zeichnen sich aus durch ihre realistische, doch lyrische Schilderung des Alltags, stimmungsvolle Kameraführung und gekonnte naturalistische **Mise en Scène**.

Point of View Shot (PoV) siehe **Subjektive Kamera**.

Politique des Auteurs. Von den Kritikern der *Cahiers du Cinéma* entwickelter Ansatz, Filme vorwiegend als Werke eines individuellen Autors (**Auteur**), vornehmlich des Regisseurs, zu verstehen, der seine persönliche Weltsicht trotz der Spannungen zwischen Stil, Thema und Produktionsbedingungen durchsetzt. Die «Autorentheorie» (so der übliche, doch mißverständliche deutsche Ausdruck) führte zu einer Neubewertung der Hollywood-Regisseure. Anknüpfend an *Cahiers du Cinéma* wurde die «auteur policy» von der englischen Zeitschrift *Movie* und in den USA vor allem von Andrew Sarris vertreten.

Positiv (Print). Eine Filmkopie, bei der die Helligkeits- und Farbwerte mit denen der abgebildeten Realität übereinstimmen. Sie wird durch die Kopierung von einem **Negativ** oder als **Umkehr**-Positiv gewonnen.

Postflashing siehe **Flashing**.

Postproduktion (Post-production). Der Abschnitt der Filmherstellung zwischen Abschluß der Dreharbeiten und der Herstellung der Kino-Kopien: **Schnitt**, **Nachsynchronisation**, **Spezialeffekte**. Vergleiche **Präproduktion**.

Practical Set. Realistisch gebaute Dekoration (**Set**), bei der zum Beispiel Wasserhähne, Türen und Fenster tatsächlich funktionieren.

Prädikat. Seit 1951 erteilt die Filmbewertungsstelle (FBW) die Prädikate «wertvoll» und «besonders wertvoll» für künstlerisch wichtige Filme. Das Prädikat bewirkte eine Verringerung der Vergnügungssteuer für das Kino. In Nazi-Deutschland erteilte die **Film-Prüfstelle** Prädikate wie «Film der Nation», «staatspolitisch besonders wertvoll».

Präproduktion (Pre-production). Die Phase der Filmherstellung vor dem ersten Drehtag, in der das Skript entwickelt, die Darsteller besetzt (**Casting**) und die technische Crew engagiert werden. Vergleiche **Postproduktion**.

Preflashing siehe **Flashing**.

Preview. Eine besonders in Hollywood geübte Praxis, Filme vor der Premiere in einer Testvorführung auf ihre Publikumswirksamkeit zu prüfen. Die Auswertung von Fragebogen bewirkte oft Schnittänderungen und selbst das Neudrehen von Szenen.

Print siehe **Positiv**.

Probeaufnahme (Test). Probeaufnahmen sollen generell über die Eignung eines Schauspielers für den Film oder speziell für eine Rolle Auskunft geben. Es können auch Tests für ein Kostüm oder eine Maske gedreht werden. Zur Zeit der Umstellung vom Stumm- auf Tonfilm mußten sich selbst erfolgreiche Stars Ton-Probeaufnahmen unterziehen.

Process Shot siehe **Trick**.

Product Placement. Die Praxis von Filmproduzenten, sich das Recht, mit Produkten (Autos, Getränke, Bonbons) in einem Film zu erscheinen, vom Hersteller bezahlen zu lassen. Diese Art Schleichwerbung bildet seit den achtziger Jahren einen wichtigen Finanzierungsfaktor.

Production Code. Nach einigen Skandalen in Hollywood gründete die MPPDA (Motion Picture Producers and Distributors of America) das nach seinem ersten Vorsitzenden benannte Hays-Office, das den Production Code als «freiwilligen», weitgehend bindenden Moralkodex für die Filmproduktion mit zum Teil absurden, detaillierten Ge- und Verboten aufstellte. Der Production Code galt bis in die sechziger Jahre. Vergleiche **FSK**, **Zensur**.

Production Design. Bei aufwendigen Produktionen, besonders mit umfangreichen **Spezialeffekten** und großen Dekorationen, entwirft oft ein Production Designer den genauen Ablauf des Films, manchmal an Hand eines detaillierten Story Board.

Production Manager siehe **Aufnahmeleiter**.

Produzent (Producer). Der Produzent ist der für die Gesamtherstellung, besonders die Finanzierung, Verantwortliche. In Hollywood waren einzelne Produzenten, die sich auf bestimmte **Genres** spezialisierten, sogar kreativ und stilbildend. Früher waren Produzenten meist Angestellte eines Studios, heute gibt es vorwiegend unabhängig arbeitende Produzenten, die jeweils «Pakete» aus Buch, Stars, Regisseur etc. zusammenstellen und dann an die Filmgesellschaften verkaufen. Der «Executive Producer/ Produktions-Chef» ist Leiter der Produktion eines Studios beziehungsweise einer Produktionsfirma, dem meist mehrere Produktionen gleichzeitig unterstehen, die jeweils von Produzenten abgewickelt werden.

Programmkino. In den letzten Jahren entstandene Form eines Kinos, das sich mit oft wechselndem Programm aus dem Repertoire-Angebot der Verleihe an ein spezielles, meist jüngeres Publikum wendet. Vergleiche **Erstaufführung**.

Projektion. Die letzte technische Stufe des Filmprozesses. Im Kino wird durch einen Projektor (siehe Abbildung Seite 147) das Filmbild auf die **Leinwand** geworfen. Von der Qualität der Projektion (Helligkeit, Schärfe, richtiges Bildformat) hängt schließlich der Eindruck des Films auf den Betrachter ab.

Prop, Property siehe **Requisite**.

Protokoll-Künste (Recording Arts). Allgemeine Bezeichnung der Medien, die zum Beispiel durch fotografische oder elektronische Aufzeichnung Ereignisse festhalten und durch technische Mittel reproduzieren und verbreiten: Foto, Film, Fernsehen, Schallplatte etc.

Public Domain siehe **Copyright**.

Puppentrick. Eine Spezialform des **Animations**-Films, bei der bewegliche, vollplastische Puppen dreidimensional animiert und mit **Einzelbildschaltung** aufgenommen werden.

Push Development siehe **Forcieren**.

R

Rack Focus siehe **Schärfenverlagerung**.

RAM (Random Access Memory). Computer-Speicher, der auf das Vorhandensein eines elektrischen Stroms angewiesen ist, im Gegensatz zu einem ROM, einer Magnetplatte oder einer optischen Speicherplatte, bei denen es sich um permanente Speichermedien handelt. Die Arbeit eines Computers findet im RAM-Arbeitsspeicher statt, in den sowohl Programme wie Dateien geladen werden müssen.

Ratings. 1. In Großbritannien und den USA das System von Klassifikationen in der Bewertung von Sex- oder Gewalt-Elementen im Film, angewandt vom British Board of Film Classification (BBFC, früher British Board of Film Censors) beziehungsweise von der **MPAA**. Vergleiche **FSK, Zensur**. 2. Im Rundfunk das System zur Erfassung der Zuschauermenge (Einschaltquote) von Radio- und Fernsehprogrammen, beispielsweise zur Bestimmung der Preise für die Werbeeinblendungen. Siehe **Gesellschaft für Konsumforschung, Nielsen**.

Raumatmosphäre (Room Tone, Ambient Sound). Jeder Raum hat eine charakteristische Tonatmosphäre, die von Geräuschen, Hall, Bodenbelag etc. abhängt. Diese Raumatmosphäre ist bei der **Mischung** zu beachten, um auffällige Tonsprünge zu vermeiden.

RCA (Radio Corporation of America). 1919 unter Beteiligung von General Electric, AT & T, Western Electric und American Marconi mit Unterstützung der US-Regierung gegründet, um die Radio-Telegrafie, dann die Radio-Telefonie zu kontrollieren. Unter der Führung von Owen D. Young, dann David Sarnoff, dominierte RCA fünfzig Jahre lang die Innovationen auf dem Gebiet der Unterhaltungselektronik: 1926 Gründung von **NBC**, in den Dreißigern erste Fernsehversuche, in den fünfziger und sechziger Jahren Einführung des NTSC-Farbfernsehens. 1986 übernahm General Electric (GE) RCA und NBC.

Realismus. Im Film eine möglichst präzise Abbildung des Gegenstands ohne starke Eingriffe durch Kamera oder Schnitt. Wird als Stil zumeist mit sozialkritischen und politischen Themen verbunden. Vergleiche **Expressionismus, Neorealismus**.

Rear Projection siehe **Rückprojektion**.

Red Book siehe **CD-Standards**.

Reel siehe **Akt**.

Reflexkamera. Eine Kamera, bei der das Kamerabild durch eine Spiegelblende auch in den **Sucher** reflektiert wird, so daß der Kameramann den genauen Ausschnitt ohne Abweichung der **Parallaxe** beim Drehen beobachten kann. Siehe Abbildung Seite 90.

Regisseur (Director). Der Regisseur setzt die Idee des Films, die im **Drehbuch** entworfen ist, in das Medium um. Sein Aufgabenbereich schwankt im Laufe der Geschichte vom reinen Inszenator (vergleiche **Metteur en Scène**), der ein spezialisierter Handwerker in einem größeren Produktionsteam ist, bis zum **Auteur**, der von der Idee bis zur endgültigen Fassung alle Arbeitsphasen bestimmt. Heute hat sich der neutralere Name Film(e)macher stark eingebürgert.

Reiß-Schwenk (Swish Pan, Whip Pan). Ein schneller **Schwenk** von einem Punkt zu einem anderen, wobei das Bild zwischen den beiden Endpunkten meist unscharf bleibt; auch Wischer genannt.

Remake. Die Neuverfilmung eines schon verfilmten Stoffes.

Reprise. Die Neuaufführung eines älteren Films.

Requisite (Prop). Die beim Drehen einer Szene verwendeten Kleingegenstände, Möbel, Bücher etc.

Resolution siehe **Auflösungsvermögen**.

Reverse Angle siehe **Gegenschuß**.

RKO. Das Studio, das nicht totzukriegen war, hat länger als die meisten anderen unter Firmen-Intrigen und inneren Machtkämpfen gelitten. Die Geschichte geht zurück bis 1909. 1928 mischte Radio-Keith-Orpheum auf den Gebieten Produktion, Verleih und Kino mit. In den dreißiger und vierziger Jahren behauptete sich das Studio gegen die Großen mit solchen Film-Erfolgen wie den Astaire-Rogers-Musicals und *Citizen Kane*. Howard Hughes erwarb die Firma 1948. Danach blieb bald nichts mehr als ein Firmenmantel übrig. Die Atelieranlagen wurden 1953 von der Fernsehproduktion Desilu übernommen. Hughes verkaufte die Firma an General Tire, die die Filmproduktion zugunsten des Fernsehens aufgaben. In den achtziger Jahren versuchte die Firma, wieder Kinofilme zu produzieren. 1989 ging die kontrollierende Mehrheit an Pavilion Communications über.

Rohfilm (Film Stock). Das unbelichtete Filmmaterial.

Rohschnitt. Der Rohschnitt ist das grobe Aneinanderreihen der gedrehten Szenen, indem die ausgewählten **Muster** in der vorgesehenen Reihenfolge zusammengesetzt werden. Anschließend folgt der **Feinschnitt** bis zur endgültigen Fassung. Vergleiche **Final Cut**.

Rollen. Eine der drei grundsätzlichen Bewegungsmöglichkeiten der Kamera. Beim Rollen dreht sich die Kamera um die Bildachse, das heißt, der Gegenstand verändert seine Lage innerhalb des Bildes. Diese Bewegung wird nur selten angewandt. Vergleiche **Neigen, Schwenk**. Siehe Abbildungen Seite 94 und 210.

ROM (Read Only Memory). Ein Computer-Chip, der Informationen unveränderbar speichert, also nur gelesen werden kann.

RTL. Am 2.1.1984 gegründeter Privat-Fernsehsender. Hauptbeteiligte sind die Compagnie Luxembourgeoise Télédiffusion (CLT) und der Bertelsmann-Konzern. Der Sender mit Sitz in Köln, der durch Werbeeinnahmen getragen wird, stieg 1992 zum beliebtesten deutschen Privatsender auf. Seit 1993 existiert der Sender RTL 2, an dem neben CLT vor allem der Bauer-Konzern und tele-münchen beteiligt sind.

Rückblende (Flashback). Ein dramaturgisches Mittel, eine vergangene Zeitstufe in die Gegenwartsstufe der Filmhandlung einzubeziehen.

Rückprojektion, Rückpro (Rear Projection). Die Rückpro ist eine **Trick**-Technik, bei der ein gefilmter oder fotografierter Hintergrund von hinten auf eine transparente Bildwand geworfen wird, vor der die Schauspieler agieren, zum Beispiel oft bei Autofahrten verwandt. Die Rückpro ist inzwischen durch die präzisere **Aufprojektion** und **Masken**-Tricks weitgehend ersetzt worden. Siehe Abbildung Seite 137.

Rushes siehe **Muster**.

S

Sachtrick. Eine Art des **Animations**-Films, bei dem reale Gegenstände durch **Einzelbildschaltung, Zeitraffer** oder **Zeitlupe** aufgenommen werden. Vergleiche **Pixillation**.

sat. 1. Seit dem 1.1.1984 arbeitender erster deutscher Privat-Fernsehsender, der sich durch Werbeeinnahmen finanziert. Nachdem zunächst eine Anzahl von Zeitungs- und Zeitschriftenverlagen beteiligt waren, wird der Sender von der Kirch-Gruppe (siehe **Beta-Film**) entscheidend beeinflußt.

Saturation siehe **Farbsättigung**.

Schärfe (Focus). Die Schärfe eines Filmbildes hängt von der genauen Beachtung verschiedener Varianten des **Objektivs** ab. Sie ist vor allem ein psychologischer Eindruck, der einen gewissen Spielraum zur optisch präzisen Schärfe zuläßt.

Schärfenbereich (Depth of Field). Beim Film erscheinen Gegenstände in einem gewissen Bereich vor und hinter der genauen **Schärfenebene** psychologisch annehmbar scharf. Ein anderer Ausdruck ist **Schärfentiefe**, der jedoch mehr für die ästhetische Anwendung dieses Phänomens benutzt wird. Siehe Abbildung Seite 84.

Schärfenebene (Focus Plane). Jedes fotografische Objektiv bildet Gegenstände auf einer Ebene in einem bestimmten Abstand vor der Linsenebene präzise scharf ab. Da bei der Aufnahme die Kamera auf diese Ebene eingestellt wird, heißt sie auch Einstellebene.

Schärfentiefe (Deep Focus). Schärfentiefe (oft ungenau Tiefenschärfe genannt) ist die ästhetische Anwendung des **Schärfenbereichs** im Film, wobei Gegenstände vom Vorder- bis in den Hintergrund scharf abgebildet sind. Vergleiche **Shallow Focus**. Siehe Abbildung Seite 85.

Schärfenverlagerung (Rack Focus). Die Verlagerung der **Schärfenebene** innerhalb einer Einstellung von einem Gegenstand auf einen anderen.

Schicht. Die Kurzbezeichnung für die mit lichtempfindlichen Bromsilberteilen durchsetzte Gelatineschicht des Rohfilms.

Schleichwerbung siehe **Product Placement**.

Schleife (Loop). 1. Ein Stück Film, das an beiden Enden zusammengeklebt, also «endlos» vorführbar ist. Bei der **Synchronisation** werden jeweils lauter kurze Schleifen bearbeitet, daher heißt es auf englisch auch looping. 2. In Kamera und Projektor der Spielraum des Films zwischen Vor-/Nach-Wickler und Bildfenster, durch den der Unterschied zwischen kontinuierlichem und schrittweisem Filmtransport ausgeglichen wird; auch Schlaufe genannt. Siehe Abbildung Seite 90.

Schneidetisch. Der Schneidetisch ist das Arbeitsgerät des **Cutters** beim **Schnitt.** Auf ihm laufen die Bild- und Tonrollen bei der Bearbeitung synchron hin und her und können durch einen kleinen Bildschirm beziehungsweise Lautsprecher kontrolliert werden. Es gibt zwei Grundtypen: 1. mit senkrecht laufenden Rollen (vergleiche **Moviola**) und 2. mit waagerecht angebrachten Tellern, auf denen die Rollen liegen (vergleiche **Steenbeck**). Siehe Abbildung Seite 130.

Schnitt. Die letzte Stufe der Filmherstellung. Dabei wird das gedrehte Material an Hand der **Arbeitskopie** vom **Cutter** zunächst dem **Rohschnitt** unterzogen, schließlich dem **Feinschnitt** bis zur endgültigen Fassung (**Final Cut**). Die gedrehten Einstellungen werden auf die gewünschte Länge geschnitten und mit anderen Einstellungen zusammenge**klebt**. Die ästhetische Seite des Schnitts wird meist **Montage** genannt.

Schüfftan-Verfahren siehe **Spiegeltrick**.

Schwärzung siehe **Dichte**.

Schwenk (Pan). Die Bewegung der Kamera in der Waagerechten um eine imaginäre senkrechte Achse. Vergleiche **Neigen**, **Rollen**. Siehe Abbildung Seite 94.

Scope. Abkürzung für **CinemaScope**, aber auch allgemein für **anamorphot**ische **Breitwand**-Verfahren angewandt.

Screenplay siehe **Drehbuch**.

Screwball Comedy. Ein besonders in den dreißiger Jahren beliebtes Genre der Hollywood-Komödie, das sich durch hohes Tempo, Sprachwitz und sexuelle Beziehungen als bedeutende Elemente auszeichnet, zum Beispiel *It Happened One Night* (1934) und *Bringing Up Baby* (1938). Höchst dialogreich, im Gegensatz zum Vorgänger **Slapstick**.

Script-supervisor. Der Script-supervisor führt bei den Dreharbeiten über die Einzelheiten der gedrehten Einstellungen Buch, notiert, welche Aufnahmen kopiert werden sollen, und achtet auf die **Anschlüsse**.

SECAM siehe **Fernsehstandards**.

16 mm. In den zwanziger Jahren wurde das 16 mm-**Filmformat** für den Amateurmarkt eingeführt; es entwickelte sich in den sechziger Jahren zum Standardformat für Fernsehen, **Dokumentarfilm** und den **nichtkommerziellen** Verleih. Inzwischen meist durch **elektronische Aufzeichnung** und **Video** abgelöst.

Second Unit. Ein zweites Filmteam, das parallel zum Hauptteam Außenaufnahmen, Action-Szenen, **Stunts** und ähnliches dreht.

Seifenoper (Soap Opera). Genre zunächst im Radio, dann im Fernsehen, das in täglichen oder wöchentlichen Sendungen in unbegrenzter Serienform alltägliche Probleme einer festen Personengruppe behandelt. In den USA zunächst meist im Nachmittagsprogramm mit der Zielgruppe Hausfrauen von Seifenkonzernen gesponsert – daher der Name.

Seitenlicht. Die Lichter, die von der Seite einfallen, auch halbes Licht genannt. Vergleiche **Crosslight**.

Sektorenblende siehe **Blende 2**.

Sequence Shot siehe **Plansequenz**.

Sequenz. Eine Folge von inhaltlich zusammenhängenden **Einstellungen** ergibt eine Sequenz.

Serial siehe **Fortsetzungsfilm**.

Serie (Series). 1. Eine regelmäßige Folge von täglichen oder wöchentlichen Fernsehsendungen, bei der den einzelnen Episoden das Personal und die Grundsituation gemein ist, die Handlung jeweils variiert wird. Es gibt endlose Serien (**Seifenoper**) oder abgeschlossene **Miniserien**. Vergleiche **Fortsetzungsfilm**. 2. In der Frühzeit des Films mehrere voneinander unabhängige Filme einer Saison, die beispielsweise durch einen Darsteller (Henny-Porten-Serie) oder eine Figur (Stuart-Webbs-Detektivserie) verbunden waren und zum Zwecke der Publikumsbindung als Serie angepriesen wurden.

Set (Dekoration). Der Spielort einer Szene, meist künstlich in einem **Atelier** errichtet. Vergleiche **Außenaufnahme**.

Set-up. Der Aufbau von Kamera und Licht, um eine Szene zu drehen. Wenn eine schwere, unhandliche Kamera und ein umfangreicher Scheinwerferpark benutzt werden, kann die Anzahl der Set-ups ein wichtiger ökonomischer Faktor sein.

Shallow Focus. Der dem Deep Focus (**Schärfentiefe**) entgegengesetzte Bildstil, bei dem mit nur engem **Schärfenbereich** gearbeitet wird, so daß zum Beispiel die Schauspieler scharf, der Hintergrund jedoch unscharf verschwommen ist. Siehe Abbildung Seite 85.

Short siehe **Kurzfilm**.

Shot siehe **Einstellung**.

Shutter siehe **Blende 2**.

Sicherheitsfilm. Ein Filmmaterial auf Azetatbasis, das zunächst für Amateurfilme, seit 1951 für alle Filmsorten benutzt wird. Es ist im Gegensatz zum **Nitro**-Material schwer entflammbar.

Sitcom (SITuation COMedy). Ein Programmtyp (zunächst im Radio, dann im Fernsehen) mit einer begrenzten Anzahl Personen, meist einer Familie, in einer speziellen Situation. Vergleiche **Seifenoper**, **Serie**.

Sky-TV. Satelliten-Fernsehprogramme des Medien-Moguls Rupert Murdoch, 1988 gegründet, später mit British Satellite Broadcasting zu B-Sky-B verbunden.

Skycam. Ein vom Kameramann Garrett Brown entwickeltes System, bei dem eine leichte Kamera an computer- und monitorgesteuerten Drähten hängt, die über vier Stangen an den Ecken eines Sportstadions oder einer Atelier-Dekoration postiert sind. Es entstehen Bilder, als könne die Kamera frei fliegen.

Slapstick. Ein Stil der Stummfilmkomödie, der hauptsächlich auf Situationskomik und typisierten Figuren beruht.

Slow Motion siehe **Zeitlupe**.

Snuff Film. Ein Pornofilm, der angeblich einen realen Mord zeigt.

Soap Opera siehe **Seifenoper**.

Soft Light. 1. Ein Scheinwerfer, bei dem alles direkte Licht gegenüber dem Kameraobjektiv abgedeckt ist. 2. Eine Ausleuchtung, die den Kontrast zwischen Licht und Schatten abdämpft; Gegensatz: Hard Light.

Soften. Das Herstellen eines weichen, oft verschönernden Bildes, meist einer Großaufnahme, durch besondere Ausleuchtung und Verwendung von **Weichzeichner** (Soft Focus).

Solarisation. Chemischer oder elektronischer Prozeß, durch den die Farbwerte verschoben werden, beispielsweise wird aus Blau Gelb.

Sony. 1946 von Akio Morita gegründeter japanischer Elektrokonzern, der (neben **Philips**) in den letzten Jahrzehnten für zahlreiche Innovationen im Bereich der Unterhaltungselektronik und der Fernsehtechnik verantwortlich war. Sony hat unter anderem in den siebziger Jahren die Trinitron-Fernsehröhre, den Walkman-Kassettenrecorder und den Videokassettenrecorder (**Beta**) entwickelt oder popularisiert, in den achtziger Jahren die Musik-CD. In den späten achtziger Jahren begann Sony sich intensiv auf die nächste Entwicklung der Unterhaltungselektronik vorzubereiten, indem es in den USA stark auf dem Software-Sektor investierte, so im Januar 1988 die erfolgreiche Schallplattenfirma CBS und im November 1989 die Filmfirma Columbia Pictures aufkaufte.

Soundstage. Ein für Tonaufnahmen eingerichtetes Filmatelier.

Soundtrack. 1. Allgemein der **Ton** eines Films. Im Englischen speziell die **Tonspur**. 2. Bezeichnung für den Tonträger, auf dem ein Ausschnitt der Filmmusik veröffentlicht wird; seit den achtziger Jahren ein wichtiger Marketingfaktor.

Sozialistischer Realismus. In den dreißiger Jahren in der Sowjetunion entwickelte Kunstdoktrin des Marxismus-Leninismus. Zentrale Begriffe waren vor allem: Parteilichkeit und Volksverbundenheit, das Typische, der positive Held und die «lichte Aussicht». Im Stalinismus als Dogma – auch zur Bekämpfung unliebsamer Kunstströmungen (**Formalismus**) – und als Gestaltungsprinzip eingesetzt, wurde er ab den sechziger Jahren zunehmend offener als weltanschauliche Haltung ausgelegt und erweitert, zum Beispiel durch Einführung des «subjektiven Faktors», der die Schilderung von Individuen und abweichendem Verhalten zuließ.

Speed siehe **Empfindlichkeit**, **Lichtstärke 2**.

Spezialeffekt (Special Effect). Sammelbegriff für alle Film-**Tricks**, sowohl der filmtechnischen (vergleiche **Wandermasken**) wie auch der vor der Kamera hergestellten, zum Beispiel Explosionen, **Stunts** etc.

Spiegeltrick (Mirror Shot, Glass Shot). Eine **Kombinationsaufnahme**, bei der ein Teil des Bildes – zum Beispiel ein Dekorationsmodell – durch einen in den Strahlengang der Kamera gestellten Spiegel eingespiegelt wird. Eine Spezialform des Spiegeltricks ist das Schüfftan-Verfahren, bei dem ein eingespiegeltes Modell mit einer Realhandlung kombiniert wird, es ist weitgehend durch **Wandermasken** ersetzt.

SPIO. Dachorganisation von Fachverbänden der deutschen Filmwirtschaft. 1923 als «Zentralausschuß der Deutschen Filmindustrie» zur Interessenvertretung der Filmindustrie gegründet, am 12.10.1927 als «Spitzenorganisation der Deutschen Filmindustrie e.V.» in Berlin eingetragen. Mit ihren Vorschlägen zu einer ständischen Gliederung trug die SPIO zur Vorbereitung der Umorganisation des Filmwesens unter den Nazis bei. Die SPIO wurde 1950 als «Spitzenorganisation der Filmwirtschaft e.V.» in Wiesbaden neugegründet.

Split Screen siehe **Mehrfachbild**.

Spotlight. Scheinwerfer mit einem kleinen runden Lichtfeld zum Herausheben von Details.

Springtitel (Flash Title). Zur Material-, Gewichts- oder Raumersparnis bei Transport oder Archivierung wurden im Stummfilm die Zwischentitel häufig auf zwei oder drei Felder reduziert, die dann für Kinokopien wieder in voller Länge kopiert werden konnten.

Spritzlicht siehe **Highlighting**.

Sprockets siehe **Perforation**.

Sprossenschrift. Nur noch wenig benutztes System für den **Lichtton**. Dabei werden die Tonschwankungen durch quer zur Laufrichtung liegende mehr oder weniger starke Streifen auf der Tonspur aufgezeichnet. Vergleiche **Zackenschrift**.

Staatliches Filmarchiv der DDR siehe **Bundesarchiv-Filmarchiv, Kinemathek**.

Standard. In der Welt der Unterhaltungselektronik und der Microcomputer ein Satz technischer Spezifikationen, der normalerweise mit anderen in Konkurrenz steht, also genaugenommen kein Standard ist. Setzt eine nationale oder internationale Institution (vergleiche **ISO**) einen wahren Standard, entwickelt sich die Technologie schneller. Wenn Firmen mit unterschiedlichen Standards konkurrieren (**VHS** gegen **Beta**), so ergeben sich interessante Kapitel der Technik-Geschichte.

Standardformat. Das von der **Academy of Motion Picture Arts and Sciences** 1932 festgelegte **Bildformat**, das deshalb auch Academy Aperture/Ratio genannt wird. Das Verhältnis von Höhe zu Breite beträgt 3:4 oder 1:1.33. Siehe Abbildung Seite 109. Vergleiche **Breitwand**.

Standfoto (Still). Foto, das bei den Dreharbeiten von einem speziellen Fotografen gemacht wird und Szenen des Films für Werbezwecke festhält. Manchmal werden Werk- oder Arbeitsfotos, die die Dreharbeiten dokumentieren, zu den Standfotos gezählt.

Standkopierung (Freeze Frame). Ein eingefrorenes Filmbild, das durch Mehrfachkopierung eines Einzelbildes auf der **optischen Bank** erzeugt wird.

Star. Im Film (und anderen Medien) ein Darsteller, der sich von anderen durch den Faktor Prominenz (Celebrity) absetzt. Ein Star besitzt ein gewisses Image (Persona), das über eine einzelne Rolle weit hinausgeht. Ein Star hat eine gewisse Ausstrahlung, die Einnahmen bringt. Seit Beginn der Filmindustrie waren Stars integraler Teil sowohl von Geschäft wie Kunst. Mary Pickford, Douglas Fairbanks und Charlie Chaplin erklommen bald eine Stufe der Bekanntheit, die weit über das Kino hinausreichte. Popularität gab es schon zuvor, doch erst die Massenmedien verbreiteten den Starkult weltweit.

Startband (Leader). Vor den Kopien befindet sich eine Strecke Filmstreifen, auf der sich verschiedene Kennzeichnungen für den Verleih und den Kinovorführer befinden.

Steadicam. Tragstativ mit ausgefederter Kamerahalterung, durch das auch mit der **Handkamera** glatte und ruhige Bewegungen ermöglicht werden. Siehe Abbildung Seite 97.

Steenbeck. Verbreitete Marke des flachen **Schneidetischs**. Siehe Abbildung Seite 130.

Stereophonie. Vermittels je zwei oder mehr Ton-**Kanälen** und Lautsprechern wird bei der Stereophonie die räumliche Tonerfahrung simuliert. Vergleiche **Monaural**.

Stereoskopie. Die stereoskopische Fotografie versucht durch zwei die **Parallaxe** der Augen nachvollziehende Fotos eine optische Raumerfahrung nachzuahmen. Die darauf beruhenden 3-D-Filmverfahren konnten sich wegen des technischen Aufwands bei Aufnahme und Projektion sowie filmästhetischen Hemmnissen nicht durchsetzen.

Stiftung Deutsche Kinemathek (SDK). 1963 als Verein zur Betreuung der Sammlungen von Gerhard Lamprecht und Albert Fidelius gegründet. 1971 in eine Stiftung (Träger: Land Berlin und Bundesregierung) umgewandelt, hat sie sich mit ihren Sammlungen (Filme, Fotos, Plakate, Dokumente, Geräte), Retrospektiven (zur Berlinale), Ausstellungen und Publikationen zur wichtigsten **Kinemathek** in Deutschland entwickelt. Sie ist Mitglied der **FIAF**. – Ein von der SDK unabhängiger Verein sind die **Freunde der Deutschen Kinemathek**.

Still siehe **Standfoto.**

Stock shot siehe **Archivaufnahme.**

Stoptrick. Eine seit den frühesten Filmen (Méliès) praktizierte **Trick**-Technik, die auf der **Einzelbild**-Aufnahme beruht und durch die zum Beispiel Gegenstände plötzlich erscheinen oder verschwinden können.

Story Board. Eine zeichnerische Version des **Drehbuchs**, bei der in der Art eines Comic strips die einzelnen Einstellungen entworfen werden. Das Story Board wird vor allem beim **Animations**-Film angewandt sowie bei aufwendigen Produktionen, zum Beispiel mit vielen **Spezialeffekten**, wo ein Production Designer die Aufgabe des Entwurfs übernimmt. Siehe Abbildung Seite 128.

Stroboskop. Ein in bestimmten Rhythmen an- und ausgehendes Licht, durch das Bewegungen optisch zerhackt erscheinen. Im Grunde eine Umkehrung der dem Film zugrundeliegenden physiologischen Gesetze (vergleiche **Nachbildeffekt**). Stroboskopische Effekte entstehen gelegentlich bei schnellen Schwenks oder werden im **Experimentalfilm** eingesetzt. Vergleiche **Flimmern.**

Studio. 1. Eine Anlage zur Herstellung von Filmen oder Fernsehsendungen, bestehend aus **Ateliers**, Schneideräumen, Garderoben, Büros, Werkstätten etc. Vergleiche **Babelsberg**. 2. Auf **Hollywood** bezogen, die sechs großen Produktions- / Verleih-Firmen, die die amerikanische Filmindustrie beherrschen und in Los Angeles ihre eigenen Produktionsstätten unterhalten: **Universal, Disney, Warner, Paramount, Fox, Sony.** (**Columbia** Pictures war 1991 in Sony umbenannt worden; Columbia zog 1990 auf **MGMs** berühmte Studio-Anlage, nachdem MGM zuvor ein Bürogebäude bezogen hatte; **United Artists**, die niemals irgendwelches Gelände besaßen, waren 1981 in MGM aufgegangen und 1991 verschwunden, als MGM von Pathé gekauft wurde.)

Stuntman. Ein Spezialist für gefährliche oder komplizierte körperliche oder technische Aktionen, zum Beispiel Kämpfe, Stürze, Autojagden. In solchen Fällen springt der Stuntman auch als **Double** für andere Schauspieler ein.

Subjektive Kamera (Point of View Shot, PoV). Die Kamera nimmt die Position einer Figur ein, das heißt, man sieht auf der Leinwand, was die Figur sieht.

Subtraktive Farbmischung. Durch Einschalten von Farbfiltern in weißes Licht können verschiedene farbige Lichtstrahlen erzeugt werden. Mit den Grundfarben Gelb, Zyan und Magenta lassen sich sämtliche Spektralfarben herstellen. Vergleiche **Additive Farbmischung.** Siehe Abbildung Seite 121.

Sucher (Viewfinder). Im Sucher der Kamera überprüft der Kameramann den Bildausschnitt der Einstellung, die gedreht wird. Der Regisseur benutzt häufig einen kleinen tragbaren Sucher zur Einschätzung der vorgesehenen Einstellung. Bei modernen Suchern ist eine Videokamera angeschlossen, die das Bild während des Drehens verfolgt und anschließend an die **elektronische Aufzeichnung** die Überprüfung ermöglicht. Vergleiche **Parallaxe, Reflexkamera.**

Superimposition siehe **Mehrfachbelichtung.**

Surrealismus. In den zwanziger Jahren eine Bewegung in Malerei, Literatur und Film, vor allem in Paris, die sich – beeinflußt von der Psychoanalyse – vor allem durch traumhafte und assoziative Bild- und Textgestaltung auszeichnete. Hauptvertreter des Surrealismus im Film sind Salvador Dalí und Luis Buñuel.

Swish Pan siehe **Reiß-Schwenk.**

Synchronisieren (dub, sync, Looping). Die Neuaufnahme von Dialogen in einer anderen Sprache. In Deutschland werden nahezu alle Import-Filme synchronisiert; die im Ausland verbreitete Alternative sind **Untertitel**. Vergleiche **Schleife 1.**

Synchronton. Ton, bei dem die Quelle, zum Beispiel der Sprecher, im Bild sichtbar ist oder aus dem Bildzusammenhang deutlich wird. Vergleiche **Klappe.**

Syndikation. In den USA Vertriebs-Alternative zu den Rundfunk- und Fernseh-**Networks.** Programme werden vom Produzenten oder **Verleih** direkt an die Stationen verkauft. Die meisten Serien werden erst dadurch profitabel, daß sie einige Jahre nach der Network-Ausstrahlung in die Syndikation übernommen werden. Bestimmte Programmtypen wie Spielshows, Talkshows oder Reality-TV werden unter Umgehung der Networks an die lokalen Stationen verkauft (First-run Syndication).

Synthetischer Film. Filmtheoretischer Begriff, von Helmut Herbst geprägt, der den Gegensatz zum **dokumentar**ischen Film beschreiben soll. Die beiden Begriffe stellen die idealtypischen Extreme der Filmarbeit dar: von der «neutralen» Aufzeichnung der Außenrealität (dokumentar) bis zur völligen Schaffung einer Eigenrealität (synthetisch). Alle Filme sind Mischformen, die zwischen diesen Extremen einzuordnen sind.

Szenarium siehe **Drehbuch**.

Szene. Allgemeine Bezeichnung für eine Einheit der Filmerzählung. Eine Szene besteht aus einer oder mehreren **Einstellungen**, die durch den Ort oder die Handlung verbunden sind.

T

T-Zahl siehe **Blendenzahl**.

Take siehe **Einstellung** 2.

Tape siehe **Tonband**.

Technicolor. Das erste erfolgreiche **Farbfilm**-Verfahren. Das einfallende Licht wird in einer Spezialkamera durch ein Prisma in – zunächst nur zwei, später dann drei – Farbanteile aufgespalten, die jeweils von einem Negativ aufgezeichnet werden. Mit daraus gewonnenen Matrizenfilmen werden die einzelnen Farben dann wie bei einem Druckvorgang auf die Kinokopie aufgetragen (Dye Transfer). Das Verfahren wurde im Laufe der Zeit mehrfach verbessert, schließlich weitgehend vom **Eastmancolor**-Verfahren verdrängt. Es behielt jedoch wegen der besseren Qualität und Haltbarkeit der Farbkopien durch das Farbdruckverfahren an Bedeutung.

Teleobjektiv. Fotografische Optik mit extrem langer **Brennweite**, die wie ein Teleskop wirkt. Sie hat einen engen **Blickwinkel** und dämpft die Tiefenwahrnehmung. Bei modernen Teleobjektiven liegt der Brennpunkt außerhalb des Objektivs, dadurch ist die Bauform kürzer.

THX-Tonsystem. Hochqualitatives Tonsystem für Kinos, entwickelt von Lucasfilm und benannt nach *THX 1138*, einem frühen Science-fiction-Film von George Lucas.

Tilt siehe **Neigen**.

Time-lapse Photography. Eine extreme Form des **Zeitraffers**, bei der zum Beispiel ein Bild alle dreißig Sekunden aufgenommen wird, so daß ein Tag in zwei Film-Minuten abläuft.

Timecode (Zeitcode). Digitales Zeiterkennungssystem zur Erleichterung des Synchronisierens von Film, Video und Tonband beim **Schnitt**.

Titel siehe **Credits**.

TNT (Turner Network Television). Nachdem er mit einer lokalen Fernsehstation Erfolg hatte, gründete Ted Turner am 3.10.1988 das Kabel-Network TNT, um auf diesem Wege die Rechte an den vielen Filmen auszuwerten, die er von **MGM**/UA erworben hatte. Vergleiche **CNN**.

Todd-AO. In den fünfziger Jahren entwickeltes 65mm-**Breitwand**-Verfahren.

Ton. Film wurde seit seiner Frühzeit von Tönen begleitet. Zunächst durch Kinomusiker und Filmerklärer, dann nach jahrzehntelangen Versuchen mit verschiedenen technischen Verfahren, seit Ende der zwanziger Jahre als Tonfilm. Dabei wird der Ton durch **Licht**-, **Magnet**- oder **Nadelton** erzeugt. Der Filmton (**Soundtrack**) setzt sich aus vielen akustischen Elementen zusammen, die bei der **Mischung** vereint werden. Siehe **Asynchroner Ton**, **Synchronton**.

Tonband (Tape). Allgemein das Magnettonband, ein mit elektromagnetischen Partikeln beschichtetes Kunststoffband, das der linearen Tonaufzeichnung dient. Bei der Filmaufnahme wird meist ein 6mm breites Tonband («Schnürsenkel») benutzt, beim Schnitt ein 16mm oder 17,5mm breites perforiertes Band (**Magnetfilm**, «Cordband»).

Toneffekte (Sound Effects). Alle akustischen Signale beim Film, die weder Dialog noch Musik sind. Sie werden entweder bei den Dreharbeiten aufgenommen, später aus einem Geräuscharchiv zusammengestellt oder von einem spezialisierten Geräuschemacher (**Foley Editor**) künstlich hergestellt.

Tonkamera. Das Gerät, mit dem der **Lichtton** aufgezeichnet wird, das also elektromagnetische in optische Signale umsetzt. Vor dem Aufkommen des Tonbandgeräts wurde der Ton beim Drehen mit Tonkameras aufgenommen, also eine direkte Umsetzung von akustischen in optische Signale.

Tonlampe (Exciter Lamp). Jener Teil des Projektors, durch den die Licht-**Tonspur** abgetastet wird. Siehe Abbildungen Seite 123 und 147.

Tonspur (Track). Die Tonfilmkopie trägt neben den Bildern eine (oder mehrere) schmale Tonspur, auf der entweder der **Lichtton** oder **Magnetton** aufgezeichnet ist. Siehe Abbildung Seite 123.

Tonwert. Begriff für den psychologischen Eindruck der Buntheit der Farbe beziehungsweise des **Kontrastes** bei Schwarzweiß.

Totale (Long Shot). Eine **Einstellung**, bei der eine gesamte Szenerie im Bild erfaßt wird.

Touchstone Pictures siehe **Disney**.

Track siehe **Kanal**, **Tonspur**.

Tracking Shot siehe **Fahraufnahme**.

Trailer. Ein kurzer, meist aus Szenen des betreffenden Werks montierter Werbefilm für einen Spielfilm.

Transfokator-Objektiv siehe **Gummilinse**.

Transportabel (Wild Walls). In einer Dekoration (Set) jene Wände, die beweglich gebaut worden sind, um sie beispielsweise für eine Kameraposition zu entfernen.

Transportmechanismus. Ein für die Filmtechnik zentraler Mechanismus, der den schrittweisen Transport des Filmstreifens in Kamera beziehungsweise Projektor bewerkstelligt. Vergleiche **Malteserkreuz.**

Travelling Matte siehe **Wandermasken.**

Treatment siehe **Drehbuch.**

Trick. Allgemeine Bezeichnung für **Spezialeffekte,** die entweder durch filmtechnische Verfahren (vergleiche **Animation, Aufprojektion, Kasch, Kombinationsaufnahme, Maske, Rückprojektion, Stoptrick, Wandermasken;** englisch als process shot, opticals zusammengefaßt) oder durch Aufnahme spezieller Aktionen (vergleiche **Modellaufnahme, Stuntman**) die Filmrealität erweitern.

Trickfilm siehe **Animation.**

TriStar. Das Studio, das es fast geschafft hätte. TriStar Pictures wurde 1982 als Gemeinschafts-Tochter von **Columbia** Pictures, **CBS** und **HBO** gegründet. 1986 übernahm TriStar die Kino-Kette Loew's Theatres. Nachdem zunächst CBS, dann HBO sich immer mehr zurückzogen, wurde TriStar praktisch eine unabhängige Unterabteilung von Columbia. **Sony** übernahm TriStar 1989 im Rahmen eines Kaufs von Columbia. Anfang der neunziger Jahre sah es unter der Leitung des erfahrenen Produktions-Managers Mike Medavoy so aus, als ob das Studio überleben und aufblühen könnte. Doch Anfang 1994 ging Medavoy, und innerhalb eines Jahres war das Studio mit Columbia verschmolzen, als Sony versuchte, die Verluste zu senken. Es war – nach **United Artists** und **Orion** – das dritte Studio, das kurz nach dem Ausscheiden von Medavoy zusammenbrach.

Turner Entertainment vergleiche **CNN, Colorization, TNT.**

Twentieth Century Fox. Da ihm die Persönlichkeit von **Paramount** fehlte, der harte Realismus von **Warner** Bros. und der Glamour von **MGM,** war Twentieth Century Fox in den Goldenen Jahren Hollywoods das Aschenputtel unter den großen Studios und genoß selten den Respekt, der ihm eigentlich zustand. Tatsächlich konnte das Studio über viele Jahre eine gleichmäßige Erfolgsbilanz vorweisen. Die Fox Film Corporation wurde 1915 durch den ungarischen Einwanderer William Fox gegründet, der sein Geld mit **Nickelodeons** gemacht hatte. In den zwanziger Jahren beschäftigte Fox Regisseure wie John Ford, Raoul Walsh und F. W. Murnau und führte das Movietone-System ein, das über fünfzig Jahre den Tonfilmstandard bildete. Am Ende des Jahrzehnts erreichte die Firma fast eine beherrschende Stellung in Hollywood, doch Fox' Versuch, die Kontrolle über Loew's Inc. zu erlangen, den Besitzer von über hundert Kinos und von MGM, endete mit dem Börsenkrach 1929. Die Firma wurde durch ihren neuen Star, Shirley Temple, gerettet. 1935 fusionierte Fox mit der Produktionsfirma Twentieth Century, die einige Jahre zuvor von Darryl F. Zanuck und Joseph M. Schenk gegründet worden war. Weiterhin an der Spitze der technischen Entwicklung, präsentierte das Studio 1953 das Breitbandverfahren **CinemaScope.** Darryl Zanuck und sein Sohn Richard kontrollierten das Studio während der sechziger Jahre; Dennis Stanfill war in den Siebzigern der Vorsitzende, einer Periode, die eine Anzahl von Hits erlebte – *Star Wars* (1977) vor allem. Der Ölmagnat Marvin Davis kaufte die Firma 1981 und gab sie 1985 an Rupert Murdoch weiter. Murdoch setzte Barry Diller als Generaldirektor ein. Diller schuf 1986 Fox als viertes Fernsehnetwork in den USA – ein bedeutender Coup –, ehe er 1992 zurücktrat, um im Multimediageschäft neue Welten zu erobern. Das Film-Archiv der Twentieth Century Fox wird seit Ende 1994 im Kabel-Kanal fXM: Movies from Fox ausgewertet.

Two Shot (Zweier). Eine **Einstellung,** in der zwei Personen zu sehen sind; entsprechend Three Shot etc.

Typage. Eisensteins Theorie für die Besetzung von Rollen durch «Typen» statt durch professionelle Schauspieler.

U

U-Matic. 3/4-Zoll-Videosystem der Firma **Sony,** das 1971 erstmals die Kassetten-Technik für **Video** anwandte (vergleiche **Video-Kassette**). Das System wird heute noch für professionelle Zwecke genutzt.

Über-Schulter (Over-the-shoulder Shot). Bei Dialogszenen beliebte Einstellung, bei der von der einen Person die Schulter und der Kopf von hinten angeschnitten zu sehen sind.

Überbelichten siehe **Belichtung.**

Überblendung (dissolve). Filmischer Effekt, bei dem durch Kombination von **Ab-** und **Aufblende** zwei Szenen sanft ineinander übergehen. Filmdramaturgisch ein Strukturierungsmittel.

Überdrehen siehe **Zeitlupe**.

Ufa (Universum-Film Aktiengesellschaft). Am 18.12.1917 – offiziell auf Anregung General Erich Ludendorffs – von einem Konsortium unter Leitung der Deutschen Bank (mit geheimer Beteiligung des Deutschen Reiches) gegründeter Filmkonzern mit einem Stammkapital von 25 Millionen RM. Durch Aufkauf bildeten die deutschen Tochter-Gesellschaften der dänischen Nordisk Films Kompagni, die Projektions-AG «Union» (PAGU) und der Messter-Konzern die Grundlagen der neuen Firma und vereinten damit alle Sparten der Filmindustrie von der Produktion über Verleih bis zu den Kinos unter einem Dach. Produktionszentrum war zunächst das Ateliergelände Berlin-Tempelhof. Wichtigste finanzielle Basis der Ufa bildeten der Verleih sowie Produktion und Vertrieb von Wochenschauen und Kulturfilmen. 1921 kam mit dem Aufkauf der Decla-Bioscop das Atelier Neu-**Babelsberg** hinzu, das in den nächsten Jahren zur Ufa-Filmstadt ausgebaut wurde. Unter Produktionschef Erich Pommer entstanden Klassiker des Weimarer Films (*Der letzte Mann, Metropolis*), die aber zugleich in eine Finanzkrise führten. Der Konzern wurde durch eine Gruppe unter dem deutschnationalen Medienzaren Alfred Hugenberg übernommen und saniert. 1929 begann die Ufa mit der Produktion von Tonfilmen (unter anderem *Der blaue Engel*). 1933, nach der Machtübernahme der Nazis, trennte sich die Firma von ihren prominentesten jüdischen Mitarbeitern (Pommer, Erik Charell), produzierte aber weiterhin – «neben einzelnen nationalen Filmen» – Unterhaltungsware für den internationalen Markt. 1942 Eingliederung in den reichseigenen Konzern Ufa-Film GmbH (UFI). Nach Kriegsende Übernahme durch die Alliierten. In der Sowjetischen Besatzungszone entstand 1946 die **DEFA** (Deutsche Film-AG) als staatlich kontrollierte Produktionsfirma; ab 1947 produzierte sie wieder im Studio Babelsberg. In den Westzonen sollte die UFI laut Gesetz entflochten und liquidiert werden. 1956 übernahm ein Konsortium unter Führung der Deutschen Bank die Aktien. Nach einigen Filmen und einer weiteren Krise übernahm der Bertelsmann-Konzern die Firma. Die Kino-Kette Ufa-Theater AG wurde selbständig. Die Ufa Film- und Fernseh-GmbH dient seither als Holding für Film-, Fernseh- und Rundfunkinteressen im Rahmen des internationalen Medienkonzerns Bertelsmann AG.

Umkehrfilm (Reversal Filmstock). Ein Filmmaterial, bei dem kein **Negativ** entsteht, sondern gleich ein **positives** Bild. Umkehrfilm wird verwendet, wenn nicht mehrere Kopien gebraucht werden, zum Beispiel bei der aktuellen Fernsehberichterstattung oder um bei der Filmherstellung eine **Generation** zu überschlagen.

Umlaufblende siehe **Blende 2**.

Underground Film. Die amerikanischen Filme, die unabhängig von Hollywood, oft mit geringen finanziellen und technischen Mitteln, hergestellt werden (vergleiche **New American Cinema**). Der Begriff wurde ab Mitte der sechziger Jahre allgemein für **Experimental**- und **Avantgardefilme** verwandt, besonders jene, die sexuelle Tabus angriffen.

Unicode. Zeichensatz-Standard (ISO 10646-I) mit 65 536 Zeichen, der die Alphabete aller heute gebräuchlichen Sprachen umfaßt. Vergleiche **ASCII**.

Unifrance. Exportorganisation der französischen Filmindustrie.

Unitalia. Exportorganisation der italienischen Filmindustrie.

United Artists (UA). Wie der Name andeutet, war United Artists als Hilfsmittel für Filmemacher gedacht und erfüllte diesen Zweck auch fünfzig Jahre lang bis zu seinem schmachvollen Ende in den achtziger Jahren. 1919 von den Stars Mary Pickford, Douglas Fairbanks und Charles Chaplin sowie dem Regisseur D. W. Griffith gegründet, um ihre eigenen Filme zu produzieren und zu vertreiben, entwickelte sich UA in den zwanziger Jahren und vertrieb u. a. auch die Filme von Gloria Swanson, Buster Keaton und Rudolph Valentino. In den dreißiger Jahren beruhte sein Ruf auf den Produktionen von Sam Goldwyn und Alexander Korda. In den vierziger Jahren ging es fast zugrunde, wurde jedoch von Arthur Krim und Robert Benjamin gerettet, die 1950 die Kontrolle übernahmen. In den nächsten dreißig Jahren erwies sich United Artists' bisheriger Mangel – das Fehlen eines eigenen Ateliers – als sein größter Vorteil, indem nämlich Dreharbeiten vor Ort an Popularität gewannen, Antitrust-Urteile Kinobesitzer von ihrer Bindung an andere Verleiher befreiten und sich verändernde Produktionsmodelle in der Filmindustrie Filmemacher von ihren langfristigen Vertragsbindungen mit Studios lösten. UA wurde 1957 eine Aktiengesellschaft und wurde 1967 vom Versicherungs-Konzern Transamerica übernommen. In den sechziger und siebziger Jahren florierte UA, verlieh u. a.

die James-Bond-Serie und Woody-Allen-Filme und erlangte zahlreiche Oscar-Nominierungen. 1978 verließen die Top-Manager Krim, Benjamin, Mike Medavoy, William Bernstein und Eric Plescow die Firma nach einem Streit um Transamericas Personal-Politik, die mit den Hollywood-Traditionen kollidierte. Sie gründeten sofort **Orion**-Pictures. Die Tage von United Artists waren gezählt. Die finanzielle Katastrophe um *Heaven's Gate* (1980) war der letzte Sargnagel. Transamerica verkaufte die Firma 1981 an **MGM**. 1983 fusionierten die beiden Firmen zu MGM/UA Entertainment und UA wurde praktisch aufgelöst. Nach zahlreichen Besitzwechseln und Finanztransaktionen, die Peter Bart in seinem Buch *Fade Out* dramatisch geschildert hat, landete die Firma 1992 im Schoß der französischen Bank Crédit Lyonnais. Zu dem Zeitpunkt war sie kaum mehr als ein leerer Firmenmantel.

Universal. Das älteste überlebende Studio und das einzige mit einer eigenen Stadt. Universal wurde 1912 vom schwäbischen Einwanderer Carl Laemmle gegründet, und er löste den Trend ins San Fernando Valley aus, als er 1915 das Land für «Universal City» in der Nähe von Burbank erwarb. Von den Zwanzigern bis in die vierziger Jahre war Universal «King of the **B Pictures**», weil es überwiegend billigere Serien-Produkte herstellte. 1946 fusionierte die Firma mit International Films. Mitte der fünfziger Jahre erwarb Decca Records einen bestimmenden Anteil, und die Firma begann sich auf Qualitäts-Produktionen zu konzentrieren. Sie war in dieser Periode vor allem für Melodramen von Douglas Sirk und Komödien mit Doris Day und Rock Hudson bekannt. 1962 übernahm **MCA** die Kontrolle über Decca und Universal. 1924 von Jules Stein als Talent-Agentur gegründet, war die Music Corporation of America schon bald durch Antitrust-Bestimmungen gezwungen worden, die Agentur abzustoßen. Das Studio wurde zunächst durch Stein und Lew Wasserman geleitet, dann von Wasserman mit seinem langjährigen Mitarbeiter Sid Sheinberg. In den sechziger und siebziger Jahren dominierte Universal City Studios Inc. die Fernseh-Produktion. Die Firma wandte sich auch früh dem Geschäft mit Unterhaltungsparks zu, bot Besichtigungstouren durch das Atelier an und errichtete schließlich ein Studio in Orlando, Florida, mit der Absicht, Touristen anzuziehen. Zwanzig Jahre lang erfreute sich MCA-Universal einer engen Zusammenarbeit mit Steven Spielberg, dessen Produktions-Firma, Amblin Entertainment, ihr Hauptquartier auf dem Studio-Gelände unterhielt. 1990 erwarb **Matsushita** MCA Inc. für 6,1 Milliarden Dollar. Wasserman und Sheinberg blieben an der Spitze. 1994 trennte sich Spielberg von ihnen, um gemeinsam mit Jeffrey Katzenberg und David Geffen sein eigenes Studio, **Dreamworks SKG**, zu gründen.

Unterbelichten siehe **Belichtung**.

Unterdrehen siehe **Zeitraffer**.

Untertitel (Subtitle). Schrift-**Einblendung**, durch die entweder eine zusätzliche Information gegeben wird (zum Beispiel Namenseinblendung) oder fortlaufend ein fremdsprachiger Film übersetzt wird, eine Alternative zum **Synchronisieren**.

V

Variety. 1905 von Sime Silverman in New York gegründetes Fachblatt für die Unterhaltungsindustrie, gilt als die wichtigste Publikation der Filmindustrie. 1933 kam *Daily Variety* als Konkurrenz zum **Hollywood Reporter** in Los Angeles hinzu. Die Autoren der Zeitung entwickelten einen eigenen, oft witzigen Slang (Varietese), von dem zahlreiche Ausdrücke in die Fachsprache übergegangen sind: biopic, sitcom, sci fi). 1987 ging das Blatt nach drei Generationen im Besitz der Familie Silverman an den Zeitschriften-Konzern Cahner Magazines über. Variety ist jetzt leichter lesbar, doch weniger unterhaltsam.

Verleih (Distribution). Die Stufe der Filmwirtschaft, auf der die fertigen Filme an die Kinos vermittelt werden. Das Bindeglied zwischen Produktion und Exhibition. In der Anfangszeit wurden Filmkopien an die Kinobetreiber verkauft und von diesen gespielt, bis sie uninteressant oder technisch verbraucht waren; daneben entwickelte sich auch ein Tauschhandel zur Auffrischung der Programme. Ab ca. 1911 entwickelte sich mit Monopolfilmen das Verleihsystem. In den USA haben sich heute bestimmte Verleihtaktiken entwickelt: bei Limited Run wird der Film nur in einer begrenzten Zahl der Kinos eingesetzt (um seine Popularität zu testen); bei Platforming wird die Zahl der Kinos von Woche zu Woche gesteigert; General Release ist der gleichzeitige Einsatz einer großen Anzahl (bis zu 2000) Kopien, meist verbunden mit einer intensiven Werbekampagne.

Version. In der Frühzeit des Tonfilms versuchten Produzenten die plötzlich entstandene Sprachgrenze bei der Auswertung von Filmen (neben dem von Anfang an technisch möglichen, jedoch unbeliebten **Synchronisieren** oder **Untertiteln**) durch das Drehen von Versionen zu überwinden. Ein Film wurde in derselben Dekoration mit demselben technischen Team und (meist) demselben Regisseur, aber mit unterschiedlichen Besetzungen in zwei oder mehr Sprach-Versionen (meist englisch, deutsch, französisch) gedreht. Die amerikanische Firma **Paramount** zum Beispiel ließ im Studio Joinville bis zu sechs oder sieben Versionen eines amerikanischen Erfolgsfilms für den europäischen Markt herstellen.

VHS (Video Home System). Halbzoll-**Videokassetten**-System der japanischen Firma JVC, das 1977 in den USA auf den Markt kam und von **Matsushita** gegen **Sonys** älteres und technisch überlegenes **Beta**-System vermarktet wurde. Durch geschickteres Marketing und weitsichtigere Lizenzpolitik setzte sich VHS in den achtziger Jahren als (Fast-)Standard für den populären Markt durch.

Viacom. Viacom wurde 1970 von **CBS** abgelöst, um Bestimmungen der **FCC** nachzukommen, und übernahm die Programm-Syndikat-Abteilung des Network. In den siebziger und achtziger Jahren betätigte sich die Firma zunächst in der Kabel-Industrie, dann im **Pay TV** und erwarb Systeme, dann Stationen in zahlreichen Staaten, gründete 1978 Showtime und übernahm 1986 **Warners** Anteil an **MTV**. 1987 kaufte Sumner Redstones Kino-Kette National Amusements für 3,4 Milliarden Dollar 83 Prozent der Firma, indem er sich in einem Bietungs-Wettbewerb gegen Carl Icahn und eine Management-Gruppe von Viacom durchsetzte. 1994 schlug Redstone Barry Diller und QVC in einer noch berüchtigteren Übersteigerung um **Paramount** Communications. Kurz darauf erwarb er Blockbuster Entertainment, die führende Video-Ladenkette.

Video. 1. Durch **elektronische Aufzeichnung** gewonnene Bild- und Tonkunst, die entweder durch das Fernsehen oder auf **Video-Kassetten** verbreitet wird. 2. Kurzbezeichnung für Musik-Videos bzw. Video-Clips. Vergleiche **MTV**.

Video-Kassette. 1. Seit den achtziger Jahren populäres Medium zur Verbreitung von gefilmter Unterhaltung. Der Vertrieb (Verkauf oder Verleih) von Filmen auf Video-Kassetten ist mittlerweile ein bedeutender ökonomischer Faktor bei der Produktion von Kinofilmen. 2. Für viele Zuschauer ist heute das Videoformat – trotz seiner im Vergleich zum Kino schlechteren Bild- und Ton-Qualität und den unterschiedlichen Rezeptions-Umständen (allein zu Hause) die einzige Form der Filmrezeption. 3. Das Angebot der Video-Läden und Archive beziehungsweise das Sammeln von TV-Mitschnitten eröffnet erstmals den leichten Zugriff auf einen großen Sektor der Filmgeschichte.

Videodisc. In den siebziger Jahren wurden verschiedene Systeme, Video-Bilder auf Platten zu speichern, entwickelt und auf den Markt gebracht – nur die **Laserdisc** von **Philips** und **MCA** überlebte.

Viewfinder siehe **Sucher**.

Virage. Die gleichmäßige Einfärbung einzelner Filmszenen der Filmkopie. Vor dem Aufkommen des Farbfilms, besonders während der Stummfilmzeit verbreitete Technik zur emotionellen Unterstützung der Bildwirkung.

Virtuelle Realität siehe **Cyberspace**.

Vistavision. Nicht**anamorphotisches Breitwand**-Verfahren.

Voice-Over. Die Verwendung einer **Kommentar**stimme, die über den eigentlichen Filmton gelegt wird, zum Beispiel zur Übersetzung von fremdsprachigen Interviews.

Vorspann. Zu Beginn des Films ablaufende Titelliste. Vergleiche **Credits**.

W

Walkman. Miniaturisierter Tonband-Kassettenspieler, der Ende der siebziger Jahre von **Sony** auf den Markt gebracht wurde und die Rezeption von Musik radikal verändert hat. Aus dem hergebrachten Gemeinschaftserlebnis wurde ein isoliertes und isolierendes Hören in den unterschiedlichsten Lebenssituationen. Der Markenname der Firma Sony wurde zur allgemeinen Bezeichnung und wurde mittlerweile auch auf andere Medien übertragen, so auf Sonys Video Walkman.

Wandermasken (Travelling Matte). **Kombinationsaufnahme**-Verfahren, bei dem über verschiedene Kopiervorgänge mit der Bildhandlung mitlaufende **Masken**-Filme hergestellt werden, die auf der **optischen Bank** zu einem neuen Filmstreifen (**Hauptfilm**) zusammenkopiert werden. Eine Vordergrundhandlung kann auch durch das **Blue-Screen**-Verfahren gewonnen werden. Siehe Abbildung Seite 139.

Warner. Die Brüder Harry, Jack, Albert und Sam Warner gründeten die Firma, die ihren Namen tragen sollte, im Jahre 1923. Zwei Jahre später schluckten sie Vitagraph und First National. Auch wenn ihre Technologie sich am Ende nicht durchsetzen sollte, so war es die Einführung des Tonfilms mit *The Jazz Singer* (1927), die der Firma allgemeinen Ruhm verschaffte. In den Dreißigern und Vierzigern waren Filme von Warner Bros. für knappe Etats, soziale Themen und ökonomisch motivierten Realismus bekannt. Mehr als zwanzig Jahre lang schöpften die Gebrüder ein Genre nach dem anderen aus – Gangster, Musicals, Detektiv-Geschichten, Krieg, Film Noir – und produzierten oft die besten Beispiele, während sie die künstlerische Entwicklung **MGM** und **Paramount** überließen. Das Studio erreichte seinen Tiefpunkt 1956, als es sein Archiv mit den Produktionen vor 1950 verkaufen mußte. Seven Arts übernahm Warner Bros. 1967. Zwei Jahre später erlangte ein Geschäftsmann namens Steven J. Ross die Kontrolle, und Warners langer Aufstieg zur dominierenden Position begann. Ross fusionierte die Firma mit seinen Kinney National Services, die Parkhäuser und Bestattungsinstitute betrieb, änderte den Namen in Warner Communications und begann, sein Reich in einen der führenden Medien-Konzerne der achtziger und neunziger Jahre umzugestalten. Er expandierte schnell auf den Gebieten Musikgeschäft, Unterhaltungsparks, Verlage, Sport und Kabel-Fernsehen, und erkannte vor allen seinen Konkurrenten die Bedeutung der Mikrocomputer-Revolution für das Unterhaltungs-Geschäft. Während Ross in Manhattan seine vielfältigen Deals abwickelte, ließ er das Management in Burbank in Ruhe. In 25 Jahren hatte das Studio nur zwei Management-Teams. Der Agent Ted Ashley regierte still, aber effektiv von 1969 bis 1980. Das Team Robert A. Daley (Aufsichtsratsvorsitzender) und Terry Semel (Generaldirektor) führt seither in derselben Weise. 1989, drei Jahre vor seinem Tod, krönte Ross seine Karriere, indem er Warner Communications mit Time Inc. zu Time Warner fusionierte, dem größten Medien-Konzern der Welt.

Weichzeichner (Soft Focus). Durch Verwendung von speziellen Filtern oder Tüll erreichte optische Weichheit des Bildes, zum Beispiel zum Erreichen einer romantischen Stimmung.

Weitwinkelobjektiv (Wide-angle Lens). Fotografische Optik mit kurzer **Brennweite**, die einen besonders großen **Blickwinkel** besitzt, die Tiefenwahrnehmung verstärkt, aber – besonders an den Rändern – linear verzerrt.

White Book siehe **CD-Standards**.

Widescreen siehe **Breitwand**.

Wild Walls siehe **Transportabel**.

Wochenschau (Newsreel). In der Vor-Fernsehzeit ein sehr populäres Vorprogramm in den Kinovorstellungen, bei dem Aktualitäten aus Politik, Sport und Kultur unterhaltsam gemischt vorgestellt wurden.

World Wide Web (WWW). Ein System, das relativ gleichförmige Standards für weit verstreute Informations-Dienste im Internet anbietet, darunter ein Einstiegs-Protokoll, das **Hypertext**-Verknüpfungen mit anderen Quellen ermöglicht.

X

Xenonlampe. Als Lichtquelle bei Dreharbeiten oder im Projektor benutzte mit Xenongas gefüllte sehr helle Lampe.

Y

Yellow Book siehe **CD-Standards**.

Z

Zackenschrift. Ein **Lichtton**-System, bei dem die Tonmodulationen durch verschieden große von den Seiten in die Tonspur reichende Zacken aufgezeichnet sind. Vergleiche **Sprossenschrift**.

ZDF (Zweites Deutsches Fernsehen). Nach dem Verbot des von Bundeskanzler Adenauer initiierten Deutschlandfernsehens durch das Bundesverfassungsgericht strahlte zunächst die **ARD** vom 1.6.1961 an ein zweites Programm aus. Seit dem 1.4.1963 sendet das in Mainz ansässige ZDF als öffentlich-rechtliche Anstalt ein Vollprogramm, das durch Anteile (30%) an den Rundfunkgebühren und durch Werbeeinnahmen finanziert wird. Beteiligt an den europäischen Kulturkanälen Arte und 3sat, Mitglied der **EBU**.

Zeichentrick. Animations-Technik, bei der entweder direkt auf den Filmstreifen gezeichnet wird oder einzelne, auf **Folien** gemalte Phasenbilder durch **Einzelbild**-Schaltung aufgenommen werden.

Zeitcode siehe **Timecode**.

Zeitlupe (Slow Motion). Durch Überdrehen, das heißt mit mehr als dreißig Bildern pro Sekunde bei der Aufnahme, entsteht bei der Projektion in normaler Bildfrequenz der Effekt von gedehnter Zeit, die Bewegungen sind langsamer als natürlich. Vergleiche **Zeitraffer**.

Zeitraffer (Fast Motion). Durch Unterdrehen, das heißt mit weniger als sechzehn Bildern pro Sekunde bei der Aufnahme, wird die Zeit bei der Projektion gerafft, die Bewegungen werden beschleunigt. In Extremfällen kann durch **Einzelbild**-Schaltung eine über Wochen ablaufende Entwicklung auf wenige Minuten zusammengezogen werden (Time-lapse Photography).

Zensur. Seit den Anfängen griff der Staat prüfend und verbietend in die Filmproduktion ein. Durch Selbstkontrolle (vergleiche **FSK**, **Production Code**) versuchte die Filmindustrie das staatliche Verbotsrisiko zu mindern. Die Zensur richtet sich – je den Zeitumständen entsprechend – vor allem gegen politische, sexuelle oder gewalttätige Darstellungen.

Zoom. Die Aufnahme mit einem Zoom-Objektiv (Transfokator, Gummilinse), das während des Drehens kontinuierlich seine **Brennweite** verändern kann. Zooms werden heute häufig an Stelle von **Fahraufnahmen** benutzt, besitzen jedoch eine andere perspektivische Wirkung. Siehe Abbildungen Seite 81 und 207.

Zweiband (Double System). Eine Filmkopie, bei der sich Bild und Ton auf zwei getrennten Filmstreifen befinden. Der **Schnitt** findet normalerweise mit Zweibandkopien statt, so daß Bild und Ton einzeln geschnitten werden können. Ebenso verwendet das Fernsehen meist Zweibandkopien.

Zweier siehe **Two Shot**.

Zwischennegativ (Internegative). Ein von einem **Positiv** gezogenes **Negativ**, das dazu dient, weitere Positiv-Kopien zu produzieren.

Zwischenschnitt. Das Einschneiden der Aufnahme zum Beispiel eines Gegenstandes in eine kontinuierliche Szene. Vergleiche **Insert**.

Zwischentitel. Ein Schrifttitel, eventuell mit grafischem Hintergrund, der in die Filmhandlung eingeschnitten ist. Beim Stummfilm dienten Zwischentitel zur Erläuterung der Handlung oder zur Wiedergabe von Dialogen.

ANHANG II

LEKTÜRE ZUM FILM

In den letzten zwei Jahrzehnten haben sich Film und Medien als Themen historischer oder akademischer Beschäftigung stark entwickelt. Diese Bibliografie, die gegenüber der amerikanischen Ausgabe überarbeitet und – vor allem um deutschsprachige und europäische Texte – ergänzt wurde, soll als eine Art «Grundbibliothek» zum Film dienen, außerdem als Hinweis auf weitere Lektüre zu den Themen, die in *Film verstehen* behandelt werden.

Um dies zu erleichtern, entsprechen die ersten sieben Abteilungen den Kapiteln von *Film verstehen*:

1.1 Film als Kunst
1.2 Filmtechnik
1.3 Filmsprache
1.4 Filmgeschichte
1.5 Filmtheorie und Filmkritik
1.6 Medien
1.7 Multimedia

Da die Literatur zur Filmgeschichte so umfangreich ist, wurde diese Abteilung weiter untergliedert:

1.4.1 Ökonomie und Politik des Films
1.4.2 Allgemeine historische Darstellungen
1.4.3 Wichtige Einzelepochen, Sammeldarstellungen
1.4.4 Genres und Spezialthemen
1.4.4.1 Dokumentarfilm
1.4.4.2 Filmmusik
1.4.5 Nationale Kinematografien
1.4.5.1 Dritte Welt (Afrika, Lateinamerika)
1.4.5.2 Asien, Australien
1.4.5.3 Osteuropa und Rußland / Sowjetunion
1.4.5.4 Nordeuropa

1.4.5.5 West- und Südeuropa
1.4.5.6 Deutschland, Österreich, Exil
1.4.5.7 Frankreich
1.4.5.8 Großbritannien und Irland
1.4.5.9 USA und Kanada
1.4.6 Filmemacher

Der zweite Teil – Film-Information – enthält Hinweise auf Handbücher, Zeitschriften, Lexika, Filmografien etc., die bei der Recherche hilfreich sein können. Er ist in fünf Abteilungen gegliedert:

2.1 Filmografien, Filmführer und Lexika
2.2 Bibliografien zu Filmbüchern
2.3 Bibliografien zu Filmperiodika
2.4 Verschiedene Handbücher, Jahrbücher
2.5 Zeitschriften und Magazine
2.6 Datenbanken

Zum Schluß noch einige Hinweise, wo man Filmbücher und -zeitschriften findet:

3.1 Filmbuchläden
3.2 Filmbibliotheken

1.1 Film als Kunst

Abersmeier, Franz-Josef; Roloff, Volker (Hg.): *Literaturverfilmungen.* Frankfurt: Suhrkamp 1989 (st materialien 2093).

Allen, Don (Hg.): *The Book of the Cinema.* London: Chris Milsome 1979. Eine illustrierte Einführung; mit Beiträgen von Maurice Hatton, Tom Milne, James Monaco, David Robinson u. a.

Andrew, J. Dudley: *Film in the Aura of Art.* Princeton: Princeton UP 1984.

Artaud, Antonin: *Das Theater und sein Double.* Frankfurt: Fischer 1980 (FTB 6451).

Auerbach, Erich: *Mimesis.* 6. Auflage. München: Francke 1977 (Sammlung Dalp 90).

Barck, Karlheinz; Gente, Peter; Paris, Heidi; Richter Stefan (Hg.): *Aisthesis. Wahrnehmung heute oder Perspektiven einer anderen Ästhetik.* Leipzig: Reclam 1990 (Reclam-Bibliothek 1352).

Barsaq, Léon: *Caligari's Cabinet and Other Grand Illusions. A History of Film Design.* (Le décor de Film, 1970). Revised and edited by Elliot Stein. Foreword by René Clair. Boston: New York Graphic Society 1976. Das Standardwerk zur Filmarchitektur.

Bluestone, George: *Novels into Film.* Berkeley: University of California Press 1968.

Bordwell, David; Thompson, Kristin: *Film Art. An Introduction.* 4. erw. Ausgabe. New York: McGraw-Hill 1993. Eine inzwischen klassische Einführung.

Brecht, Bertolt: *Schriften zum Theater.* Frankfurt: Suhrkamp 1967 (werkausgabe edition suhrkamp).

Brecht, Bertolt: *Schriften zur Literatur und Kunst.* Frankfurt: Suhrkamp 1967 (werkausgabe edition suhrkamp).

Cook, Pam (Hg.): *The Cinema Book.* London: British Film Institute 1985. Ein ausgezeichneter Überblick.

Färber, Helmut: *Baukunst und Film. Aus der Geschichte des Sehens.* 1977. 2. Auflage. München: Färber 1994.

Fell, John L.: *Film and the Narrative Tradition.* Berkeley: University of California Press 1986.

Fiske, John: *Reading the Popular.* Boston: Unwin Hyman 1989. Eine Einführung in die Populär-Kultur.

Gersch, Wolfgang: *Film bei Brecht. Bertolt Brechts praktische und theoretische Auseinandersetzung mit dem Film.* Berlin/DDR: Henschelverlag 1975.

Gombrich, E. H.: *Art and Illusion. 2. Auflage.* Princeton: Princeton UP 1961.

Gouldner, Alvin W.: *The Dialectic of Ideology and Technology.* New York: Seabury Press 1976.

Gregor, Joseph: *Das Zeitalter des Films.* 3. erw. Auflage. Wien – Leipzig: Reinhold 1932 (Kleine historische Monographien 37).

Heller, Heinz-B.: *Literarische Intelligenz und Film. Zur Veränderung der ästhetischen Theorie und Praxis unter dem Eindruck des Films 1910–1930 in Deutschland.* Tübingen: Niemeyer 1985 (Medien in Forschung+Unterricht Serie A, Bd. 15).

Hollander, Anne: *Moving Pictures.* Cambridge, MA: Harvard UP 1989. Der Film im Rahmen anderer künstlerischer Traditionen.

Horaz (= Quintus Horatius Flaccus): *Ars poetica / Die Dichtkunst.* Diverse Ausgaben.

Kaes, Anton (Hg.): *Kino-Debatte. Texte zum Verhältnis von Literatur und Film 1909–1929.* München: DTV / Tübingen: Max Niemeyer 1978 (Deutsche Texte 48, dtv WR 4307).

Manvell, Roger: *Theatre and Film.* London: Tantivy 1980.

Mesthene, Emmanuel: *Technological Change: Its Impact on Man and Society.* New York: New American Library 1970.

Mumford, Lewis: *Technics and Civilization.* 1934. Reprint. New York: Harcourt Brace Jovanovich 1966.

Newhall, Beaumont: *The History of Photography.* New York: Museum of Modern Art / London: Secker & Warburg 1964.

Nicoll, Allardyce: *Film and Theatre.* London 1936. Reprint. New York: Arno Press 1972. Ein frühes Standardwerk.

Oettermann, Stephan: *Das Panorama. Die Geschichte eines Massenmediums.* Frankfurt: Syndikat 1980. Interessante Untersuchung zu einem Vorläufer des Kinos.

Paech, Joachim: *Literatur und Film.* Stuttgart: Metzler 1988 (Sammlung Metzler 235).

Panofsky, Erwin: *Die ideologischen Vorläufer des Rolls-Royce-Kühlers & Stil und Medium im Film.* Frankfurt: Campus 1993 (Edition Pandora, Sonderband). Klassische Texte des bedeutenden Kunsthistorikers.

Pick, Erika (Hg.): *Schriftsteller und Film. Dokumentation und Bibliographie.* Berlin/DDR: Akademie der Künste 1979 (Arbeitsheft 33).

Pildas, Ave: *Movie Palaces.* New York: Potter 1979.

Reif, Monika: *Film und Text. Zum Problem von Wahrnehmung und Vorstellung in Film und Literatur.* Tübingen: Narr 1984 (Medienbibliothek Serie B: Studien 5).

Schneider, Irmela: *Der verwandelte Text. Wege zu einer Theorie der Literaturverfilmung.* Tübingen: Niemeyer 1981 (Medien in Forschung+ Unterricht, Serie A, Bd. 4).

Schweinitz, Jörg (Hg.): *Prolog vor dem Film. Nachdenken über ein neues Medium 1909–1914.* Leipzig: Reclam 1992 (Reclam-Bibliothek 1432). Interessante Anthologie aus der Frühzeit des Kinos.

Tynan, Kenneth: *Show People.* New York: Simon & Schuster 1980.

Vardac, A. Nicholas: *From Stage to Screen.* Reprint. New York: Blom 1968. Eine frühe Studie.

Williams, Raymond: *Keywords. A Vocabulary of Culture and Society.* New York: Oxford UP 1976.

1.2 Filmtechnik

Alton, John: *Painting with Light.* New York: Macmillan 1949. Standardwerk eines Altmeisters.

Ariel, Pete (Hg.): *Ariel Cinematographica Register. Handbuch der Filmtechnik.* 4 Loseblattordner. Frankfurt: Deutsches Filmmuseum 1981–89.

Armes, Roy: *On Video.* New York: Routledge 1988.

Baacke, Rolf-Peter: *Lichtspielhausarchitektur in Deutschland. Von der Schaubude bis zum Kinopalast.* Berlin/West: Frölich & Kaufmann 1982.

Belach, Helga; Jacobsen, Wolfgang (Hg.): *CinemaScope. Zur Geschichte der Breitwandfilme.* Berlin: Spiess 1993.

Brosnan, John: *Movie Magic. The Story of Special Effects in the Cinema.* London: Macdonald 1974.

Campbell, Russell (Hg.): *Photographic Theory for the Motion Picture Cameraman.* Cranbury: Barnes 1970. Hollywood-Orthodoxie.

Ceram, C. W.: *Eine Archäologie des Kinos.* Reinbek: Rowohlt 1965.

Coe, Brian: *The History of Movie Photography.* London: Ash & Grant 1981.

Dickson, W. K. L.; Dickson, Antonia: *History of Kinetograph, Kinetoscope, and Kinetophonograph.* 1895. Reprint. New York: Arno Press 1970. Von einem der Väter des Kino.

Ellis, John: *Visible Fictions. Cinema, Television, Video.* New York: Routledge 1992.

Ellul, Jacques: *The Technological Society.* New York: Vintage 1964.

Farinelli, Gian Luca; Mazzanti, Nicola (Hg.): *Il Cinema Ritrovato. Teoria e metodologia del restauro cinematografico.* Bologna: Grafis Edizioni 1990. Einführung in die Theorie und Methode der Filmrestaurierung.

Fielding, Raymond (Hg.): *A Technological History of Motion Pictures and Television.* Berkeley: University of California Press 1967. Eine wertvolle Dokumenten-Sammlung.

Geduld, Harry M.: *Birth of the Talkies.* Bloomington: Indiana UP 1975.

Giesen, Rolf: *Special Effects. Die Tricks im Film. Vom Spiegeleffekt bis zur Computeranimation.* Ebersberg: Edition 8 1/2 1985.

Hagemann, Peter A. (Hg.): *Der 3-D-Film.* München: Monika Nüchtern 1980.

Higham, Charles: *Hollywood Cameramen. Sources of Light.* London: Thames and Hudson 1970 (Cinema One 14).

Jossé, Harald: *Die Entstehung des Tonfilms. Beitrag zu einer faktenorientierten Mediengeschichtsschreibung.* Freiburg: Alber 1984 (Alber-Broschur Kommunikation 13).

Kawin, Bruce F.: *How Movies Work.* Berkeley: University of California Press 1992.

Konigsberg, Ira: *The Complete Film Dictionary.* New York: New American Library 1987.

Limbacher, James: *Four Aspects of the Film.* New York: Arno Press 1978. Wichtig wegen seiner Darstellung von Farbe, Ton, 3D und Breitwand.

Malkiewicz, J. Kris: *Cinematography.* New York: Van Nostrand Reinhold 1973.

Maltin, Leonard: *The Art of the Cinematographer. A Survey and Interviews with Five Masters.* New York: Dover 1978.

Maltin, Leonard (Hg.): *Behind the Camera. The Cinematographer's Work.* New York: Signet 1971.

Mehnert, Hilmar: *Das Bild in Film und Fernsehen.* Leipzig: Fotokinoverlag 1986.

Neale, Steve: *Cinema and Technology. Image, Sound, Colour.* London: Macmillan 1985 (BFI Cinema Series).

Newson, Iris (Hg.): *Wonderful Inventions. Motion Pictures, Broadcasting, and Recorded Sound at the Library of Congress.* Washington: Library of Congress 1985.

Salt, Barry: *Film Style and Technology. History and Analysis.* 2. erw. Ausgabe. London: Starword 1992.

Schaefer, Dennis (Hg.): *Masters of Light. Conversations with Contemporary Cinematographers.* Berkeley: University of California Press 1984.

Seeber, Guido: *Arbeits-Gerät und Arbeits-Stätten des Kameramannes. Geschichte der Aufnahmetechnik und des Aufnahmeapparates. Die moderne Apparatur des Kameramannes. Lampen und Ateliers einst und jetzt.* Berlin: Lichtbildbühne 1927 (Der praktische Kameramann 1). Reprint: Frankfurt: Deutsches Filmmuseum 1980.

Seeber, Guido: *Der Trickfilm in seinen grundsätzlichen Möglichkeiten. Eine praktische und theoretische Darstellung der photographischen Filmtricks.* Berlin: Lichtbildbühne 1927 (Der praktische Kameramann 2). Reprint: Frankfurt: Deutsches Filmmuseum 1979.

Smith, Thomas G.: *Industrial Light & Magic. The Art of Special Effects.* New York: Ballantine 1986.

Umbehr, Heinz: *Der Tonfilm. Grundlagen und Praxis seiner Aufnahme, Bearbeitung und Vorführung.* 2. erw. Ausgabe. Hg. v. Hans Wollenberg. Berlin: Lichtbildbühne 1932. Ein frühes Standardwerk.

Walker, Alexander: *The Shattered Silents. How the Talkies Came to Stay.* London: Elm Tree Books 1978.

Weis, Elisabeth; Belton, John: *Film Sound. Theory and Practice.* New York: Columbia UP 1985.

1.3 Filmsprache

Arijon, Daniel: *Grammar of the Film Language.* Los Angeles: Silman-James Press 1976.

Armes, Roy: *Film and Reality. A Historical Survey.* Harmondsworth: Penguin 1974 (A Pelican Book).

Arnheim, Rudolf: *Kunst und Sehen. Eine Psychologie des schöpferischen Auges. Neufassung.* Berlin: de Gruyter 1978. Ein allgemeiner Text über die visuellen Künste, der viel über Film aussagt.

Arnheim, Rudolf: *Anschauliches Denken. Zur Einheit von Bild und Begriff.* (Visual Thinking, 1969). Köln: DuMont Schauberg 1974 (DuMont Dokumente).

Beller, Hans (Hg.): *Handbuch der Filmmontage. Praxis und Prinzipien des Filmschnitts.* München: TR-Verlagsunion 1993 (Film, Funk, Fernsehen – praktisch 5).

Berger, John: *Sehen. Das Bild der Welt in der Bilderwelt.* (Ways of Seeing, 1972). Reinbek: Rowohlt 1975 (rororo 6868).

Bordwell, David; Staiger, Janet; Thompson, Kristin: *The Classical Hollywood Cinema. Film Style & Mode of Production to 1960.* New York: Columbia UP 1985. Eines der wichtigsten Bücher der achtziger Jahre; eine hoch geschätzte Studie über Kunst und Ökonomie des klassischen Hollywood-Stils.

Braudy, Leo: *The World in a Frame.* New York: Anchor 1976.

Eidsvik, Charles: *Cineliteracy. Film Among the Arts.* New York: Random House 1978. Eine Einführung.

Gessner, Robert: *The Moving Image. A Guide to Cinematic Literacy.* New York: Dutton 1970. Eine der gelungeneren Einführungen.

Giannetti, Louis: *Understanding Movies.* 5. erw. Auflage. Englewood Cliffs: Prentice Hall 1990. Ein nützlicher Grundtext, empfehlenswert.

Heath, Stephen; Mellencamp, Patricia (Hg.): *Cinema and Language.* Frederick: University Publications of America 1983 (The AFI Monograph Series 1).

Höllerer, Walter (Hg.): *Die Rolle des Worts im Film.* Stuttgart: Kohlhammer 1965.

Jacobs, Lewis (Hg.): *The Movies as Medium.* New York: Farrar, Straus & Giroux 1970. Eine Zusammenstellung von Texten verschiedener Autoren.

Nagel, Josef: *Frühe Entwicklungstendenzen einer medienspezifischen Filmsprache.* Erlangen: Erlanger Beiträge 1988. Interessante Studie zur Frühgeschichte des Films.

Nilsen, Vladimir: *Cinema as Graphic Art.* 1937. Reprint. New York: Hill and Wang 1973. Ein Standardwerk des Kameramanns von Sergej Eisenstein.

Oldham, Gabriella: *First Cut. Conversations with Film Editors.* Berkeley: University of California Press 1992.

Perkins, V. F.: *Film as Film. Understanding and Judging Movies.* Harmondsworth: Penguin 1972 (A Pelican Book). Eine sehr empfehlenswerte Untersuchung zeitgenössischer Filmtheorien.

Reisz, Karel; Millar, Gavin: *Geschichte und Technik der Filmmontage.* Ü. v. Helmut Wietz. München: Filmland Presse 1988.

Rosenblum, Ralph; Karen, Robert: *When the Shooting Stops... the Cutting Begins. A Film Editor's Story.* New York: Viking 1979.

Scientific American: *Image, Object and Illusion.* Introduction by Richard Held. San Francisco: Freeman 1974.

Sobchack, Thomas; Sobchack, Vivian C.: *An Introduction to Film.* 2. Auflage. Boston: Little, Brown 1987.

Spottiswoode, Raymond R.: *A Grammar of Film.* Berkeley: University of California Press 1950.

Spottiswoode, Raymond R.: *Film and Its Techniques.* 1951. Reprint: Berkeley: University of California Press 1965. Ziemlich veraltet, jedoch seinerzeit ein Klassiker. Gut in technischen Fragen.

Stam, Robert; Burgoyne, Robert; Flitterman-Lewis, Sandy: *New Vocabularies in Film Semiotics. Structuralism, Post-Structuralism, and Beyond.* New York: Routledge 1992. Sehr

brauchbare Erläuterung der augenblicklichen theoretischen Terminologie. Empfehlenswert.
Talbot, Daniel (Hg.): *Film. An Anthology.* Berkeley: University of California Press 1967. Erstmals 1959 veröffentlicht, jedoch noch immer eine nützliche Zusammenstellung.
Siehe auch die Nachweise zu Bazin, Eco, Metz und Wollen in Abteilung 1.5.

1.4 Filmgeschichte:
1.4.1 Ökonomie und Politik des Films

Altenloh, Emilie: *Zur Soziologie des Kino. Die Kino-Unternehmung und die sozialen Schichten ihrer Besucher.* Jena: Diederichs 1914 (Schriften zur Soziologie der Kultur. Bd. 2). Sehr früher Klassiker.
Bach, Steven: *Final Cut. Dreams & Disasters in the Making of Heaven's Gate.* New York: NAL-Dutton 1986.
Bächlin, Peter: *Der Film als Ware.* 1945. Reprint. Frankfurt: Athenäum Fischer 1975 (FAT 4043).
Bagdikian, B. H.: *Media Monopoly.* 4. erw. Ausgabe. Boston: Beacon 1992.
Baldwin, James: *Teufelswerk. Betrachtungen zur Rolle der Farbigen im Film.* (The Devil Finds Work, 1976). Reinbek: Rowohlt 1977 (das neue buch 83).
Balio, Tino: *United Artists. The Company That Changed the Film Industry.* Madison: University of Wisconsin Press 1987.
Balio, Tino (Hg.): *The American Film Industry.* Madison: University of Wisconsin Press 1985.
Becker, Wolfgang: *Film und Herrschaft. Organisationsprinzipien und Organisationsstrukturen der nationalsozialistischen Filmpropaganda.* Berlin/West: Spiess 1973 (Zur politischen Ökonomie des NS-Films 1).
Belach, Helga; Jacobsen, Wolfgang (Red.): *Kalter Krieg. 60 Filme aus Ost und West.* Berlin: Stiftung Deutsche Kinemathek 1991.
Bentley, Eric: *Thirty Years of Treason.* New York: Viking 1971. Über die Zeit der schwarzen Listen.
Bergman, Andrew: *We're in the Money.* New York: Harper & Row 1973. Die Dreißiger in den USA.
Bessie, Alvah: *Inquisition in Eden.* Berlin/DDR: Seven Seas Publishers 1967 (Seven Seas Books). Memoiren des Drehbuchautors, eines der Hollywood Ten.
Bogle, Donald: *Toms, Coons, Mulattos, Mammies and Bucks.* New York: Viking 1989. Das Bild der Schwarzen im amerikanischen Film.
Brady, John Joseph: *The Craft of the Screenwriter.* New York: Simon & Schuster 1981.
Ceplair, Larry; Englund, Steve: *The Inquisition in Hollywood. Politics in the Film Community.* New York: Doubleday 1980.
Cook, Pam; Dodd, Philip (Hg.): *Women and Film. A Sight and Sound Reader.* London: Scarlet Press / Sight and Sound 1993.
Corrigan, Timothy: *A Cinema Without Walls. Movies and Culture after Vietnam.* New Brunswick: Rutgers UP 1991.
Cripps, Thomas: *Slow Fade to Black. The Negro in American Film, 1900–1942.* New York: Oxford UP 1977. Eine eingehende Studie.
Dadek, Walter: *Die Filmwirtschaft. Grundriß einer Theorie der Filmökonomik.* Freiburg: Herder 1957.
DeCordova, Richard: *Picture Personalities. The Emergence of the Star System in America.* Urbana: University of Illinois Press 1990.
Deming, Barbara: *Running Away from Myself. Dream Portrait of America Drawn from the Films of the Forties.* New York: Viking 1969. Einflußreiche, soziologisch orientierte Studie.
Dibbets, Karel: *Sprekende films. De komst von de geluidsfilm in Nederland 1928–1933.* Amsterdam: Cramwinckel 1993. Geschichte der Einführung des Tonfilms in den Niederlanden und Europa. Empfehlenswert.
Dost, Michael; Hopf, Florian; Kluge, Alexander: *Filmwirtschaft in der BRD und in Europa. Götterdämmerung in Raten.* Mit einem Beitrag von Dieter Prokop. München: Hanser 1973.
Dyer, Richard: *Stars.* London: British Film Institute 1979.
Dyer, Richard: *Heavenly Bodies. Filmstars and Society.* New York: St. Martin's Press 1986.
Dyer, Richard: *Now You See It. Studies on Lesbians and Gay Films.* London: Routledge 1990.
Gabler, Neal: *An Empire of Their Own. How the Jews Invented Hollywood.* New York: Crown 1988.
Goldman, William: *Adventures in the Screen Trade. A Personal View of Hollywood and Screenwriting.* New York: Warner Books 1983.
Gomery, Douglas: *The Hollywood Studio System.* Houndsmill: Macmillan 1986 (BFI Cinema Series).
Gruppe Cinéthique: *Filmische Avantgarde und politische Praxis.* Reinbek: Rowohlt 1973 (das neue buch 23).
Guback, Thomas H.: *The International Film Industry.* Bloomington: Indiana UP 1969. Unschätzbare Studie.
Harvey, Sylvia: *May '68 and Film Culture.* London: British Film Institute 1978.

Haskell, Molly: *From Reverence to Rape*. Harmondsworth: Penguin 1974 (A Pelican Book). Empfehlenswerte Studie über Frauen und Film.

Hollstein, Dorothea: *«Jud Süß» und die Deutschen. Antisemitische Vorurteile im nationalsozialistischen Spielfilm.* (Antisemitische Filmpropaganda, 1971). Frankfurt: Ullstein 1983 (Ullstein Materialien 35169).

Horkheimer, Max; Adorno, Theodor W.: *Dialektik der Aufklärung. Philosophische Fragmente.* 1944. Frankfurt: Suhrkamp 1981 (Theodor W. Adorno, Gesammelte Schriften Bd. 3). Klassiker der Kritischen Theorie.

Huaco, George A.: *The Sociology of Film Art.* New York: Basic Books 1965. Standardwerk zum Thema.

Jarvie, I. C.: *Film und Gesellschaft. Struktur und Funktion der Filmindustrie.* Stuttgart: Enke 1974.

Jarvie, Ian: *Hollywood's Overseas Campaign. The North Atlantic Movie Trade, 1920–1950.* Cambridge: Cambridge UP 1992. Der Erfolg der amerikanischen Filmindustrie in Europa.

Jones, G. William: *Black Cinema Treasures: Lost and Found.* Denton: University of North Texas Press 1980. Kurze Geschichte des Schwarzen Kinos von den Dreißigern bis in die fünfziger Jahre.

Kaplan, E. Ann: *Women and Film. Both Sides of the Camera.* New York: Routledge 1983.

Keil, Hartmut (Hg.): *Sind oder waren Sie Mitglied? Verhörprotokolle über unamerikanische Aktivitäten 1947 bis 1956.* Reinbek: Rowohlt 1979 (das neue buch 131).

Kermabon, Jacques (Hg.): *Pathé. Premier empire du cinéma.* Paris: Centre Georges Pompidou 1994.

Kerr, Paul (Hg.): *The Hollywood Film Industry. A Reader.* London: Routledge & Kegan Paul 1986.

Kindem, Gorham: *The American Movie Industry. The Business of Motion Pictures.* Carbondale: Southern Illinois UP 1982.

Koch, Gertrud: *«Was ich erbeute, sind Bilder». Zum Diskurs der Geschlechter im Film.* Frankfurt: Stroemfeld / Roter Stern 1988.

Konlechner, Peter; Kubelka, Peter (Hg.): *Propaganda und Gegenpropaganda im Film 1933–1945.* Wien: Österreichisches Filmmuseum 1972.

Kühn, Gertraude; Tümmler, Karl; Wimmer, Walter (Red.): *Film und revolutionäre Arbeiterbewegung in Deutschland 1918–1932. Dokumente und Materialien. 2 Bände.* 2. Auflage. Berlin / DDR: Henschelverlag 1978.

Manvell, Roger: *Films and the Second World War.* London: Dent 1974.

Mayer, Michael F.: *The Film Industries.* 2. Auflage. New York: Hastings House 1973. Von einem Rechtsanwalt verfaßte, detaillierte Studie des Filmgeschäfts.

Monaco, James: *American Film Now.* Ü. v. Christian Bauer. München: Hanser 1985.

Nau, Peter: *Zur Kritik des Politischen Films. 6 analysierende Beschreibungen und ein Vorwort «Über Filmkritik».* Köln: DuMont 1978.

Navasky, Victor S.: *Naming Names.* Harmondsworth: Penguin 1981 (A Penguin Book).

Paul, William: *Laughing Screaming. Modern Hollywood Horror and Comedy.* New York: Columbia UP 1994.

Phillips, Julia: *You'll Never Have Lunch in This Town Again.* New York: NAL-Dutton 1992. Die Memoiren der umstrittenen Hollywood-Produzentin.

Pickard, Roy: *The Hollywood Studios.* London: Muller 1978. Chronologien der großen Hollywood-Studios.

Prindle, David: *Politics of Glamour. Ideology and Democracy in the Screen Actors Guild.* Madison: University of Wisconsin Press 1988.

Prinzler, Hans Helmut (Red.): *Europa 1939. Filme aus zehn Ländern.* Berlin / West: Stiftung Deutsche Kinemathek 1989.

Prinzler, Hans Helmut (Red.): *Das Jahr 1945. Filme aus fünfzehn Ländern.* Berlin: Stiftung Deutsche Kinemathek 1990.

Prokop, Dieter: *Soziologie des Films.* Erw. Ausgabe. Frankfurt: Fischer 1982 (FTB 3682). Trotz des Titels vor allem eine Geschichte der amerikanischen Filmwirtschaft.

Prokop, Dieter (Hg.): *Materialien zur Theorie des Films. Ästhetik – Soziologie – Politik.* München: Hanser 1971.

Pye, Michael: *Moguls. Inside the Business of Show Business.* New York: Holt, Rinehart and Winston 1980.

Roeber, Georg; Jacoby, Gerhard: *Handbuch der filmwirtschaftlichen Medienbereiche. Die wirtschaftlichen Erscheinungsformen des Films auf den Gebieten der Unterhaltung, der Werbung, der Bildung und des Fernsehens.* Pullach: Verlag Dokumentation 1973. Umfangreiche Darstellung aus juristischer und ökonomischer Perspektive.

Rother, Rainer: *Die Gegenwart der Geschichte. Ein Versuch über Film und zeitgenössische Literatur.* Stuttgart: Metzler 1990.

Rother, Rainer (Hg.): *Bilder schreiben Geschichte.*

Der Historiker im Kino. Berlin: Wagenbach 1991 (WAT 193). Aufsätze über das Verhältnis von Film und Geschichtsschreibung.

Russo, Vito: *The Celluloid Closet. Homosexuality in the Movies.* New York: Harper & Row 1981.

Ryan, Michael; Kellner, Douglas: *Camera Politica. The Politics and Ideology of Contemporary Hollywood Film.* Bloomington: Indiana UP 1988.

Saunders, Thomas J.: *Hollywood in Berlin. American Cinema and Weimar Germany.* Berkeley: University of California Press 1994. Wichtige Studie über die internationale Verknüpfung der Filmindustrie zwischen den Weltkriegen.

Schickel, Richard: *His Picture in the Papers. A Speculation on Celebrity in America, Based on the Life of Douglas Fairbanks Sr.* New York: Charterhouse 1973. Eine bedeutende Studie über Prominenz und ein interessanter Essay über einen ihrer Erfinder.

Schickel, Richard: *Intimate Strangers. The Culture of Celebrity.* New York: Doubleday 1990.

Schivelbusch, Wolfgang: *Geschichte der Eisenbahnreise. Zur Industrialisierung von Raum und Zeit im 19. Jahrhundert.* München: Hanser 1977. Bietet interessante Vergleiche zur Geschichte der Medien.

Schumach, Murray: *The Face on the Cutting Room Floor. The Story of Movie and Television Censorship.* New York: Morrow 1964.

Shindler, Colin: *Hollywood Goes to War.* London: Routledge & Kegan Paul 1979.

Silbermann, Alphons (Hg.): *Mediensoziologie. Band 1: Film.* Düsseldorf: Econ 1973.

Sklar, Robert; Musser, Charles (Hg.): *Resisting Images. Essays on Cinema and History.* Philadelphia: Temple UP 1990.

Spiker, Jürgen: *Film und Kapital. Der Weg der deutschen Filmwirtschaft zum nationalsozialistischen Einheitskonzern.* Berlin/West: Spiess 1975 (Zur politischen Ökonomie des NS-Films 2).

Straschek, Günter Peter: *Handbuch wider das Kino.* Frankfurt: Suhrkamp 1975 (edition suhrkamp 446). Eigenwillige, materialreiche Darstellung der Film- und Kinogeschichte unter politökonomischer Perspektive.

Talbot, David; Zheutlin, Barbara: *Creative Differences. Profiles of Hollywood Dissidents.* Boston: South End Press 1978. Politische Aktivisten in Vergangenheit und Gegenwart: eine bedeutsame Studie.

Thompson, David: *America in the Dark.* New York: William Morrow 1977. Empfehlenswert.

Thompson, Kristin: *Exporting Entertainment. America in the World Film Market, 1907–34.* London: British Film Institute 1985.

Vogel, Amos: *Kino wider die Tabus.* (Film As a Subversive Art). Luzern: Bucher 1979. Empfehlenswert.

Wehling, Will (Hg.): *Information und Propaganda I. Der Kampf gegen das nationalsozialistische Deutschland.* Oberhausen: Laufen 1973.

Wolfenstein, Martha; Leites, Nathan: *Movies. A Psychological Study.* New York: Atheneum 1960. Reprint 1970.

Wood, Michael: *America in the Movies.* London: Secker & Warburg 1975. Wichtiger, empfehlenswerter Essay über die Politik und den Stil amerikanischer Filme.

1.4.2 Allgemeine historische Darstellungen

Allen, Robert C.; Gomery, Douglas: *Film History. Theory and Practice.* New York: Knopf 1985. Grundlegende Einführung in die Filmgeschichtsschreibung.

Bellour, Raymond: *L'analyse du film.* Paris: Albatross 1979.

Braudy, Leo; Dickstein, Morris: *Great Film Directors. A Critical Anthology.* New York: Oxford UP 1978.

Clair, René: *Kino. Vom Stummfilm zum Tonfilm. Kritische Notizen zur Entwicklungsgeschichte des Films 1920–1950.* (Réflexions faite, 1951). Neuausgabe. Zürich: Diogenes 1995. Eine persönliche Darstellung des Filmregisseurs.

Cook, David A.: *A History of Narrative Film.* 2. Auflage. New York: Norton 1990.

Dickinson, Thorold: *A Discovery of Cinema.* New York: Oxford UP 1971. Empfehlenswert.

Ellis, Jack C.: *A History of Film.* 3. erw. Auflage. Englewood Cliffs: Prentice Hall 1990.

Engell, Lorenz: *Sinn und Industrie. Einführung in die Filmgeschichte.* Frankfurt: Campus 1992.

Faulstich, Werner; Korte, Helmut (Hg.): *Fischer Filmgeschichte. 100 Jahre Film 1895–1995.* 5 Bände. Frankfurt: Fischer 1990–95 (FTB 4491–5).

Fell, John L.: *A History of Films.* New York: Holt, Rinehart and Winston 1979.

Gomery, Douglas: *Movie History. A Survey.* London: Wadsworth 1991.

Gregor, Ulrich: *Geschichte des Films ab 1960.* München: Bertelsmann 1978. Materialreiche Darstellung der Filmkunst auch weniger bekannter Länder.

Gregor, Ulrich; Patalas, Enno: *Geschichte des Films.* Gütersloh: Bertelsmann 1962. Ein Standardwerk, immer noch nützlich.

Hoffmann, Hilmar: *100 Jahre Film von Lumière bis Spielberg 1894–1994. Der deutsche Film im Spannungsfeld internationaler Trends.* Mit einem Originalbeitrag von Wolfram Schütte. Düsseldorf: Econ 1994 (Econ TB 26162).

Jacobs, Lewis (Hg.): *Introduction to the Art of the Movies.* New York: Noonday 1960. 36 Essays, geschrieben zwischen 1910 und 1960 und chronologisch arrangiert.

Jacobs, Lewis (Hg.): *The Emergence of Film Art.* New York: Hopkinson and Blake 1970. 42 Darstellungen von Méliès bis Mekas, chronologisch arrangiert.

MacGowan, Kenneth: *Behind the Screen. The History and Techniques of Motion Pictures.* New York: Delta Books 1965. Filmgeschichte unter vorwiegend technischer Perspektive.

Mellencamp, Patricia; Rosen, Philip (Hg.): *Cinema Histories, Cinema Practices.* Frederick: University Publications of America 1984 (The AFI Monograph Series 4).

Montague, Ivor: *Film World.* Harmondsworth: Penguin 1964. Standardwerk, noch nützlich.

Pratt, George C.: *Spellbound in Darkness. A History of the Silent Film.* Erw. Ausgabe. Greenwich: New York Graphic Society 1973. Weniger eine Geschichte als eine umfangreiche illustrierte und kommentierte Sammlung zeitgenössischer Quellen.

Rhode, Eric: *A History of Cinema. From Its Origins to 1970.* Harmondsworth: Penguin 1978.

Robinson, David: *The History of World Cinema.* London: Eyre Methuen 1973.

Rotha, Paul; Griffith, Richard: *The Film Till Now.* 6. erw. Auflage. London: Spring Books 1967. Aktualisierte Fassung des Klassikers von 1930.

Sadoul, Georges: *Histoire générale du cinéma.* 1948. Neuausgabe. 6 Bände. Hg. v. Bernard Eisenschitz. Paris: Denoël 1973–75. Ein Standardwerk zum Stummfilm bis 1929.

Sklar, Robert: *Film. An International History of the Medium.* New York: Abrams 1993.

Thompson, Kristin; Bordwell, David: *Film History. An Introduction.* New York: McGraw-Hill 1994.

Toeplitz, Jerzy: *Geschichte des Films.* 5 Bände. Berlin/DDR: Henschelverlag 1975–1991. Eine umfangreiche historische Darstellung bis 1953 des polnischen Althistorikers unter starker Berücksichtigung des osteuropäischen Films.

Wright, Basil: *The Long View. An International History of Cinema.* St. Albans: Granada 1976 (Paladin Paperback). Eine sehr gewichtige, jedoch etwas sehr persönliche Darstellung.

Zglinicki, Friedrich von: *Der Weg des Films. Die Geschichte der Kinematographie und ihrer Vorläufer.* Berlin/West: Rembrandt 1956. Materialreiche, aber unübersichtliche Darstellung vor allem der Stummfilmzeit.

1.4.3 Wichtige Einzelepochen, Sammeldarstellungen

Battcock, Gregory (Hg.): *The New American Cinema.* New York: Dutton 1967.

Beier, Lars-Olav; Midding, Gerhard: *Teamwork in der Traumfabrik. Werkstattgespräche.* Berlin: Henschel 1993. Gespräche mit Michael Ballhaus, Saul Bass, Sidney Lumet, Helen Mirren, David Puttnam, Hanna Schygulla, Bertrand Tavernier, Albert Whitlock u. a.

Buchka, Peter: *Ansichten des Jahrhunderts. Film und Geschichte in zehn Porträts.* München: Hanser 1988.

Burch, Noël: *Life of Those Shadows.* Berkeley: University of California Press 1990. Über die Frühzeit.

Cameron, Ian (Hg.): *Second Wave.* London: Studio Vista 1970 (Movie Paperback). Essays über Makavejev, Skolimowski, Oshima, Guerra, Rocha, Groulx, Lefebvre, Straub.

Corliss, Richard (Hg.): *The Hollywood Screenwriters.* New York: Avon 1972 (A Film Comment Book). Porträts, Interviews mit Drehbuchautoren.

Corliss, Richard (Hg.): *Talking Pictures. Screenwriters in the American Cinema.* New York: Penguin 1975. Porträts von Drehbuchautoren in Hollywood.

Cowie, Peter (Hg.): *Fifty Major Filmmakers.* London: Tantivy 1975.

Dowdry, Andrew: *The Films of the Fifties.* New York: Morrow 1973.

Elsaesser, Thomas; Barker, Adam (Hg.): *Early Cinema. Space, Frame, Narrative.* London: British Film Institute 1990. Standardwerk zum frühen Kino, dazu ein Video mit Beispielen.

Fell, John L. (Hg.): *Film Before Griffith.* Berkeley: University of California Press 1983.

Gaschler, Thomas; Vollmar, Eckhard: *Dark Stars. 10 Regisseure im Gespräch.* München: Belleville 1992. Interviews mit Regisseuren des unabhängigen Films in aller Welt.

Geduld, Harry M. (Hg.): *Filmmakers on Filmmaking.* Harmondsworth: Penguin 1967 (A Pelican Book). 30 Aufsätze von Filmemachern, von Lumière bis Anger.

Geduld, Harry M. (Hg.): *Authors on Film.* Bloomington: Indiana UP 1972. Ein Florilegium mit

Häppchen von Tolstoj bis Baldwin; 41 Portionen.

Gehler, Fred (Hg.): *Regiestühle.* Berlin/DDR: Henschelverlag 1972. Essays über Fábri, Kurosawa, Munk, Resnais, Romm, Rosi, Wolf.

Gehler, Fred (Hg.): *Regiestühle international.* Berlin/DDR: Henschelverlag 1987. Essays über Bertolucci, Chytilová, Coppola, Michalkow, Saura, Szabó und Trotta.

Gelmis, Joseph: *The Film Director as Superstar.* Garden City: Doubleday & Co 1970. 16 Interviews.

Gregor, Ulrich (Hg.): *Wie sie filmen. Fünfzehn Gespräche mit Regisseuren der Gegenwart.* Gütersloh: Mohn 1966.

Hansen, Miriam: *Babel and Babylon. Spectatorship in American Silent Film.* Cambridge, MA: Harvard UP 1992.

Harcourt, Peter: *Six European Directors.* Harmondsworth: Penguin 1974 (A Pelican Book). Eisenstein, Renoir, Buñuel, Bergman, Fellini, Godard.

Hennebelle, Guy: *15 Ans du cinéma mondial.* Paris: Editions du Cerf 1975.

Houston, Penelope: *The Contemporary Cinema.* Harmondsworth: Penguin 1963 (A Pelican Book). Eine empfehlenswerte, etwas veraltete Einführung.

Kasjanowa, Ludmilla; Karawaschkin, Anatoli: *Begegnungen mit Regisseuren. Kurt Maetzig – Günter Reisch – Joachim Hasler – Konrad Wolf.* Hg. v. Christiane Mückenberger. Berlin/DDR: Henschelverlag 1974.

Kobal, John: *People Will Talk.* New York: Knopf 1985. Gespräche mit Hollywood-Stars und Regisseuren.

Kogel, Jörg-Dieter (Hg.): *Europäische Filmkunst. Regisseure im Porträt.* Frankfurt: Fischer 1990 (FTB 4490). 16 Porträts.

Kolker, Robert Phillip: *The Altering Eye. Contemporary International Cinema.* Oxford: Oxford UP 1983.

Kuhn, Annette: *Cinema, Censorship, and Sexuality, 1909–1925.* New York: Routledge 1988.

Leyda, Jay; Musser, Charles (Hg.): *Before Hollywood. Turn-of-the-Century Film from American Archives.* New York: American Federation of the Arts 1986.

Oumano, Ellen: *Filmemacher bei der Arbeit.* Frankfurt: Fischer 1989 (FTB 4489). 35 Regisseure äußern sich über Aspekte des Filmemachens.

Sarris, Andrew (Hg.): *Interviews with Film Directors.* New York: Avon 1969.

Schickel, Richard (Hg.): *The Men Who Made the Movies.* New York: Atheneum 1975.

Sherman, Eric: *Directing the Film. Film Directors on Their Art.* Boston: Little, Brown 1976. 75 Regisseure äußern sich über Aspekte des Filmemachens.

Sherman, Eric; Rubin, Martin: *The Directors Event. Interviews with Five American Filmmakers.* New York: Atheneum 1970. Gespräche mit Boetticher, Bogdanovich, Fuller, Penn und Polonsky.

Taylor, John Russell: *Cinema Eye, Cinema Ear.* London: Methuen 1964. Ein Markstein in der Behandlung des Films als seriöser Kunst; Untersuchung des europäischen Films in den Sechzigern.

Taylor, John Russell: *Directors and Directions. Cinema for the Seventies.* New York: Hill and Wang 1975. Chabrol, Pasolini, Anderson, Kubrick, Warhol/Morrissey, S. Ray, Jancsó, Makavejev.

Wagenknecht, Edward: *Movies in the Age of Innocence.* New York: Ballantine 1971. Frühzeit des Films.

1.4.4 Genres und Spezialthemen

Altman, Rick: *The American Film Musical.* Bloomington: Indiana UP 1987.

Bart, Peter: *Fade Out. The Calamitous Final Days of MGM.* New York: William Morrow 1990. Die instruktive Darstellung eines Insiders und eine tödlich genaue Beschreibung Hollywoods in den achtziger Jahren.

Baxter, John: *Stunt. The Story of the Great Movie Stunt Men.* London: Macdonald and Jane's 1973.

Baxter, John: *The Hollywood Exiles.* London: Macdonald and Jane's 1976.

Beck, Calvin Thomas: *Heroes of the Horrors.* New York: Collier 1975.

Belach, Helga (Red.): *Wir tanzen um die Welt. Deutsche Revuefilme 1933–1945.* München: Hanser 1979.

Belach, Helga; Jacobsen, Wolfgang (Red.): *Slapstick & Co. Frühe Filmkomödien / Early Comedies.* Berlin: Argon 1995.

Blümlinger, Christa; Wulff, Christian (Hg.): *Schreiben Bilder Sprechen. Texte zum essayistischen Film.* Wien: Sonderzahl 1992.

Boujut, Michel (Hg.): *Europe – Hollywood et retour. Cinémas sous influences.* Paris: Éditions Autrement 1992.

Brandlmeier, Thomas: *Filmkomiker. Die Errettung des Grotesken.* Frankfurt: Fischer 1983 (FTB 3690).

Brosnan, John: *The Primal Screen. A History of Science Fiction Film.* London: Orbit 1991.
Brosnan, John: *Future Tense. The Cinema of Science Fiction.* New York: St. Martin's Press 1978.
Buscombe, Edward: *The BFI Companion to the Western.* London: British Film Institute 1988. Ausgezeichnete historische Essays.
Cargnelli, Christian; Palm, Michael (Hg.): *Und immer wieder geht die Sonne auf. Texte zum Melodramatischen im Film.* Wien: PVS 1994.
Cavell, Stanley: *Pursuits of Happiness. The Hollywood Comedy of Remarriage.* Cambridge, MA: Harvard UP 1981.
Clarens, Carlos: *Crime Movies. From Griffith to The Godfather and Beyond.* New York: Norton 1980.
Corliss, Richard: *Talking Pictures. Screenwriters in the American Cinema.* New York: Viking 1973.
Crafton, Donald: *Before Mickey. The Animated Film 1898–1928.* Cambridge, MA: MIT Press 1982.
Crenshaw, Marshall: *Hollywood Rock. A Guide to Rock'n'Roll in the Movies.* Hg. v. Ted Mico. London: Plexus 1994.
Cripps, Thomas: *Black Film as Genre.* Bloomington: Indiana UP 1979.
Diawara, Manthia (Hg.): *Black American Cinema.* New York: Routledge 1993.
Doane, Mary Ann: *The Desire to Desire. The Woman's Film of the 1940's.* Bloomington: Indiana UP 1987.
Doane, Mary Ann; Mellencamp, Patricia; Williams, Linda: *Re-Vision. Essays in Feminist Film Criticism.* Frederick: University Publications of America 1984 (The AFI Monograph Series 3).
Doherty, Thomas: *Teenagers and Teenpics. The Juvenilization of American Movies in the 1950s.* Boston: Unwin Hyman 1988.
Durgnat, Raymond: *The Crazy Mirror.* New York: Delta Books 1969. Über Hollywood.
Dwoskin, Stephen: *Film Is... The International Free Cinema.* London: Peter Owen 1975. Über den Avantgarde- und Experimentalfilm, von einem Insider.
Dyer, Richard: *Gays and Film.* Erw. Ausgabe. New York: New York Zoetrope 1984.
Dyer, Richard; Vincendeau, Ginette (Hg.): *Popular European Cinema.* London: Routledge 1992.
Everson, William K.: *The Bad Guys.* Secaucus: Citadel 1964.
Everson, William K.: *The Detective in Film.* Secaucus: Citadel 1972.
Everson, William K.: *Classics of the Horror Film.* Secaucus: Citadel 1974.
Fenin, George N.; Everson, William K.: *The Western. From Silents to the Seventies.* 2. erw. Ausgabe. Harmondsworth: Penguin 1973. Empfehlenswert.
Fordin, Hugh: *The World of Entertainment. Hollywood's Greatest Musicals.* New York: Avon 1976 (Equinox Book).
Frayling, Christopher: *Spaghetti Westerns. Cowboys and Europeans from Karl May to Sergio Leone.* Boston: Routledge & Kegan Paul 1980.
French, Philip: *Westerns.* 2. erw. Ausgabe. London: Secker & Warburg 1977 (Cinema One 25).
Giesen, Rolf: *Lexikon des phantastischen Films. Horror, Science Fiction, Fantasy.* 2 Bände. Frankfurt: Ullstein 1984 (Ullstein Buch 36508/9).
Glaessner, Verina: *Kung-Fu. Cinema of Vengeance.* New York: Bounty 1973.
Grant, Barry Keith: *Film Genre Reader.* Austin: University of Texas Press 1986.
Gregor, Erika; Gregor, Ulrich; Schleif, Helma (Hg.): *Jüdische Lebenswelten im Film.* Berlin: Freunde der Deutschen Kinemathek 1992.
Hanisch, Michael: *Vom Singen im Regen... Filmmusical gestern und heute.* Berlin/DDR: Henschelverlag 1980.
Hanisch, Michael: *Western. Die Entwicklung eines Filmgenres.* Berlin/DDR: Henschelverlag 1984.
Hein, Birgit: *Film im Underground.* Frankfurt: Ullstein 1971 (Ullsteinbuch 2817).
Hein, Birgit: *Underground-Film. Bildende Künstler machen Filme. Avant-Garde-Filmer machen Kunst.* Mainz: Magazin KUNST 1971.
Hein, Birgit; Herzogenrath, Wulf (Hg.): *Film als Film. 1910 bis heute.* Stuttgart: Hatje 1977. Über Experimental- und Avantgardefilm.
Hembus, Joe: *Western-Geschichte. 1940 bis heute. Chronologie / Mythologie / Filmographie.* München: Hanser 1979.
Hembus, Joe: *Das Western-Lexikon.* Erw. Neuausgabe v. Benjamin Hembus. München: Heyne 1995 (Heyne Filmbibliothek 207).
Hoberman, J.: *Bridge of Light. Yiddish Film Between Two Worlds.* New York: Museum of Modern Art 1991. Das jiddische Kino zwischen Osteuropa und den USA. Sehr empfehlenswert.
Hoberman, J.; Rosenbaum, Jonathan: *Midnight Movies.* New York: Harper & Row 1983.
Houston, Penelope: *Keepers of the Frame. The Film Archives.* London: British Film Institute 1994.
Insdorf, Annette: *Indelible Shadows. The Film and the Holocaust.* Cambridge: Cambridge UP 1990.
James, David E. (Hg.): *To Free the Cinema. Jonas*

Mekas & the New York Underground. Princeton: Princeton UP 1992. Aufsätze über das New American Cinema und seine Zentralfigur Jonas Mekas.

Kaminsky, Stuart: *American Film Genres.* Chicago: Nelson-Hall 1985.

Kaplan, E. Ann (Hg.): *Women in Film Noir.* London: British Film Institute 1978.

Kawin, Bruce F.: *Mindscreen. Bergman, Godard and First-Person Film.* Princeton: Princeton UP 1978. Eine Erzähltheorie.

Kerr, Walter: *The Silent Clowns.* New York: Knopf 1975. Empfehlenswert.

Kitses, Jim: *Horizons West. Anthony Mann, Budd Boetticher, Sam Peckinpah: Studies in Authorship within the Western.* London: Thames and Hudson 1969 (Cinema One 12). Eine der ersten praktischen Anwendungen semiotischer Theorien.

Koebner, Thomas (Hg.): *Autorenfilme. Elf Werkanalysen.* Münster: MAkS 1990 (Film- und Fernsehwissenschaftliche Arbeiten).

Kolker, Robert Phillip: *A Cinema of Loneliness. Penn, Kubrick, Coppola, Scorsese, Altman.* New York: Oxford UP 1980.

Kotulla, Theodor (Hg.): *Der Film. Manifeste – Gespräche – Dokumente. Band 2: 1945 bis heute.* München: Piper 1964. Anthologie wichtiger Dokumente.

Kuhn, Annette (Hg.): *Alien Zone. Cultural Theory and Contemporary Science Fiction Cinema.* London: Verso 1990.

Lawder, Standish D.: *The Cubist Cinema.* New York: New York UP 1973.

Maltin, Leonard: *Of Mice and Magic. A History of American Animated Cartoons.* Erw. Ausgabe. New York: Plume 1987.

Mast, Gerald: *The Comic Mind. Comedy and the Movies.* 2. Auflage. Chicago: University of Chicago Press 1979.

McArthur, Colin: *Underworld U.S.A.* London: Secker & Warburg 1972 (Cinema One 20).

Meeker, David: *Jazz in the Movies.* 2. erw. Ausgabe. London: Talisman Books 1981.

Mellen, Joan: *Big Bad Wolves. Masculinity in American Films.* New York: Pantheon 1978.

Morin, Edgar: *Les Stars.* Paris: Éditions du Seuil 1972. Neuausgabe des Klassikers.

Naremore, James: *Acting in the Cinema.* Berkeley: University of California Press 1988.

O'Connor, John E.; Jackson, Martin (Hg.): *American History / American Film. Interpreting the Hollywood Image.* New York: Frederick Ungar 1978.

Patalas, Enno: *Stars. Geschichte der Filmidole.* Frankfurt: Fischer 1967 (Fischer Bücherei 818). Erweiterte Ausgabe von «Sozialgeschichte der Stars».

Patterson, Lindsay (Hg.): *Black Films and Filmmakers.* New York: Dodd, Mead 1975.

Petzke, Ingo (Hg.): *Das Experimentalfilm-Handbuch.* Frankfurt: Deutsches Filmmuseum 1989.

Prawer, S. S.: *Caligari's Children. The Film as Tale of Terror.* Oxford: Oxford UP 1980.

Renan, Sheldon: *An Introduction to the American Underground Film.* New York: Dutton 1967.

Roddick, Nick: *A New Deal in Entertainment. Warner Brothers in the 1930s.* London: British Film Institute 1983.

Romney, Jonathan; Wootton (Hg.): *Celluloid Jukebox. Popular Music and the Movies Since the 50s.* London: British Film Institute 1995.

Roud, Richard: *A Passion for Films. Henri Langlois and the Cinémathèque Française.* New York: Viking 1983. Die eloquente Eloge eines einflußreichen Cineasten auf den anderen.

Rubinstein, Leonard: *The Great Spy Films. A Pictorial History.* Secaucus: Citadel 1979.

Saleh, Dennis: *Science Fiction Gold. Classic Films of the Fifties.* New York: McGraw-Hill 1979.

Schäfer, Horst: *Film im Film. Selbstporträts der Traumfabrik.* Frankfurt: Fischer 1985 (FTB 3698).

Schatz, Thomas: *Hollywood Genres. Formulas, Filmmaking, Studio System.* 2. erw. Ausgabe. New York: Random House 1993.

Scheugl, Hans: *Sexualität und Neurose im Film. Die Kinomythen von Griffith bis Warhol.* München: Hanser 1974.

Scheugl, Hans; Schmidt jr., Ernst: *Eine Subgeschichte des Films. Lexikon des Avantgarde-, Experimental- und Undergroundfilms.* 2 Bände. Frankfurt: Suhrkamp 1974 (edition suhrkamp 471).

Schlemmer, Gottfried (Hg.): *Avantgardistischer Film 1951–1971: Theorie.* München: Hanser 1973.

Schrader, Paul: *Transcendental Style in Film. Ozu, Bresson, Dreyer.* Berkeley: University of California Press 1972.

Schreitmüller, Andreas: *Filme aus Filmen. Möglichkeiten des Episodenfilms.* Oberhausen: Laufen 1983.

Schwarz, Alexander (Hg.): *Das Drehbuch. Geschichte, Theorie, Praxis.* München: Diskurs Film 1992 (Diskurs Film Bibliothek 5).

Schwarz, Alexander: *Der geschriebene Film. Drehbücher des deutschen und russischen Stumm-*

films. München: Diskurs Film 1994 (Diskurs Film Bibliothek 6).

Seeßlen, Georg: *Der pornographische Film. Von den Anfängen bis zur Gegenwart.* 2. Auflage. Frankfurt: Ullstein 1994 (Ullstein Buch 3591).

Seeßlen, Georg; Weil, Claudius: *Western-Kino. Geschichte und Mythologie des Western-Films.* Reinbek: Rowohlt 1979 (Grundlagen des populären Films 1, rororo 7290).

Seeßlen, Georg; Weil, Claudius: *Kino des Phantastischen. Geschichte und Mythologie des Horror-Films.* Reinbek: Rowohlt 1980 (Grundlagen des populären Films 2, rororo 7304).

Seeßlen, Georg: *Der Asphalt-Dschungel. Geschichte und Mythologie des Gangster-Films.* Reinbek: Rowohlt 1980 (Grundlagen des populären Films 3, rororo 7316).

Seeßlen, Georg: *Kino des Utopischen. Geschichte und Mythologie des Science-fiction-Films.* Reinbek: Rowohlt 1980 (Grundlagen des populären Films 4, rororo 7334).

Seeßlen, Georg: *Kino der Angst. Geschichte und Mythologie des Film-Thrillers.* Reinbek: Rowohlt 1980 (Grundlagen des populären Films 5, rororo 7350).

Seeßlen, Georg: *Kino der Gefühle. Geschichte und Mythologie des Film-Melodrams.* Reinbek: Rowohlt 1980 (Grundlagen des populären Films 6, rororo 7366).

Seeßlen, Georg: *Ästhetik des erotischen Kinos. Geschichte und Mythologie des erotischen Films.* Reinbek: Rowohlt 1980 (Grundlagen des populären Films 7, rororo 7379).

Seeßlen, Georg: *Mord im Kino. Geschichte und Mythologie des Detektiv-Films.* Reinbek: Rowohlt 1981 (Grundlagen des populären Films 8, rororo 7396).

Seeßlen, Georg: *Der Abenteurer. Geschichte und Mythologie des Abenteuer-Films.* Reinbek: Rowohlt 1981 (Grundlagen des populären Films 9, rororo 7408).

Seeßlen, Georg: *Klassiker der Filmkomik. Geschichte und Mythologie des komischen Films.* Reinbek: Rowohlt 1981 (Grundlagen des populären Films 10, rororo 7424).

Siegel, Scott; Siegel, Barbara: *American Film Comedy. From Abbott & Costello to Jerry Zucker.* New York: Prentice Hall 1994. Ein Lexikon der Stars und Regisseure.

Sikow, Ed: *Screwball. Hollywood's Madcap Romantic Comedies.* New York: Crown 1989.

Silver, Alain: *The Samurai Film.* Cranbury: Barnes 1975.

Silver, Alain; Ward, Elizabeth (Hg.): *Film Noir. An Encyclopedic Reference to the American Style.* 2. erw. Ausgabe. Woodstock: Overlook Press 1988.

Sitney, P. Adams: *Visionary Film. The American Avant-Garde 1943–1978.* 2. erw. Ausgabe. New York: Oxford UP 1979. Eine empfehlenswerte, gründliche Untersuchung; in der 2. Auflage fehlt das Kapitel über Gregory Markopoulos.

Smoodin, Eric: *Animating Culture. Hollywood Cartoons from the Sound Era.* New Brunswick: Rutgers UP 1993.

Sobchack, Vivian Carol: *Screening Space. The American Science Fiction Film.* 2. erw. Ausgabe. New York: Ungar 1987.

Solomon, Stanley J.: *Beyond Formula. American Film Genres.* New York: Harcourt Brace Jovanovich 1976. Ein interessanter Ansatz.

Stam, Robert: *Reflexivity in Film and Literature. From Don Quixote to Jean-Luc Godard.* New York: Columbia UP 1992.

Stuck, Jürgen: *Rock Around the Cinema. Spielfilme/Dokumentationen, Video-Clips.* Reinbek: Rowohlt 1985 (rororo 7906).

Taylor, John Russell: *Fremde im Paradies. Emigranten in Hollywood 1933–1950.* München: Goldmann 1994 (Ein Siedler Buch bei Goldmann 12854).

Taylor, John Russell; Jackson, Arthur: *The Hollywood Musical.* London: Secker & Warburg 1971.

Telotte, J. P.: *The Cult Film Experience. Beyond All Reason.* Austin: University of Texas Press 1991.

Turan, Kenneth; Zito, Stephen F.: *Sinema. American Pornographic Films and the People Who Make Them.* New York: Praeger 1974.

Vallance, Tom: *The American Musical.* Cranbury: Barnes 1970.

Waller, Gregory A.: *American Horrors. Essays on the Modern American Horror Film.* Urbana: University of Illinois Press 1987.

Whittemore, Don; Cecchettini, Philip Alan (Hg.): *Passport to Hollywood. Film Immigrants. Anthology.* New York: McGraw-Hill 1976.

Wright, Will: *Six Guns and Society. A Structural Study of the Western.* Berkeley: University of California Press 1975.

Youngblood, Gene: *Expanded Cinema.* New York: Dutton 1970. Empfehlenswerte Studie über Filmformen der «Zukunft».

1.4.4.1 Dokumentarfilm

Aldgate, Anthony: *Cinema & History. British Newsreels and the Spanish Civil War.* London: Scolar Press 1979.

Barnouw, Erik: *Documentary. A History of the*

Non-Fiction Film. 2. erw. Ausgabe. New York: Oxford UP 1993. Ein empfehlenswerter historischer Abriß.

Barsam, Richard Meran: *Nonfiction Film. A Critical History.* Erw. Ausgabe. Bloomington: Indiana UP 1992. Eine gute Einführung.

Ellis, Jack C.: *The Documentary Idea. A Critical History of English-Language Documentary Film and Video.* Englewood Cliffs: Prentice Hall 1989.

Fielding, Raymond: *The American Newsreel. 1911–1967.* Norman: University of Oklahoma Press 1972.

Hattendorf, Manfred: *Dokumentarfilm und Authentizität. Ästhetik und Pragmatik einer Gattung.* Konstanz: Ölschläger 1994 (Close Up 4).

Herlinghaus, Hermann (Hg.): *Dokumentaristen der Welt in den Kämpfen unserer Zeit. Selbstzeugnisse aus zwei Jahrzehnten (1960–1981).* Berlin / DDR: Henschelverlag 1982.

Jacobs, Lewis (Hg.): *The Documentary Tradition. From Nanook to Woodstock.* New York: Hopkinson and Blake 1971. 96 Artikel über den Dokumentarfilm.

Levin, G. Roy: *Documentary Explorations.* New York: Doubleday 1971. 15 Interviews mit Filmemachern.

Leyda, Jay: *Filme aus Filmen. Eine Studie über den Kompilationsfilm.* Berlin / DDR: Henschelverlag 1967.

Liebmann, Rolf; Matschke, Evelin; Salow, Friedrich (Red.): *Filmdokumentaristen der DDR.* Berlin / DDR: Henschelverlag 1969.

Lovell, Alan; Hillier, Jim: *Studies in Documentary.* London: Secker & Warburg 1972 (Cinema One 21).

Low, Rachael: *Documentary and Educational Films of the 1930s.* London: Allen & Unwin 1979 (The History of the British Film 1929–1939).

Low, Rachael: *Films of Comment and Persuasion of the 1930s.* London: Allen & Unwin 1979 (The History of the British Film 1929–1939).

Mamber, Stephen: *Cinéma Vérité in America.* Boston: M.I.T. Press 1974.

Marcorelles, Louis: *Living Cinema.* New York: Praeger 1973. Eine Untersuchung des Direct Cinema und Concrete Cinema.

Nichols, Bill: *Representing Reality. Issues and Concepts in Documentary.* Bloomington: Indiana UP 1992.

Rosenthal, Alan (Hg.): *New Challenges in Documentary.* Berkeley: University of California Press 1987.

Roth, Wilhelm: *Der Dokumentarfilm seit 1960.* München: Bucher 1982 (Bucher Report Film). Ein Standardwerk.

Rotha, Paul: *Documentary Film. The use of the film medium to interpret creatively and in social terms the life of the people as it exists in reality.* London: Faber and Faber 1939. Ein Klassiker.

Rotha, Paul: *Documentary Diary. An Informal History of the British Documentary Film, 1928–1939.* New York: Hill and Wang 1973.

Ruf, Wolfgang (Hg.): *Möglichkeiten des Dokumentarfilms.* Oberhausen: Laufen 1979. John Grierson, Joris Ivens und Henri Stork, Heynowski & Scheumann, Roman Karmen, Carlos Alvarez, Chris Marker, Santiago Alvarez.

Sussex, Elizabeth: *The Rise and Fall of British Documentary.* Berkeley: University of California Press 1975.

Wildenhahn, Klaus: *Über synthetischen und dokumentarischen Film. Zwölf Lesestunden.* Frankfurt: Kommunales Kino 1975. Theoretische Überlegungen des bedeutenden deutschen Dokumentaristen.

1.4.4.2 Filmmusik

Anderson, Gillian: *Music for Silent Films 1894–1929. A Guide.* Washington: Library of Congress 1988.

Birett, Herbert: *Stummfilm-Musik. Materialsammlung.* Berlin / West: Deutsche Kinemathek 1970.

Brown, Royal S.: *Overtones and Undertones. Reading Film Music.* Berkeley: University of California Press 1994.

Colpi, Henri: *Défense et illustration de la musique dans le film.* Lyon: Serdoc 1963.

Eisler, Hanns; (Adorno, Theodor W.): *Komposition für den Film.* Berlin / DDR: Henschelverlag 1949.

Erdmann, Hans; Becce, Giuseppe; Brav, Ludwig (Mitarbeit): *Allgemeines Handbuch der Film-Musik. 1. Musik und Film. Verzeichnisse. – 2. Thematisches Skalenregister.* Berlin-Lichterfelde, Leipzig: Schlesinger 1927.

Kinsky-Weinfurter, Gottfried: *Filmmusik als Instrument staatlicher Propaganda. Der Kultur- und Industriefilm im Dritten Reich und nach 1945.* München: Ölschläger 1993 (Kommunikation audiovisuell hff 9).

Lissa, Zofia: *Ästhetik der Filmmusik.* Berlin / DDR: Henschelverlag 1965.

London, Kurt: *Film Music. A Summary of the Characteristic Features of its History, Aesthetics, Technique, and possible Developments.* London: Faber and Faber 1936.

Manvell, Roger; Huntley, John: *The Technique of Film Music.* London: Focal Press 1957.

de la Motte-Haber, Helga; Emons, Hans: *Filmmusik. Eine systematische Beschreibung.* München: Hanser 1980.

Pauli, Hansjörg: *Filmmusik: Stummfilm.* Stuttgart: Klett-Cotta 1981.

Robinson, David: *Music of the Shadows. The use of musical accompaniment with silent films, 1896–1936.* Pordenone: Le giornate del cinema muto 1990 (Griffithiana, Nr. 38/39, Supplement).

Rügner, Ulrich: *Filmmusik in Deutschland zwischen 1924 und 1934.* Hildesheim: Olms 1988 (Studien zur Filmgeschichte 3).

Schmidt, Hans-Christian: *Filmmusik.* Kassel: Bärenreiter 1982 (Musik aktuell – Analysen, Beispiele, Kommentare 4).

Schneider, Norbert Jürgen: *Handbuch Filmmusik. Musikdramaturgie im Neuen Deutschen Film.* München: Ölschläger 1986 (Kommunikation audiovisuell hff 13).

Schneider, Norbert Jürgen: *Handbuch Filmmusik II. Musik im dokumentarischen Film.* München: Ölschläger 1989 (Kommunikation audiovisuell hff 15).

Seidler, Walther (Red.): *Stummfilmmusik gestern und heute. Beiträge und Interviews anläßlich eines Symposiums im Kino Arsenal am 9. Juni 1979 in Berlin.* Berlin/West: Spiess 1979.

Siebert, Ulrich Eberhard: *Filmmusik in Theorie und Praxis. Eine Untersuchung der 20er und frühen 30er Jahre anhand des Werkes von Hans Erdmann.* Frankfurt: Lang 1990 (Europäische Hochschulschriften. Reihe XXXVI Musikwissenschaft. Bd. 53).

Thiel, Wolfgang: *Filmmusik in Geschichte und Gegenwart.* Berlin/DDR: Henschelverlag 1981.

Thomas, Hans Alex: *Die deutsche Tonfilmmusik. Von den Anfängen bis 1956.* Gütersloh: Bertelsmann 1962 (Neue Beiträge zur Film- und Fernsehforschung 3).

Thomas, Tony: *Music for the Movies.* South Brunswick: Barnes 1977.

1.4.5 Nationale Kinematografien

1.4.5.1 Dritte Welt (Afrika, Lateinamerika)

Armes, Roy: *Third World Film-Making and the West.* Berkeley: University of California Press 1987.

Burton, Julianne: *Cinema and Social Change in Latin America. Conversations With Latin American Filmmakers.* Austin: University of Texas Press 1986.

Chanan, Michael (Hg.): *Chilean Cinema.* London: British Film Institute 1976.

Diawara, Manthia: *African Cinema.* Bloomington: Indiana UP 1992.

Downing, John (Hg.): *Film, Politics, and the Third World.* New York: Praeger 1987.

Haffner, Pierre: *Kino in Schwarzafrika.* München: CICIM 1989 (Revue CICIM 27/28).

Jahnke, Eckart; Lichtenstein, Manfred (Red.): *Kubanischer Dokumentarfilm.* Berlin/DDR: Staatliches Filmarchiv der DDR 1974.

King, John: *Magical Reels. A History of Cinema in Latin America.* London: Verso 1990.

Kirsch, Thomas: *Die Entwicklung der argentinischen Filmindustrie.* Münster: MAkS 1991 (Film- und Fernsehwissenschaftliche Arbeiten).

Mora, Carl J.: *Mexican Cinema. Reflections of a Society.* Erw. Ausgabe. Berkeley: University of California Press 1989.

Myerson, Michael: *Memories of Underdevelopment. The Revolutionary Films of Cuba.* New York: Grossman 1973. Drehbuch des Films und ein Essay über das kubanische Kino.

Paranaguá, Paulo Antonio (Hg.): *Le cinéma brésilien.* Paris: Centre Georges Pompidou 1987 (cinéma/pluriel).

Paranaguá, Paulo Antonio (Hg.): *Le cinéma cubain.* Paris: Centre Georges Pompidou 1990 (cinéma/pluriel).

Paranaguá, Paulo Antonio (Hg.): *Le cinéma mexicain.* Paris: Centre Georges Pompidou 1992 (cinéma/pluriel).

Pick, Zuzana M.: *The New Latin American Cinema. A Continental Project.* Austin: University of Texas Press 1993.

Pines, Jim; Willemen, Paul (Hg.): *Questions of Third Cinema.* London: British Film Institute 1989. Aufsätze zum Film in der Dritten Welt.

Ramírez Berg, Charles: *Cinema of Solitude. A Critical Study of Mexican Film, 1967–1983.* Austin: University of Texas Press 1992.

Ruf, Wolfgang (Hg.): *Der lateinamerikanische Film heute. Eine Dokumentation.* Oberhausen: Laufen 1976. Mit Beiträgen von Carlos Alvarez, Miguel Littin und Julio Garcia Espinosa.

Schumann, Peter B.: *Film und Revolution in Lateinamerika.* Oberhausen: Laufen 1971.

Schumann, Peter B. (Hg.): *Kino und Kampf in Lateinamerika. Zur Theorie und Praxis des politischen Kinos.* München: Hanser 1976 (Reihe Hanser 219).

Schumann, Peter B.: *Handbuch des lateinamerikanischen Films.* Frankfurt: Vervuert 1982.

Schumann, Peter B.: *Handbuch des brasilianischen Films.* Frankfurt: Vervuert 1988.
Schumann, Peter B. (Hg.): *Kino in Cuba: 1959–1978.* Frankfurt: Vervuert 1980.
Ukadike, Nwachukwu Frank: *Black African Cinema.* Berkeley: University of California Press 1994.
Vaillant, Fee; Maier, Hanns (Hg.): *Der Film Lateinamerikas. Eine Dokumentation.* Mannheim: Internationale Filmwoche Mannheim 1980.

1.4.5.2 Asien, Australien

Anderson, Joseph L.; Richie, Donald: *The Japanese Film. Art and Industry.* Erw. Ausgabe. Princeton: Princeton UP 1982. Ein Standardwerk.
Arpa, Adriano (Hg.): *Le cinéma coréen.* Paris: Centre Georges Pompidou 1993 (cinéma / pluriel).
Barnouw, Erik; Krishnaswamy, S.: *Indian Film.* 2. Auflage. New York: Oxford UP 1980.
Berry, Chris (Hg.): *Perspectives on Chinese Cinema.* London: British Film Institute 1991.
Bock, Audie: *Japanese Film Directors.* Erw. Ausgabe. New York: Kodansha International 1985.
Browne, Nick; Pickowicz, Paul G.; Sobchack, Vivian; Yau, Esther (Hg.): *New Chinese Cinema. Forms, Identities, Politics.* New York: Cambridge UP 1994.
Burch, Noël: *To the Distant Observer. Form and Meaning in the Japanese Cinema.* Berkeley: University of California Press 1979.
Klaue, Wolfgang; Lichtenstein, Manfred; Wäscher, Edith; Jenß, Gabriele (Red.): *Dokumentarfilm in Indien.* Berlin / DDR: Staatliches Filmarchiv der DDR 1988.
Lent, James A.: *The Asian Film Industry.* Austin: University of Texas Press 1990.
Leyda, Jay: *Dian Ying. Electric Shadows. An Account of Films and the Film Audience in China.* Boston: M.I.T. Press 1972.
Mellen, Joan: *Voices from the Japanese Cinema.* New York: Liveright 1975. Eine Sammlung von Interviews.
Mellen, Joan: *The Waves at Genji's Door. Japan Through Its Cinema.* New York: Pantheon 1976.
Nolletti, Arthur Jr.; Dresser, David (Hg.): *Reframing Japanese Cinema.* Bloomington: Indiana UP 1992.
Passek, Jean-Loup (Hg.): *Le cinéma indien.* Paris: Centre Georges Pompidou 1983 (cinéma / pluriel).
Quinquemelle, Marie-Claire; Passek, Jean-Loup (Hg.): *Le cinéma chinois.* Paris: Centre Georges Pompidou 1985 (cinéma / pluriel).
Rajadhyaksha, Ashish; Willemen, Paul: *Encyclopaedia of Indian Cinema.* London: British Film Institute 1995.
Rayns, Tony: *The New Chinese Cinema. An Introduction.* London: Faber and Faber 1989.
Rayns, Tony; Meek, Scott (Hg.): *Electric Shadows. 45 Years of Chinese Cinema.* London: British Film Institute 1980 (BFI Dossier 3).
Richie, Donald: *Japanese Cinema.* New York: Doubleday 1971.
Schleif, Helma (Red.): *Filmland Indien. Eine Dokumentation.* Berlin: Freunde der Deutschen Kinemathek 1990.
Schleif, Helma (Red.): *Filme aus Japan.* Berlin: Freunde der Deutschen Kinemathek 1993.
Schleif, Helma; Voser, Silvia (Red.): *Kino in Indien II.* Berlin / West: Freunde der Deutschen Kinemathek 1988.
Shirley, Graham; Adams, Brian: *Australian Cinema. The First Eighty Years.* Erw. Ausgabe. Paddington, NSW: Currency Press 1989.
Thoridnet, Claudine (Hg.): *Le cinéma australien.* Paris: Centre Georges Pompidou 1991 (cinéma / pluriel).
Vaillant, Fee; Maier, Hanns (Hg.): *Der Chinesische Film.* Mannheim: Internationale Filmwoche Mannheim 1982.
Willemen, Paul; Gandhy, Behroze (Hg.): *Indian Cinema.* London: British Film Institute 1980 (BFI Dossier 5).
Yamane, Keiko: *Das japanische Kino. Geschichte, Filme, Regisseure.* München: Bucher 1985 (Bucher Report Film).

1.4.5.3 Osteuropa und Rußland / Sowjetunion

Brändli, Sabine; Ruggle, Walter (Hg.): *Sowjetischer Film heute.* Baden: Lars Müller 1990.
Christie, Ian; Gillett, John (Hg.): *Futurism / Formalism / FEKS; «Eccentrism» and Soviet Cinema 1918–36.* London: British Film Institute 1978.
Gregor, Ulrich (Red.): *Künstlerische Avantgarde im Sowjetischen Stummfilm. Dokumentation zum Seminar.* Berlin / West: Freunde der Deutschen Kinemathek. 1974 (Materialien zur Filmgeschichte 3).
Gregor, Ulrich; Hitzer, Friedrich (Hg.): *Der sowjetische Film 1930 bis 1939. Eine Dokumentation.* 2 Bände. Bad Ems: Verband der deutschen Filmclubs 1966.
Kenez, Peter: *Cinema & Soviet Society 1917–1953.* New York: Cambridge UP 1992.
Kirschner, Klaus: *Asche und Diamant. Der polni-*

sche Spielfilm 1899–1976. Erlangen: Erlanger Beiträge 1977 (Erlanger Beiträge zur Medientheorie und -praxis, Sonderheft).

Klaue, Wolfgang; Lichtenstein, Manfred; Jahnke, Eckart (Red.): *Dokumentarfilm in Polen.* Berlin / DDR: Henschelverlag 1968.

Kolman, Vladimír: *Vom Millionär, der die Sonne stahl. Geschichte des tschechischen Animationsfilms.* Frankfurt: Deutsches Filmmuseum 1981.

Lawton, Ann (Hg.): *The Red Screen. Politics, Society, Art in Soviet Cinema.* London: Routledge 1992.

Leyda, Jay: *Kino. History of Russian and Soviet Film.* 3. erw. Auflage. Princeton: Princeton UP 1983. Empfehlenswert.

Lichtenstein, Manfred (Red.): *Tschechoslowakischer Dokumentarfilm.* Berlin / DDR: Staatliches Filmarchiv der DDR 1980.

Liehm, Antonin J.: *Closely Watched Trains. The Czecholovak Experience.* White Plains: International Arts and Sciences Press 1974. Empfehlenswert.

Liehm, Antonin J.; Liehm, Mira: *The Most Important Art. Eastern European Films after 1945.* Berkeley: University of California Press 1977.

Michalek, Boleslaw; Turaj, Frank: *The Modern Cinema of Poland.* Bloomington: Indiana UP 1988.

Michalek, Boleslaw; Turaj, Frank (Hg.): *Le cinéma polonais.* Paris: Centre Georges Pompidou 1992 (cinéma / pluriel).

Mierau, Fritz (Hg.): *Russen in Berlin. Literatur, Malerei, Theater, Film 1918–1933.* Leipzig: Reclam 1987.

Nemeskürty, István: *Wort und Bild. Die Geschichte des ungarischen Films.* Frankfurt: Kommunales Kino 1980.

Passek, Jean-Loup (Hg.): *Le cinéma russe et soviétique.* Paris: Centre Georges Pompidou 1981 (cinéma / pluriel).

Radvanyi, Jean (Hg.): *Le cinéma géorgien.* Paris: Centre Georges Pompidou 1988 (cinéma / pluriel).

Radvanyi, Jean (Hg.): *Le cinéma d'Asie centrale soviétique.* Paris: Centre Georges Pompidou 1991 (cinéma / pluriel).

Ratschewa, Maria; Eder, Klaus: *Der bulgarische Film. Geschichte und Gegenwart einer Kinematografie.* Frankfurt: Kommunales Kino 1977.

Reichow, Joachim: *Film in Ungarn.* Berlin / DDR: Henschelverlag 1981.

Schnitzer, Luda; Schnitzer, Jean; Martin, Marcel; Robinson, David (Hg.): *Cinema in Revolution. The Heroic Era of Soviet Film.* London: Secker & Warburg 1973 (Cinema Two). Eine Sammlung von Aufsätzen sowjetischer Filmemacher.

Shdan, A. (Hg.): *Der sowjetische Film.* 2 Bände. Berlin / DDR: Henschelverlag 1974. Eine parteiliche Darstellung.

Skovrecky, Josef: *All the Bright Young Men and Women. A Personal History of the Czech Cinema.* Toronto: Peter Martin 1971.

Tasic, Zoran; Passek, Jean-Loup (Hg.): *Le cinéma yougoslave.* Paris: Centre Georges Pompidou 1986 (cinéma / pluriel).

Taylor, Richard; Christie, Ian (Hg.): *The Film Factory. Russian and Soviet Cinema in Documents 1896–1939.* Cambridge, MA: Harvard UP 1988 (Harvard Film Studies).

Taylor, Richard; Christie, Ian (Hg.): *Inside the Film Factory. New Approaches to Russian and Soviet Cinema.* London: Routledge 1991.

Tsivian, Yuri: *Early Cinema in Russia and Its Cultural Reception.* London: Routledge 1994.

Usai, Paolo Cherchi, u. a.: *Silent Witnesses. Russian Films, 1908–1919.* London: British Film Institute 1990.

Verband der Deutschen Filmclubs e.V. (Hg.): *Ungarische Spielfilme.* Frankfurt: Verband der Deutschen Filmclubs 1968.

Youngblood, Denise: *Soviet Cinema in the Silent Era, 1918–1935.* Ann Arbor: UMI Research Press 1985.

1.4.5.4 Nordeuropa

Behn, Manfred (Red.): *Schwarzer Traum und weiße Sklavin. Deutsch-dänische Filmbeziehungen 1910–1930.* München: edition text + kritik 1994 (Ein CineGraph Buch).

Bergom-Larsson, Maria: *Film in Sweden: Ingmar Bergman and Society.* London: Tantivy 1978.

Björkman, Stig: *Film in Sweden: The New Directors.* London: Tantivy 1977.

Cowie, Peter: *Film in Sweden: Stars and Players.* London: Tantivy 1977.

Cowie, Peter: *Finnish Cinema.* 2. erw. Ausgabe. Helsinki: VAPK Publishing 1990.

Cowie, Peter: *Scandinavian Cinema. A survey of the films and film-makers of Denmark, Finland, Iceland, Norway and Sweden.* London: Tantivy 1992.

Engberg, Marguerite: *Dansk Stumfilm. De store År.* 2 Bände. Kopenhagen: Rhodos 1977. Standardwerk über den Stummfilm bis 1914.

Hillier, Jim (Hg.): *Cinema in Finland. An Introduction.* London: British Film Institute 1975.

Hube, Hans-Jürgen: *Film in Schweden.* Berlin / DDR: Henschelverlag 1985.

Kwiatkowski, Aleksander: *Swedish Film Classics. A pictorial Survey of 25 Films from 1913 to 1957.* New York: Dover 1983.

Lachmann, Michael; Lange-Fuchs, Hauke: *Film in Skandinavien (1945-1993). Dänemark, Finnland, Island, Norwegen, Schweden.* Berlin: Henschel 1993.

Passek, Jean-Loup (Hg.): *Le cinéma danois.* Paris: Centre Georges Pompidou 1979.

Ross, Heiner (Red.): *Klassiker der Schwedischen Filmkunst.* 2. erw. Ausgabe. Berlin/West: Freunde der Deutschen Kinemathek 1977 (Materialien zur Filmgeschichte 1).

1.4.5.5 West- und Südeuropa

Aeppli, Felix: *Der Schweizer Film 1929–1964. Die Schweiz als Ritual.* Band 2: Materialien. Zürich: Limmat 1981.

Aguilar, Carlos; Genover, Jaume: *El cine español en sus interpretes.* Madrid: Verdoux 1992.

Apra, Adriano; Pistagnesi, Patrizia (Hg.): *The Fabulous Thirties. Italian Cinema 1929–1944.* Rom: Electa International 1979.

Armes, Roy: *Patterns of Realism. Italian Neo-Realist Cinema.* Cranbury: Barnes 1971.

Bernardini, Aldo: *Cinema muto italiano. 1. Ambiente, spettacoli e spettatori 1896–1904. 2. Industria e organizzazione dello spettacolo 1905–1909. 3. Arte, divismo e mercato 1910–1914.* Rom: Laterza 1980–82.

Cowie, Peter: *Dutch Cinema. An illustrated History.* London: Tantivy 1979.

Dibbets, Karel; Maden, Frank van der (Red.): *Geschiedenis van de Nederlandse Film en Bioscoop tot 1940.* 2. erw. Ausgabe. Houten: Wereldvenster 1986.

Dumont, Hervé: *Geschichte des Schweizer Films. Spielfilme 1896–1965.* Lausanne: Cinémathèque Suisse 1987. Ein Standardwerk.

Edera, Bruno: *Histoire du Cinéma suisse d'animation.* Lausanne: Cinémathèque Suisse 1978 (Travelling 51/52).

Engelhardt, Martin; Lichtenstein, Manfred (Red.): *Spanien 1936–1939. Dokumentarfilme.* Berlin/DDR: Staatliches Filmarchiv der DDR 1986.

Gersch, Wolfgang: *Schweizer Kinofahrten. Begegnungen mit dem neuen Schweizer Film.* Berlin/DDR: Henschelverlag 1984.

Jansen, Peter W.; Schütte, Wolfram (Hg.): *Film in der Schweiz.* München: Hanser 1978 (Reihe Film 17).

Kinder, Marsha: *Blood Cinema. The Reconstruction of National Identity in Spain.* Berkeley: University of California Press 1993. Zum Buch existiert eine CD-ROM mit Filmbeispielen.

Larraz, Emmanuel: *Le cinéma espagnol des origines à nos jours.* Paris: Éditions du Cerf 1986.

Leprohon, Pierre: *The Italian Cinema.* London: Secker & Warburg 1972 (Cinema Two).

Liehm, Mira: *Passion and Defiance. Film in Italy from 1942 to the Present.* Berkeley: University of California Press 1984.

Marcus, Millicent: *Italian Film in the Light of Neorealism.* Princeton: Princeton UP 1986.

Maurer, Thomas: *Filmmanufaktur Schweiz. Kleine ökonomische Entwicklungsgeschichte.* Zürich: Schweizerisches Filmzentrum 1982 (Texte zum Schweizer Film 5).

Pfister, Thomas: *Der Schweizer Film während des III. Reiches. Film und Spielfilmproduktion in der Schweiz von 1933 bis 1945.* Berlin/West: Selbstverlag 1982.

Schlappner, Martin; Schaub, Martin: *Vergangenheit und Gegenwart des Schweizer Films (1896 bis 1987). Eine kritische Wertung.* Zürich: Schweizerisches Filmzentrum 1987.

Torres, Augusto M. (Hg.): *Spanish Cinema 1896–1983.* Madrid: Ministerio de Cultura 1986.

Torres, Augusto M. (Hg.): *Cine Español (1896–1988).* Madrid: Ministerio de Cultura 1989. Kurze Geschichte und Lexikon.

Werner, Gösta: *Die Geschichte des schwedischen Films. Ein Überblick.* Frankfurt: Deutsches Filmmuseum Frankfurt 1988.

Wider, Werner: *Der Schweizer Film 1929–1964. Die Schweiz als Ritual.* Band 1: Darstellung. Zürich: Limmat 1981.

1.4.5.6 Deutschland, Österreich, Exil

Agde, Günter (Hg.): *Kahlschlag. Das 11. Plenum des ZK der SED 1965. Studien und Dokumente.* Berlin: Aufbau 1991 (AtV 56).

Albrecht, Gerd: *Nationalsozialistische Filmpolitik. Eine soziologische Untersuchung über die Spielfilme des Dritten Reichs.* Stuttgart: Enke 1969.

Barkhausen, Hans: *Filmpropaganda für Deutschland im Ersten und Zweiten Weltkrieg.* Hildesheim: Olms 1982.

Barlow, John D.: *German Expressionist Film.* Boston: Twayne 1982 (Twayne's Filmmakers Series).

Becker, Wolfgang; Schöll, Norbert: *In jenen Tagen... Wie der deutsche Nachkriegsfilm die Vergangenheit bewältigte.* Opladen: Leske + Budrich 1995.

Behn, Manfred; Bock, Hans-Michael (Hg.): *Film und Gesellschaft in der DDR. Materialsammlung zu einer Veranstaltungsreihe.* 2 Bände. Hamburg: Metropolis / CineGraph 1988 / 89.

Berg-Ganschow, Uta; Jacobsen, Wolfgang (Hg.): *...Film...Stadt...Kino...Berlin...* Berlin / West: Argon 1987.

Berger, Jürgen; Reichmann, Hans-Peter; Worschech, Rudolf (Red.): *Zwischen Gestern und Morgen. Westdeutscher Nachkriegsfilm 1946–1962.* Frankfurt: Deutsches Filmmuseum 1989.

Birett, Herbert: *Lichtspiele. Der Kino in Deutschland bis 1914.* München: Q-Verlag 1994.

Bliersbach, Gerhard: *So grün war die Heide... Der deutsche Nachkriegsfilm in neuer Sicht.* Weinheim: Beltz 1985 (Beltz BewußtSein).

Bock, Hans-Michael; Töteberg, Michael (Hg.): *Das Ufa-Buch. Kunst und Krisen * Stars und Regisseure * Wirtschaft und Politik.* Frankfurt: Zweitausendeins 1992.

Bono, Francesco (Hg.): *Austria (in)felix. Zum österreichischen Film der 80er Jahre.* Graz: Edition blimp 1992.

Bredow, Wilfried von; Zurek, Rolf (Hg.): *Film und Gesellschaft in Deutschland. Dokumente und Materialien.* Hamburg: Hoffmann und Campe 1975 (Hoffmann und Campe Reader).

Brennicke, Ilona; Hembus, Joe: *Klassiker des Deutschen Stummfilms 1910–1930.* München: Goldmann 1983 (Citadel Filmbücher Goldmann Magnum 10212).

Bronnen, Barbara; Brocher, Corinna: *Die Filmemacher. Zur Neuen deutschen Produktion nach Oberhausen 1962.* Mit einem Beitrag von Alexander Kluge. München: Bertelsmann 1973.

Cargnelli, Christian; Omasta, Michael (Hg.): *Aufbruch ins Ungewisse. Bd. 1. Österreichische Filmschaffende in der Emigration vor 1945. Bd. 2. Lexikon, Tributes, Selbstzeugnisse.* Wien: Wespennest 1993.

Coates, Paul: *The Gorgon's Gaze. German Cinema, Expressionism, and the Image of Horror.* Cambridge: Cambridge UP 1991 (Cambridge Studies in Film).

Corrigan, Timothy: *New German Film. The Displaced Image.* Erw. Ausgabe. Bloomington: Indiana UP 1994.

Courtade, Francis; Cadars, Pierre: *Le Cinéma nazi.* Paris: Le terrain vague / Losfeld 1972 (Collection cinémathèque de Toulouse).

Courtade, Francis; Cadars, Pierre: *Geschichte des Films im Dritten Reich.* Ü. v. Florian Hopf. Redaktion: Brigitte Straub. München: Hanser 1975. Gekürzte deutsche Ausgabe.

Dillmann-Kühn, Claudia: *Artur Brauner und die CCC. Filmgeschäft, Produktionsalltag, Studiogeschichte 1946–1990.* Mit einer Filmografie von Rüdiger Koschnitzki. Frankfurt: Deutsches Filmmuseum 1990.

Dittrich, Kathinka; Würzner, Hans (Hg.): *Die Niederlande und das deutsche Exil 1933–1940.* Königstein: Athenäum 1982.

Drewniak, Boguslaw: *Der deutsche Film 1938–1945. Ein Gesamtüberblick.* Düsseldorf: Droste 1987. Umfangreich.

Eisner, Lotte H.: *Die dämonische Leinwand.* Erweiterte Neuauflage. Frankfurt: Fischer 1980 (FTB 3660).

Elsaesser, Thomas: *Der Neue Deutsche Film. Von den Anfängen bis zu den neunziger Jahren.* München: Heyne 1994 (Heyne Filmbibliothek 209).

Esser, Michael (Red.): *Gleißende Schatten. Kamerapioniere der zwanziger Jahre.* Hg. v. Cinema Quadrat e.V., Mannheim. Berlin: Henschel 1994.

Fischer, Robert; Hembus, Joe: *Der Neue Deutsche Film 1960–1980.* München: Goldmann 1981 (Citadel Filmbücher Goldmann Magnum 10211).

Fischetti, Renate: *Das neue Kino. Acht Porträts von deutschen Regisseurinnen.* Dülmen: Tende 1992. Über Trotta, Dörrie, Sanders-Brahms, Sander, Ottinger, Stöckl, Brückner und Alemann.

Franklin, James C.: *New German Cinema. From Oberhausen to Hamburg.* Boston: Twayne 1983 (Twayne's Filmmakers Series).

Frieden, Sandra; McCormick, Richard W.; Petersen, Vibeke R.; Vogelsang, Laurie Melissa (Hg.): *Gender and German Cinema. Feminist Interventions. Bd. 1: Gender and Representation in New German Cinema. Bd. 2: German Film History / German History on Film.* Providence: Berg 1993 / 95.

Fritz, Walter: *Kino in Österreich 1896–1930. Der Stummfilm.* Wien: Österreichischer Bundesverlag 1981.

Fritz, Walter: *Kino in Österreich 1929–1945. Der Tonfilm.* Wien: Österreichischer Bundesverlag 1991.

Fritz, Walter: *Kino in Österreich 1945–1983. Film zwischen Kommerz und Avantgarde.* Wien: Österreichischer Bundesverlag 1984.

Greve, Ludwig; Pehle, Margot; Westhoff, Heidi (Red.): *Hätte ich das Kino! Die Schriftsteller und der Stummfilm.* Marbach: Schiller-Nationalmuseum 1976 (Sonderausstellungen des Schiller-Nationalmuseums. Katalog 27).

Güttinger, Fritz: *Der Stummfilm im Zitat der Zeit.* Frankfurt: Deutsches Filmmuseum 1984.

Güttinger, Fritz (Hg.): *Kein Tag ohne Kino.*

Schriftsteller über den Stummfilm. Textsammlung. Frankfurt: Deutsches Filmmuseum 1984.
Güttinger, Fritz: *Köpfen Sie mal ein Ei in Zeitlupe! Streifzüge durch die Welt des Stummfilms.* München: Fink 1992.
Hake, Sabine: *The Cinema's 3rd Machine. Writing on Film in Germany 1907–1933.* Lincoln: University of Nebraska Press 1993. Informativer Überblick über die Filmpublizistik vor 1933.
Hanisch, Michael: *Auf den Spuren der Filmgeschichte. Berliner Schauplätze.* Berlin: Henschel 1991.
Hauser, Johannes: *Neuaufbau der westdeutschen Filmwirtschaft 1945–1955 und der Einfluß der US-amerikanischen Filmpolitik. Vom reichseigenen Filmmonopolkonzern (UFI) zur privatwirtschaftlichen Konkurrenzwirtschaft.* Pfaffenweiler: Centaurus 1989 (Medienwissenschaft 1).
Heimann, Thomas: *DEFA, Künstler und SED-Kulturpolitik. Zum Verhältnis von Kulturpolitik und Filmproduktion in der SBZ/DDR 1945 bis 1959.* Berlin: Vistas 1994 (Beiträge zur Film- und Fernsehwissenschaft 46).
Hembus, Joe: *Der deutsche Film kann gar nicht besser sein. Ein Pamphlet von gestern. Eine Abrechnung von heute.* München: Rogner & Bernhard 1981. Eine klassische Polemik von 1961 mit Kommentaren zwanzig Jahre später.
Hembus, Joe; Bandmann, Christa: *Klassiker des Deutschen Tonfilms 1930–1960.* München: Goldmann 1980 (Citadel Filmbücher Goldmann Magnum 10207).
Hoffmann, Hilmar: *«Und die Fahne führt uns in die Ewigkeit». Propaganda im NS Film.* Frankfurt: Fischer 1988 (FTB 4404).
Höfig, Willi: *Der deutsche Heimatfilm 1947–1960.* Stuttgart: Enke 1973.
Horak, Jan-Christopher: *Anti-Nazi-Filme der deutschsprachigen Emigration von Hollywood 1939–1945.* Münster: MAkS 1984.
Horak, Jan-Christopher: *Fluchtpunkt Hollywood. Eine Dokumentation zur Filmemigration nach 1933.* 2. erw. Ausgabe. Münster: MAkS 1986.
Hurst, Heike; Gassen, Heiner (Hg.): *Kameradschaft – Querelle. Kino zwischen Deutschland und Frankreich.* München: CICIM 1991 (Revue CICIM 30/31/32).
Jacobsen, Wolfgang: *Erich Pommer. Ein Produzent macht Filmgeschichte.* Mit einer Filmografie von Jörg Schöning. Berlin/West: Argon 1989.
Jacobsen, Wolfgang (Hg.): *Babelsberg. Das Filmstudio.* 3. erw. Auflage. Berlin: Argon 1994.
Jacobsen, Wolfgang; Kaes, Anton; Prinzler, Hans Helmut (Hg.): *Geschichte des deutschen Films.* Stuttgart: Metzler 1993. Die einzige umfassende Darstellung zum Thema.
Jansen, Peter W.; Schütte, Wolfram (Hg.): *Film in der DDR.* München: Hanser 1977 (Reihe Film 13).
Jung, Uli (Hg.): *Der deutsche Film. Aspekte seiner Geschichte von den Anfängen bis zur Gegenwart.* Trier: WVT 1993.
Jung, Uli; Schatzberg, Walter (Hg.): *Filmkultur zur Zeit der Weimarer Republik.* München: Saur 1992.
Kaes, Anton: *Deutschlandbilder. Die Wiederkehr der Geschichte als Film.* München: edition text + kritik 1987.
Kalbus, Oskar: *Vom Werden deutscher Filmkunst. 1. Teil. Der stumme Film. 2. Teil. Der Tonfilm.* Altona-Bahrenfeld: Cigaretten-Bilderdienst 1935.
Kanzog, Klaus: *«Staatspolitisch besonders wertvoll». Ein Handbuch zu 30 deutschen Spielfilmen der Jahre 1934 bis 1945.* München: Diskurs Film 1994 (Diskurs Film Bibliothek 6).
Kersten, Heinz: *Das Filmwesen in der Sowjetischen Besatzungszone Deutschlands. 2 Bände: I. Textteil. – II. Anlagenteil.* Bonn: BM für gesamtdeutsche Fragen 1963 (Bonner Berichte aus Mittel- und Ostdeutschland). Ein frühes Standardwerk über den DEFA-Film.
Kluge, Alexander (Hg.): *Bestandsaufnahme: Utopie Film. Zwanzig Jahre neuer deutscher Film / Mitte 1983.* Frankfurt: Zweitausendeins 1983.
Koch, Krischan: *Die Bedeutung des «Oberhausener Manifestes» für die Filmentwicklung in der BRD.* Frankfurt: Lang 1985 (Europäische Hochschulschriften, Reihe XXX, Bd. 22).
Korte, Helmut (Hg.): *Film und Realität in der Weimarer Republik. Mit Analysen von «Kuhle Wampe» und «Mutter Krausens Fahrt ins Glück».* München: Hanser 1978.
Kracauer, Siegfried: *Von Caligari zu Hitler. Eine psychologische Geschichte des deutschen Films.* (From Caligari to Hitler, 1947). Frankfurt: Suhrkamp 1979 (Schriften 2). Anhang 1: Propaganda und der Nazikriegsfilm. Anhang 2: Filmkritiken 1924 bis 1939. Ein Klassiker über das Weimarer Kino, geschrieben 1941–46.
Kreimeier, Klaus: *Kino und Filmindustrie in der BRD. Ideologieproduktion und Klassenwirklichkeit nach 1945.* Kronberg: Scriptor 1973 (Taschenbuch S 11).
Kreimeier, Klaus: *Die Ufa-Story. Geschichte eines Filmkonzerns.* München: Heyne 1995 (Heyne Filmbibliothek 230).
Kreimeier, Klaus (Hg.): *Die Metaphysik des Dekors. Raum, Architektur und Licht im klassischen*

deutschen Stummfilm. Marburg: Schüren 1994 (Schriften der Friedrich Wilhelm Murnau Gesellschaft 3).

Kuball, Michael: *Familienkino. Geschichte des Amateurfilms in Deutschland.* 2 Bände. Reinbek: Rowohlt 1980 (rororo 7186/7).

Kurtz, Rudolf: *Expressionismus und Film.* 1926. Reprint: Zürich: Rohr 1965 (Filmwissenschaftliche Studientexte 1).

Ledig, Elfriede (Hg.): *Der Stummfilm. Konstruktion und Rekonstruktion.* München: Diskurs Film 1988 (Diskurs Film Bibliothek 2).

Leiser, Erwin: *«Deutschland, erwache!». Propaganda im Film des Dritten Reiches.* Mit einer Nachbetrachtung von Martin Greffrath. Reinbek: Rowohlt 1989 (rororo aktuell 12598).

Lewandowski, Rainer: *Die Oberhausener. Rekonstruktion einer Gruppe 1962–1982.* Diekholzen: Regie 1982.

Liebe, Ulrich: *Verehrt, verfolgt, vergessen. Schauspieler als Naziopfer.* Weinheim: Beltz Quadriga 1992.

Marquardt, Axel; Rathsack, Heinz (Hg.): *Preußen im Film.* Preußen – Versuch einer Bilanz, Band 5. Reinbek: Rowohlt 1981 (rororo Katalog).

Möhrmann, Renate: *Die Frau mit der Kamera. Filmemacherinnen in der Bundesrepublik Deutschland.* Situation, Perspektiven, 10 exemplarische Lebensläufe. München: Hanser 1980.

Monaco, Paul: *Cinema & Society. France and Germany During the Twenties.* New York: Elsevier 1976.

Mückenberger, Christiane (Hg.): *Prädikat: Besonders schädlich.* Berlin: Henschel 1990. Filmtexte und Dokumente zu den 1965 durch das II. Plenum des ZK der SED in der DDR verbotenen Filmen.

Mückenberger, Christiane; Jordan, Günter: *«Sie sehen selbst, Sie hören selbst…». Die DEFA von ihren Anfängen bis 1949.* Marburg: Hitzeroth 1994 (Aufblende. Schriften zum Film 7).

Müller, Corinna: *Frühe deutsche Kinematographie. Formale, wirtschaftliche und kulturelle Entwicklungen 1907–1912.* Stuttgart: Metzler 1994.

Murray, Bruce: *Film and the German Left in the Weimar Republic. From Caligari to Kuhle Wampe.* Austin: University of Texas Press 1990.

Murray, Bruce A.; Wickham, Christopher J. (Hg.): *Framing the Past. The Historiography of German Cinema and Television.* Carbondale: Southern Illinois UP 1992.

Ott, Frederick W.: *The Great German Films.* Secaucus: Citadel 1986.

Petermann, Werner; Thoms, Ralph (Hg.): *Kino-Fronten. 20 Jahre '68 und das Kino.* München: Trickster 1988.

Petro, Patrice: *Joyless Streets. Women and Melodramatic Representation in Weimar Germany.* Princeton: Princeton UP 1989.

Pflaum, Hans Günther; Prinzler, Hans Helmut: *Film in der Bundesrepublik Deutschland. Der neue deutsche Film von den Anfängen bis zur Gegenwart. Mit einem Exkurs über das Kino der DDR.* Ein Handbuch. Erweiterte Ausgabe. München: Hanser 1992.

Phillips, Klaus (Hg.): *New German Filmmakers. From Oberhausen Through the 1970s.* New York: Ungar 1984.

Pleyer, Peter: *Deutscher Nachkriegsfilm 1946–1948.* Münster: Fahle 1965 (Studien zur Publizistik 4).

Plummer, Thomas G., u. a. (Hg.): *Film and Politics in the Weimar Republic.* Minneapolis: University of Minnesota Press 1982.

Preschl, Claudia: *Frauen und Film und Video Österreich.* Wien: Filmladen 1986.

Prinzler, Hans Helmut; Rentschler, Eric (Hg.): *Augenzeugen. 100 Texte neuer deutscher Filmemacher.* Frankfurt: Verlag der Autoren 1988.

Reichmann, Hans-Peter; Worschech, Rudolf (Hg.): *Abschied vom Gestern. Bundesdeutscher Film der sechziger und siebziger Jahre.* Frankfurt: Deutsches Filmmuseum 1992.

Rentschler, Eric: *West German Film in the course of time. Reflections on the Twenty Years since Oberhausen.* Bedford Hills, NY: Redgrave 1984.

Rentschler, Eric (Hg.): *German Film and Literature. Adaptions and Transformations.* New York: Methuen 1986.

Richter, Rolf (Hg.): *DEFA-Spielfilm-Regisseure und ihre Kritiker.* 2 Bände. Berlin/DDR: Henschelverlag 1981/83. Porträts von 11 und 12 Regisseuren.

Rother, Reiner (Hg.): *Die Ufa 1917–1945. Das deutsche Bilderimperium.* 22 Magazine. Berlin: Deutsches Historisches Museum 1992.

Rülicke-Weiler, Käthe (Hg.): *Film- und Fernsehkunst der DDR. Traditionen – Beispiele – Tendenzen.* Berlin/DDR: Henschelverlag 1979. Eine öffiziöse Darstellung.

Sandford, John: *The New German Cinema.* London: Oswald Wolff 1980.

Schebera, Jürgen: *Damals in Neubabelsberg. Studios, Stars und Kinopaläste im Berlin der zwanziger Jahre.* Leipzig: Edition Leipzig 1990.

Schenk, Ralf (Red.): *Das zweite Leben der Filmstadt Babelsberg. DEFA-Spielfilme 1946–1992.*

Hg. v. Filmmuseum Potsdam. Berlin: Henschel 1994.
Schlüpmann, Heide: *Unheimlichkeit des Blicks. Das Drama des fruhen deutschen Kinos.* Basel, Frankfurt: Stroemfeld / Roter Stern 1990.
Schneider, Roland: *Histoire du cinéma allemand.* Paris: Éditions du Cerf 1990 (7Art).
Schöning, Jörg (Red.): *London Calling. Deutsche im britischen Film der dreißiger Jahre.* München: edition text + kritik 1993 (Ein CineGraph Buch).
Seidl, Claudius: *Der deutsche Film der fünfziger Jahre.* München: Heyne 1987 (Heyne Filmbibliothek 100).
Stettner, Peter: *Vom Trümmerfilm zur Traumfabrik. Die Junge Film-Union 1947–1952.* Hildesheim: Olms 1992.
Stooss, Toni, u. a. (Red.): *Erobert den Film! Proletariat und Film in der Weimarer Republik.* Hg. v. der Neuen Gesellschaft für Bildende Künste und den Freunden der Deutschen Kinemathek. Berlin / West: NGBK 1977 (Materialien zur Filmgeschichte 7).
Traub, Hans (Hg.): *Die Ufa. Ein Beitrag zur Entwicklungsgeschichte des deutschen Filmschaffens.* Berlin: Ufa-Buchverlag 1943. Die offizielle Geschichte zum 25. Jubiläum.
Usai, Paolo Cherchi; Codelli, Lorenzo (Hg.): *Prima di Caligari / Before Caligari. German Cinema 1895–1920.* Pordenone: Edizioni Biblioteca dell'Imagine 1990.
Welch, David: *Propaganda and the German Cinema 1933–1945.* Oxford: Clarendon Press 1983.
Wetzel, Kraft; Hagemann, Peter A.: *Zensur. Verbotene deutsche Filme 1933–1945.* Berlin / West: Spiess 1978.
Wilkening, Albert: *Geschichte der DEFA von 1945–1950.* Potsdam-Babelsberg: DEFA Studio für Spielfilme 1981 (Betriebsgeschichte des VEB DEFA Studio für Spielfilme 1).
Wilkening, Albert: *Die DEFA in der Etappe von 1950 bis 1953.* Potsdam-Babelsberg: DEFA Studio für Spielfilme 1984 (Betriebsgeschichte des VEB DEFA Studio für Spielfilme 2).
Wulf, Joseph (Hg.): *Theater und Film im Dritten Reich. Eine Dokumentation.* Gütersloh: Sigbert Mohn 1964.
Zilinski, Lissi, u. a. (Hg.): *Spielfilme der DEFA im Urteil der Kritik.* Berlin / DDR: Henschelverlag 1970.

1.4.5.7 Frankreich

Abel, Richard: *French Cinema. The First Wave, 1915–1929.* Princeton: Princeton UP 1984.
Abel, Richard: *French Film Theory and Criticism. A History / Anthology. 1907–1939.* 2 Bände. Princeton: Princeton UP 1993.
Abel, Richard: *The Ciné Goes to Town. French Cinema 1896–1914.* Berkeley: University of California Press 1994.
Albersmeier, Franz-Josef: *Die Herausforderung des Films an die französische Literatur. Entwurf einer «Literaturgeschichte des Films». Band 1: Die Epoche des Stummfilms (1895–1930).* Heidelberg: Winter 1985 (Reihe Siegen 49).
Albersmeier, Franz-Josef: *Theater, Film und Literatur in Frankreich. Medienwechsel und Intermedialität.* Darmstadt: Wissenschaftliche Buchgesellschaft 1992.
Armes, Roy: *French Cinema.* London: Secker & Warburg 1985.
Bandy, Mary Lea: *Rediscovering French Film. The Museum of Modern Art, New York.* New York Graphic Society 1983.
Birnbaum, Michel (Hg.): *Décors de Cinéma. Les studios français de Méliès à nos jours.* Paris: Éditions du Collectionneur 1993.
Buache, Freddy: *Le Cinéma français des Années 60.* Renens: FOMA – 5 Continents 1987 (Bibliothèque du cinéma).
Chirat, Raymond: *Le Cinéma français des Années 30.* Renens: FOMA – 5 Continents 1983 (Bibliothèque du cinéma).
Chirat, Raymond: *Le Cinéma français des Années de Guerre.* Renens: FOMA – 5 Continents 1983 (Bibliothèque du cinéma).
Chirat, Raymond: *La IVe République et ses films.* Renens: FOMA – 5 Continents 1985 (Bibliothèque du cinéma).
Ehrlich, Evelyn: *Cinéma of Paradox. French Filmmaking under the German Occupation.* New York: Columbia UP 1985.
Filminstitut der Landeshauptstadt Düsseldorf (Hg.): *Cinéma Muet. Materialien zum französischen Stummfilm. 1. Teil Die Pioniere. Die Erste Avantgarde. 2. Teil Louis Feuillade. Der phantastische Realismus. 3. Teil Inkunabeln. Film d'art. Marginalien. Gesamtregister.* Düsseldorf: Filminstitut der Landeshauptstadt Düsseldorf 1976–83.
Hayward, Susan: *French National Cinema.* London: Routledge 1993.
Monaco, James: *The New Wave. Truffaut, Godard, Chabrol, Rohmer, Rivette.* New York: Oxford UP 1977.
Monaco, Paul: *Cinema & Society. France and Germany During the Twenties.* New York: Elsevier 1976.

Reichow, Joachim (Hg.): *Film in Frankreich.* Berlin/DDR: Henschelverlag 1983.
Sadoul, Georges: *Le Cinéma français (1890–1962).* Paris: Flammarion 1962.

1.4.5.8 Großbritannien und Irland

Armes, Roy: *A Critical History of British Cinema.* London: Secker & Warburg 1978 (Cinema 2).
Barr, Charles: *Ealing Studios.* Newton Abbot: David & Charles 1977.
Barr, Charles (Hg.): *All Our Yesterdays. 90 Years of British Cinema.* London: British Film Institute 1986.
Brown, Geoff; Kardish, Laurence: *Michael Balcon: The Pursuit of British Cinema.* Mit Beiträgen von David Putnam und Adrienne Mancia. New York: Museum of Modern Art 1984.
Chanan, Michael: *The Dream That Kicks. The Prehistory and Early Years of the Cinema in Britain.* London: Routledge & Kegan Paul 1979.
Durgnat, Raymond: *A Mirror for England.* London: Faber and Faber 1970.
Eberts, Jake; Ilott, Terry: *My Indecision Is Final. The Rise and Fall of Goldcrest Films.* London: Faber and Faber 1990.
Hacker, Jonathan; Price, David: *Take Ten. Contemporary British Film Directors.* Oxford: Clarendon Press 1991. Essays und Interviews: Anderson, Attenborough, Forsyth, Frears, Greenaway, Jarman, Loach, Parker, Roeg, Schlesinger.
Harper, Sue: *Picturing the Past. The Rise and Fall of the British Costume Film.* London: British Film Institute 1994.
Landy, Marcia: *British Genres. Cinema and Society, 1930–1960.* Princeton: Princeton UP 1991.
Low, Rachael; Manvell, Roger: *The History of the British Film 1896–1906.* London: Allen & Unwin 1948.
Low, Rachael: *The History of the British Film 1906–1914.* London: Allen & Unwin 1949.
Low, Rachael: *The History of the British Film 1914–1918.* London: Allen & Unwin 1950.
Low, Rachael: *The History of the British Film 1918–1929.* London: Allen & Unwin 1971.
Low, Rachael: *The History of the British Film 1929–1939. Film Making in 1930s Britain.* London: Allen & Unwin 1985. Der abschließende Band der detaillierten englischen Filmgeschichte.
McIlroy, Brian: *Ireland.* Trowbridge: Flicks Books 1988 (World Cinema, Band 4).
Murphy, Robert: *Sixties British Cinema.* London: British Film Institute 1992.
Orbanz, Eva: *Eine Reise in die Legende und zurück. Der realistische Film in Großbritannien.* Berlin/West: Spiess 1977. Drei Aufsätze, ein Tagebuch, zwölf Interviews und Bio-, Filmo-, Bibliografien.
Rockett, Kevin; Gibbons, Luke; Hill, John: *Cinema and Ireland.* London: Croom Helm 1987.
Slide, Anthony: *Fifty Classic British Films 1932–1982. A Pictorial Record.* New York: Dover 1985.
Slide, Anthony: *The Cinema and Ireland.* Jefferson: McFarland 1988.
Warren, Patricia: *Elstree. The British Hollywood.* London: Columbus Books 1988.

1.4.5.9 USA und Kanada

Anbinder, Paul (Hg.): *Before Hollywood. Turn-of-the-Century American Film.* New York: Hudson Hills Press 1987.
Anger, Kenneth: *Hollywood Babylon. 2 Bände.* München: Rogner & Bernhard / Zweitausendeins 1986.
Balio, Tino: *Grand Design. Hollywood as a Modern Business Enterprise, 1930–1939.* New York: Charles Scribner's Sons 1993 (History of the American Cinema 5).
Biskind, Peter: *Seeing Is Believing. How Hollywood Taught Us to Stop Worrying and Love the Fifties.* New York: Pantheon 1983.
Bowser, Eileen: *The Transformation of Cinema 1907–1915.* New York: Charles Scribner's Sons 1990 (History of the American Cinema 2).
Brownlow, Kevin: *The Parade's Gone By…* London: Secker & Warburg 1968. Interessante, lebendige Geschichte des Stummfilms; sehr empfehlenswert.
Brownlow, Kevin: *The War, the West and the Wilderness.* London: Secker & Warburg 1979.
Brownlow, Kevin: *Behind the Mask of Innocence. Sex, Violence, Prejudice, Crime: Films of Social Conscience in the Silent Era.* London: Jonathan Cape 1990.
Brownlow, Kevin; Kobal, John (Abb.): *Hollywood. The Pioneers.* London: Collins 1979. Begleitband zur TV-Serie.
Cowie, Peter (Hg.): *Hollywood 1920–1970.* London: Tantivy 1975. Sammelband von populären Monografien von John Baxter, Gordon Gow, Charles Higham, Joel Greenberg, Les Keyser, David Robinson.
Doherty, Thomas: *Projections of War. Hollywood and American Culture, 1941–1945.* New York: Columbia UP 1993.
Everson, William K.: *American Silent Film.* New

York: Oxford UP 1978. Eine wertvolle Geschichtsdarstellung.

Feldman, Seth; Nelson, Joyce (Hg.): *Canadian Film Reader.* Toronto: Peter Martin 1977.

Friedrich, Otto: *City of Nets. A Portrait of Hollywood in the 1940's.* New York: Harper & Row 1986.

Garel, Sylvain; Pâquet, André (Dir.): *Les cinémas du Canada.* Paris: Centre Georges Pompidou 1992 (cinéma/pluriel).

Hampton, Benjamin: *History of the American Film Industry from Its Beginnings to 1931.* 1931. Reprint. New York: Dover 1970.

Hochman, Stanley (Hg.): *American Film Directors. A Library of Film Criticism.* New York: Ungar 1974. Wie ein Lexikon angelegt: 61 Regisseure, Filmografien, Auszüge aus Rezensionen.

Jacobs, Diane: *Hollywood Renaissance.* New York: Delta Books 1980. Coppola, Scorsese, Ritchie und die Generation der siebziger Jahre.

Jacobs, Lewis: *The Rise of the American Film.* 1939. Reprint. New York: Teachers College Press 1969. Eine klassische Geschichte des frühen amerikanischen Films.

James, David E.: *Allegories of Cinema. American Film in the Sixties.* Princeton: Princeton UP 1989. Der unabhängige Film in den USA von Brakhage und Warhol bis zum radikalen Politkino.

Jansen, Peter W.; Schütte, Wolfram (Hg.): *New Hollywood.* München: Hanser 1976 (Reihe Film 10).

Kanin, Garson: *Hollywood. Stars and Starlets, Tycoons and Flesh-Peddlers, Moviemakers and Money-makers, Frauds and Geniuses, Hopefuls and Has-Beens, Great Lovers and Sex Symbols.* New York: Viking 1974. Der Titel sagt alles.

Kennedy, Joseph P. (Hg.): *The Story of the Films.* Chicago: A. W. Shaw 1927. Die Theorie der Produzenten, mit Beiträgen von Hays, Zukor, Lasky, DeMille, Loew, Fox, Warner u. a.

Koppes, Clayton R.; Black, Gregory D.: *Hollywood Goes to War. How Politics, Profits and Propaganda Shaped World War II.* Berkeley: University of California Press 1990.

Koszarski, Richard (Hg.): *Hollywood Directors 1914–1940. Hollywood Directors 1941–1976.* New York: Oxford UP 1976/77. Zwei interessante Anthologien mit zeitgenössischen Artikeln amerikanischer Regisseure.

Koszarski, Richard: *The Astoria Studio and Its Fabulous Films. A Picture History.* New York: Dover 1983.

Koszarski, Richard: *An Evening's Entertainment. The Age of the Silent Feature Picture, 1915–1928.* New York: Charles Scribner's Sons 1990 (History of the American Cinema 3).

Litwak, Mark: *Reel Power. The Struggle for Influence and Success in the New Hollywood.* New York: William Morrow 1986.

Lyons, Donald: *Independent Visions. A Critical Introduction to Recent Independent American Film.* New York: Ballantine 1994.

McCarthy, Todd; Flynn, Charles (Hg.): *Kings of the B's. Working within the Hollywood System.* New York: Dutton 1975. Eine Sammlung mit Aufsätzen über B-Regisseure.

McClintick, David: *Indecent Exposure. A True Story of Hollywood & Wall Street.* New York: William Morrow 1982. Die Begelmann-Affäre als Sinnbild des heutigen Hollywood.

Morden, Ethan: *The Hollywood Studios. House Style in the Golden Age of the Movies.* New York: Knopf 1988.

Morris, Peter: *Embattled Shadows. A History of Canadian Cinema 1895–1939.* Montreal: McGill-Queens UP 1978.

Musser, Charles: *The Emergence of Cinema. The American Screen to 1907.* New York: Charles Scribner's Sons 1990 (History of the American Cinema 1).

Naumburg, Nancy (Hg.): *We Make the Movies.* New York: Norton 1937. Hollywood-Filmemacher beschreiben ihre Arbeit, mit Beiträgen von Jesse L. Lasky, Hans Dreier, Bette Davis, Paul Muni, Max Steiner, Walt Disney u. a.

O'Dell, Paul: *Griffith and the Rise of Hollywood.* London: Tantivy 1970.

Parrish, Robert: *Growing Up in Hollywood.* New York: Harcourt Brace Jovanovich 1976.

Pendakur, Manjunath: *Canadian Dreams & American Control. The Political Economy of the Canadian Film Industry.* Detroit: Wayne State UP 1990.

Polan, Dana: *Power and Paranoia. History, Narrative and the American Cinema, 1940–1950.* New York: Columbia UP 1986.

Powdermaker, Hortense: *Hollywood. The Dream Factory.* 1924. Reprint. New York: Arno Press 1979.

Pye, Michael; Myles, Lynda: *The Movie Brats. How the Film Generation Took Over Hollywood.* London: Faber and Faber 1979. Über Coppola, Lucas, DePalma, Milius, Scorsese, Spielberg u. a.

Ramsaye, Terry: *A Million and One Nights. A History of the Motion Picture through 1925.* 1926. Reprint. New York: Simon & Schuster 1986. Eine umfangreiche Geschichte der Frühzeit.

Ray, Robert B.: *A Certain Tendency of the Hollywood Cinema, 1930–1980.* Princeton: Princeton UP 1985.
Sarris, Andrew: *The American Cinema. Directors and Directions: 1929–1968.* New York: Dutton 1968. Sarris' «Pantheon», kritische Bemerkungen zu etwa zweihundert Regisseuren, Chronologie und Filmografie.
Schatz, Thomas: *The Genius of the System. Hollywood Filmmaking in the Studio Era.* New York: Pantheon 1988.
Sklar, Robert: *Movie-Made America. A Cultural History of American Movies.* Erw. Ausgabe. New York: Vintage 1994.
Slide, Anthony: *Early American Cinema.* London: Tantivy 1970.
Slide, Anthony: *Engel vom Broadway oder Der Einzug der Frauen in die Filmgeschichte.* Münster: Tende 1982.
Slide, Anthony: *The American Film Industry. A Historical Dictionary.* New York: Limelight Editions 1990. Ein nützliches Nachschlagewerk.
Staiger, Janet (Hg.): *The Studio System.* New Brunswick: Rutgers UP 1994 (Depth of Field Series).
Stanley, Robert H.: *The Celluloid Empire. A History of the American Movie Industry.* New York: Hastings House 1978.
Thomson, David: *Overexposures. The Crisis in American Filmmaking.* New York: William Morrow 1987.
Usai, Paolo Cherchi; Codelli, Lorenzo (Hg.): *Sulla via di Hollywood / The Path to Hollywood 1911–1920.* Pordenone: Edizioni Biblioteca dell'Imagine 1988.
Wood, Robin: *Hollywood from Vietnam to Reagan.* New York: Columbia UP 1985.

1.4.6 Filmemacher

Achternbusch, Herbert
Drews, Jörg (Hg.): *Herbert Achternbusch.* Frankfurt: Suhrkamp 1982 (st materialien 2015).
Jansen, Peter W.; Schütte, Wolfram (Hg.): *Herbert Achternbusch.* München: Hanser 1984 (Reihe Film 32).
Alekan, Henri
Alekan, Henri: *Des lumières et des ombres.* Neuausgabe. Paris: La Librairie du Collectionneur 1991.
Allen, Woody
Allen, Woody: *Four Films of Woody Allen. Annie Hall – Interiors – Manhattan – Stardust Memories.* New York: Random House 1982. Deutsche Ausgaben der Filmtexte von Woody Allen sind als Diogenes-Taschenbücher erschienen.
Allen, Woody: *Das BilderLeseBuch.* (The Illustrated Woody Allen Reader). Hg. v. Linda Sunshine. München: Kindler 1994.
Björkman, Stig: *Woody Allen on Woody Allen. In Conversation with Stig Björkman.* London: Faber and Faber 1994.
Felix, Jürgen: *Woody Allen. Komik und Krise.* Marburg: Hitzeroth 1993 (Aufblende. Schriften zum Film 3).
Girgus, Sam B.: *The Films of Woody Allen.* Cambridge: Cambridge UP 1993 (Cambridge Film Classics).
Altman, Robert
Jansen, Peter W.; Schütte, W. (Hg.): *Robert Altman.* München: Hanser 1981 (Reihe Film 25).
Keyssar, Helene: *Robert Altman's America.* New York: Oxford UP 1991.
McGilligan, Patrick: *Robert Altman. Jumping Off the Cliff.* New York: St. Martin's Press 1989.
Antonioni, Michelangelo
Chatman, Seymour: *Antonioni, or the Surface of the World.* Berkeley: University of California Press 1985.
Jansen, Peter W.; Schütte, Wolfram (Hg.): *Michelangelo Antonioni.* München: Hanser 1984 (Reihe Film 31).
Kock, Bernhard: *Michelangelo Antonionis Bilderwelt. Eine phänomenologische Studie.* München: Diskurs Film 1994 (Diskurs Film Bibliothek 8).
Rohdie, Sam: *Antonioni.* London: British Film Institute 1990.
Schüler, Rolf (Red.): *Antonioni. Die Kunst der Veränderung.* Berlin: Berliner Filmkunsthaus Babylon 1993.
Berger, Ludwig
Berger, Ludwig: *Wir sind vom gleichen Stoff, aus dem die Träume sind. Summe eines Lebens.* Tübingen: Wunderlich 1953. Memoiren.
Bock, Hans-Michael; Jacobsen, Wolfgang (Red.): *Ludwig Berger.* Hamburg: CineGraph / Berlin: Stiftung Deutsche Kinemathek 1992 (FilmMaterialien 1).
Bergman, Ingmar
Åhlander, Lars (Hg.): *Gaukler im Grenzland. Ingmar Bergman.* Berlin: Henschel 1993.
Bergman, Ingmar: *Bilder.* Köln: Kiepenheuer & Witsch 1990.
Bergman, Ingmar: *Mein Leben.* Reinbek: Rowohlt 1992 (rororo 13098).
Björkman, Stig; Manns, Thorsten; Sima, Jonas: *Bergman über Bergman.* München: Hanser 1976. Interviews mit Bergman.

Kaminsky, Stuart; Hill, Joseph F. (Hg.): *Ingmar Bergman. Essays in Criticism.* New York: Oxford UP 1975.

Lange-Fuchs, Hauke: *Ingmar Bergman. Seine Filme – sein Leben.* München: Heyne 1988 (Heyne Filmbibliothek 119).

Weise, Eckhard: *Ingmar Bergman.* Reinbek: Rowohlt 1987 (rowohlts monographien 366).

Bertolucci, Bernardo

Jansen, Peter W.; Schütte, W. (Hg.): *Bernardo Bertolucci.* München: Hanser 1982 (Reihe Film 24).

Kolker, Robert Philip: *Bernardo Bertolucci.* New York: Oxford UP 1985.

Ungari, Enzo; Ranvand, Donald: *Bertolucci by Bertolucci.* London: Plexus 1987.

Beyer, Frank

Schenk, Ralf: *Regie: Frank Beyer.* Berlin: Hentrich 1995.

Bogart, Humphrey

Benchley, Nathaniel: *Bogart.* Boston: Little, Brown 1975. Eine der wenigen empfehlenswerten Untersuchungen über eine Star-Karriere.

Coe, Jonathan: *Humphrey Bogart. As time goes by.* Eine Bildbiografie. München: Heyne 1991 (Collection Rolf Heyne).

Jansen, Peter W.; Schütte, Wolfram (Hg.): *Humphrey Bogart.* 3. erw. Auflage. München: Hanser 1985 (Reihe Film 8).

Bois, Curt

Bois, Curt: *Zu wahr, um schön zu sein.* 2. erw. Ausgabe. Mitarbeit: Gerold Ducke. Berlin / DDR: Henschelverlag 1982.

Schwab, Lothar (Red.): *Curt Bois.* Berlin / West: Stiftung Deutsche Kinemathek 1983 (Sechs Schauspieler aus Deutschland).

Brando, Marlon

Brando, Marlon: *Mein Leben. Aufgezeichnet von Robert Lindsey.* München: Bertelsmann 1994.

Manso, Peter: *Brando. The Biography.* New York: Hyperion 1994.

Schickel, Richard: *Marlon Brando. Tango des Lebens.* München: Heyne 1994 (Heyne Filmbibliothek 218).

Bresson, Robert

Bresson, Robert: *Noten zum Kinematographen.* München: Hanser 1980 (Arbeitshefte Film 4).

Jansen, Peter W.; Schütte, W. (Hg.): *Robert Bresson.* München: Hanser 1978 (Reihe Film 15).

Prédal, René: *Robert Bresson. L'aventure intérieure.* Paris: L'avant-scène 1992.

Brooks, Louise

Brooks, Louise: *Lulu in Berlin und Hollywood.* München: Schirmer / Mosel 1983. Gesammelte Aufsätze des eigenwilligen Stars.

Paris, Barry: *Louise Brooks.* New York: Knopf 1989.

Buñuel, Luis

Buñuel, Luis: *Mein letzter Seufzer. Erinnerungen.* (Mon dernier soupir, 1982). Königstein: Athenäum 1983.

Buñuel, Luis: *Die Flecken der Giraffe. Ein- und Überfälle.* Berlin: Wagenbach 1991. Gesammelte Aufsätze zu Literatur und Kino.

David, Yasha: *¿Buñuel! Auge des Jahrhunderts.* Bonn: Kunst- und Ausstellungshalle der Bundesrepublik Deutschland 1994.

Jansen, Peter W.; Schütte, Wolfram (Hg.): *Luis Buñuel.* 2. erw. Ausgabe. München: Hanser 1980 (Reihe Film 6).

Link-Heer, Ursula; Roloff, Volker (Hg.): *Luis Buñuel. Film – Literatur – Intermedialität.* Darmstadt: Wissenschaftliche Buchgesellschaft 1994.

Pérez Turrent, Tomàs; Colina, José de la: *Conversations avec Luis Buñuel. Il est dangereux de se pencher au-dedans.* Paris: Cahiers du cinéma 1993.

Capra, Frank

Capra, Frank: *Autobiographie.* (The Name Above the Title, 1971). Zürich: Diogenes 1992.

McBride, Joseph: *Frank Capra. The Catastrophe of Success.* New York: Simon & Schuster 1992.

Carné, Marcel

Schneider, Manfred: *Die Kinder des Olymp. Der Triumph der Schaulust.* Frankfurt: Fischer 1985 (FTB 4461).

Turk, Edward Baron: *Child of Paradise. Marcel Carné and the Golden Age of French Cinema.* Cambridge, MA: Harvard UP 1989.

Cassavetes, John

Carney, Ray: *The Films of John Cassavetes. Pragmatism, Modernism, and the Movies.* Cambridge: Cambridge UP 1994 (Cambridge Film Classics).

Jansen, Peter W.; Schütte, W. (Hg.): *John Cassavetes.* München: Hanser 1983 (Reihe Film 29).

Lang, Andrea; Seiter, Bernhard (Hg.): *John Cassavetes. DirActor.* Wien: PVS 1993.

Chabrol, Claude

Jansen, Peter W.; Schütte, Wolfram (Hg.): *Claude Chabrol.* 2. erw. Ausgabe. München: Hanser 1986 (Reihe Film 5).

Chaplin, Charles

Chaplin, Charles: *Die Geschichte meines Lebens.* Frankfurt: Fischer 1977 (FTB 4460).

Gersch, Wolfgang: *Chaplin in Berlin. Illustrierte Miniatur nach Berliner Zeitungen von 1931.* Berlin / DDR: Henschelverlag 1988.

Maland, Charles J.: *Chaplin and American Culture.* Princeton: Princeton UP 1991.
Robinson, David: *Chaplin. The Mirror of Opinion.* Bloomington: Indiana UP 1984.
Robinson, David: *Chaplin. Sein Leben, seine Kunst.* Zürich: Diogenes 1993 (detebe 22571).
Tichy, Wolfram: *Charlie Chaplin.* Reinbek: Rowohlt 1974 (rowohlts monographien 219).
Wiegand, Wilfried (Hg.): *Über Chaplin.* Zürich: Diogenes 1978 (detebe 159). Sammlung von Aufsätzen.

Cocteau, Jean

Cocteau, Jean: *Gespräche über den Film.* Hg. v. André Fraigneau. Esslingen: Bechtle 1954.
Cocteau, Jean: *Kino und Poesie. Notizen.* Hg. v. Klaus Eder. München: Hanser 1979.
Steegmuller, Francis: *Cocteau. A Biography.* London: Constable 1986.

Coppola, Francis Ford

Cowie, Peter: *Coppola.* London: Faber and Faber 1990.
Goodwin, Michael; Wise, Naomi: *On the Edge. The Life & Times of Francis Ford Coppola.* New York: Morrow 1989.
Jansen, Peter W.; Schütte, Wolfram (Hg.): *Francis Ford Coppola.* München: Hanser 1985 (Reihe Film 33).

Cukor, George

Lambert, Gavin: *On Cukor.* New York: Capricorn Books 1973.
McGilligan, Patrick: *George Cukor: A Double Life. A Biography of the Gentleman Director.* New York: St. Martin's Press 1991.

DeMille, Cecil B.

Usai, Paolo Cherchi; Codelli, Lorenzo (Hg.): *L'eredità DeMille / The DeMille Legacy.* Pordenone: Edizioni Biblioteca dell'Imagine 1991.

Dieterle, William

Dumont, Hervé: *William Dieterle. Antifascismo y compromiso romàntico.* Madrid: Filmoteca Española 1994.
Mierendorff, Marta: *William Dieterle. Der Plutarch von Hollywood.* Mit einer Studie von Jackie O'Dell. Berlin: Henschel 1993.

Dietrich, Marlene

Bach, Steven: *Marlene Dietrich. Die Legende. Das Leben.* Düsseldorf: Econ 1993.
Riva, Maria: *Meine Mutter Marlene.* München: Goldmann 1994 (Goldmann TB 42616). Enthält zahlreiche Originaldokumente und Briefe.
Seydel, Renate: *Marlene Dietrich. Eine Chronik ihres Lebens in Bildern und Dokumenten.* Berlin / DDR: Henschelverlag 1984.
Sudendorf, Werner (Hg.): *Marlene Dietrich. Dokumente, Essays, Filme.* Erw. Ausgabe. Frankfurt: Ullstein 1980 (Ullstein TB 27506).

Disney, Walt

Eliot, Marc: *Walt Disney. Genie im Zwielicht.* München: Heyne 1994.
Finch, Christopher: *The Art of Walt Disney. From Mickey Mouse to the Magic Kingdoms.* New York: Abradale Press 1983. Die offizielle Geschichte.
Reitberger, Reinhold: *Walt Disney.* Reinbek: Rowohlt 1979 (rowohlts monographien 226).
Smoodin, Eric: *Disney Disclosure. Producing the Magic Kingdom.* New York: Routledge 1994 (AFI Film Readers).
Storm, J. P.; Dreßler, Mario: *Im Reiche der Micky Maus. Walt Disney in Deutschland 1927–1945.* Berlin: Henschel 1991.

Dovzenko, Aleksandr

Dovzhenko, Alexander: *The Poet as Filmmaker. Selected Writings.* Hg. v. Marco Carynnyk. Boston: M.I.T. Press 1973.
Kepley Jr., Vance: *In the Service of the State. The Cinema of Alexander Dovzhenko.* Madison: University of Wisconsin Press 1986.

Dreyer, Carl Theodor

Bordwell, David: *The Films of Carl Theodor Dreyer.* Berkeley: University of California Press 1981.
Carney, Raymond: *Speaking the Language of Desire. The Films of Carl Theodor Dreyer.* Cambridge: Cambridge UP 1989.
Dreyer, Carl Th.: *Dreyer in Double Reflection.* (Om Filmen). Hg. v. Donald Skoller. New York: Dutton 1973.
Dreyer, Carl Th.: *Œuvres cinématographiques 1926–1934.* Hg. v. Maurice Drouzy und Charles Tesson. Paris: Cinémathèque française 1983. Drehbücher und Kommentare zu La Passion de Jeanne d'Arc, Vampyr u. a.

Dupont, Ewald André

Bretschneider, Jürgen (Red.): *Ewald André Dupont. Autor und Regisseur.* München: edition text + kritik 1992 (Ein CineGraph Buch).

Eisenstein, Sergej M.

Barna, Yon: *Eisenstein.* London: Secker & Warburg 1973 (Cinema Two).
Dillmann-Kuhn, Claudia (Red.): *Sergej Eisenstein im Kontext der russischen Avantgarde 1920–1925.* Frankfurt: Deutsches Filmmuseum 1929 (Kinematograph 8).
Eisenstein, Sergej: *Yo. Ich selbst. Memoiren.* 2 Bände. Hg. v. Naum Klejman, Walentina Korschunowa. Berlin / DDR: Henschelverlag 1984. Siehe auch Abt. 1.5 Filmtheorie.

Seton, Marie: *Sergei M. Eisenstein. A Biography.* 1952. Erw. Neuausgabe. London: Dobson 1978.
Sklovskij, Viktor: *Eijzenstein.* Reinbek: Rowohlt 1977 (das neue buch 55).
Sudendorf, Werner: *Eisenstein, Sergej M. Materialien zu Leben und Werk.* Mitarbeit: Naum I. Klejman, Hans-Joachim Schlegel. München: Hanser 1975 (Reihe Hanser, Filmbibliothek RH 157). Detaillierte Chronik und Bibliografie, empfehlenswert.

Fassbinder, Rainer Werner

Fassbinder, Rainer Werner: *Filme befreien den Kopf. Essays und Arbeitsnotizen.* Hg. v. Michael Töteberg. Frankfurt: Fischer 1984 (FTB 3672).
Fassbinder, Rainer Werner: *Die Anarchie der Phantasie. Gespräche und Interviews.* Hg. v. Michael Töteberg. Frankfurt: Fischer 1986 (FTB 4462).
Jansen, Peter W.; Schütte, Wolfram (Hg.): *Rainer Werner Fassbinder.* 5. erw. Auflage. München: Hanser 1985 (Reihe Film 2).
Schmid, Marion; Gehr, Herbert (Red.): *Rainer Werner Fassbinder. Dichter, Schauspieler, Filmemacher. Werkschau.* Hg. v. d. Rainer Werner Fassbinder Foundation. Berlin: Argon 1992.
Thomsen, Christian Braad: *Rainer Werner Fassbinder. Leben und Werk eines maßlosen Genies.* Hamburg: Rogner & Bernhard 1993.

Fechner, Eberhard

Netenjakob, Egon: *Eberhard Fechner. Lebensläufe dieses Jahrhunderts im Film.* Weinheim: Quadriga 1989.

Fellini, Federico

Bondarella, Peter: *The Cinema of Federico Fellini.* Princeton: Princeton UP 1992.
Chandler, Charlotte: *Ich, Fellini.* München: Herbig 1994.
Fellini, Federico: *Werkausgabe der Drehbücher und Schriften.* Ca. 18 Bände. Hg. v. Christian Strich. Zürich: Diogenes 1972ff (detebe 55/1ff).
Fellini, Federico: *Federico Fellinis Filme.* Zürich: Diogenes 1977. Foto-Filmografie.
Kezich, Tullio: *Fellini. Eine Biographie.* Zürich: Diogenes 1989.
Töteberg, Michael: *Federico Fellini.* Reinbek: Rowohlt 1989 (rowohlts monographien 455).

Fischinger, Oskar

Gehr, Herbert (Red.): *Optische Poesie. Oskar Fischinger. Leben und Werk.* Frankfurt: Deutsches Filmmuseum 1993 (Kinematograph 9).

Flaherty, Robert

Barsam, Richard: *The Vision of Robert Flaherty. The Artist as Myth and Filmmaker.* Bloomington: Indiana UP 1988.
Klaue, Wolfgang; Leyda, Jay (Red.): *Robert Flaherty.* Berlin/DDR: Henschelverlag 1964.

Ford, John

Anderson, Lindsay: *About John Ford...* London: Plexus 1981.
Bogdanovich, Peter: *John Ford.* Erw. Ausgabe. Berkeley: University of California Press 1978. Interview und Filmografie.
Gallagher, Tag: *John Ford. The Man and His Work.* Berkeley: University of California Press 1985.
McBride, Joseph; Wilmington, Michael: *John Ford.* London: Secker & Warburg 1974 (Cinema Two).
Sarris, Andrew: *The John Ford Movie Mystery.* London: Secker & Warburg 1976 (Cinema One 27).
Sinclair, Andrew: *John Ford.* London: Allen & Unwin 1979.

Fuller, Samuel

Berg, Ulrich von; Grob, Norbert (Hg.): *Fuller.* München: Filmland Presse 1984 (Edition Filme 1).
Fuller, Samuel: *Il était une fois... Histoires d'Amérique.* Racontées à Jean Narboni et Noel Simsolo. Paris: Cahiers du cinéma 1986.

Gance, Abel

Brownlow, Kevin: *Napoleon. Abel Gance's Classic Film.* London: Jonathan Cape 1983.
King, Norman: *Abel Gance.* London: British Film Institute 1984.

Garbo, Greta

Broman, Sven: *Conversations with Greta Garbo.* New York: Viking 1992.

Gerron, Kurt

Felsmann, Barbara; Prümm, Karl: *Kurt Gerron – Gefeiert und gejagt. 1897–1944. Das Schicksal eines deutschen Unterhaltungskünstlers.* Berlin: Hentrich 1992 (Reihe Deutsche Vergangenheit 63).

Geschonneck, Erwin

Geschonneck, Erwin: *Meine unruhigen Jahre.* Hg. v. Günter Agde. 1984. Erw. Neuausgabe. Berlin: Aufbau 1993 (AtV 152). Die Memoiren des Stars des DDR-Films, u. a. über Exil und KZ-Zeit.

Godard, Jean-Luc

Bellour, Raymond; Bandy, Mary Lea (Hg.): *Jean-Luc Godard. Son + Image 1974–1991.* New York: Museum of Modern Art 1992.
Bergala, Alain (Hg.): *Jean-Luc Godard par Jean-Luc Godard.* Paris: Cahiers du cinéma 1985.
Jansen, Peter W.; Schütte, W. (Hg.): *Jean-Luc Godard.* München: Hanser 1979 (Reihe Film 19).
McCabe, Colin: *Godard: Images, Sounds, Politics.* London: Macmillan 1980 (BFI Cinema Series).

Roud, Richard: *Jean-Luc Godard.* 2. Auflage. London: Thames and Hudson 1970 (Cinema One 1). Eine gründliche kritische Studie, empfehlenswert.

Gräf, Roland

Gräf, Roland: *Gedanken beim Filmemachen. Eine Dokumentation.* Redaktion: Ugla Gräf, Rolf Richter. Potsdam-Babelsberg: DEFA Studio für Spielfilme 1987 (Aus Theorie und Praxis des Films, Heft 4, 1987).

Greenaway, Peter

Barchfeld, Christiane: *Filming by Numbers: Peter Greenaway. Ein Regisseur zwischen Experimentalkino und Erzählkino.* Tübingen: Narr 1993 (Medienbibliothek: Serie B Studien 13).

Caux, Daniel; Field, Michel; de Meredieu, Florence; Pilard, Philippe; Nyman, Michael: *Peter Greenaway.* Paris: Éditions Dis Voir 1987 (Série entrevues).

Grierson, John

Hardy, Forsyth: *John Grierson. A Documentary Biography.* London: Faber and Faber 1979.

Griffith, D. W.

Brown, Karl: *Adventures with D. W. Griffith.* Hg. v. Kevin Brownlow. London: Secker & Warburg 1973.

Gunning, Tom: *D. W. Griffith and the Origins of American Narrative Film. The Early Years at Biograph.* Urbana: University of Illinois Press 1991.

Henderson, Robert M.: *D. W. Griffith. His Life and Work.* New York: Oxford UP 1972.

Schickel, Richard: *D. W. Griffith And the Birth of Film.* London: Pavilion Books 1984.

Wagenknecht, Edward; Slide, Anthony: *The Films of D. W. Griffith.* New York: Crown 1976.

Harlan, Veit

Zielinski, Siegfried: *Veit Harlan. Analysen und Materialien zur Auseinandersetzung mit einem Film-Regisseur des deutschen Faschismus.* Frankfurt: R. G. Fischer 1981.

Harvey, Lilian

Habich, Christiane (Hg.): *Lilian Harvey.* Berlin/West: Haude & Spener 1990.

Hawks, Howard

Blumenberg, Hans C.: *Die Kamera in Augenhöhe. Begegnungen mit Howard Hawks.* Köln: DuMont 1979 (DuMont Dokumente film).

McBride, Joseph: *Hawks on Hawks.* Berkeley: University of California Press 1982.

Wood, Robin: *Howard Hawks.* Überarbeitete Ausgabe. London: British Film Institute 1981 (Cinema One 7).

Herzog, Werner

Blank, Les; Bogan, James (Hg.): *Burden of Dreams. Screenplay, Journals, Reviews, Photographs.* Berkeley: North Atlantic Books 1984.

Carrère, Emmanuel: *Werner Herzog.* Paris: Edilig 1982 (Cinégraphiques).

Corrigan, Timothy (Hg.): *The Films of Werner Herzog. Between Mirage and History.* New York: Methuen 1986.

Jansen, Peter W.; Schütte, W. (Hg.): *Werner Herzog.* München: Hanser 1979 (Reihe Film 22).

Hitchcock, Alfred

Rohmer, Eric; Chabrol, Claude: *Hitchcock.* Paris: Éditions universitaires 1957. Ein Klassiker.

Kapsis, Robert E.: *Hitchcock. The Making of a Reputation.* Chicago: University of Chicago Press 1992.

Spoto, Donald: *The Art of Alfred Hitchcock. Fifty Years of His Films.* Erw. Ausgabe. London: Fourth Estate 1992.

Sterritt, David: *The Films of Alfred Hitchcock.* Cambridge: Cambridge UP 1993 (Cambridge Film Classics).

Taylor, John Russell: *Die Hitchcock-Biographie. Alfred Hitchcocks Leben und Werk.* München: Hanser 1980.

Truffaut, François: *Le cinéma selon Hitchcock. Mitarbeit: Helen Scott.* Erw. Ausgabe. Paris: Ramsay 1983. Das klassische Interview, sehr empfehlenswert.

Truffaut, François: *Mr. Hitchcock, wie haben Sie das gemacht?* 17. Auflage. München: Heyne 1993 (Heyne Sachbuch 14). Ohne die Ergänzungen der späteren Originalausgabe.

Wood, Robin: *Hitchcock's Films Revisited.* London: Faber and Faber 1991.

Huston, John

Ciment, Gilles (Hg.): *John Huston.* Paris: Éditions Rivages 1988 (Dossier Positif-Rivages).

Studlar, Gaylyn; Desser, David (Hg.): *Reflections in a Male Eye. John Huston and the American Experience.* Washington: Smithsonian Institution 1993.

Ingram, Rex

O'Leary, Liam: *Rex Ingram. Master of the Silent Cinema.* Dublin: Academy Press 1980.

Ivens, Joris

Delmar, Rosalind: *Joris Ivens. 50 years of film-making.* London: British Film Institute 1979. Bio-Filmografie, Aufsätze und Interviews.

Ivens, Joris: *Die Kamera und ich. Autobiographie eines Filmers.* Reinbek: Rowohlt 1974 (das neue buch 47).

Klaue, Wolfgang; Lichtenstein, Manfred; Wegner, Hans (Red.): *Joris Ivens.* Berlin/DDR: Staatliches Filmarchiv der DDR 1963.

Jutzi, Phil

Bock, Hans-Michael; Jacobsen, Wolfgang (Red.): *Phil Jutzi.* Hamburg: CineGraph / Berlin: Stiftung Deutsche Kinemathek 1993 (FilmMaterialien 5).

Freund, Rudolf; Hanisch, Michael (Hg.): *Mutter Krausens Fahrt ins Glück. Filmprotokoll und Materialien.* Berlin / DDR: Henschelverlag 1976.

Käutner, Helmut

Jacobsen, Wolfgang; Prinzler, Hans H. (Hg.): *Käutner.* Berlin: Spiess 1992 (Edition Filme 8).

Kazan, Elia

Ciment, Michel: *Kazan on Kazan.* New York: Viking 1973. Gespräche mit dem Filmemacher.

Kazan, Elia: *A Life.* New York: Knopf 1988.

Keaton, Buster

Belach, Helga; Jacobsen, Wolfgang (Hg.): *Buster Keaton.* Berlin: Argon 1995.

Benayoun, Robert: *Buster Keaton. Der Augen-Blick des Schweigens.* München: Bahia 1983.

Jansen, Peter W.; Schütte, Wolfram (Hg.): *Buster Keaton.* 2. erw. Ausgabe. München: Hanser 1980 (Reihe Film 3).

Keaton, Buster: *Schallendes Gelächter. Eine Autobiographie.* Mitarbeit: Charles Samuels. München: Schirmer / Mosel 1986.

Moews, Daniel: *Keaton. The Silent Features.* Berkeley: University of California Press 1977.

Robinson, David: *Buster Keaton.* 2. Auflage. London: Secker & Warburg 1970 (Cinema One 10).

Tichy, Wolfram: *Buster Keaton.* Reinbek: Rowohlt 1983 (rowohlts monographien 318).

Kieslowski, Krzysztof

Kieslowski, Krzysztof; Piesiewiecz, Krzysztof: *Dekalog. Zehn Geschichten.* München: Kellermann 1994.

Stok, Danusia (Hg.): *Kieslowski on Kieslowski.* London: Faber and Faber 1993.

Klein, Gerhard

Schmidt, Hannes: *Werkstatterfahrungen mit Gerhard Klein. Gespräche.* Potsdam-Babelsberg: DEFA Studio für Spielfilme 1984 (Aus Theorie und Praxis des Films, Heft 2, 1984).

Kluge, Alexander

Böhm-Christl, Thomas (Hg.): *Alexander Kluge.* Frankfurt: Suhrkamp 1983 (st materialien 2033).

Eder, Klaus; Kluge, Alexander: *Ulmer Dramaturgien. Reibungsverluste. Stichwort: Bestandsaufnahme.* München: Hanser 1980 (Arbeitshefte Film 2 / 3).

Hummel, Christoph (Red.): *Alexander Kluge.* Berlin / West: Freunde der Deutschen Kinemathek e. V. 1983 (Kinemathek 63).

Kluge, Alexander: *Gelegenheitsarbeit einer Sklavin. Zur realistischen Methode.* Frankfurt: Suhrkamp 1975 (edition suhrkamp 733).

Kluge, Alexander: *Die Macht der Gefühle.* Frankfurt: Zweitausendeins 1984.

Lewandowski, Rainer: *Die Filme von Alexander Kluge.* Hildesheim: Olms 1980.

Korda, Alexander

Kulik, Karol: *Alexander Korda. The Man who could work miracles.* London: Virgin 1990.

Kubrick, Stanley

Ciment, Gilles (Hg.): *Stanley Kubrick.* Paris: Éditions Rivages 1987 (Dossier Positif-Rivages).

Ciment, Michel: *Kubrick.* München: Bahia 1982.

Jansen, Peter W.; Schütte, Wolfram (Hg.): *Stanley Kubrick.* München: Hanser 1984 (Reihe Film 18).

Kagan, Norman: *The Cinema of Stanley Kubrick.* Erw. Ausgabe. New York: Continuum 1989.

Kirchmann, Kay: *Stanley Kubrick. Das Schweigen der Bilder.* Marburg: Hitzeroth 1993 (Aufblende. Schriften zum Film 6).

Kulezov, Lev

Levaco, Ronald (Hg.): *Kuleshov on Film. Writings of Lev Kuleshov.* Berkeley: University of California Press 1974.

Kurosawa, Akira

Jansen, Peter W.; Schütte, W. (Hg.): *Akira Kurosawa.* München: Hanser 1988 (Reihe Film 41).

Kurosawa, Akira: *So etwas wie eine Autobiographie.* Zürich: Diogenes 1991.

Prince, Stephen: *The Warrior's Camera. The Cinema of Akira Kurosawa.* Princeton: Princeton UP 1991.

Richie, Donald: *The Films of Akira Kurosawa.* Berkeley: University of California Press 1965.

Lang, Fritz

Eisenschitz, Bernard; Bertetto, Paolo (Hg.): *Fritz Lang. La mise en scène.* Turin: Lindau 1994.

Eisner, Lotte H.: *Fritz Lang.* Hg. v. David Robinson. London: Secker & Warburg 1976.

Gehler, Fred; Kasten, Ullrich: *Fritz Lang. Die Stimme von Metropolis.* Berlin: Henschel 1990. Enthält Texte von Lang.

Jansen, Peter W.; Schütte, Wolfram (Hg.): *Fritz Lang.* 2. erw. Ausgabe. München: Hanser 1987 (Reihe Film 41).

Kaplan, E. Ann: *Fritz Lang. A Guide to References and Resources.* Boston: Hall 1981.

Sturm, Georges: *Fritz Lang. Films / Textes / Références.* Nancy: Presses universitaires de Nancy 1990.

Töteberg, Michael: *Fritz Lang.* Reinbek: Rowohlt 1985 (rowohlts monographien 339).

Laurel & Hardy

Blees, Christian: *Laurel & Hardy. Ihr Leben, ihre Filme.* Berlin: Trescher 1993.

Leni, Paul

Bock, Hans-Michael (Hg.): *Paul Leni. Grafik, Theater, Film.* Frankfurt: Deutsches Filmmuseum 1986.

Linder, Max

Linder, Maud: *Max Linder. Le dieu du cinéma muet.* Paris: Éditions Atlas 1992.

Lloyd, Harold

Lloyd, Harold: *An American Comedy.* 1928. Reprint. New York: Dover 1971.

Tichy, Wolfram: *Harold Lloyd.* Luzern: Bucher 1979.

Lorre, Peter

Beyer, Friedemann: *Peter Lorre. Seine Filme – sein Leben.* München: Heyne 1988 (Heyne Filmbibliothek 117).

Younking, Stephen D.; Bigwood, James; Cabana Jr., Raymond: *The Films of Peter Lorre.* Secaucus: Citadel 1982.

Losey, Joseph

Caute, David: *Joseph Losey. A Revenge on Life.* London: Faber and Faber 1994.

Jansen, Peter W.; Schütte, Wolfram (Hg.): *Joseph Losey.* München: Hanser 1977 (Reihe Film 11).

Milne, Tom (Hg.): *Losey on Losey.* London: Secker & Warburg 1968 (Cinema One 2). Gespräche mit dem Filmemacher.

Palmer, James; Riley, Michael: *The Films of Joseph Losey.* Cambridge: Cambridge UP 1993 (Cambridge Film Classics).

Lubitsch, Ernst

Carringer, Robert; Sabath, Barry: *Ernst Lubitsch. A Guide to References and Resources.* Boston: Hall (ca.1980).

Eyman, Scott: *Ernst Lubitsch: Laughter in Paradise. A Biography.* New York: Simon & Schuster 1993.

Hake, Sabine: *Passions and Deceptions. The Early Films of Ernst Lubitsch.* Princeton: Princeton UP 1992.

Prinzler, Hans Helmut; Patalas, Enno (Hg.): *Lubitsch.* München: Bucher 1984.

Weinberg, Herman G.: *The Lubitsch Touch.* 3. erw. Auflage. New York: Dover 1977.

Lucas, George

Pollock, Dale: *Skywalking. The Life and Films of George Lucas.* Hollywood: French 1990.

Lynch, David

Alexander, John: *The Films of David Lynch.* London: Letts 1993 (Letts Film Makers).

Fischer, Robert: *David Lynch. Die dunkle Seite der Seele.* 2. Auflage. München: Heyne 1993 (Heyne Filmbibliothek 165).

Seeßlen, Georg: *David Lynch und seine Filme.* Marburg: Schüren 1994.

Mack, Max

Mack, Max (Hg.): *Die zappelnde Leinwand. Mit Beiträgen v. Hans Brennert, Ewald André Dupont, Rudolf Kurtz, Arthur Landsberger.* Berlin: Eysler 1916. Ein frühes unterhaltsames Filmbuch eines Pioniers.

Maetzig, Kurt

Maetzig, Kurt: *Filmarbeit. Gespräche, Reden, Schriften.* Hg. v. Günter Agde. Berlin/DDR: Henschelverlag 1987.

Malle, Louis

French, Philip (Hg.): *Malle on Malle.* London: Faber and Faber 1993.

Jansen, Peter W.; Schütte, Wolfram (Hg.): *Louis Malle.* München: Hanser 1985 (Reihe Film 34).

May, Joe

Bock, Hans-Michael; Lenssen, Claudia (Red.): *Joe May. Regisseur und Produzent.* München: edition text + kritik 1991 (Ein CineGraph Buch).

Mayer, Carl

Belach, Helga; Bock, Hans-Michael (Hg.): *Das Cabinet des Dr. Caligari. Drehbuch von Carl Mayer und Hans Janowitz zu Robert Wienes Film von 1919/1920.* München: edition text + kritik 1995 (FILMtext).

Hempel, Rolf: *Carl Mayer. Ein Autor schreibt mit der Kamera.* Berlin/DDR: Henschelverlag 1968.

Kasten, Jürgen: *Carl Mayer: Filmpoet. Ein Drehbuchautor schreibt Filmgeschichte.* Berlin: Vistas 1994.

Méliès, Georges

Kessler, Frank; Lenk, Sabine; Loiperdinger, Martin (Red.): *Georges Méliès – Magier der Filmkunst.* Frankfurt: Stroemfeld 1993 (KINtop 2).

Messter, Oskar

Kessler, Frank; Lenk, Sabine; Loiperdinger, Martin (Red.): *Oskar Messter. Erfinder und Geschäftsmann.* Frankfurt: Stroemfeld 1994 (KINtop Schriften 3).

Loiperdinger, Martin (Hg.): *Oskar Messter. Filmpionier der Kaiserzeit.* Basel, Frankfurt: Stroemfeld 1994 (KINtop Schriften 2).

Minnelli, Vincente

Harvey, Stephen: *Directed by Vincente Minnelli.* New York: Harper & Row 1989.

Naremore, James: *The Films of Vincente Minnelli.* Cambridge: Cambridge UP 1993 (Cambridge Film Classics).

Mizoguchi, Kenji

Kirihara, Donald: *Patterns of Time. Mizoguchi and the 1930s.* Madison: University of Wisconsin Press 1992.

Murnau, F. W.

Berriatúa, Luciano: *Los proverbios chinos de F. W. Murnau.* 2 Bände. Madrid: Filmoteca Española 1990–92.

Eisner, Lotte H.: *Murnau.* Frankfurt: Kommunales Kino 1979. Das Standardwerk, mit dem Drehbuch zu Nosferatu.

Gehler, Fred; Kasten, Ullrich: *Friedrich Wilhelm Murnau.* Berlin/DDR: Henschelverlag 1990.

Jansen, Peter W.; Schütte, Wolfram (Hg.): *Friedrich Wilhelm Murnau.* München: Hanser 1990 (Reihe Film 43).

Rohmer, Eric: *Murnaus Faustfilm. Analyse und szenisches Protokoll.* München: Hanser 1980.

Nielsen, Asta

Nielsen, Asta: *Die schweigende Muse.* Berlin/DDR: Henschelverlag 1977.

Seydel, Renate; Hagedorff, Allan (Hg.): *Asta Nielsen. Ihr Leben in Fotodokumenten, Selbstzeugnissen und zeitgenössischen Betrachtungen.* Berlin/DDR: Henschelverlag 1981.

Ophüls, Max

Jansen, Peter W.; Schütte, Wolfram (Hg.): *Max Ophüls.* München: Hanser 1989 (Reihe Film 42).

Ophüls, Max: *Spiel im Dasein. Eine Rückblende.* 1959. Erw. Neuausgabe. Dillingen: Queisser o. J.

Schleif, Helma (Red.): *Max Ophüls.* Berlin/West: Freunde der Deutschen Kinemathek 1989 (Kinemathek 75).

Sierek, Karl: *Ophüls : Bachtin. Versuch mit Film zu reden.* Basel, Frankfurt: Stroemfeld/Nexus 1994.

Oswald, Richard

Belach, Helga; Jacobsen, Wolfgang (Red.): *Richard Oswald. Regisseur und Produzent.* München: edition text + kritik 1990 (Ein CineGraph Buch).

Ozu, Yasujiro

Bordwell, David: *Ozu and the Poetics of Cinema.* Princeton: Princeton UP 1988.

Richie, Donald: *Ozu.* Berkeley: University of California Press 1975.

Pabst, G. W.

Atwell, Lee: *G. W. Pabst.* Boston: Twayne 1977.

Kappelhoff, Hermann: *Der möblierte Mensch. Georg Wilhelm Pabst und die Utopie der Sachlichkeit.* Berlin: Vorwerk 8 1994.

Rentschler, Eric (Hg.): *The Films of G. W. Pabst. An Extraterritorial Cinema.* New Brunswick: Rutgers UP 1990.

Schlemmer, Gottfried; Riff, Bernhard; Haberl, Georg (Hg.): *G. W. Pabst.* Münster: MAkS 1990 (Schriften der Gesellschaft für Filmtheorie 1).

Pasolini, Pier Paolo

Gleiss, Marita (Red.): *Pier Paolo Pasolini. «...mit den Waffen der Poesie...».* Berlin: Akademie der Künste 1994.

Greene, Naomi: *Pier Paolo Pasolini. Cinema as Heresy.* Princeton: Princeton UP 1990.

Hanisch, Michael (Red.): *Pier Paolo Pasolini. Dokumente zur Rezeption seiner Filme in der deutschsprachigen Filmkritik 1963–85.* Berlin: Freunde der Deutschen Kinemathek 1994 (Kinemathek 84).

Jansen, Peter W.; Schütte, Wolfram (Hg.): *Pier Paolo Pasolini.* 3. erw. Auflage. München: Hanser 1985 (Reihe Film 12).

Siciliano, Enzo: *Pasolini. Leben und Werk.* Weinheim: Beltz Quadriga 1994.

Piel, Harry

Bleckman, Matias: *Harry Piel. Ein Kino-Mythos und seine Zeit.* Düsseldorf: Filminstitut der Landeshauptstadt Düsseldorf 1993.

Polanski, Roman

Jansen, Peter W.; Schütte, W. (Hg.): *Roman Polanski.* München: Hanser 1986 (Reihe Film 35).

Porten, Henny

Belach, Helga (Hg.): *Henny Porten. Der erste deutsche Filmstar 1890–1960.* Berlin/West: Haude & Spener 1986.

Porter, Edwin S.

Musser, Charles: *Before the Nickelodeon. Edwin S. Porter and the Edison Manufacturing Company.* Berkeley: University of California Press 1991.

Powell & Pressburger

Christie, Ian: *Arrows of Desire. The Films of Michael Powell and Emeric Pressburger.* London: Faber and Faber 1994.

Göttler, Fritz, u. a. (Hg.): *Living Cinema: Powell & Pressburger.* München: KinoKonTexte 1982 (KinoKonTexte 3).

Powell, Michael: *A Life in Movies. An Autobiography.* London: Heinemann 1986.

Powell, Michael: *Million-Dollar Movie. The second volume of his A Life in Movies.* London: Heinemann 1992.

Ray, Nicholas

Eisenschitz, Bernard: *Roman Américain. Les vies des Nicholas Ray.* Paris: Bourgois 1990.

Grob, Norbert; Reichart, Manuela (Hg.): *Ray.* Berlin/West: Spiess 1989 (Edition Filme 5).

Ray, Susan (Hg.): *I Was Interrupted. Nicholas Ray on Making Movies.* Berkeley: University of California Press 1993.

Ray, Satyajit

Seton, Marie: *Portrait of a Director. Satyajit Ray.* Bloomington: Indiana UP 1971.

Tesson, Charles: *Satyajit Ray.* Paris: Cahiers du cinéma 1992 (Collection «Auteurs»).

Reitz, Edgar

Rauh, Reinhold: *Edgar Reitz. Film als Heimat.* München: Heyne 1993 (Heyne Filmbibliothek 191).

Reitz, Edgar: *Drehort Heimat. Arbeitsnotizen und Zukunftsentwürfe.* Hg. v. Michael Töteberg. Frankfurt: Verlag der Autoren 1993 (Filmbibliothek).

Renoir, Jean

Bazin, André: *Jean Renoir.* Hg. v. François Truffaut. München: Hanser 1977. Ein Klassiker, entstanden in den fünfziger Jahren.

Bertin, Célia: *Jean Renoir. A Life in Pictures.* Baltimore: John Hopkins University Press 1991.

Braudy, Leo: *Jean Renoir. The World of His Films.* New York: Doubleday 1972. Empfehlenswert.

Gilliat, Penelope: *Jean Renoir. Essays, Conversations, Reviews.* New York: McGraw-Hill 1975.

Renoir, Jean: *Mein Leben und meine Filme.* München: Piper 1974.

Renoir, Jean: *Renoir on Renoir. Interviews, Essays, and Remarks.* Cambridge: Cambridge UP 1989 (Cambridge Studies in Film).

Renoir, Jean: *Letters.* Hg. v. David Thompson und Lorraine LoBianco. London: Faber and Faber 1994.

Resnais, Alain

Jansen, Peter W.; Schütte, W. (Hg.): *Alain Resnais.* München: Hanser 1990 (Reihe Film 38).

Monaco, James: *Alain Resnais. The Role of Imagination.* London: Secker & Warburg 1978 (Cinema Two).

Thomas, François: *Das Atelier von Alain Resnais.* München: CICIM 1992 (Revue CICIM 35/36).

Richter, Hans

Gehr, Herbert; Hofacker, Marion von: *Hans Richter. Malerei und Film.* Frankfurt: Deutsches Filmmuseum 1989 (Kinematograph 5).

Gray, Cleve (Hg.): *Hans Richter. Pioneer of Dada and the Experimental Film.* London: Thames and Hudson 1971.

Riefenstahl, Leni

Downing, Taylor: *Olympia.* London: British Film Institute 1992 (BFI Film Classics).

Nowotny, Peter: *Leni Riefenstahls «Triumph des Willens». Zur Kritik dokumentarischer Filmarbeit im NS-Faschismus.* Dortmund: Nowotny 1981 (Arbeitshefte zur Medientheorie und Medienpraxis 3).

Rivette, Jacques

Paaz, Jan; Bubeck, Sabine (Hg.): *Jacques Rivette – Labyrinthe.* München: CICIM 1991 (Revue CICIM 33).

Rivette, Jacques: *Schriften fürs Kino.* München: CICIM 1989 (Revue CICIM 24/25).

Rosenbaum, Jonathan (Hg.): *Rivette. Texts and Interviews.* London: British Film Institute 1977.

Roeg, Nicolas

Izod, John: *The Films of Nicolas Roeg. Myth and Mind.* Houndsmill: Macmillan 1992.

Sinyard, Neil: *The Films of Nicolas Roeg.* London: Letts 1991 (Letts Film Makers).

Rohmer, Eric

Bonitzer, Pascal: *Eric Rohmer.* Paris: Cahiers du cinéma 1991 (Collection «Auteurs»).

Crisp, C. G.: *Eric Rohmer. Realist and Moralist.* Bloomington: Indiana UP 1988.

Rohmer, Eric: *Meine Nacht bei Maud. «Sechs moralische Erzählungen». Ein Filmzyklus.* Hg. v. Hans Jürgen Weber. Frankfurt: Fischer 1987 (FTB 4466).

Rohmer, Eric: *The Taste for Beauty.* Hg. v. Jean Narboni. Cambridge: Cambridge UP 1989 (Cambridge Studies in Film).

Rosi, Francesco

Jansen, Peter W.; Schütte, Wolfram (Hg.): *Francesco Rosi.* München: Hanser 1983 (Reihe Film 28).

Rossellini, Roberto

Bergala, Alain; Narboni, Jean: *Roberto Rossellini.* Paris: Cahiers du cinéma 1990 (Collection «Auteurs»).

Bondarella, Peter: *The Films of Roberto Rossellini.* Cambridge: Cambridge UP 1993 (Cambridge Film Classics).

Jansen, Peter W.; Schütte, Wolfram (Hg.): *Roberto Rossellini.* München: Hanser 1987 (Reihe Film 36).

Rouch, Jean

Stoller, Paul: *The Cinematic Griot. The Ethnography of Jean Rouch.* Chicago: University of Chicago Press 1992.

Voser, Silvia; Beatt, Cynthia (Red.): *Jean Rouch.* München: CICIM 1989 (Revue CICIM 26).

Rühmann, Heinz

Peipp, Matthias; Springer, Bernhard (Hg.): *Ich bin ein Anhänger der Stille. Ein Gespräch mit Heinz Rühmann.* München: Belleville 1994.

Ruttmann, Walter

Goergen, Jeanpaul: *Walter Ruttmann. Eine Dokumentation.* Berlin/West: Freunde der Deutschen Kinemathek 1989.

Quaresima, Leonardo (Hg.): *Walter Ruttmann.*

Cinema, pittura, ars acustica. Calliano: Manfrini 1994.

Saura, Carlos

Jansen, Peter W.; Schütte, Wolfram (Hg.): *Carlos Saura.* München: Hanser 1981 (Reihe Film 26).

Schlöndorff, Volker

Freyermuth, Gundolf S.: *Der Übernehmer. Volker Schlöndorff in Babelsberg.* Berlin: Links 1993.

Lewandowski, Rainer: *Die Filme von Volker Schlöndorff.* Hildesheim: Olms 1981.

Schlöndorff, Volker; Grass, Günter: *Die Blechtrommel als Film.* Frankfurt: Zweitausendeins 1979.

Schneider, Romy

Seydel, Renate: *Romy Schneider. Bilder ihres Lebens.* Berlin / DDR: Henschelverlag 1987.

Schroeter, Werner

Jansen, Peter W.; Schütte, Wolfram (Hg.): *Werner Schroeter.* München: Hanser 1980 (Reihe Film 20).

Schünzel, Reinhold

Schöning, Jörg (Red.): *Reinhold Schünzel. Schauspieler und Regisseur.* München: edition text + kritik 1989 (Ein CineGraph Buch).

Scorsese, Martin

Jansen, Peter W.; Schütte, Wolfram (Hg.): *Martin Scorsese.* München: Hanser 1986 (Reihe Film 37).

Keyser, Les: *Martin Scorsese.* New York: Twayne 1992 (Twayne's Filmmakers Series).

Thompson, David; Christie, Ian (Hg.): *Scorsese on Scorsese.* London: Faber and Faber 1989.

Seeber, Guido

Jochum, Norbert (Hg.): *Das wandernde Bild. Der Filmpionier Guido Seeber.* Berlin / West: Elefanten Press 1979 (EP 23).

Selznick, David O.

Behlmer, Rudy (Hg.): *Memo From: David O. Selznick.* New York: Viking 1972.

Haver, Ronald: *David O. Selznick's Hollywood.* München: Rogner & Bernhard 1981.

Thomson, David: *Showman. The Life of David O. Selznick.* New York: Knopf 1992.

Simon, Rainer

Simon, Rainer: *Rebellen, Träumer und «gewöhnliche Leute». Werkstattgespräch und Dokumentation.* Redaktion: Fred Gehler, Hannes Schmidt. Potsdam-Babelsberg: DEFA Studio für Spielfilme 1990 (Aus Theorie und Praxis des Films, Heft 1, 1990).

Siodmak, Robert

Dumont, Hervé: *Robert Siodmak. Le maître du film noir.* Lausanne: L'Age d'Homme 1981.

Siodmak, Robert: *Zwischen Berlin und Hollywood. Erinnerungen eines großen Filmregisseurs.* Hg. v. Hans C. Blumenberg. München: Herbig 1980.

Sirk, Douglas

Bourget, Jean-Loup: *Douglas Sirk.* Paris: Edilig 1984 (Cinégraphiques).

Halliday, Jon: *Sirk on Sirk.* London: Secker & Warburg 1971 (Cinema One 17).

Läufer, Elisabeth: *Skeptiker des Lichts. Douglas Sirk und seine Filme.* Frankfurt: Fischer 1987 (FTB 4468).

Spielberg, Steven

Goldau, Antje; Prinzler, Hans Helmut: *Spielberg. Filme als Spielzeug.* München: Filmland Presse 1985 (Edition Filme 5).

Mott, Donald R.; Saunders, Cheryl McAlister: *Steven Spielberg.* Boston: Twayne 1986 (Twayne's Filmmakers Series).

Staudte, Wolfgang

Netenjakob, Egon, u. a.: *Staudte.* Hg. v. Eva Orbanz und Hans Helmut Prinzler. Berlin: Spiess 1991 (Edition Filme 6).

Sternberg, Josef von

Baxter, Peter (Hg.): *Sternberg.* London: British Film Institute 1980.

Sternberg, Josef von: *Das Blau des Engels. Autobiographie.* München: Schirmer / Mosel 1991.

Weinberg, Herman G.: *Josef von Sternberg. A Critical Study.* New York: Dutton 1967.

Straub, Jean-Marie

Jansen, Peter W.; Schütte, Wolfram (Hg.): *Herzog / Kluge / Straub.* München: Hanser 1976 (Reihe Film 9).

Schütte, Wolfram (Hg.): *Klassenverhältnisse.* Frankfurt: Fischer 1984 (FTB 4455).

Stroheim, Erich von

Bessy, Maurice: *Erich von Stroheim.* München: Schirmer / Mosel 1985.

Curtiss, Thomas Quinn: *Von Stroheim.* New York: Farrar, Straus & Giroux 1971.

Jacobsen, Wolfgang; Belach, Helga; Grob, Norbert (Hg.): *Erich von Stroheim.* Berlin: Argon 1994.

Koszarski, Richard: *The Man You Love to Hate.* New York: Oxford UP 1983.

Weinberg, Herman G.: *Stroheim. A Pictorial Record of His Nine Films.* New York: Dover 1975.

Sturges, Preston

Jacobs, Diane: *Christmas in July. The Life and Art of Preston Sturges.* Berkeley: University of California Press 1992.

Tarkovskij, Andrej

Jansen, Peter W.; Schütte, W. (Hg.): *Andrej Tarkowskij.* München: Hanser 1987 (Reihe Film 39).

Tarkowskij, Andrej: *Martyrolog. Tagebücher 1970–1986.* Berlin/West: Limes 1989.

Tarkowskij, Andrej: *Martyrolog II. Tagebücher 1981–1986.* Berlin: Limes 1991.

Tashlin, Frank

Garcia, Roger; Eisenschitz, Bernard (Hg.): *Frank Tashlin.* Crisnée: Éditions Yellow Now 1994.

Tati, Jacques

Maddock, Brent: *The Films of Jacques Tati.* Metuchen: Scarecrow Press 1977.

Truffaut, François

Fischer, Robert (Hg.): *Monsieur Truffaut, wie haben Sie das gemacht?* Köln: vgs 1991.

Gassen, Heiner (Red.): *Vivement Truffaut! Fotos, Plakate, Motive / Photos, affiches, motifs.* Aus der Sammlung/de la collection Robert Fischer. München: CICIM 1994 (Revue CICIM 41).

Insdorf, Annette: *François Truffaut.* Boston: Twayne 1978.

Jansen, Peter W.; Schütte, Wolfram (Hg.): *François Truffaut.* 5. erw. Auflage. München: Hanser 1985 (Reihe Film 1).

Rabourdin, Dominique (Hg.): *Truffaut par Truffaut.* Paris: Chêne 1985.

Sturm, Georges; Gassen, Heiner (Red.): *Arbeiten mit François Truffaut.* 2. erw. Ausgabe. München: CICIM 1992.

Truffaut, François: *Briefe 1945–1984. Zusammengestellt von Gilles Jacob und Claude de Givray.* Ü. u. hg. v. Robert Fischer. Köln: vgs 1990.

Valentin, Karl

Bachmaier, Helmut (Hg.): *Kurzer Rede langer Sinn. Texte von und über Karl Valentin.* München: Piper 1990 (Serie Piper 907).

Schulte, Michael; Syr, Peter (Hg.): *Karl Valentins Filme.* München: Piper 1978.

Till, Wolfgang (Hg.): *Karl Valentin. Volkssänger? Dadaist?* München: Schirmer/Mosel 1982.

Veidt, Conrad

Jacobsen, Wolfgang (Hg.): *Conrad Veidt. Lebensbilder.* Mit einer Biografie von Hans-Michael Bock. Berlin: Argon 1993.

Vidor, King

Durgnat, Raymond; Simmon, Scott: *King Vidor, American.* Berkeley: University of California Press 1988.

Vigo, Jean

Salles Gomes, P. E.: *Jean Vigo.* Berkeley: University of California Press 1971.

Smith, John M.: *Jean Vigo.* New York: Praeger 1972.

Visconti, Luchino

Jansen, Peter W.; Schütte, W. (Hg.): *Luchino Visconti.* München: Hanser 1985 (Reihe Film 4).

Nowell-Smith, Geoffrey: *Luchino Visconti.* 2. Auflage. London: Secker & Warburg 1973 (Cinema One 3).

Tonetti, Claretta: *Luchino Visconti.* London: Columbus Books 1983 (Columbus Filmmakers).

Wajda, Andrzej

Jansen, Peter W.; Schütte, Wolfram (Hg.): *Andrzej Wajda.* München: Hanser 1980 (Reihe Film 23).

Wajda, Andrzej: *Meine Filme.* Zürich: Benzinger 1987.

Wegener, Paul

Ledig, Elfriede: *Paul Wegeners Golem-Filme im Kontext fantastischer Literatur. Grundfragen zur Gattungsproblematik fantastischen Erzählens.* München: Diskurs Film 1989 (Diskurs Film Bibliothek 1).

Möller, Kai (Hg.): *Paul Wegener. Sein Leben und seine Rollen.* Hamburg: Rowohlt 1954.

Welles, Orson

Bazin, André: *Orson Welles.* Mit einem Vorwort von François Truffaut. Wetzlar: Büchse der Pandora 1980 (Bibliotheca Cinemabilia 1). Ein klassischer Text aus dem Jahr 1950.

Kael, Pauline: *The Citizen Kane Book.* Boston: Little, Brown 1971. Das Drehbuch von Mankiewicz und Welles mit einem Essay von Kael über die Entstehung des Films.

McBride, Joseph: *Orson Welles. Seine Filme – sein Leben.* München: Heyne 1982 (Heyne Filmbibliothek 47).

Naremore, James: *The Magic World of Orson Welles.* New York: Oxford UP 1978.

Welles, Orson; Bogdanovich, Peter: *Hier spricht Orson Welles.* Weinheim: Beltz Quadriga 1994. Interview mit Welles über Leben und Werk, Zeittafel. In der deutschen Ausgabe fehlt das Drehbuch zu «The Magnificent Ambersons».

Wenders, Wim

Buchka, Peter: *Augen kann man nicht kaufen. Wim Wenders und seine Filme.* Erw. Ausgabe. Frankfurt: Fischer 1985.

Grob, Norbert: *Wenders.* Berlin: Spiess 1991 (Edition Filme 7).

Jansen, Peter W.; Schütte, Wolfram (Hg.): *Wim Wenders.* München: Hanser 1992 (Reihe Film 44).

Kolker, Robert Phillip; Beicken, Peter: *The Films of Wim Wenders. Cinema as Vision and Desire.* Cambridge: Cambridge UP 1993 (Cambridge Film Classics).

Wenders, Wim: *Emotion Pictures. Essays und Filmkritiken 1968–1984.* Frankfurt: Verlag der Autoren 1986 (Theaterbibliothek).

Wenders, Wim: *Die Logik der Bilder. Essays und*

Gespräche. Hg. v. Michael Töteberg. Frankfurt: Verlag der Autoren 1988 (Theaterbibliothek).
Wenders, Wim: *The Act of Seeing. Texte und Gespräche.* Frankfurt: Verlag der Autoren 1992 (Filmbibliothek).
Wicki, Bernhard
Fischer, Robert: *Sanftmut und Gewalt. Der Regisseur und Schauspieler Bernhard Wicki.* Essen: Filmwerkstatt 1991.
Wildenhahn, Klaus
Netenjakob, Egon: *Liebe zum Fernsehen. Und ein Porträt des festangestellten Filmregisseurs Klaus Wildenhahn.* Berlin / West: Spiess 1984. Nachtrag zur Filmografie, hg. von Eva Orbanz, Berlin: Stiftung Deutsche Kinemathek 1990.
Wilder, Billy
Karasek, Helmut: *Billy Wilder. Eine Nahaufnahme.* Erw. Ausgabe. München: Heyne 1994 (Heyne TB 8897).
Seidl, Claudius: *Billy Wilder. Seine Filme – sein Leben.* München: Heyne 1988 (Heyne Filmbibliothek 116).
Sinyard, Neil; Turner, Adrian: *Billy Wilders Filme.* Berlin / West: Spiess 1980. Mit einem Gespräch mit Billy Wilder von Heinz-Gerd Rasner, Reinhard Wulf.
Wolf, Konrad
Hoff, Peter (Hg.): *Konrad Wolf. Neue Sichten auf seine Filme.* Potsdam-Babelsberg: Hochschule für Film und Fernsehen «Konrad Wolf» 1990.
Köppe, Barbara; Renk, Aune (Hg.): *Konrad Wolf. Selbstzeugnisse, Fotos, Dokumente.* Mit einem Essay von Klaus Wischnewski. Berlin / DDR: Henschelverlag 1985.
Wolf, Konrad: *Direkt in Kopf und Herz. Aufzeichnungen, Reden, Interviews.* Berlin / DDR: Henschelverlag 1989.
Zinnemann, Fred
Goldau, Antje; Prinzler, Hans Helmut; Sinyard, Neil: *Zinnemann.* München: Filmland Presse 1986 (Edition Filme 4).
Zinnemann, Fred: *An Autobiography.* London: Bloomsbury 1992.
Verschiedene
Canham, Kingsley: *The Hollywood Professionals 1. Michael Curtiz. Raoul Walsh. Henry Hathaway.* London: Tantivy 1973.
Denton, Clive; Canham, Kingsley; Thomas, Tony: *The Hollywood Professionals 2. Henry King. Lewis Milestone. Sam Wood.* London: Tantivy 1974.
Belton, John: *The Hollywood Professionals 3. Howard Hawks. Frank Borzage. Edgar G. Ulmer.* London: Tantivy 1974.
Rosenthal, Stuart; Kass, Judith M.: *The Hollywood Professionals 4. Tod Browning. Don Siegel.* London: Tantivy 1975.
Denton, Clive; Canham, Kingsley: *The Hollywood Professionals 5. King Vidor. John Cromwell. Mervyn LeRoy.* London: Tantivy 1976.
Estrin, Allen: *The Hollywood Professionals 6. Frank Capra. George Cukor. Clarence Brown.* South Brunswick: Barnes 1980.
Poague, Leland A.: *The Hollywood Professionals 7. Billy Wilder. Leo McCarey.* South Brunswick: Barnes 1980.

1.5 Filmtheorie und Filmkritik

Agee, James: *Agee on Film. Vol. 1. Reviews and Comments. – Vol. 2. Five Film Scripts. 1941–1960.* New York: Grosset & Dunlap 1967. Wahrscheinlich der wichtigste amerikanische Filmkritiker seiner Zeit. Band 1 ist besonders empfehlenswert.
Albersmeier, Franz-Josef (Hg.): *Texte zur Theorie des Films.* Stuttgart: Reclam 1979 (RUB 9943).
Améry, Jean: *Cinéma. Arbeiten zum Film.* Hg. v. Joachim Kalka. Stuttgart: Cotta 1994 (Cotta's Bibliothek der Moderne).
Andrew, J. Dudley: *André Bazin.* New York: Oxford UP 1978. Eine wichtige Studie über Bazin und seine Theorien.
Andrew, J. Dudley: *Concepts in Film Theory.* New York: Oxford UP 1984.
Andrew, J. Dudley: *The Major Film Theories. An Introduction.* 2. erw. Ausgabe. New York: Oxford UP 1989. Die beste kurzgefaßte Einführung in die Filmtheorie. Sehr empfehlenswert.
Arbeitsgemeinschaft der Filmjournalisten (Hg.): *Jahrbuch der Filmkritik.* 8 Bände. Emsdetten: Lechte 1959–1969.
Aristarco, Guido: *Marx, das Kino und die Kritik des Films.* München: Hanser 1981 (Arbeitshefte Film 6).
Arnheim, Rudolf: *Film als Kunst.* Neuausgabe. Mit einem Vorwort zur Neuausgabe. München: Hanser 1974.
Arnheim, Rudolf: *Kritiken und Aufsätze zum Film.* Hg. v. Helmut H. Diederichs. Erw. Taschenbuchausgabe. Frankfurt: Fischer 1979 (FTB 3653).
Bagh, Peter von: *Elokuvan Ilokirja.* Helsinki: Kustannusosakeyhtiö otava 1990. Die unterhaltsamen Beobachtungen, Notizen, Listen des renommierten Filmhistorikers.
Balázs, Béla: *Schriften zum Film. Band 1. Der sichtbare Mensch. Kritiken und Aufsätze 1922–1926.* Hg. v. Helmut H. Diederichs, Wolf-

gang Gersch, Magda Nagy. Berlin/DDR: Henschelverlag 1982.

Balázs, Béla: *Schriften zum Film. Band 2. Der Geist des Films. Kritiken und Aufsätze 1926–1931.* Hg. v. Helmut H. Diederichs, Wolfgang Gersch. Berlin/DDR: Henschelverlag 1984.

Balázs, Béla: *Der Film. Werden und Wesen einer neuen Kunst.* Wien: Globus 1949.

Barsam, Richard: *Non-Fiction Film Theory.* New York: Dutton 1980.

Barthes, Roland: *Mythen des Alltags.* (*Mythologies,* 1957) Frankfurt: Suhrkamp 1964 (edition suhrkamp 92). Barthes, eigentlich ein Literaturkritiker, sollte zur Grundlektüre jedes an Semiotik Interessierten gehören.

Barthes, Roland: *Die Lust am Text. (Le plaisir du texte,* 1973) Frankfurt: Suhrkamp 1974 (Bibliothek Suhrkamp 378).

Barthes, Roland: *S/Z.* (*S/Z,* 1970). Frankfurt: Suhrkamp 1987 (stw 687).

Barthes, Roland: *Das semiologische Abenteuer.* (*L'aventure sémiologique,* 1985) Frankfurt: Suhrkamp 1988 (edition suhrkamp 1441).

Bazin, André: *Qu'est-ce que le cinéma?* 4 Bände. Paris: Editions du Cerf 1958–1962 Die gesammelten Aufsätze des französischen Filmkritikers und -theoretikers.

Bazin, André: *Was ist Kino? Bausteine zur Theorie des Films.* Hg. v. Hartmut Bitomsky u. a. Köln: DuMont Schauberg 1975. Eine knappe Auswahl.

Bazin, André: *Filmkritiken als Filmgeschichte.* Hg. v. Helmut Färber. München: Hanser 1981 (Arbeitshefte Film 7).

Beilenhoff, Wolfgang (Hg.): *Poetik des Films.* München: Fink 1974. Filmtheoretische Texte der russischen Formalisten.

Bellour, Raymond; Kuntzel, Thierry; Metz, Christian (Hg.): *Psychoanalyse et cinéma.* Paris: Seuil 1975. Französische psychoanalytische Semiotik.

Benjamin, Walter: *Das Kunstwerk im Zeitalter seiner technischen Reproduzierbarkeit.* Frankfurt: Suhrkamp 1963 (edition suhrkamp 28). Wichtiger Text aus den dreißiger Jahren von einem führenden Vertreter der Frankfurter Schule.

Bettetini, Gianfranco: *The Language and Technique of the Film.* Den Haag: Mouton 1973. Einer der führenden italienischen Semiotiker.

Bitomsky, Hartmut: *Die Röte des Rots von Technicolor. Kinorealität und Produktionswirklichkeit.* Neuwied: Luchterhand 1972 (Sammlung Luchterhand 69).

Blumenberg, Hans C.: *Kino-Zeit. Aufsätze und Kritiken zum modernen Film. 1976–1980.* Frankfurt: Fischer 1980 (FTB 3664). Gesammelte Artikel des einflußreichen Kritikers der siebziger Jahre.

Blumenberg, Hans-Christoph: *Gegenschuß. Texte über Filmemacher und Filme. 1980–1983.* Frankfurt: Fischer 1984 (FTB 3692).

Bordwell, David: *Narration in the Fiction Film.* Madison: University of Wisconsin Press 1985.

Bordwell, David: *Making Meaning. Inference and Rhetoric in the Interpretation of Cinema.* New York: Oxford UP 1989.

Brakhage, Stan: *Film Biographies.* Berkeley: Turle Island 1977. Essays des Experimentalfilmers zur Filmgeschichte.

Buchka, Peter: *Ansichten des Jahrhunderts. Film und Geschichte in zehn Porträts.* München: Hanser 1988. Porträts über Feuillade, Stroheim, Lang, Renoir, Ozu, Hawks, Rossellini, Visconti, Welles, Staudte.

Burch, Noël: *The Theory of Film Practice.* London: Secker & Warburg 1973 (Cinema Two). Eines der wichtigsten englischsprachigen Bücher mit semiotischem Ansatz.

Burch, Noël: *Correction Please, Or How We Got into Pictures.* London: Arts Council 1980. Begleitheft zu Burchs Film über die Entwicklung der Filmsprache.

Burnett, Ron (Hg.): *Explorations in Film Theory. Selected Essays From Ciné-Tracts.* Bloomington: Indiana UP 1991.

Cameron, Ian (Hg.): *Movie Reader.* London: November 1973. 33 Artikel aus der berühmten englischen Filmzeitschrift *Movie.*

Caughie, John (Hg.): *Theories of Authorship. A Reader.* London: Routledge 1981 (BFI Readers in Film Studies).

Cavell, Stanley: *The World Viewed. Reflections on the Ontology of Film.* New York: Viking 1971. Empfehlenswert.

Collins, Jim; Radner, Hilary; Collins, Ava Preacher (Hg.): *Film Theory Goes to the Movies.* New York: Routledge 1993 (AFI Film Readers).

Cooke, Alistair (Hg.): *Garbo & the Night Watchmen.* 1937. Reprint. London: Secker & Warburg 1971 (Cinema Two). Eine klassische Anthologie.

Deleuze, Gilles: *Das Bewegungs-Bild. Kino 1.* (*Cinéma 1. L'image-mouvement,* 1983) Frankfurt: Suhrkamp 1989.

Deleuze, Gilles: *Das Zeit-Bild. Kino 2.* (*Cinéma 2. L'image-temps,* 1985) Frankfurt: Suhrkamp 1991.

Deleuze, Gilles: *Unterhaltungen 1972–1990.*

(*Pourparlers 1972–1990*, 1990) Frankfurt: Suhrkamp 1993 (edition suhrkamp 1778).
Denby, David: *Awake in the Dark. An Anthology of American Film Criticism 1915 to the Present.* New York: Random House 1977.
Denk, Rudolf (Hg.): *Texte zur Poetik des Films.* Stuttgart: Reclam 1978 (RUB 9541).
Deutelbaum, Marshall: *«Image» on the Art and Evolution of the Film.* New York: Dover 1979. Gesammelte Artikel aus der Zeitschrift des International Museum of Photography in Rochester.
Diederichs, Helmut H.: *Anfänge deutscher Filmkritik.* München: Robert Fischer + Uwe Wiederoither 1986.
Donner, Wolf: *Gegenkurs. Ausgewählte Kino-Texte (1983–1992).* Berlin: Stemmler 1993. Gesammelte Artikel des einflußreichen Kritikers der achtziger Jahre.
Eco, Umberto: *Einführung in die Semiotik.* München: Fink 1972.
Eco, Umberto: *Zeichen. Einführung in einen Begriff und seine Geschichte.* Frankfurt: Suhrkamp 1977 (edition suhrkamp 895).
Eco, Umberto: *Semiotik. Entwurf einer Theorie der Zeichen.* 2. erw. Ausgabe. München: Fink 1991 (Supplemente 5).
Eco, Umberto: *Apokaliptiker und Integrierte. Zur Kritik der Massenkultur.* (*Apocalittici e integrati*, 1964) Frankfurt: Fischer 1992 (FTB 7367).
Eisenstein, Sergej: *Ausgewählte Aufsätze.* Berlin/DDR: Henschelverlag 1960. Eine Auswahl aus den Schriften des sowjetischen Regisseurs und Theoretikers.
Eisenstein, Sergej M.: *Schriften 1. Streik.* Hg. v. Hans-Joachim Schlegel. München: Hanser 1974 (Reihe Hanser 158). Ursprünglich auf 6 Bände angelegte Ausgabe. Die ausgewählten Texte sind jeweils auf einen Film Eisensteins bezogen. Sehr empfehlenswert.
Eisenstein, Sergej M.: *Schriften 2. Panzerkreuzer Potemkin.* Hg. v. Hans-Joachim Schlegel. München: Hanser 1973 (Reihe Hanser 135).
Eisenstein, Sergej M.: *Schriften 3. Oktober.* Hg. v. Hans-Joachim Schlegel. München: Hanser 1975 (Reihe Hanser 184).
Eisenstein, Sergej M.: *Schriften 4. Das Alte und das Neue (Die Generallinie).* Hg. v. Hans-Joachim Schlegel. München: Hanser 1984.
Eisenstein, Sergej: *Das dynamische Quadrat. Schriften zum Film.* Hg. v. Oksana Bulgakova und Dietmar Hochmuth. Leipzig: Reclam 1988 (Reclams Universal-Bibliothek 1206).
Eisner, Lotte H.: *Ich hatte einst ein schönes Vaterland. Memoiren.* Geschrieben von Martje Grohmann. Heidelberg: Wunderhorn 1984. Autobiografie der Filmhistorikerin und Archivarin.
Ellis, John (Hg.): *Screen Reader One. Cinema / Ideology / Politics.* London: S.E.F.T. 1977. Auswahl aus der einflußreichen Filmzeitschrift der siebziger Jahre.
Farber, Manny: *Negative Space.* New York: Praeger 1971. Filmkritiken des New Yorker «Außenseiters».
Ferguson, Otis: *The Film Criticism of Otis Ferguson.* Hg. v. Robin Wilson. Philadelphia: Temple UP 1973.
Friedberg, Anne: *Window Shopping. Cinema and the Postmodern.* Berkeley: University of California Press 1993.
Gad, Urban: *Der Film. Seine Mittel – Seine Ziele.* (*Filmen. Dens Midler og Maal*, 1919) Berlin: Schuster & Loeffler 1921. Frühe Theorie des dänisch-deutschen Filmregisseurs.
Gandert, Gero (Hg.): *Der Film der Weimarer Republik 1929. Ein Handbuch der zeitgenössischen Kritik.* Berlin: de Gruyter 1993. Ein monumentales Lebenswerk.
Gidal, Peter (Hg.): *Structural Film Anthology.* 2. Auflage. London: British Film Institute 1978. Wichtige Auswahl von Dokumenten der avantgardistischen Filmrichtung.
Gilliat, Penelope: *Unholy Fools.* New York: Viking 1973. Gesammelte Filmkritiken.
Godard, Jean-Luc: *Godard/Kritiker. Ausgewählte Kritiken und Aufsätze über Film (1950–1970).* Hg. v. Frieda Grafe. München: Hanser 1971 (Reihe Hanser 83). Auswahl aus Godards Werk als Kritiker.
Godard, Jean-Luc: *Einführung in eine wahre Geschichte des Kinos.* Ü. v. Frieda Grafe und Enno Patalas. München: Hanser 1981.
Gottgetreu, Sabine: *Der bewegliche Blick. Zum Paradigmenwechsel in der feministischen Filmtheorie.* Frankfurt: Lang 1992.
Grafe, Frieda; Patalas, Enno: *Im Off. Filmartikel.* München: Hanser 1974. Gesammelte Aufsätze der geschätzten Filmkritiker.
Grafe, Frieda: *Beschriebener Film 1974–1985.* Salzhausen-Luhmühlen: Die Republik 1985 (Die Republik, Nr. 72–75).
Grafe, Frieda: *Filmtips.* München: KinoKonTexte 1993 (KinoKonTexte 4).
Greene, Graham: *The Pleasure-Dome. The Collected Film Criticism 1935–40.* Hg. v. John Russell Taylor. New York: Oxford UP 1980.
Grierson, John: *Grierson on Documentary. Hg. v. Forsyth Hardy.* 1947. Reprint. London: Faber

and Faber 1966. Klassische Sammlung des britischen Dokumentaristen.

Groll, Gunter: *Magie des Films. Kritische Notizen über Film, Zeit und Welt.* München: Süddeutscher Verlag 1953.

Groll, Gunter: *Lichter und Schatten. Filme in dieser Zeit.* München: Süddeutscher Verlag 1956. Der führende Filmkritiker der 50er Jahre.

Haas, Willy: *Der Kritiker als Mitproduzent. Texte zum Film 1920–1933.* Hg. v. Wolfgang Jacobsen, Karl Prümm und Benno Wenz. Berlin: Hentrich 1991.

Hagemann, Walter: *Der Film. Wesen und Gestalt.* Heidelberg: Vowinckel 1952 (Beiträge zur Publizistik 5).

Hammond, Paul (Hg.): *The Shadow and Its Shadow. Surrealist Writings on Cinema.* London: British Film Institute 1978. Wichtige Dokumentensammlung.

Harms, Rudolf: *Philosophie des Films. Seine ästhetischen und metaphysischen Grundlagen.* 1926. Reprint. Zürich: Rohr 1970 (Filmwissenschaftliche Studientexte, 3).

Harvey, David: *The Condition of Post-Modernity.* Cambridge, MA: Blackwell 1989.

Heath, Stephen: *Questions of Cinema.* Bloomington: Indiana UP 1981.

Hillier, Jim (Hg.): *Cahiers du Cinéma. Vol. 1. The 1950s – Neorealism, Hollywood, New Wave.* Cambridge, MA: Harvard UP 1985.

Hillier, Jim (Hg.): *Cahiers du Cinéma. Vol. 2. 1960–1968 – New Wave, New Cinema, Reevaluating Hollywood.* Cambridge, MA: Harvard UP 1986. Gesammelte Artikel aus der einflußreichen Zeitschrift.

Holland-Moritz, Renate: *Die Eule im Kino. Filmkritiken.* Berlin/DDR: Eulenspiegel 1981. Gesammelte Kritiken der einflußreichen DDR-Autorin.

Holland-Moritz, Renate: *Die Eule im Kino. Neue Filmkritiken.* Berlin: Eulenspiegel 1994.

Ihering, Herbert: *Von Reinhardt bis Brecht. Vier Jahrzehnte Theater und Film. 3 Bände.* Hg. v. d. Deutschen Akademie der Künste zu Berlin unter Mitarbeit von Dr. Edith Krull. Berlin/DDR: Aufbau 1958–61. Gesammelte Artikel des wichtigen Kritikers der Weimarer Zeit zu Theater und Film.

Iros, Ernst: *Wesen und Dramaturgie des Films.* Zürich – Leipzig: Niehans 1938. Vom Verfasser stark bearbeitete Neuausgabe: Zürich: Niehans 1957.

Jameson, Frederic: *The Prison-House of Language.* Princeton: Princeton UP 1972. Eine nützliche Einführung in die Semiotik und angrenzende Gebiete.

Jameson, Frederic: *Political Unconsciousness.* Ithaca: Cornell UP 1982.

Jameson, Frederic: *Signatures of the Visible.* New York: Routledge 1990. Die Anwendung postmoderner materialistischer Theorie auf die Interpretation einzelner Filme.

Jameson, Frederic: *Postmodernism, or the Cultural Logic of Late Capitalism.* Durham: Duke UP 1991.

Jürschik, Rudolf: *Wirklichkeit und Filmkunst. Zu theoretischen Problemen des Zusammenhangs zwischen der wachsenden Rolle des subjektiven Faktors...* Berlin/DDR: Parteihochschule «Karl Marx» 1970 (Vorlesungen und Schriften). Eine für die Praxis des DEFA-Films wichtige Theorie.

Kael, Pauline: *I Lost It at the Movies. Film Writings 1954–1965.* 1965. Neuausgabe. London: Boyars 1994. Gesammelte Artikel der einflußreichen New Yorker Filmkritikerin. Weitere Ausgaben: *Kiss Kiss Bang Bang. Film Writings 1965–1967.* (1968); *Going Steady.* (1971); *Deeper into Movies.* (1974); *Reeling.* (1976); *When the Lights Go Down.* (1980); *Taking It All In.* (1985); *State of the Art.* (1987); *Hooked.* (1990); *Movie Love.* (1992). Die Sammlungen der Kritikerin, alle bei Boyars erschienen, ergeben einen ausgezeichneten Überblick über das (amerikanische) Kino der sechziger bis achtziger Jahre.

Kael, Pauline: *5001 Nights at the Movies. Shorter Reviews from the Silents to the '90s.* Überarb. Ausgabe. London: Boyars 1993. Kaels allgemeiner Film-Führer, zusammengestellt aus ihren Kurzkritiken für den New Yorker.

Kaplan, E. Ann: *Postmodernism and its Discontents. Theories, Practices.* London: Routledge 1988.

Kaplan, E. Ann: *Psychoanalysis and Cinema.* New York: Routledge 1990.

Kauffmann, Stanley: *A World on Film.* New York: Harper & Row 1966. Filmkritik mit literarischer Sensibilität.

Kauffmann, Stanley: *Figures of Light.* New York: Harper & Row 1971.

Kauffmann, Stanley: *Living Images.* New York: Harper & Row 1975.

Kauffmann, Stanley; Henstell, Bruce (Hg.): *American Film Criticism. From the Beginnings to «Citizen Kane».* New York: Liveright 1972. Eine sehr nützliche Anthologie, umfassend und gründlich.

Kittler, Friedrich: *Draculas Vermächtnis. Techni-*

sche Schriften. Leipzig: Reclam 1993 (Reclam-Bibliothek 1476).
Knilli, Friedrich (Hg.): *Zeichensystem Film.* Stuttgart: Kohlhammer 1968.
Knilli, Friedrich (Hg.): *Semiotik des Films. Mit Analysen kommerzieller Pornos und revolutionärer Agitationsfilme.* München: Hanser 1971.
Kötz, Michael: *Der Traum, die Sehnsucht und das Kino. Film und Wirklichkeit des Imaginären.* Frankfurt: Syndikat 1986.
Kracauer, Siegfried: *Theorie des Films. Zur Errettung der äußeren Wirklichkeit.* (*Theory of Film,* 1960) Frankfurt: Suhrkamp 1973 (Schriften 3).
Kracauer, Siegfried: *Kino. Essays, Studien, Glossen zum Film.* Hg. v. Karsten Witte. Frankfurt: Suhrkamp 1974 (st 126). Gesammelte Artikel aus den Jahren 1926–1951.
Kracauer, Siegfried: *Filmkritiken 1924 bis 1939.* In: *Von Caligari zu Hitler.* Frankfurt: Suhrkamp 1979 (Schriften 2).
Kuhn, Annette: *Women's Pictures. Feminism and Cinema.* New York: Routledge 1982.
Langlois, Henri: *Trois cents ans de cinéma. Ecrits.* Hg. v. Jean Narboni. Paris: Cahiers du cinéma – Cinémathèque française 1986. Gesammelte Texte des Filmarchivars.
Lapsey, Robert; Westlake, Michael: *Film Theory. An Introduction.* Manchester: Manchester UP 1989.
Lindsay, Vachel: *The Art of the Moving Pictures.* 1915. Reprint. New York: Liveright 1970. Der Dichter über die junge Kunst des Films.
Lorentz, Pare: *Lorentz on Film.* New York: Harcourt Brace Jovanovich 1975. Der Filmemacher als Kritiker.
Lotman, Jurij M.: *Probleme der Kinoästhetik. Einführung in die Semiotik des Films.* Frankfurt: Syndikat 1977.
MacCann, Richard D. (Hg.): *Film. A Montage of Theories.* New York: Dutton 1966. 40 Essays von Filmemachern und Kritikern. Empfehlenswert.
Macdonald, Dwight: *On Movies.* New York: Berkley 1971. Macdonalds begrenzter Ausflug auf das Gebiet der Filmkritik. Ein Klassiker der frühen Filmkritik.
Mast, Gerald; Cohen, Marshall (Hg.): *Film Theory and Criticism.* New York: Oxford UP 1974. Eine sehr nützliche Zusammenstellung theoretischer Texte. Sehr empfehlenswert.
McConnell, Frank: *Storytelling and Mythmaking. Images from Film and Literature.* New York: Oxford UP 1979. Eine interessante Erzähl-Theorie.
Mekas, Jonas: *Movie Journal. The Rise of a New American Cinema, 1959–1971.* New York: Collier 1972. Der Chronist des New American Cinema und Verfechter des nichtnarrativen Films.
Metz, Christian: *Sprache und Film.* (*Essais sur la signification au cinéma,* 1968) Frankfurt: Athenäum 1973. Metz ist der wichtigste Film-Semiotiker. (Seine Theorien haben sich seit *Sprache und Film* weiterentwickelt.)
Metz, Christian: *Semiologie des Films.* (*Langage et cinéma,* 1971). München: Fink 1972.
Metz, Christian: *L'Énonciation impersonelle ou le site du film.* Paris: Klincksieck 1992.
Miller, Mark Crispin (Hg.): *Seeing Through Movies.* New York: Pantheon 1990.
Mitry, Jean: *Esthétique et psychologie du cinéma.* 2 Bände. Paris: Éditions universitaires 1963. Ein französischer Klassiker.
Münsterberg, Hugo: *The Film: A Psychological Study. The Silent Photoplay in 1916.* Reprint. New York: Dover 1970. Einer der ersten Versuche in Film-Psychologie.
Neale, Steven: *Genre.* London: British Film Institute 1980.
Nichols, Bill (Hg.): *Movies and Methods.* 2 Bände. 2. Ausgabe. Berkeley: University of California Press 1985. Eine sehr empfehlenswerte Anthologie zeitgenössischer Kritik.
Oshima, Nagisa: *Die Ahnung der Freiheit. Schriften.* Berlin / West: Wagenbach 1982.
Palmer, R. Barton: *The Cinema Text. Methods and Approaches.* New York: AMS Press 1989.
Pasolini, Pier Paolo: *Freibeuterschriften. Die Zerstörung der Kultur des Einzelnen durch die Gesellschaft.* (*Scritti corsari,* 1975) Berlin / West: Wagenbach 1978.
Pasolini, Pier Paolo: *Lutherbriefe.* (*Lettere luterane,* 1976) Wien – Berlin: Medusa 1983.
Pasolini, Pier Paolo: *Ketzererfahrungen. «Empirismo eretico». Schriften zu Sprache, Literatur und Film.* München: Hanser 1979.
Penley, Constance (Hg.): *Feminism and Film Theory.* New York: Routledge 1988.
Pinthus, Kurt: *Der Zeitgenosse. Literarische Portraits und Kritiken.* Hg. v. Reinhard Tgahrt. Marbach: Deutsches Literaturarchiv 1971 (Marbacher Schriften). Darin eine Auswahl aus seinen Filmkritiken.
Potamkin, Harry Alan: *The Compound Cinema. The Film Writings of Harry Alan Potamkin.* Hg. v. Lewis Jacobs. New York: Teachers College Press 1978. Einer der wichtigsten Kritiker der dreißiger Jahre.
Pudowkin, Wsewolod: *Filmregie und Filmmanuskript.* Mit Beiträgen von Thea von Harbou,

L. Heilborn-Körbitz, Carl Mayer, S. Timoschenko. Berlin: Lichtbildbühne 1928 (Bücher der Praxis Bd. V). Neben Eisenstein der wichtigste sowjetische Spielfilmtheoretiker der zwanziger Jahre.

Richter, Hans: *Filmgegner von heute – Filmfreunde von morgen.* 1929. Reprint. Zürich: Rohr 1968.

Richter, Hans: *Der Kampf um den Film. Für einen gesellschaftlich verantwortlichen Film.* Hg. v. Jürgen Römhild. München: Hanser 1976.

Rosen, Philip (Hg.): *Narrative, Apparatus, Ideology. A Film Theory Reader.* New York: Columbia UP 1986.

Rotha, Paul: *Celluloid. The Film To-Day.* London: Longmans, Green 1933. Gesammelte Aufsätze des bedeutenden Filmhistorikers.

Rotha, Paul: *Rotha on the Film. A Selection of Writings about the Cinema.* London: Faber and Faber 1958. Aufsätze aus den Jahren 1928–1956.

Rülicke-Weiler, Käthe (Hg.): *Beiträge zur Theorie der Film- und Fernsehkunst. Gattungen, Kategorien, Gestaltungsmittel.* Berlin / DDR: Henschelverlag 1987.

Salmon, Heinz: *Die Kunst im Film. Die Theorie der reinen Filmkunst, auf der Grundlage ihrer Mittel.* Dresden-Weinböhla: Aurora 1921. Eine frühe Filmtheorie.

Sarris, Andrew: *Confessions of a Cultist.* New York: Simon & Schuster 1970. Neben Kael der einflußreichste US-Filmkritiker. Er popularisierte die «Autorentheorie» in den USA.

Sarris, Andrew: *The Primal Screen. Essays on Film and Related Subjects.* New York: Simon & Schuster 1973.

Sarris, Andrew: *Politics and Cinema.* New York: Columbia UP 1979.

Schiwy, Günther: *Der französische Strukturalismus. Mode – Methode – Ideologie.* Reinbek: Rowohlt 1969 (rowohlts deutsche enzyklopädie 310 / 311). Eine allgemeine, kritische Einführung.

Schklowskij, Viktor: *Schriften zum Film.* Frankfurt: Suhrkamp 1966 (edition suhrkamp 174). Auswahl von Aufsätzen des russischen Formalisten aus den Jahren 1923–1963.

Seeßlen, Georg: *Liebe, Sehnsucht, Abenteuer. Essays.* Frankfurt: Ullstein 1988 (Ullstein-Buch 36546).

Silverman, Kaja: *The Subject of Semiotics.* Oxford: Oxford UP 1983.

Simon, John: *Private Screenings.* New York: Berkley 1967.

Simon, John: *Movies into Film. Film Criticism 1967–70.* New York: Dial Press 1971. Der Kritiker als Held. Der beste Repräsentant der konservativen Ästhetik.

Sitney, P. Adams (Hg.): *Film Culture Reader.* New York: Praeger 1970. Auswahl aus dem Zentralorgan der amerikanischen Film-Avantgarde.

Sontag, Susan: *Styles of Radical Will.* New York: Farrar, Straus & Giroux 1970. Wichtige Essays über Godard und Bergman.

Sontag, Susan: *Kunst und Antikunst.* (*Against Interpretation,* 1966) München: Hanser 1980. Eher Kulturkritikerin als Filmrezensentin, jedoch auch auf die Filmkritik sehr einflußreich.

Staiger, Janet: *Interpreting Film. Studies in the Historical Reception of American Cinema.* Princeton: Princeton UP 1992.

Thompson, Kristin: *Breaking the Glass Armor. Neoformalist Film Analysis.* Princeton: Princeton UP 1988.

Truffaut, François: *Die Filme meines Lebens. Aufsätze und Kritiken.* München: Hanser 1976. Artikel der fünfziger und sechziger Jahre.

Tudor, Andrew: *Film-Theorien.* Frankfurt: Kommunales Kino 1977. Knappe Einführung.

Tyler, Parker: *Classics of the Foreign Film.* Secaucus: Citadel 1962. Ein Pionier der psychoanalytischen Filmkritik in den USA.

Tyler, Parker: *Magic and Myth in the Movies.* London: Secker & Warburg 1971 (Cinema Two).

Usai, Paolo Cherchi: *Burning Passions. An Introduction to the Study of Silent Cinema.* London: British Film Institute 1994.

Vertov, Dsiga: *Aufsätze, Tagebücher, Skizzen.* Hg. v. Sergej Drobaschenko. Berlin / DDR: Institut für Filmwissenschaft 1967 (Filmwissenschaftliche Bibliothek).

Vertov, Dsiga: *Schriften zum Film.* Hg. v. Wolfgang Beilenhoff. München: Hanser 1973 (Reihe Hanser 136). Schriften des bedeutendsten theoretischen Gegenpols zu Eisenstein.

Virilio, Paul: *Krieg und Kino. Logistik der Wahrnehmung.* München: Hanser 1986 (Edition Akzente).

Warshow, Robert: *The Immediate Experience.* New York: Atheneum 1970. Neben Agee einer der bedeutendsten frühen Filmkritiker in den USA. Besonders wichtig zum Film als populärer Kunst.

Weinberg, Herman G.: *Saint Cinema. Writings on the Film. 1929–1970.* 2. Auflage. New York: Dover 1973.

Wilson, David (Hg.): *Sight and Sound. A Fiftieth Anniversary Selection.* London: Faber and Faber 1982.

Witte, Karsten (Hg.): *Theorie des Kinos. Ideologiekritik der Traumfabrik.* Frankfurt: Suhrkamp 1972 (edition suhrkamp 557). Nützliche Anthologie.

Witte, Karsten: *Im Kino. Texte vom Sehen & Hören.* Frankfurt: Fischer 1985 (FTB 4454).

Wollen, Peter: *Signs and Meaning in the Cinema.* 2. erw. Ausgabe. London: Secker & Warburg 1972. Eine wichtige semiotische Studie. Sehr empfehlenswert.

Wollen, Peter: *Readings and Writings.* London: Verso 1982.

Wood, Robin: *Personal Views. Explorations in Film.* London: Gordon Frazer 1976. Aufsätze eines wichtigen Vertreters der «Autorentheorie» in England.

Wuss, Peter: *Die Tiefenstruktur des Filmkunstwerks. Zur Analyse von Spielfilmen mit offener Komposition.* Berlin/DDR : Henschelverlag 1986.

Wuss, Peter: *Kunstwert des Films und Massencharakter des Mediums. Konspekte zur Geschichte der Theorie des Spielfilms.* Berlin: Henschel 1990. Kommentierte Anthologie mit ausführlichen Passagen aus den wichtigsten Spielfilmtheorien. Sehr empfehlenswert.

1.6 Medien

Allen, Robert C. (Hg.): *Channels of Discourse, Reassembled.* 2. Auflage. Chapel Hill: University of North Carolina Press 1992. Kritische Theorien und Methoden angewandt auf einzelne Fernsehsendungen.

Alst, Theo van (Hg.): *Millionenspiele. Fernsehbetrieb in Deutschland.* München: edition text + kritik 1972.

Anderson, Christopher: *HollywoodTV. The Studio System in the Fifties.* Austin: Texas UP 1994.

Arlen, Michael: *Living Room War. Writings About Television.* New York: Viking 1969.

Arnheim, Rudolf: *Rundfunk als Hörkunst. Mit einer neuen Einleitung des Verfassers.* München: Hanser 1979.

Balio, Tino: *Hollywood in the Age of Television.* Boston: Unwin Hyman 1990.

Barnouw, Erik: *A History of Broadcasting in the United States. 1. A Tower of Babel. 2. The Golden Web. 3. The Image Empire.* 3 Bände. New York: Oxford UP 1966–70. Das Standardwerk.

Barnouw, Erik: *Tube of Plenty. The Evolution of American Television.* 2. erw. Ausgabe. New York: Oxford UP 1990. Die einbändige Zusammenfassung von «A History of Broadcasting in the United States». Sehr empfehlenswert.

Bausch, Hans: *Rundfunkpolitik nach 1945.* 2 Bände. Rundfunk in Deutschland, Bd. 3 + 4. München: DTV 1980 (dtv 3185/86).

Behrens, Tobias: *Die Entstehung der Massenmedien in Deutschland. Ein Vergleich von Film, Hörfunk und Fernsehen und ein Ausblick auf die Neuen Medien.* Frankfurt: Lang 1986 (Europäische Hochschulschriften. Reihe 40, Kommunikationswissenschaft und Publizistik. Bd. 6).

Bessler, Hansjörg: *Hörer- und Zuschauerforschung.* Rundfunk in Deutschland, Bd. 5. München: DTV 1980 (dtv 3187).

Bismarck, Klaus von; Gaus, Günter; Kluge, Alexander; Sieger, Ferdinand: *Industrialisierung des Bewußtseins. Eine kritische Auseinandersetzung mit den «neuen» Medien.* München: Piper 1985 (Serie Piper 473).

Bleicher, Joan Kristin: *Chronik zur Programmgeschichte des deutschen Fernsehens.* Berlin: Edition Sigma 1993 (Sigma Medienwissenschaft 16).

Briggs, Asa: *A History of Broadcasting in the United Kingdom.* 3 Bände. Oxford: Oxford UP 1961–79.

Brooks, John: *Telephone. The First Hundred Years.* New York: Harper & Row 1976.

Brown, Les: *Television. The Business Behind the Box.* New York: Harcourt Brace Jovanovich 1972.

Bruch, Walter: *Kleine Geschichte des deutschen Fernsehens.* Berlin/West: Haude & Spener 1967 (Buchreihe des SFB 6).

Carey, James W.: *Communication as Culture. Essays on Media and Society.* New York: Routledge 1989. Ausgezeichnete Theorie, ohne den Jargon.

Chapple, Steve; Garofalo, Reebee: *Rock'n'Roll Is Here To Pay. The History and Politics of the Music Industry.* Chicago: Nelson-Hall 1977. Eine ausgezeichnete Einführung in das Thema.

Dannen, Fredric: *Hit Men. Power Brokers and Fast Money Inside the Music Business.* Erw. Ausgabe. New York: Vintage 1991.

Diller, Ansgar: *Rundfunkpolitik im Dritten Reich.* Rundfunk in Deutschland, Bd. 2. München: DTV 1980 (dtv 3184).

Erlinger, Hans Dieter; Foltin, Hans-Friedrich (Hg.): *Unterhaltung, Werbung und Zielgruppenprogramme.* München: Fink 1994 (Geschichte des Fernsehens in der Bundesrepublik Deutschland 4).

Faulstich, Werner; Rückert, Corinna: *Mediengeschichte in tabellarischem Überblick von den Anfängen bis heute.* 2 Bände. Bardowick: Wissenschaftler Verlag 1993.

Faulstich, Werner (Hg.): *Vom «Autor» zum Nutzer. Handlungsrollen im Fernsehen.* München: Fink 1994 (Geschichte des Fernsehens in der Bundesrepublik Deutschland 5).

Fiske, John; Hartley, John: *Reading Television.* London: Methuen 1978. Ein Klassiker.

Fiske, John: *Television Culture.* London: Methuen 1987.

Flichy, Patrice: *Une histoire de la communication moderne. Espace public et vie privée.* Paris: Éditions de la découverte 1991.

Frith, Simon: *Sound Effects. Youth, Leisure, and the Politics of Rock'n'Roll.* New York: Pantheon 1981.

Frith, Simon; Goodwin, Andrew; Grossberg, Lawrence (Hg.): *Sound & Vision. The Music Video Reader.* London: Routledge 1993.

Gehr, Herbert (Hg.): *Sound & Vision – Musikvideo und Filmkunst.* Frankfurt: Deutsches Filmmuseum 1994.

Gitlin, Todd: *Watching Television.* New York: Pantheon 1986.

Hausheer, Cecilia; Schönholzer, Annette (Hg.): *Visueller Sound. Musikvideos zwischen Avantgarde und Populärkultur.* Luzern: Zyklop 1994.

Heinrich, Herbert: *Deutsche Medienpolitik.* Nauheim: Koch 1990. Die Parteien und die Medien.

Hickethier, Knut (Hg.): *Institution, Technik und Programm. Rahmenaspekte der Programmgeschichte des Fernsehens.* München: Fink 1994 (Geschichte des Fernsehens in der Bundesrepublik Deutschland 1).

Hiegemann, Susanne; Swoboda, Wolfgang H. (Hg.): *Handbuch der Medienpädagogik. Theorieansätze – Traditionen – Praxisfelder – Forschungsperspektiven.* Opladen: Leske + Budrich 1994.

Hoffman, Hilmar (Hg.): *Gestern begann die Zukunft. Entwicklung und gesellschaftliche Bedeutung der Medienvielfalt.* Darmstadt: Wissenschaftliche Buchgesellschaft 1994.

Huyssen, Andreas; Scherpe, Klaus R. (Hg.): *Postmoderne. Zeichen eines kulturellen Wandels.* Reinbek: Rowohlt 1986 (rowohlt enzyklopädie 427).

Kaplan, E. Ann: *Rocking Around the Clock. Music Television, Postmodernism, & Consumer Culture.* New York: Routledge 1987. Eine Analyse des Erfolgs von MTV.

Keppler, Angela: *Wirklicher als die Wirklichkeit? Das neue Realitätsprinzip der Fernsehunterhaltung.* Frankfurt: Fischer 1994 (FTB 12258).

Kittler, Friedrich: *Grammophon Film Typewriter.* Berlin/West: Brinkmann & Bose 1986.

Lerg, Winfried B.; Steininger, Rolf (Hg.): *Rundfunk und Politik 1923–1973.* Berlin/West: Spiess 1975.

Lerg, Winfried B.: *Rundfunkpolitik in der Weimarer Republik.* Rundfunk in Deutschland, Bd. 1. München: DTV 1980 (dtv 3183).

Liebling, A. J.: *The Press.* Überarbeitete Ausgabe. New York: Ballantine 1975. Klassische Untersuchung des bedeutenden Presse-Kritikers.

Ludes, Peter; Schuhmacher, Heidemarie; Zimmermann, Peter (Hg.): *Informations- und Dokumentarsendungen.* München: Fink 1994 (Geschichte des Fernsehens in der Bundesrepublik Deutschland 3).

MacDonald, J. Fred: *One Nation Under Television. The Rise and Decline of Network Television.* New York: Pantheon 1990. Ein guter Überblick.

Mander, Jerry: *Schafft das Fernsehen ab!* (*Four Arguments for the Elimination of Television*). Reinbek: Rowohlt 1981.

Mankiewicz, Frank; Swerdlow: *Remote Control. Television and the Manipulation of American Life.* New York: Times Books 1978. Empfehlenswert.

Matzen, Christiane (Red.): *Internationales Handbuch für Hörfunk und Fernsehen 1994/95.* 22. Auflage. Hg. v. Hans-Bredow-Institut Hamburg. Baden-Baden: Nomos 1994. Erscheint alle zwei Jahre.

McLuhan, Marshall: *Die Magischen Kanäle.* (*Understanding Media,* 1964). Düsseldorf: Econ 1992. Kontrovers, teilweise unverständlich, aber richtungweisend.

McRobbie, Angela: *Postmodernism and Popular Culture.* London: Routledge 1994.

Monaco, James (Hg.): *Celebrity. The Media as Image Makers.* New York: Delta Books 1978.

Monaco, James (Hg.): *Media Culture. Television, Books, Radio, Records, Magazines, Newspapers, Movies.* New York: Delta Books 1978.

Müller-Doohm, Stefan; Neumann-Braun, Klaus: *Kulturinszenierungen.* Frankfurt: Suhrkamp 1995 (edition suhrkamp 1937).

Naremore, James; Brantlinger, Patrick (Hg.): *Modernity and Mass Culture.* Bloomington: Indiana UP 1991.

Newcombe, Horace (Hg.): *Television. The Critical View.* 5. erw. Auflage. New York: Oxford UP 1994. Eine Anthologie, die zum Standardwerk geworden ist.

Noelle-Neumann, Elisabeth; Schulz, Winfried; Wilke, Jürgen (Hg.): *Fischer Lexikon Publizistik Massenkommunikation.* Neuausgabe. Frankfurt: Fischer 1984 (FTB 12260).

Paech, Joachim (Hg.): *Film, Fernsehen, Video und die Künste. Strategien der Intermedialität.* Stuttgart: Metzler 1994.

Postman, Neil: *Wir amüsieren uns zu Tode. Urteilsbildung im Zeitalter der Unterhaltungsindustrie.* Frankfurt: Fischer 1994 (FTB 4285).

Prokop, Dieter: *Medien-Wirkungen.* Frankfurt: Suhrkamp 1981 (edition suhrkamp 1074).

Prokop, Dieter (Hg.): *Massenkommunikationsforschung 1. Produktion.* Frankfurt: Fischer 1972 (FTB 6151).

Prokop, Dieter (Hg.): *Massenkommunikationsforschung 2. Konsumtion.* Frankfurt: Fischer 1973 (FTB 6152).

Prokop, Dieter (Hg.): *Massenkommunikationsforschung 3. Produktanalysen.* Frankfurt: Fischer 1973 (FTB 6343).

Reimers, Karl Friedrich; Lerch-Stumpf, Monika; Steinmetz, Rüdiger (Hg.): *Von der Kino-Wochenschau zum aktuellen Fernsehen.* München: Ölschläger 1983 (Kommunikation audiovisuell hff Band 3).

Rötzer, Florian (Hg.): *Digitaler Schein. Ästhetik der elektronischen Medien.* Frankfurt: Suhrkamp 1991 (edition suhrkamp 1599).

Schanze, Helmut; Zimmermann, Bernhard (Hg.): *Das Fernsehen und die Künste.* München: Fink 1994 (Geschichte des Fernsehens in der Bundesrepublik Deutschland 2).

Sklar, Robert: *Prime Time America. Life On and Behind the Television Screen.* New York: Oxford UP 1980.

Smith, Anthony: *The Newspaper. An International History.* London: Thames and Hudson 1979. Eine Einführung.

Uricchio, William (Hg.): *Die Anfänge des Deutschen Fernsehens. Kritische Annäherungen an die Entwicklung bis 1945.* Tübingen: Niemeyer 1991 (Medien in Forschung+Unterricht, Serie A, 30).

Wetzel, Kraft (Red.): *Neue Medien contra Filmkultur?* Hg. v. Arbeitsgemeinschaft der Filmjournalisten, Hamburger Filmbüro. Berlin/West: Spiess 1987.

Wicking, Christopher; Vahimagi, Tise (Hg.): *The American Vein. Directors and Directions in Television.* London: Talisman Books 1979.

Winn, Marie: *Die Droge im Wohnzimmer.* Reinbek: Rowohlt 1990 (rororo 7866).

Zey, René: *Lexikon Neue Medien. Informations- und Unterhaltungselektronik von A bis Z.* Reinbek: Rowohlt 1995 (rororo 9822).

1.7 Multimedia

Benedikt, Michael: *Cyberspace. First Steps.* Cambridge, MA: MIT Press 1991.

Forester, Tom: *Die High-Tech-Gesellschaft.* Stuttgart: DVA Oktogon 1990.

Kehoe, Brendan P.: *Zen und die Kunst des Internet. Kursbuch für Informationssüchtige.* München: Prentice Hall 1994.

Levy, Steven: *Insanely Great. The Life and Times of Macintosh, the Computer that Changed Everything.* New York: Viking 1994.

Luther, Arch C.: *Digital Video in the PC Environment.* New York: McGraw-Hill 1991. Eine ausgezeichnete technische Einführung in das Thema.

Morrison, Mike: *The Magic of Interactive Entertainment.* Indianapolis: Sams 1994.

Rheingold, Howard: *Virtuelle Welten. Reisen im Cyberspace.* (*Virtual Reality*). Reinbek: Rowohlt 1992.

Rheingold, Howard: *Virtuelle Gemeinschaft. Soziale Beziehungen im Zeitalter des Computers.* (*The Virtual Community*). Bonn: Addison-Wesley 1994.

Rötzer, Florian; Weibel, Peter (Hg.): *Cyberspace. Zum medialen Gesamtkunstwerk.* München: Boer 1993.

Schulze, Hans Herbert: *PC-Lexikon. Fachbegriffe schlüssig erklärt.* Reinbek: Rowohlt 1993 (rororo 9241).

Smith, Anthony: *Books to Bytes. Knowledge and Information in the Post Modern Era.* London: British Film Institute 1993.

Wallace, James; Erickson, Jim: *Hard Drive. Bill Gates and the Making of the Microsoft Empire.* New York: John Wiley & Sons 1992. Ein guter Überblick über die Geschichte von Microsoft.

Woolley, Benjamin: *Die Wirklichkeit der virtuellen Welten.* (*Virtual Worlds*). Basel: Birkhäuser 1994.

2.1 Filmografien, Filmführer und Lexika

Die Verbreitung von Video hat eine Schwemme von Filmführern ausgelöst. In den meisten Buchläden finden sich ganze Borde von allgemeinen oder speziellen Film- und Videoführern sehr unterschiedlicher Qualität.

In den sechziger Jahren waren solche Informationen oft nur schwer zu finden. George Sadoul in Frankreich, Roger Manvell und Tim Cawkwell in England, die Handbücher der katholischen Filmkritik in Deutschland präsentierten erstmals knappe Daten zu Filmen. Etwa zur gleichen Zeit begann Peter Cowie seine Reihe jährlicher Film

Guides, Leslie Halliwell in England und Leonard Maltin in den USA brachten die ersten Ausgaben ihrer populären Führer zu Filmen im Fernsehen heraus. Beide hatten einen Vorläufer um nahezu ein Jahrzehnt in Steven Scheuer (1958), ein Pionier, der noch heute aktiv ist.
Inzwischen sind auch einzelne Interessierte oder (seltener) Institutionen in den einzelnen Ländern dazu übergegangen, mehr oder weniger detaillierte filmografische Daten zur nationalen Kinematografie zu erfassen und zu publizieren.

The American Film Institute Catalog of Motion Pictures Produced in the United States. Feature Films, 1911–1920. Hg. v. Patricia King Hanson. 2 Bände. Berkeley: University of California Press 1988.

The American Film Institute Catalog of Motion Pictures Produced in the United States. Feature Films, 1921–1930. Hg. v. Kenneth W. Munden. 2 Bände. New York: Bowker 1971.

The American Film Institute Catalog of Motion Pictures Produced in the United States. Feature Films, 1931–1940. Hg. v. Patricia King Hanson. 3 Bände. Berkeley: University of California Press 1993. Vorbildlich recherchiert und präsentiert.

The American Film Institute Catalog of Motion Pictures. Feature Films, 1961–1970. Hg. v. Richard P. Krafsur. 2 Bände. New York: Bowker 1976. Ein konzeptioneller Irrweg, enthält auch nichtamerikanische Produktionen.

The American Movies Reference Book. The Sound Era. Hg. v. Paul Michael. Englewood Cliffs: Prentice Hall 1969. Filmografische Daten zu Filmen, Schauspielern, Regisseuren, Produzenten.

A Biographical Dictionary of Film. David Thomson. 3. erw. Auflage. London: Deutsch 1994. Gelungene Kurzporträts über wichtige Filmemacher und Stars.

The British Film Catalogue 1895–1985. A Reference Guide. Denis Gifford. Erw. Neuausgabe. Newton Abbot: David & Charles 1987. Filmografische Daten zu britischen Spielfilmen; kein Register.

British Sound Films. The Studio Years 1928–1959. David Quinlan. London: Batsford 1984.

Buchers Enzyklopädie des Films. Hg. v. Liz-Anne Bawden und Wolfram Tichy. 2. erw. Ausgabe. 2 Bände. München: Bucher 1983. Stark bearbeitete deutsche Ausgabe von «The Oxford Companion to Film».

Catalogue des films français de long métrage. Films sonores de fiction 1919–1929. Raymond Chirat, Raymond Icart. Toulouse: Cinémathèque de Toulouse 1984.

Catalogue des films français de long métrage. Films sonores de fiction 1929–1939. Raymond Chirat. Brüssel: Cinémathèque Royale de Belgique 1975. Die Bände von Chirat enthalten sehr knappe filmografische Daten zu französischen Spielfilmen; nur bedingt brauchbar, Register.

Catalogue des films français de long métrage. Films sonores de fiction 1940–1950. Raymond Chirat. Hg. v. Cinémathèque Municipale de Luxembourg. Luxemburg: Editions Imprimerie Saint-Paul 1981.

CineGraph – Lexikon zum deutschsprachigen Film. Hg. v. Hans-Michael Bock. München: edition text + kritik 1984 ff. Bio-Filmografien. Loseblattsammlung; bis 1995 25 Lieferungen mit über 6000 Seiten.

Cinema: A Critical Dictionary. The Major Film-Makers. Hg. v. Richard Roud. 2 Bände. London: Secker & Warburg 1980.

Cinéma français. Les Années 50. Les long métrages réalisés de 1950 à 1959. Jean-Charles Sabria. Paris: Centre Georges Pompidou / Economica 1987. Im Gegensatz zu Chirats «Catalogue des films français de long métrage» zu den vorherigen Jahrzehnten eine vorbildliche Filmografie.

Il Cinema muto italiano. Vittorio Martinelli. Rom: Bianco e Nero 1980 ff. Kommentierte Filmografie der italienischen Stummfilme in Jahresbänden.

The Complete Directory to Prime Time Network TV Shows. 1946 – Present. Tim Brooks, Earle Marsh. 5. erw. Auflage. New York: Ballantine 1992.

The Complete Encyclopedia of Television Programs. Vincent Terrace. 3 Bände. New York: New York Zoetrope 1985/86.

DEFA-Spielfilme 1946–1964. Filmografie. Red.: Günter Schulz. Erw. Neuausgabe. Berlin/DDR: Staatliches Filmarchiv der DDR 1989 (Film-Archiv 4).

DEFA 1946–64. Studio für Wochenschau und Dokumentarfilme. Filmografie. Red.: Manfred Lichtenstein, Eckart Jahnke, Kurt Rohrmoser, Günter Schulz. Berlin/DDR: Henschelverlag 1969.

DEFA-Studio für Trickfilme 1955–1964. Filmografie. Red.: Günter Schulz. Berlin/DDR: Staatliches Filmarchiv der DDR 1967.

Deutsche Spielfilme von den Anfängen bis 1933. Ein Filmführer. Hg. v. Günther Dahlke und Günter Karl. 2. Auflage. Berlin: Henschel 1993.

Deutsche Stummfilme. Gerhard Lamprecht. 10 Bde. Berlin / West: Deutsche Kinemathek 1967–70. Filmografische Daten zu Filmen von 1903–1930; lückenhaft, doch ein Standardwerk.

Deutsche Tonfilme. Filmlexikon der abendfüllenden deutschen und deutschsprachigen Tonfilme nach ihren deutschen Uraufführungen. Ulrich J. Klaus. 1. Jahrgang 1929 / 30 ff. Berlin: Klaus 1988 ff. Soll bis Jg. 1945 fortgesetzt werden.

Deutscher Kurz-Spielfilm 1929–1940. Eine Rekonstruktion. Günter Knorr. Ulm: Action 1977. Filmografische Daten zu über 600 Filmen, kein Register.

Deutscher Spielfilmalmanach 1929–1950. Alfred Bauer. 1950. Erw. Neuausgabe. München: Filmladen 1976. Filmografische Daten.

Deutscher Spielfilmalmanach. Band 2: 1946–1955. Alfred Bauer. Hg. v. Christoph Winterberg. München: Winterberg 1981. Filmografische Daten zu deutschen Tonfilmen des ersten Nachkriegsjahrzehnts; nur Titel- und Regisseurs-Register.

Dictionnaire du cinéma. Hg. v. Jean-Loup Passek. Paris: Larousse 1986. Einbändiges Universallexikon zum Film.

Dictionnaire du cinéma 1. Les Réalisateurs. 2. Les Acteurs. Jean Tulard. 2. erw. Ausgabe. Paris: Laffont 1991 / 92. Umfangreiches Taschenbuch-Lexikon mit knappen Angaben.

Dictionnaire du cinéma 3. Les Films. Jacques Lourcelles. Paris: Laffont 1992.

Dizionario del Cinema Italiano. I Film. vol. 1. Dal 1930 al 1944. Roberto Chiti, Enrico Lancia. Rom: Gremese 1993.

Dizionario del Cinema Italiano. I Film. vol. 2. Dal 1945 al 1959. Roberto Chiti, Roberto Poppi. Rom: Gremese 1991.

Dizionario del Cinema Italiano. I Film. vol. 3. Dal 1960 al 1969. Roberto Poppi, Mario Percorari. Rom: Gremese 1992.

Dizionario del Cinema Italiano. I Registi. Dal 1930 al giorni nostri. Roberto Poppi. Rom: Gremese 1993.

Fernsehspiele in der ARD 1952–1972. Achim Klünder, Hans Wilhelm Lavies. 2 Bände. Frankfurt: Deutsches Rundfunkarchiv 1978.

Die Fernsehspiele 1973–1977. Achim Klünder. 2 Bände. Frankfurt: Deutsches Rundfunkarchiv 1986. Verzeichnet die von ARD, ZDF, dem Fernsehen in der DDR, Österreich und der deutschsprachigen Schweiz ausgestrahlten TV-Spiele und -Filme.

Lexikon der Fernsehspiele 1978–1987. Achim Klünder. 3 Bände. München: Saur 1991.

Lexikon der Fernsehspiele 1988 ff. Achim Klünder. München: Saur 1992 ff. Erscheint jährlich.

The Film Encyclopedia. Hg. v. Ephraim Katz. 2. erw. Ausgabe. New York: HarperCollins 1994. Bestes einbändiges Universallexikon zum Film.

Das Filmangebot in Deutschland 1895–1911. Hg. v. Herbert Birett. München: Winterberg 1991.

Filme in der DDR 1945–86. Kritische Notizen aus 42 Kinojahren. Red.: Horst Donat, Helmut Morsbach. Köln: Katholisches Institut für Medieninformation 1987. Ergänzung: *Filme in der DDR 1987–1990*.

Filmo-bibliographischer Jahresbericht 1965–1990. Red.: Günter Schulz. Berlin / DDR: Henschelverlag 1966–1995. Vorbildliche Dokumentierung des Films in der DDR. Abgeschlossen.

Filmschauspieler A–Z. Joachim Reichow, Michael Hanisch. 7. Auflage. Berlin / DDR: Henschelverlag 1989.

Guide des Films. Jean Tulard. 2 Bände. Paris: Laffont 1990.

Halliwell's Filmgoer's Companion. Leslie Halliwell. 10. Auflage. Hg. v. John Walker. London: HarperCollins 1993.

Halliwell's Film Guide. Leslie Halliwell. 10. Auflage. Hg. v. John Walker. London: HarperCollins 1994.

Illustrierter Film-Kurier 1919–1944. Eine Dokumentation. Herbert Holba. 2. Auflage. Ulm: Action 1977. Katalog der Programmheft-Serie.

International Dictionary of Films and Filmmakers. Hg. v. Nicholas Thomas. 2. erw. Ausgabe. 5 Bände. Detroit: St. James Press 1991–94. Umfangreiches Lexikon.

International Directory of Cinematographers, Set and Costume Designers in Film. Hg. v. Alfred Krautz. München: Saur 1981 ff. Die nach Ländern geordneten Bände enthalten Kurzfilmografien von Kameraleuten, Kostüm-Designern und Szenografen.

Leonard Maltin's Movie Encyclopedia. Hg. v. Leonard Maltin. New York: Dutton 1994. Ausgezeichnet für die schnelle Information.

Les Brown's Encyclopedia of Television. Hg. v. Les Brown. 3. erw. Auflage. Detroit: Visible Ink Press 1992.

Lexikon des Internationalen Films. Das komplette Angebot in Kino und Fernsehen seit 1945. Red.: Klaus Brühne. 10 Bände. Reinbek: Rowohlt 1987. Ergänzungsbände 1987 / 88, 1989 / 90, 1991 / 92. Red.: Horst Peter Koll, Hans Messias, 1989–93.

Ma l'amore no. Realismo, formalismo, propaganda e telefoni bianchi nel cinema italiano di regime

(1930–1943). Francesco Savio. Mailand: Sonzogno 1975. Detaillierte Filmografie der italienischen Tonfilme bis zum Ende des Fascismus.

Magill's Survey of Cinema. Hg. v. Frank N. Magill. XX Bände. Englewood Cliffs: Salem Press 1980–85.

The Motion Picture Guide. 1927–1983/84. Hg. v. Jay Robert Nash, Stanley Ralph Ross. 9 Bände. Chicago: Cinebooks 1985–87. Ergänzt durch jährliche Bände; wechselnde Herausgeber und Verlage. Auch als CD-ROM, vgl. Datenbanken.

The Motion Picture Guide. Silent Film 1910–1936. Robert B. Connelly. Chicago: Cinebooks 1986.

The Motion Picture Guide. Index. Hg. v. Jay Robert Nash, Stanley Ralph Ross. 2 Bände. Chicago: Cinebooks 1987.

Movie and Video Guide. Hg. v. Leonard Maltin. New York: Signet 1995. Kurzkritiken zu über 19000 Filmen. Erscheint jährlich seit 1980.

The New York Times Directory of the Film. Vorwort: Arthur Knight. New York: Arno Press 1971. Ein Namensindex zu den in der NYT ab 1913 erschienenen Filmrezensionen, die auch gesammelt als Reprint erschienen sind.

Reclams deutsches Filmlexikon. Filmkünstler aus Deutschland, Österreich und der Schweiz. Herbert Holba, Günter Knorr, Peter Spiegel. Stuttgart: Reclam 1984.

Reclams Filmführer. Dieter Krusche, Jürgen Labenski. 9. Auflage. Stuttgart: Reclam 1993. Kurzkritiken zu über 1000 Filmen.

Svensk filmografi. Hg. v. Lars Åhlander / Jörn Donner (Bd. 6). 7 Bände. Stockholm: Svenska Filminstitutet 1977–1988. Eine vorbildliche Nationalfilmografie.

Total Television. A Comprehensive Guide to Programming from 1948 to the Present. Alex McNeil. 3. erw. Auflage. Harmondsworth: Penguin 1991.

TV-Filmlexikon. Regisseure, Autoren, Dramaturgen 1952–1992. Egon Netenjakob. Frankfurt: Fischer 1994 (FTB 11947).

Verzeichnis in Deutschland gelaufener Filme. Entscheidungen der Filmzensur 1911–1920. Berlin, Hamburg, München, Stuttgart. Hg. v. Herbert Birett. München: Saur 1980. Faksimiles der zeitgenössischen Zensurlisten, Titelregister.

Video Movie Guide 1995. Mick Martin, Marsha Porter. New York: Ballantine 1994. Enthält auch Informationen zu Videos und TV-Filmen.

The (Third) Virgin Movie Guide. Hg. v. James Pallot. 3. erw. Ausgabe. London: Virgin 1994. Die 1. Ausgabe wurde von James Monaco herausgegeben. Beruht auf der Baseline-Datenbank, s. u.

The (Virgin) International Encyclopedia of Film. Hg. v. James Monaco, James Pallot. London: Virgin 1992. Beruht auf der Baseline-Datenbank, s. u.

Who's Who in American Film Now. Hg. v. James Monaco. 2. Auflage. New York: New York Zoetrope 1987. Ein Führer zu den Credits von über 12000 Schauspielern und Filmemachern. Beruht auf der Baseline-Datenbank, s. u.

Who's Who in Hollywood. The Actors and Directors in Today's Hollywood. Hg. v. Robyn Karney. London: Bloomsbury 1993.

2.2. Bibliografien zu Filmbüchern

Basic Books in the Mass Media. Eleanor Blum. Urbana: University of Illinois Press 1972. Eine grundlegende Bibliografie.

Bibliographie der Filmbibliographien / Bibliography of Film Bibliographies. Hg. v. Hans Jürgen Wulff. München: Saur 1987.

Bibliography of National Filmographies. Edited by Harriet W. Harrison. Red.: Dorothea Gebauer. Brüssel: FIAF 1985.

Cinema Booklist. George Rehrauer. Metuchen: Scarecrow Press 1972. Zwei Supplemente 1974, 1976. Das bibliografische Standard-Handbuch zum Film.

Cinéma pleine page. L'édition cinématographique de langue française. Hg. v. Pierre Lherminier. Dossier 1985. Paris: Lherminier / Filmeditions 1985.

Das deutsche Filmschrifttum. Eine Bibliographie der Bücher und Zeitschriften über das Filmwesen. Hans Traub, Hanns Wilhelm Lavies. Leipzig: Hiersemann 1940. Ergänzt durch: *Kinematographie 2. Die Deutsche Filmliteratur 1940–1960.* Red.: Herbert Birett. Frankfurt: Filmstudio 1962.

Film. A Reference Guide. Robert A. Armour. Westport: Greenwood Press 1980.

Film Criticism. An Index to Critic's Anthologies. Richard Heinzkill. Metuchen: Scarecrow Press 1975.

Film- und Fernsehliteratur der DDR. Eine annotierte Bibliographie – Auswahl. 1946–1982/83. Red.: Alfred Krautz, Hermann Herlinghaus. 5 Bände. Potsdam-Babelsberg: Hochschule für Film und Fernsehen der DDR 1983/84 (Beiträge zu Film- und Fernsehwissenschaft 1/83, 1/84).

Internationale Filmbibliographie 1952–1962. H. P. Manz. Zürich: Rohr 1963. Ergänzt durch Supplemente und anschließend durch die Neuerscheinungsbulletins der Buchhandlung Hans Rohr, Zürich.

Literature of the Film. Alan Dyment. London: White Lyon 1975.

Moving Pictures. An Annotated Guide to Selected Film Literature. Eileen Sheahan. Cranbury: Barnes 1978.

Verzeichnis deutscher Fachschriften über Lichtspielwesen. Erwin Ackerknecht. 2. erw. Auflage. Berlin: Bildwart 1930 (Bildwart-Flugschriften 2).

2.3 Bibliografien zu Filmperiodika

Von den sieben greifbaren Bibliografien zu Filmperiodika beschränken sich drei auf Filmzeitschriften; eine verzeichnet hauptsächlich Filmmagazine, schließt jedoch einzelnes Material aus allgemeinen Publikationen mit ein; eine konzentriert sich auf allgemeine Zeitschriften, und eine umfaßt das weite Feld von allgemeinen und spezialisierten Zeitschriften. Zwei von den dreien, die sich auf Filmzeitschriften konzentrieren, beschränken sich auf englischsprachige Publikationen. Jede Bibliografie ist also auf ihre Art nützlich, es gibt jedoch viele Überschneidungen.

The Critical Index. John C. und Lana Gerlach. New York: Teachers' College Press 1974. Mit Computern erarbeitete Bibliografie von englischsprachigen Artikeln über Film aus 22 Zeitschriften 1946–1973.

The Film Index. A Bibliography. Bd. 1: The Film as Art. Bd. 2: The Film as Industry. Bd. 3: The Film in Society. Zusammengestellt vom Writer's Program of the Works Project Administration Staff. 1941. Reprint. Millwood: Kraus International Publications 1985–88. Ein Klassiker.

Film Literature Index. Albany: State University of New York at Albany, Film and Television Documentation Center 1973 ff. Ein jährlicher Themen- / Autor-Index, der über 300 internationale Filmzeitschriften und 125 englischsprachige Allgemein-Zeitschriften auswertet.

Film Review Index. Bd. 1: 1882–1949, Bd. 2: 1950–1985. Phoenix: Oryx 1986 / 87.

A Guide to Critical Reviews. Part 4: Bibliography of Critical Reviews of Feature Length Motion Pictures Released from October 1927 through 1963. James R. Salem. 2 Bände. Metuchen: Scarecrow Press 1971. 12 000 Nachweise.

Index to Critical Film Reviews in British and American Film Periodicals. Index to Critical Reviews of Books About Film 1930–1972. Stephen E. Bowles. 2 Bände. New York: Burt Franklin 1975. Das Verzeichnis von Filmbuch-Rezensionen ist einmalig.

International Index to Film Periodicals. Redaktion: Michael Moulds, London. Mit Unterstützung der Fédération Internationale des Archives du Film (FIAF). Erscheint seit 1972. Wechselnde Herausgeber und Verlage. Das Standardverzeichnis für Filmzeitschriften; wertet etwa 100 internationale Zeitschriften aus. Entsprechend auch *International Index to Television Periodicals.* FIAF. Seit 1979. Beide zusammen (für den Berichtszeitraum ab 1983) auch als CD-ROM, die zweimal jährlich erscheinen.

Motion Picture Directors. A Bibliography of Magazine and Periodical Articles. 1900–1969. Mel Schuster. Metuchen: Scarecrow Press 1973.

The New Film Index. Hg. v. Richard Dyer MacCann und Edward S. Perry. New York: Dutton 1975. Erschließt 38 Filmzeitschriften in englischer Sprache sowie einzelne andere Magazine 1930–1970. Bildet zusammen mit den FIAF-Bänden eine Grundlage für Recherchen.

Retrospective Index to Film Periodicals 1930–1971. Linda Batty. New York: Bowker 1975. Eine Ergänzung zu den FIAF-Bänden. Verzeichnet 20 englischsprachige Zeitschriften.

Wichtige Informationsquellen zu einer Vielzahl von Filmen erschließen auch folgende Handbücher:

20 Jahre internationales forum des jungen films berlin. Index 1971–1989. Redaktion: Katrin Schulz, Sylvia Andresen, Silvia Voser. Berlin: Freunde der Deutschen Kinemathek 1989. Erschließt die auch in Jahresbänden gesammelten materialreichen Informationsblätter des Forums.

epd Film. 10-Jahres-Register 1984–1993. Frankfurt: GEP 1994. Dazu auch eine EDV-Fassung *DB-Register vom Filmbeobachter 1976 bis 1983 und epd-Film von 1984–1993.*

Filmkritik. Register der Jahrgänge 1957–1974. Franz Josef Knape. München: Filmkritiker Kooperative 1975. Index der wichtigsten deutschen Filmzeitschrift der 60er Jahre.

Film-Kurier-Index. Hg. v. CineGraph – Hamburgisches Centrum für Filmforschung / Berlin: Stiftung Deutsche Kinemathek 1992 ff. Erschließung der wichtigsten deutschen Filmfach-Tageszeitung, die 1919–45 erschien, durch Tages-, Schlagwort-, Namen- und Filmtitel-Register. Erscheint zunächst gedruckt in Jahresbänden, kumulierte Datenbank ist nach Abschluß der Erfassung geplant.

Pour Vous / Ciné-Miroir / Cinemonde 1929–1940.

Index volume 1: Films français de long métrage et de fiction. Index volume 2: Films américains de long métrage. Roger Icart, Gérard Mischler. Toulouse: Cinémathèque de Toulouse o. J.

Filmartikel in Zeitschriften der DDR wurden in den *Filmo-bibliografischen Jahresberichten* (vgl. 2.1) erschlossen.

Unerschöpflich – und weitgehend nur punktuell ausgewertet – sind die Filmfachzeitschriften der Zwischenkriegszeit, die großenteils auch als Mikrofilm greifbar sind.

In Deutschland sind das vor allem *Film-Kurier, Lichtbild-Bühne, Kinematograph* und *Film* sowie eine Reihe kurzlebiger, doch interessanter Blätter, alle (nicht immer sorgfältig) mikroverfilmt und käuflich zu erwerben. Außerdem stehen sie in den größeren Fachbibliotheken zur Recherche zur Verfügung (oder sollten es zumindest). Die Filme werden vertrieben vom Mikrofilmarchiv der deutschsprachigen Presse e.V., Dortmund, das die zugänglichen Filme auch in einem Standortverzeichnis nachweist.

In Frankreich sind es vor allem *Cinématographie française, Pour Vous* und einige andere, die von der Association pour la Conservation et la Reproduction Photographique de la Presse, Croissy-Béaubourg, zu beziehen sind.

In England sind neben den reinen Fachblättern wie *Kine Weekly* vor allem *Sight and Sound* und das unvergessene und immer wieder vermißte *Monthly Film Bulletin* als Mikrofilme erhältlich.

Daneben gibt es einige gedruckte Reprints wichtiger Filmzeitschriften:

Close Up. 1927–1933. 10 Bände. Liechtenstein: Kraus 1969. Eine wichtige englischsprachige Zeitschrift, vor allem über den progressiven europäischen Film ihrer Zeit.

Experimental Cinema. 1930–1934. New York: Arno Press 1969.

Filmkritik. 1957–1963. 2 Bände. Frankfurt: Zweitausendeins 1975. 1964–1965. 2 Bände. München: Filmkritiker Kooperative 1976. Die interessantesten Jahrgänge dieser wichtigen Zeitschrift.

The New York Times Film Reviews 1913–1976. 10 Bände. New York: Arno Press 1970 ff. Ein kompletter Reprint aller Filmbesprechungen seit 1913, behandelt über 20 000 Filme, erschlossen durch einen Computer-Index.

The New York Times Reviews 1913–1970. A One Volume Selection. Hg. v. George Amberg. New York: Quadrangle 1971. Eine handliche Auswahl.

The Penguin Film Review 1946–1949. Hg. v. Roger Manvell. 2 Bände. London: Scolar Press 1977. Eine britische Zeitschrift der direkten Nachkriegszeit, mit Index.

Variety Film Reviews. 1907–1980. New York, London: Garland 1983 ff.

2.4 Verschiedene Handbücher, Jahrbücher

Fachwort-Lexikon. Film, Fernsehen, Video. Ulrich Vielmuth. Köln: DuMont 1982. Erläutert technische Fachbegriffe.

Film Dope. Nottingham. Ein filmografisches Partwork-Lexikon in Form einer Zeitschrift. Gut recherchiert, aber durch die Publikationsweise teilweise überholt und zunehmend unregelmäßig im Erscheinen.

Film Talk. Paula K. Read, Anja Bartsch. Hamburg: Verlag für Medienliteratur 1993. Deutsch-englisches Fachwörterbuch.

Film-Jahrbuch 1987 ff. Hg. v. Lothar R. Just. München: Heyne 1987 ff. Dokumentation der in der BRD gelaufenen Filme mit Presse-Zitaten.

Filmed Books and Plays 1928–1974. Hg. v. A. G. S. Enser. New York: Academic Press 1974. Eine Liste der verfilmten Romane und Schauspiele.

Das Filmjahr '79 – 1986. Hg. v. Lothar R. Just (Jg. 1986: Martina Zender). 7 Bände. München: Filmland Presse 1980–86. Dokumentation der in der BRD gelaufenen Filme mit Presse-Zitaten; fortgesetzt durch das Filmjahrbuch bei Heyne.

Filmmaker's Dictionary. Ralph S. Singleton. Beverly Hills: Lone Eagle 1986. Erläuterungen zu Fachbegriffen.

Fischer Film Almanach 1980 ff. Filme – Festivals – Tendenzen. Wechselnde Herausgeber. Frankfurt: Fischer 1980 ff (FTB). Kurzangaben zu den in der BRD angelaufenen Filmen und Videos; nicht immer zuverlässig.

Gaffers, Grips and Best Boys. Eric Taub. Erweiterte Ausgabe. New York: St. Martin's Press 1994. Ausführliche Erläuterungen der bei der Film- und Fernsehproduktion in den USA gebräuchlichen Berufsbezeichnungen und ihrer Aufgaben.

Glossary of Filmographic Terms/.../Lexikalisches Handbuch für Film... Hg. v. Jon Gartenberg. Brüssel: FIAF 1985. Fachwörterbuch (englisch/französisch/deutsch/spanisch/russisch) mit kurzen Erläuterungen, vor allem für Filmarchive.

International Film Guide 1964 ff. Hg. v. Peter Cowie. London: Tantivy 1963 ff. Ab 1990: *Variety International Film Guide*, London: Deutsch 1989 ff. Erscheint jährlich. Eine der wichtigsten Informationsquellen, enthält Aufsätze über fünf «Regisseure des Jahres», Überblicke über die Produktionen in über 50 Ländern, Adressen und Informationen zu Film-Festivals, -Archiven, -Schulen, -Zeitschriften, -Buchhandlungen, -Büchern und manches mehr. Sehr nützlich und empfehlenswert.

Jahrbuch des Films 1958 – 1962. Hg. v. Heinz Baumert und Hermann Herlinghaus (und Helga Besenbruch). 5 Bände. Berlin / DDR: Henschelverlag 1959–64.

Jahrbuch Film 77 / 78 – 85 / 86. Berichte / Kritiken / Daten. Hg. v. Hans Günther Pflaum. 9 Bände. München: Hanser 1977–85.

Kino. Bundesdeutsche Filme auf der Leinwand '78–82 / 83. Robert Fischer (1. Jg. mit Doris Dörrie). München: Monika Nüchtern 1978–82.

KINtop. Jahrbuch zur Erforschung des frühen Films. Hg. v. Frank Kessler, Sabine Lenk, Martin Loiperdinger. Frankfurt: Stroemfeld / Roter Stern 1992 ff. Schwerpunktthemen (Früher Film in Deutschland, Méliès, Messter) und interessante Forschungsergebnisse.

Prisma. Kino- und Fernseh-Almanach 1 – 19. Hg. v. Horst Knietzsch. 19 Bände. Berlin / DDR: Henschelverlag 1970–90.

Verleihkatalog Nr. 1. Hg. v. Hans Helmut Prinzler, Dorothea Gebauer, Walther Seidler. Frankfurt: Deutsches Institut für Filmkunde / Berlin / West: Stiftung Deutsche Kinemathek 1986. Informationen zu 160 deutschen Filmen.

Who Was Who On Screen. 1920–1971. Ebelyn Truitt. New York: Bowker 1974. 6000 Schauspieler.

2.5 Zeitschriften und Magazine

Von den vielen hundert mehr oder weniger regelmäßigen, mehr oder weniger umfangreichen, mehr oder weniger seriösen Filmzeitschriften, die heute in aller Welt erscheinen, sollen hier nur ein paar wichtige aufgeführt werden. Der jährliche *International Film Guide* (vgl. 2.4) enthält eine Auflistung neuer und regelmäßig erscheinender Magazine mit Verlagsadressen.

American Cinematographer. Hollywood. Die führende technische Zeitschrift.

l'Avant-Scène du Cinéma. Paris. Enthält vollständige Filmtexte neuer und klassischer Filme.

black box. Filmpolitischer Informationsdienst. Hg. v. Ellen Wietstock, Hamburg. Kommentare und Informationen zur Filmszene.

Blimp. Graz, Österreich. Avantgardistisch aufgemacht. Vierteljährlich.

Cahiers du cinéma. Paris. Der Klassiker.

Camera Obscura. Film Studies Program, University of California at Santa Barbara. Feministische Filmtheorie.

Cineaste. Hg. v. Gary Crowdus, New York. Empfehlenswert wegen seiner eklektischen und politisch sensiblen Sichtweise.

Cinema Journal. University of Texas Press, Austin. Theoretisches Organ der Society of Cinema Studies.

Cinémathèque. Revue semestrielle d'esthétique et d'histoire du cinéma. Éditions Yellow Now, Crisnée, Belgien. Elegant aufgemachte Zeitschrift der Cinémathèque française.

epd Film. Hg. v. Gemeinschaftwerk der Evangelischen Publizistik, Frankfurt. Solide Monatszeitschrift mit Besprechungen der wichtigsten neuen Filme in Deutschland.

Film Comment. Hg. v. Richard T. Jameson. Film Society of Lincoln Center, New York. Zweimonatlich.

Film History. An International Journal. John Libbey, London. Hg. v. Richard Koszarski, American Museum of the Moving Image. Verständliche historische Essays, gut illustriert.

Film Quarterly. University of California Press, Berkeley. Vierteljährlich.

Film und Fernsehen. Hg. v. Filmverband Brandenburg, Potsdam. Die ehemals führende Filmzeitschrift der DDR wird von Erika Richter mit viel Einsatz am Leben erhalten. Enthält bisweilen interessante Informationen über den Film in Osteuropa.

Filmbulletin. Winterthur, Schweiz. Essays, historische und aktuelle Themen. Zweimonatlich.

Filmdienst. Hg. v. Katholischen Institut für Medieninformation, Köln. Vierzehntäglich. Informationen über das aktuelle Angebot und Artikel zu historischen Themen.

FilmExil. Hg. v. Stiftung Deutsche Kinemathek. Edition Hentrich, Berlin. Informationen zu Personen und Themen des Filmexils. Publiziert zahlreiche Originaldokumente.

FilmMaterialien. Hg. v. CineGraph, Hamburg, CineGraph – Babelsberg und Stiftung Deutsche Kinemathek, Berlin. Filmhistorische Dokumentationen. Erscheint unregelmäßig.

filmwärts. Schüren Presseverlag, Marburg. Interessante Schwerpunktthemen überwiegend zum deutschen Film, gut recherchierte historische Darstellungen, regelmäßige Informationen zur Filmliteratur.

Frauen und Film. Stroemfeld, Frankfurt. Schwerpunktthemen in feministischem Blick.

Griffithiana. La Rivista della Cineteca del Friuli. Journal of Film History. Udine. Elegantes Magazin, herausgegeben von den Veranstaltern des Stummfilmfestivals in Pordenone, dessen Themen ausführlich dokumentiert werden. Zweisprachig, italienisch / englisch.

Iris. Éditions Analeph, Paris. Theoretische französisch-englische Coproduktion.

Kinemathek. Hg. v. Freunde der Deutschen Kinemathek, Berlin. Ursprünglich Informationsbroschüren zum Programm des Kinos Arsenal. Inzwischen eine Reihe sehr informativer und gründlich recherchierter Monografien zu Personen und Themen.

Persistence of Vision. Film Faculty, City University of New York.

Positif. Paris. Informative französische Filmzeitschrift.

Premiere. New York. Verbindet populäre Informationen und Star-Porträts mit Hintergrundinformationen aus der Filmwirtschaft. Auch französische und britische Ausgaben.

Sight and Sound. British Film Institute, London. Versuch, populäre Information mit theoretischen und historischen Inhalten zu verbinden. Früher sehr geschätzt. 1991 wurde das renommierte *Monthly Film Bulletin* eingegliedert.

Steadycam. Hg. v. Milan Pavlovic, Köln. Begeisterung für Genrekino made in Hollywood.

Velvet Light Trap. University of Texas Press, Austin. Zweimal jährlich.

Wide Angle. Ohio University School of Film. Verlegt von der John Hopkins University Press, Baltimore.

Zoom. Zürich. Berichte über aktuelle Neuerscheinungen in der Schweiz. Monatlich.

2.6 Datenbanken

Microsoft Cinemania 1994 ff. CD-ROM. Redmond: Microsoft Electronic Publishing 1993 ff. Kombiniert Informationen der Lexika von Leonard Maltin, Ephraim Katz, Baseline mit Rezensionen von Roger Ebert und Pauline Kael. Zunehmend Multimedia mit Fotos, winzigen Filmausschnitten und Tonzitaten. Die Zusammenfassung der drei wichtigsten populären amerikanischen Lexika macht diese CD-ROM zur wichtigsten Quelle für den Film-Fan. Jährliche Überarbeitungen.

The Motion Picture Guide. Hg. v. James Pallot und Jo Imeson. CD-ROM, 2. Ausgabe. New York: CineBooks 1994. Längere Inhaltsangaben und zum Teil ausführliche Angaben zu Darstellern und Stab für etwa 35 000 – fast ausschließlich amerikanische – Tonfilme. Die Datenbank baut auf der 20bändigen Druckversion auf, die Mitte der achtziger Jahre von Jay Robert Nash und Stanley Ralph Ross begründet wurde. Kein Multimedia, nur die Informationen. Jährliche Ergänzungen zur Zeit in der gedruckten Form (vgl. Abt. 2.1).

Baseline. 1980, kurz nach Abschluß der Recherchen zur vorherigen Ausgabe von *Film verstehen,* besuchte ich (James Monaco) die Zentrale von Mead Data Central in New York. Mitte der siebziger Jahre war Mead ein Pionier auf dem Gebiet der Online-Datenbanken, indem man praktisch eine gesamte juristische Fachbibliothek digitalisiert hatte. Das Produkt nannte sich «Lexis». Obwohl dieser Online-Service für die amerikanischen Rechtsanwälte sich noch nicht zu dem Erfolg entwickelt hatte, als der er sich inzwischen erwiesen hat, hatte Mead gerade ein zweites Produkt vorgestellt, «Nexis», ein allgemeiner Informationsdienst, der – zu jener Zeit – den vollen Text von etwa einem Dutzend Zeitschriften und Zeitungen enthielt. Ich hatte darüber im Wirtschaftsmagazin *Fortune* gelesen. Als freier Autor war ich immer auf der Suche nach zusätzlichen Einkommensquellen. Ich hatte eine Menge Informationen über Film. Ich dachte mir, die könnte ich Mead für ein paar hundert Dollar verkaufen.

Die Leute von Mead boten an, mir Nexis vorzuführen. Die Breite der Information und der leichte Zugang wirkten wie ein Virus. Innerhalb weniger Momente war ich angesteckt. «Sie sollten so etwas für die Industrie machen, in der ich mich auskenne, im Film», schlug ich ihnen vor. Sie stimmten begeistert zu. In den nächsten Monaten entwarfen wir einen Vertrag mit meiner Firma, New York Zoetrope, zur Erarbeitung einer kompletten Filmdatenbank, die Mead vertreiben sollte. Doch als schließlich der Vertrag vorlag, erschien er mir recht einseitig: Mead wollte etwa 110 % vom Kuchen. Ich lehnte höflich ab, in der Überzeugung, ich könnte das notwendige Kapital selbst leicht auftreiben. Ich hatte ein wenig Erfahrung, wie man Filmprojekte unterbrachte, und dachte, dies wäre beträchtlich einfacher.

1981 investierte ein alter Freund, Radha Homay, die ersten $10 000 in das Projekt, das als *Baseline* bekannt werden sollte. Der Finanzplan war 1982 entworfen. Eine Gruppe privater Investoren, darunter Sam Wolpert, der Gründer von Predicast, zu jener Zeit ein Online-Erfolg, investierte 1983 weitere $ 250 000. Wir begannen im November jenes Jahres, die Datenbanken aufzubauen, indem wir Carlos Cuaras bewundernswerte STAR-Software benutzten. (Wir waren der erste Abnehmer dieser Software; die Library of Congress war der zweite.) Doch schon bald ging uns das Geld aus: Das war wenig erstaunlich, da unser Finanzplan von 1982 ein Kapital von 6 Millionen Dollar auswies!

1984 beteiligten sich Steven Scheuer und seine Familie an der Firma, und Scheuer – ein Pionier mit Film-Daten, der selbst schon ähnliches geplant hatte – trat in die Geschäftsleitung ein. 1985 war ein weiteres mageres Jahr, in dem wir die Datenbanken erweiterten. 1986 wurde Sy Syms, der eine kleine Kette von Bekleidungsläden besaß, der Hauptfinanzier. Im selben Jahr begannen wir mit Probe-Angeboten. 1987 modernisierten wir die Hard- und Software. 1988 begannen wir mit einer Reklamekampagne in der Filmindustrie. Nach der mühseligen Aufgabe, die Datenbanken aufzubauen, stellte sich uns nun die nicht minder mühselige Aufgabe, einen Markt innerhalb der Filmindustrie zu entwickeln.

Doch als die achtziger Jahre in die neunziger übergingen, stieg auch die Zahl der Computer in der Filmindustrie. Während die Ausgaben von *Baseline* konstant blieben, wuchsen die Einnahmen beträchtlich. Etwa 1992, zehn Jahre nachdem der erste Finanzplan entworfen worden war, schien Erfolg am Horizont. Als wirtschaftliche Pioniertat erfüllte das *Baseline*-Projekt die übliche Regel: es hatte das Doppelte gekostet und die dreifache Zeit gebraucht. Doch es hatte einen Markt gefunden. Jetzt wissen Sie, womit ich mich zwischen den beiden Ausgaben von *Film verstehen* beschäftigt habe.

Heute bietet Baseline ausführliche Informationen zu mehr als 60 000 historischen Filmen und Fernseh-Programmen, 15 000 Firmen, 500 000 Filmemachern, Schauspielern und Technikern und 5000 in Produktion befindlichen Filmen und Fernsehprogrammen. Der Service ist über die meisten großen Filmbibliotheken zugänglich und direkt für Tausende von Abonnenten in der Filmindustrie. Und – außerdem – ein Teil von *Baseline* wird jetzt auch über Nexis angeboten.

CineGraph. Auch Hans-Michael Bock war auf ähnlichem Gebiet aktiv: Während der Übersetzung und Bearbeitung von *Film verstehen* liefen die ersten Vorbereitungen für CineGraph als Loseblatt-Lexikon zum deutschen Film. Es wurde trotz aller Unkenrufe und mit minimalem Kapital von Anfang an als Datenbank erarbeitet. Die Informationen zwischen *Baseline* und *CineGraph* liefen hin und her, Kooperationen wurden erwogen und nicht realisiert. Ab 1984 erschien das Loseblatt-Lexikon und hat sich inzwischen als bio-filmografisches Standardwerk durchgesetzt.

Ende der achtziger Jahre waren die Datenbanken von CineGraph so angewachsen, daß im Gespräch mit den deutschen Filmarchiven der Aufbau einer computergestützten National-Filmografie diskutiert wurde. Es bildete sich eine Arbeitsgruppe, die gemeinsame Kriterien festlegte. Doch für das Projekt fand sich – trotz aller rhetorischen Unterstützung – bislang keine Finanzierung. Lediglich die Kulturbehörde der Freien und Hansestadt Hamburg übernahm im Rahmen einer institutionellen Förderung von CineGraph – Hamburgisches Centrum für Filmforschung e. V. die Trägerschaft für die Infrastruktur zur Fortführung des Projekts (und der seit 1989 jährlich veranstalteten Internationalen Filmhistorischen Kongresse). Ein Ergebnis der Vorarbeiten war jedoch, daß CineGraph die redaktionelle und technische Koordinierung der deutschen Zulieferung zu einer für 1995 im Rahmen des Projecto Lumiere des MEDIA-Programms der Europäischen Union geplanten Euro-Filmografie übertragen (und finanziert) bekommen hat. Die Arbeit geht weiter. Es bleibt noch viel zu tun.

3.1 Filmbuchläden

Bücherbogen am Tattersall, Stadtbahnbogen 585 (am Savignyplatz), 10 623 Berlin, Tel.: (030) 313 25 15.

Bücherstube Marga Schoeller, Knesebeckstraße 33, 10 623 Berlin, Tel.: (030) 88 11 122.

KulturBuch, Grindelallee 83, 20146 Hamburg, Tel.: (040) 45 25 25.

Sautter+Lackmann, Admiralitätsstraße 71–72, 20 459 Hamburg, Tel.: (040) 37 31 96.

Buchhandlung Walther König, Ehrenstraße 4, 50 672 Köln, Tel.: (0221) 20 59 60.

Filmland Presse, Aventinstraße 4, 80 469 München, Tel.: (089) 220109.

Filmbuchhandlung Hans Rohr, Oberdorfstrasse 3, CH-8024 Zürich, Tel.: (0041–1) 251 36 36.

The Cinema Bookshop, 13–14 Great Russell Street, London WC1, Tel.: (0044–171) 637 0206.

NFT Bookshop, National Film Theatre, Southbank, Waterloo, London SE1 8XT, Tel.: (0044–81) 815 1343.

David Henry, 36 Meon Road, London W3 8AN, Tel.: (0044–81) 993 2859 (Antiquariat).

Offstage, 37 Chalk Farm Road, London NW1, (0044–171) 485 4996.

Zwemmer, 80 Charing Cross Road, London WC2, Tel.: (0044–171) 379 7886.

Nur Mailorder: *A. E. Cox*, 21 Cecil Road, Itchen, Southampton S02 7HX, Tel.: (0044–703) 44 7989.

Atmosphäre, 7–9 rue F. de Pressensé, 75014 Paris, Tel.: (0033–1) 45422926.

Cinédoc, 45–53 Passage Jouffroy, 75009 Paris, Tel.: (0033–1) 42331064.

Cinémagence, 12 rue Saulnier, 75009 Paris, Tel.: (0033–1) 42462121 (Antiquariat).

Contacts, 24 rue du Colisée, 75008 Paris, Tel.: (0033–1) 43591771.

Applause, 211 West 71 Street, New York, NY10023, Tel.: (001–212) 496 7511.

Gotham Book Mart, 41 West 47th Street, New York, NY 10036, (001–212) 719 4448.

Larry Edmunds Bookshop, 6644 Hollywood Boulevard, Hollywood, California 90028, Tel.: (001–213) 463 3273.

Samuel French's Theatre & Film Bookshop, 7623 Sunset Boulevard, Hollywood, California 90046, Tel.: (001–213) 876 570.

3.2 Filmbibliotheken

Einige allgemein zugängliche Bibliotheken – meist an Kinematheken oder Filmhochschulen angeschlossen, die einen größeren Bestand an Filmbüchern und Zeitschriften, oft auch anderen Dokumenten bieten.

Bibliothèque de l'Arsenal – Collection Rondel. 1 rue de Sully, 75012 Paris, Tel.: (0033–1) 42774421.

British Film Institute. Information and Documentation Department. 21 Stephen Street, London W1P 1PL, Tel.: (0044–171) 255 1444. Der Besuch der Bibliothek kostet Eintritt und erfordert Glück, um eingelassen zu werden.

Bundesarchiv-Filmarchiv – Dokumentensammlung. Fehrbelliner Platz 1, 10707 Berlin, Tel.: (030) 86811.

Cinémathèque Royale. 23 rue Ravenstein, 1000 Brüssel, Tel.: (0032–2) 507 8370.

Cinémathèque Suisse. 3 Allée Ernest Ansermet, 1003 Lausanne, Tel.: (0041–21) 23 7406.

Deutsche Film- und Fernsehakademie Berlin / Stiftung Deutsche Kinemathek. Pommernallee 1, 14052 Berlin, Tel.: (030) 30307–244. Die beiden Institutionen tragen eine gemeinsame Bibliothek.

Deutsches Institut für Filmkunde / Deutsches Filmmuseum. Schaumainkai 41, 60596 Frankfurt, Tel.: (069) 617045. Die beiden Institutionen tragen eine gemeinsame Bibliothek.

Hochschule für Fernsehen und Film – Bibliothek. Frankenthaler Straße 23, 81539 München, Tel.: (089) 6800 0460.

Hochschul-Bibliothek – Hochschule für Film und Fernsehen «Konrad Wolf». Rosa-Luxemburg-Straße 24, 14482 Potsdam, Tel.: (0331) 746 9341.

Nederlands Filmmuseum. Vondelpark 3, 1071 AA Amsterdam, Tel.: (0031–20) 589 1400.

Österreichisches Filmmuseum. Augustinerstraße 1, A-1010 Wien, Tel.: (0043–1) 533 70540.

Stadt- und Universitätsbibliothek Frankfurt am Main. Bockenheimer Landstraße 134, 60325 Frankfurt, Tel.: (069) 2123 9256. Die UB betreut im Auftrag der Deutschen Forschungsgemeinschaft den Sammelschwerpunkt Film- und Medienliteratur.

Dank

Der Herausgeber dankt Evelyn Hampicke (Berlin), Rüdiger Koschnitzki (Frankfurt), Markku Salmi (London), Katja Uhlenbrok (Hamburg) und den Mitarbeitern von Bücherbogen (Berlin) für ihre Unterstützung bei der Recherche zur Bibliografie.

ANHANG III

R E G I S T E R

Register der Filmtitel

Kursive Seitenzahlen verweisen auf Abbildungen

Die Abenteuer des Till Ulenspiegel 321
Abgründe siehe Afgrunden
À bout de souffle (*Außer Atem*) 219, 263, *265*, 329, *330*
Abschied von gestern 357
Accatone (*Accatone – Wer nie sein Brot mit Tränen aß*) 341
Accident (*Accident – Zwischenfall in Oxford*) 336
8 1/2 siehe Otto e mezzo
Acht Mann und ein Skandal siehe Eight Men Out
18 Stunden bis zur Ewigkeit siehe Juggernaut
Act of the Heart 352
Adoption siehe Örökbefogadás
À double tour (*Schritte ohne Spur*) *172*
Die Affäre der Sunny von B. siehe Reversal of Fortune
Affaire Blum 320
Une affaire des femmes (*Eine Frauensache*) 331
Afgrunden (*Abgründe*) 285
After Hours (*Die Zeit nach Mitternacht*) 367
L'Âge d'or (*Das goldene Zeitalter*) 349
The Age of Innocence (*Zeit der Unschuld*) 367, *367*
Aguirre, der Zorn Gottes 359
Ai no corrida / L'Empire des sens (*Im Reich der Sinne*) 351
Akahige (*Rotbart*) 351
Akibiyori (*Spätherbst*) 318
Akrobat schö-ö-ö-n... 304
Alarm im Weltall siehe Forbidden Planet
Alarm im Zirkus 321
L'Albero degli zoccoli (*Der Holzschuhbaum*) 342, *342*
The Alberta Hunter Story 366
Aleksandr Nevskij (*Alexander Newski*) 54
Alex in Wonderland (*Alex im Wunderland*) 373
Alice (*Alice*) 374
Alice Doesn't Live Here Anymore (*Alice lebt hier nicht mehr*) *269*, 367
Alice in den Städten 360
Alice lebt hier nicht mehr siehe Alice Doesn't Live Here Anymore
Alice's Restaurant (*Alices Restaurant*) 333, 366
Alien (*Alien – Das unheimliche Wesen aus einer fremden Welt*) 339, 377, 411
Aliens (*Aliens – Die Rückkehr*) 377
Alien 3 (*Alien 3*) 377
Allein mit Onkel Buck siehe Uncle Buck
Alles in allem siehe À tout prendre
Die allseits reduzierte Persönlichkeit – REDUPERS 362
All That Heaven Allows (*Was der Himmel erlaubt*) *316*
Alphaville (*Lemmy Caution gegen Alpha 60*) 330, 428
Always (*Always*) 371
Alzire oder der neue Kontinent 364
Les Amants (*Die Liebenden*) 331
Amarcord (*Amarcord*) 340, 343
American Diner siehe Diner
American Graffiti (*American Graffiti*) 217, 369
An American in Paris (*Ein Amerikaner in Paris*) 316
Der amerikanische Freund 360
Die Amerikanische Nacht siehe La Nuit américaine
L'Amour fou (*L'Amour fou*) 331
L'Amour, l'après-midi (*Die Liebe am Nachmittag*) 331
Amphitryon 303
Anatomy of a Murder (*Anatomie eines Mordes*) *316*
Ein andalusischer Hund siehe Un Chien Andalou
Das Andechser Gefühl *362*
Der Andere 286
Anders als die Andern 286
And the Band Played On (*... und das Leben geht weiter*) 395
Andrej Rublëv (*Andrej Rubljow*) 344
An Angel at My Table (*Ein Engel an meiner Tafel*) 392
El Angel exterminador (*Der Würgeengel*) 349
Angst essen Seele auf 358
Animal House siehe National Lampoon's Animal House
Anna Boleyn 286, 292
L'Année dernière à Marienbad (*Letztes Jahr in Marienbad*) 331
Annie Hall (*Der Stadtneurotiker*) 374
Annies Männer siehe Bull Durham
À nos amours 355
Anruf für einen Toten s. A Deadly Affair
Ansikte mot Ansikte (*von Angesicht zu Angesicht*) *166*, *168*, *180*
Antonio das Mortes (*Antonio das Mortes*) 349
Anuschka – es brennt, mein Schatz siehe Hoři, ma panenko
Aparajito (*Apus Weg ins Leben – Der Unbesiegbare*) 318
Apocalypse Now (*Apocalypse Now*) *29*, *267*, 360, 368
Applause *316*
The Apprenticeship of Duddy Kravitz (*Duddy will hoch hinaus*) 352
Apur Sansar (*Apus Weg ins Leben – Apus Welt*) 318
Apus Weg ins Leben – Auf der Straße siehe Pather Panchali
Apus Weg ins Leben – Der Unbesiegbare siehe Aparajito
Aranyer Din Ratri (*Tage und Nächte im Wald*) 318
Ein Arbeiterclub in Sheffield *362*
Die Architekten 348
Ariel (*Ariel*) 394
Arizona Junior siehe Raising Arizona
Armee der Liebenden 361
Les Arpenteurs (*Die Landvermesser*) 364
Arsenal (*Arsenal*) *297*
Die Artisten in der Zirkuskuppel: ratlos 357
Ashani Sanket (*Ferner Donner*) 318
Asphalt *293*
Asphalt-Cowboy siehe Midnight Cowboy
The Asphalt Jungle (*Asphalt Dschungel*) 313
Asphaltrennen siehe Two-Lane Blacktop
L'assassinat du Duc de Guise (*Die Ermordung des Herzogs von Guise*) 285
L'Atalante (*Atalante*) 299
¡Atame! (*Fessle mich!*) 394
Atlantic 299
Atlantis 286
À tout prendre (*Alles in allem*) 352
Att älska (*Zu lieben*) 343
Atti degli Apostoli (*Apostelgeschichte*) 311
Auch Zwerge haben klein angefangen 359
Auf der Flucht siehe The Fugitive
Auf der Jagd nach dem grünen Diamanten s. Romancing the Stone
Aufsätze *362*
Der Aufstieg siehe Voschoždenie
Auf Wiedersehen, Kinder siehe Au revoir, les enfants
Aufzeichnungen zu Kleidern und Städten *360*
Au revoir, les enfants (*Auf Wiedersehen, Kinder*) 331
Aus dem Reich der Toten siehe Vertigo
Die Aushilfe siehe The Temp
Die Auslieferung 364
Außer Atem siehe À bout de souffle
Die Austernprinzessin 286
Avalon (*Avalon*) 384
L'Avventura (*Die mit der Liebe spielen*) 327, 340

Babettes gæstebud (*Babettes Fest*) 394
Back and Forth, ↔ 208
Back to the Future (*Zurück in die Zukunft*) 371, 381
Bad News Bears (*Die Bären sind los*) 373
Bad Timing (*Blackout*) 339
Die Bären sind los siehe Bad News Bears
Baisers volés (*Geraubte Küsse*) 329
Bakushu (*Frühsommer*) 318
Die Ballade von Jimmy Blacksmith siehe The Chant of Jimmy Blacksmith
Ballet Mécanique (*Das mechanische Ballett*) 54, *55*
Bananas (*Bananas*) 374
The Band siehe The Last Waltz
La Bande des quatre (*Die Viererbande*) 331
Banshun (*Später Frühling*) 318
Barbarella (*Barbarella*) *479*
Barbarians at the Gate (*Der Konzern*) 395
Bariera (*Barriere*) 344
Barry Lyndon (*Barry Lyndon*) *25*, 80, *82*, 336

Barton Fink (*Barton Fink*) 386
La Batalla de Chile (*Die Schlacht um Chile*) 349
Batman (*Batman*) 253, 379
La Battaglia di Algeri (*Schlacht um Algier*) 342
Bawang Bieji (*Lebe wohl, meine Konkubine*) 394
The Bed-Sitting Room (*Danach*) 337
Becky Sharp 114
Beetlejuice (*Beetlejuice*) 381
Behinderte Liebe 364
Bei Anruf Mord siehe Dial M For Murder
Das Beil von Wandsbek 321
Bekenntnisse des Hochstaplers Felix Krull 323
Belle de jour (*Belle de jour – Schöne des Tages*) 349
Die Bergkatze 286
Berlin Alexanderplatz 359
Berlin – Die Sinfonie der Großstadt 54, 296
Berlin – Ecke Schönhauser 321
Berlin um die Ecke 346
Berlinger 362
Berüchtigt siehe Notorious
Beruf: Reporter siehe Professione: Reporter
Der Besessene siehe One-Eyed Jacks
Die besten Jahre 345
The Best Man (*Der Kandidat*) 333
Betragen ungenügend siehe Zéro de conduite
Die Bettwurst 361
Die Beunruhigung 347
The Beverly Hillbillies (*Die Beverly Hillbillies sind los!*) 377
Beverly Hills Cop (*Ich lös' den Fall auf jeden Fall*) 377
Der bewegte Mann *393*
Les Biches (*Zwei Freundinnen*) 331
Big (*Big*) 384
The Big Chill (*Der große Frust*) 217, 378, 387
Bigger Than Life (*Eine Handvoll Hoffnung*) 316
The Big Heat (*Heißes Eisen*) 313
The Big Knife (*Hollywood-Story*) 313
The Big Parade 292
The Big Sleep (*Tote schlafen fest*) 115, *265*, 305–306, *306*, 313
Das Bildnis des Dorian Gray 286
Bildnis einer Trinkerin 362
Bill McKay – Der Kandidat siehe The Candidate
Billy Liar (*Geliebter Spinner*) 336
The Birds (*Die Vögel*) 332, 439
The Birth of a Nation (*Die Geburt einer Nation*) 239, 268, 405
Bis ans Ende der Welt 361
Bis daß der Tod euch scheidet 347
Bis zum Ende der Straße siehe Goin' Down the Road
Die bitteren Tränen der Petra von Kant 358
Bitterer Honig siehe A Taste of Honey
Black Jack 338
Blackout siehe Bad Timing
Blade Runner (*Der Blade Runner*) 339, *339*
Der blaue Engel 300, 304
Die Blechtrommel 358
Bleeke Bet 301
Die bleierne Zeit 358
Blick zurück im Zorn siehe Look Back in Anger
Blood Simple (*Blood Simple – Eine mörderische Nacht*) 386
Blow-up (*Blow-up*) 198, 216, *340*, 341
Blume in Love 373
Das Blut des Kondors siehe Yawar Mallku
Blutige Hochzeit siehe Les Noces rouges
Bob & Carol & Ted & Alice (*Bob & Caroline &Ted & Alice*) 373
Boccaccio 70 (*Boccaccio 70*) 341
Body and Soul (*Jagd nach Millionen*) 313
Bonanza (*Bonanza*) 482
Le Bonheur (*Le Bonheur*) 332
Bonnie and Clyde (*Bonny und Clyde*) 333, 366
Das Boot 362, 392
Born on the Fourth of July (*Geboren am 4. Juli*) 387
Botschafter der Angst siehe The Manchurian Candidate
Le Boucher (*Der Schlachter*) 331
Boudu sauvé des eaux (*Boudu – aus den Wassern gerettet*) *189*, 299
Boyz 'N the Hood (*Boyz 'N the Hood – Jungs im Viertel*) 388
Breaker Morant (*Der Fall des Lieutenant Morant*) 353
Breakfast at Tiffany's (*Frühstück bei Tiffany*) 332, *333*
The Breakfast Club (*The Breakfast Club – Der Frühstücksclub*) 384
Brennpunkt L. A. siehe Lethal Weapon
Bringing Up Baby (*Leoparden küßt man nicht*) 305
Britannia Hospital (*Britannia Hospital*) 336
British Sounds 429, *431*
Broadway Danny Rose (*Broadway Danny Rose*) 374
Broken Arrow (*Der gebrochene Pfeil*) 314
Bronenosec Potemkin (*Panzerkreuzer Potemkin*) 296, *420*
Das Brot des Bäckers 362
The Brother from Another Planet 387
Buddenbrooks (Weidenmann) 323
Die Buddenbrooks (Lamprecht) 295
Die Büchse der Pandora 295
Bühne frei für Marika 322
Buffalo Bill and the Indians (*Buffalo Bill und die Indianer*) *81*, 372
Bugsy Malone (*Bugsy Malone*) 339
Bull Durham (*Annies Männer*) 385
Die Buntkarierten 320
Il buono, il brutto, il cattivo (*Zwei glorreiche Halunken*) 314
Burden of Dreams (*Burden of Dreams*) 360
Butch Cassidy and the Sundance Kid (*Butch Cassidy und Sundance Kid / Zwei Banditen*) 269, *272*

Das Cabinet des Dr. Caligari 294, 319
Cabiria (*Cabiria*) 287
La Caduta degli dei (*Die Verdammten*) 341
La Cage aux folles (*Ein Käfig voller Narren*) 356
The Candidate (*Bill McKay – Der Kandidat*) 373
Les carabiniers (*Die Karabinieri*) *430*, 497
Cargaison blanche (*Weiße Fracht für Rio*) 301
Carlos und Elisabeth 293
Carry On... 318
Casablanca (*Casablanca*) 302
Il Caso Mattei (*Der Fall Mattei*) 280, 341
The Cat and the Canary (*Spuk im Schloß*) 293
Céline et Julie vont en bateau (*Céline und Julie fahren Boot*) 331
Čelovek's Kinoapparatom (*Der Mann mit der Kamera*) 297, *297*
Un Certo giorno (*Ein gewisser Tag*) 342
El Chacál de Nahueltoro (*Der Schakal von Nahueltoro*) 349
Chang 106, 119
Le Chant du départ 356
The Chant of Jimmy Blacksmith (*Die Ballade von Jimmy Blacksmith*) 353
Chaplin (*Chaplin*) 391
Chariots of Fire (*Stunde des Siegers*) 390, *391*
Charles mort ou vif (*Charles tot oder lebendig*) 363
Le Charme discret de la bourgeoisie (*Der diskrete Charme der Bourgeoisie*) 349, *350*
Cheyenne Autumn (*Cheyenne*) 268
Un Chien Andalou (*Ein andalusischer Hund*) *173*, 349
Chikamatsu Monogatari (*Die Legende vom Meister der Rollbilder*) 318
The Child's Play (*Die Mörderpuppe*) 385
China Gate (*China-Legionär*) 313
China ist nahe siehe La Cina e vicina
China-Legionär siehe China Gate
The China Syndrom (*Das China Syndrom*) 280
Chinatown (*Chinatown*) 306
Die Chinesin siehe La Chinoise
Chinesisches Roulette 358
La Chinoise (*Die Chinesin*) *172*, 265, 330
Christus kam nur bis Eboli siehe Cristo si è fermato a Eboli
Chronik der Anna Magdalena Bach 356
Chronique d'un été (*Chronik eines Sommers*) 334
La Cina e vicina (*China ist nahe*) 341
Cinema Paradiso (*Cinema Paradiso*) 382, 390
Citizen Cohn 395
Citizen Kane (*Citizen Kane*) *85*, 115, 193, *193*, 195, *196*, 224, *309*, 310
City of Hope (*City of Hope*) 387
Claires Knie siehe Le Genou de Claire
La Classe operaia va in paradiso 342
Cléo de cinq à sept (*Mittwoch zwischen 5 und 7*) 332
Cliffhanger (*Cliffhanger – Nur die Starken überleben*) 379
Die Clique siehe The Group
A Clockwork Orange (*Uhrwerk Orange*) *95*, 336
Close Encounters of the Third Kind (*Unheimliche Begegnung der dritten Art*) 370
Der Club der toten Dichter siehe Dead Poets Society

Cobra verde 360
Cocktail für eine Leiche siehe Rope
La Collectionneuse (*Die Sammlerin*) 331
The Color of Money (*Die Farbe des Geldes*) 367
The Color of Purple (*Die Farbe Lila*) 371
Columbo (*Columbo*) 314, 481
Die Comedian Harmonists 361
I Compagni (*Die Peitsche im Genick*) 342
Conan the Barbarian (*Conan – Der Barbar*) 378
Conan the Destroyer (*Conan der Zerstörer*) 378
Un condamné à mort s'est échappé ou le vent souffle ou il veut (*Ein zum Tode Verurteilter ist entflohen*) 323
Coneheads (*Coneheads*) 382
Confidential Report siehe Mr. Arkadin
Il Conformista (*Der große Irrtum*) 341
Construire un feu 106
The Conversation (*Der Dialog*) 126, 216, 367
The Cosby Show *489*, 492
Cosmos *134*
The Cotton Club (*Cotton Club*) 316, 368
Countdown at Kusini 350
Cousin, Cousine (*Cousin, Cousine*) *183*, 356
Crime and Punishment 314
Le Crime de Monsieur Lange (*Das Verbrechen des Herrn Lange*) 299
Crime in the Streets (*Entfesselte Jugend*) 313
Cristo si è fermato a Eboli (*Christus kam nur bis Eboli*) *183*, 341, 343
The Critic 400–401
The Crowd 292
Csillagosok, katonák (*Rote und Weiße*) 344
La Cucaracha 114
Die Czardasfürstin 322

Die Dämonischen siehe Invasion of the Body Snatchers
Daguerréotypes (*Daguerreotypen*) 332
Dahong denglong gaogao gua (*Rote Laterne*) 395
Danach siehe The Bed-Sitting Room
Dances with Wolves (*Der mit dem Wolf tanzt*) 315
Darling (*Darling*) 336
Das darf man nur als Erwachsener siehe Sixteen Candles
Dave (*Dave*) 352, 381
David 358
David und Lisa (*David und Lisa*) 366
Days of Heaven (*In der Glut des Südens*) 115, 224, 315
Days of Hope (*Tage der Hoffnung*) 338
Days of Wine and Roses (*Tage des Weines und der Rosen*) 332
The Day the Earth Stood Still (*Der Tag, an dem die Erde stillstand*) 315
The Deadly Affair (*Anruf für einen Toten*) 118
Dead Poets Society (*Der Club der toten Dichter*) 354
Deception siehe Anna Boleyn
Deep End (*Deep End*) 344
Deep Throat 273
Dein unbekannter Bruder 348
Eine emanzipierte Frau siehe Plenty
Demolition Man (*Demolition Man*) 379
Denen man nicht vergibt siehe The Unforgiven
Denk bloß nicht, ich heule 346
Denn sie wissen nicht, was sie tun siehe Rebel Without a Cause
La Dentellière (*Die Spitzenklöpplerin*) 364
Der mit dem Wolf tanzt siehe Dances with Wolves
Dersu Uzala (*Uzala, der Kirgise*) 351
Il Deserto rosso (*Die Rote Wüste*) 115, *172*, *203*, 341
Destination Tokyo 278
Détective (*Détective*) 330
Deus e o diabo na terra do sol (*Gott und Teufel im Land der Sonne*) 349
Deutschland, bleiche Mutter 362
Deutschland im Herbst 358
Deutschland im Jahre Null siehe Germania, anno zero
Deux ou trois choses que je sais d'elle (*Zwei oder drei Dinge, die ich von ihr weiß*) 59, 330, 428
The Devil in Miss Jones 273
Les Diaboliques (*Die Teuflischen*) *182*, 184
Dial M For Murder (*Bei Anruf Mord*) 108
Der Dialog siehe The Conversation
Diario di una schizofrenica 342
A Diary for Timothy 298
Diary of a Mad Housewife (*Tagebuch eines Ehebruchs*) 366
Dick Tracy (*Dick Tracy*) 379, *380*
Diebe wie wir siehe Thieves Like Us
Die Hard (*Stirb langsam*) 377, 383
Die mit der Liebe spielen siehe L'Avventura
Der Diener siehe The Servant
Diner (*American Diner*) 384
Das Ding aus einer anderen Welt siehe The Thing
Dirty Dancing (*Dirty Dancing*) 273
Der diskrete Charme der Bourgeoisie siehe Le Charme discret de la bourgeoisie
Diva (*Diva*) 392
Divorcio all'Italiana (*Scheidung auf italienisch*) 341
Doctor... 318
Dr. No (*James Bond – 007 jagt Dr. No*) 377
Dr. Strangelove, or, How I Learned to Stop Worrying and Love the Bomb (*Dr. Seltsam oder Wie ich lernte, die Bombe zu lieben*) 336
Dodes 'Kaden (*Dodeskaden*) 351
Dog Day Afternoon (*Hundstage*) 333
Dr. Mabuse, der Spieler 262
Dr. med. Sommer II 346
Dr. Seltsam oder Wie ich lernte, die Bombe zu lieben siehe Dr. Strangelove, or, How I Learned to Stop Worrying and Love the Bomb
La Dolce Vita (*Das süße Leben*) *202*, *325*, 326, 327
Don't Look Back (*Don't Look Back*) 334
Don't Look Now (*Wenn die Gondeln Trauer tragen*) 339
The Doors (*The Doors*) 387
Do the Right Thing (*Do the right thing*) 389
Down By Law (*Down By Law*) 394
Downhill Racer (*Schußfahrt*) 373
Dragnet (*Großrazzia*) 314
Dragon Gate Inn siehe Lung men k'o-chan
Die 3-Groschen-Oper 300
Drei Männer und ein Baby siehe Trois hommes et un couffin
Die drei Musketiere siehe *The Three Musketeers*
Die Drei von der Tankstelle 300
Der Dritte 347
Der dritte Mann siehe The Third Man
Die Dritte von rechts 322
Drive, He Said 366
Driving Miss Daisy (*Miss Daisy und ihr Chauffeur*) 354
Duddy will hoch hinaus siehe The Apprenticeship of Duddy Kravitz
The Duellists (*Die Duellanten*) 339
Der Duft der Frauen siehe Scent of a Woman
Durante l'estate 342
Du sollst mein Glücksstern sein siehe Singin' in the Rain

Earth Girls Are Easy (*Zebo, der Dritte aus der Sternenmitte*) 391
East of Eden (*Jenseits von Eden*) *266*, 316
Easy Living (*Leichtes Leben*) 307
Easy Rider (*Easy Rider*) 366
L'Éclisse (*Liebe 1962*) *188*, 340
Die Ehe der Maria Braun 359, *359*
Ehe im Schatten 320
Ehemänner siehe Husbands
Eh Joe 445–446, *445*
Eight Men Out (*Acht Mann und ein Skandal*) 385, 387
Eika Katappa 361
Einer mit Herz siehe One from the Heart
Einer muß dran glauben siehe The Left-Handed Gun
Die Einladung siehe L'invitation
Einmal Millionär sein siehe The Lavender Hill Mob
Einmal wirklich leben siehe Ikiru
Die Einsamkeit eines Langstreckenläufers siehe Loneliness of the Long Distance Runner
Einsam sind die Tapferen siehe Lonely Are the Brave
Einsatz in Manhattan siehe Kojak
Eins plus eins siehe One Plus One
Der einzige Zeuge siehe Witness
Ein zum Tode Verurteilter ist entflohen siehe Un condamné à mort s'est échappé ou le vent souffle ou il veut
E la nave va (*Fellini's Schiff der Träume*) 340
Elektreia 344
Elf Uhr nachts siehe Pierrot le fou
Elskovsleg (*Liebelei*) 286
Elvira Madigan (*Elvira Madigan*) 343
Emden geht nach USA 361
Die Emigranten siehe Utvandrarna
Emilia Galotti 321
Emil und die Detektive 319
Empire 34
L'Empire des sens siehe Ai no corrida
Empire of the Sun (*Das Reich der Sonne*) 371
Das Ende von St. Petersburg siehe Konec Sankt Petersburga

Endstation Freiheit 358
Endstation Sehnsucht siehe A Streetcar Named Desire
Enemies, a Love Story (*Feinde – die Geschichte einer Liebe*) 373
L'Enfance nue (*Nackte Kindheit*) 355
L'Enfant sauvage (*Der Wolfsjunge*) 329
Les Enfants du paradis (*Die Kinder des Olymp*) 299
Les Enfants terribles (*Die schrecklichen Kinder*) *199*
Ein Engel an meiner Tafel siehe An Angel at my Table
Die Enteignung siehe La Expropriation
The Entertainer (*Der Komödiant*) 335
Entfesselte Jugend siehe Crime in the Streets
Eine entheiratete Frau siehe An Unmarried Woman
Entr'acte (*Zwischenspiel*) 54
Erde siehe Zemlja
Die Erde bebt siehe La terra trema
Der Erfolgreiche siehe O Lucky Man
Ergens in Nederland 301
Erinnerungen an die Unterentwicklung siehe Memorias del subdesarollo
Ermittlungen gegen einen über jeden Verdacht erhabenen Bürger siehe Indagine su un cittadino al di sopra di ogni sospetto
Die Ermordung des Herzogs von Guise siehe L'assassinat du Duc de Guise
Ernst Thälmann – Sohn seiner Klasse/ Führer seiner Klasse 321
Die Erschießung des Landesverräters Ernst S. 364
Das 1. Evangelium – Matthäus siehe Il Vangelo Secondo Matteo
Die erste Schlacht mit der Machete siehe La Primera carga al machete
L'Escapade (*Der Seitensprung*) 364
Escape from Alcatraz (*Flucht von Alcatraz*) 313
Es geschah in einer Nacht siehe It Happened One Night
Es herrscht Ruhe im Land 358
Es lebe das Leben siehe Vivre sa vie
Es regnet dahin, wo es naß ist siehe Il pleut toujours où c'est mouillé
Es werde Licht! 286
État de siège (*Der unsichtbare Aufstand*) 280
Ete und Ali 348
E. T. The Extra-Terrestrial (*E. T. – Der Außerirdische*) *316*, 369, 371, 378
The Exorcist (*Der Exorzist*) 411
La Expropriation (*Die Enteignung*) 349

Faces 373
Die Fäuste in der Tasche siehe I Pugni in tasca
Fahrenheit 451 (*Fahrenheit 451*) 328, 498
Fahrraddiebe siehe Ladri di biciclette
Der Fall des Lieutenant Morant siehe Breaker Morant
Der Fall Gleiwitz 302
Der Fall Mattei siehe Il Caso Mattei
Falsche Bewegung 360
Falsches Spiel mit Roger Rabbit siehe Who Framed Roger Rabbit?
Die Falschspielerin siehe The Lady Eve
Fame (*Fame – Wege zum Ruhm*) 339
Familienglück 358
Familienleben siehe Zycie rodzinne
Family Life (*Family Life*) 338
Fanny och Alexander (*Fanny und Alexander*) 343
Fantastic Voyage (*Die phantastische Reise*) 98
Le Fantôme de la liberté (*Das Gespenst der Freiheit*) 349
Far and Away (*In einem fernen Land*) 113
Die Farbe des Geldes siehe The Color of Money
Die Farbe Lila siehe The Color Purple
The Far Country (*Über den Todespaß*) 314
Der Farmer von Texas 293
Fata Morgana 359
Fatal Attraction (*Eine verhängnisvolle Affäre*) 385
The Fate of Lee Khan siehe Ying-ch'un ko chih feng-po
Faust 294
Die Faust im Nacken siehe On the Waterfront
Les Favoris de la lune (*Die Günstlinge des Mondes*) 345
Der Feind in meinem Bett siehe Sleeping with the Enemy
Feinde – die Geschichte einer Liebe siehe Enemies, a Love Story
Feld der Träume siehe Field of Dreams
Fellini Satyricon (*Fellinis Satyricon*) 274, 340
Fellinis Intervista siehe Intervista
Fellinis Roma siehe Roma
Fellini's Schiff der Träume siehe E la nave va
Une Femme est une femme (*Eine Frau ist eine Frau*) *186*, 329
La Femme infidèle (*Die untreue Frau*) 331
Une Femme mariée (*Eine verheiratete Frau*) *191*, 224, 329–330, 428
La femme Nikita (*Nikita*) 392
Das Fenster zum Hof siehe Rear Window
Die Ferien des Monsieur Hulot siehe Les Vacances de Monsieur Hulot
Ferner Donner siehe Ashani Sanket
Fern von Vietnam siehe Loin de Vietnam
Ferris Bueller's Day Off (*Ferris macht blau*) 384
Fessle mich! siehe ¡Atame!
Feuerpferde siehe Teny sabytych prjedkov
A Few Good Men (*Eine Frage der Ehre*) 384
La Fiancée du pirate (*Moneten fürs Kätzchen*) 356
Field of Dreams (*Feld der Träume*) 385
Film 445
Film d'amore e d'anarchia (*Liebe und Anarchie*) 342
Fires Were Started 298
Die Firma heiratet 286
First Blood (*Rambo*) 379
Fitzcarraldo 360
Five Easy Pieces (*Five Easy Pieces*) 366
The Five Heartbeats 388
The Flamingo Kid (*Flamingo Kid*) 384
Flashdance (*Flashdance*) 273
Die Fliege siehe The Fly
Das Flötenkonzert von Sanssouci 303
Der Florentiner Hut 303
Fluchtgefahr 364
Flucht von Alcatraz siehe Escape from Alcatraz
Flucht zu dritt siehe Mrs. Soffel
The Fly (*Die Fliege*) 315
Flying Down to Rio *308*
Fontane Effi Briest 358
Foolish Wives (*Närrische Weiber*) 291
Forbidden Planet (*Alarm im Weltall*) 279, 315
Foreign Correspondent (*Mord*) 304
The Forsyte Saga (*Forsyte Saga*) *484*, 485
48 HRS. (*Nur 48 Stunden*) 377
F. P. 1 antwortet nicht 300
Eine Frage der Ehre siehe A Few Good Men
Frauen am Rande des Nervenzusammenbruchs siehe Mujeres al bordo de un ataque de nervios
Eine Frauensache siehe Une affaire des femmes
Die Frau in den Dünen siehe Suna no Onna
Eine Frau ist eine Frau siehe Une Femme est une femme
Die Frau ohne Körper und der Projektionist 362
Eine Frau unter Einfluß siehe A Woman Under the Influence
Freddy's Nightmare siehe Nightmare on Elm Street
Fred Ott's Sneeze 218, 235, 256, 283
Freedom Comes High 248
Freies Land 320
Freitag, der 13. siehe Friday the 13th
Fremde Schatten siehe Pacific Heights
The French Lieutenant's Woman (*Die Geliebte des französischen Leutnants*) 336
Die freudlose Gasse 295
Friday the 13th (*Freitag, der 13.*) 252
Fried Green Tomatoes at the Whistle Stop Café (*Grüne Tomaten*) 271
Die fröhliche Wissenschaft siehe Le Gai savoir
Une Fromagerie d'Alpage 364
From Hell to Texas (*Schieß zurück, Cowboy!*) 314
The Front (*Der Strohmann*) 333
Die Früchte der Arbeit 364
Früher Frühling siehe Soshun
Frühsommer siehe Bakushu
Frühstück bei Tiffany siehe Breakfast at Tiffany's
Der Führer schenkt den Juden eine Stadt siehe Theresienstadt
Für eine Handvoll Dollar siehe Per un pugno di dollari
The Fugitive (*Auf der Flucht*) 377
Der Fuhrmann des Todes siehe Körkalen
Full Metal Jacket (*Full Metal Jacket*) 337
Funny Face (*Ein süßer Fratz*) 316
A Funny Thing Happened On the Way to the Forum (*Toll trieben es die alten Römer*) 44, 220, 316, 337
Os Fuzis (*Die Gewehre*) 349
Fy og By (*Pat und Patachon*) 296

Gabriel Over the White House 278
Le Gai savoir (*Die fröhliche Wissenschaft*) 429, *519*
The Gambler (*Spieler ohne Skrupel*) 336
Gandhi (*Gandhi*) 340, 377, 390, 391
The Gang's All Here 304
Ganja and Hess 365, *366*
Ganz so schlimm ist er auch nicht siehe Pas si méchant que ca
Il Gattopardo (*Der Leopard*) 341
Geboren am 4. Juli siehe Born on the Fourth of July
Der gebrochene Pfeil siehe Broken Arrow
Die Geburt einer Nation siehe The Birth of a Nation
Gefährten des Todes siehe Ride the High Country
Das Geheimnis der falschen Braut siehe La Sirène du Mississippi
Der Gehülfe 364
Das Geisterhaus 392, 394
Die Geisterjäger siehe Ghostbusters
Das gelbe Haus 286
Gelbes Land siehe Huang tudi
Gelegenheitsarbeit einer Sklavin 357
Die Geliebte des französischen Leutnants siehe The French Lieutenant's Woman
Geliebter Spinner siehe Billy Liar
Das gelobte Land siehe La Tierra prometida
Die Generale 346
Le Genou de Claire (*Claires Knie*) 331
Gentleman's Agreement (*Tabu der Gerechten*) 316
Geraubte Küsse siehe Baisers volés
Germania, anno zero (*Deutschland im Jahre Null*) 311
Gertrud (*Gertrud*) 296
Die Geschichte des kleinen Muck 321
Geschichtsunterricht 356
Das Gespenst 362
Das Gespenst der Freiheit siehe Le Fantôme de la liberté
Der gestohlene Millionär siehe On a volé un homme
Der geteilte Himmel 321
Gewalt und Leidenschaft siehe Gruppo di famiglia in un interno
Das Gewand siehe The Robe
Die Gewehre siehe Os Fuzis
Ein gewisser Tag siehe Un Certo giorno
Ghostbusters (*Die Geisterjäger*) 352, 381
Giant (*Giganten*) *266*
Gigi (*Gigi*) 316
Gilbert Grapes – Irgendwo in Texas siehe What's Eating Gilbert Grape?
Gimme Shelter (*Gimme Shelter*) 334
Ginger e Fred (*Ginger und Fred*) 340
Girl Friends (*Girl Friends*) 375
Gishiki (*Die Zeremonie*) 351
Giulietta degli spiriti (*Julia und die Geister*) *202*, 340
G(ive) siehe The Silent Partner
Die gläserne Zelle 362
Der Glanz des Hauses Amberson siehe The Magnificent Ambersons
Gloria (*Gloria, die Gangsterbraut*) 373
Die glorreichen Sieben siehe The Magnificent Seven
Glückskinder 304
The Go-Between (*The Go-Between*) 336
The Godfather (*Der Pate*) 367
The Gods Must Be Crazy (*Die Götter müssen verrückt sein*) 395
Gösta Berlings Saga (*Gösta Berling*) 296
Die Götter müssen verrückt sein siehe The Gods Must Be Crazy
Goin' Down the Road (*Bis zum Ende der Straße*) 352
Gold Diggers 304
Goldenes Gift siehe Out of the Past
Das goldene Zeitalter siehe L'Âge d'or
Der Golem 286
Gone With the Wind (*Vom Winde verweht*) 246
Good Morning, Vietnam (*Good Morning, Vietnam*) 384
GoodFellas (*GoodFellas*) *78*, 367
Goon Show 216, 337, *484*
Gori, gori, moja zvezda (*Leuchte, mein Stern, leuchte*) 345
Gott und Teufel im Land der Sonne siehe Deus e o diabo na terra do sol
La Grande Illusion (*Die große Illusion*) 299
The Great Muppet Caper 383
The Great Train Robbery 41, 283
Greed (*Greed*) 291, *291*
Gremlins (*Gremlins – Kleine Monster*) 371
Grey Gardens 334
Gritta von Rattenzuhausbeiuns 348
Der Große aus dem Dunkeln siehe Walking Tall
Große Freiheit Nr. 7 304
Der große Frust siehe The Big Chill
Die große Illusion siehe La Grande Illusion
Der große Irrtum siehe Il Conformista
Der große König 303
Große Vögel – Kleine Vögel siehe Uccellacci e Uccellini
Großrazzia siehe Dragnet
The Group (*Die Clique*) 269, 333
Grün ist die Heide 322
Grüne Tomaten siehe Fried Green Tomatoes at the Whistle Stop Café
Gruppo di famiglia in un interno (*Gewalt und Leidenschaft*) 341
Die Günstlinge des Mondes siehe Les Favoris de la lune
La Gueule ouverte 355
La Guerre est finie (*Der Krieg ist vorbei*) 331
Les Guichets du Louvre 355
Gunfight at the O. K. Corral (*Zwei rechnen ab*) 314
The Gunfighter (*Der Scharfschütze*) 314

Ein Haar in der Suppe siehe Next Stop Greenwich Village
La Habanera 303
Haben und Nichthaben siehe To Have and Have Not
Hachigatsu no rapusodie (*Rhapsodie im August*) 351
Hades 362
Die Hände über der Stadt siehe Le Mani sulla città
Der Händler der vier Jahreszeiten 358
Häxan (*Die Hexe*) 296
Haie der Großstadt siehe The Hustler
Hair (*Hair*) 344
Hallelujah 268
Hallo Caesar! 293
Hammett 360
The Hand That Rocks the Cradle (*Die Hand an der Wiege*) 385
Eine Handvoll Hoffnung siehe Bigger Than Life
Hannah and Her Sisters (*Hannah und ihre Schwestern*) 374
Hanoi, martes 13 (*Hanoi, Dienstag der 13.*) 350
Hans Trutz im Schlaraffenland 286
A Hard Day's Night (*Yeah! Yeah! Yeah!*) 220, 337, *508*
Harlan County, U. S. A. (*Harlan County*) 376
Harry und Sally siehe When Harry Met Sally...
Harry and Tonto (*Harry und Tonto*) 118, 373
Haß siehe The Learning Tree
Der Hauptdarsteller 358
Der Hauptmann von Köpenick 323
Das Haus in der 92. Straße siehe The House on 92nd Street
Das Haus nebenan / Le Chagrin et la pitié 355
Hearts and Minds (*Hearts and Minds*) 375
Heavens Above! 318
Heaven's Gate (*Das Tor zum Himmel*) 251
Der heilige Berg 296
Heimat *392*
Heimkehr 293
Heißes Eisen siehe The Big Heat
Die heiße Spur siehe Night Moves
Help! (*Hi-Hi-Hilfe!*) 220, 337
Helsinki Napoli, All Night Long (*Helsinki-Napoli. All Night Long*) 354
Der Herbst der Familie Kohayagawa siehe Kohayagawa – Ke no Aki
Ein Herbstnachmittag siehe Samma no Aji
Herbstsonate 343
Os Herdeiros (*Die Erben der Macht*) 349
Die Herrin der Welt 293
Herr Satan persönlich! Siehe Mr. Arkadin
Herz aus Glas 360
Heute gehn wir bummeln siehe On the Town
Heuwetter 346
Die Hexe siehe Häxan
Hexenkessel siehe Mean Streets
Die Hexen von Salem 321
High Noon (*12 Uhr mittags*) 314
High School 334
Hi-Hi-Hilfe! siehe Help!
Hill Street Blues (*Hill Street Blues*) 314
Der Himmel über Berlin 361
Hingerissen von einem ungewöhnlichen Schicksal siehe Travolti da un insolito destino nell'azzuro mare d'agosto
Hintertreppe 293
Hiroshima, mon amour (*Hiroshima, mon amour*) 331
His Girl Friday (*Sein Mädchen für besondere Fälle*) 305
Hitler – Ein Film aus Deutschland 361
Hitlerjunge Quex 302, 303

Eine Hochzeit siehe A Wedding
Hoffmanns Erzählungen 286
Hollywood Shuffle 387, 388
Hollywoods letzter Heuler – S. O. B. siehe S. O. B.
Hollywood Story siehe The Big Knife
Der Holzschuhbaum siehe L'Albero degli zoccoli
Home Alone (*Kevin – Allein zu Haus*) 217, 384
Un Homme et une femme (*Ein Mann und eine Frau*) 356
Hong Gao liang (*Rotes Kornfeld*) 395
La Hora de los hornos (*Die Stunde der Hochöfen*) 350
Hoři, ma panenko (*Anuschka – es brennt, mein Schatz*) 344
L'Horlogier de Saint-Paul (*Der Uhrmacher von St. Paul*) 356
The Horse's Mouth (*Des Pudels Kern*) 318
Hospital 334
House of Bamboo (*Tokio-Story*) 313
The House of the Spirits siehe Das Geisterhaus
The House on 92nd Street (*Das Haus in der 92. Straße*) 279
How I Won the War (*Wie ich den Krieg gewann*) 337
How to Murder Your Wife (*Wie bringt man seine Frau um*) 332
Hsia nü (A Touch of Zen) 352
Huang tudi (*Gelbes Land*) 394
Hud (*Der Wildeste unter Tausend*) 333
The Hudsucker Proxy (*Hudsucker – Der große Sprung*) 386
Hühnchen in Essig siehe Poulet au vinaigre
Hütes-Film 346
Hundstage siehe Dog Day Afternoon
Hunger in Waldenburg siehe Ums täglich Brot
Hungerjahre 362
Husbands (*Ehemänner*) 373
The Hustler (*Haie der Großstadt*) 313
Den hvide slavehandel (*Die weiße Sklavin*) 285

I am a Fugitive from a Chain Gang (*Jagd auf James A.*) *247*
Ich bin neugierig – gelb siehe Jag är nyfiken – gul
Ich bitte ums Wort siehe Prošu slova
Ich glaub', mich tritt ein Pferd siehe National Lampoon's Animal House
Ich kämpfe um Dich siehe Spellbound
Ich klage an 303
Ich liebe dich, ich liebe dich siehe Je t'aime, je t'aime
Ich lös' den Fall auf jeden Fall siehe Beverly Hills Cop
If... (*If...*) 336
Ihre Majestät die Liebe 300
Ikiru (*Einmal wirklich leben*) 317
Iluminacja (*Illumination*) 344
I'm All Right Jack (*Junger Mann aus gutem Haus*) 318
I'm Gonna Git You Sucka! (*I'm gonna git you sucka!*) 388, *388*
Im Lauf der Zeit 360
Immensee 303
Im Namen des Gesetzes siehe In nome della legge
Im Namen des Vaters siehe Nel nombre del padre
Im Reich der Sinne siehe Ai no corrida
Im Schatten des Zweifels siehe Shadow of Doubt
In Celebration 336
The Incredible Machine *96*, 98
The Incredible Shrinking Man (*Die unglaubliche Geschichte des Mister C.*) 315
Indagine su un cittadino al di sopra di ogni sospetto (*Ermittlungen gegen einen über jeden Verdacht erhabenen Bürger*) 342
L'Inde fantôme 331
In den Wind geschrieben siehe Written on the Wind
In der Fremde 361
In der Glut des Südens siehe Days of Heaven
India Song 217
Indiana Jones (*Indiana Jones*) 369, 371
Die Indianer sind noch fern siehe Les Indiens sont encore loin
Die Indianer von Cleveland siehe Major League
The Indian Massacre 268
Les Indiens sont encore loin (*Die Indianer sind noch fern*) 364
Das indische Grabmal 293
In einem fernen Land siehe Far and Away
In Gefahr und größter Not bringt der Mittelweg den Tod 357
In jenen Tagen 322
In Living Color *388*
Innenleben siehe Interiors
In nome della legge (*Im Namen des Gesetzes*) 341
Insignificance (*Insignificance – Die verflixte Nacht*) 339
Interiors (*Innenleben*) 374
Interview with President Allende 375
Intervista (*Fellinis Intervista*) 340
In the Line of Fire (*In the Line of Fire*) 362, *392*
Intimni osvětleni (*Intime Beleuchtung*) 344
Intolerance (*Intolerance*) 287, 288, 405
Invasion of the Body Snatchers (*Die Dämonischen*) 279, 315
L'Invitation (*Die Einladung*) 364
In weiter Ferne so nah 361
In Which We Serve 279
Irgendwo in Berlin 319, *320*
Isadora (*Isadora*) 335
It Happened Here 336
It Happened One Night (*Es geschah in einer Nacht*) 304
Ivanovo detstvo (*Ivans Kindheit*) 344
It's a Wonderful Life (*Das Leben ist wundervoll*) 312

Jadup und Boel 347
Jäger des verlorenen Schatzes siehe Raiders of the Lost Ark
Jag är nyfiken – gul (*Ich bin neugierig – gelb*) 344
Jagd auf James A. siehe I am a Fugitive from a Chain Gang
Jagd nach Millionen siehe Body and Soul
Jahrgang 45 346
Das Jahr ohne Vater siehe Sounder
Jakob der Lügner 347
Jalsaghar (*Das Musikzimmer*) 318
James Bond – 007 jagt Dr. No siehe Dr. No
James ou pas 364
Jaws (*Der weiße Hai*) 78, 217, 370, 411
Jeder für sich, Gott gegen alle 359
Jenseits von Eden siehe East of Eden
Je t'aime, je t'aime (*Ich liebe dich, ich liebe dich*) 331, *332*
Je vous salue Marie (*Maria und Josef*) 330
JFK (*John F. Kennedy – Tatort Dallas*) 387
Der Job (Olmi) siehe Il Posto
Der Job (Visconti) siehe Il Lavoro
Joe's Bed-Stuy Barbershop: We Cut Heads 389
Johannas 366
John F. Kennedy – Tatort Dallas siehe JFK
Johnny Guitar (*Wenn Frauen hassen*) 316
Johnny Stecchino (*Zahnstocher-Johnny*) 394
Jonas qui aura 25 ans en l'an 2000 (*Jonas, der im Jahr 2000 25 Jahre alt sein wird*) 363, *363*
Le Journal d'un curé de campagne (*Tagebuch eines Landpfarrers*) 323
Le journal d'une femme de chambre (*Tagebuch einer Kammerzofe*) 349
Jud Süß 303, 320
Judou (*Judou*) 381
Juggernaut (*18 Stunden bis zur Ewigkeit*) 338
Jules et Jim (*Jules und Jim*) 328, 373
Julia (*Julia*) 270
Julia und die Geister siehe Giulietta degli spiriti
Der Junge siehe Shonen
Junge Leute in der Stadt 348
Der junge Löwe siehe Young Winston
Junger Mann aus gutem Haus siehe I'm All Right Jack
Der junge Törleß 357
Jungfrukällan (*Die Jungfrauenquelle*) 325
Junior (*Junior*) 381
Jurassic Park (*Jurassic Park*) 217, 316, 269, *370*, 371, 379
Juste avant la nuit (*Vor Einbruch der Nacht*) 331
Just Tell Me What You Want 333

Ein Käfig voller Narren siehe La Cage aux folles
Kärlek och journalistik (*Liebe und Journalistik*) 296
Kagemusha (*Kagemusha – Der Schatten des Kriegers*) 351
Kalina krasnaja (*Kalina Krasnaja*) 345
Kameradschaft 300
Kanchenjunga 318
Der Kandidat (Schaffner) siehe The Best Man
Der Kandidat (Kluge u. a.) 358
Das Kaninchen bin ich 345
Kansas City Confidential (*Der vierte Mann*) 313
Die Karabinieri siehe Les carabiniers
Karbid und Sauerampfer 345
Die Katze kennt den Mörder siehe The Late Show
Karl May 361

Karla 346
Kater Lampe 303
Katzelmacher 358
Kes (*Kes*) 338
Kevin – Allein zu Haus s. Home Alone
Kilenc hónap (*Neun Monate*) 344
The Killing Fields (*Killing Fields – Schreiendes Land*) 340, 377, 390
The Killing of a Chinese Bookie (*Mord an einem chinesischen Buchmacher*) 373
Die Kinder des Olymp siehe Les Enfants du paradis
Kindergarten Cop (*Kindergarten Cop*) 381
Kinder, Mütter und ein General 322
Die Kinder von Valparaiso siehe Valparaiso, mi amor
A Kind of Loving (*Nur ein Hauch Glückseligkeit*) 336
The King of Comedy (*The King of Comedy*) 367
The King of Marvin Gardens (*Der König von Marvin Gardens*) 366
Kinoglaz 297
Kinopravda 297
Kir Royal 392
Kiss 276, *277*, 283, 442
Kiss Me Deadly (*Rattengift*) 313
Eine Klasse für sich siehe A League of Their Own
Kleine Fluchten siehe Les Petites Fugues
Der kleine Soldat siehe Le Petit Soldat
Knallt das Monster auf die Titelseite siehe Sbatti il monstro in prima pagina
Der König von Marvin Gardens siehe The King of Marvin Gardens
Königliche Hochzeit siehe Royal Wedding
Königskinder 321
Körkalen (*Der Fuhrmann des Todes*) 296
Kohayagawa – Ke no Aki (*Der Herbst der Familie Kohayagawa*) *204*, 318
Kohlhiesels Töchter 286
Kojak (*Einsatz in Manhattan*) 314, 481
Kolberg 303
Der Komantsche 362
Der Komödiant siehe The Entertainer
Konec Sankt Petersburga (*Das Ende von St. Petersburg*) 297
Konfrontation 364
Der Kongreß tanzt 300
Der Konzern siehe Barbarians at the Gate
Kramer vs. Kramer (*Kramer gegen Kramer*) 270
Krawall 364
Krieg der Mumien 346
Krieg der Sterne siehe Star Wars
Der Krieg ist vorbei siehe La Guerre est finie
Krieg und Frieden siehe War and Peace, Woina i mir
Kumunosu-jo (*Das Schloß im Spinnwebwald*) 317

Der lachende Mann 346
Lacombe Lucien (*Lacombe Lucien*) 331, 355
Ladri di biciclette (*Fahrraddiebe*) 280, 311
Ladri di saponette (*Die Seifendiebe*) 394
The Lady Eve (*Die Falschspielerin*) 308
The Lady from Shanghai (*Die Lady von Shanghai*) *196*
Lady Hamilton 293
Lady in the Lake (*Die Tote im See*) *46*, 47, 211
Das Lächeln einer Sommernacht siehe Sommarnattens leende
Land der Liebe 303
Land des Schweigens und der Dunkelheit 359
Eine Landpartie siehe Une partie de campagne
Die Landvermesser s. Les Arpenteurs
Lange Finger – Harte Fäuste siehe Pickup on South Street
Lásky jedné plavovlásky (*Die Liebe einer Blondine*) 344
Last Action Hero (*Der letzte Action-Held*) 379
The Last Emperor (*Der letzte Kaiser*) 341
The Last of Sheila (*Sheila*) *182*, 184
The Last Temptation of Christ (*Die letzte Versuchung Christi*) 367
Last Train From Gun Hill (*Der letzte Zug von Gun Hill*) 314
The Last Waltz (*The Band*) 367
The Last Warning (*Die letzte Warnung*) 293
The Last Wave (*Die letzte Flut*) 353
The Late Show (*Die Katze kennt den Mörder*) 314
Laura (*Laura*) 316
The Lavender Hill Mob (*Einmal Millionär sein*) 318
Il Lavoro (*Der Job*) *117*, 341
Law & Order (*Law and Order*) 314
L. B. J. 350
Leadbelly 365
A League of Their Own (*Eine Klasse für sich*) 384, 385
The Learning Tree (*Haß*) 365
Der lebende Leichnam 286
Das Leben der Oharu siehe Saikaku Ichidai Onna
Das Leben ist wundervoll siehe It's a Wonderful Life
Lebensläufe 346
Das Leben, wie es wirklich ist siehe La vie telle qu'elle est
Lebe wohl, meine Konkubine siehe Bawang Bieji
The Left-Handed Gun (*Einer muß dran glauben*) 314
Die Legende vom Meister der Rollbilder siehe Chikamatsu Monogatari
Die Legende von Paul und Paula 347
Leichtes Leben siehe Easy Living
Die Leiden des jungen Werthers 347
Lemmy Caution gegen Alpha 60 siehe Alphaville
Leningrad Cowboys Go America (*Leningrad Cowboys Go America*) 394
Der Leopard siehe Il Gattopardo
Leoparden küßt man nicht siehe Bringing Up Baby
Lethal Weapon (*Brennpunkt L. A.*) 377
Letter to Jane 429–432
Der letzte Action-Held siehe Last Action Hero
Die letzte Flut siehe The Last Wave
Der letzte Kaiser siehe The Last Emperor
Die letzte Kompagnie 300
Der letzte Mann 294
Die letzte Nacht des Boris Gruschenko siehe Love and Death
Die letzten Heimpostamenter 364
Der letzte Scharfschütze siehe The Shootist
Letztes Jahr in Marienbad siehe L'Année dernière à Marienbad
Der letzte Tango in Paris siehe Ultimo Tango a Parigi
Die letzte Versuchung Christi siehe The Last Temptation of Christ
Die letzte Warnung siehe The Last Warning
Der letzte Zug von Gun Hill siehe Last Train from Gun Hill
Leuchte, mein Stern, leuchte siehe Gori, gori, moja zvezda
Licht im Winter siehe Nattvardsgästerna
Die Liebe am Nachmittag siehe L'Amour, l'après-midi
Die Liebe der Jeanne Ney 295
Die Liebe einer Blondine siehe Lásky jedné plavovlásky
Liebelei siehe Elskovsleg
Liebe Mutter, mir geht es gut 358
Liebe 1962 siehe L'Eclisse
Liebe niemals einen Fremden siehe The Rain People
Lieben kann man nur zu zweit siehe Only Two Can Play
Die Liebenden siehe Les Amants
Ein Liebesfall siehe Ljubavni slucaj ili tragedija službenice PTT
Liebe 47 322
Liebeswalzer 300
Liebe und Anarchie siehe Film d'amore e d'anarchia
Liebe und Journalistik siehe Kärlek och journalistik
The Life and Time of Nicholas Nickleby *133*
Life Is Sweet (*Life is Sweet*) 391
The Life of an American Fireman 283
Liliom (*Liliom*) 301
Lina Braake – Die Interessen der Bank können nicht die Interessen sein, die Lina Braake hat 362
Listen to Britain 298
Little Big Man (*Little Big Man*) 333, 366
Ljubavni slucaj ili tragedija službenice PTT (*Ein Liebesfall*) 345
Local Hero (*Local Hero*) 340, 391
Lockender Lorbeer siehe This Sporting Life
Løvejagten (*Die Löwenjagd*) *285*
Loin de Vietnam (*Fern von Vietnam*) *81*
Lola Montez (*Lola Montez*) 323
The Lonedale Operator 288
Loneliness of the Long Distance Runner (*Die Einsamkeit eines Langstreckenläufers*) 335
Lonely Are the Brave (*Einsam sind die Tapferen*) 314
The Long Goodbye (*Der Tod kennt keine Wiederkehr*) 372
Long Shot 338, *338*
Look Back in Anger (*Blick zurück im Zorn*) 335

Lorenzo's Oil (*Lorenzos Öl*) 392
Lots Weib 345
Lotte in Weimar 347
Love and Death (*Die letzte Nacht des Boris Gruschenko*) 374
Lucia (*Lucia*) 350
The Luck of Ginger Coffey 352
Lucky Luciano (*Lucky Luciano*) 341
Lucrezia Borgia 293
Ludwig – Requiem für einen jungfräulichen König 361
Das Luftschiff 347, *348*
La Luna (*La Luna*) 341
Lung men k'o-chan (Dragon Gate Inn) 352

M 300
McCabe and Mrs. Miller (*McCabe & Mrs. Miller*) 315, 372
Die Machtergreifung Ludwigs XIV. s. La Prise de pouvoir par Louis XIV
Maciste 387
Macunaima (*Macunaima*) 349
Madame de... (*Madame de...*) 323
Madame Dubarry 286, 292
Mad Max (*Mad Max*) 392
Mad Max II – Der Vollstrecker siehe The Road Warrior / Mad Max II
Das Mädchen aus der Streichholzfabrik siehe Tulitikkutehtaan tyttö
Mädchen in Wittstock 346
Das Mädchen mit den Schwefelhölzern 299
Männer 392
Märkische Forschungen 347
The Magnificent Ambersons (*Der Glanz des Hauses Amberson*) *196*, *309*, 310
The Magnificent Seven (*Die glorreichen Sieben*) 314
Magnolien aus Stahl – Die Stärke der Frauen siehe Steel Magnolias
Mahler (*Mahler*) 339
Major League (*Die Indianer von Cleveland*) *385*
Malatesta 358
Malcolm X (*Malcolm X*) 389, *389*
Malina 361
Mama, ich lebe 347
La Maman et la putain (*Die Mama und die Hure*) 355, *355*
The Manchurian Candidate (*Botschafter der Angst*) 333
Mandabi (*Die Postanweisung*) 350
The Man From Laramie (*Der Mann aus Laramie*) 314
Manhattan (*Manhattan*) 113, *200*, 374, *374*
Manhattan Murder Mystery (*Manhattan Murder Mystery*) 375
The Man in the White Suit (*Der Mann im weißen Anzug*) 318
Le Mani sulla città (*Die Hände über der Stadt*) 341
Der Mann aus Laramie siehe The Man From Laramie
Der Mann, der lacht siehe The Man Who Laughs
Der Mann, der vom Himmel fiel siehe The Man Who Fell to Earth
Ein Mann für alle Fälle 303
Der Mann im weißen Anzug siehe The Man in the White Suit
Der Mann mit dem goldenen Arm siehe The Man with the Golden Arm
Der Mann mit der Kamera siehe Čelovek's Kinoapparatom
Ein Mann und eine Frau siehe Un Homme et une femme
Manon Lescaut 294
Ma Nuit chez Maud (*Meine Nacht bei Maude*) 331
The Man Who Fell to Earth (*Der Mann, der vom Himmel fiel*) 339
The Man Who Laughs (*Der Mann, der lacht*) 293
The Man with the Golden Arm (*Der Mann mit dem goldenen Arm*) 316
Marathon Man (*Der Marathon Mann*) 336
Maria und Josef siehe Je vous salue Marie
Marnie (*Marnie*) 197, 332
Marokko siehe Morocco
A Married Couple (*Ein verheiratetes Paar*) 352
Married... with Children (*Eine schrecklich nette Familie*) *492*
Martha 346
Die Marx-Brothers in der Oper siehe A Night At The Opera
Maschinenpistolen siehe White Heat
Masculin–féminin (*Maskulin–feminin*) 330, 428
M. A. S. H. (*M. A. S. H.*) 372
Mat' (*Die Mutter*) 297
Matewan (*Matewan*) 387
Mathias Kneißl 358
Mauern aus Ton siehe Remparts d'argile
Mean Streets (*Hexenkessel*) 366
Meat 334
Medium Cool (*Medium Cool*) 265, 375
Meet Me in St. Louis *198*
Meine brillante Karriere siehe My Brilliant Career
Meine Nacht bei Maude siehe Ma Nuit chez Maud
Mein großer Freund Shane siehe Shane
Mein Leben als Hund siehe Mitt liv som hund
Mein lieber Robinson 346
Mein Onkel siehe Mon Oncle
Mein Onkel Antoine siehe Mon oncle Antoine
Mein wunderbarer Waschsalon siehe My Beautiful Laundrette
Melodie des Herzens 300
Memorias del subdesarollo (*Erinnerungen an die Unterentwicklung*) 350
Memory of Justice 355
Menschen am Sonntag 295
Le Mépris (*Die Verachtung*) 329
Messer im Kopf 358
Das Messer im Wasser siehe Nóž w wodzie
Messidor (*Messidor*) 364
Metropolis 294
Meyer aus Berlin 286
Miami Vice (*Miami Vice*) 314
Midnight Cowboy (*Asphalt-Cowboy*) 336
Midnight Express (*12 Uhr nachts*) 339, 390
Die Milchstraße siehe La Voie lactée
Le Milieu du monde (*Die Mitte der Welt*) 363, 535
Miller's Crossing (*Miller's Crossing*) 386
Millhouse, A White Comedy (*Millhouse*) 375
Mimi metallurgio ferito nullonore 342
Minna von Barnhelm 321
Minnie and Moskowitz (*Minnie und Moskowitz*) 373
The Miracle of Morgan's Creek 308
The Misfits (*Nicht gesellschaftsfähig*) 314
Miss Daisy und ihr Chauffeur siehe Driving Miss Daisy
Mississippi Burning (*Mississippi Burning – Die Wurzel des Hasses*) 339
Mr. Arkadin / Confidential Report (*Herr Satan persönlich!*) *195*, 313
Mr. Universum siehe Stay Hungry
Mrs. Soffel (*Flucht zu dritt*) 354
Die Mitte der Welt siehe Le Milieu du monde
Mitt liv som hund (*Mein Leben als Hund*) 394
Mittwoch zwischen 5 und 7 siehe Cléo de cinq à sept
Mix Wix 362
Moana (*Moana*) 119, 292
Modern Times (*Moderne Zeiten*) 291
Die Mörderpuppe siehe The Child's Play
Die Mörder sind unter uns 319
Moneten fürs Kätzchen siehe La Fiancée du pirate
Mon Oncle (*Mein Onkel*) 323
Mon oncle Antoine (*Mein Onkel Antoine*) 352
Monty Python's Flying Circus 216, *484*, 485
Mord siehe Foreign Correspondent
Mord an einem chinesischen Buchmacher siehe The Killing of a Chinese Bookie
Morgan... a Suitable Case for Treatment (*Protest*) 335
Morocco (*Marokko*) 304
Morte a Venezia (*Tod in Venedig*) 341
Moscow on the Hudson (*Moskau in New York*) 373
Moses und Aaron 356, 364
Moskau in New York siehe Moscow on the Hudson
Moulin Rouge (*Moulin Rouge*) 299
Der müde Tod 294
Mujeres al bordo de un ataque de nervios (*Frauen am Rande des Nervenzusammenbruchs*) 394
The Muppet Movie 383
Muppets *382*
The Muppets Take Manhattan (*Die Muppets erobern Manhattan*) 383
The Music Lovers (*Tschaikowsky – Genie und Wahnsinn*) 339
Das Musikzimmer siehe Jalsaghar
The Musketeers of Pig Alley 288, *288*
Die Mutter siehe Mat'
Mutter Krausens Fahrt ins Glück 295
My Beautiful Laundrette (*Mein wunderbarer Waschsalon*) 391
My Brilliant Career (*Meine brillante Karriere*) 353, *353*
My Darling Clementine (*Tombstone*) 304
My Dinner with André (*Mein Essen mit André*) 331
Het mysterie van de Mondscheinsonate 301

Nachrede auf Klara Heydebreck 361
Die Nacht siehe La Notte
Die Nacht der Regisseure 392
Nachts, wenn der Teufel kam 323
Nacht und Nebel siehe Nuit et brouillard
Nackte Kindheit siehe L'Enfance nue
Der nackte Mann auf dem Sportplatz 347
Die nackte Stadt siehe The Naked City
Die Nächte der Cabiria siehe Le Notti de Cabiria
Närrische Weiber siehe Foolish Wifes
Naked (*Naked... Nackt*) 391
The Naked City (*Die nackte Stadt*) 313
Der Name der Rose 392
Nanook of the North (*Nanuk, der Eskimo*) 292
Napoléon (*Napoleon*) *105*, 106
Napoleon vom Broadway siehe Twentieth Century
Nashville (*Nashville*) 118, 126, 372
National Lampoon's Animal House (*Ich glaub', mich tritt ein Pferd*) 352, 381
Nattvardsgästerna (*Licht im Winter*) 343
The Natural (*Der Unbeugsame*) *385*
Nazarin (*Nazarin*) 349
Nel nome del padre (*Im Namen des Vaters*) 341
Network (*Network*) 333
Das neue Land siehe Nybyggarna
Neun Monate siehe Kilenc hónap
1900 siehe Novecento
1941 siehe Nineteenfortyone
New Jack City (*New Jack City*) *388*
Newsfront (*Newsfront*) 353
New York, New York (*New York, New York*) 316, 367
Next Stop Greenwich Village (*Ein Haar in der Suppe*) 373
Die Nibelungen 294
Nicht gesellschaftsfähig siehe The Misfits
nicht mehr fliehen 323
Nick's Film – Lightning Over Water 360
A Night At The Opera (*Die Marx-Brothers in der Oper*) *191*
Nightmare on Elm Street (*Freddy's Nightmare*) 252
Night Moves (*Die heiße Spur*) 333, 366
Nikita siehe La femme Nikita
1941 (*1941*) 371
Nine to Five (*Warum eigentlich... bringen wir den Chef nicht um?*) 272
Nobody Waved Goodbye 352
Les Noces rouges (*Blutige Hochzeit*) 331
Noch drei Männer, noch ein Baby siehe Three Men and a Baby und Three Men and a Cradle
La noire de... 350
Norma Rae (*Norma Rae*) 271, 333
North by Northwest (*Der unsichtbare Dritte*) *225*, 326–327, *327*, 439
Nosferatu – Eine Symphonie des Grauens 360
Nosferatu – Phantom der Nacht 360
Notorious (*Berüchtigt*) 304
La Notte (*Die Nacht*) 340
Le Notti di Cabiria (*Die Nächte der Cabiria*) *202*, *325*, 326
Nous ne vieillirons pas ensemble (*Wir werden nicht zusammen alt*) 355
Nouvelle vague (*Nouvelle Vague*) 330
1900 (*1900*) 341, 343
Nóž w wodzie (*Das Messer im Wasser*) 344
La Nuit américaine (*Die Amerikanische Nacht*) 329, *441*
Nuit et brouillard (*Nacht und Nebel*) 331
Nur 48 Stunden siehe 48 HRS.
Nur ein Hauch Glückseligkeit siehe A Kind of Loving
Nybyggarna (*Das neue Land*) *343*, 344
NYPD Blue 314

Der öffentliche Feind siehe Public Enemy
Örökbefogadás (*Adoption*) 344
Offret (*Opfer*) 345
Okay America 278
Oktjabr (*Oktober*) 297
Olle Henry 348
O Lucky Man (*Der Erfolgreiche*) 336
Olympia 304
Om papperets historia 362
On a volé un homme (*Der gestohlene Millionär*) 301
One-Eyed Jacks (*Der Bessessene*) 314
One Plus One (*Eins plus eins*) *206*, 478
Only Two Can Play (*Lieben kann man nur zu zweit*) 318
On s'est trompé d'histoire d'amour 356
On the Town (*Heute gehn wir bummeln*) 316
On the Waterfront (*Die Faust im Nacken*) 316
Opfer siehe Offret
Orphée (*Orpheus*) 323
Ossessione (*Ossessione ... von Liebe besessen*) 280, 311
Ostře sledované vlaky (*Streng bewachte Züge*) 344
Othon siehe Les Yeux...
8½, (*8½*) 325, 340
Our Daily Bread (*Unser täglich Brot*) 292
Outbreak (*Outbreak*) 362
Out of the Past (*Goldenes Gift*) 313
Out One Spectre (*Out one Spectre*) 331
The Outsiders (*Die Outsider*) 368

Pacific Heights (*Fremde Schatten*) 385
Padre padrone (*Padre, padrone*) 342
Painters Painting 375
Paisà (*Paisa*) 279, 311
Palermo oder Wolfsburg 361
La Paloma 364
Panzerkreuzer Potemkin siehe Bronenosec Potemkin
Paris, Texas 360
Une Partie de campagne (*Eine Landpartie*) *202*
Pasqualino settebellezze (*Sieben Schönheiten*) 342
The Passenger siehe Professione: Reporter
Pas si méchant que ca (*Ganz so schlimm ist er auch nicht*) 364
Passion siehe Madame Dubarry
En passion (*Passion*) 343
La Passion de Jeanne d'Arc (*Die Passion der Jeanne d'Arc*) 201, 296
Pastoral 345
Pat and Mike *186*
Der Pate siehe The Godfather
Pather Panchali (*Apus Weg ins Leben – Auf der Straße*) 318
Paths of Glory (*Wege zum Ruhm*) *85*
Patrioten 303
Patriot Games (*Die Stunde der Patrioten*) 354, *511*
Die Patriotin 357
Patton (*Patton – Rebell in Uniform*) 333
Pat und Patachon siehe Fy og By
Paulina 1880 (*Paulina 1880*) 356
La Peau douce (*Die süße Haut*) 328
Pee Wee's Big Adventure (*Pee-Wee's irre Abenteuer*) 381
Peggy Sue Got Married (*Peggy Sou hat geheiratet*) 368, *369*
Die Peitsche im Genick s. I Compagni
Pelle erobreren (*Pelle der Eroberer*) 394
A Perfect Couple (*Ein perfektes Paar*) 373
Performance (*Performance*) 339
La Permission 365
Persona (*Persona*) *43*, *202*, 343
Per un pugno di dollari (*Für eine Handvoll Dollar*) 314
Les Petites Fugues (*Kleine Fluchten*) 364
Le Petit Soldat (*Der kleine Soldat*) 329
Petulia (*Petulia*) 337, *337*
Die phantastische Reise siehe Fantastic Voyage
The Phenix City Story (*Eine Stadt geht durch die Hölle*) 313
The Piano (*Das Piano*) 392
Piccadilly (*Piccadilly*) 299
Picknick at Hanging Rock (*Picknick am Valentinstag*) 353
Pickpocket (*Pickpocket*) 323
Pickup on South Street (*Lange Finger – Harte Fäuste*) 313
Pierrot le fou (*Elf Uhr nachts*) *80*, *183*, 330
Piloten im Pyjama 346
The Pink Panther (*Der rosarote Panther*) 332
Pinky 268
Pirosmani (*Pirosmani*) 345
Platoon (*Platoon*) 387
The Player (*The Player*) *372*, 373
Plenty (*Eine demanzipierte Frau*) 354
Pleure pas la bouche pleine (*Es regnet dahin, wo es naß ist*) 356
Die plötzliche Einsamkeit des Konrad Steiner 364
Der plötzliche Reichtum der armen Leute von Kombach 357
Point of Order 373
Poison Ivy (*Poison Ivy – Die tödliche Umarmung*) 385
Poor Cow (*Poor Cow – geküßt und geschlagen*) 338
Die Postanweisung siehe Mandabi
Der Postmeister 303
Il Posto (*Der Job*) 342
Poulet au vinaigre (*Hühnchen in Essig*) 331
Pour le Mérite 303
Praise Marx and Pass the Ammunition 338

Pravda 429
Predator (*Predator*) 383
Prénom: Carmen (*Vorname Carmen*) 330
Pretty in Pink (*Pretty in Pink*) 384
Pretty Woman (*Pretty Woman*) 384
Prima della rivoluzione (*Vor der Revolution*) 341
Primary 334
Primate 334
Prime Cut (*Die Professionals*) 374
La Primera carga al machete (*Die erste Schlacht mit der Machete*) 350
Prince of the City (*Prince of the City*) 333
Die Prinzessin Yang siehe Yokihi
La Prise de pouvoir par Louis XIV (*Die Machtergreifung Ludwigs XIV.*) 311, 413
Die Professionals siehe Prime Cut
Professione: Reporter / The Passenger (*Beruf: Reporter*) 220, 341
Prošu slova (*Ich bitte ums Wort*) 345
Protest siehe Morgan ... a Suitable Case for Treatment
Der Prozeß 361
Psycho (*Psycho*) 180, 181, *182*, 184, *185*, 332, 436
Public Enemy (*Der öffentliche Feind*) 277
Des Pudels Kern siehe The Horse's Mouth
I Pugni in tasca (*Die Fäuste in der Tasche*) 341
Pumping Iron 378
Die Puppe 286
The Purple Rose of Cairo (*The Purple Rose of Cairo*) 374
Pygmalion 301

Q & A (*Tödliche Fragen*) 333
Les Quatre cent coups (*Sie küßten und sie schlugen ihn*) *226*, 227, *328–329*
Queimada! (*Queimada!*) 342
Quintet (*Quintett*) 373
Quo vadis (*Quo vadis*) 287

Radio Days (*Radio Days*) 374
Raging Bull (*Wie ein wilder Stier*) 113, 367
Ragtime (*Ragtime*) 344
Raiders of the Lost Ark (*Jäger des verlorenen Schatzes*) 371
Rain Man (*Rain Man*) 384
The Rain People (*Liebe niemals einen Fremden*) 367
Raising Arizona (*Arizona Junior*) 386
Ran (*Ran*) 351
Rangierer 346
Rashomon (*Rashomon – Das Lustwäldchen*) 317
Raskolnikow *295*
Rattengift siehe Kiss Me Deadly
Rear Window (*Das Fenster zum Hof*) 213, *214*, 224, 326
Rebel Without a Cause (*Denn sie wissen nicht, was sie tun*) *266*, 316
Red River (*Red River*) 305
La Région Centrale 208, 210, 211, *212*, 252
La Règle du jeu (*Die Spielregel*) *298*, 299
Das Reich der Sonne siehe Empire of the Sun
Reifezeugnis 362
Der Reigen (Ophüls) siehe La Ronde
Der Reigen (Oswald) *287*
Die Reise ins Licht / Despair 359
Die Reise nach Tokio siehe Tokyo monogatari
Remparts d'argile (*Mauern aus Ton*) 356
Reperages 364
Report on Torture in Brazil 375
Rescued by Rover 284
Retour d'Afrique (*Die Rückkehr aus Afrika*) 363
Rette sich wer kann (*Das Leben*) siehe Sauve qui peut (La Vie)
The Return of the Secaucus Seven (*Die Rückkehr nach Secaucus*) 386
Reversal of Fortune (*Die Affäre der Sunny von B.*) 377
Rhapsodie im August siehe Hachigatsu no rapusodie
Richard III (*Richard III.*) 63, 163
Ride the High Country (*Gefährten des Todes*) 314
Ride the Whirlwind (*Ritt im Wirbelwind*) 366
Ringo siehe Stagecoach
Rio Bravo (*Rio Bravo*) 305
Riot in Cell Block 11 (*Terror in Block 11*) 313
Ritorno 342
Ritt im Wirbelwind siehe Ride the Whirlwind
The Road Warrior / Mad Max II (*Mad Max II – Der Vollstrecker*) 392
The Robe (*Das Gewand*) 107, *108*
Robin und Marian (*Robin und Marian*) 338
Robocop (*Robocop*) 377
Rocco e i suoi Fratelli (*Rocco und seine Brüder*) 311
The Rockford Files (*Rockford*) 481
Rocky (*Rocky*) 379
Roma (*Fellinis Roma*) 340
Roma, città aperta (*Rom, offene Stadt*) 279, 311, *312*, 326, 413
Romancing the Stone (*Auf der Jagd nach dem grünen Diamanten*) 381
Romanze in Moll 304
La Ronde (*Der Reigen*) *209*, 323
A Room with a View (*Zimmer mit Aussicht*) 390
Rope (*Cocktail für eine Leiche*) 129
Rosa Luxemburg 358
Der rosarote Panther siehe The Pink Panther
Roseanne *489*
Rosemary's Baby (*Rosemaries Baby*) 385
Rotation 320
Rotbart siehe Akahige
Rote Fahnen sieht man besser 362
Rote Laterne siehe Dahong denglong gaogao gua
Die rote Lola siehe Stage Fright
Rotes Kornfeld siehe Hong Gao liang
Rote und Weiße siehe Csillagosok, katonák
Die rote Wüste siehe Il Deserto Rosso
Roxanne (*Roxanne*) 354
Royal Wedding (*Königliche Hochzeit*) *210*, 316
Le Royaume des fées *285*
Rübezahls Hochzeit 286
Die Rückkehr aus Afrika siehe Retour d'Afrique
Die Rückkehr nach Secaucus siehe The Return of the Secaucus Seven
Der Ruf 323
Rumblefish (*Rumblefish*) 368

Saboteur (*Saboteure*) 304
Sacco e Vancetti (*Sacco und Vancetti*) 342
A Safe Plan 366
Saikaku Ichidai Onna (*Das Leben der Oharu*) 317
Sajat Nova 345
La Salamandre (*Der Salamander*) 363
Salesman 334
Salvatore Giuliano (*Wer erschoß Salvatore G.?*) 280, 341
Samma no Aji (*Ein Herbstnachmittag*) 318
Die Sammlerin siehe La Collectionneuse
Samstagnacht bis Sonntagmorgen siehe Saturday Night and Sunday Morning
Sansho Dayu (*Sansho Dayu – Ein Leben ohne Freiheit*) 318
Sans toi ni loi (*Vogelfrei*) 332
Såsom i en spegel (*Wie in einem Spiegel*) 343
Saturday Night and Sunday Morning (*Samstagnacht bis Sonntagmorgen*) 335
Saturday Night Live 381–382, *388*
Satyricon siehe Fellini Satyricon
Sauve qui peut (La Vie) (*Rette sich wer kann [Das Leben]*) 330
Sbatti il monstro in prima pagina (*Knallt das Monster auf die Titelseite*) 341
Scarface 277
The Scarlet Empress (*Die scharlachrote Kaiserin*) 304
Scener ur ett äktenskap (*Szenen einer Ehe*) 343
Scent of a Woman (*Der Duft der Frauen*) 377
Der Schakal von Nahueltoro siehe El Chacál de Nahueltoro
Schande siehe Skammen
Der Scharfschütze siehe The Gunfighter
Die scharlachrote Kaiserin siehe The Scarlet Empress
Schatten siehe Shadows
Schatten der Engel 364
Die Schauspielerin 347
Scheidung auf italienisch siehe Divorco all'Italiana
Scherben 294
Das Schießen siehe The Shooting
Schießen Sie auf den Pianisten siehe Tirez sur le pianiste
Schieß zurück, Cowboy! siehe From Hell to Texas
Schindler's List (*Schindlers Liste*) *113*, *371*, 372
Der Schlachter siehe Le Boucher
Schlachtgewitter am Monte Cassino siehe The Story of G. I. Joe
Schlacht um Algier siehe La Battaglia di Algeri
Die Schlacht um Chile siehe La Batalla de Chile

Der Schläfer siehe Sleeper
Schlaflos in Seattle siehe Sleepless in Seattle
Das Schlangenei 343
Das Schloß im Spinnwebwald siehe Kumunosu-jo
Schlußakkord 303
Schnellboote vor Bataan siehe They Were Expendable
Schock-Korridor sieh Shock Corridor
Die schrecklichen Kinder siehe L'Enfants terribles
Eine schrecklich nette Familie siehe Married... with Children
Schrei aus Stein 360
Schritte ohne Spur siehe À double tour
Schtonk! 392
Schuhpalast Pinkus 286
Schuhputzer siehe Sciuscià
Schußfahrt siehe Downhill Racer
Der schwarze Falke siehe The Searchers
Die schwarze Galeere 321
Schwarzwaldmädel 322
Das Schweigen siehe Tystnaden
Das Schweigen der Lämmer siehe The Silence of the Lambs
Schweizer im Spanischen Bürgerkrieg 364
Die Schweizermacher 364
Sciuscià (*Schuhputzer*) 280, 311
The Searchers (*Der schwarze Falke*) 314, *315*, *437*
Sedmikrásky (*Tausendschönchen*) 344
Sedotta e abbandonata (*Verführung auf italienisch*) 341
Seidenstrümpfe siehe Silk Stockings
Die Seifendiebe siehe Ladri di saponette
Sein Mädchen für besondere Fälle siehe His Girl Friday
Der Seitensprung siehe L'Escapade
Semi Tough 373
September 30th, 1955 *266*
The Servant (*Der Diener*) 336
Servus Bayern 362
sex, lies, and videotape (*Sex, Lügen und Video*) 386, *386*
Shadow of a Doubt (*Im Schatten des Zweifels*) 304
Shadows (*Schatten*) 327, 373
Shaft (*Shaft*) 365
Shane (*Mein großer Freund Shane*) 314
Shanghai Express (*Shanghai-Expreß*) 304
Sheila siehe The Last of Sheila
Sherlock Holmes (Serie von Viggo Larsen) 285
She's Gotta Have It (*She's Gotta Have It*) 387, 389
Shichinin no Samurai (*Die sieben Samurai*) 317
The Shining (*The Shining*) 337
Shinjuku dorobo nikki (*Tagebuch eines Diebes aus Shinjuku*) 351
Shock Corridor (*Schock-Korridor*) 313
Shonen (*Der Junge*) 351
The Shooting (*Das Schießen*) 366
The Shootist (*Der letzte Scharfschütze*) *50*
Short Cuts (*Short Cuts*) 373
Die sieben Samurai siehe Shichinin no Samurai
Sieben Schönheiten siehe Pasqualino settebellezze
Das siebente Jahr 346
Das siebte Siegel siehe Det sjunde inseglet
Sie küßten und sie schlugen ihn siehe Les Quatre cent coups
The Silence of the Lambs (*Das Schweigen der Lämmer*) 385
The Silent Partner (*G[ive]*) 352
Silk Stockings (*Seidenstrümpfe*) 316
Simón del desierto (*Simon in der Wüste*) 349
The Simpsons (*Die Simpsons*) *492*
Singin' in the Rain (*Du sollst mein Glücksstern sein*) 316
Single White Female (*Weiblich, ledig, jung sucht...*) 385
La Sirène du Mississippi (*Das Geheimnis der falschen Braut*) 329
Sirokko 344
Six Degrees of Separation 354
Sixteen Candles (*Das darf man nur als Erwachsener*) 384
Det sjunde inseglet (*Das siebte Siegel*) 325–326
Skammen (*Schande*) *167*, *175*, 343
Sleeper (*Der Schläfer*) 374
Sleeping with the Enemy (*Der Feind in meinem Bett*) 385
Sleepless in Seattle (*Schlaflos in Seattle*) 384
Sliver (*Sliver*) 354
Smile 373
Smithereens 386
Smog 362
Smultronstället (*Wilde Erdbeeren*) *324*, 325
The Snapper (*The Snapper*) 391
S. O. B. (*Hollywoods letzter Heuler – S. O. B.*) 332
Sokrates siehe Socrate 345
Der Sohn des rosaroten Panthers siehe Son of the Pink Panther
Solaris (*Solaris*) 311, 344
Solo Sunny 347
Somersby (*Somersby*) 377
Sommarnattens leende (*Das Lächeln einer Sommernacht*) 324
Die Sommerfrische siehe La Villeggiatura
Sommersoldaten siehe Summer Soldiers
Sonnensucher 321
Son of the Pink Panther (*Der Sohn des rosaroten Panthers*) 394
La Sortie des usines *284*
SOS Eisberg 296
Soshun (*Früher Frühling*) 318
Sounder (*Das Jahr ohne Vater*) 333
Später Frühling siehe Banshun
Spätherbst siehe Akibiyori
Spellbound (*Ich kämpfe um dich*) 304
Der Spiegel siehe Zerkalo
Spieler ohne Skrupel siehe The Gambler
Die Spielregel siehe La Règle du jeu
Die Spinnen 294
Die Spitzenklöpplerin siehe La Dentellière
Spuk im Schloß siehe The Cat and the Canary
Die Spur der Steine 346
Stačka (*Streik*) 296
Eine Stadt geht durch die Hölle siehe The Phenix City Story
Der Stadtneurotiker siehe Annie Hall
Stagecoach (*Ringo*) 305
Stage Fright (*Die rote Lola*) 213
Stalker (*Stalker*) 302
Der Stand der Dinge 360
Stardust Memories (*Stardust Memories*) 374
Der starke Ferdinand 357
Star Trek (*Star Trek*) 316
Star Wars (*Krieg der Sterne*) 217, 316, 369–370
Star Witness 278
Stay Hungry (*Mr. Universum*) 366
Steel Magnolias (*Magnolien aus Stahl – Die Stärke der Frauen*) 272
Der Steinwurf siehe Ya non basta con rezar
Sternsteinhof 362
Der Stern von Afrika 322
Stimmzettel und Gewehr siehe Voto mas fusil
Stirb langsam siehe Die Hard
The Story of G. I. Joe (*Schlachtgewitter am Monte Cassino*) 278
La Strada (*La Strada – Das Lied der Straße*) *325*, 326
Straight out of Brooklyn 389
Stranger Than Paradise (*Stranger Than Paradise*) 386
A Streetcar Named Desire (*Endstation Sehnsucht*) *267*
Streik siehe Stačka
Ein Streik ist keine Sonntagsschule 364
Streng bewachte Züge siehe Ostře sledované vlaky
Strohfeuer 357
Der Strohmann siehe The Front
Stromboli, terra di Dio (*Stromboli*) 311
Stroszek 316, 360
Der Student von Prag 286
Stukas 303
Die Stunde der Hochöfen siehe La Hora de los hornos
Die Stunde der Patrioten siehe Patriot Games
Stunde des Siegers siehe Chariots of Fire
Die Stunde des Wolfs siehe Vargtimmen
Der Sturm – Eine überraschende Komödie siehe Tempest
Sündige Mütter 286
Die süße Haut siehe La Peau douce
Das süße Leben siehe La Dolce Vita
Ein süßer Fratz siehe Funny Face
Sullivan's Travels (*Sullivans Reisen*) 308
Summer Soldiers (*Sommersoldaten*) 351
Suna no Onna (*Die Frau in den Dünen*) 351
Sunday, Bloody Sunday (*Sunday, Bloody Sunday*) 336
Sunrise (*Sunrise*) *209*, 292
Superman (*Superman*) 379
Superman II / III (*Superman II / III*) 338
Sweet Sweetback's Baaadasssss Song 365
Sylvester 294
Szenen einer Ehe siehe Scener ur ett äktenskap

Tabu (*Tabu*) 292
Tabu der Gerechten siehe Gentleman's Agreement
Tadellöser & Wolff 362
Der Tag, an dem die Erde stillstand siehe The Day the Earth Stood Still
Tagebuch einer Kammerzofe siehe Le journal d'une femme de chambre
Tagebuch einer Verlorenen 295
Tagebuch eines Diebes aus Shinjuku siehe Shinjuku dorobo nikki
Tagebuch eines Ehebruchs siehe Diary of a Mad Housewife
Tagebuch eines Landpfarrers siehe Le Journal d'un curé de campagne
Tage der Hoffnung siehe Days of Hope
Tage des Weines und der Rosen siehe Days of Wine and Roses
Tage und Nächte im Wald siehe Aranyer Din Ratri
Taiga 303
A Taste of Honey (*Bitterer Honig*) 335
Tatort 362, 392
Tausendschönchen siehe Sedmikrásky
Tauwetter 364
Taxi Driver (*Taxi Driver*) 118, 367
The Temp (*Die Aushilfe*) 385
Tempest (*Der Sturm – Eine überraschende Komödie*) *128*, 373
10 (*Die Traumfrau*) 251
Tender Mercies 354
Tengoku to Jigoku (*Zwischen Himmel und Hölle*) 351
Teny sabytych prjedkov (*Feuerpferde*) 345
Terje Vigen (*Terje Vigen*) 296
Terminal Man 184, *185*
The Terminator (*Terminator*) 378
Terminator 2: Judgment Day (*Terminator 2 – Tag der Abrechnung*) *29*, 139, 378, 411
La Terra trema (*Die Erde bebt*) 280, 311
Terror in Block 11 siehe Riot in Cell Block 11
Das Testament des Dr. Mabuse 300
Le Testament d'Orphée (*Das Testament des Orpheus*) 323
Des Teufels General 323
Die Teuflischen siehe Les Diaboliques
Thelma & Louise (*Thelma & Louise*) 271, *272*, 340
Theresienstadt 301
They Live By Night 313
They Were Expendable (*Schnellboote vor Bataan*) 278
Thieves Like Us (*Diebe wie wir*) 372
The Thing (*Das Ding aus einer anderen Welt*) 315
The Third Man (*Der dritte Mann*) 313
13 Rue Madeleine 279
Thirtysomething 376
This Is Cinerama 106, *107*, 524
This Is Spinal Tap (*This Is Spinal Tap*) 384
This Sporting Life (*Lockender Lorbeer*) 336
Thomas Graals bästa film (*Thomas Graals bester Film*) 296
Three Men and a Baby; Three Men and a Cradle (*Noch drei Männer, noch ein Baby*) 377, 392
The Three Musketeers (*Die drei Musketiere*) 338
3:10 to Yuma (*Zähl bis drei und bete*) 314
THX 1138 (*THX 1138*) 369
La Tierra prometida (*Das gelobte Land*) 349
Till Eulenspiegel 347
The Time Machine (*Die Zeitmaschine*) 315
Tirez sur le pianiste (*Schießen Sie auf den Pianisten*) 328, *328*
Titicut Follies 334
Tod in Venedig siehe Morte a Venezia
Der Tod kennt keine Wiederkehr siehe The Long Goodbye
Tödliche Fragen siehe Q & A
To Have and Have Not (*Haben und Nichthaben*) 305
Tokio-Story siehe House of Bamboo
Tokyo-Ga 360
Tokyo monogatari (*Die Reise nach Tokio*) *317*, 318
Toll trieben es die alten Römer siehe A Funny Thing Happened On the Way to the Forum
Tombstone siehe My Darling Clementine
Tom Jones (*Tom Jones – Zwischen Bett und Galgen*) 335
Tommy (*Tommy*) 339
Toni (*Toni*) 299
Topaz (*Topas*) 332
Das Tor zum Himmel s. Heaven's Gate
Die totale Erinnerung – Total Recall siehe Total Recall
Total Recall (*Die totale Erinnerung – Total Recall*) 377
Die Tote im See siehe Lady in the Lake
Tote Schlafen fest siehe The Big Sleep
A Touch of Zen siehe Hsia nü
Tout va bien (*Tout va bien*) 330, *354*, 429, *431*, 432
Tragödie der Liebe 293
Die Trapp-Familie 303
Die Traumfrau siehe 10 (Ten)
Travolti da un insolito destino nell'azzuro mare d'agosto (*Hingerissen von einem ungewöhnlichen Schicksal*) 342
Treffen in Travers 348
Tristana (*Tristana*) 349
Triumph des Willens 304, *305*
Trois hommes et un couffin (*Drei Männer und ein Baby*) 392
Tron (*Tron*) 113
Tropici 342
Tschaikowsky – Genie und Wahnsinn siehe The Music Lovers
Tucker: The Man and His Dreams (*Tucker*) 368
Tulitikkutehtaan tyttö (*Das Mädchen aus der Streichholzfabrik*) 394
The Turning Point (*Der Wendepunkt*) 270
Twentieth Century (*Napoleon vom Broadway*) 305
Twins (*Twins – Zwillinge*) 352, 381
200 Motels (*200 Motels*) 145
Two-Lane Blacktop (*Asphaltrennen*) 366
Two Rode Together (*Zwei ritten zusammen*) 314
2001: A Space Odyssey (*2001: Odyssee im Weltraum*) 54, 136, *138*, *140*, *141*, *210*, 221, 315, 336, 527
Tystnaden (*Das Schweigen*) *116*, 343

Uccellacci e uccellini (*Große Vögel – Kleine Vögel*) 341
Über den Todespaß siehe The Far Country
Ugetsu Monogatari (*Ugetsu – Geschichten unter dem Regenmond*) 318
Der Uhrmacher von St. Paul siehe L'Horlogier de Saint-Paul
Uhrwerk Orange siehe A Clockwork Orange
Ultimo tango a Parigi (*Der letzte Tango in Paris*) *267*, 341
Umberto D. (*Umberto D.*) 311
Um's täglich Brot (Hunger in Waldenburg) 295
Der Unbeugsame siehe The Natural
Uncle Buck (*Allein mit Onkel Buck*) *383*, 384
... und das Leben geht weiter siehe And the Band Played On
Underground 375
Die Unehelichen 295
Die unendliche Geschichte 362
The Unforgiven (*Denen man nicht vergibt*) 315
Die unglaubliche Geschichte des Mister C. siehe The Incredible Shrinking Man
Unheimliche Begegnung der dritten Art siehe Close Encounters of the Third Kind
An Unmarried Woman (*Eine entheiratete Frau*) 270, 373
Unser täglich Brot siehe Our Daily Bread
Der unsichtbare Aufstand siehe Etat de siège
Der unsichtbare Dritte siehe North by Northwest
Der unsterbliche Lump 300
Unter den Brücken 304
Der Untertan 321
Die untreue Frau s. La Femme infidèle
U 47 – Kapitänleutnant Prien 322
Utvandrarna (*Die Emigranten*) 344
Uzala, der Kirgise siehe Dersu Uzala

Les Vacances de Monsieur Hulot (*Die Ferien des Monsieur Hulot*) 323
Valparaiso, Valparaiso 356
Valparaiso, mi amor (*Die Kinder von Valparaiso*) 349
Vampyr (*Vampyr*) 296
Il Vangelo Secondo Matteo (*Das 1. Evangelium – Matthäus*) 341
Vargtimmen (*Die Stunde des Wolfs*) *95*, *169*, *175*, 343
Varieté 294
Vent d'est 429
Die Verachtung siehe Le Mépris
Das Verbrechen des Herrn Lange siehe Le Crime de Monsieur Lange
Die Verdammten siehe La Caduta degli dei
Verführung auf italienisch siehe Sedotta e abbandonata
Eine verhängnisvolle Affäre siehe Fatal Attraction
Eine verheiratete Frau siehe Une Femme mariée
Ein verheiratetes Paar siehe A Married Couple

Veritas vincit 287
Der Verlorene 323
Die verlorene Ehre der Katharina Blum *357*, 358
Véronique, ou l'été de mes treize ans 356
Die Verrufenen 295
Vertigo (*Aus dem Reich der Toten*) 78, 326
Die Vertreibung aus dem Paradies 362
Vidas secas (*Vidas Secas – Nach Eden ist es weit*) 349
Die Viererbande siehe La Bande des quatre
Der vierte Mann siehe Kansas City Confidential
La vie telle qu'elle est (*Das Leben, wie es wirklich ist*) 284
Viktor und Viktoria 303
La Villeggiatura (*Die Sommerfrische*) 342
Violanta 364
Viridiana (*Viridiana*) 349
Viva Zapata! (*Viva Zapata*) 316
Vivre sa vie (*Es lebe das Leben*) 329, *430*
Vladimir et Rosa 429, *431*
Die Vögel siehe The Birds
Vogelfrei siehe Sans toi ni loi
La Voie lactée (*Die Milchstraße*) 349
Voto mas fusil (*Stimmzettel und Gewehr*) 349
Vom Winde verweht siehe Gone With the Wind
Vor der Revolution siehe Prima della rivoluzione
Vor Einbruch der Nacht siehe Juste avant la nuit
Vormittagsspuk 54
Vorname Carmen siehe Prénom: Carmen
Voschoždenie (*Der Aufstieg*) 345
Le Voyage dans la lune 283, 520

Das Wachsfigurenkabinett 293
Wäscherinnen 346
Die Wahlverwandtschaften 347
Walkabout (*Walkabout*) 339
Walk East On Beacon 279
Walking Tall (*Der Große aus dem Dunkeln*) 313
Walkover (*Walkover*) 344
Wall Street (*Wall Street*) 387, *387*
Ein Walzertraum 294
War and Peace (*Krieg und Frieden*) 45
The War Game (*The War Game*) 336
Warrendale (*Warrendale*) 352
Warum eigentlich... bringen wir den Chef nicht um? siehe Nine to Five
Warum läuft Herr R. Amok? 358
Was der Himmel erlaubt siehe All That Heaven Allows
The Watermelon Man 365
Wavelength (*Wavelength*) 208, *212*, 252
Way Down East 288
Wayne's World (*Wayne's World*) 382
A Wedding (*Eine Hochzeit*) 373
The Wedding March 291
Week end (*Weekend*) *200*, *209*, 330, *430–431*
Wege zu Kraft und Schönheit 296
Wege zum Ruhm siehe Paths of Glory
Weiblich, ledig, jung sucht... siehe Single White Female
Weird Science (*L. I. S. A. – Der helle Wahnsinn*) 384
Weiße Fracht für Rio siehe Cargaison blanche
Der weiße Hai siehe Jaws
Die weiße Hölle vom Piz Palü 296
Die weiße Sklavin siehe Den hvide slavehandel
Weite Straßen, stille Liebe 346
Welfare *335*
Der Wendepunkt s. The Turning Point
Wenn die Gondeln Trauer tragen siehe Don't Look Now
Wenn du groß bist, lieber Adam 346
Wenn Frauen hassen siehe Johnny Guitar
Wer erschoß Salvatore G.? siehe Salvatore Giuliano
Der Westen leuchtet 362
Westfront 1918 300
What's Eating Gilbert Grape? (*Gilbert Grapes – Irgendwo in Texas*) 394
When Harry Met Sally... (*Harry und Sally*) 384
White Heat (*Maschinenpistolen*) 313
Who Framed Roger Rabbit? (*Falsches Spiel mit Roger Rabbit*) 371, *380*, 381
Who's That Knocking at My Door? 366
Why We Fight 278
Wie bringt man seine Frau um siehe How to Murder Your Wife
Wie ein wilder Stier siehe Raging Bull
Wie ich den Krieg gewann siehe How I Won the War
Wie in einem Spiegel siehe Såsom i en spegel
The Wild Bunch (*The Wild Bunch – Sie kannten kein Gesetz*) 314
Wilde Erdbeeren siehe Smultronstället
Der Wildeste unter Tausend siehe Hud
Der Willi-Busch-Report 362
Willie & Phil (*Willie & Phil*) 373, 388
Winchester 73 (*Winchester 73*) 314
Winifred Wagner und die Geschichte des Hauses Wahnfried von 1914–1975 *361*
Winterspelt 362
Wir Bergler in den Bergen sind eigentlich nicht schuld, daß wir da sind 364
Wir können auch anders 392
Wir machen Musik 304
Wir werden nicht zusammen alt siehe Nous ne vieillirons pas ensemble
Wir Wunderkinder 323
With Babys and Banners 376
Withnail & I 391
Witness (*Der einzige Zeuge*) 354
The Wizard of Oz (*Das zauberhafte Land*) *270*
The Wobblies 376
Wo die grünen Ameisen träumen 360
Woina i mir (*Krieg und Frieden*) 45
Der Wolfsjunge siehe L'Enfant sauvage
Wolfskinder 361
A Woman Under the Influence (*Eine Frau unter Einfluß*) 373
Woodstock (*Woodstock*) 129
Woyzeck 360
Written on the Wind (*In den Wind geschrieben*) 316
WR – Misterije Organizma (*WR – Mysterien des Organismus*) 345
Der Würgeengel siehe El Angel exterminador

Xala (*Xala*) 350, *351*

Yanks (*Yanks*) 336
Ya non basta con rezar (*Der Steinwurf*) 349
Yawar Mallku (*Das Blut des Kondors*) 350
Yeah! Yeah! Yeah! siehe A Hard Day's Night
Les Yeux ne veulent pas en tout temps se fermer ou Peut-être qu'un jour Rome se permettra de choisir à son tour / Othon 356
Ying-ch'un ko chih feng-po (The Fate of Lee Khan) 352
Yojimbo (*Yojimbo*) 317
Yokihi (*Die Prinzessin Yang*) 318
You John Jones 248
Young Winston (*Der junge Löwe*) 140

Z (*Z*) 280
Zabriskie Point (*Zabriskie Point*) *92*, 93, 341
Zähl bis drei und bete siehe 3:10 to Yuma
Zahnstocher-Johnny siehe Johnny Stecchino
Zandy's Bride (*Zandis Braut*) 344
Das zauberhafte Land siehe The Wizard of Oz
Zazie dans le Métro (*Zazie*) 331
Zebo, der Dritte aus der Sternenmitte siehe Earth Girls Are Easy
Zeit der Unschuld siehe The Age of Innocence
Die Zeitmaschine siehe The Time Machine
Zelig (*Zelig*) 113, 374
Zemlja (*Erde*) 297
Der zerbrochene Krug 303
Die Zeremonie siehe Gishiki
Zerkalo (*Der Spiegel*) 345
Zéro de conduite (*Betragen ungenügend*) 299
Zimmer mit Aussicht siehe A Room with a View
Les Zozos 356
Zu neuen Ufern 303
Zurück in die Zukunft siehe Back to the Future
Zwei Freundinnen siehe Les Biches
Zwei glorreiche Halunken siehe Il buono, il brutto, il cattivo
200 Motels siehe Two Hundred Motels
Zwei oder drei Dinge, die ich von ihr weiß siehe Deux ou trois choses que je sais d'elle
Zwei rechnen ab siehe Gunfight at the O. K. Corral
Zwei ritten zusammen siehe Two Rode Together
Das zweite Leben des Friedrich Wilhelm Georg Platow 347
Zwischen gestern und morgen 322
2001: Odyssee im Weltraum siehe Two Thousand and One: A Space Odyssey
12 Uhr mittags siehe High Noon
12 Uhr nachts siehe Midnight Express
Zycie rodzinne (*Familienleben*) 344

Personenregister

Kursive Seitenzahlen verweisen auf Abbildungen

Abich, Hans 323
Achternbusch, Herbert 360, 362
Adorf, Mario *357*
Adorno, Theodor W. 31, 432
Agee, James 439
Albers, Hans 300, 303, 304, 322
Albers, Joseph 19
Alden, Phil 385
Aldrich, Robert 313
Al Hazen 88
Allen, Herbert 253
Allen, Woody 113, *200*, 374–375, *374*
Allgeier, Sepp 296
Almodóvar, Pedro 394
Almond, Paul 352
Althusser, Louis 440
Altman, Robert *81*, 126, 314, 372–373, *372*, 375, 382
Alvarez, Santiago 350
Amici, Gianni 342
Anderson, Lindsay 336
Andersson, Bibi *43*, *202*
Andrade, Joaquim Pedro de 349
Andrew, J. Dudley 409
Anger, Kenneth 333
Angst, Richard 296
Annaud, Jean-Jacques 392
Antonioni, Michelangelo *92*, 93, 115, *172*, *188*, 189, 198, *203*, 212, 220, 327, 340–341, *340*
Apted, Michael 377
Arago, François 38
Arbuckle, Roscoe «Fatty» 276
Archer, Frederick Scott 39
Aristoteles 22, 28, 409
Armat, Thomas 88, 235, 238
Armstrong, Edwin H. 463, 478
Armstrong, Gillian 353–354, *353*
Arnheim, Rudolf 187, 411–415, 417, 425–426, 427
Arnold & Richter 94
Arnold, Jack 315
Artaud, Antonin 51–52, 58
Ashby, Hal 375
Astaire, Fred *210*, 264, 308, *308*, 316
Astruc, Alexandre 334, 398, 425
Attenborough, Richard 391
Aubier, Pascal 356
Auden, Wystan Hugh 324
Auer, Mischa *195*
August, Bille 392, 394
Aurenche, Jean 356
Autant-Lara, Claude 106
Axel, Gabriel 394
Axelrod, George 332
Aykroyd, Dan 381
Aznavour, Charles *328*

Bacall, Lauren 305, *306*
Bach, Johann Sebastian 55
Baillie, Bruce 333
Baky, Josef von 323
Balázs, Béla 417, 419–422, 432
Bardeen, John 463
Barnouw, Erik 483
Barrymore, Drew 273
Barthelme, Donald 47, *48*
Barthes, Roland 429, 435, 438
Basinger, Kim 273
Bassermann, Albert 286
Basset, Angela *389*
Bataille, Sylvia *202*
Bazin, André 177, 208, 328, 414, 423–425, 426–428
Beatles, The 57, 220, 337, 477, *508*, 527
Beatty, Warren 379, *380*
Becker, Jurek 319, 347
Beckett, Samuel 19, 433, 444–446, *445*
Begelman, David 251
Behrendt, Hans 322
Bell, Alexander Graham 71, 73, 457–458
Belloccio, Marco 341
Bellour, Raymond 439
Belmondo, Jean-Paul *183*, 263, *265*, 329, *330*
Belushi, John 381
Beneix, Jean-Jacques 392
Benigni, Roberto 394
Belson, Jordan 333, 499
Benjamin, Robert 251, 432
Benjamin, Walter 31, 259
Benton, Robert 271, 314
Berber, Anita 287
Berenson, Marisa *82*
Beresford, Bruce 353–354
Berg, Jeff 256
Bergen, Candice 269
Berger, Ludwig *294*, 301
Bergman, Ingmar *43*, *95*, *116*, *166–169*, *174*, *180*, *202*, 227, 296, 323–326, *324*, *325*, 329, 343, 374, 527
Bergman, Ingrid 304
Bergner, Elisabeth 301
Berkeley, Busby 304, 308, *308*
Berlusconi, Silvio 257, 394
Bernhardt, Kurt 300
Bernhardt, Sarah 242
Bernstein, William 251
Berta, Renato 364
Bertini, Francesca 287
Berto, Juliet *172*, *430*
Bertolucci, Bernardo *267*, 341, 343
Bertucelli, Jean-Louis 356
Besson, Luc 392
Bettetini, Gianfranco 439
Beyer, Frank 321, 345, 346, 347, 393
Bird, Steward 376
Björnstrand, Gunnar *202*
Blackton, J. Stuart 237
Blank, Les 360
Blechman, R. O. *133*
Blom, August 285, 286
Blondell, Joan 269
Bluhdorn, Charles 253
Boccolini, Alfredo 287
Bochco, Steven 314
Böll, Heinrich 358
Böttcher, Jürgen 346
Bogart, Humphrey 262–264, *265*, 305, *306*, 329, *330*
Bohlen, Anne 376
Bohr, Niels 448
Bois, Curt 301
Bond, Edward 52
Boorman, John 338
Borchert, Wolfgang 322
Borges, Jorge Luis 45, 47, 433
Bost, Pierre 356
Bow, Clara 268, *271*, 274
Brackett, Leigh 305
Brakhage, Stan 333
Brando, Marlon 265, *267*, 314, 341
Brandt, Joe 241
Braque, Georges 41
Brattain, W. H. 463
Brauer, Jürgen 347
Braun, Harald 323
Brauner, Artur 322
Brecht, Bertolt 51–52, 58, 281, 428, 514
Breen, Joseph 276
Breer, Robert 333
Bresson, Robert 323
Brialy, Jean-Claude *186*
Bricklin, Dan 501
Bridge, James *266*
Broccoli, Albert R. 377
Brooks, Louise *295*
Brooks, Mel 375, 384, 400–401
Brown, Denise Scott 59
Brown, Garrett 96, 98
Brownlow, Kevin 336
Brückner, Jutta 362
Brustellin, Alf 362
Bruyn, Günter de 347
Buck, Detlev *392*
Büchner, Georg 360
Bülow, Vicco von siehe Loriot
Buñuel, Luis *173*, 292, 349, *350*
Burch, Noel 439
Burton, Tim 379–381
Bush, Vannevar 499

Cage, John 19
Cameron, James *29*, 139, 378–379, 383
Cammell, Donald 339
Campion, Jane 392
Candy, John *383*
Capetano, Leon *128*
Capra, Frank 278, 312
Cardinale, Claudia *325*
Carmi, Maria 287
Carné, Marcel 299
Carney, Art 314
Carow, Heiner 347
Carsey, Marcy *489*
Carter, Jimmy *480*
Carvey, Dana 381
Cassavetes, John 327, 373, 375
Čechov, Anton 288
Chabrol, Claude *172*, 327, 328, 330–331, 354, 425
Chan, Jackie 394
Chandler, Raymond 305–306, 313
Chaplin, Charles 241, 261–262, *263*, 290, 291, 299
Charell, Erik 300, 302
Charpentier, Constance Marie *200*
Chopra, Joyce 375–376
Chrétien, Henri 106

Christensen, Benjamin 296
Christie, Julie *337*
Chwast, Seymour *133*
Chytilová, Vera 344
Clair, René 54, 292, 299
Clinton, Bill 532
Close, Glenn *393*
Clouzot, Henri-Georges *182*, 184
Cocteau, Jean *199*, 323
Coen, Ethan und Joel 386
Cohl, Émile 285
Cohn, Harry und Jack 241
Columbus, Chris 384
Comingore, Dorothy *193*, *196*
Concilla, John 118
Conrad, Joseph 288, 368
Cooder, Ry 360
Coolidge, Martha 375–376
Cooper, Merian C. 106, 119
Coppola, Francis (Ford) *29*, 126, 216, 316, 360–361, 367–368, *369*, 371, 375, 382, 402
Corman, Roger 241, 367
Cosby, Bill 381, *487*
Costa-Gavras, Constantin 280, 342
Costard, Hellmuth 361
Costner, Kevin *315*
Cotten, Joseph *193*, 313
Coward, Noël 279
Cowie, Peter 243
Cox, Nell 375–376
Crawford, Joan 269
Crystal, Billy 381
Cukor, George *186*
Curtiz, Michael 245, 246
Cziffra, Geza von 322

Daguerre, Louis Jacques Mandé 39, 70–71
Dalí, Salvador *173*, 292, 349
Darc, Mireille *200*
Dassin, Jules 313
Daves, Delmer 278, 314
David, Jacques Louis 184, *184*
Davidson, Paul *292*
Davis, Bette 269
Davis, Geena *272*
Davis, Judy *353*
Davis, Martin S. 253
Davis, Ossie 351
Davis, Peter 375
Day, Doris 269
Day-Lewis, Daniel *367*
Dayes, Edward *24*
Dean, James 265, *266*
De Antonio, Emile 375
Debrie, André 106
Defoe, Daniel 47, 520
DeForest, Lee 122, 246, *461*, 462–463
Delaney, Shelagh 335
Delluc, Louis 292, 408
Delon, Alain *188*
Demme, Jonathan 385
DeMille, Cecil B. 290
De Niro, Robert 78, 378
Depardieu, Gérard 263
Deppe, Hans 322
De Sica, Vittorio 279, 311–312
Dessau, Paul 301, 302
Deutsch, Ernst 286
Dickens, Charles 24, 262, 520
Dickson, William Kennedy Laurie 72–73, 90, 235, 237
Diégues, Carlos 349
Dieterle, William 245, 301
Dietl, Helmut 393
Dietrich, Marlene 293, 300
Diller, Barry 253–254
Dillon, Matt 273
Dindo, Richard 364
Disney, Walt 241, 253
Doctorow, E. L. 344
Dörrie, Doris 393
Donen, Stanley *210*, *316*
Doniol-Valcroze, Jacques 425
Donner, Jörn 343
Dorsch, Käthe 286
Douglas, Michael 381, *387*
Dovženko, Aleksandr 297
Dreiser, Theodore 288
Drew, Robert 334
Dreyer, Carl Theodor 201, 296
Duca, Lo 425
Duchamps, Marcel 41, *42*, 292
Duke, Darryl 352
Dulac, Germaine 292
Dunne, Irene 269
Dupont, Ewald André 244, 287, 294, 299, 301
Duras, Marguerite 52, 217, 331
Dylan, Bob 334, 503

Eastman, George 71, 73, 101, 103, 114, 238
Eastwood, Clint 314, 315
Eco, Umberto 434, 435, 439
Edel, Uli 377
Edens, Roger 316
Edison, Thomas Alva 56, 71–73, 235–238, 276, *277*, 283, 453, 456, 457, 512
Edwards, Blake 332, *333*, 394
Eichinger, Bernd 377, 392
Eisenstein, Sergej 54, 218, 221, 261, 295, 297, 403, 416–422, *420*, 423, 424, 426, 429
Eisner, Michael 241
Emshwiller, Ed 333
Engel, Erich 320
Engelbart, Douglas 499–500
Engl, Joseph 124
Ephron, Henry und Phoebe 384
Ephron, Nora 384
Epstein, Jean 292
Erikson, Erik 522
Ermolieff, Josef 242
Eustache, Jean 355, *355*

Fabrizi, Aldo 312, *312*
Fairbanks, Douglas *240*, 241, 261–262, *263*, *274*, 290
Falk, Peter 481
Fanck, Arnold 296
Faraday, Michael 89
Farber, Manny 439
Farrow, Mia 374
Fassbinder, Rainer Werner 358–359, *359*, 360, 364
Faulkner, William 305
Fechner, Eberhard 361
Fedida, Sam 530
Fellini, Federico 131, *202*, 274, 324, *325*, 326, 327, 329, 340, 343, 413
Ferguson, Otis 439
Fessenden, Reginald 461–462
Feuillade, Louis 284
Fielding, Henry 335
Fields, W. C. 308
Filoteo 237
Firestone, Cinda 375
Flaherty, Robert 119, 292
Fleischmann, Peter 394
Florey, Robert 245
Fønss, Olaf 286
Fonda, Jane 273, *274*, 432, *480*
Ford, Harrison *339*, *511*
Ford, John 246, 268, 305, 307, 314, *315*, 332, *437*
Ford, Mary 57, 477
Forman, Miloš 344
Forsyth, Bill 391
Fosco, Piero 287
Fox, William 239
Francia, Aldo 349
Frankenheimer, John 333
Franklin, Carl *397*
Frankston, Bob 501
Frears, Stephen 377, 391
Freed, Arthur 316
Freeland, Thornton *308*
Freeman Jr., Al 390
Freud, Sigmund 304, 407, 434, 438
Freund, Karl 294, 301
Friese-Greene, William 235
Fritsch, Willy 300
Frost, Robert 16, 62
Fuglsang, Frederik 286
Fuller, Samuel 313
Furthman, Jules 305

Gable, Clark 262, 264
Gad, Urban 285
Gallehr, Theo 362
Galsworthy, John *484*, 485
Gance, Abel *105*, 106, 292
Ganz, Bruno 361
Garbo, Greta 50, 244, 296
Garfield, John 313
Garland, Judy *198*, *270*
Garner, James 481
Gates, Bill 59, 501
Gaumont, Léon 242, 284
Geissendörfer, Hans W. 362, 394
Genet, Jean 47
George, Götz 392
Georges-Picot, Olga *332*
Germi, Pietro 341
Gerron, Kurt 301
Gershwin, George 316
Geschonneck, Erwin 321, 345
Getino, Octavio 350, 440
Gilliatt, Penelope 336, 439
Gish, Lillian 50, *289*
Gloor, Kurt 364
Godard, Jean-Luc 59, *80*, *81*, *172*, 177–178, *183*, *186*, *191*, *200*, *206*, *209*, 214, 219, 224, 227, 261, 263, 265, *265*, 281, 327, 328, 329–330, 354, *354*, 406, 415, 425, 426, 427–432, *431*, 433, 478, 497, 498, *515*, *519*, 521, 523
Goebbels, Joseph 302
Goethe, Johann Wolfgang 347, 514
Goldberg, Johann Gottlieb 56
Goldfarb, Lyn 376
Goldmark, Peter 471
Goldwyn (Goldfish), Samuel 239, 241
Gómez, Manuel Octavio 350
Gorbatschow, Michail 505
Goretta, Claude 364
Gorin, Jean-Pierre *431*, 432
Gormley, Charles *338*
Goudy, Frederick 517

Gould, Dave *308*
Grade, Lord 257
Gräf, Roland 346, 347
Graf, Marlies 364
Granac, Alexander 286
Grant, Cary *225*, 264, 278, 304, 326–327, *327*
Grass, Günter 358
Gratkjær, Axel 286
Gray, Lorraine 376
Greenough, Horatio 518
Grey, Zane *437*
Grierson, John 279, 298, 410, 414
Griffith, David Wark 24, 40, 104, 188, 220, 238, 241, 242, 268, 284, 287, 288–289, *289*, 290, 402, 410
Groupe Dziga Vertov 330, *354*
Guazzoni, Enrico 287
Guber, Peter 253
Günther, Egon 345, 346, 347
Guerra, Ruy 349
Guilmain, Claudine 356
Guinness, Alec 318
Gunn, Bill 366
Gunten, Peter van 364
Gutenberg, Johannes 447
Gutiérrez Alea, Tomás 350
Guy, Alice 284
Guzman, Patricio 349
Gwisdek, Michael 348

Hackett, Joan *182*
Hallervorden, Didi (Dieter) 392
Hallström, Lasse 394
Hammett, Dashiell 313
Handke, Peter 361
Harbich, Milo 320
Harbou, Thea von 287, 293
Harfouch, Corinna 347
Harlan, Veit 303, 320, 322
Harnack, Falk 321
Harvey, Lilian 300
Haskell, Molly 439
Hassler, Jürg 364
Hathaway, Henry 314
Hatton, Maurice 338, *338*
Hauff, Reinhard 358, 394
Hauptmann, Gerhart 286
Hauser, Kaspar 359
Hawks, Howard 305–307, *306*, 307, 313, 332
Hawn, Goldie 273
Hays, Will 276
Hein, W+B 361
Hellberg, Martin 321
Hellman, Monte 366
Hemmings, David *340*
Henson, Jim *382*, 383, *383*
Hepburn, Audrey *333*
Hepburn, Katharine *186*, 269
Hepworth, Cecil 284, 288
Herbst, Helmut 361
Herlth, Robert 293
Herrmann, Bernard 184
Hertz, Heinrich 459
Herzog, Werner 359–360
Heymann, Werner Richard 302
Heynowski, Walter 346
Highsmith, Patricia 360
Hill, W. E. 155
Hindemith, Paul 54
Hinton, S. E. 368
Hirschfield, Alan J. 251
Hirschmeier, Alfred 319
Hitchcock, Alfred 78, 108, 127, 129, *159*, 169, 172, 180, 181, *182*, 184–185, 195–197, 213, *214*, *225*, 298, 304, 307, 324, 326–327, *327*, 330, 332, 436, 439, 498
Hitler, Adolf 302, 303
Hodge, Mike 184, *185*
Hoe, Richard March 447
Hoffman, Dustin 270, 384
Hoffmann, Carl 294
Hoffmann, Jutta 347
Hoffmann, Kurt 323
Holger-Madsen 286
Hollaender, Friedrich 302
Honecker, Erich 345, 347
Hopkins, Gerard Manley 474
Hopper, Dennis 366
Horaz 30
Horkheimer, Max 31, 432
Horner, William 71
Hoskins, Bob *380*
Hu, King 352
Hudson, Hugh 391
Hudson, William 152
Hugenberg, Alfred 293, 302
Hughes, Howard 241, 249
Hughes, John 217, *283*, 384
Hugo, Victor 294
Huillet, Danièle 356
Hunte, Otto 294
Hurd, Gale Ann 378
Huston, John 307, 313, 314
Huxley, Aldous 453, 490, 493
Hyman, Eliot 249

Imhoff, Markus 364
Ince, Thomas 268
Ionesco, Eugène 53
Iosselliani, Otar 345
Irons, Jeremy 392
Irwin, May *276*, *277*, 283, 442
Ives, Charles 220
Izenour, Stephen 59

Jacoby, Georg 322
Jaglom, Henry 366
Jannings, Emil 286, 292, 300
Jancsó, Miklós 129, 344
Jarmusch, Jim 386, 394
Jennings, Humphrey 298
Jessner, Leopold *293*
Jobs, Steven 501
Jocelyn, André *172*
Jones, Inigo 58
Jordan, Glenn *445*
Jordan, Michael 389
Joyce, James 47, 288, 433
Junge, Winfried 346
Jutra, Claude 352
Jutzi, Phil 295

Kael, Pauline 439
Käutner, Helmut 304, 322, 323
Kahane, Peter 348
Kaige, Chen 394
Kaplan, Nelly 355
Karina, Anna *80*, *186*, *430*
Karlson, Phil 313
Kasdan, Lawrence 217
Katzenberg, Jeffrey 241
Kaufman, Philip 375
Kaurismäki, Aki 394
Kaurismäki, Mika 394
Kay, Alan 512
Kazan, Elia *267*, 268, 316
Keaton, Buster 44, 290, 445
Keaton, Diane *200*
Keats, John 42–45
Kelly, Gene 316
Kelly, Grace *214*
Kennedy, John F. 379, *523*
Kerkorian, Kirk 250
Kershner, Irvin 352
Kertesz, Mihael siehe Curtiz, Michael
Kettelhut, Erich 294
Keusch, Erwin 362
King, Allan 352
King, Henry 314
Klein, Gerhard 321, 346
Kleine, George 238
Kluge, Alexander 357, 358, 360, 394
Knauer, Mathias 364
Knef, Hildegard 322
König, Friedrich 447
Koepp, Volker 346
Koerfer, Thomas 364
Kohlhaase, Wolfgang 321, 347, 393
Koppel, Walter 323
Kopple, Barbara 375–376
Korda, Alexander 301
Korngold, Erich Wolfgang 217, 302
Kortner, Fritz 286, 293, 323
Korty, John 375
Kotcheff, Ted 352
Krafft, Uwe Jens 293
Kratisch, Ingo 358
Kracauer, Siegfried 216, 411, 413–415, 417, 423, 425
Krauss, Werner 286
Krim, Arthur 251
Krug, Manfred 346
Kubrick, Stanley *25*, 54, 80, *82*, *85*, *95*, 127, 136, *138*, 208, *210*, 221, 315, 336–337
Kühn, Regine 319
Kühn, Siegfried 347
Kulešov, Lev 296, 417
Kurosawa, Akira 317, 318, 351

Lacan, Jacques 434, 438, 440
Ladd, Alan 252
Laemmle, Carl 238–239
Lafont, Bernadette *355*
Lake, Veronica *307*
Lamprecht, Gerhard 319, 294, 320
Landau, Saul 375
Landis, John 381
Lang, Fritz 244–245, 287, 293–294, 300, 301, 313, 358
Langdon, Harry 290
Larsen, Viggo 285–286
Lasky, Jesse 239
Lavalon, Jean-Marie 97
Leacock, Richard 334
Leander, Zarah 303
Léaud, Jean-Pierre 329, *355*
Lee, Brandon 379
Lee, Bruce 379
Lee, Spike 268, 379, 382, 387, 389–390
Léger, Fernand 54, *55*
Lehman, Ernest 327
Leigh, Mike 391
Leigh, Vivien *267*
Leisen, Mitchell 307
Lelouche, Claude 356
Lem, Stanisław 345
Leni, Paul 244, 287, 293

Lenin, Wladimir Iljitsch 523
Leone, Sergio 314
Le Prince, Louis Augustin 235
LeRoy, Mervin 246, *247*
Lester, Richard 44, 216, 220, 337, *337*, *508*
Leto, Marco 342
Levertov, Denise 33–34
Lévi-Strauss, Claude 433
Levinson, Barry 383, 385
Lewis, Jerry 354
Li, Gong 395
Liebeneiner, Wolfgang 303, 322
Liebling, A. J. 535
Liedtke, Harry 286
Lilienthal, Peter 358, 394
Lind, Alfred 285
Lindblom, Gunnel *116*
Linder, Max 284
Lindsay, Vachel 405–408, 410
Lindström, Jörgen *116*
Liotta, Ray 78
Littìn, Miguel 349
Lloyd, Harold 290, 291
Loach, Ken 338
Loew, Marcus 239
Lombard, Carole 269
Longarini, Renée *202*
Loriot 392
Lorre, Peter 301, 323
Losey, Joseph 336
Lotz, Karl-Heinz 348
Low, Rob 273
Loy, Myrna 269
Lubitsch, Ernst 104, 244–245, 286, 292
Lucas, George 217, 368–370, 371, 375, 381, 383, 402
Lüdcke, Marianne 358
Lumet, Sidney 117, 269, 333
Lumière, Auguste und Louis 37, 88, 176, 235–237, 261, 282–283, *284*, 409, 524
Lyssy, Rolf 364

McCarey, Leo 270, 307
McConnell, Frank 440
McCrae, Joel *307*
Macdonald, Dwight 439
MacDowell, Andie *386*
McDowell, Malcolm *95*
MacGregor, Jeff *504*
Mack, Max 286
MacLaine, Shirley 273
McLean, Don 266
McLuhan, Marshall 422, 480
McTiernan, John 383
Madonna *273*, *380*
Madsen, Harald 296
Maetzig, Kurt 320, 321, 345
Magnani, Anna 312
Magritte, René 517
Makavejev, Dušan 345
Malamud, Bernard 385
Malcolm X 389–390
Malick, Terence 115, 315
Mallarmé, Stephane 433
Malle, Louis 328, 331, 355
Mamoulian, Rouben 316
Mancuso, Frank 250
Mander, Jerry 488–489, 491
Mann, Anthony 314
Mann, Heinrich 321
Mann, Michael 314
Mann, Thomas 295, 347
Marconi, Guglielmo 453, 459, 461
Marey, Etienne Jules *68*, 71
Markopoulos, Gregory 333
Mark Twain (Samuel Clemens) 262
Marshall, Garry 384
Marshall, Penny 384, 385
Martin, Paul 304
Marvin, David 253
Marx Brothers *191*, 308–309
Masina, Giulietta *202*, *325*
Masolle, Joseph 124
Masseron, Alain 97
Mastroianni, Marcello *202*, 263, *325*, 326
Mature, Victor *108*
Maxwell, James Clerk 459
May, Joe 286, 287, 293, 300, 301
May, Karl 322
May, Mia 293
Mayer, Carl 294
Mayer, Louis B. 239
Mayo, Archie 33
Maysles, Albert und David 334
Mazursky, Paul *128*, 373, 375, 382, 388
Medavoy, Mike 251–252
Medjuck, Joe 512
Mekas, Jonas und Adolfas *333*
Méliès, Georges 41, 176, 237–238, 261, 282–283, *285*, 409, 520, 524
Melville, Jean-Pierre *199*
Melvin, Murray *82*
Menzel, Jiři 344
Mergenthaler, Ottomar 448
Meril, Macha *191*
Messter, Oskar 88, 237, 242
Mészáros, Márta 344
Metz, Christian 158, 160, 162, 164, 165, 220–225, 403, 428, 433–438
Meurisse, Paul *182*
Meyerhold, Vsevolod 296, 333
Michelangelo 218
Milestone, Lewis 307
Milius, John 368
Milkin, Michael 256
Miller, David 314
Miller, George 392
Minnelli, Vincente *198*, 316
Minow, Newton 479
Mitrani, Michel 355
Mitta, Aleksandr 345
Mizoguchi, Kenji 317
Moissi, Alexander 286
Molinaro, Edouardo 356
Mollo, Andrew 336
Mommartz, Lutz 361
Monet, Claude 39
Monicelli, Mario 342
Monk, Thelonius 62
Monroe, Marilyn 269, 273
Montaldo, Giuliano 342
Montand, Yves 263, 321
Montgomery, Robert *46*, 47, 211
Moore, Demi 273
Moore, Gordon 503
Moraz, Patricia 364
More, Kenneth *484*
Moreau, Jeanne 263
Morin, Edgar 334
Morris, William 256
Morse, Samuel Finley Breese 73, 457, 461
Mosjukin, Ivan 242, 417
Moussinac, Louis 408
Müller, Heiner 345
Müller, Robby 360
Mueller-Stahl, Armin 392
Münsterberg, Hugo 406–408, 410, 411
Muni, Paul *247*
Murdoch, Rupert 253–254
Murer, Fredi M. 364
Murnau, Friedrich Wilhelm 208, *209*, 244–245, 286, 292, 294, 360, 424
Murphy, Eddy 381
Murray, Bill 381
Musil, Robert 357
Muybridge, Eadweard *68*, 71
Myers, Mike 381

Nabokov, Vladimir 47, 359
Nancarrow, Conlon 54
Nebenzahl, Seymour 300, 301
Necker, L. A. *154*
Neeson, Liam *371*
Negri, Pola 286
Neill, Sam *370*
Nekes, Werner 361
Nestler, Peter 362
Neumann, Kurt 315
Newman, Paul *272*, 313
Newson, Bernie 118
Nichetti, Maurizio 394
Nicholson, Jack 366, 378
Nickel, Gitta 346
Nielsen, Asta 285, 287
Nièpce, Joseph 70
Nietzsche, Friedrich Wilhelm 433
Nipkow, Paul 463
Nixon, Richard 375
Noyce, Phillip 353–354, 511
Nyby, Christian 315

O'Brien, Margaret *198*
Olivier, Laurence 63
Olmi, Ermanno 342, *342*
Olsen, Ole 242, 285
O'Neill, Ed *492*
Ophüls, Max 208, *209*, 301, 323, 354–355
Ortega y Gasset, José 453
Orwell, George 490, 534–535
Osborne, John 52, 335
Oshima, Nagisa 351
Oswald, Lee Harvey *523*
Oswald, Richard 286–287, *287*, 293, 301
Oswalda, Ossi 286
Ottinger, Ulrike 362
Otto 392
Ovitz, Michael 253, 256
Owen, Don 352
Ozu, Yasujiro *204*, 205, *317*, 318

Pabst, Georg Wilhelm 295, 300
Pagano, Bartolomeo 287
Pagnol, Marcel 299
Pakula, Alan J. 375
Pal, George 315
Paley, William S. 467
Pallot, James 385
Panfilov, Gleb 345
Papas, Irene *183*
Paradshanov, Sergej 345
Parain, Brice 428, *430*, 474
Paretti, Giancarlo 250, 394
Parker, Alan 339, 377

Parks, Gordon, Sr. 365
Pasolini, Pier Paolo 341, 439
Passer, Ivan 344
Pater, Walter 18, 23
Pathé, Charles 237–238, 242, 250, 284
Paul, Les 57, 477
Paul, Robert W. 237
Paxton, Bill *397*
Pearlstein, Philip *44*
Peckinpah, Sam 314
Peebles, Mario van 365, 388
Peebles, Melvin van 365, 388
Peirce, C. S. 165
Penn, Arthur 314, 333, 366
Penn, Shawn 273
Pennebaker, Donn 334
Perkins, Anthony *182*, 184
Perry, Frank und Eleanor 366
Peters, Jon 253
Petersen, Wolfgang 377, 362, 392
Petri, Elio 342
Pfeiffer, Michelle *367*
Philipe, Gérard 321
Pialat, Maurice 355
Picasso, Pablo 41, 288, 329
Pick, Lupu 294
Pickford, Mary *240*, 241, 262, *270*, 290
Pinter, Harold 52, 336
Pintoff, Ernest 400
Pirandello, Luigi 50, 481
Pisier, Marie-France *183*
Pitts, Zasu 291
Plautus 44
Plenzdorf, Ulrich 319, 347
Pleskow, Eric 251
Plumb, Eve *388*
Polański, Roman 306, 344
Pollack, Sydney 375
Pommer, Erich 294, 300, 301, 302, 318, 322
Pontecorvo, Gillo 342
Porta, Giovanni Battista della 69
Porten, Henny 286
Porter, Edwin S. 41, 283–284, 288
Porter, Eric *484*
Porter, Nyree Dawn *484*
Postman, Neil 453, 490–491
Potamkin, Harry A. 439
Praunheim, Rosa von 361
Preminger, Otto 316
Pressburger, Arnold 323
Pressburger, Emmerich 301
Prévert, Jacques 299
Prokofjew, Sergej 54
Pryor, Richard 381
Pudovkin, Vsevolod I. 221, 295, 297, 416–419, 424, 429
Puttnam, David 390

Radner, Gilda 381
Rafelson, Bob 366
Raphael, Frederic 336
Rathaus, Karol 302
Ray, Man 292
Ray, Nicholas *266*, 313, 316, 360
Ray, Satyajit 318
Redford, Robert *272*, 378
Redgrave, Vanessa *340*
Redstone, Sumner 254
Reed, Carol 313
Reichert, Julia 375–376
Reiner, Rob 384
Reinhardt, Max 286
Reinl, Harald 322
Reisz, Karel 216, 335
Reitman, Ivan 352, 381, 383
Reitz, Edgar *393*
Rejlander, Oscar G. 40, *40*
Renoir, Auguste 39, 63
Renoir, Jean *189*, *202*, 261, *298*, 298–299
Resnais, Alain 327, 328, 331, *332*
Reynaud, Émile 71
Rice, John 276, *277*, 283, 442
Rice, Ron 333
Rich, Claude *332*
Rich, Matty 268, 389
Richardson, Tony 334, 336
Richter, Hans 54
Riefenstahl, Leni 296, 303, 305, 392, 394
Rimbaud, Jean Arthur 433
Risi, Nelo 342
Ritchie, Michael 373, 375
Ritt, Martin 270, 333
Ritter, Karl 303
Rivette, Jacques 327, 328, 331, 425
Roach, Hal 290
Robbe-Grillet, Alain 46, 47, 52, 331
Robbins, Tim *372*
Robinson, Bruce 391
Robinson, Henry Peach 40, *40*
Robison, Arthur 294
Rocha, Glauber 349
Rochemont, Louis de 279
Roeg, Nicolas 338
Röhrig, Walter 294
Rökk, Marika 303, 322
Rogers, Ginger *308*
Roget, Peter Mark 89
Rohmer, Eric 327, 328, 330–331, 377, 425
Rolling Stones 334, 478
Rose, George *445*
Rosi, Francesco *183*, 280, 341, 342, 343
Ross, Herbert *182*
Ross, Steven 249–250
Rossellini, Roberto 201, 261, 279, 311–312, *312*, 413, 414
Rossen, Robert 313
Rothapfel, Roxy 245
Rothschild, Amalie 375–376
Rouch, Jean 334
Ruby, Jack *523*
Rücker, Günter 345, 347
Rühmann, Heinz 300
Ruiz, Raoul 349
Russell, Ken 338
Ruttmann, Walter 54, 296
Ryder, Winona 392

Sagan, Carl *134*
Saint-Saëns, Camille 285
Salter, Hans J. 302
Sandberg, Dan 118
Sander, Helke 362
Sander, Otto 361
Sanders-Brahms, Helma 362, 394
Sanjines, Jorge 350
Santos, Nelson Pereira dos 349
Sarandon, Susan *272*, 273, *274*
Sarnoff, David 478
Sarris, Andrew 439
Saussure, Ferdinand de 61, 433
Savalas, Telly 481
Sayles, John 385, 386
Schaffner, Franklin 333
Schenstrøm, Carl 296
Schepisi, Fred 353–354
Scheumann, Gerhard 346
Schiller, Willy 319
Schilling, Niklaus 362
Schlesinger, John 336, 385
Schleyer, Hanns-Martin 358
Schlöndorff, Volker 357–358, *357*, 394
Schmid, Daniel 364
Schneeberger, Hans 296
Schneider, Alan 445, *445*
Schneider, Helge 392
Schneider, Romy *117*
Schnitzler, Arthur 286
Schoedsack, Ernest B. 106, 119
Schönberg, Arnold 356
Schrader, Paul 375
Schroeder, Barbet 377
Schroeter, Werner 361, 364
Schübel, Rolf 362
Schüfftan, Erich 301
Schünzel, Reinhold 287, 293, 303
Schütz, Helga 319
Schwarz, Hanns 30
Schwarzenegger, Arnold *29*, 378–379, 381
Scorsese, Martin 78, 113, 269, 316, 366–367, *367*, 375, 382, 402
Scott, George C. *337*
Scott, Ridley 339, 377
Scott, Tony 377
Scott, Walter 47, 520
Seale, Bobby *431*
Seberg, Jean 329, *330*
Seeber, Guido 286
Segal, George *185*
Seidelman, Susan 386
Seiler, Alexander J. 364
Sellers, Peter 318, 337
Selwyn, Edward 239
Selznick, David O. 241, 246
Sembène, Ousmane 350, *351*
Šengelaja, Georgij 345
Sennett, Mack 288–289, 290, *290*
Šepikto, Larisa 345
Serreau, Coline 392
Servaes, Dagny 286
Shaffer, Deborah 376
Shakespeare, William 32, 49, 373, 514, 537
Shaw, George Bernard 288, 520
Shaye, Bob 252
Shebib, Donald 352
Shelton, Ron 385
Shepard, Sam 360
Shew, William *38*
Shivji, Shiraz 500
Shockley, William 463
Sholes, C. L. 448
Shriver, Maria 379
Siegel, Don *50*, 313, 315
Sierck, Detlef siehe Sirk, Douglas
Signoret, Simone *209*, 321
Sillitoe, Allan 335, 336
Simon, John 439
Simon, Michel *189*
Simon, Rainer 347, *348*
Singleton, John 268, 388, 389
Sinkel, Bernhard 362
Siodmak, Kurt 295, 302
Siodmak, Robert 295, 301, 302, 323
Sirk, Douglas 303, 316, 358
Sjöman, Vilgot 344

Sjöström, Victor 244, 296, *324*
Skladanowsky, Emil und Max 237
Skolimowski, Jerzy 344
Smith, Neville *338*
Snow, Michael 208–211, *212*, 352
Soderbergh, Steven 386, *386*
Solanas, Fernando 350, 440
Solas, Humberto 350
Sondheim, Stephen 184, 316, 379, *380*
Soto, Helvio 349
Soutter, Michel 364
Spielberg, Steven 78, 113, 254, 369–372, *370*, *371*, 375, 379, 381, 383
Stalin, Josef Wissarionowič 416
Stallone, Sylvester 379
Stanwyck, Barbara 269
Staudte, Wolfgang 304, 319, 320, 321
Steenbeck, W. 129, *130*
Steiner, Max 217
Steinhoff, Hans 302
Sternberg, Joseph von 245, 300, 304, 307
Steven, George 314
Stewart, James *214*
Stiller, Mauritz 244, 296
Stone, Oliver 387, *387*
Stone, Sharon 273, *274*
Stoppard, Tom 52, 359
Storaro, Vittorio *380*
Storey, David 336
Straub, Jean-Marie 356, 364
Strauß, Franz Josef 358
Streep, Meryl 270, 273, 392
Streisand, Barbra 273, *274*
Strindberg, August 49, 288
Stroheim, Erich von 245, 261, *291*, 291–292, 424
Stürm, Hans und Nina 364
Sturges, John 314
Sturges, Preston 307, *307*, 520
Šukšin, Vasilij M. 345
Swayze, Patrick 273
Syberberg, Hans-Jürgen 361, 394
Sydow, Max von *169*, *174*, *175*, 263, 326, 343, *343*
Szakall, Szöke 301

Tacchella, Jean-Charles *183*, 356
Talbot, William Henry Fox 39, 70
Tally, Thomas L. 237
Tanner, Alain 363, *363*, 535
Tarkovski, Andrej 344–345
Tati, Jacques 323
Tavernier, Bertrand 356
Taviani, Paolo und Vittorio 342
Temple, Julian 391
Teshigahara, Hiroshi 351
Thiele, Rolf 323
Thiele, Wilhelm 300
Thomas, Dylan 517
Thomas, Pascal 356
Thulin, Ingrid *116*
Toland, Gregg *85*
Tolstoj, Lew 45
Tornatore, Giuseppe 390, 394
Totter, Audrey *46*
Tourneur, Jacques 33, 313
Towne, Robert 305
Townsend, Robert 387, 388
Tracy, Spencer *186*
Tramiel, Jack 500
Trebitsch, Gyula 323
Trenker, Luis 296
Troell, Jan 343, *343*, 344
Trotta, Margarethe von 357–358, *357*, 362, 394
Truffaut, François 227, 323, 327, 328–329, *328*, 330, 354, 356, 373, 425, 426–427, *441*, 498, 521
Turner, Joseph 39
Turner, Kathleen *369*
Turner, Ted 250, 252, 295, *480*
Turner, Tina 273, *274*
Turpin, Gerry 140

Ucicky, 300, 303, 322
Ulbricht, Walter 345
Ullmann, Liv *43*, *95*, *166–168*, *202*, 263, 343, *343*
Ulmer, Edgar 245
Uys, Jamie 395

Valentino, Rudolph 244, 262, *266*
Vanderbeek, Stan 333
Varda, Agnès 332
Veidt, Conrad 286, 287, *293*, 301
Venturi, Robert 59
Verhoeven, Paul 377
Vertov, Dziga 297, *297*, 414
Vesely, Herbert 323
Vidor, King 261, 268, 292
Vigo, Jean 299, 414
Vinci, Leonardo da 66, 68
Visconti, Luchino *117*, 279, 311–312, 341
Vitti, Monica *172*, *188*, *203*
Vogel, Frank 346
Vogt, Hans 124
Vollbrecht, Karl 294
Volonte, Gian Maria *183*

Waalkes, Otto siehe Otto
Wachsmann, Franz siehe Waxman, Franz
Wagner, Fritz Arno *294*
Wallace, Edgar 322
Waller, Fred 107
Walsh, Raoul 313
Ward, David S. 385
Warhol, Andy *34*, 333
Warneke, Lothar 346, 347
Warner Brothers 239, *244*, 247, *247*, 249–250
Warshow, Robert 439
Washington, Denzel 389–390, *389*
Watkin, Peter 336
Waxman, Franz 302
Wayans, Keenen Ivory 388, *388*
Wayne, John *50*, 264, *315*
Weaver, Sigourney 377
Webb, Jack 314
Wegener, Paul 286
Weidenmann, Alfred 323
Weill, Claudia 375
Weill, Kurt 302
Weir, Peter 353–354
Weiss, Peter 184
Weiß, Ulrich 348
Welles, Orson *85*, *193*, *195*, *196*, *210*, 224, *309*, 310, 313, 337
Wellman, William 307
Wenders, Wim 360–361, 394
Werner, Tom *489*
Wertmüller, Lina 341
West, Mae 268, 308
Wexler, Haskell 265, 375
Wharton, Edith *367*
Whitney, James und John 333, 499
Widerberg, Bo 343
Wiene, Robert 294, *295*
Wilcox, Fred 315
Wildenhahn, Klaus 361
Wilder, Billy 295, 302, 358
Wilder, Gene 381
Wilder, Thornton 304
Wilfred, Thomas 59
Wilhelm, Carl 286
Williams III, Clarence *388*
Williams, Cynda *397*
Williams, John 217
Williams, Raymond 16, 486, 535–536
Williams, Robin 381, 384
Wilson, Robin 373
Winkelmann, Adolf 361
Winkler, Angela *357*
Winn, Mary 453, 488, 491
Winter, Robert *508*
Winzentsen, Franz und Ursula 361
Wise, Robert 315
Wiseman, Frederick 334, *335*
Wittgenstein, Ludwig 433
Wohlbrück, Adolf (Anton Walbrook) *209*
Wolf, Christa 321, 345
Wolf, Dick 314
Wolf, Konrad 321, 347
Wollen, Peter 165, 439
Woo, John 394
Wood, Michael 433
Wood, Sam *191*
Wortmann, Sönke 393
Wozniak, Stephen 501
Wyborny, Klaus 361

Yanne, Jean *200*
Yarbus, Alfred L. *157*
Yates, Peter 338
Yersin, Yves 364
Yimou, Zhang 395
Young, Freddie 117

Zanussi, Krzysztof 344
Zapf, Herrmann 517
Zappa, Frank 128, 145
Zavattini, Cesare 311–312, 414
Zecca, Ferdinand 284
Zelda, Ann *338*
Zeller, Wolfgang 320
Zemeckis, Robert 380, 381, 383
Ziewer, Christian 358
Zille, Heinrich 295
Zinnemann, Fred 295, 314
Zschoche, Herrmann 346
Zukor, Adolph 239
Zweig, Arnold 321
Zworykin, Vladimir K. 463